ATLAS
GEOGRÁFICO
DE AMÉRICA Y UNIVERSAL

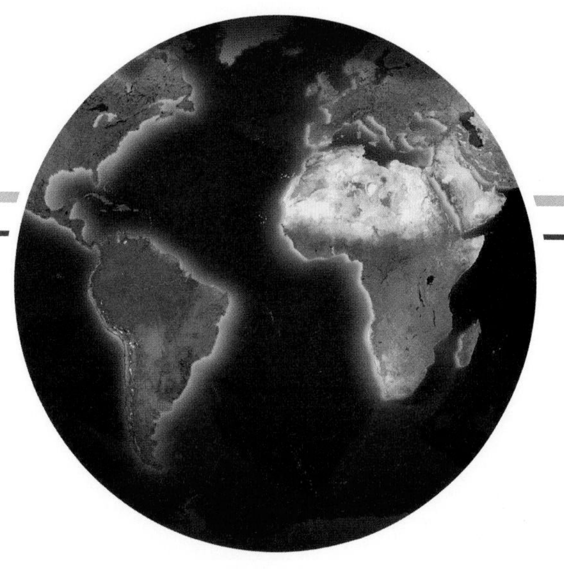

ATLAS

GEOGRÁFICO
DE AMÉRICA Y UNIVERSAL

Edición Especial para:
Bookspan
15 E 26th Street, 4 th floor
New York, NY 10010
U.S.A.

Impreso en U.S.A. - Printed in U.S.A.
ISBN: 0-7394-6410-8

Presentación

La publicación del presente ATLAS GEOGRÁFICO DE AMÉRICA Y UNIVERSAL constituye una respuesta efectiva a la necesidad que la sociedad tiene de actualizar la información de que dispone sobre un mundo que se globaliza e interconecta aceleradamente. Realizado por especialistas, con rigor, esmero y con el propósito de brindar al lector una fácil comprensión de lo que constituye el ámbito natural de la geografía física y humana, este Atlas ha sido concebido para un público muy amplio, tanto para el estudiante como para cualquier persona interesada en conocer su territorio próximo y más allá.

Este Atlas ha sido planteado para ser consultado de manera rápida y ágil gracias a la sencilla organización de los temas que lo componen. Se trata de una obra equilibrada y eficientemente estructurada que instruirá a los interesados en la adquisición de conocimientos de base y dará respuesta precisa a cualquier inquietud que se plantee desde la perspectiva múltiple de la geografía. Al estar constituido por textos y mapas que orientan geográficamente al lector, el Atlas ofrece al usuario información de calidad para penetrar en el conocimiento de la geografía universal, ya que reúne en un solo cuerpo los elementos más sobresalientes sobre el territorio, la ocupación y el uso general del suelo.

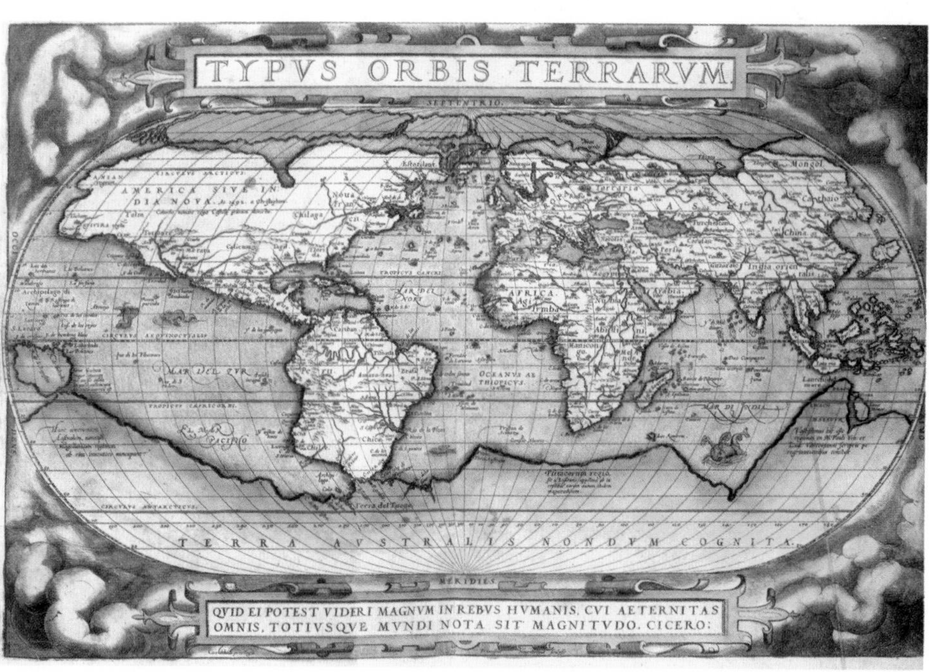

En la elaboración del Atlas hay que destacar la rica información territorial y temática, que tiene como eje las dimensiones propias de la geografía moderna, mostradas en las dimensiones de análisis continental, regional y nacional, donde resaltan como aspectos comunes la ubicación, las características fisiográficas y los elementos generales del relieve. Finalmente, esta rica información se completa con el análisis detallado de los recursos económicos de todos los países del mundo, con claros indicadores sociales y demográficos.

En síntesis, el Atlas facilita el manejo simultáneo e integral de las variables esenciales relacionadas con el conocimiento y el entendimiento de la geografía universal, incluida una visión global de los temas económicos y sociales mediante un preciso desarrollo y despliegue a nivel gráfico, que permite al lector desarrollar una idea clara del mundo actual y de las diversas expresiones que lo definen.

LOS EDITORES

Índice cartográfico de países y dependencias

Sumario

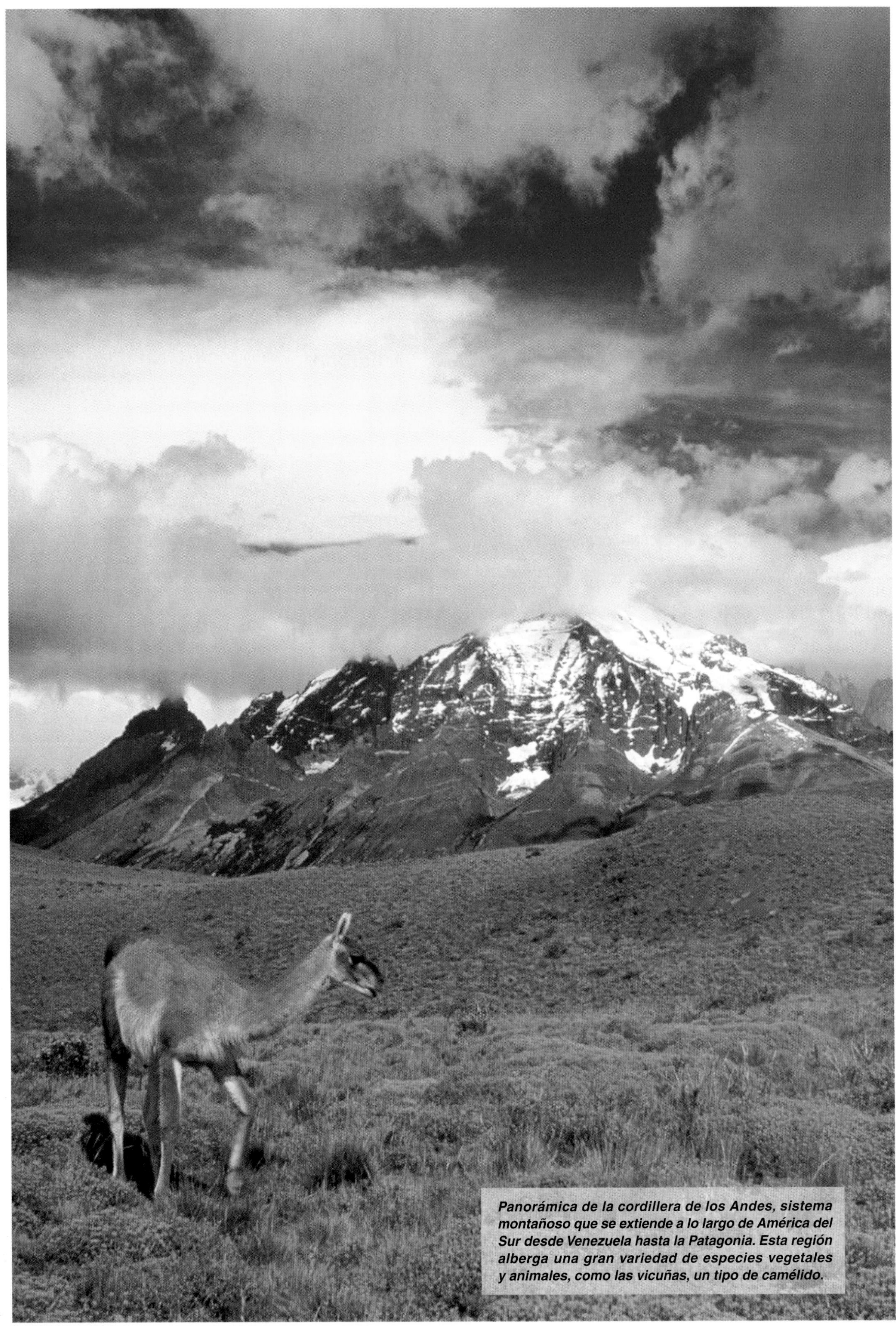

Panorámica de la cordillera de los Andes, sistema montañoso que se extiende a lo largo de América del Sur desde Venezuela hasta la Patagonia. Esta región alberga una gran variedad de especies vegetales y animales, como las vicuñas, un tipo de camélido.

La Tierra

La Tierra es uno de los nueve planetas que integran el sistema solar, y su órbita es la tercera más cercana al Sol, después de las de Mercurio y Venus. La esfera terrestre se halla a una distancia media de 149,5 millones de km respecto del Sol, estrella en torno a la cual gira describiendo una eclíptica –círculo máximo– en 365 días y 6 horas (traslación). Al mismo tiempo que se traslada alrededor del Sol, la Tierra gira sobre sí misma –es decir, sobre el eje terrestre que atraviesa la Tierra de polo a polo– y tarda 23 horas y 56 minutos en completar una vuelta (rotación). La consecuencia del movimiento de rotación es la sucesión de los días y las noches.

En su movimiento de traslación, la Tierra está acompañada de la Luna, su único satélite, situado a una distancia media de 384000 km.

La forma de la Tierra es esférica, aunque presenta un ligero achatamiento en los polos, por lo que el diámetro ecuatorial (12757 km) es algo superior al diámetro polar (12714 km). La circunvalación de la Tierra supone recorrer más de 40000 km. La inclinación del eje terrestre (23° 27'), con respecto al plano de la eclíptica y el movimiento de traslación de la Tierra alrededor del Sol provocan una variación en la inclinación de los rayos solares según las latitudes y las diferentes épocas del año, dando lugar a la sucesión de estaciones, que se hallan separadas por los equinoccios (21 de marzo y 23 de septiembre) y los solsticios (21 de junio y 21 de diciembre). Ese ritmo estacional, cuya denominación queda definida a partir de la situación en el hemisferio norte o boreal, se da completamente a la inversa en el hemisferio sur o austral.

Estructura interna de la Tierra

La Tierra, cuya masa total se calcula en 5,976 x 10^{27} g, está compuesta por materiales muy densos y pesados en el núcleo, que se van haciendo más livianos a medida que se asciende hacia la superficie. Convencionalmente, se distinguen tres grandes zonas concéntricas: el núcleo, que se halla en estado incandescente, formado por una mezcla de níquel y hierro; el manto, compuesto de silicatos y óxidos de magnesio, que también se mantienen en estado ígneo, pero a temperaturas más bajas que el núcleo; y por último, la corteza terrestre, la capa exterior de la Tierra, también llamada litosfera, constituida por rocas solidificadas, como consecuencia del enfriamiento del planeta de afuera hacia adentro.

La estructura interna de la Tierra se divide en tres capas concéntricas: el núcleo, la más interna, el manto y la corteza terrestre.

La corteza está compuesta de silicatos y óxidos de aluminio, y puede ser de dos tipos: oceánica o continental. La corteza está fragmentada en grandes bloques que flotan a modo de icebergs sobre la masa semilíquida del manto superior, que también recibe el nombre de astenosfera; estos bloques son las placas tectónicas o placas litosféricas. Las placas se desplazan a velocidades imperceptibles a través de líneas de fractura (isostasia). Estos movimientos de bloques, causados por las corrientes convectivas del material del manto, provocan erupciones volcánicas y movimientos sísmicos en sus bordes. Su desplazamiento durante millones de años ha configurado la actual distribución de mares y tierras emergidas.

Estructura externa de la Tierra

En la corteza terrestre es donde tienen lugar todos los procesos endógenos que han originado el relieve terrestre (montañas, valles, llanuras, mesetas, cuencas marinas, etc.). Las estructuras geológicas de los continentes están formadas por la unión de macizos muy antiguos de rocas muy rígidas (escudos canadiense y báltico, africano, etc.); plegamientos de edad intermedia correspondiente a los cordo-

Vista desde el espacio exterior, la Tierra aparece como una esfera azulada que se desplaza lentamente conforme a las leyes de la astrofísica. En la imagen, la Tierra vista desde la Luna.

nes montañosos hercinianos (montes Apalaches, Macizo Esquitoso renano, etc.), y las grandes cordilleras terciarias, caracterizadas por su juventud, por su elevada altitud y por su inestabilidad, que se manifiesta en la importante actividad sísmica y volcánica (Andes, Alpes, Himalaya, Pirineos). Sobre todos ellos actúan los agentes externos modeladores del relieve, dando lugar a los paisajes que se conocen. Los procesos con los que estos agentes –los principales son el agua y el viento– intervienen en la transformación de las formas de relieve se pueden clasificar en fenómenos de: meteorización, erosión, transporte y sedimentación.

Continentes y mares

La superficie total de la Tierra se divide en continentes y aguas oceánicas y continentales (lagos y ríos). Una de las características fundamentales de su distribución es su desigualdad superficial. Así, si la superficie total de la Tierra es de 510 millones de km^2, sólo 148,6 millones –cerca de una tercera parte del total (29 %)– corresponden a la superficie de los continentes: África, América, Asia, Europa, Oceanía y las tierras antárticas. Tampoco es de ningún modo regular la distribución de las formas de relieve sobre las superficies terrestre y marina. Así, las mayores altitudes y profundidades no se encuentran situadas en el centro de los continentes, sino que suelen localizarse más bien cerca de sus márgenes, coincidiendo con límites de placas tectónicas; constituye un ejemplo suficientemente ilustrativo de este hecho la ubicación de los Andes, en América del Sur. De igual manera, en los océanos también las zonas más profundas se presentan en una posición marginal, constituyendo fosas muy alargadas y próximas a las masas continentales. Así, en el norte y en el oeste del Pacífico se hallan las fosas más profundas del mundo que en muchos casos superan los 10 000 m, como en los arcos insulares de las islas Aleutianas, las Kuriles, el archipiélago del Japón o las islas Marianas. Por otra parte, las cordilleras oceánicas, conocidas como dorsales oceánicas, se sitúan en los límites constructivos de placas tectónicas; como ejemplo de ello, la dorsal Medioatlántica, que atraviesa a lo largo el sector central del Atlántico, coincidiendo con los límites de las placas americanas y las placas Africana y Eurasiática.

Las dorsales oceánicas

Más de las dos terceras partes de la superficie terrestre forman parte de la hidrosfera, constituida por las masas oceánicas, mares, cursos de aguas y grandes lagos. El océano Pacífico es el más extenso de todos los mares (179,6 millones de km^2), con una profundidad media de 4049 m y una máxima de 11022 m (fosa Challenger, en las islas Marianas).

La Tierra en cifras

Edad: 4 600 millones de años
Volumen: 1 083 319 780 000 km^3
Masa: 5,976 x 10^{27} g
Densidad media: 5,52 g x cm^3
Superficie total: 510 066 000 km^2
Tierras emergidas: 148 647 000 km^2 (29 %)
Océanos y aguas continentales: 361 419 000 km^2 (71 %)
Altitud media de la superficie terrestre: 850 m
Profundidad media de los océanos: 3 808 m
Diámetro en los polos: 12 714 km
Diámetro en el Ecuador: 12 757 km
Circunferencia en el Ecuador: 40 076 km
Distancia media Tierra-Sol: 149 509 000 km
Distancia media Tierra-Luna: 384 365 km
Período rotación: 23 h, 56' 4''
Período traslación: 365 días, 6 h, 9', 9,5''

El paisaje del fondo oceánico es tan rico y variado como el de la superficie terrestre; sin embargo, es un territorio parcialmente inexplorado. Comprende cordilleras, montañas escarpadas, volcanes, cañones y fosas. Las elevaciones topográficas de mayor longitud de la Tierra se encuentran precisamente en los fondos oceánicos: son las denominadas dorsales oceánicas y constituyen una de las líneas estructurales básicas de la corteza terrestre, pues es donde se produce la mayor actividad volcánica del planeta. Las grandes dorsales oceánicas se forman cuando dos placas tectónicas se separan. Entonces, la roca fundida procedente del manto superior se eleva y rellena los huecos, formando nuevas cadenas montañosas. En las dorsales oceánicas se producen los fenómenos de expansión de la litosfera y se forma la corteza oceánica.

La atmósfera

La esfera terrestre está envuelta en una capa gaseosa, constituida principalmente de nitrógeno y oxígeno, que se denomina atmósfera. Ésta se halla sometida a un conjunto de movimientos que se conoce como circulación general atmosférica, y que dependen de dos factores principales: la diferente distribución de la energía solar sobre la superficie terrestre y el movimiento de rotación de la Tierra. La diferente insolación que recibe el planeta entre sus latitudes más bajas –cercanas al Ecuador– y las más altas –próximas a los polos– establece la existencia de franjas con aires más cálidos o más fríos y, por tanto, más ligeros o más pesados. Estas diferencias de presión en la atmósfera constituyen en esencia la explicación de la existencia de los vientos, y su distribución determina el sentido general de la circulación de éstos. Las grandes áreas de presiones y vientos están sometidas a desplazamientos o migraciones estacionales en función de los diferentes grados de calentamiento del aire, y este factor determina en buena medida la distribución de los climas en el planeta y su variabili-

El agua es uno de los principales agentes externos que, junto con el viento, modela el relieve terrestre. En el litoral puede originar costas altas; en la imagen, acantilados de Moher (Irlanda).

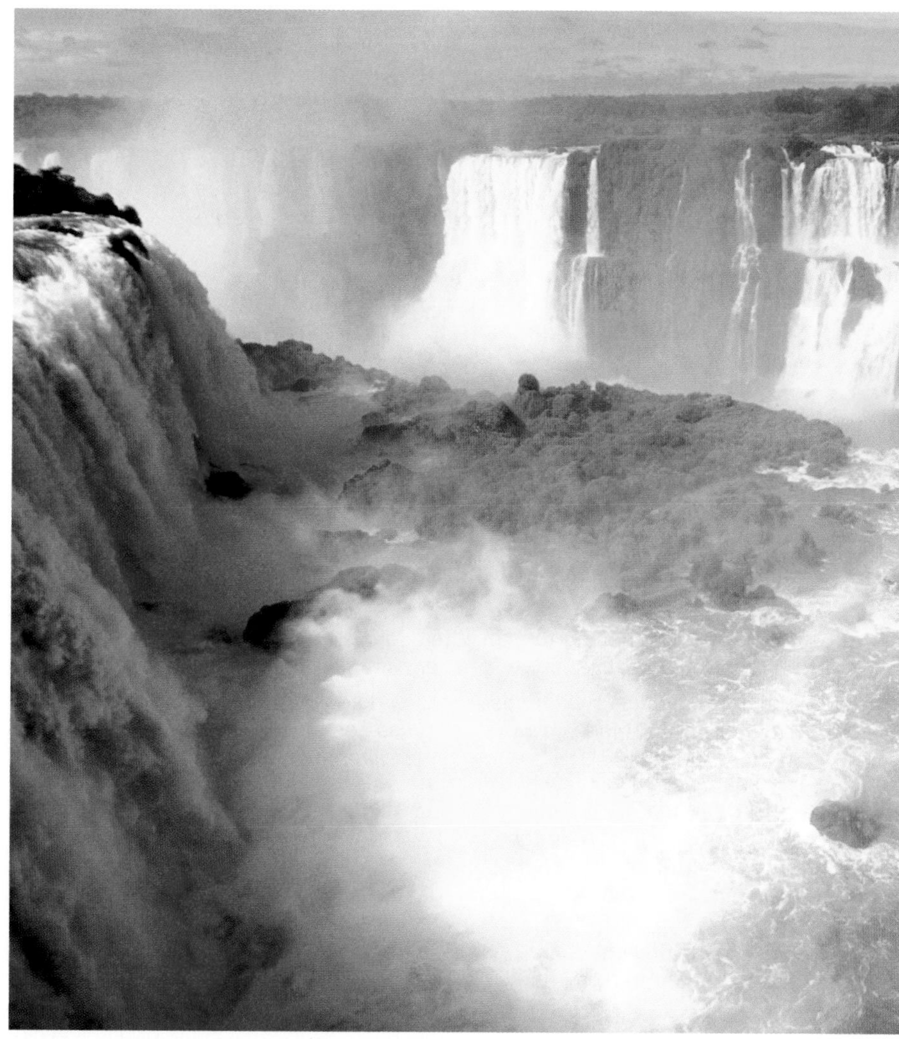

La mayor parte de la superficie terrestre está compuesta por agua. Las aguas continentales comprenden los ríos y masas de aguas situadas en el interior de los continentes y suelen contener agua dulce. En la foto, las cataratas de Iguazú, en la frontera de Argentina y Brasil.

Teoría de la deriva continental

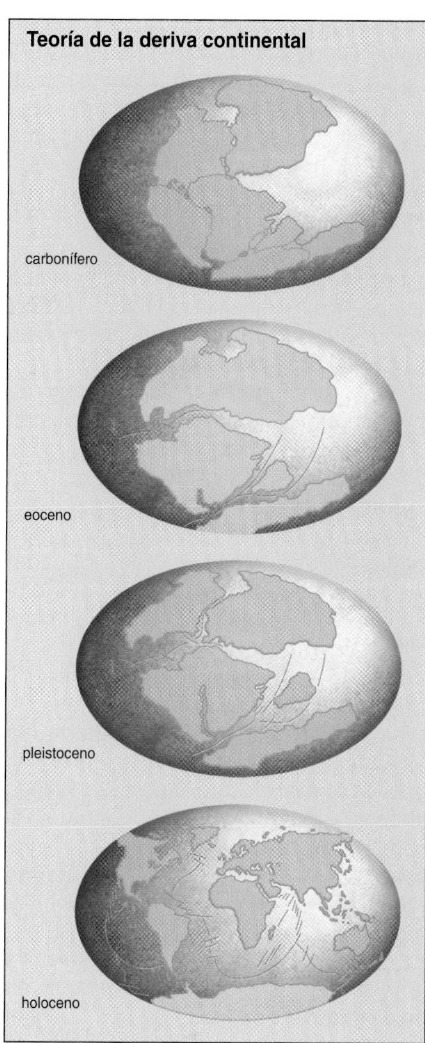

La distribución actual de las masas continentales se explica a partir del movimiento de las placas tectónicas.

dad. De acuerdo con esto, en nuestro planeta se pueden distinguir tres grandes tipos de climas: los climas cálidos (en latitudes bajas), los templados (en latitudes medias) y los polares (en latitudes altas).

Los climas

La distribución de los climas es el resultado de una compleja interrelación entre varios factores –latitud, relieve y proximidad al mar– que condicionan el grado e intensidad de los elementos climáticos básicos: la temperatura (expresión de la radiación solar), los vientos (según la circulación general atmosférica predominante en cada zona) y las precipitaciones (el grado de humedad atmosférica). Así se observa que las áreas que se hallan sobre el Ecuador, cerca del nivel del mar, gozan de un clima muy cálido y húmedo; pero a la misma latitud, sobre los Andes ecuatorianos o sobre el monte Kilimanjaro, en África, las nieves se mantienen todo el año. El mar es un moderador de las temperaturas; sin embargo, su cercanía puede suavizar las temperaturas, como la acción de la corriente cálida del Golfo para las costas noruegas, o enfriarlas, como en el caso de la corriente fría del Labrador para las costas norteamericanas. Las altas cordilleras son verdaderas barreras climáticas al impedir el paso de los vientos húmedos, como en el caso de la cordillera andina o del Himalaya. La escasez de precipitaciones origina los climas desérticos, situados generalmente a la latitud de los trópicos. La vegetación está estrechamente ligada a las regiones climáticas, aunque la acción del hombre ha modificado su desarrollo natural y ha alterado la distribución de las especies vegetales en la superficie de la Tierra.

Los continentes en cifras

Superficie
Europa: 10,2 millones de km²
(7 % de las tierras emergidas)
Asia: 44,5 millones de km²
(30 % de las tierras emergidas)
África: 29,3 millones de km²
(20 % de las tierras emergidas)
América: 42 millones de km²
(28 % de las tierras emergidas)
Oceanía: 8,5 millones de km²
(6 % de las tierras emergidas)
Tierras antárticas: 14,1 millones de km²
(9 % de las tierras emergidas)

Los océanos

Superficie
Océano Pacífico: 179 650 000 km²
Océano Atlántico: 92 040 000 km²
Océano Índico: 74 900 000 km²
Océano Glacial Ártico: 14 060 000 km²

La deriva continental

La teoría de la deriva de los continentes, enunciada en 1912 por Alfred L. Wegener, nace de una observación de carácter visual: la complementariedad entre la costa oriental de América del Sur y el litoral occidental de África. Efectivamente, las dos partes podrían acercarse hasta ensamblarse como si se tratara de un todo dividido en dos partes por una línea irregular. Según esta teoría, totalmente aceptada, la masa actual de tierras emergidas habría constituido durante el carbonífero –hace 300 o 250 millones de años– un único gran continente: Pangea.

Hace unos 120 millones de años, Pangea habría comenzado a desmembrarse. Primero se dividió en dos continentes: Laurasia, al norte, y Gondwana, al sur. A mediados del período paleógeno –hace unos cincuenta millones de años– y al comienzos del cuaternario –hace cerca de un millón de años–, los continentes se habrían movido: unos hacia el este, otros hacia el Ecuador o incluso en ambas direcciones al mismo tiempo. África y América del Sur se habrían alejado una de otra, creando entre ellos un "vacío": el océano Atlántico.

Al mismo tiempo, la India se separó de la masa antártica y se desplazó hacia el nordeste, hasta "chocar" contra la masa terrestre continental de Asia, comprimiendo y "arrugando" los materiales sedimentarios de los dos rebordes emergidos. Por ese mecanismo se originaron los "plegamientos tectónicos" que dieron lugar a las altísimas cimas de la cordillera del Himalaya.

Las dos Américas, ambas a la deriva hacia el oeste, habrían formado en las costas occidentales las cordilleras de las Montañas Rocosas, en América del Norte, y de los Andes, en América del Sur. Ambos sistemas montañosos configuran un recorrido que se extiende desde la península de Alaska, al norte, hasta las tierras antárticas, al sur. El mismo origen habrían tenido las cordilleras de las islas de Nueva Zelanda y de Nueva Guinea, en la parte anterior del subcontinente australiano en movimiento. Los Alpes, los Pirineos y el Atlas pueden considerarse como una prolongación del Himalaya.

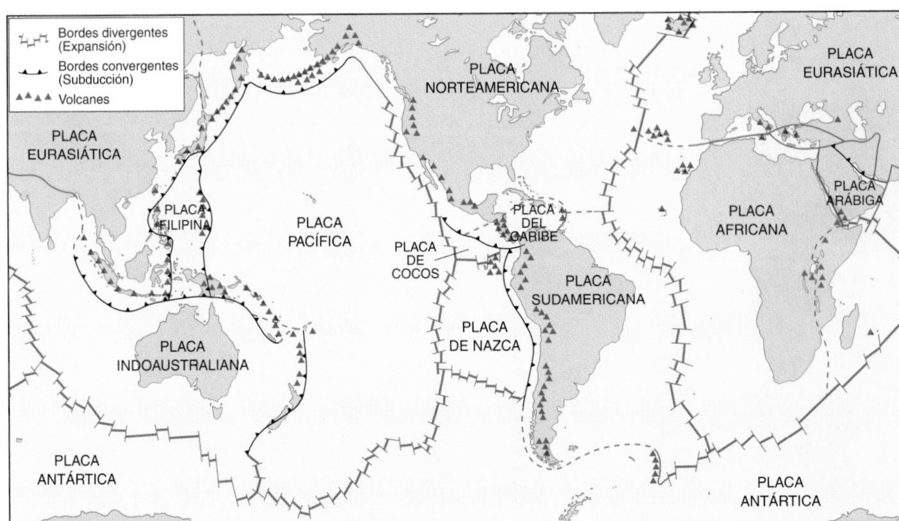

La corteza terrestre está fragmentada en 15 placas tectónicas –en el mapa, las principales–, cuyos límites coinciden con los bordes de creación y destrucción de corteza oceánica.

La teoría del científico alemán fue, en un primer momento, desestimada por la mayor parte de la comunidad científica. Los avances tecnológicos posteriores permitieron, cincuenta años más tarde de su formulación, constatar la magnífica intuición de Wegener, muerto en 1930 durante una expedición en Groenlandia; la teoría de Wegener se convirtió en la base de la teoría de la tectónica de placas. Todas las comprobaciones reafirmaron las ideas acerca de una expansión continental, y a ellas se fueron añadiendo otras nuevas rápidamente.

Si se tiene en cuenta que más de las dos terceras partes de la superficie total de la Tierra se hallan cubiertas por las aguas marinas, el estudio de los océanos y de sus fondos resulta un elemento fundamental para la comprensión más exacta de la historia de la Tierra.

Tectónica de placas

La brillante argumentación de Wegener fue recogida medio siglo más tarde en la formulación de la tectónica de placas. De la teoría de Wegener, que sólo consideraba los continentes, se pasó a una teoría más global e integradora de océanos y continentes, formulada por diversos geólogos y físicos anglosajones. Según este en-

La mayor parte de la actividad volcánica y sísmica de la Tierra se localiza en los límites de las placas tectónicas. El límite occidental de la placa Pacífica se conoce como Cinturón de Fuego por la presencia de volcanes activos, como el Ruapehu (2 797 m), en Nueva Zelanda.

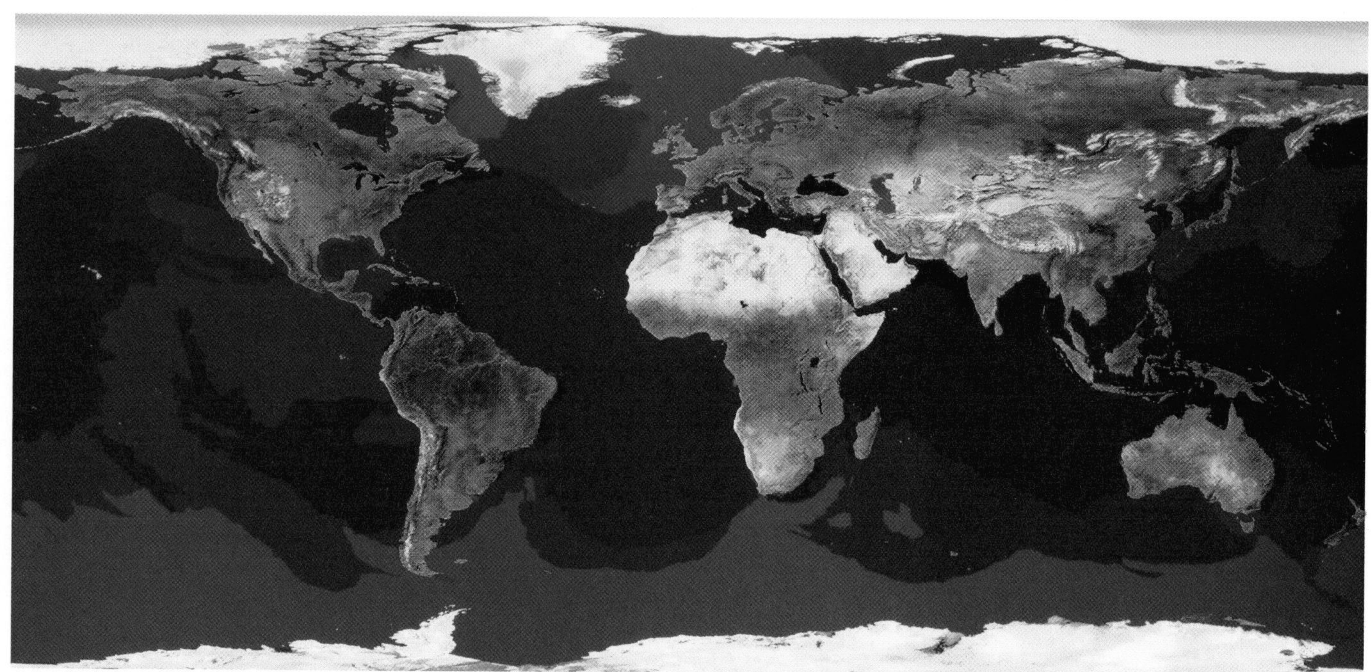

Las masas continentales de la Tierra ocupan una superficie algo inferior a una tercera parte del total de la superficie terrestre. Asia y América son los dos continentes más grandes y comprenden más de la mitad de las tierras emergidas.

foque, la litosfera no es continua, sino que se halla dividida en un mosaico de placas rígidas, que no son estáticas, y se desplazan horizontalmente sobre los materiales plásticos de la astenosfera, siendo estos movimientos relativos de unas placas respecto de otras.

Se pueden distinguir ocho grandes placas: la placa Eurasiática, que comprende la mayor parte de los continentes europeo y asiático, así como el sector oriental del Atlántico Norte; la placa Norteamericana, que integra la mitad occidental del Atlántico Norte y todo el subcontinente norteamericano; la placa Sudamericana, que comprende el otro gran subcontinente americano, además de la mitad occidental del Atlántico Sur; la placa Pacífica, que comprende casi todo el océano homónimo; la placa Africana, que integra el continente africano, la mitad oriental del Atlántico Sur y buena parte del océano Índico; la placa Indostánica, que comprende el subcontinente indio y la mayor parte del Índico; la placa Australiana, que comprende el resto del océano Índico y el subcontinente australiano –algunos autores unifican estas dos últimas en la placa Indoaustraliana–; y finalmente, la placa Antártica, que integra el continente blanco y el océano Austral o Antártico.

A nivel regional se distinguen otras placas de menores dimensiones, entre las cuales se pueden citar las placas de Nazca y Filipina, en el océano Pacífico. Las zonas de contacto entre las distintas placas suelen ser regiones afectadas por un vulcanismo intenso y frecuentes movimientos sísmicos, como consecuencia de los procesos de expansión, subducción o deslizamiento.

Las coordenadas geográficas

La posición exacta de un punto de la superficie terrestre viene dada por su latitud y su longitud. La latitud es la distancia angular que media entre cualquier punto de la superficie terrestre y el Ecuador; se mide en grados entre los 0° y los 90°, tanto hacia el norte como hacia el sur de aquel paralelo de referencia, que divide el planeta en dos hemisferios iguales: boreal y austral. Todos los puntos que se hallan a la misma latitud se hallan en el mismo paralelo. El radio de los paralelos es progresivamente menor desde el Ecuador a cada uno de los polos, que forman un punto sin dimensión. La latitud influye en la insolación a causa de la distinta inclinación con que inciden los rayos solares. La longitud de un punto es el ángulo que forma el plano del meridiano de este punto con el plano de un meridiano que se toma como origen. El meridiano de origen para poder medir cualquier longitud es el de Greenwich, cuyo nombre y localización provienen de un observatorio astronómico al este de Londres (Reino Unido). La longitud se mide en grados entre 0° y 180°, tanto hacia el este como hacia el oeste del meridiano de referencia. En cada meridiano, la hora es diferente; para intentar una regularización de este hecho se han establecido 24 husos horarios, zonas de 15° de longitud en las que se generaliza la hora solar del meridiano intermedio.

La red de paralelos y meridianos fue creada como sistema de referencia para facilitar la orientación y la ubicación de todos los elementos situados sobre la superficie terrestre.

OCÉANO GLACIAL ÁRTICO
Groenlandia
Mar de Beaufort
Mar de Chukchi
Alaska
Cord. Brooks
Mt. McKinley 6194
Cord. de Alaska
Mts. Mackenzie
Mt. Pierre Elliot Trudeau 6050
G. de Alaska
Mar de Bering
Is. Aleutianas
Fosa de las Aleutianas
MONTAÑAS ROCOSAS
AMÉRICA DEL NORTE
Bahía de Hudson
B. de Baffin
Pen. del Labrador
Grandes Llanuras
Apalaches
Mt. Rainier 4392
Mt. Whitney 4418
Mt. Elbert 4399
Cuenca del Pacífico Noroccidental
Fractura de Mendocino
OCÉANO PACÍFICO
Fractura de Molokai
Is. Hawai
Dorsal de las Hawai
Sierra Madre Occidental
G. de México
Cuba
Grandes Antillas
Pequeñas Antillas
Mar de las Antillas
P. de Orizaba (Citlaltépetl) 5700
Fractura de Clipperton
Cuenca del Pacífico Central
Fosa Centroamericana
Islandia
Is. Británicas
OCÉANO ATLÁNTICO
Cuenca del Labrador
Cuenca de Terranova
Cuenca de Europa Occidental
Dorsal del Atlántico Norte
Is. Azores
Is. Bermudas
Cuenca Norteamericana
Fosa de Nares
Is. Canarias
Is. Cabo Verde
Macizo de las Guayanas
Amazonia
AMÉRICA DEL SUR
CORD. DE LOS ANDES
Chimborazo 6310
Huascarán 6746
Aconcagua 6959
Ojos del Salado 6879
Arch. de Colón (Islas Galápagos)
Cuenca del Perú
Dorsal del Pacífico Oriental
Meseta del Mato Grosso
Meseta del Brasil
Cuenca Brasileña
Cuenca Argentina
Pampas
Patagonia
Is. Malvinas (Arg.)
Tierra de Fuego
Estr. de Magallanes
C. de Hornos
Pasaje de Drake
Mar del Scotia
Is. Georgias del Sur (Arg.)
Is. Sandwich del Sur (Arg.)
Is. Orcadas del Sur (Arg.)
Is. Shetland del Sur (Arg.)
Pen. Antártica
Mar de Weddell
Mar de Bellingshausen
Mar de Ross
Cuenca del Pacífico Suroriental
Cuenca del Pacífico Suroccidental
Dorsal del Pacífico Sur
Archipiélago Tuamotu
Is. Cook
Is. Tubuai
Pitcairn
I. de Pascua
Dorsal de Chile
Mar Chileno
Círculo Polar Antártico
Trópico de Capricornio
Trópico de Cáncer
Ecuador
Círculo Polar Ártico
ANTÁ

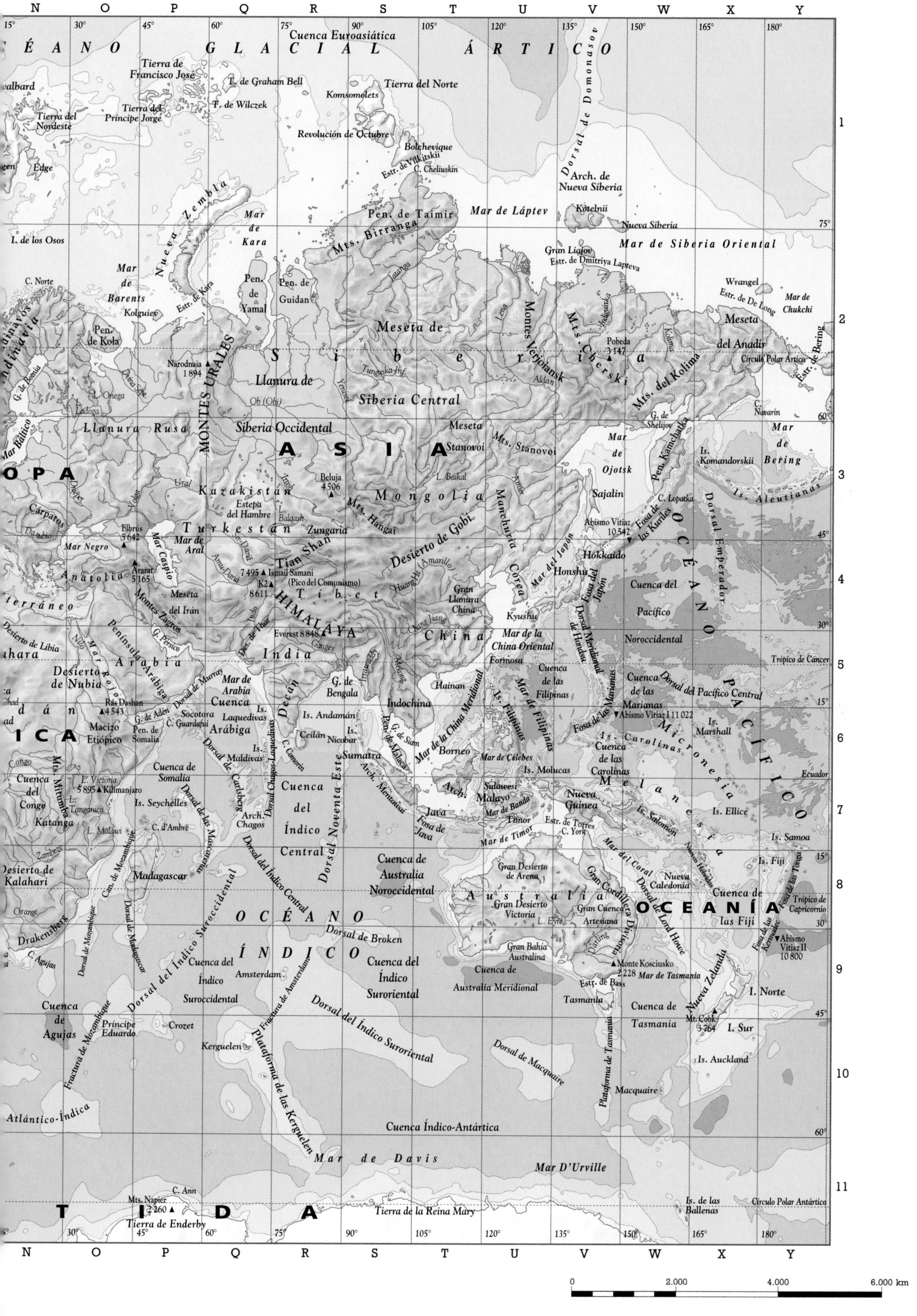
N O P Q R S T U V W X Y
OCÉANO GLACIAL ÁRTICO
Cuenca Euroasiática
Tierra de Francisco José
Svalbard
Tierra del Nordeste
Tierra del Príncipe Jorge
I. de Graham Bell
I. de Wilczek
Komsomolets
Tierra del Norte
Revolución de Octubre
Bolchevique
Estr. de Vilkitskii
C. Cheliuskin
Dorsal de Domonasov
Arch. de Nueva Siberia
Kotelnii
Nueva Siberia
Edge
Nueva Zembla
Mar de Kara
Pen. de Taimir
Mar de Láptev
Mts. Birranga
I. de los Osos
Mar de Barents
C. Norte
Kolguiev
Estr. de Kara
Pen. de Yamal
Pen. de Guidan
Gran Liajov
Estr. de Dmitriya Lapteva
Mar de Siberia Oriental
Wrangel
Estr. de De Long
Mar de Chukchi
Meseta del Anadir
Círculo Polar Ártico
Estr. de Bering
Pen. de Kola
Meseta de
Siberia
Montes Verjoiansk
Mts. Cherski
Pobeda 3 147
Mts. del Kolima
Narodnaia 1 894
MONTES URALES
Llanura de Siberia Occidental
Siberia Central
L. Onega
L. Ladoga
G. de Botnia
Llanura Rusa
Ob (Obi)
Yenisei
Lena
Aldan
C. Navarin
Mar de Bering
G. de Shelijov
Pen. de Kamchatka
Mar de Ojotsk
Meseta Stanovoi
Mts. Stanovoi
Is. Komandorskii
Is. Aleutianas
ASIA
EUROPA
Mar Báltico
Kazakistán
Estepa del Hambre
Beluja 4 506
L. Baikal
Mongolia
Mts. Hangai
Sajalin
C. Lopatka
Dorsal Emperador
Cárpatos
Danubio
Turkestán
Zungaria
Tian Shan
Desierto de Gobi
Manchuria
Abismo Vitiaz 10 542
Fosa de las Kuriles
Hokkaido
Honshu
Elbrús 5 642
Mar Negro
Mar Caspio
Mar de Aral
Anatolia
Ararat 5 165
7 495 Ismail Samani (Pico del Comunismo)
K2 8 611
Tibet
Huang He (Amarillo)
Gran Llanura China
Corea
Mar del Japón
Fosa del Japón
Cuenca del Pacífico Noroccidental
OCÉANO PACÍFICO
Mediterráneo
Meseta del Irán
Montes Zagros
HIMALAYA
Everest 8 848
Chang Jiang
Kyushu
Mar de la China Oriental
Dorsal Meridional de Honshu
Desierto de Libia
Sahara
Nilo
Mar Rojo
Península Arábiga
G. Pérsico
Indo
India
Ganges
China
Formosa
Cuenca de las Filipinas
Fosa de las Marianas
Cuenca de las Marianas
Dorsal del Pacífico Central
Trópico de Cáncer
Desierto de Nubia
Arabia
Mar de Arabia
Cuenca Arábiga
Dorsal de Murray
Decán
G. de Bengala
Irrawaddy
Mekong
Hainan
Mar de Filipinas
Is. Filipinas
Abismo Vitiaz 1 11 022
Micronesia
Is. Marshall
Ras Dashan 4 543
Macizo Etiópico
G. de Adén
Socotora
C. Guardafui
Pen. de Somalia
Laquedivas
Is. Andamán
Indochina
Mar de la China Meridional
G. de Siam
Is. Carolinas
Cuenca de las Carolinas
ÁFRICA
Is. Maldivas
Ceilán
Nicobar
Pen. de Malaca
Borneo
Mar de Célebes
Is. Molucas
Ecuador
Congo
Cuenca del Congo
Mts. Mitumba
L. Victoria
5 895 Kilimanjaro
L. Tanganica
Katanga
Cuenca de Somalia
Is. Seychelles
Dorsal de Carlsberg
Dorsal Chagos-Laquedivas
C. Comorín
Sumatra
Arch. Mentawai
Cuenca del Índico Central
Dorsal Noventa Este
Sulawesi
Arch. Malayo
Mar de Banda
Java
Fosa de Java
Timor
Mar de Timor
Nueva Guinea
Estr. de Torres
C. York
Melanesia
Is. Salomón
Is. Ellice
Is. Samoa
L. Malawi
Arch. Chagos
C. d'Ambre
Dorsal de las Mascareñas
Zambeze
Desierto de Kalahari
Madagascar
Can. de Mozambique
Dorsal del Índico Central
Cuenca de Australia Noroccidental
Gran Desierto de Arena
Australia
Gran Desierto Victoria
L. Eyre
Gran Cuenca Artesiana
Gran Cordillera Divisoria
Mar del Coral
Nueva Caledonia
Dorsal de Lord Howe
Nuevas Hébridas
Is. Fiji
Fosa de las Tonga
Cuenca de las Fiji
OCEANÍA
Trópico de Capricornio
Orange
Drakensberg
Dorsal de Mozambique
Dorsal de Madagascar
Dorsal del Índico Suroccidental
OCÉANO ÍNDICO
Dorsal de Broken
Cuenca del Índico Suroriental
Gran Bahía Australiana
Cuenca de Australia Meridional
Darling
Monte Kosciusko 2 228
Mar de Tasmania
Estr. de Bass
Tasmania
Fosa de las Kermadec
Abismo Vitiaz II 10 800
C. Agujas
Cuenca del Índico Suroccidental
Amsterdam
Fractura de Amsterdam
Nueva Zelanda
I. Norte
Cuenca de Tasmania
Mt. Cook 3 764
I. Sur
Cuenca de Agujas
Fractura de Mozambique
Príncipe Eduardo
Crozet
Kerguelen
Dorsal del Índico Suroriental
Dorsal de Macquaire
Plataforma de Tasmania
Is. Auckland
Macquaire
Plataforma de las Kerguelen
Atlántico-Índica
Cuenca Índico-Antártica
Mar de Davis
Mar D'Urville
C. Ann
Mts. Napier 2 260
Tierra de Enderby
ANTÁRTIDA
Tierra de la Reina Mary
Is. de las Ballenas
Círculo Polar Antártico
0 2.000 4.000 6.000 km

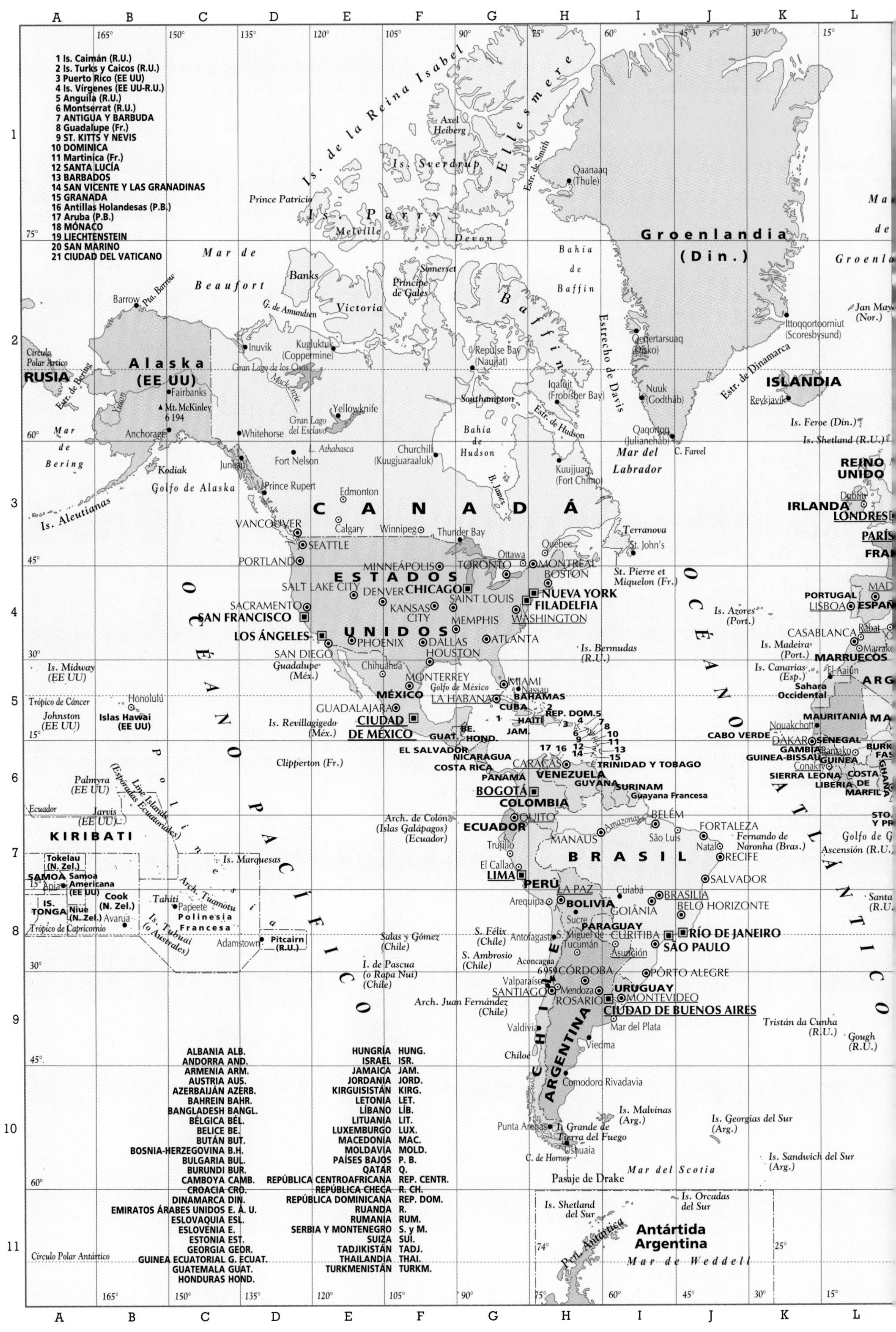

1 Is. Caimán (R.U.)
2 Is. Turks y Caicos (R.U.)
3 Puerto Rico (EE UU)
4 Is. Vírgenes (EE UU-R.U.)
5 Anguila (R.U.)
6 Montserrat (R.U.)
7 ANTIGUA Y BARBUDA
8 Guadalupe (Fr.)
9 ST. KITTS Y NEVIS
10 DOMINICA
11 Martinica (Fr.)
12 SANTA LUCÍA
13 BARBADOS
14 SAN VICENTE Y LAS GRANADINAS
15 GRANADA
16 Antillas Holandesas (P.B.)
17 Aruba (P.B.)
18 MÓNACO
19 LIECHTENSTEIN
20 SAN MARINO
21 CIUDAD DEL VATICANO
ALBANIA ALB.
ANDORRA AND.
ARMENIA ARM.
AUSTRIA AUS.
AZERBAIJÁN AZERB.
BAHREIN BAHR.
BANGLADESH BANGL.
BÉLGICA BÉL.
BELICE BE.
BUTÁN BUT.
BOSNIA-HERZEGOVINA B.H.
BULGARIA BUL.
BURUNDI BUR.
CAMBOYA CAMB.
CROACIA CRO.
DINAMARCA DIN.
EMIRATOS ÁRABES UNIDOS E. Á. U.
ESLOVAQUIA ESL.
ESLOVENIA E.
ESTONIA EST.
GEORGIA GEOR.
GUINEA ECUATORIAL G. ECUAT.
GUATEMALA GUAT.
HONDURAS HOND.
HUNGRÍA HUNG.
ISRAEL ISR.
JAMAICA JAM.
JORDANIA JORD.
KIRGUISISTÁN KIRG.
LETONIA LET.
LÍBANO LÍB.
LITUANIA LIT.
LUXEMBURGO LUX.
MACEDONIA MAC.
MOLDAVIA MOLD.
PAÍSES BAJOS P. B.
QATAR Q.
REPÚBLICA CENTROAFRICANA REP. CENTR.
REPÚBLICA CHECA R. CH.
REPÚBLICA DOMINICANA REP. DOM.
RUANDA R.
RUMANIA RUM.
SERBIA Y MONTENEGRO S. y M.
SUIZA SUI.
TADJIKISTÁN TADJ.
TAILANDIA THAI.
TURKMENISTÁN TURKM.
A B C D E F G H I J K L
Groenlandia (Din.)
Alaska (EE UU)
RUSIA
CANADÁ
ESTADOS UNIDOS
MÉXICO
CIUDAD DE MÉXICO
OCÉANO PACÍFICO
OCÉANO ATLÁNTICO
BRASIL
ARGENTINA
CHILE
PERÚ
COLOMBIA
VENEZUELA
ECUADOR
BOLIVIA
PARAGUAY
URUGUAY
GUYANA
SURINAM
Guayana Francesa
ISLANDIA
REINO UNIDO
IRLANDA
PORTUGAL
MARRUECOS
MAURITANIA
SENEGAL
CABO VERDE
KIRIBATI
Polinesia Francesa
Antártida Argentina
Mar de Weddell
Mar de Beaufort
Bahía de Baffin
Bahía de Hudson
Mar del Labrador
Golfo de Alaska
Mar de Bering
Golfo de México
Mar del Scotia
Pasaje de Drake
Círculo Polar Ártico
Trópico de Cáncer
Trópico de Capricornio
Círculo Polar Antártico
Ecuador

OCÉANO GLACIAL ÁRTICO
RUSIA
KAZAKISTÁN
MONGOLIA
CHINA
INDIA
JAPÓN
INDONESIA
AUSTRALIA
OCÉANO PACÍFICO
OCÉANO ÍNDICO
NUEVA ZELANDA
0
2.000
4.000
6.000 km

Con más de 7 millones de km², la Amazonia comprende la mayor cuenca fluvial del planeta. Considerada como el "pulmón de la Tierra", la selva amazónica se extiende por las Guayanas, Venezuela, Colombia, Ecuador, Perú, Bolivia y Brasil. Parque Nacional Noel Kempff Mercado (Bolivia).

América

América es el continente más largo en latitud –con cerca de 20 000 km entre sus extremos norte y sur–, y su superficie abarca unos 42 millones de km², lo que representa aproximadamente el 28 % de las tierras emergidas. Las tierras americanas se extienden desde las islas del Ártico canadiense (Tierra de Peary, Groenlandia, 83° 30' de latitud norte) hasta el cabo de Hornos (56° de latitud sur), y desde la costa oriental de Groenlandia, en el extremo este, hasta el arco insular de las Aleutianas, al oeste de Alaska.

Marco natural

América se halla separada de Asia, al noroeste, por el estrecho de Bering y, al sur, el cabo de Hornos se halla relativamente cerca de las islas antárticas. Sus costas están bañadas al norte por el océano Glacial Ártico, al este por el océano Atlántico, al sur por el océano Antártico y al oeste por el océano Pacífico. A pesar de los marcados contrastes entre América del Norte y América del Sur, estas dos grandes masas continentales que se enlazan a través del istmo centroamericano y el arco insular de las Antillas, presentan una relación de continuidad y constituyen una unidad geográfica en la medida en que se separan y aíslan de los bloques continentales eurasiático y africano.

Los rasgos estructurales de las dos Américas son similares; en general, los elementos del relieve se ordenan paralelamente a los meridianos. A lo largo de la costa del Pacífico, desde el estrecho de Bering hasta la Tierra del Fuego, se extiende sin interrupción una gigantesca cadena de montañas de plegamiento alpino (terciario). El sector oriental de las dos Américas se caracteriza, por su parte, por la presencia de terrenos arcaicos y paleozoicos, con viejas montañas cuyos pliegues han sido arrasados por la erosión y en muchos casos se han transformado en penillanuras. En el centro del continente, las Grandes Llanuras de Norteamérica son muy semejantes a los Llanos venezolanos, la gran cuenca del Amazonas y la Pampa argentina.

La porción norte del continente americano, con una altitud media en torno a 720 m, tiene forma de triángulo invertido, algo ensanchado hacia el norte y que se estrecha hacia el sur hasta terminar en la frontera de México con los países centroamericanos.

América en cifras

Superficie: 42 millones de km²
Límites: al N el cabo Morris Jesup, en la Tierra de Peary (83° 30' lat. N), al S el cabo de Hornos (56° lat. S), al E el cabo del Nordeste, en Groenlandia (12° 45' long. O), y al O las islas Aleutianas (173° 35' long. O)
Altitud media: 720 m (América del Norte y Central) y 590 m (América del Sur)
Punto más alto: Aconcagua (Argentina), 6 959 m
Punto más bajo: Valle de la Muerte (EE UU), –86 m
Cordillera más larga: Andes (7 500 km)
Península más extensa: península de Alaska (1 518 000 km²)
Golfo más extenso: golfo de México (1 544 000 km²)
Longitud de las costas: 104 200 km
País más grande: Canadá (9 984 670 km²)
País más poblado: Estados Unidos (281 411 906 hab.)

La estructura geológica del subcontinente norteamericano está formada por un basamento muy antiguo, que aflora en el Escudo Canadiense, alrededor de la bahía de Hudson, y se prolonga por debajo de la masa sedimentaria que cubre la llanura central norteamericana. En el flanco occidental del territorio se elevan los cordones montañosos terciarios, que se disponen de norte a sur en dos líneas principales de relieve. El cordón oriental se inicia en Alaska con los montes Brooks, adquiere su mayor dimensión en Canadá y Estados Unidos con las Montañas Rocosas, y continúa en México con la Sierra Madre Oriental; por su parte, el cordón occidental corre paralelo junto a la costa del Pacífico: empieza en las islas Aleutianas, se prolonga por los montes de Alaska, la cadena Costera de Canadá, las sierras Nevada y de las Cascadas en Estados Unidos, y finaliza en la península de California y la Sierra Madre Occidental, ya en territorio mexicano. Entre ambos encadenamientos montañosos se suceden una serie de mesetas como las de Columbia, Arizona y Colorado; en esta última, el río homónimo ha labrado el famoso Gran Cañón. Paralelos a la costa atlántica se elevan los montes Apalaches, de mediana altitud, que corresponden a un plegamiento de origen herciniano.

El sector meridional del subcontinente americano, que presenta una altitud media próxima a los 600 m, tiene también forma de un triángulo, cuya parte norte se halla en plena zona intertropical y su vértice sur se acerca al continente antártico, con el que se encuentra conectado a través de una guirnalda de islas. La estructura de

El cerro Aconcagua (6 959 m de alt.), que se eleva en los Andes argentinos, cerca de la frontera con Chile, es el techo del continente americano y de todo el hemisferio occidental.

Las Grandes Praderas ocupan un amplio sector del centro-oeste de Norteamérica.

esta porción de América presenta un ancho dorsal montañoso terciario, paralelo a la costa del Pacífico, que es continuación de los cordones centroamericanos y los arcos antillanos. Los Andes se extienden desde Venezuela hasta la isla de Tierra del Fuego, compartida por Argentina y Chile, y culminan en Argentina en el cerro Aconcagua (6 959 m), el techo continental. Las estructuras geológicas antiguas afloran a la superficie en el macizo de las Guayanas, en la meseta brasileña y en la Patagonia, prolongándose por debajo de las grandes llanuras sedimentarias (Llanos venezolanos, Amazonia y llanura chacopampeana), por las que discurren los grandes ríos sudamericanos. Entre ambas masas continentales se sitúa el istmo centroamericano que, junto con los conjuntos insulares de las Grandes y Pequeñas Antillas, completan el conjunto de las tierras americanas.

Ríos y lagos

El continente americano posee una amplia red hidrográfica y lacustre, que ha facilitado las comunicaciones, la extensión de los regadíos y la construcción de complejos hidroeléctricos. En el este de las Grandes Llanuras norteamericanas se abren amplias cuencas fluviales, entre las que destaca la del Missouri-Mississippi, uno de los sistemas fluviales más largos del mundo, que vierte sus aguas en el golfo de México, y la región de los Grandes Lagos (Superior, Michigan, Hurón, Erie y Ontario), compartidos –salvo el Michigan– por Canadá y Estados Unidos. En el extremo nordeste destaca el río San Lorenzo; en el borde noroccidental norteamericano el Mackenzie, tributario del océano Glacial Ártico, y en la fachada del Pacífico, el Yukón, el Columbia y el Colorado; el río Bravo (o Grande del Norte) traza una parte de la frontera entre Estados Unidos y México. Otros lagos importantes son el Gran Lago del Oso, del Esclavo y Winnipeg, los tres en las tierras canadienses.

En América del Sur, las principales cuencas hidrográficas son las del Amazonas –el río más caudaloso del mundo y el segundo en longitud del planeta, por detrás del Nilo–, el Orinoco y el Paraná-Río de la Plata, todas pertenecientes a la vertiente atlántica; y entre las cuencas lacustres cabe destacar el lago de Maracaibo, en el oeste de Venezuela, y el lago Titicaca, entre Bolivia y Perú.

Costas e islas

Las costas de América son las que alcanzan mayor longitud de todos los continentes, ya que superan los 100 000 km. En general, el litoral de América del Norte presenta un perfil recortado, con numerosos fiordos y, en algunos casos, acompañados por multitud de islas; éste es el caso de las costas árticas –con las enormes islas de Baffin, Ellesmere, Victoria, Banks, etc.– que han sido muy desgastadas por los hielos, o el litoral del Pacífico Norte (Aleutianas), resultado del hundimiento de las montañas costeras; otras grandes islas, situadas en latitudes inferiores, son las de Vancouver, al oeste, y Terranova y Cabo Bretón, al nordeste. El litoral norteamericano presenta tres grandes penetraciones marinas: en el sector central de la fachada norte, la bahía de Hudson, cuyas aguas permanecen heladas la mayor parte del año; al nordeste, el estuario del río San Lorenzo, en comunicación con el importante sistema de los Grandes Lagos; y al sudoeste y sur, el golfo de California y el golfo de México (delimitado por las penínsulas de Florida y Yucatán), respectivamente. La fachada oriental presenta una serie de estuarios que proporcionan las condiciones ideales para la instalación de puertos (Boston, Nueva York). También dentro del territorio norteamericano, aunque en una posición excéntrica, se incluye Groenlandia –la mayor isla del mundo–, que políticamente es una dependencia danesa.

Por su parte, las costas sudamericanas presentan una mayor homogeneidad y son, por lo general, rectilíneas, poco articuladas,

La distribución de los dominios climáticos, que en América del Norte y Central presentan gran variedad debido a su gran extensión latitudinal, condiciona los tipos de vegetación.

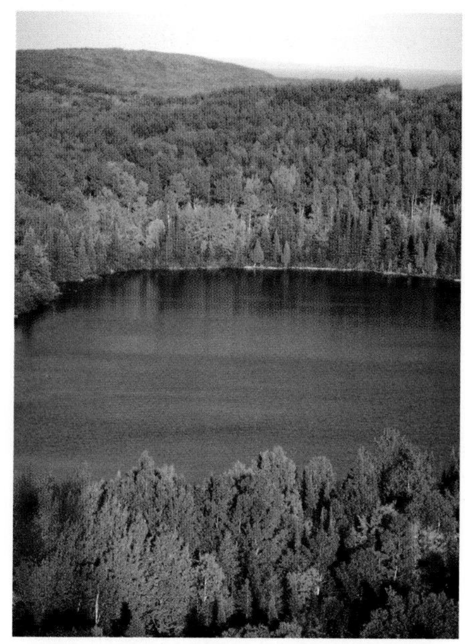

El lago Superior, entre Canadá y Estados Unidos, forma parte de los Grandes Lagos.

excepto en la costa meridional chilena, cuyo hundimiento provocó la inundación de los valles formando islas (Chiloé, archipiélago de los Chonos, Guayaneco, Reina Adelaida, etc.) y numerosos fiordos, penínsulas y golfos (Corcovado, de Penas). Los principales accidentes del litoral sudamericano son el golfo de Maracaibo y el delta del Orinoco, en los extremos oeste y este de Venezuela, respectivamente; el delta del Amazonas, en el norte de Brasil; el estuario del Río de la Plata, entre Uruguay y Argentina, y el golfo de Guayaquil, en Ecuador. Además de las islas ya citadas, cabe mencionar los grupos de las Grandes Antillas (Cuba, La Española, Jamaica y Puerto Rico) y Pequeñas Antillas (Antigua y Barbuda, Bahamas, San Vicente y las Granadinas, Trinidad y Tobago, entre otras), en el mar Caribe o de las Antillas, así como las islas Malvinas, Georgias del Sur y Sandwich del Sur, en el sector del Atlántico Sur.

Clima y vegetación

En contraste con la semejanza estructural del relieve, América ofrece todas las variedades de clima y vegetación, debido a su excepcional extensión latitudinal –con cerca de 20000 km desde la península de Alaska hasta la isla de Tierra del Fuego–, y a su escalonamiento en altitud. El norte de las tierras continentales se acerca al paralelo 19° del hemisferio norte; la mayor parte del subcontinente norteamericano queda al norte del Trópico de Cáncer y registra su mayor amplitud entre los paralelos 40° de latitud norte y el Círculo Polar Ártico, lo cual implica el predominio de los climas templados en el centro-este y fríos en la mitad norte. En las costas árticas y en las cumbres elevadas, el clima es seminival, al igual que en casi toda Groenlandia; es el dominio de las llamadas "tierras desnudas" (*barren grounds*) polares y de tundra (líquenes, abedules enanos). Casi todo el territorio canadiense y el centro-norte de Estados Unidos está cubierto por los bosques de la zona templada (taiga, bosque mixto) que alternan con áreas cultivadas. El centro-oeste, que corresponde a las Grandes Llanuras, es el área de las praderas y estepas, excelentes para la cría de ganado. Los climas más cálidos se sitúan en los litorales mexicanos y los más secos en las mesetas intermontanas del oeste (Utah, Arizona, Colorado). Los climas oceánico y mediterráneo no afectan más que a una estrecha franja costera del litoral del Pacífico (California). En las tierras bajas de México se dan formaciones tropicales.

En América del Sur, la extensión en latitud y la presencia del gran sistema montañoso andino condicionan la distribución climática. El subcontinente se estrecha conforme avanza en latitud y su extremidad meridional queda a 34° del Polo Sur; alcanza su máxima anchura entre el Ecuador y el Trópico de Capricornio, y dos tercios de su superficie están limitados por los trópicos, por lo que predominan los climas cálidos. Sobre el Ecuador, el clima es cálido, húmedo y uniforme durante todo el año; es donde predomina la selva amazónica. Al norte y al sur de la línea ecuatorial se acentúa una estación seca invernal que impone la sabana y el bosque tropical. En la Pampa argentina reina el clima templado, que favorece la existencia de praderas, mientras que en la Patagonia el frío seco solamente permite que crezca una estepa arbustiva de características xerófilas. La existencia de la mole andina actúa a modo de barrera climática, que convierte en desiertos la costa peruana, la puna boliviana (Altiplano) y el norte de Chile (Atacama), y genera paisajes inhóspitos y aun sobrecogedores (Valle de la Luna); impide que las influencias oceánicas penetren en el interior y provoca un escalonamiento en los pisos tropicales, en los cuales sobre una misma vertiente se pasa de la densa selva de las tierras cálidas al escalón templado roturado por el campesino y al nivel frío donde predomina la pradera de altitud. La altitud es la que explica las templadas temperaturas que se registran en ciertas latitudes tropicales, como por ejemplo en Ciudad de México o Bogotá.

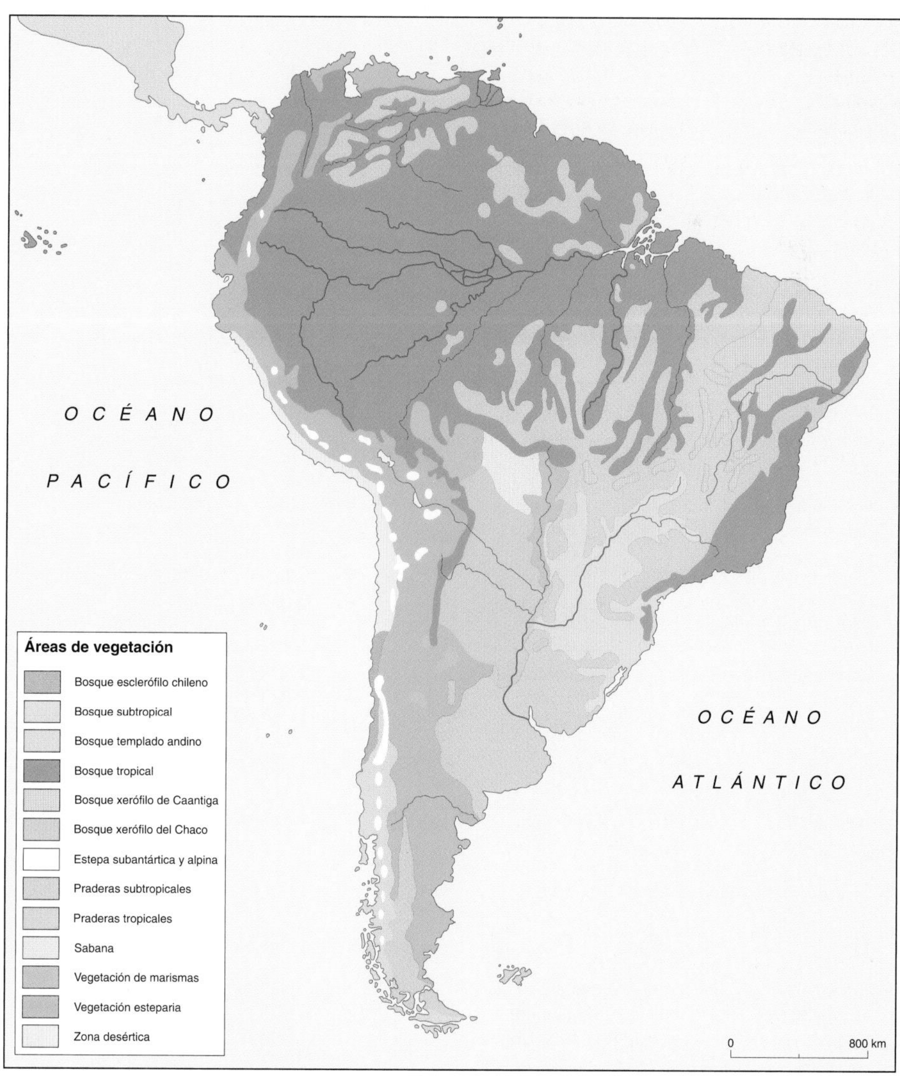

La vegetación en América del Sur se halla dominada por la presencia del bosque tropical de la cuenca del Amazonas, que ocupa gran parte del sector septentrional del subcontinente.

Principales elementos del relieve

La isla de Baffin es la más extensa de las que forman el archipiélago ártico canadiense.

El monte McKinley es el pico culminante del relieve estadounidense, en Alaska.

El río Negro pertenece al gran sistema del Amazonas, la mayor cuenca fluvial del mundo.

Islas

Isla	País	Superficie
Groenlandia	Dinamarca	2 175 600 km²
Baffin	Canadá	476 065 km²
Ellesmere	Canadá	212 687 km²
Victoria	Canadá	212 198 km²
Terranova	Canadá	112 300 km²
Cuba	Cuba	105 007 km²
La Española	Rep. Dominicana-Haití	76 200 km²
Banks	Canadá	60 165 km²
Devon	Canadá	54 030 km²
Melville	Canadá	42 396 km²

Montañas

Cima	País	Altitud
Aconcagua	Argentina	6 959 m
Ojos del Salado	Argentina-Chile	6 879 m
Mercedario	Argentina	6 769 m
Huascarán	Perú	6 746 m
Llullaillaco	Argentina-Chile	6 739 m
Yerupajá	Perú	6 617 m
Sajama	Bolivia	6 542 m
Illampu	Bolivia	6 421 m
Illimani	Bolivia	6 402 m
Ancohuma	Bolivia	6 380 m
Coropuna	Perú	6 377 m
Auzangate	Perú	6 372 m
Chimborazo	Ecuador	6 310 m
McKinley	Alaska (EE UU)	6 194 m
Pierre Elliot Trudeau	Canadá	6 050 m
Misti	Perú	5 821 m
Cristóbal Colón	Colombia	5 800 m
Cayambe	Ecuador	5 790 m
Nevado del Huila	Colombia	5 750 m
Pico de Orizaba	México	5 700 m
Pico Bolívar	Venezuela	5 007 m
Monte Whitney	EE UU	4 428 m
Tajumulco	Guatemala	4 220 m

Volcanes activos

Volcán	País	Altitud
Tupungato	Argentina-Chile	6 635 m
Antofalla	Argentina	6 409 m
Guallatiri	Argentina-Chile	6 063 m
Cotopaxi	Ecuador	5 897 m
Popocatépetl	México	5 452 m
Nevado del Ruiz	Colombia	5 400 m

Desiertos

Desierto	País	Superficie
Patagonia	Argentina	673 000 km²
Great Basin	EE UU	492 000 km²
Chihuahua	México	450 000 km²
Sonora	México	310 000 km²
Atacama	Chile	140 000 km²

Ríos

Río	Longitud	Cuenca
Amazonas-Ucayali	6 280 km	7 050 000 km²
Mississippi-Missouri	5 620 km	3 328 000 km²
Mackenzie	4 241 km	1 760 000 km²
Amazonas-Marañón	5 500 km	–
Río de la Plata-Paraná	4 700 km	3 140 000 km²
Mississippi	3 778 km	–
Madeira-Mamoré	3 200 km	1 160 000 km²
Purús	3 200 km	400 000 km²
San Lorenzo	3 058 km	1 550 000 km²
Río Grande	3 034 km	580 000 km²
Juruá	3 000 km	–
São Francisco	2 900 km	631 133 km²
Yukón	2 897 km	855 000 km²

Lagos

Lago	País	Superficie
Superior	Canadá-EE UU	84 131 km²
Hurón	Canadá-EE UU	61 797 km²
Michigan	EE UU	58 016 km²
Gran Lago del Oso	Canadá	31 792 km²
Gran Lago del Esclavo	Canadá	28 438 km²
Erie	Canadá-EE UU	25 612 km²
Winnipeg	Canadá	24 514 km²
Ontario	Canadá-EE UU	18 941 km²
Maracaibo	Venezuela	14 243 km²
Lagoa dos Patos	Brasil	10 000 km²
Titicaca	Bolivia-Perú	8 330 km²
Nicaragua	Nicaragua	8 264 km²

Cascadas

Cascada	País	Altura
Salto Ángel	Venezuela	979 m
Yosemite	EE UU	739 m
Cuquenán	Venezuela	609 m

Reservas de la Biosfera

Arriba, vista del Pantanal, que se extiende por el sudoeste de Brasil. Abajo, los hielos de la Laguna San Rafael, en el sur de Chile.

Principales reservas

Reserva de la Biosfera	País (año declaración)	Superficie (ha)
Groenlandia Nordoriental	Dinamarca (1977)	97 200 000
Cerrado	Brasil (1993)	29 652 514
Mata Atlántica	Brasil (1993)	29 473 484
Pantanal	Brasil (2000)	25 156 905
Amazonia Central	Brasil (2001)	20 859 987
Caatinga	Brasil (2001)	19 899 000
Apalaches Meridionales	EE UU (1988)	15 195 341
Archipiélago de Colón	Ecuador (1984)	14 761 844
Alto Orinoco-Casiquiare	Venezuela (1993)	8 266 230
Champlain-Adirondaks	EE UU (1989)	3 990 000
Noatak	EE UU (1976)	3 035 200
El Vizcaíno	México (1993)	2 546 790
Bosawas	Nicaragua (1997)	2 181 500
Sierra Nevada de Santa Marta	Colombia (1979)	2 115 800
Maya	Guatemala (1990)	2 112 940
Manu	Perú (1977)	1 881 200
Laguna San Rafael	Chile (1979)	1 742 000
Yasuni	Ecuador (1989)	1 682 000
Alto Golfo de California	México (1993)	1 649 312
South West Nova	Canadá (2001)	1 546 374
Glacier Bay-Admiralty Is.	EE UU (1986)	1 515 015
Río San Juan	Nicaragua (2003)	1 392 900
Montaña Riding	Canadá (1986)	1 331 800
Las Yungas	Argentina (2002)	1 328 720
Huascarán	Perú (1977)	1 155 800
Islas Aleutianas	EE UU (1976)	1 100 943
San Guillermo	Argentina (1980)	990 000
Laguna Blanca	Argentina (1982)	973 270
Sumaco	Ecuador (2000)	931 215

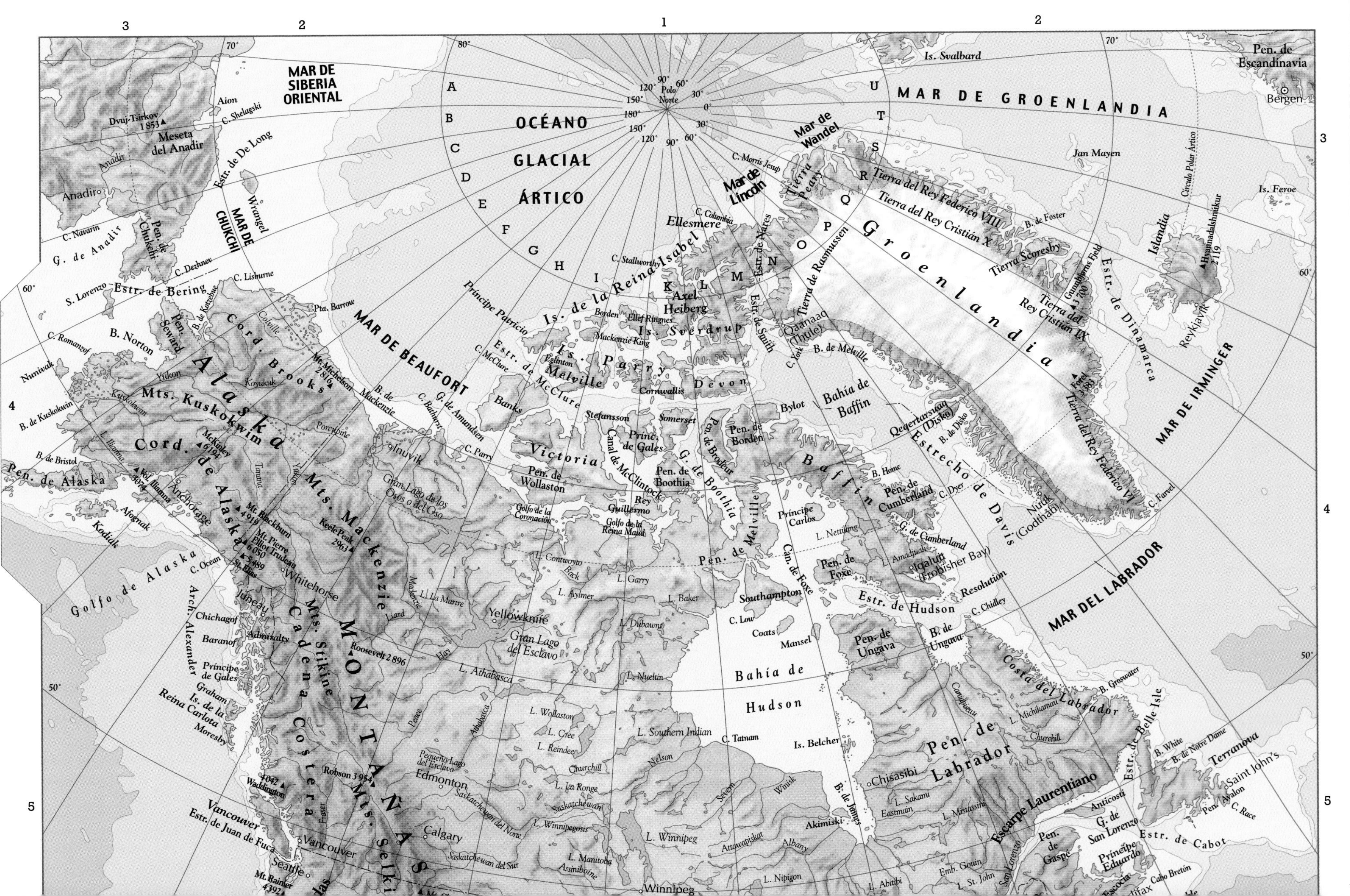
OCÉANO
GLACIAL
ÁRTICO
MAR DE GROENLANDIA
MAR DE IRMINGER
MAR DEL LABRADOR
MAR DE BEAUFORT
MAR DE SIBERIA ORIENTAL
MAR DE CHUKCHI
Mar de Wandel
Mar de Lincoln
Polo Norte
Círculo Polar Ártico
Pen. de Escandinavia
Bergen
Is. Feroe
Islandia
Reykjavík
Hvannadalshnúkur 2 119
Jan Mayen
Is. Svalbard
Estr. de Dinamarca
Groenlandia
Tierra del Rey Federico VIII
Tierra del Rey Cristián X
Tierra del Rey Cristián IX
Tierra del Rey Federico VI
Tierra Scoresby
Tierra de Rasmussen
Tierra Peary
Gunnbjørns Fjeld 3 700
Forel 3 383
B. de Foster
C. Farvel
Nuuk (Godthåb)
Qaanaaq (Thule)
Qeqertarsuaq (Disko)
C. Morris Jesup
Estr. de Nares
Estr. de Smith
Bahía de Baffin
B. de Melville
Estrecho de Davis
Pen. de Cumberland
G. de Cumberland
Iqaluit (Frobisher Bay)
Resolution
Estr. de Hudson
B. de Ungava
Pen. de Ungava
Costa del Labrador
Pen. de Labrador
Escarpe Laurentiano
Terranova
Saint John's
Estr. de Belle Isle
Estr. de Cabot
Príncipe Eduardo
Pen. de Gaspé
G. de San Lorenzo
Anticosti
Bylot
Baffin
Príncipe Carlos
Pen. de Foxe
Can. de Foxe
Southampton
Coats
Mansel
Bahía de Hudson
Is. Belcher
B. de James
Akimiski
Chisasibi
Ellesmere
Axel Heiberg
Is. Sverdrup
Devon
Cornwallis
Somerset
Pen. de Borden
Pen. de Brodeur
G. de Boothia
Pen. de Boothia
Pen. de Melville
Is. de la Reina Isabel
Is. Parry
Melville
Príncipe Patricio
Estr. de McClure
Banks
Victoria
Canal de McClintock
Rey Guillermo
Príncipe de Gales
Stefansson
Golfo de la Coronación
Pen. de Wollaston
C. Parry
G. de Amundsen
C. Bathurst
Gran Lago de los Osos o del Oso
Gran Lago del Esclavo
L. Athabasca
Yellowknife
Inuvik
Mackenzie
L. Wollaston
L. Reindeer
L. Southern Indian
L. Winnipeg
Winnipeg
Edmonton
Calgary
MONTAÑAS
Mts. Mackenzie
Mts. Selkirk
Mts. Stikine
Cadena Costera
Robson 3 954
Roosevelt 2 896
Keele Peak 2 963
Whitehorse
Yukon
Vancouver
Estr. de Juan de Fuca
Seattle
Waddington
Mt. Rainier 4 392
Arch. Alexander
Chichagof
Baranof
Príncipe de Gales
Is. de la Reina Carlota
Graham
Moresby
Juneau
Cord. Brooks
Mt. Michelson 2 816
Pta. Barrow
B. de Mackenzie
Alaska
Cord. de Alaska
Mts. Kuskokwim
McKinley 6 194
Anchorage
Vol. Iliamna 3 053
Golfo de Alaska
Pen. de Alaska
Kodiak
Afognak
B. de Bristol
B. de Kuskokwim
Nunivak
B. Norton
Pen. Seward
B. de Kotzebue
Estr. de Bering
S. Lorenzo
C. Romanzof
Pen. de Chukchi
G. de Anadir
Anadir
Meseta del Anadir
Dvuj-Tsirkov 1 853
Estr. de De Long
Wrangel
C. Lisburne
Colville
Tanana
C. Navarin
C. Dezhnev
Aion
C. Shelagski

OCÉANO ATLÁNTICO
OCÉANO PACÍFICO
GOLFO DE MÉXICO
MAR CARIBE O DE LAS ANTILLAS
Grandes Antillas
Pequeñas Antillas
Is. Bahamas
Cuba
Golfo de California
Pen. de California
Pen. de Yucatán
Sierra Madre Oriental
Sierra Madre Occidental
Sierra Madre del Sur
Altiplano Mexicano
Grandes Llanuras
Llanura Costera del Golfo
Llanura Costera Atlántica
Florida
Sierra Nevada
Meseta del Colorado
Meseta de Ozark
Llano Estacado
Llanos del Orinoco
Cord. Central
Cord. de Mérida
Cord. de la Costa
Is. Bermudas
Nueva York
Boston
Filadelfia
Washington
Chicago
Detroit
Cleveland
Pittsburgh
Atlanta
Memphis
St. Louis
Kansas City
Minneapolis
Milwaukee
Denver
Dallas
Houston
Nueva Orleans
Miami
Phoenix
Los Ángeles
San Francisco
Salt Lake City
Tijuana
Ciudad Juárez
Monterrey
Guadalajara
Ciudad de México
Acapulco de Juarez
Veracruz Llave
Mérida
Cancún
Belmopan
Guatemala
San Salvador
Tegucigalpa
Managua
San José
Panamá
La Habana
Kingston
Puerto Príncipe
Santo Domingo
Puerto Rico
Caracas
Maracaibo
Barranquilla
Medellín
Bogotá
Cali

RUSIA
Siberia
MAR DE CHUKCHI
Wrangel
Estr. de Bering
Alaska (EE UU)
Golfo de Alaska
Arch. Alexander
MAR DE BEAUFORT
OCÉANO GLACIAL ÁRTICO
Polo Norte
Mar de Wandel
MAR DE GROENLANDIA
NORUEGA
ISLANDIA
MAR DE IRMINGER
Groenlandia (Din.)
Estrecho de Davis
MAR DEL LABRADOR
Bahía de Baffin
Baffin
Ellesmere
Is. de la Reina Isabel
Is. Sverdrup
Is. Parry
Melville
Banks
Victoria
Devon
Somerset
G. de Boothia
Southampton
Estr. de Hudson
Pen. de Ungava
Bahía de Hudson
B. de James
Pen. de Labrador
Terranova
Saint Pierre et Miquelon (Fr.)
C A N A D Á
Anchorage
Fairbanks
Whitehorse
Yellowknife
Edmonton
Calgary
Saskatoon
Regina
Winnipeg
VANCOUVER
SEATTLE
Kodiak
Círculo Polar Ártico

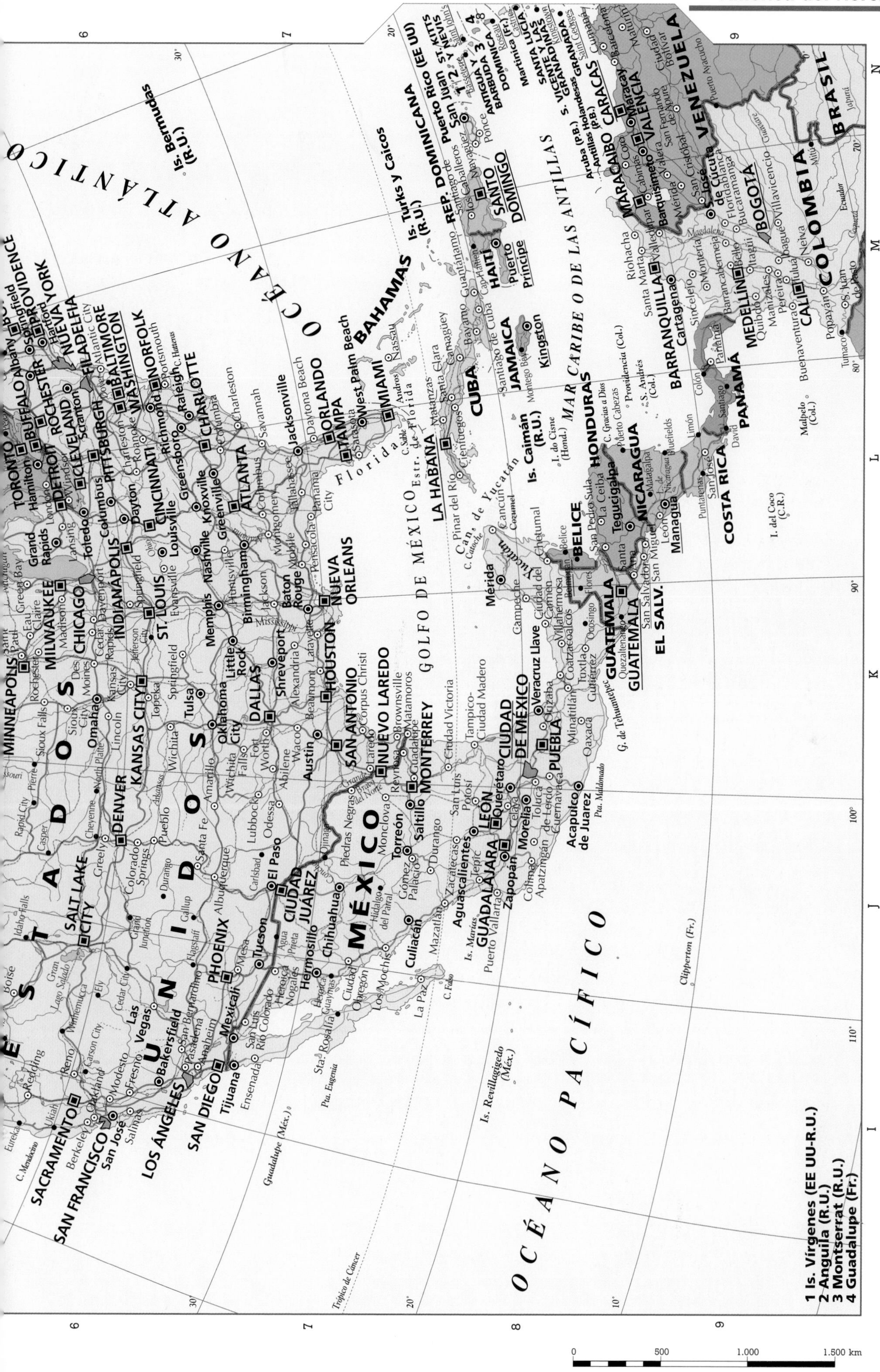
OCÉANO ATLÁNTICO
OCÉANO PACÍFICO
GOLFO DE MÉXICO
MAR CARIBE O DE LAS ANTILLAS
ESTADOS UNIDOS
MÉXICO
CUBA
BAHAMAS
HAITÍ
REP. DOMINICANA
JAMAICA
BELICE
GUATEMALA
HONDURAS
EL SALV.
NICARAGUA
COSTA RICA
PANAMÁ
COLOMBIA
VENEZUELA
BRASIL
Is. Bermudas (R.U.)
Is. Turks y Caicos (R.U.)
Puerto Rico (EE UU)
Is. Caimán (R.U.)
Aruba (P.B.)
Antillas Holandesas (P.B.)
ST. KITTS Y NEVIS
ANTIGUA Y BARBUDA
DOMINICA
SANTA LUCÍA
S. VICENTE Y GRANADINAS
GRANADA
Is. Revillagigedo (Méx.)
Clipperton (Fr.)
I. del Coco (C.R.)
Malpelo (Col.)
Trópico de Cáncer
TORONTO
MINNEAPOLIS
MILWAUKEE
CHICAGO
DETROIT
CLEVELAND
PITTSBURGH
BUFFALO
ROCHESTER
NUEVA YORK
PROVIDENCE
FILADELFIA
BALTIMORE
WASHINGTON
NORFOLK
CHARLOTTE
ATLANTA
JACKSONVILLE
ORLANDO
TAMPA
MIAMI
INDIANAPOLIS
CINCINNATI
ST. LOUIS
KANSAS CITY
DENVER
SALT LAKE CITY
PHOENIX
DALLAS
HOUSTON
SAN ANTONIO
NUEVA ORLEANS
SAN FRANCISCO
SACRAMENTO
LOS ÁNGELES
SAN DIEGO
CIUDAD JUÁREZ
MONTERREY
NUEVO LAREDO
GUADALAJARA
LEÓN
CIUDAD DE MÉXICO
PUEBLA
LA HABANA
SANTO DOMINGO
Puerto Príncipe
Kingston
Tegucigalpa
Managua
CARACAS
MARACAIBO
VALENCIA
BARRANQUILLA
MEDELLÍN
BOGOTÁ
CALI
1 Is. Vírgenes (EE UU-R.U.)
2 Anguila (R.U.)
3 Montserrat (R.U.)
4 Guadalupe (Fr.)
0
500
1.000
1.500 km

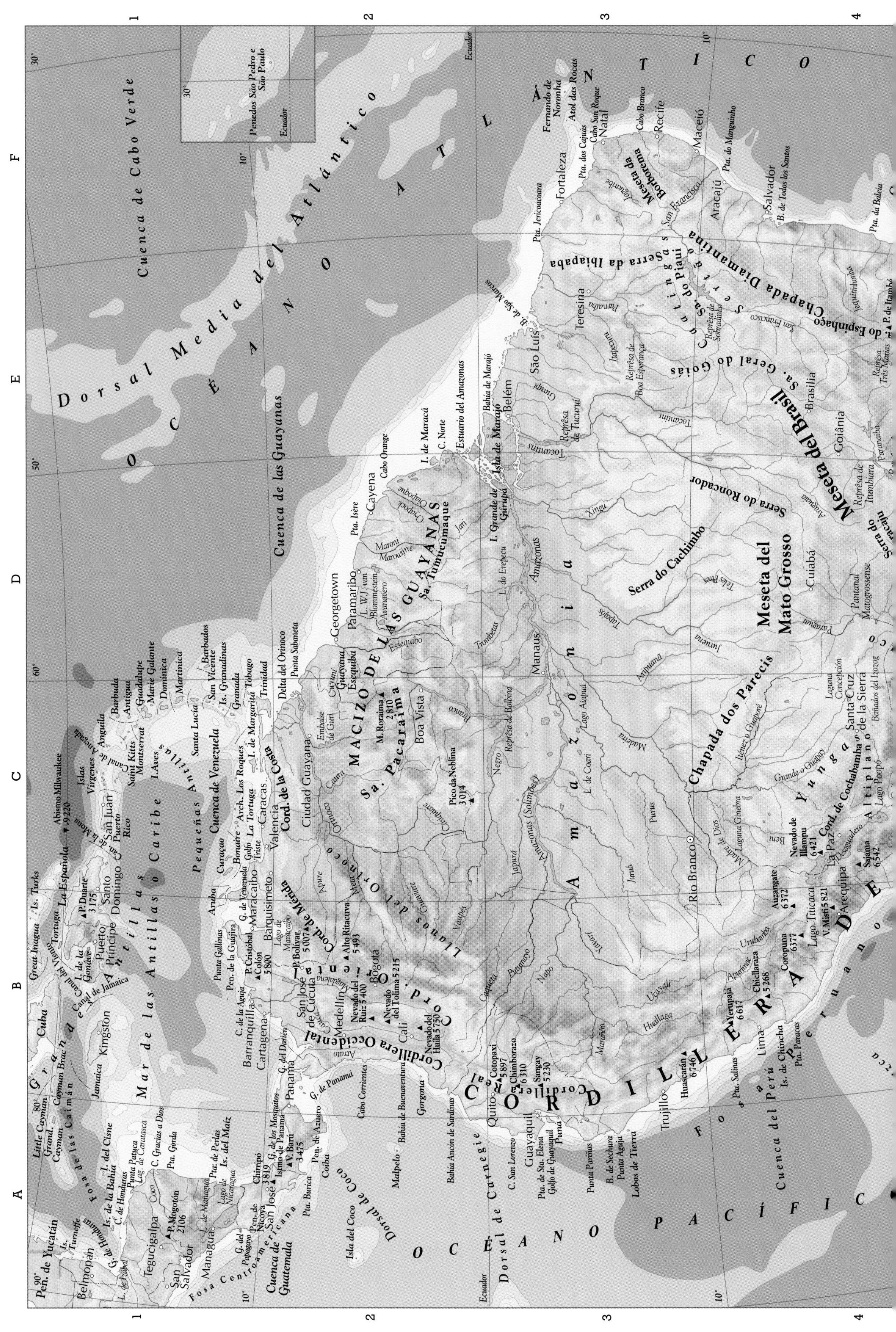
Océano Atlántico
Dorsal Media del Atlántico
Cuenca de Cabo Verde
Cuenca de las Guayanas
Mar de las Antillas o Caribe
Grandes Antillas
Pequeñas Antillas
Cuenca de Venezuela
Océano Pacífico
Cuenca del Perú
Fosa de Perú
Dorsal de Carnegie
Dorsal de Coco
Fosa Centroamericana
Cuenca de Guatemala
Fosa de las Caimán
Amazonia
Cordillera de los Andes
Cordillera Occidental
Cordillera Oriental
Cord. de Mérida
Cord. de la Costa
Llanos del Orinoco
Macizo de las Guayanas
Sa. Pacaraima
Sa. Tumucumaque
Meseta del Brasil
Meseta del Mato Grosso
Chapada dos Parecis
Serra do Cachimbo
Serra do Roncador
Sa. Geral do Goiás
Chapada Diamantina
Serra da Ibiapaba
Meseta da Borborema
Altiplano
Yungas
Lago Titicaca
Pen. de Yucatán
Cuba
Jamaica
La Española
Puerto Rico
Trinidad
Tobago
Barbados
Isla de Marajó
Estuario del Amazonas
Penedos São Pedro e São Paulo
Fernando de Noronha
Atol das Rocas
Islas Galápagos
Belmopan
Tegucigalpa
San Salvador
Managua
San José
Panamá
Kingston
Santo Domingo
San Juan
Caracas
Bogotá
Quito
Lima
La Paz
Georgetown
Paramaribo
Cayena
Manaus
Belém
São Luís
Fortaleza
Natal
Recife
Maceió
Aracaju
Salvador
Brasília
Goiânia
Cuiabá
Teresina
Boa Vista
Rio Branco
Trujillo
Guayaquil
Cali
Medellín
Barranquilla
Cartagena
Maracaibo
Valencia
Barquisimeto
Ciudad Guayana
Arequipa
Santa Cruz de la Sierra
Chimborazo 6310
Cotopaxi 5897
Huascarán 6746
Pico da Neblina 3014
M. Roraima 2810
Sajama 6542
Ecuador
10°
30°
50°
60°
80°
90°

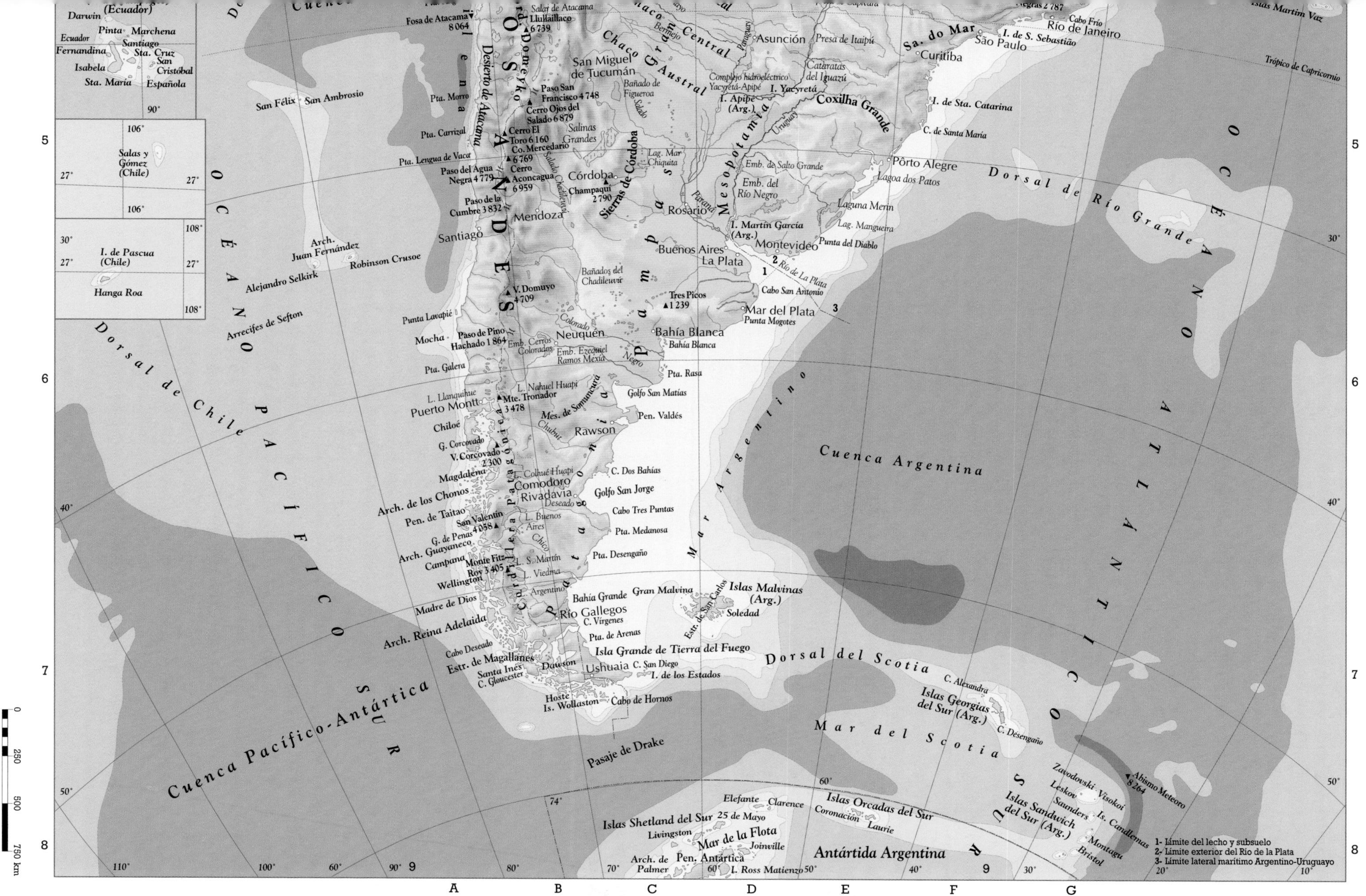

O C É A N O A T L Á N T I C O
O C É A N O P A C Í F I C O
S U R
Trópico de Capricornio
Dorsal de Río Grande
Cuenca Argentina
Mar Argentino
Dorsal del Scotia
Mar del Scotia
Islas Georgias del Sur (Arg.)
C. Alexandra
C. Desengaño
Islas Sandwich del Sur (Arg.)
Zavodovski
Visokoi
Leskov
Saunders
Is. Candlemas
Montagu
Bristol
Abismo Meteoro 8 264
Islas Orcadas del Sur
Coronación
Laurie
Antártida Argentina
Islas Shetland del Sur
Elefante
Clarence
25 de Mayo
Livingston
Mar de la Flota
Joinville
Pen. Antártica
Arch. de Palmer
I. Ross Matienzo
Pasaje de Drake
Islas Malvinas (Arg.)
Soledad
Gran Malvina
Estr. de San Carlos
Isla Grande de Tierra del Fuego
I. de los Estados
C. San Diego
Ushuaia
Cabo de Hornos
Is. Wollaston
Hoste
Río Gallegos
Bahía Grande
C. Vírgenes
Pta. de Arenas
Estr. de Magallanes
Cabo Deseado
Dawson
Santa Inés
C. Gloucester
Arch. Reina Adelaida
Madre de Dios
Wellington
Campana
Arch. Guayaneco
G. de Penas
Pen. de Taitao
Arch. de los Chonos
Magdalena
Chiloé
Puerto Montt
Comodoro Rivadavia
Golfo San Jorge
C. Dos Bahías
Cabo Tres Puntas
Pta. Medanosa
Pta. Desengaño
Rawson
Pen. Valdés
Golfo San Matías
Pta. Rasa
Bahía Blanca
Tres Picos 1 239
Mar del Plata
Punta Mogotes
Cabo San Antonio
Buenos Aires
La Plata
Rosario
Montevideo
Río de La Plata
Punta del Diablo
Laguna Merín
Lagoa dos Patos
Pôrto Alegre
C. de Santa Maria
I. de Sta. Catarina
Coxilha Grande
Asunción
Presa de Itaipú
Cataratas del Iguazú
Curitiba
São Paulo
I. de S. Sebastião
Rio de Janeiro
Cabo Frío
Neuquén
Mendoza
Córdoba
Sierras de Córdoba
Champaquí 2 790
San Miguel de Tucumán
Santiago
Chaco Austral
Chaco Central
Desierto de Atacama
A N D E S
Mesopotamia
Pampa
Patagonia
Aconcagua 6 959
Cerro Ojos del Salado 6 879
Fosa de Atacama 8 064
Arch. Juan Fernández
Robinson Crusoe
Alejandro Selkirk
San Félix
San Ambrosio
Arrecifes de Sefton
Dorsal de Chile
Cuenca Pacífico-Antártica
I. de Pascua (Chile)
Hanga Roa
Salas y Gómez (Chile)
(Ecuador)
Darwin
Pinta
Marchena
Santiago
Sta. Cruz
San Cristóbal
Fernandina
Isabela
Sta. María
Española
1- Límite del lecho y subsuelo
2- Límite exterior del Río de la Plata
3- Límite lateral marítimo Argentino-Uruguayo
0 250 500 750 km

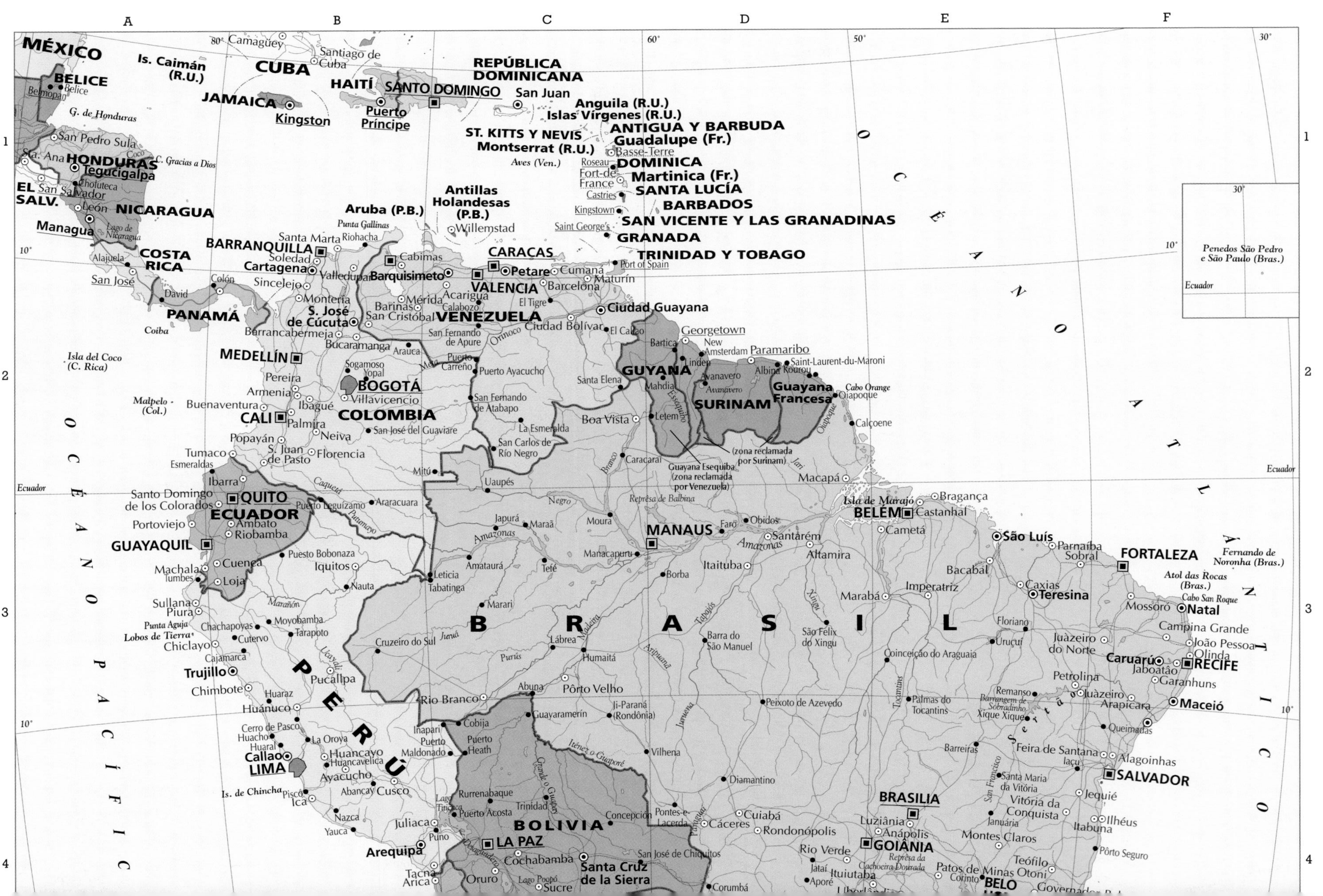
OCÉANO ATLÁNTICO
OCÉANO PACÍFICO
MÉXICO
BELICE
HONDURAS
NICARAGUA
EL SALV.
COSTA RICA
PANAMÁ
CUBA
JAMAICA
HAITÍ
REPÚBLICA DOMINICANA
ST. KITTS Y NEVIS
ANTIGUA Y BARBUDA
DOMINICA
SANTA LUCÍA
BARBADOS
SAN VICENTE Y LAS GRANADINAS
GRANADA
TRINIDAD Y TOBAGO
VENEZUELA
COLOMBIA
ECUADOR
PERÚ
BOLIVIA
GUYANA
SURINAM
Guayana Francesa
BRASIL
Antillas Holandesas (P.B.)
Aruba (P.B.)
Is. Caimán (R.U.)
Penedos São Pedro e São Paulo (Bras.)
Fernando de Noronha (Bras.)
Ecuador

OCÉANO ATLÁNTICO SUR
OCÉANO PACÍFICO SUR
Mar Argentino
Mar del Scotia
Mar de la Flota
Pasaje de Drake
Antártida Argentina
ARGENTINA
CHILE
URUGUAY
CIUDAD DE BUENOS AIRES
MONTEVIDEO
SANTIAGO
Asunción
SÃO PAULO
RÍO DE JANEIRO
PÔRTO ALEGRE
CÓRDOBA
ROSARIO
Mendoza
San Miguel de Tucumán
La Plata
Mar del Plata
Bahía Blanca
Neuquén
Comodoro Rivadavia
Puerto Deseado
Puerto Santa Cruz
Río Gallegos
Ushuaia
Punta Arenas
Puerto Montt
Valdivia
Concepción
Valparaíso
Viña del Mar
La Serena
Antofagasta
Islas Malvinas (Arg.)
Puerto Argentino
Islas Georgias del Sur (Arg.)
Islas Sandwich del Sur (Arg.)
Islas Orcadas del Sur
Islas Shetland del Sur
Robinson Crusoe
Alejandro Selkirk
San Félix (Chile)
San Ambrosio (Chile)
(Islas Galápagos) (Ecuador)
Puerto Baquerizo Moreno
1- Límite del lecho y subsuelo
2- Límite exterior del Río de la Plata
3- Límite lateral marítimo Argentino-Uruguayo
0 250 500 750 km

Norteamérica septentrional

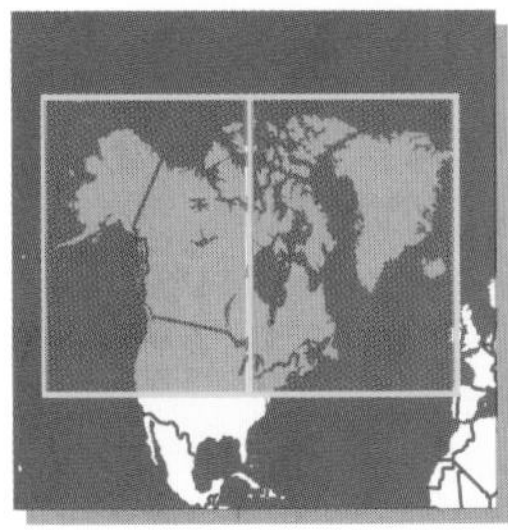

La región de Norteamérica septentrional o América boreal comprende todo el territorio americano que se extiende al norte de la frontera entre Canadá y Estados Unidos: abarca Canadá, el estado de Alaska, perteneciente a Estados Unidos, y la enorme isla de Groenlandia, que es una dependencia de Dinamarca.

Vista del lago Moraine, en la provincia de Alberta, al oeste de Canadá. Este país, el más extenso de América, ocupa el sector más septentrional del continente.

Geografía física y humana

Toda esta región ocupa más de la mitad de la superficie de América del Norte, lo cual representa una enorme extensión, distribuida sobre todo en el sentido de los paralelos. Por el noroeste, el estrecho de Bering la separa de la península de Chukchi –en el continente asiático– y por el nordeste, la dependencia danesa de Groenlandia se encuentra muy próxima a Islandia. El Círculo Polar Ártico atraviesa la región aproximadamente por la mitad, y los territorios más septentrionales de Groenlandia y Canadá distan 700 km del Polo Norte. De ahí que las glaciaciones cuaternarias afectaran especialmente a esta región, dejando huellas en la morfología superficial, en la desorientación de la red hidrográfica y en la abundancia de lagos. Debido a su localización latitudinal, la región está dominada por climas muy fríos (seminival y nival), por lo que su superficie permanece helada la mayor parte del año.

El poblamiento primitivo de América

■ *El poblamiento del continente americano, aislado de Europa por el océano Atlántico y de Asia por el Pacífico, y separado de este último continente por el estrecho de Bering, suscitó desde los primeros tiempos del Descubrimiento, a principios del siglo XVI, una viva polémica sobre si los grupos humanos que allí vivían eran fruto o no de una creación especial. A la afirmación de la unidad racial del hombre americano procedente de un tronco común (mongol) y una penetración única a través de Beringia en sucesivas oleadas de emigrantes con bajo nivel cultural, se opuso la tesis de la multirracialidad y del origen múltiple de las lenguas y culturas amerindias.*

La estructura del relieve de la región es una continuación de la del resto del subcontinente norteamericano. Al oeste se elevan, en paralelo a la costa del océano Pacífico, las Montañas Rocosas, mientras que al este, alineadas con el litoral del Atlántico, se extienden las estribaciones más septentrionales de los montes Apalaches. Al pie de esta cordillera se halla la región de los Grandes Lagos, que agrupa los mayores lagos del continente (Superior, Michigan, Hurón, Erie y Ontario), en la frontera de Canadá y Estados Unidos. En medio de las dos grandes cordilleras mencionadas se abre una extensa llanura, que se inclina al norte, hacia la bahía de Hudson.

Debido al clima y la presencia de los hielos, gran parte del territorio es improductivo, aunque esta circunstancia se ve compensada por la abundancia de recursos forestales y minerales, que, a partir de la década de 1950, transformaron la economía de la región: la estructura principalmente agrícola y ganadera dio paso a una potente economía agroindustrial. Sin embargo, en la actualidad es la producción energética el principal recurso de la zona. La energía se obtiene en centrales hidroeléctricas y nucleares, o proviene de los yacimientos de petróleo y gas natural, y una gran parte se exporta a Estados Unidos. La población se distribuye muy irregularmente porque las bajas densidades medias de Canadá y de Alaska se acentúan en las zonas polares, donde tienen que recorrerse muchos kilómetros para encontrar

Los pueblos indígenas de América del Norte

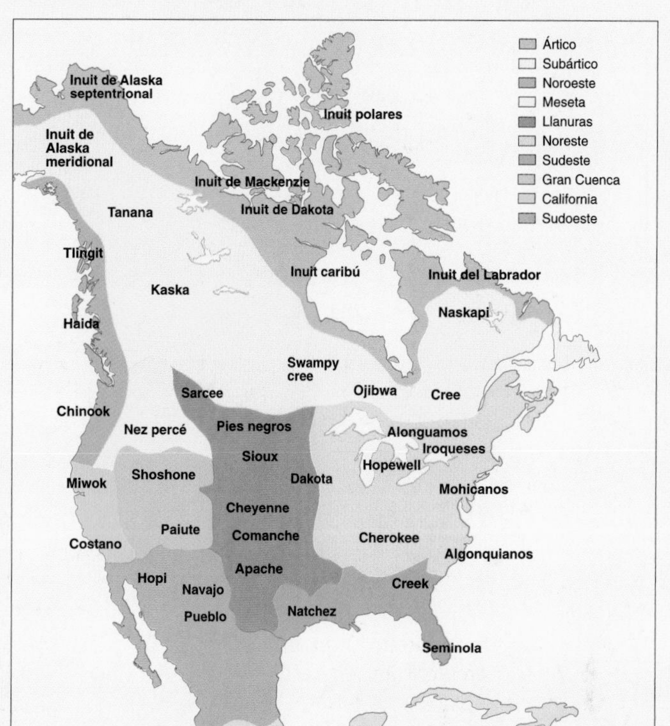

■ *No se puede generalizar para referirse a los "indios" de América del Norte. La única característica que tenían en común era, y lo es aún, su enorme variedad cultural, pues se trata de centenares de pueblos que habitaron extensas y muy distintas regiones, con medios físicos absolutamente diferentes. Para facilitar la comprensión de tanta variedad, los antropólogos encuentran útil clasificar las culturas nativas tradicionales según diez áreas culturales, que equivalen básicamente a los grandes ecosistemas. No obstante, los pueblos incluidos en cada área cultural compartían en lo básico ciertos patrones generales de adaptación económica y social, si bien solían existir grandes diferencias lingüísticas, sociales y, en general, culturales. En la actualidad, todos los pueblos indígenas de América del Norte han visto modificadas en gran medida sus formas de vida tradicionales, aunque en las regiones más aisladas ese cambio comenzó a partir de mediados del siglo XX.*

vida humana. Las principales ciudades se hallan ubicadas al sur, cercanas a la frontera de Canadá con Estados Unidos, sobre todo entre la región de los Grandes Lagos y la desembocadura del río San Lorenzo. La escasez de población y la pujante economía hacen que Canadá ocupe el segundo lugar del continente, después de Estados Unidos, en cuanto al nivel de vida de sus habitantes.

Groenlandia –que con una extensión de 2 175 600 km^2 es la mayor isla del mundo– tiene una población que supera ligeramente los 50 000 habitantes; su territorio es extremadamente inhóspito, la mayor parte del mismo se halla cubierto permanentemente de hielo, y su población se concentra esencialmente a lo largo de su litoral occidental.

Historia

Desde el punto de vista histórico, el inmenso conjunto geográfico que configura la América boreal gira en torno a dos ejes. El primero de ellos es el estrecho de Bering, sector de mayor proximidad entre América y Asia. A comienzos del período cuaternario, el estrecho se convirtió en lugar de paso de una de las más importantes corrientes migratorias que poblaron el continente americano.

El otro eje está formado por la zona de los Grandes Lagos, en el límite entre Canadá y Estados Unidos. El conjunto de la producción minera, agropecuaria e industrial del extremo norte de América se desarrolló en torno a esta enorme cuenca.

Vista del puerto de Vancouver (Columbia Británica), ciudad del extremo sudoeste de Canadá, junto al estrecho de Georgia y cerca de la desembocadura del río Fraser.

Por otra parte, en el ámbito de esta región se dirimió durante la guerra fría la tensión geoestratégica entre la Unión Soviética y Estados Unidos, a través de Alaska (territorio comprado por los norteamericanos a Rusia en el siglo XIX).

Explorada la región inicialmente por el bretón Jacques Cartier, los primeros colonos que llegaron a tierras canadienses en el siglo XVI fueron franceses, y hasta 1760 éstos colonizaron la región. Más adelante, la masiva llegada de inmigrantes de Gran Bretaña e Irlanda dio origen a un largo conflicto entre la cultura anglosajona, predominante tanto en Estados Unidos como en Canadá, y la cultura latina, fuertemente asentada en el Quebec (de habla francesa).

Canadá nació como una federación de estados a partir de 1867, a la que se fueron añadiendo nuevos territorios (antiguas provincias británicas) hasta 1949. En 1926 ingresó en la Commonwealth. Integrado en Canadá desde la formación del país, el Quebec francófono celebró en 1995 el segundo referéndum sobre su independencia (quince años después del primero); la opción de seguir integrado en Canadá triunfó en el referéndum por un escaso margen, pero la cuestión de su soberanía no parece resuelta de forma definitiva.

3
2
1
A
B
C
D
E
F
G
H
4
5
6
60°
70°
170°
160°
150°
140°
130°
120°
110°
100°
50°
40°
R U S I A
Meseta del Anadir
Círculo Polar Ártico
Estr. de De Long
Wrangel
Jatirka
Anadir
Uelkal
Beringorski
C. Navarin
Golfo de Anadir
MAR DE CHUKCHI
Pen. de Chukchi
OCÉANO GLACIAL ÁRTICO
MAR DE BERING
Provideniya
Uelen
C. Dezhnev
Point Hope
C. Lisburne
Point Lay
Wainwright
Gambell
S. Lorenzo
Estrecho de Bering
Wales
Taylor
Mts. de De Long
Pta. Barrow
Barrow
S. Mateo
Alakanuk
Nome
Pen. Seward
Kotzebue
Selawik
Shungnak
Cord. Brooks
C. Romanzof
St. Michel
B. Norton
Alaska
Bettles
Beechey Point
MAR DE BEAUFORT
Is. Pribilof
Nunivak
Nelson
Bethel
Unalakleet
Galena
Yukon
Tanana
Mt. Michelson 2 816
Kaktovik
Kwigillingok
Montes Kuskokwim
(E E U U)
Fort Yukon
Porcupine
B. de Mackenzie
B. de Kuskokwim
McGrath
Nenana
Circle
Old Crow
Mts. de Richardson
Dutch Harbor
Fort Randall
Unimak
Unalaska
Hagemeister
Dillingham
I. de
Nakhek
Fairbanks
Cordillera de Alaska
Mt. McKinley
Volcán Iliamna 3 074
B. de Bristol
Península de Alaska
Is. Fox
Cord. de las Aleutianas
Mt. Katmai
Cook Inlet
Kenai
Anchorage
Tanacross
Dawson
Is. Shumagin
Perryville
Estr. de Shelikof
Homer
Pen. de Kenai
Seward
Valdez
Cordova
Mts. Wrangell
Snag
Kodiak
Afognak
Is. Trinity
Chirikof
Golfo de Alaska
Kayak
Mt. St. Elias
Mts. San Elías
Mayo
Keno Hill
Keele Peak 2 963
Mts. Mackenzie
Yakutat
Fairweather
Carcross
Whitehorse
Ross River
Mt. Sir James McBrien
Skagway
Juneau
Chichagof
Sitka
Baranof
Admiralty
Kates Needle 3 055
Kuiu
Kupreanof
Príncipe de Gales
Wrangell
Arch. Alexander
Revillagigedo
Ketchikan
Estr. de Dixon
Masset
Graham
Sandspit
Is. de la Reina Carlota
Moresby
Estr. de Hecate
Prince Rupert
Stewart
Kitimat
Hazelton
Bella Coola
Ocean Falls
Estr. de la Reina Carlota
C. Scott
Port Hardy
Campbell River
Vancouver
Waddington 4 042
Powell River
VANCOUVER
Estr. de Juan de Fuca
Victoria
Mt. Olympus 2 424
Everett
SEATTLE
Tacoma
Olympia
Mt. Rainier 4 392
Astoria
Cascadas
Wenatchee
Pasco
PORTLAND
Salem
Eugene
Bend
C. Blanco
Cuenca de Harney
Burns
Klamath Falls
Medford
Eureka
C. Mendocino
Mt. Shasta 4 317
Redding
Cadena Costera
Cadena de las Cascadas
Mts. Azules
Baker
Lewiston
Boise
Twin Falls
Pocatello
Idaho Falls
Mts. Bitterroot
Missoula
Helena
Butte
Bozeman
Great Falls
Mts. Absaroka
Billings
Thermopolis
Harney 2 207
Buffalo
Rapid City
Pierre
Mobridge
Bismarck
Glendive
Miles City
Williston
Glasgow
Havre
Shelby
ESTADOS U
OCÉANO PACÍFICO
MONTAÑAS ROCOSAS
Cordillera Costera
CANADÁ
Watson Lake
Fort Simpson
Fort Liard
Fort Nelson
Churchill Peak
Telegraph Creek
Mts. Stikine
Mts. Skeena
Mts. Caribou
Fort St. John
Dawson Creek
Grande Prairie
Prince George
Endako
Williams Lake
Kamloops
Golden
Mt. Columbia 3 747
Jasper
Mt. Robson 3 954
Edson
Edmonton
Calgary
Red Deer
Kelowna
Penticton
Trail
Sandpoint
Spokane
Mts. Selkirk
Mt. Cleveland 3 185
Lethbridge
Medicine Hat
Swift Current
High River
Hanna
Rosetown
Saskatoon
North Battleford
Prince Albert
Lloydminster
Viking
Watrous
Regina
Moose Jaw
Weyburn
Estevan
Melville
Winnipeg
Portage la Prairie
Brandon
Peace River
Fort Vermilion
McMurray Fort
Athabasca
Fort Chipewyan
Fort Smith
Hay River
Pine Point
Fort Resolution
Fort Providence
Gran Lago del Esclavo
Yellowknife
Snowdrift
Fort Reliance
Uranium City
Wrigley
Norman Wells
Fort Good Hope
Fort Franklin
Gran Lago del Oso
Echo Bay
Inuvik
Tuktoyaktuk
Paulatuk
Sachs Harbour
Holman Island
Banks
Victoria
Melville
Mould Bay
Isachsen
Ikaluktutiak (Cambridge Bay)
Kugluktuk (Coppermine)
Bathurst Inlet
Perry Island
Ennadai
Brochet
Lynn Lake
Thompson
Flin Flon
La Ronge
Southend
Meadow Lake
Estr. Viscount-Melville
Estr. de McClure
Ellef Ringnes
Borden
Mackenzie King
Brock
Lougheed
Príncipe Patricio
Eglinton
Islas Parry
Pen. de Príncipe Alberto
Estr. Pr. Alberto
G. de Amundsen
Read Island (Kekertardjuk)
Pen. de Wollaston
G. de la Coronación
Baker Lake (Kramaniktuaq)
L. Athabasca
L. Wollaston
L. Cree
L. Winnipegosis
Winnipegosis

Groenlandia (Din.)
ISLANDIA
REINO UNIDO
Is. Feroe (Din.)
Is. Orcadas
Reykjavík
Keflavík
Húsavík
Seydisfjördhur
Ísafjördhur
Estrecho de Dinamarca
Círculo Polar Ártico
MAR DE IRMINGER
OCÉANO ATLÁNTICO
MAR DEL LABRADOR
Estr. de Davis
Bahía de Baffin
Baffin
Bahía de Hudson
Estr. de Hudson
Cuenca de Foxe
Can. de Foxe
Southampton
Mar de Wandel
Mar de Lincoln
Tierra Peary
Tierra del Rey Federico VIII
Tierra del Rey Cristián X
Tierra del Rey Cristián IX
Tierra del Rey Federico VI
Tierra Scoresby
Jan Mayen (Nor.)
Ittoqqortoormiit (Scoresbysund)
Qaanaaq (Thule)
Uummannaq (Dundas)
Upernavik
Qeqertarsuaq (Godhavn)
Sisimiut (Holsteinsborg)
Kangerlussuaq (Søndre Strømfjord)
Maniitsoq (Sukkertoppen)
Nuuk (Godthåb)
Paamiut (Frederikshåb)
Qaqortoq (Julianehåb)
Nanortalik
Tasiilaq (Ammassalik)
C. Farvel
Ellesmere
Alert
Islas Reina Isabel
Estr. de Lancaster
Arctic Bay
Pond Inlet
Clyde River (Kangiqtugaapik)
Igloolik
Iqaluit (Frobisher Bay)
Cape Dorset (Kinngait)
Kimmirut (Lake Harbour)
Pangnirtung
Pen. de Ungava
Kuujjuaq (Fort Chimo)
Kuujjuarapik (Poste-de-la-Baleine)
Pen. del Labrador
Costa del Labrador
Hopedale
Nain
Cartwright
Goose Bay (Vaali)
Schefferville
Labrador City
Terranova
St. John's
Corner Brook
Grand Falls
Estr. de Belle Isle
Estr. de Cabot
Sept-Îles
Nueva Escocia
Halifax
Sydney
Charlottetown
Moncton
Fredericton
Saint John
Quebec
Trois-Rivières
MONTREAL
Ottawa
Sherbrooke
Sudbury
North Bay
Thunder Bay
TORONTO
Hamilton
London
Kitchener
Mississauga
Oshawa
Kingston
Peterborough
Timmins
Moosonee
Chicoutimi
Rimouski
Gaspé
Golfo de Maine
Portland
Augusta
Bangor
BOSTON
Concord
Lowell
Springfield
Hartford
PROVIDENCE
NUEVA YORK
New Haven
Albany
Syracuse
Utica
ROCHESTER
BUFFALO
Scranton
Allentown
CLEVELAND
Erie
DETROIT
Windsor
Ann Arbor
Grand Rapids
Flint
Muskegon
Green Bay
MILWAUKEE
CHICAGO
Racine
Madison
Appleton
Eau Claire
Wausau
Sault Ste. Marie
Marquette
L. Superior
L. Michigan
L. Hurón
L. Erie
L. Ontario
0 300 600 900 km

Canadá

DATOS GENERALES
Nombre oficial: Canada
Superficie: 9 984 670 km²
Población: 30 007 094 hab.
Densidad: 3,0 hab./km²
Moneda: dólar canadiense
Lenguas: inglés y francés (oficiales)
Religión: católicos (43,6 %), protestantes (29,2 %)
Capital: Ottawa (774 072 hab.)
Ciudades: Toronto (2 481 494 hab.), Montreal (1 789 041 hab.), Calgary (878 866 hab.), Edmonton (666 104 hab.)
Divisiones administrativas: 10 provincias y 3 territorios
Forma de gobierno: estado federal

INDICADORES DEMOGRÁFICOS
Tasa de natalidad: 10,5 ‰
Tasa de mortalidad: 7,2 ‰
Crecimiento vegetativo: 3,3 ‰
Tasa de mortalidad infantil: 5,0 ‰
Hijos por mujer: 1,6
Tasa de crecimiento demográfico: 0,8 %
Población menor de 15 años: 18,4 %
Población de 60 años o más: 17,1 %
Esperanza de vida al nacer: 82,0 años (mujeres), 77,0 años (hombres)
Población urbana: 80,4 %

INDICADORES SOCIALES
Tasa de alfabetización: 99,0 %
Núm. de médicos: 187 por 100 000 hab.
Núm. de automóviles: 18 868 756 unidades
Líneas telefónicas: 636 por mil hab.
Abonados a teléfonos móviles/celulares: 377 por mil hab.
Usuarios de internet: 513 por mil hab.
Gasto público en salud: 6,8 % del PIB
Gasto público en educación: 5,2 % del PIB

INDICADORES ECONÓMICOS
PIB: 859 909 millones de $
PIB per cápita: 27 199 $
PIB por sectores: Primario 2 %, Secundario 29 %, Terciario 69 %
Población ocupada por sectores: Primario 3 %, Secundario 23 %, Terciario 74 %
Superficie cultivada: 5 %
Producción de energía: 548 859 millones de kW/h
Consumo de electricidad: 18 212 kW/h por hab.
Importaciones: 221 644 millones de $
Exportaciones: 250 704 millones de $

RECURSOS ECONÓMICOS
Agricultura: trigo, avena, centeno, cebada, maíz, patatas, lino, soja, remolacha azucarera, tabaco, agrios y hortalizas
Ganadería: bovina, porcina, caballar y aves de corral
Pesca: 1 202 000 t
Silvicultura: 200 326 008 m³ de madera
Minería: carbón, hierro, petróleo, gas natural, níquel, amianto, uranio, radio, oro, plata, platino, cobalto, plomo, cinc, cobre y prácticamente todos los minerales importantes conocidos
Industria: alimentaria en general, textil, siderúrgica, metalúrgica, automovilística, naval, química, del cemento, papelera

Canadá, el estado más extenso del continente americano, limita con Estados Unidos al sur y al noroeste (Alaska), y sus extensas costas están bañadas por los océanos Glacial Ártico al norte, Atlántico al este y Pacífico al oeste. Los estrechos de Smith y Davis y la bahía de Baffin separan la costa nororiental de Canadá de la isla de Groenlandia (Dinamarca).

Marco natural

El vasto territorio de Canadá, alargado en el sentido de los paralelos, presenta cuatro regiones fisiográficas bien definidas. Una primera región se localiza en el este de la península del Labrador donde se levanta una formación montañosa antigua, el extremo norte de los montes Apalaches (Jaques Cartier, 1250 m). Una segunda región domina la mitad oriental del territorio y está ocupada por el Escudo Canadiense, penillanura precámbrica formada por rocas muy antiguas, arrasada por la erosión de los glaciares cuaternarios. Este amplio territorio abarca una franja de 1 000 km aproximadamente que rodea la bahía de Hudson. Alrededor de 600 000 km² están ocupados por innumerables lagos, entre los que destacan el Superior, Hurón, Erie y Ontario, en la frontera con Estados Unidos, y al noroeste de éstos, el Winnipeg, Athabasca, Gran Lago del Esclavo y Gran Lago del Oso. Entre el Escudo Canadiense y las Montañas Rocosas se extiende la región de las Grandes Llanuras, prolongación de las vastas planicies estadounidenses, que ascienden suavemente hacia el sector oeste y son de origen sedimentario. Al oeste del país se encuentra un gran macizo montañoso integrado por las Montañas Rocosas (monte Robson, 3954 m), las mesetas interiores y la cordillera Costera, en la que se localiza la máxima altitud del estado, el monte Pierre Elliot Trudeau (antes denominado monte Logan), a 6050 m de altitud.

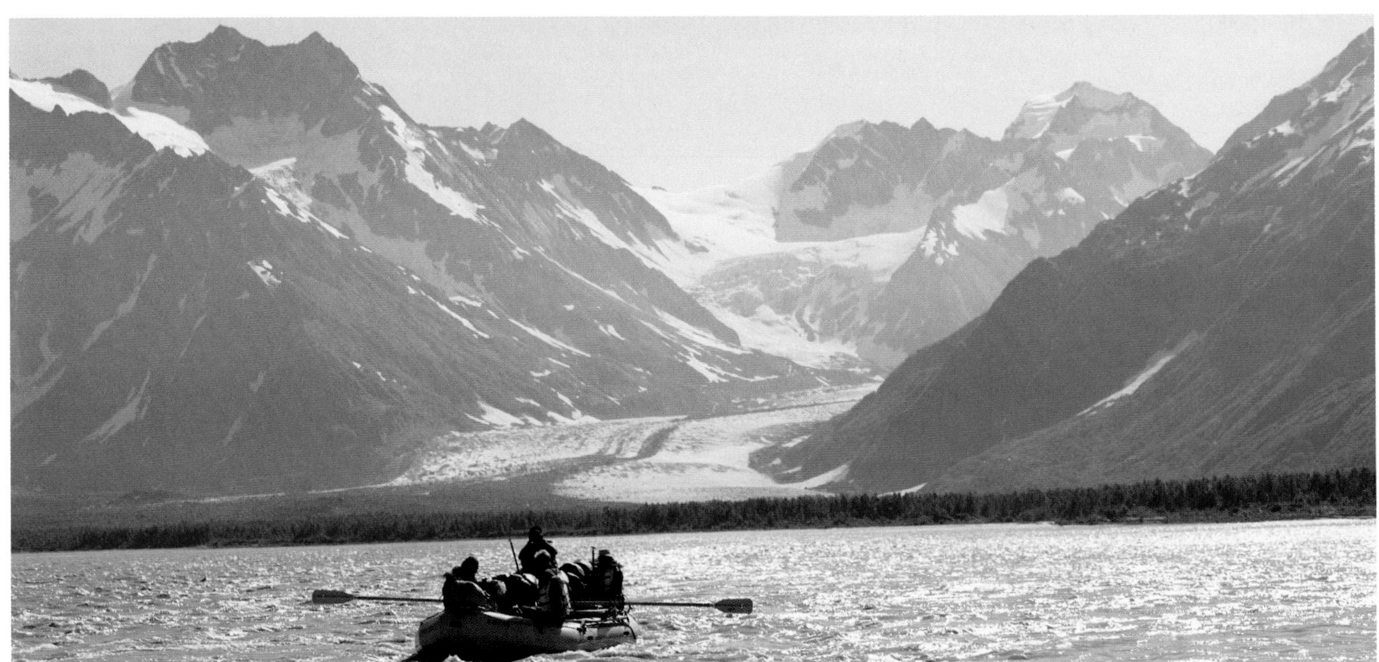

El Territorio del Yukón ocupa el borde noroccidental de Canadá, entre los Territorios del Noroeste, al este, y Alaska (Estados Unidos), al oeste; el río Tatshenshini (en la imagen) discurre al sur de los montes San Elías, donde se alzan algunos de los picos más elevados del país.

La red hidrográfica, vinculada a las cuencas lacustres, es extensa y caótica, debido a la acción glaciar: destacan al este, el río San Lorenzo, por su importancia económica; el Albany, Severn, Saskatchewan-Nelson y Churchill, que desembocan en la bahía de Hudson; y, más al noroeste, el Back, Coppermine y Mackenzie, tributarios del océano Glacial Ártico.

La tercera parte del territorio de Canadá está cubierta de bosques de coníferas; en las zonas árticas dominan la tundra, el matorral de brezos, los musgos y los líquenes. El clima que predomina en la mayor parte del territorio se puede describir, a grandes rasgos, como continental de transición a polar. El invierno canadiense es largo y frío, lo que dificulta las actividades humanas. En los territorios más septentrionales, la temperatura media es inferior a 0 °C durante ocho meses. A pesar de todo ello, la influencia oceánica se deja sentir en las costas occidentales, así como en las zonas costeras del sudeste, donde el clima es, en general, más benigno. La barrera orográfica de las Montañas Rocosas convierte la costa occidental en una de las regiones más húmedas del país. En este sector, el régimen de precipitaciones puede alcanzar fácilmente los 2000 mm anuales, mientras que en las regiones del interior, rara vez se superan los 500 mm, y disminuyen considerablemente hacia el norte. En el sector oriental del estado se dejan sentir los efectos del Atlántico, que convierten esa zona en una región muy húmeda, con una media anual de lluvias que sobrepasa los 1300 mm; estas precipitaciones descienden ligeramente hacia el interior.

Toronto es la capital de la provincia de Ontario, a orillas del lago Ontario, en el extremo sudoriental de Canadá. Activo puerto y polo industrial, es la urbe más populosa del país.

Población

La distribución de la población canadiense es muy irregular, debido a que una gran proporción del territorio no presenta condiciones favorables para la instalación de asentamientos humanos. Esto explica que la mayor parte de sus habitantes se concentren en la región de los Grandes Lagos, donde también se reúne la mayor actividad económica. Las grandes urbes del sector oriental del país son Toronto, Montreal y Ottawa, la capital. En el centro destaca la ciudad de Winnipeg y en las tierras más occidentales las mayores concentraciones urbanas se hallan en Calgary, Edmonton y Vancouver. La sociedad canadiense goza de uno de los ni-

Principales expediciones en busca del paso del Noroeste (siglos XVII-XX)

■ *Siguiendo la huella de anteriores navegantes (Caboto, Verrazano, etc.), en el siglo XVII se llevaron a cabo diversas expediciones en busca del paso del Noroeste (Hudson, Baffin), que, sin embargo, resultaron infructuosas. En el siglo XIX se reavivó el interés por estas tierras y John Ross alcanzó la península de Boothia. La expedición de John Franklin pereció en el intento, pero la de John McClure logró recorrer por primera vez el paso del Noroeste (1850-1854), aunque en buques distintos y con tramos por tierra. La primera travesía completa en un solo barco la realizó R. Amundsen (1903-1906).*

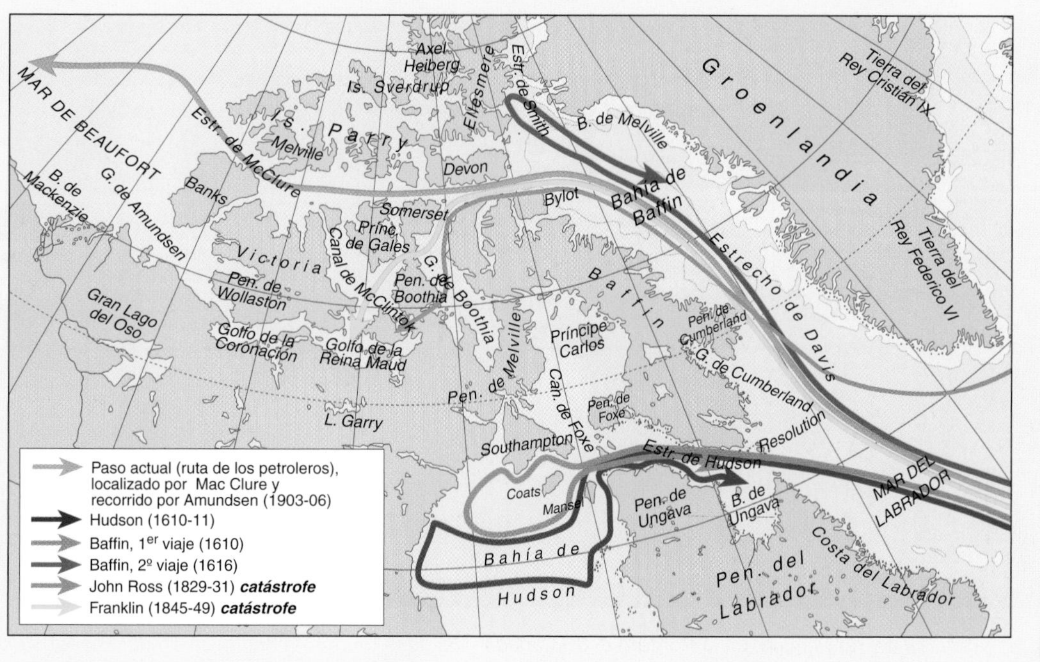

veles de bienestar más altos del mundo. Sin embargo, como todas las sociedades occidentales, presenta una estructura de población por edades envejecida. La mayoría de la población activa trabaja en el sector servicios.

Recursos económicos

A pesar del reducido número de hectáreas destinadas a usos agrícolas, Canadá presenta un elevado índice de rendimiento económico debido a la aplicación en el sector de avanzadas tecnologías y a un notable grado de mecanización. El país es uno de los principales productores mundiales de lino, pero entre sus cultivos también descuella la producción de cereales, patatas, colza, remolacha azucarera, frutales, hortalizas y legumbres. Uno de los sectores económicos más importantes es el forestal, que se dedica principalmente a la explotación de abetos, además de pinos, cedros, arces y abedules. De estos árboles se obtiene celulosa, pulpa de madera y papel; Canadá es uno de los primeros productores mundiales de pasta mecánica y pasta química. La ganadería se dedica sobre todo a la cría de cabezas de vacunos para la obtención de leche, y de cerdos. La pesca tiene gran relevancia por la captura del salmón en aguas del océano Pacífico, y de la langosta y el bacalao en el Atlántico, y trucha y esturión en aguas continentales. Los recursos minerales son abundantes y variados; se extrae en grandes cantidades carbón, lignito, hierro, petróleo y gas natural, además de amianto, uranio, oro, plata, cobalto, cinc, cobre y azufre. Canadá es además uno de los principales productores de níquel.

El sector industrial más desarrollado es el metalúrgico, en el que sobresale la producción de hierro y acero. Otro sector destacado es el textil, en el que se elabora toda clase de fibras (algodón, lana, rayón y sintéticas). También se fabrican automóviles, neumáticos y material ferroviario y naval. No menos importante es la industria de los sectores químico y alimentario. El turismo es una fuente de ingresos en auge gracias a las atracciones naturales del país (parques nacionales). La balanza comercial canadiense es positiva sobre la base de la exportación de vehículos, petróleo, maquinaria y productos forestales. La mayoría de sus intercambios comerciales se llevan a cabo con Estados Unidos, Japón, China, Reino Unido, México, Alemania, Corea del Sur, Francia e Italia.

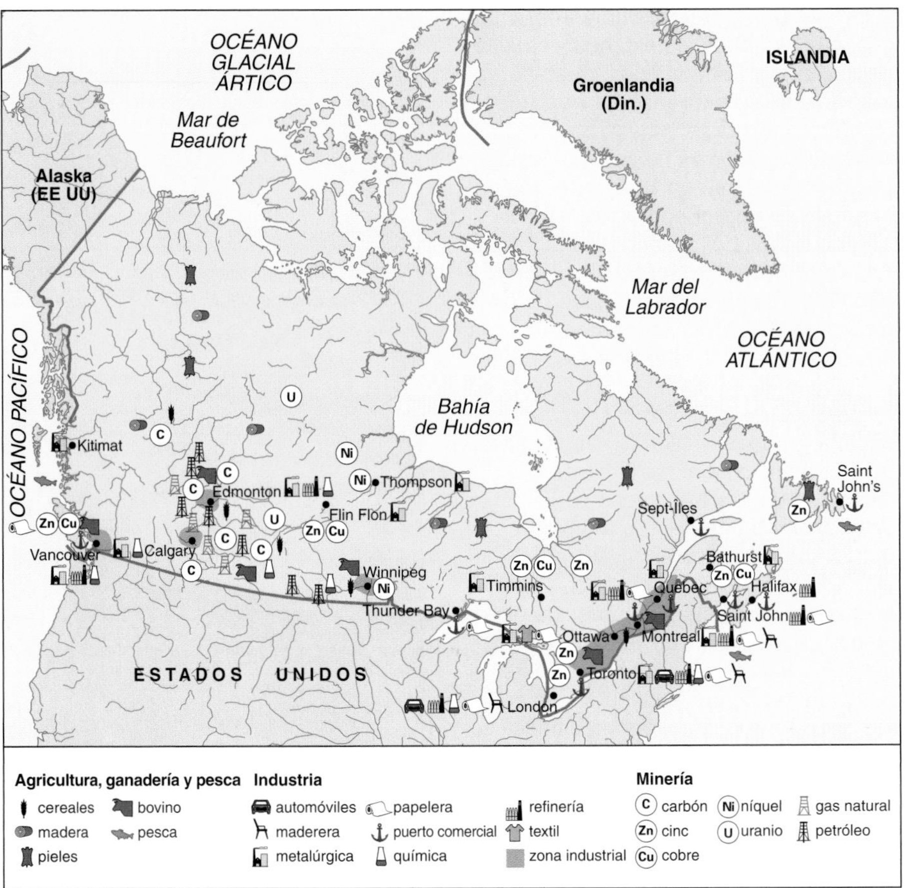

Las actividades industriales se concentran en una franja meridional que recorre el país en torno a los principales núcleos de población, de Vancouver al eje Quebec-Montreal-Toronto.

Las cataratas del río Niágara, en la frontera entre Canadá y Estados Unidos, constituyen un destino turístico de primer orden internacional. El gran salto de agua registra un desnivel de 50 m. Una gran central de energía hidroeléctrica aprovecha la fuerza de estas aguas bravas.

Aunque dispone de poco terreno cultivable, Canadá es un gran productor de cereales.

Cronología

Nueva Francia y el dominio británico

Ss. IX-XI: grupos de irlandeses e islandeses se establecen en Terranova y la península de Labrador y se suman a los primeros pobladores (iroqueses, esquimales y algonquinos).
1497-1498: navegación de Juan Caboto.
1534-1541: Jacques Cartier explora el San Lorenzo y toma posesión de Nueva Francia.
1608: Samuel de Champlain: colonización francesa del territorio.
1713: tratado de Utrecht: Francia cede a Inglaterra la bahía de Hudson, Terranova y Acadia (actuales Nueva Brunswick y Nueva Escocia).
1763: tratado de París: Francia entrega Canadá a los ingleses, saldando la rivalidad colonial en América del Norte.
1791: la división en Alto y Bajo Canadá refrenda la primacía de los colonos británicos en la zona.
1837-1838: rebeliones en ambas regiones reflejan la necesidad de cambios institucionales.
1840: Acta de Unión canadiense: cada región, con gobierno propio.

La Confederación canadiense

1867: nace la Federación del Canadá con categoría de dominio británico y cuatro provincias; el resto se incorporará en el siglo XX.
1918-1945: plena soberanía. Intervención en las dos guerras mundiales. Influencia económica estadounidense.
1968-1982: período de hegemonía del Partido Liberal (Pierre Trudeau). Problema interior: nacionalismo quebequés.
1984-1988: B. Mulroney (conservador), en el cargo de primer ministro.
1993: El liberal Jean Chrétien es elegido primer ministro (reelegido en 2000).
2003: Paul Martin, liberal, primer ministro.
2004: victoria del Partido Liberal en las elecciones legislativas.

Dependencias y otros territorios

Groenlandia

Nombre oficial: Gronland/ Kalaallit Nunaat
Superficie: 2 175 600 km²
Población: 56 676 hab.
Densidad: 0,03 hab./km²
Capital: Nuuk (Godthab)
Estatus: territorio autónomo danés

Geografía

Groenlandia, la isla más grande del mundo, es una región autónoma de Dinamarca. Situada al nordeste de América del Norte, se halla bañada por el océano Glacial Ártico al norte, el mar de Groenlandia al este y el Atlántico al sudeste. El estrecho de Dinamarca la separa de Islandia, y las aguas de la bahía de Baffin la separan del Ártico canadiense. Groenlandia está formada por un basamento precámbrico cubierto por una potente capa de hielo, el *inlandsis*. En los bordes sobresalen los *nunataks*, picos aislados libres de hielo.

La máxima altitud de la isla es del Gunnbjorns Fjeld (3 700 m), cerca del litoral oriental. Predomina el clima ártico y la vegetación de tundra. Los principales núcleos de población se localizan en la costa occidental, libre de hielo todo el año. La pesca de bacalao y la industria conservera son los pilares de la economía isleña.

Cronología

982: territorio poblado por esquimales, los noruegos llegan a sus costas (Erik el Rojo). La colonización noruega se prolonga hasta el siglo XV.
S. XVI: la isla es redescubierta por el navegante John Davis.
1721: nueva colonización, monopolizada por el Estado danés.
1941: acuerdo entre Dinamarca y EE UU para el establecimiento de bases militares en la isla.
1951: apertura a la colonización privada.
1953: Groenlandia se convierte en un departamento danés.
1979: concesión de la autonomía.
1985: territorio asociado a la Comunidad Económica Europea (CEE).

Esquimales preparándose para pescar en la isla de Groenlandia (Dinamarca).

Saint-Pierre y Miquelon

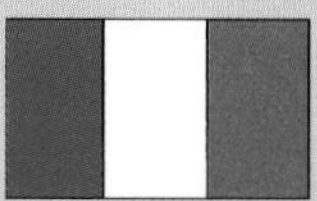

Nombre oficial: Saint-Pierre-et-Miquelon
Superficie: 242 km²
Población: 6 316 hab.
Densidad: 26 hab./km²
Capital: Saint-Pierre
Estatus: colectividad territorial francesa

Geografía

El archipiélago de Saint-Pierre y Miquelon es una colectividad territorial francesa en el océano Atlántico, al sur de Terranova (Canadá), compuesto por dos grupos insulares: Miquelon (216 km²), formado por la isla homónima –la más extensa– y la de Langlade; y Saint-Pierre (26 km²), con la isla de igual nombre y las de Grand-Colombier, Marins, Pigeons y Vainqueurs. Todas estas tierras insulares son bajas –la máxima elevación se alcanza en Miquelon, a 240 m– y rocosas, y en ellas predomina un clima frío y húmedo, con fuertes oscilaciones térmicas. La población se concentra en el grupo de las Saint-Pierre. El principal recurso económico es la pesca del bacalao y la merluza, productos que constituyen la base de las exportaciones.

Cronología

S. XVI: llegada a las islas de bretones y vascos.
1670: establecimiento de un fuerte francés.
1713: por el tratado de Utrecht pasan a poder de los ingleses.
1763: los franceses vuelven a controlarlas.
1814: por el tratado de París quedan definitivamente bajo dominio francés.
1976: se convierte en departamento francés de ultramar.
1984: obtiene la categoría de colectividad territorial con estatuto especial.

Norteamérica media

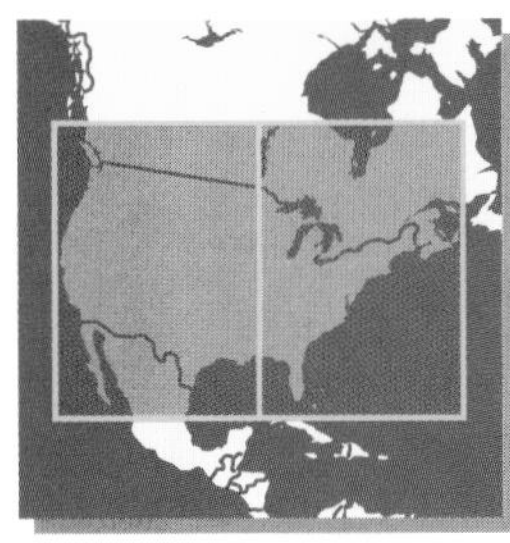

Esta región comprende Estados Unidos (salvo el territorio de Alaska, más al norte, y las islas Hawai, en Oceanía) y las islas Bermudas, pequeño archipiélago británico en el océano Atlántico, a 1 000 km al este del continente.

Edificio del Capitolio, en Washington D.C., sede del poder legislativo de Estados Unidos.

Geografía física y humana

La geografía de Estados Unidos puede dividirse en cuatro grandes regiones distribuidas de este a oeste. Abierta a la costa del Atlántico se extiende una larga llanura litoral que va ensanchándose hacia el sur para culminar en la península de Florida; al norte, la costa es muy recortada, mientras que en el sur es baja y pantanosa. Tras las llanuras litorales se elevan los montes Apalaches, que se alinean en paralelo al litoral del Atlántico y que culminan en el monte Mitchell (2 037 m). En el centro del país se abren extensas llanuras, conocidas como el Medio Oeste, donde cursos fluviales como el Mississippi, el Missouri y el Ohio riegan amplias zonas de fértiles terrenos. Al oeste se encuentran las Montañas Rocosas, que ocupan un tercio de la superficie total del país, con cumbres que superan los 4 000 m de altitud. Esta alineación orográfica se estructura en tres cordones principales, entre los cuales se extienden elevadas mesetas como las de Columbia, Arizona, Nuevo México y Colorado.

La disposición norte-sur de las dos grandes alineaciones montañosas impide la influencia atemperada de los océanos, por lo que el clima en el interior de Estados Unidos es marcadamente continental. Al este y oeste, el clima es oceánico, aunque estos caracteres climáticos varían notablemente con la latitud.

Las Grandes Llanuras interiores se caracterizan por una explotación agraria extensiva, muy mecanizada y que produce elevados rendimientos. Los cereales fueron tradicionalmente el principal cultivo de la región, aunque han sido sustituidos progresivamente por cultivos industriales. La densidad de población de este extenso territorio es reducida. La mayor parte de la población estadounidense se concentra a lo largo de ambas costas, donde se localizan las grandes ciudades. La actividad industrial es la base principal del desarrollo y la riqueza del país. Las tres principales regiones industriales son la del nordeste (Nueva York, Chicago), entre el Atlántico Medio y los Grandes Lagos; la región de golfo de México, centrada en el estado de Texas (Dallas, Houston); y la de California (Los Ángeles, San Francisco), la más dinámica desde el punto de vista del desarrollo tecnológico.

La colonización de América del Norte

■ *Hacia el año 1600 un millón de nativos vivían al norte del río Grande, hablaban más de dos mil lenguas y subsistían de la caza, la pesca e, incluso, de la agricultura. La llegada de los europeos supuso al principio ciertas ventajas para los indígenas, como la introducción del caballo. Sin embargo, la población autóctona comenzó a declinar. La competencia por las tierras, que los colonos europeos iban ocupando con granjas ganaderas y agrícolas, se hizo a costa de desplazar a la población indígena, debilitada a su vez por las guerras y las enfermedades. La expansión hacia el oeste, lenta pero constante, hizo que en 1889 sólo subsistiesen indios y bisontes en el interior de reservas protegidas. Concluía así el proceso de colonización de América del Norte.*

Historia

Las primeras exploraciones europeas de la región se produjeron en el siglo XVI. Los españoles se instalaron en el golfo de México y Florida, los franceses en la cuenca del Mississippi y los británicos en Virginia. Con la progresiva ocupación de las tierras interiores, las poblaciones indígenas fue-

La guerra de Secesión (1861-1865)

■ *La guerra de Secesión estadounidense enfrentó a dos modelos de sociedad. En 1820 el país estaba dividido por la línea del paralelo 36 en estados esclavistas y estados abolicionistas. La tensión entre el Norte (marcadamente industrial y defensor de la abolición del esclavismo) y el Sur (una sociedad jerarquizada y aristocrática) era cada vez mayor. El triunfo del republicano y abolicionista Abraham Lincoln en las elecciones de 1860 fue una de las causas de la guerra. Carolina del Sur se separó de la Unión, acto que fue imitado por otros diez estados, que crearon una Confederación, con Jefferson Davis como presidente. Las hostilidades se iniciaron en 1861, y tras la decisiva batalla de Gettysburg (Pennsylvania), en 1863, las fuerzas sudistas fueron reducidas. La capitulación se firmó en 1865 en Appomatox (Virginia).*

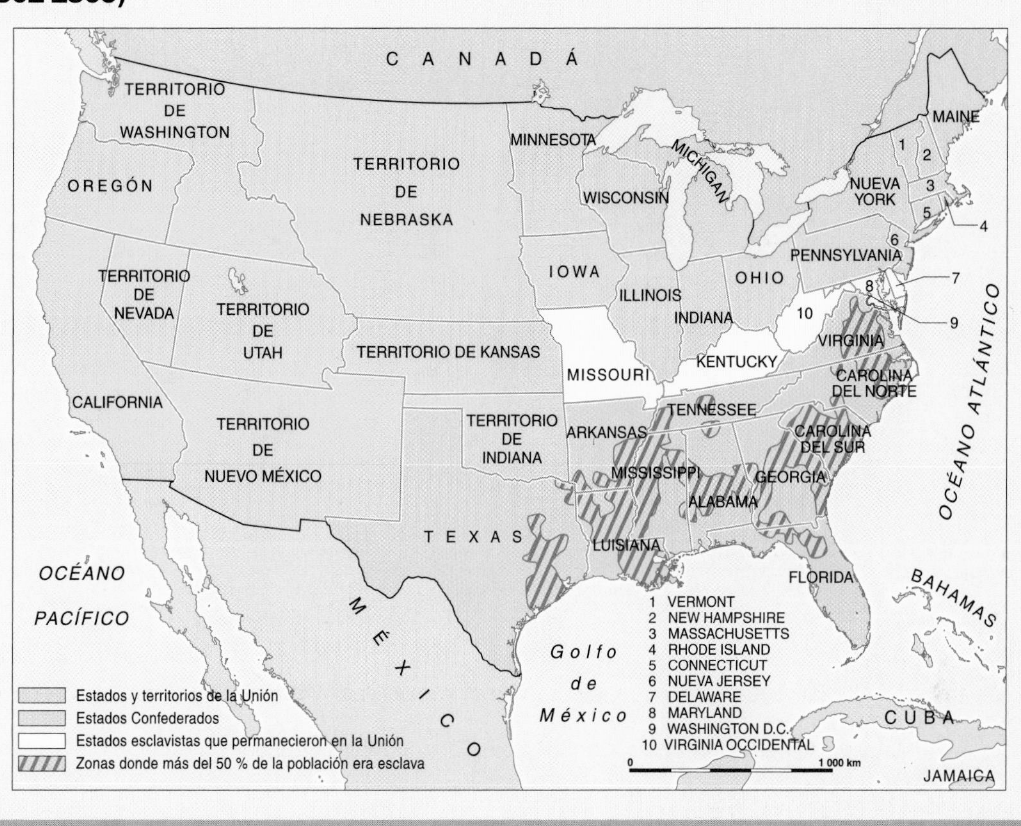

ron expulsadas o exterminadas. Tras una revolución armada, Estados Unidos proclamó su independencia en 1776, aunque inicialmente sólo abarcó 13 colonias del este del territorio. La ampliación del país hasta el océano Pacífico se completó en 1848 con la anexión de un extenso territorio mexicano (Arizona, Alta California). Tras la guerra de Secesión, el poderío económico y político de Estados Unidos recibió un nuevo impulso, caracterizado por el desarrollo ferroviario y por el crecimiento demográfico, al que contribuyó de manera decisiva la llegada en masa de emigrantes europeos. Sobre esta base, Estados Unidos logró desarrollar rápidamente la producción agraria (trigo, maíz, algodón) y pecuaria, lo cual otorgó a ese país un papel cada vez más decisivo en la economía mundial.

Estados Unidos se convirtió en una de las principales potencias industriales y políticas del mundo sobre todo tras la Primera Guerra Mundial, con índices de crecimiento a los que no podían aspirar los países europeos, devastados por el conflicto. Y, después de la Segunda Guerra Mundial, Estados Unidos apareció no sólo como el país más pujante de la nueva etapa abierta después del conflicto, sino como cabeza de uno de los más poderosos imperios económicos, militares y políticos.

La crisis económica desatada a partir de 1973 por el aumento de los precios del petróleo aceleró el proceso de tecnificación del modo productivo estadounidense en busca de fuentes de energía barata –especialmente la energía atómica– que permitiera a este país y a su sistema resolver sus contradicciones internas (crecimiento del índice de paro, tensiones latentes en el seno de su sociedad civil) y asegurar su predominio mundial. La desmembración política y territorial de la Unión Soviética (1991) marcó el final de la guerra fría y consolidó la hegemonía mundial de Estados Unidos. Una década después, los atentados terroristas del 11 de septiembre de 2001 contra las Torres Gemelas de Nueva York y el Pentágono marcaron un punto decisivo de inflexión en la política exterior estadounidense.

Panorámica del Parque Nacional Bryce Canyon (Utah), que comprende un sector de las Montañas Rocosas fuertemente afectado por la erosión, en el oeste de Estados Unidos.

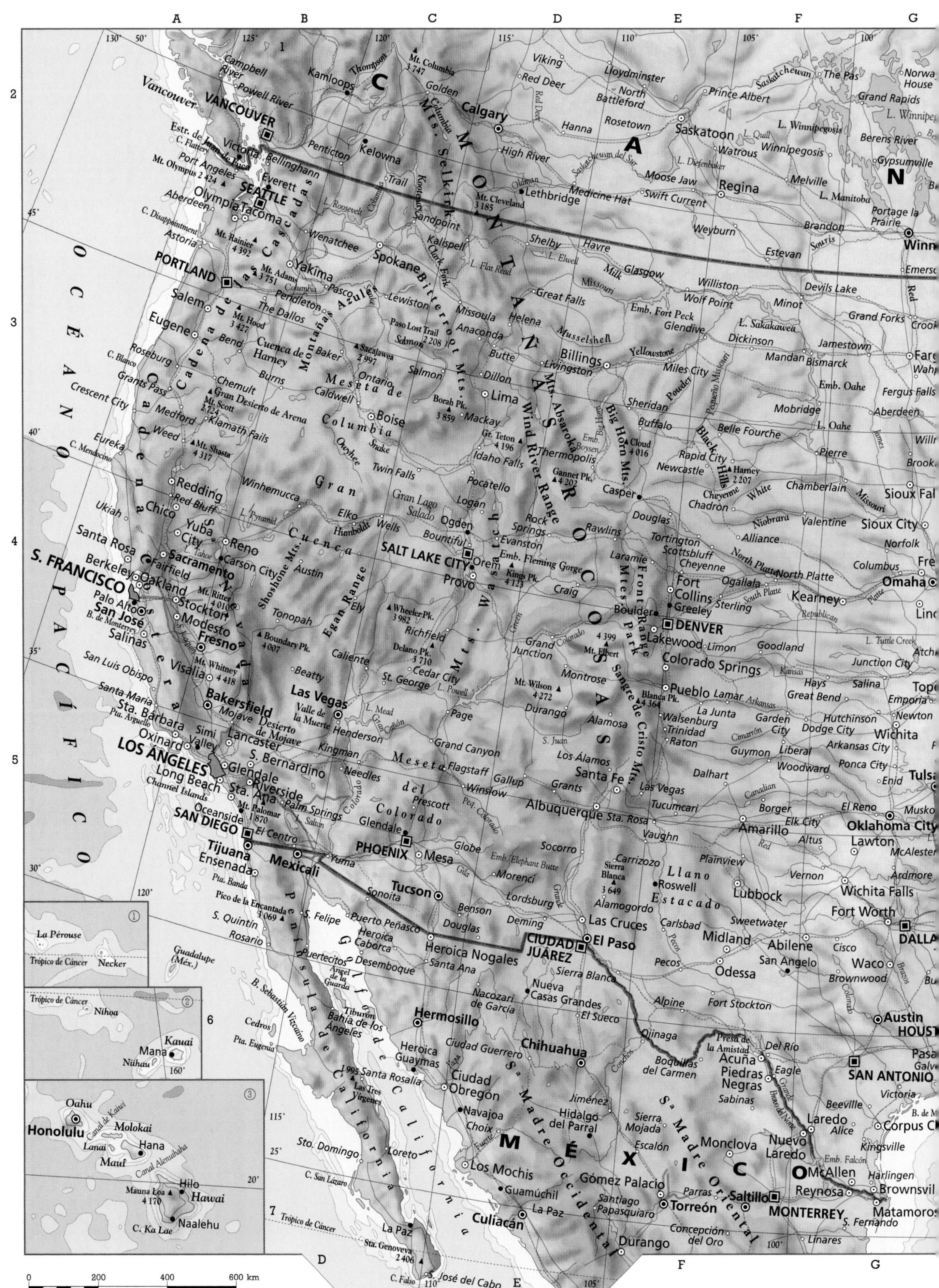

A
B
C
D
E
F
G
2
3
4
5
6
7
OCÉANO PACÍFICO
CANADÁ
MONTAÑAS ROCOSAS
MÉXICO
Vancouver
VANCOUVER
Victoria
Estr. de Juan de Fuca
C. Flattery
Port Angeles
Mt. Olympus 2 424
Bellingham
Everett
SEATTLE
Olympia
Tacoma
Aberdeen
C. Disappointment
Astoria
Mt. Rainier 4 392
Cascadas
PORTLAND
Mt. Adams 3 751
Yakima
Salem
Mt. Hood 3 427
Eugene
Bend
The Dallas
Pendleton
Pasco
Wenatchee
Spokane
Lewiston
Roseburg
C. Blanco
Grants Pass
Crescent City
Medford
Klamath Falls
Chemult
Gran Desierto de Arena
Mt. Scott 2 724
Cadena de las Cascadas
Eureka
C. Mendocino
Mt. Shasta 4 317
Weed
Redding
Red Bluff
Ukiah
Chico
Yuba City
Santa Rosa
Reno
Carson City
L. Tahoe
Sacramento
Fairfield
Berkeley
S. FRANCISCO
Oakland
Palo Alto
San José
B. de Monterrey
Salinas
Stockton
Modesto
Mt. Ritter 4 010
Fresno
San Luis Obispo
Visalia
Mt. Whitney 4 418
Sierra Nevada
Santa María
Sta. Bárbara
Pta. Arguello
Bakersfield
Oxinard
Simi Valley
Lancaster
Mojave
Desierto de Mojave
LOS ÁNGELES
Long Beach
Channel Islands
Glendale
S. Bernardino
Riverside
Sta. Ana
Palm Springs
Oceanside
Mt. Palomar 1 870
SAN DIEGO
El Centro
Tijuana
Ensenada
Mexicali
Yuma
Pta. Banda
Pico de la Encantada 3 069
S. Quintín
Rosario
S. Felipe
Península de Baja California
Golfo de California
Guadalupe (Méx.)
Campbell River
Powell River
Kamloops
Thompson
Penticton
Kelowna
Trail
Mt. Columbia 3 747
Golden
Columbia Mts.
Selkirk Mts.
Kootenay
L. Roosevelt
Sandpoint
Kalispell
Clark Fork
Bitterroot Mts.
Montañas Azules
Cuenca de Harney
Baker
Sacajawea 2 997
Paso Lost Trail 2 208
Salmon
Ontario
Burns
Caldwell
Meseta de Columbia
Boise
Snake
Owyhee
Twin Falls
Winnemucca
Gran Cuenca
L. Pyramid
Elko
Humboldt
Wells
Shoshone Mts.
Austin
Egan Range
Ely
Tonopah
Boundary Pk. 4 007
Wheeler Pk. 3 982
Caliente
Beatty
Las Vegas
Valle de la Muerte
Henderson
L. Mead
Gran Cañón
Kingman
Needles
Colorado
Salton
Calgary
Red Deer
Viking
Hanna
Mt. Cleveland 3 185
Lethbridge
Oldman
High River
Medicine Hat
Missoula
Helena
Anaconda
Butte
Dillon
Lima
Borah Pk. 3 859
Mackay
Gr. Teton 4 196
Idaho Falls
Pocatello
Gran Lago Salado
Logan
Ogden
Bountiful
SALT LAKE CITY
Orem
Provo
Wasatch Mts.
Kings Pk. 4 123
Richfield
Delano Pk. 3 710
Cedar City
St. George
L. Powell
Page
Grand Canyon
Meseta del Colorado
Flagstaff
Winslow
Prescott
Glendale
PHOENIX
Mesa
Globe
Gila
Tucson
Sonoita
Benson
Douglas
Puerto Peñasco
Heroica Caborca
Heroica Nogales
Santa Ana
Puertecitos
Desemboque
Ángel de la Guarda
B. Sebastián Vizcaíno
Cedros
Pta. Eugenia
Tiburón
Bahía de los Ángeles
Hermosillo
Heroica Guaymas
Santa Rosalía
Las Tres Vírgenes 1 995
Ciudad Obregón
Navajoa
Choix
Los Mochis
Guamúchil
Culiacán
La Paz
Loreto
Sto. Domingo
C. San Lázaro
Trópico de Cáncer
Sta. Genoveva 2 406
C. Falso
S. José del Cabo
Nacozari de García
Nueva Casas Grandes
El Sueco
Ciudad Guerrero
Chihuahua
Sierra Madre Occidental
Jiménez
Hidalgo del Parral
Santiago Papasquiaro
Durango
Gómez Palacio
Torreón
Lloydminster
North Battleford
Red Deer
Rosetown
Saskatoon
Prince Albert
Saskatchewan
L. Quill
Watrous
Saskatchewan del Sur
L. Diefenbaker
Moose Jaw
Regina
Swift Current
Weyburn
Estevan
Souris
Shelby
Havre
L. Elwell
Milk
Glasgow
Missouri
Great Falls
Musselshell
Billings
Livingston
Mts. Absaroka
Wind River Range
Thermopolis
Emb. Boysen
Gannet Pk. 4 202
Big Horn Mts.
Cloud 4 016
Casper
Rock Springs
Evanston
Emb. Fleming Gorge
Rawlins
Craig
Green
Grand Junction
Mt. Elbert 4 399
Montrose
Mt. Wilson 4 272
Durango
S. Juan
Los Álamos
Santa Fe
Gallup
Grants
Albuquerque
Sta. Rosa
Socorro
Emb. Elephant Butte
Morenci
Lordsburg
Deming
Las Cruces
El Paso
CIUDAD JUÁREZ
Sierra Blanca 3 649
Alamogordo
Carrizozo
Roswell
Llano Estacado
Carlsbad
Pecos
Sheridan
Buffalo
Powder
Black Hills
Rapid City
Harney 2 207
Newcastle
Douglas
Cheyenne
Chadron
Torrington
Scottsbluff
Laramie
Front Range
Mts. Park
Fort Collins
Greeley
Sterling
Boulder
DENVER
Lakewood
Limon
Colorado Springs
Pueblo
Lamar
Sangre de Cristo Mts.
Blanca Pk. 4 364
Alamosa
La Junta
Walsenburg
Trinidad
Raton
Las Vegas
Tucumcari
Vaughn
Yellowstone
Miles City
Glendive
Emb. Fort Peck
Williston
Wolf Point
Minot
Devils Lake
Grand Forks
L. Sakakawea
Dickinson
Mandan
Bismarck
Jamestown
Emb. Oahe
Mobridge
Belle Fourche
L. Oahe
Aberdeen
Pierre
Chamberlain
White
Niobrara
Valentine
Alliance
North Platte
Ogallala
South Platte
Kearney
Republican
Goodland
Hays
Great Bend
Garden City
Dodge City
Cimarrón
Liberal
Guymon
Dalhart
Amarillo
Borger
Canadian
Elk City
Altus
Red
Plainview
Lubbock
Vernon
Wichita Falls
Sweetwater
Midland
Odessa
Abilene
San Angelo
Fort Stockton
Alpine
Sierra Blanca
Ojinaga
Presa de la Amistad
Del Río
Boquillas del Carmen
Acuña
Piedras Negras
Eagle
Sabinas
Sierra Mojada
Sierra Madre Oriental
Escalón
Monclova
Nuevo Laredo
Laredo
Parras
Saltillo
MONTERREY
Reynosa
McAllen
Matamoros
Brownsville
Harlingen
S. Fernando
Linares
Concepción del Oro
Kingsville
Alice
Corpus Christi
Beeville
Victoria
SAN ANTONIO
Austin
Waco
Brownwood
Cisco
Fort Worth
DALLAS
Wichita
Newton
Emporia
Salina
Hutchinson
Arkansas City
Ponca City
Woodward
Enid
El Reno
Oklahoma City
Lawton
Ardmore
Tulsa
Junction City
L. Tuttle Creek
Columbus
Omaha
Norfolk
Sioux City
Sioux Falls
Brookings
Fargo
Wahpeton
Fergus Falls
The Pas
Norway House
Grand Rapids
L. Winnipeg
L. Winnipegosis
Berens River
Winnipegosis
Gypsumville
Melville
L. Manitoba
Portage la Prairie
Brandon
Winnipeg
Emerson
La Pérouse
Necker
Nihoa
Kauai
Niihau
Mana
Oahu
Honolulu
Canal de Kaiwi
Molokai
Lanai
Hana
Maui
Canal Alenuihaha
Hilo
Hawai
Mauna Loa 4 170
Naalehu
C. Ka Lae
0
200
400
600 km

H
I
J
K
L
M
N
O
2
3
4
5
6
7
90°
85°
80°
75°
70°
65°
60°
50°
45°
40°
35°
30°
25°
B. James
Akimiski
Fort Albany
Charlton
Waskaganish
(Fort Rupert)
Moosonee
Sandy Lake
Pickel Crow
Sioux Lookout
Dryden
Fort Frances
International Falls
Virginia
Nakina
Geraldton
Hearst
Cochrane
Coral Rapids
Matagami
Chibougamau
Timmins
Kirkland Lake
Rouyn
Val-d'Or
Senneterre
Nipigon
Marathon
Thunder Bay
Michipicoten
Oba
Cobalt
Mont-Laurier
La Tuque
Trois-Rivières
Dolbeau
Jonquière
Chicoutimi
Rivière-du-Loup
Quebec
Sept-Îles
Port-Cartier
Pt.-Menier
Mingan
Anticosti
Paso de Jacques Cartier
Estr. de Honguedo
Baie-Comeau
Rimouski
Pen. de Gaspé
Gaspé
Campbellton
Edmundston
I. de la Madeleine
G. de S. Lorenzo
Estr. de Cabot
Port-aux-Basques
Terranova
Sydney
Cabo Breton
Charlottetown
Príncipe Eduardo
Moncton
New Glasgow
Halifax
Nueva Escocia
Sable
Yarmouth
Fredericton
Saint John
Houlton
Presque Isle
Mt. Katahdin
1605
Calais
B. de Fundy
Bangor
Waterville
Augusta
Rockland
Portland
Golfo de Maine
Mt. Washington
1 917
Berlin
Montpelier
Sherbrooke
St.-Hyacinthe
MONTREAL
Cornwall
Hull
Ottawa
North Bay
Pembroke
Huntsville
Sudbury
Elliot Lake
Sault Ste. Marie
L. Superior
Royale
Pen. de Keweenaw
Hancock
Marquette
Duluth
Superior
Ashland
Ironwood
Iron Mountain
Escanaba
Mackinaw City
Manitoulin
Tobermory
Owen Sound
Kingston
Ogdensburg
Massena
Burlington
Watertown
Panther Mt.
1 190
Glens Falls
Concord
Nashua
Lowell
BOSTON
Springfield
New Bedford
PROVIDENCE
C. Cod
Nantucket
HARTFORD
Albany
Schenectady
Utica
Syracuse
ROCHESTER
Oshawa
TORONTO
Mississauga
Hamilton
Kitchener
London
Sarnia
Niagara Falls
BUFFALO
Binghamton
Scranton
Waterbury
New Haven
Bridgeport
Yonkers
Newark
NUEVA YORK
Long Island
Trenton
Allentown
FILADELFIA
Wilmington
Atlantic City
Elmira
Jamestown
Erie
Oil City
Youngstown
Wilkes Barre
Harrisburg
BALTIMORE
Dover
WASHINGTON
B. de Delaware
Annapolis
Salisbury
Alexandria
Charlottesville
Richmond
B. de Chesapeake
NORFOLK
Newport News
Portsmouth
Hatteras
C. Hatteras
Estr. de Pamlico
New Bern
B. Onslow
Wilmington
C. Fear
Georgetown
B. Long
Charleston
Savannah
Brunswick
Jacksonville
St. Agustine
Gainesville
Daytona Beach
Titusville
C. Kennedy
(Cañaveral)
Melbourne
Fort Pierce
ORLANDO
TAMPA
Clearwater
St. Petersburg
B. de Tampa
L. Okeechobee
West Palm Beach
Fort Lauderdale
MIAMI
Fort Myers
C. Sable
B. de Florida
Key West
Cayos de Florida
Estrecho de Florida
Santarem Channel
Andros
Andros Town
Gran Bahama
Freeport
Gran Abaco
Marsh Harbour
Nassau
New Providence
Eleuthera
Bannerman Town
Cat
Moss Town
San Salvador
Rum Cay
Exuma Sd.
Gran Exuma
Long
Paso de la I. Crooked
Crooked
Acklins
Mayaguana
Paso de las Caicos
Is. Caicos (R.U.)
Pequeña Inagua
Gran Inagua
Matthew Town
Trópico de Cáncer
BAHAMAS
OCÉANO ATLÁNTICO
Is. Bermudas (R.U.)
Hamilton
GOLFO DE MÉXICO
Delta del Mississippi
NUEVA ORLEANS
Is. Chandeleur
Baton Rouge
Lafayette
Houma
Beaumont
Lake Charles
Alexandria
Biloxi
B. de Mobile
Mobile
Pensacola
Tallahassee
Panama City
Apalachicola
C. San Blas
B. Apalachee
Lake City
Valdosta
Jesup
Albany
Dothan
Troy
Montgomery
Columbus
Macon
Augusta
Columbia
ATLANTA
Anniston
La Grange
Birmingham
Tuscaloosa
Meridian
Jackson
Hattiesburg
Laurel
Natchez
Bogalusa
Vicksburg
Monroe
Shreveport
El Dorado
Texarkana
Greenville
Pine Bluff
Little Rock
North Little Rock
Helena
Tupelo
Columbus
Memphis
Corinth
Florence
Decatur
Huntsville
Chattanooga
Gadsden
Rome
Greenville
Anderson
CHARLOTTE
Fayetteville
Raleigh
Durham
Greensboro
Winston-Salem
Danville
Lynchburg
Roanoke
Asheville
Knoxville
Oak Ridge
Mt. Mitchell
2 037
Mtes. Azules
Johnson City
Nashville
Bowling Green
Jackson
Paducah
Evansville
Owensboro
Louisville
Lexington
Frankfort
Richmond
Huntington
Charleston
Beckley
Parkersburg
Wheeling
PITTSBURGH
Altoona
Penn Hill
Canton
Akron
CLEVELAND
Euclid
Toledo
DETROIT
Windsor
Ann Arbor
Pontiac
Flint
Saginaw
Lansing
Jackson
Grand Rapids
Muskegon
Kalamazoo
South Bend
Fort Wayne
Lima
Mansfield
COLUMBUS
Piqua
Dayton
Hamilton
CINCINNATI
Covington
INDIANAPOLIS
Anderson
Terre Haute
Danville
Decatur
Peoria
Springfield
Effingham
ST. LOUIS
St. Alton
Mt. Vernon
Cape Girardeau
Poplar Bluff
Jonesboro
Fort Smith
Fayetteville
Springfield
Jefferson City
KANSAS CITY
Quincy
Keokuk
Burlington
Ottumwa
Iowa City
Cedar Rapids
Davenport
Rock Island
Aurora
Elgin
CHICAGO
Rockford
Dubuque
Waterloo
Madison
MILWAUKEE
Sheboygan
Fond du Lac
Appleton
Green Bay
Door
Eau Claire
Saint Paul
Rochester
Mason City
Wasau
Marinette
Traverse City
Cadillac
Alpena
L. Michigan
L. Hurón
B. de Saginaw
L. Ontario
L. Erie
Ohio
Mississippi
Missouri
Hudson
Potomac
Apalaches
Alleghenies
Meseta de Cumberland
Meseta de Ozark
L. de los Ozarks
Lago Cumberland
Lago Sakami
Lago Mistassini
Lago Manicouagan
Eastmain
Albany
Ekwan
L. Winisk
L. North Caribou
L. Seul
Lago Nipigon
Emb. Gouin
St.-Jean
Harricanaw
Moose
Missinaibi
Ogoki
Nottaway
Rupert
Péribonca
San Lorenzo
L. Champlain
B. Georgian
L. Winnebago
B. Green
Estr. de Northumberland
B. de Chaleur
Altamaha
Chattahoochee
Tombigbee
Alabama
Savannah
Pee Dee
Sabine
Red
Arkansas
Marsh

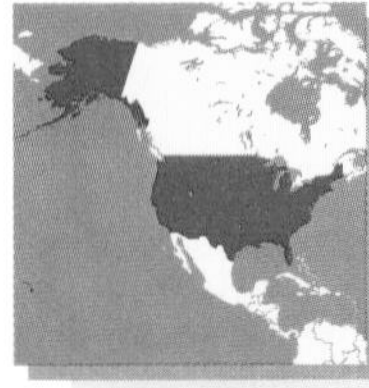

Estados Unidos

DATOS GENERALES
Nombre oficial: United States of America
Superficie: 9 372 614 km²
Población: 281 411 906 hab.
Densidad: 30 hab./km²
Moneda: dólar
Lenguas: inglés (oficial), español
Religión: protestantes (24,6 %), católicos (22,1 %)
Capital: Washington (572 059 hab.)
Ciudades: Nueva York (8 008 278 hab.), Los Ángeles (3 694 820 hab.), Chicago (2 896 016 hab.), Houston (1 953 631 hab.), Filadelfia (1 517 550 hab.)
Divisiones administrativas: 50 estados y 1 distrito federal
Forma de gobierno: república

INDICADORES DEMOGRÁFICOS
Tasa de natalidad: 14,2 ‰
Tasa de mortalidad: 8,6 ‰
Crecimiento vegetativo: 5,6 ‰
Tasa de mortalidad infantil: 6,9 ‰
Hijos por mujer: 2,1
Tasa de crecimiento demográfico: 1,1 %
Población menor de 15 años: 21,0 %
Población de 60 años o más: 16,7 %
Esperanza de vida al nacer: 80,0 años (mujeres), 74,0 años (hombres)
Población urbana: 80,1 %

INDICADORES SOCIALES
Tasa de alfabetización: 99,0 %
Núm. de médicos: 279 por 100 000 hab.
Núm. de automóviles: 137 633 467 unidades
Líneas telefónicas: 646 por mil hab.
Abonados a teléfonos móviles/celulares: 488 por mil hab.
Usuarios de internet: 551 por mil hab.
Gasto público en salud: 6,2 % del PIB
Gasto público en educación: 5,6 % del PIB

INDICADORES ECONÓMICOS
PIB: 10 875 348 millones de $
PIB per cápita: 37 312 $
PIB por sectores: Primario 2 %, Secundario 23 %, Terciario 75 %
Población ocupada por sectores: Primario 3 %, Secundario 22 %, Terciario 75 %
Superficie cultivada: 19,5 %
Producción de energía: 3 838 552 millones de kW/h
Consumo de electricidad: 13 241 kW/h por hab.
Importaciones: 1 302 158 millones de $
Exportaciones: 718 776 millones de $

RECURSOS ECONÓMICOS
Agricultura: trigo, maíz, centeno, avena, cebada, arroz, sorgo, patatas, algodón, soja, lino, cacahuetes, tabaco, caña de azúcar, remolacha azucarera, manzanas, melocotones, peras, albaricoques, tomates, cebollas, agrios, uva, olivas
Ganadería: bovina, ovina, porcina, caballar
Pesca: 5 405 404 t
Silvicultura: 477 821 131 m³ de madera
Minería: carbón, petróleo, gas natural, plomo, cinc, bauxita, mercurio, oro, plata, molibdeno, vanadio, tungsteno, manganeso, antimonio, estaño, níquel, uranio, fosfatos, sal
Industria: siderúrgica, alumínica, mecánica, ferroviaria, electrónica, electrodoméstica, automovilística, neumática, aeronáutica, textil, química, del calzado, tabaquera y alimentaria en general

Este vasto país de América del Norte ocupa la franja central del subcontinente y limita al norte con Canadá y al sur con México. La costa oriental está bañada por el océano Atlántico y un sector del golfo de México, mientras que el litoral occidental limita con el océano Pacífico.

El territorio de Estados Unidos también incluye los estados de Alaska (que comprende la península homónima, situada en el borde noroeste continental) y el archipiélago polinesio de las islas Hawai, en el norte de Oceanía.

Estados Unidos posee además distintos territorios insulares no incorporados en la región del Caribe –una parte del archipiélago de las islas Vírgenes–, así como en Oceanía (Samoa Americana u Oriental, Guam, las islas Marianas Septentrionales y otros territorios menores).

Marco natural

El relieve estadounidense se puede dividir en cuatro grandes regiones. En el sector más oriental del país, entre la vertiente oriental de los montes Apalaches y la costa atlántica, se extiende una estrecha llanura que se ensancha hacia el sur, a partir de Nueva York; la costa atlántica es recortada en el sector septentrio-

El Valle de la Muerte (Death Valley) *es un árido territorio de 225 km de longitud, situado en el sector oriental de California, al sudoeste del país. Limitado al este por los montes Panamint, alberga el punto a menor altitud del relieve americano, a 86 m bajo el nivel del mar.*

Fundación de los Estados Unidos de América

■ *Durante el siglo XVIII, el imperio inglés mantenía en sus colonias americanas las premisas del "pacto colonial" (siguiendo el modelo de exportar materias primas e importar productos manufacturados de la metrópoli, un sistema de monopolio en beneficio de ésta), y frenaba la expansión hacia los codiciados territorios del oeste. La reglamentación del comercio mediante elevadas tasas (del timbre, azúcar, té, etc.) terminó por enfrentar a los intereses coloniales con los de los colonos norteamericanos. Los trece estados que a raíz de los desórdenes de Boston (1773) se reunieron en el congreso de Filadelfia (declaración de Derechos, 1774) y luego aprobaron la declaración de Independencia (1776), plasmaron aquellos principios racionalistas y enciclopedistas que abolían los privilegios coloniales.*

nal, mientras que al sur del cabo Hatteras se vuelve baja y pantanosa. En el extremo meridional, la costa aparece orlada por arrecifes de coral o cayos (*keys*), recubiertos de arenas remodeladas en dunas. El sistema montañoso de los Apalaches es una larga y ancha barrera orográfica que se extiende casi paralelamente a la costa atlántica, desde el río San Lorenzo, en la frontera con Canadá, hasta el norte del golfo de México. Los Apalaches están constituidos por un viejo macizo cristalino sucesivamente levantado y peniplanizado. Pese a que su altitud media es modesta, supera los 1800 m de altitud en varias de sus cimas (monte Mitchell, 2037 m).

Las Grandes Llanuras centrales abarcan el territorio que va desde los Apalaches, al este, hasta el piedemonte de las Montañas Rocosas, al oeste, y desde la frontera canadiense, al norte, hasta el golfo de México, al sur. Es una inmensa cuenca sedimentaria cuyo relieve asciende progresivamente desde unos 300 m al este, hasta cerca de los 1500 m en el extremo occidental. Los únicos accidentes que rompen la monotonía del paisaje son dos macizos antiguos y desgastados: la meseta de Ozark y los montes Ouachita. El elemento protagonista de las Grandes Llanuras, que constituyen la arteria medular de su funcionamiento, es la cuenca del Mississippi que, con sus afluentes Missouri, Ohio y Arkansas, avena la región.

En el sector occidental del país se erige un amplio sistema montañoso conocido como las Montañas Rocosas, que se extiende desde México hasta Alaska, y ocupa aproximadamente la tercera parte de la superficie nacional. En este sistema orográfico se distinguen, de oeste a este, tres sectores diferenciados: la cordillera propiamente dicha, la región de altiplanos y cuencas interiores, y las cadenas del Pacífico, separadas por depresiones tectónicas longitudinales. Las Montañas Rocosas propiamente dichas se hallan orientadas primero en dirección noroeste-sudeste, para acabar adoptando una dirección meridiana (monte Elbert, 4399 m). En el extremo occidental del sistema se extienden tres cordones principales, la cadena de las Cascadas (monte Rainier, 4392 m), Sierra Nevada (monte Whitney, 4418 m) y, en el borde litoral, la cadena Costera. Entre estos dos encadenamientos principales se emplazan las mesetas de Columbia, de la Gran Cuenca (*Great Basin*), de Arizona, de Nuevo México y de Colorado. El litoral del Pacífico presenta una costa acantilada, de trazado bastante recto, con pocos abrigos naturales y escasos accidentes. El punto más elevado de Estados Unidos se encuentra en la península de Alaska (monte McKinley, 6194 m).

Los cursos fluviales más importantes del sector oriental del país son el Hudson, el Delaware, el Susquehanna, el Potomac y el Savannah. En el interior del territorio destacan el Ohio, Tennessee, Illinois y el Mississippi. Las Montañas Rocosas son un notable nudo hidrográfico donde tienen su cabecera los ríos Missouri, Platte, Arkansas y Río Grande, que fluyen hacia el este, y el Colorado, Sacramento, Snake y Columbia, que lo hacen hacia el oeste. En la región de Alaska, el río más importante es el Yukón.

El Mississippi es el mayor curso fluvial de América del Norte (3778 km). Este río cruza el país desde los Grandes Lagos hasta el golfo de México y baña ciudades importantes como St. Louis.

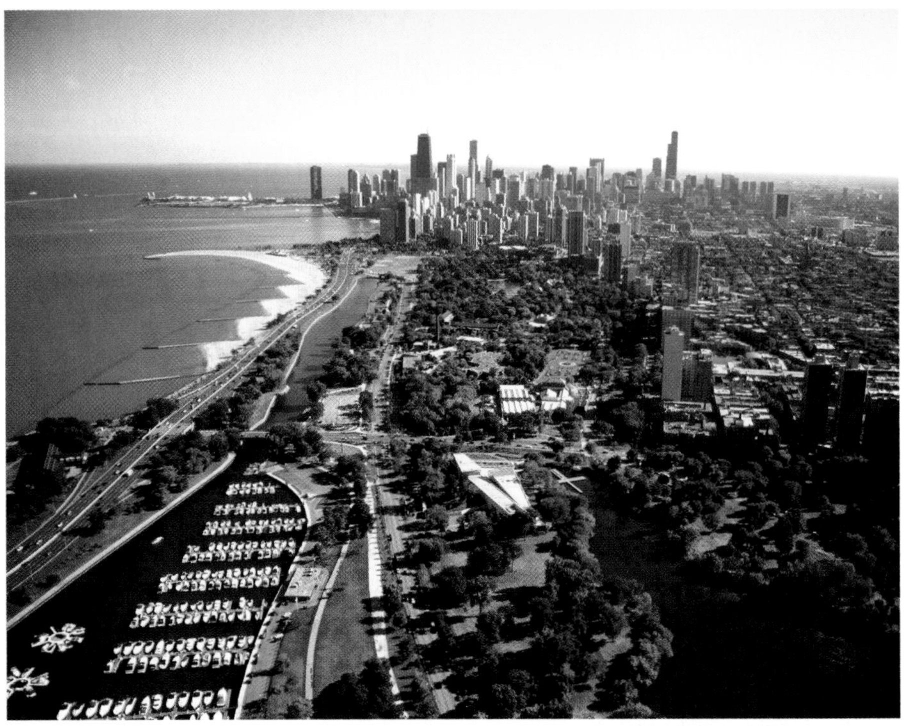

Chicago, a orillas del lago Michigan, constituye uno de los principales enclaves industriales y portuarios del país, así como un nudo de comunicaciones en la región de los Grandes Lagos.

El clima de la región atlántica es templado y húmedo, y está dominado por masas de aire polar y tropical. En las llanuras interiores se distinguen dos zonas diferenciadas y cuyos límites se sitúan en torno al meridiano 100° oeste. Al oeste del meridiano, la continentalidad es intensa, ya que la barrera orográfica occidental sirve de pantalla a las influencias oceánicas. En esta región, la oscilación térmica es considerable y la insolación y la evaporación resultan muy intensas en verano. Las precipitaciones son siempre inferiores a 500 mm de media anual. Al este del mencionado meridiano, las condiciones son más favorables, aunque siempre dentro de un contexto continental, salvo la región de los Grandes Lagos, donde la presencia de vastas extensiones lacustres proporciona un invierno menos riguroso y un verano más fresco. La región de las Montañas Rocosas presenta un clima árido, con precipitaciones escasas en las depresiones y valles interiores. En el litoral pacífico, el clima es oceánico con una marcada gradación meridiana; en la península de California existe una franja de clima de tipo mediterráneo.

En las áreas de clima más extremo, la vegetación es esteparia y xerófila. En el sector oriental de las llanuras interiores predominan las formaciones de bosques caducifolios. La vegetación natural continúa siendo el bosque caducifolio en la costa atlántica, a excepción del extremo meridional de la península de Florida, donde domina el bosque de coníferas. Estas últimas también están presentes en la alta montaña.

Población

Estados Unidos es uno de los estados más poblados del mundo. Al igual que el resto de los países desarrollados, presenta una estructura de edad que tiende al envejecimiento paulatino. La distribución de la población es irregular, a consecuencia de la diversidad de los ambientes geográficos y de las actividades económicas que se desarrollan en ellos. Las mayores concentraciones humanas se encuentran en el nordeste, cerca de los Grandes Lagos y en la zona de Nueva Inglaterra, así como en la costa occidental (California); en cambio, los estados de la región montañosa del oeste y el de Alaska, en el extremo noroccidental del país, presentan las densidades menores.

El alto nivel de industrialización y terciarización de la economía favorece el fenómeno de la concentración urbana. Desde sus orígenes, Estados Unidos ha sido un país de inmigración, al que llegaba gente de todos los rincones del planeta, atraída por las posibilidades de trabajo que siempre ha ofrecido; sin embargo, desde hace años, la mayoría de los inmigrantes que se establecen en el país proceden de América Central y Sudamérica. La actual composición de la población estadounidense se reparte del modo siguiente: blancos (75,1 %), negros (12,3 %), mexicanos (5,4 %), y otras minorías de amerindios, japoneses, chinos, filipinos, etcétera.

Recursos económicos

Estados Unidos es la primera potencia económica mundial. La economía se caracteriza por su gran diversificación y una alta productividad en todas las ramas de actividad. Una quinta parte del territorio está ocupado por tierras de cultivo, que absorben una reducida mano de obra, debido al alto

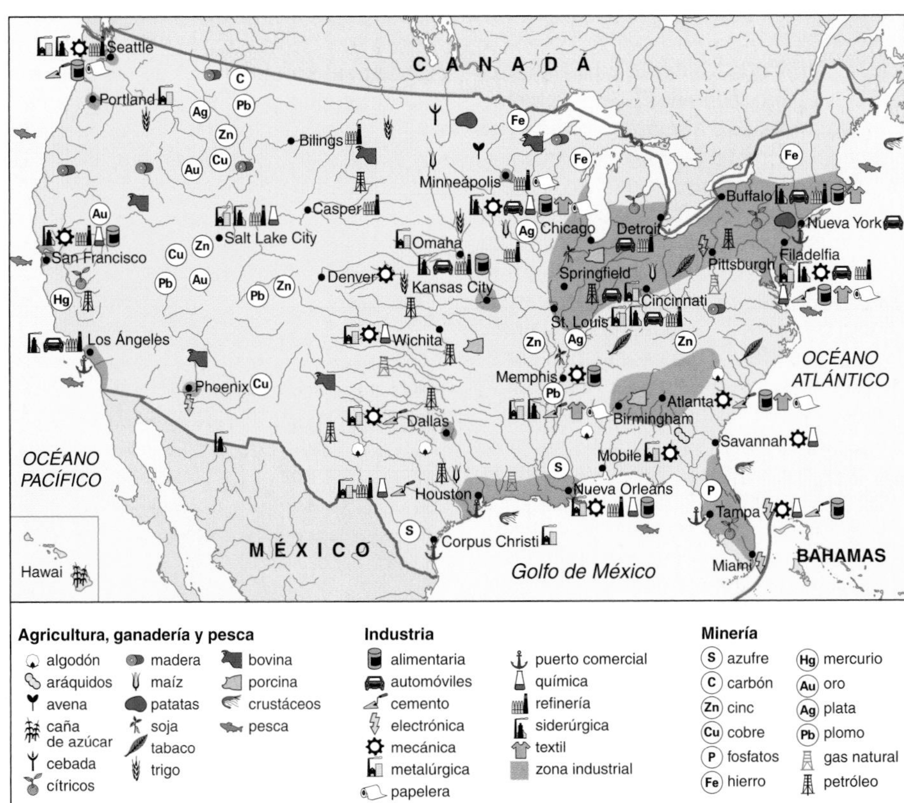

Las concentraciones industriales se ubican en la costa oriental, la región de los Grandes Lagos, Atlanta, Florida y el golfo de México, sin olvidar los polos económicos de Texas y California.

nivel tecnológico que se aplica a las tareas agrarias. Se cosechan sobre todo cereales, cultivos industriales, hortalizas, legumbres y toda clase de frutales. Los bosques producen maderas de calidad y pulpa. Las Grandes Llanuras son las principales áreas de pastos para una voluminosa ganadería integrada por cabezas de vacunos, porcinos, ovinos y equinos. Estados Unidos ocupa un puesto privilegiado por el volumen de pesca capturado (salmón, arenque y atún).

Los recursos minerales adquieren extraordinaria importancia por su diversidad y volumen. Se extraen grandes cantidades de carbón, lignito, petróleo, gas natural y hierro, que son la base de la industria pesada. También se obtiene cobre, plomo, cinc, bauxita, mercurio, oro, plata, molibdeno, vanadio, tungsteno, manganeso, níquel, uranio, azufre y fosfatos. La producción de hierro y acero, y la industria metalúrgica en general, conforman el sector básico; a éste se agrega la industria mecánica. También destacan las industrias aeronáuticas, naval, textil, química y alimentaria, que han alcanzado un elevado nivel de desarrollo y tecnificación. Estados Unidos es uno de los primeros destinos turísticos a nivel mundial. El país mantiene relaciones comerciales con la mayor parte de los estados del mundo, pero sobre todo con Canadá, México, Japón, Alemania, Reino Unido y China.

Texas, en el sector meridional del país, es uno de los estados ricos en petróleo.

Cronología

LA COLONIZACIÓN Y LA INDEPENDENCIA
1513-1600: primeras exploraciones europeas del territorio norteamericano, habitado por amerindios seminómadas. Colonización española del sector oeste y Florida.
Ss. XVII-XVIII: colonización sueca, absorbida por la neerlandesa y ésta por la inglesa, que desde el primer establecimiento en Virginia se expande por Nueva Inglaterra. Rivalidad con los franceses, que se adentran en el Mississippi y toman posesión del sector desde los Grandes Lagos hasta el golfo de México.
1774-1783: proceso de emancipación y guerra de independencia con el concurso de Francia y España. George Washington, primer presidente.
1786: la convención de Filadelfia adopta la actual Constitución.
1803: Francia vende la Luisiana.
1812-1814: guerra con Gran Bretaña.
1819: España cede la Florida.
1823: la "doctrina Monroe" formula el expansionismo norteamericano en el continente.
1845-1848: la integración de Texas motiva la guerra con México, al que EE UU arrebata un millón y medio de km^2 (tratado de Guadalupe Hidalgo).
1861-1865: guerra de Secesión entre los estados nordistas (Unión) y los del Sur (confederados), con diferente régimen socioeconómico. Triunfo de los primeros y reconstrucción del país.

AUGE Y EXPANSIONISMO
Segunda mitad s. XIX: desarrollo económico. Gran flujo de inmigración europea. Colonización del Oeste (*Far West*) y aniquilamiento indio (masacre de los sioux en Wounded Knee, 1890).
1898: guerra con España; EE UU se anexiona Puerto Rico, Filipinas y Guam, y Cuba queda bajo su tutela.
1917-1918: EE UU participa en la Primera Guerra Mundial: victoria aliada.
1929: Gran Depresión, que desde Estados Unidos sume en crisis al mundo capitalista.
1933-1945: programa de reconversión y reformas sociales bajo los mandatos de Franklin D. Roosevelt. La Segunda Guerra Mundial consagra la hegemonía de EE UU en el Occidente.
1950-1953: guerra de Corea.
1963: asesinato del presidente John F. Kennedy.
1964-1975: guerra del Vietnam. "Escándalo Watergate" (1972-1974), durante la presidencia de Richard Nixon, que se ve obligado a dimitir. Es sustituido por el vicepresidente Gerald Ford.
1977-1981: gobierno demócrata: Jimmy Carter, presidente.
1981-1988: tendencia conservadora: Ronald Reagan, presidente.
1988: George Bush (republicano), presidente.
1989: EE UU invade Panamá y depone al general Noriega.
1990: arresto de Noriega. Despliegue de tropas estadounidenses en el golfo Pérsico tras la invasión iraquí de Kuwait.
1991: guerra del Golfo: EE UU y la coalición internacional derrotan a Irak.
1992: el demócrata Bill Clinton accede a la presidencia.
1996: Clinton es reelegido presidente.
1999: Estados Unidos lidera la OTAN en la guerra contra Yugoslavia a causa de la "limpieza étnica" en la región de Kosovo.
2001: George W. Bush (republicano), presidente. Atentado contra las Torres Gemelas y el Pentágono. Intervención en Afganistán contra el régimen talibán, que es derrocado.
2003: guerra de Irak. Invasión estadounidense y caída del régimen iraquí de Saddam Hussein.
2004: reelección de George W. Bush.
2005: el paso del huracán *Katrina* por el sur del país provoca inundaciones catastróficas.

Dependencias y otros territorios

Bermudas

Nombre oficial: Bermuda
Superficie: 53,5 km^2
Población: 65 000 hab.
Densidad: 1 215 hab./km^2
Lenguas: inglés (oficial), creole-inglés
Capital: Hamilton
Religión: protestante
Estatus: territorio de ultramar británico

CRONOLOGÍA
± 1515: las islas fueron descubiertas por el español Juan de Bermúdez.
S. XVII: desarrollo del cultivo de tabaco.
1612: pasan a poder de Inglaterra.
1968: la colonia británica de las Bermudas obtiene un estatuto de autonomía interna.

Situado en el océano Atlántico, frente a la costa oriental de Estados Unidos, el archipiélago de las Bermudas constituye un territorio de ultramar británico en América del Norte. Está formado por unas 360 islas e islotes de origen volcánico, de las que sólo una veintena se encuentran habitadas. La isla más extensa es la Gran Bermuda. El clima es subtropical oceánico con temperaturas medias suaves y precipitaciones abundantes. El turismo es el principal recurso económico del archipiélago. La mayoría de turistas que visitan las islas proceden de Estados Unidos. Se cultivan hortalizas y flores. La ganadería y la pesca son actividades complementarias. Existen pequeñas industrias locales del sector alimentario, químico y farmacéutico.

Hamilton es la capital de Bermudas, territorio de ultramar británico en Norteamérica.

Norteamérica meridional

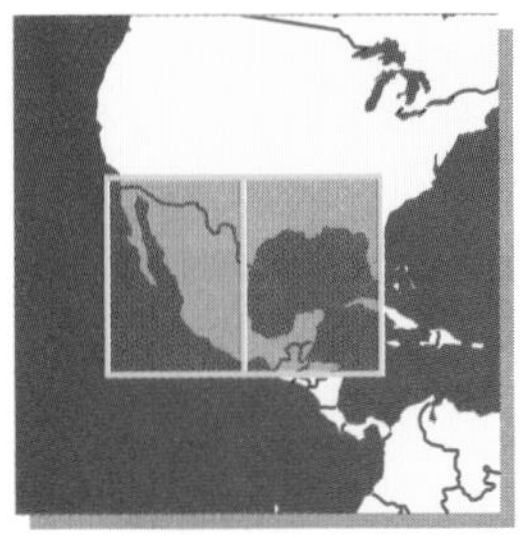

Esta región comprende el extremo meridional de América del Norte, es decir, el amplio sector que se extiende desde la frontera mexicano-estadounidense, al norte, hasta los límites de México con Guatemala y Belice, al sur, y que queda enmarcado, a su vez, entre el océano Pacífico, al oeste, y las aguas del golfo de México, al este.

Geografía física y humana

Geográficamente, esta región se divide en dos grandes áreas geológicas y paisajísticas, que se extienden al norte y al sur de la cordillera Neovolcánica, la cual atraviesa el centro de México desde el océano Pacífico hasta el golfo de México.

La zona norte está constituida por una meseta central, el Altiplano mexicano, cuya altitud media se sitúa alrededor de los 1 700 m. Enmarcan este altiplano dos grandes sierras, la Sierra Madre Oriental y la Sierra Madre Occidental. Entre ambas sierras y las costas del golfo de México y del océano Pacífico se extienden estrechas llanuras litorales. La mitad meridional del territorio la componen la Sierra Madre del Sur, que se extiende hasta América Central, y una amplia planicie costera en el golfo de México. Al continente quedan unidas dos grandes penínsulas: la de California, en el extremo noroccidental, y la del Yucatán, en el sudoriental.

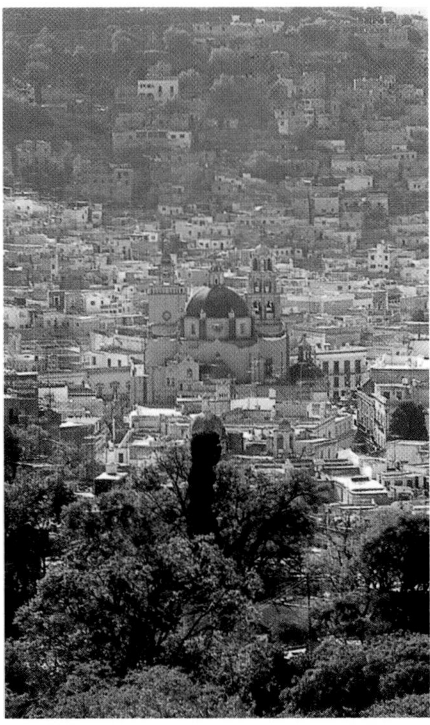

Guanajuato, en el centro de México, se desarrolló al amparo del esplendor minero. La ciudad ha sido declarada Patrimonio de la Humanidad por su riqueza arquitectónica.

El Trópico de Cáncer atraviesa México casi por el centro, por lo que en las zonas situadas al sur de este paralelo el clima predominante es el tropical, mientras que en el centro es mucho más suave, y en el norte y nordeste del país es desértico-estepario, con marcadas amplitudes térmicas.

México es un gigante a escala continental, dotado de un gran dinamismo demográfico, económico y cultural que garantiza su desarrollo a pesar de los distintos problemas que muestra su estructura social. Las condiciones para el desarrollo agrícola sólo son favorables en el sur del altiplano central y en las estrechas llanuras litorales donde se cultiva maíz, algodón y productos tropicales. México cuenta, en cambio, con importantes recursos minerales, especialmente plata y petróleo. La industrialización se concentra en torno a la capital y en el norte, donde se han instalado muchas plantas manufactureras estadounidenses atraídas por el bajo coste de la mano de obra.

Historia

El esplendor tanto de la cultura maya como del imperio azteca presiden de modo incontestable la historia precolombina en la región meridional del subcontinente. La conquista española, encabezada por Hernán Cortés, basó su éxito tanto en la superioridad de su técnica militar como en la enemistad entre el imperio azteca y los pueblos sometidos a él. La conquista de este territorio al que se le dio el nombre de Nueva España tuvo tres etapas. La primera ocupó el valle central y se expandió hacia el sudeste, hasta dominar la mayor parte del Yucatán. La segunda se desplegó hacia el árido norte de la región y giró en torno a las minas de plata de Zacatecas.

La conquista del imperio azteca en el siglo XVI

■ *Antes de la llegada de los españoles, el valle de México estaba habitado por diferentes pueblos indígenas, entre los que destacaban los aztecas. Pueblo eminentemente guerrero, los aztecas habían formado un imperio en torno a su capital, Tenochtitlán, ubicada en la laguna de México (Texcoco). En 1519, el extremeño Hernán Cortés llegó a la capital de dicho imperio y estableció relaciones amistosas con su emperador Moctezuma II. Sin embargo, los sucesivos saqueos a que fueron sometidos los indígenas generaron un levantamiento contra los españoles que fue sofocado violentamente. En 1521, al ser capturado el emperador Cuauhtémoc, se rindió Tenochtitlán y el imperio azteca fue sometido. Desde México, los españoles iniciaron la conquista de toda América Central.*

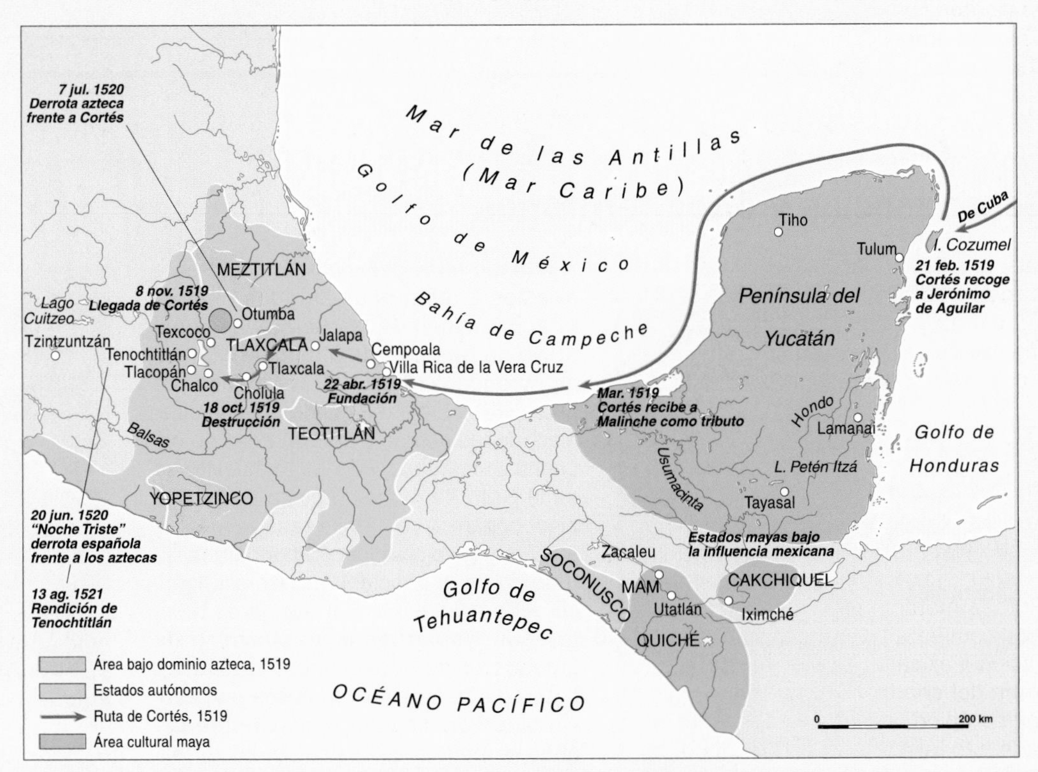

Evolución histórica del territorio mexicano desde la independencia

■ *Agustín de Iturbide proclamó la independencia del imperio mexicano en 1821, pero el ensayo monárquico fue de corta duración. La insurrección de Guadalupe Victoria y Antonio López de Santa Anna condujo a su abdicación y exilio en 1823. El máximo promotor del movimiento contra Iturbide, López de Santa Anna, fue, desde ese momento hasta 1855, la figura más destacada en la turbulenta vida política de México, unas veces en el poder de forma efectiva –once veces presidente–, otras de manera velada o en una posición contra el poder, pues participó en diversas conspiraciones y golpes, tan pronto a favor de los liberales como de los conservadores. En ese período tuvo lugar la invasión por parte de Estados Unidos en la guerra de 1846-1848, a raíz de la cual México perdió casi la mitad de sus dominios, y luego vendió a Estados Unidos el territorio de La Mesilla (o de Gadsden) en 1853.*

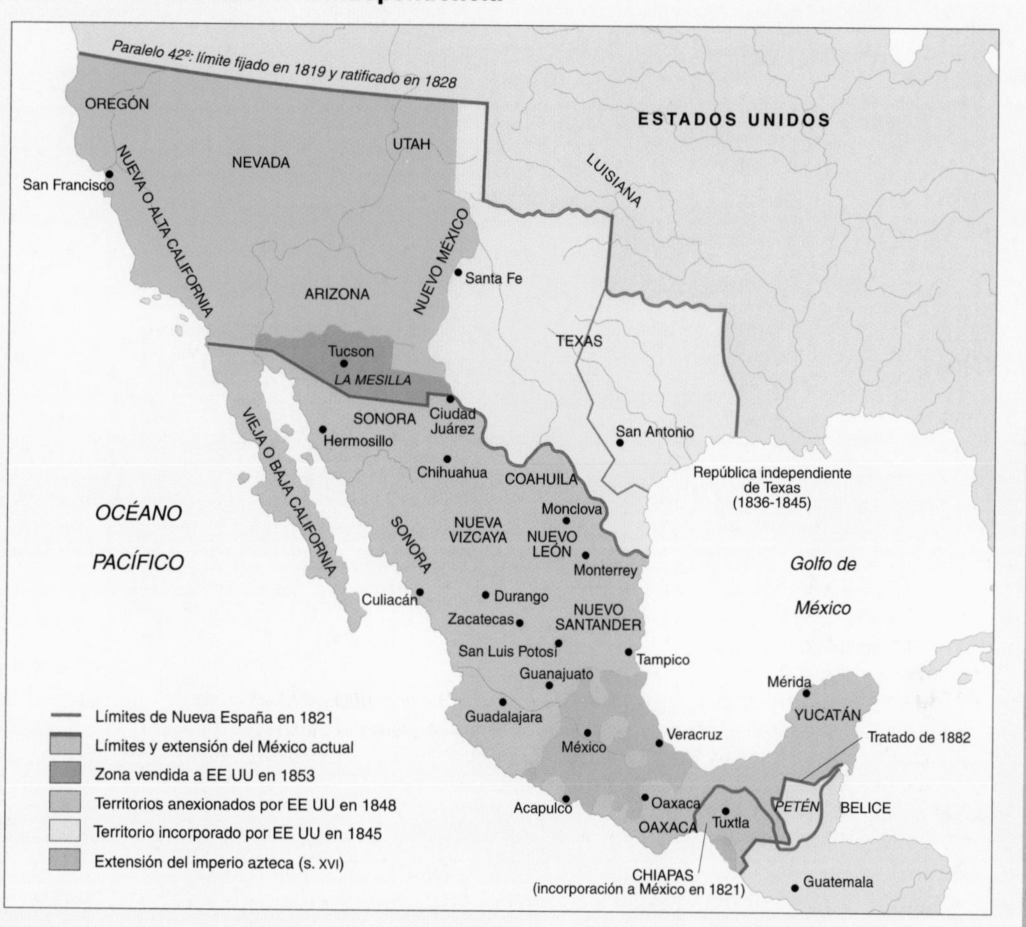

La tercera, que se registró durante el siglo XVIII, tuvo como objeto asegurar las defensas del norte y las de las costas del Pacífico, Texas y Florida, amenazadas por la presencia de rusos, franceses y británicos.

De este proceso, la región resultó dividida en dos grandes bloques económico-geográficos: el norte se convirtió en un país minero, con grandes latifundios –la tierra había sido acaparada por los descendientes de los jefes militares españoles, por la emergente oligarquía criolla y por la Iglesia– y pequeños centros agrícolas. Las tierras cálidas del interior y de las costas se convirtieron en espacio del gran cultivo comercial de la época: la caña de azúcar.

En el siglo XIX, tras varios levantamientos, México alcanzó la independencia (1821). La tendencia expansionista de Estados Unidos –reflejada tanto en el plano militar como en el económico– supuso durante el siglo XIX la anexión, por parte de aquel país, de los territorios mexicanos de Oregón, Texas y California.

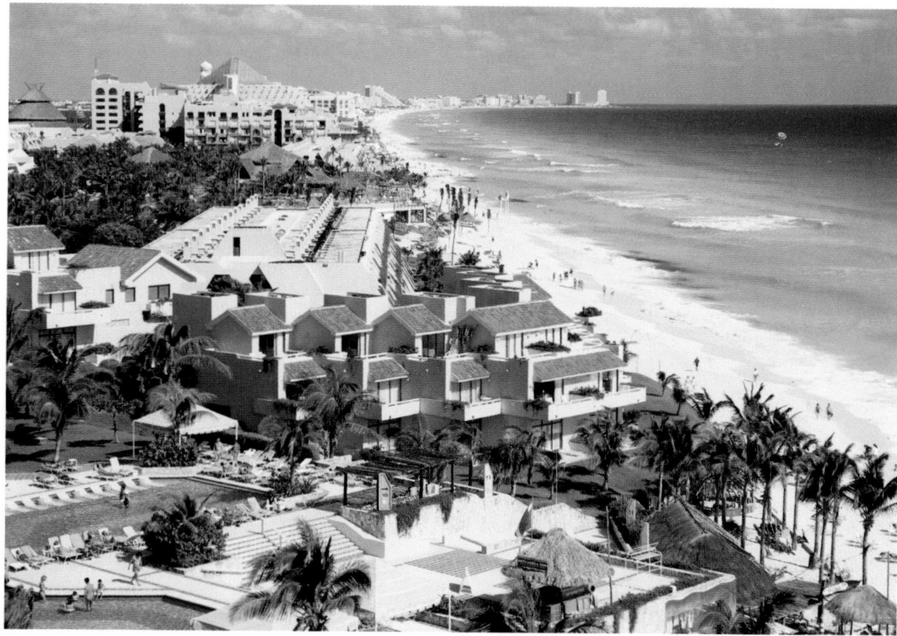

Panorámica de la zona hotelera y la playa de Cancún, en la costa caribeña de México, uno de los destinos turísticos más visitados del continente americano.

Pero la historia contemporánea de la región comienza con el estallido de la revolución mexicana, la primera revolución agraria del continente, un proceso cuyo impulso épico, a partir de 1910, se extiende a lo largo de un período de reformas sociales y económicas profundas que culminaron treinta años después. La revolución agraria mexicana permitió el establecimiento de un considerable mercado interno, por cuya demanda –sobre todo a partir del estallido de la Segunda Guerra Mundial– se desarrollaron importantes sectores de la industria ligera (textil, alimentaria, servicios). Además, el surgimiento de una fuerte clase media, vinculada a la tradición agrarista, permitió que la vida institucional se desarrollara sin los cataclismos políticos que caracterizan la historia reciente de otros pueblos de América Latina.

A
B
C
D
E
1
2
3
4
5
6
ESTADOS
MÉXICO
OCÉANO PACÍFICO
GOLFO DE CALIFORNIA
Península de Baja California
Sierra Madre Occidental
Altiplano Mexicano
Meseta del Norte
Sierra Madre Oriental
Cordillera Neovolcánica
Sierra Madre del Sur
Trópico de Cáncer
SAN DIEGO
El Centro
Tijuana
Rosarito
Tecate
Mexicali
Yuma
Mesa
Tucson
Morenci
Alamogordo
S. Luis Río Colorado
El Doctor
Gustavo Sotelo
Sonoita
Puerto Peñasco
Sásabe
Lordsburg
Deming
Las Cruces
Carlsbad
Midland
Sweetwater
Ensenada
La Bomba
Pico de la Encantada 3 069
S. de S. Pedro Mártir
San Felipe
B. de Adair
Benson
Douglas
Naco
Heroica Nogales
Agua Prieta
Las Palomas
CIUDAD JUÁREZ
El Paso
Odessa
Pecos
C. Colonet
Vicente Guerrero
C. San Quintín
San Quintín
B. San Quintín
Rosario
B. de San Jorge
Heroica Caborca
Desemboque
Santa Ana
Magdalena de Kino
Cananea
Nacozari de García
Laguna de Guzmán
Nueva Casas Grandes
Villa Ahumada
El Porvenir
Sierra Blanca
Fort Stockton
Lomas de Arena
Alpine
Puertecitos
Cerro Viejo 1 646
Puerto Libertad
Benjamin Hill
Arizpe
Galeana
El Sueco
Pta. San Carlos
Ángel de la Guarda
Canal de las Ballenas
S. de S. Borja
Hermosillo
P. de Johnson
Tiburón
Kino
S. Pedro de la Cueva
Presa P. Elías Calles
Madera
Ojinaga
Boquillas del Carmen
Picacho del Centinela 2 896
Presa de la Amistad
Del Río
Acuña
Sta. Rosalía
B. Sebastián Vizcaíno
Cedros
Guerrero Negro
Punta Eugenia
Bahía Tortugas
La Colorada
Tónichi
Ciudad Guerrero
Adolfo López Mateos
El Sauz
Chihuahua
Manuel Benavides
Piedras Negras
Eagle
Heroica Guaymas
Empalme
C. Haro
Presa Álvaro Obregón
Ocampo
Cuauhtémoc
Horcasitas
Ciudad Delicias
La Perla
Bolsón de Mapimí
Castillón
Allende
Nueva Rosita
Laguna Ojo de Liebre
S. Ignacio
Las Tres Vírgenes 1 995
Santa Rosalía
Ciudad Obregón
Guazapares
Presa La Boquilla
Ciudad Camargo
Sierra Mojada
Melchor Múzquiz
Sabinas
Nuevo Laredo
Ciudad Anáhuac
Punta Abreojos
Huatabampo
Navojoa
Hidalgo del Parral
Jiménez
Frontera
Monclova
Pta. Púlpito
Rosarito
Pta. Rosa
Choix
El Fuerte
S. Francisco del Oro
Villa Ocampo
Escalón
Cuatrociénegas
La Purísima
Carmen
Loreto
Ahome
Guadalupe y Calvo
Ceballos
Salinas
Victoria
Santo Domingo
Villa Insurgentes
Magdalena
Rocas Alijos
Sta. Catalina
Los Mochis
Topolobampo
S. Blas
Guasave
Cerro Chorreras 3 151
El Palmito
Bermejillo
Gómez Palacio
S. Pedro de las Colonias
Paredón
MONTERREY
Guadalupe
Guamúchil
Badiraguato
Tepehuanes
Lerdo
Torreón
Matamoros
Parras
Saltillo
C. San Lázaro
Ciudad Constitución
S. José
B. de Sta. María
Altamura
Santiago Papasquiaro
Cuencamé
Montemorelos
Santa Margarita
B. de la Paz
Espíritu Santo
Cerralvo
Culiacán
Altata
Concepción del Oro
La Paz
Pta. Arena de las Ventas
Costa Rica
Sta. María de Otáez
Canatlán
Guadalupe Victoria
Camacho
Todos Santos
La Cruz
Durango
Matehuala
Sta. Genoveva 2 406
Santiago
San José del Cabo
San Lucas
C. Falso
C. San Lucas
El Salto
Sombrerete
Río Grande
Mazatlán
Aserraderos
Mezquital
Fresnillo
Charcas
Villa Unión
Rosario
Escuinapa
Huejuquilla el Alto
Jerez de García Salinas
Zacatecas
Laguna del Caimanero
Salinas de H.
Acaponeta
Colotlán
San Luis Potosí
Is. Tres Marías
María Madre
María Magdalena
María Cleofas
Tuxpan
Santiago Ixcuintla
Aguascalientes
Encarnación de Díaz
S. Juan de los Lagos
Lagos de Moreno
Tepic
León
Guanajuato
Silao
B. de San Blas
Ixtlán del Río
Zapopan
Tepatitlán de Morelos
Pta. Mita
B. de Banderas
Cerro Llorón 2 339
Tequila
Ameca
GUADALAJARA
Irapuato
C. Corrientes
Pto. Vallarta
Tlaquepaque
Ocotlán
Salamanca
Celaya
El Tuito
Cocula
Lag. de Chapala
Sahuayo
La Piedad
Laguna de Cuitzeo
Autlán de Navarro
Zamora
Chamela
4 265
Nev. de Colima
Uruapan
Morelia
Barra de Navidad
Villa de Álvarez
Cdad. Guzmán
2 740
Toluca de Lerdo
Colima
V. Paricutín
CIUDAD DE MÉXICO
Manzanillo
Tecomán
Apatzingán
Múgica
Presa del Infiernillo
Tenancingo
Pta. San Telmo
Altamirano
Lázaro Cárdenas
Chilpancingo
B. Petalcalco
Zihuatanejo
Cerro Teotepec 3 703
Atoyac de Álvarez
Acapulco de Juárez
Roca Partida
San Benedicto
Socorro
Clarión
Is. Revillagigedo (Méx.)
114°
110°
106°
102°
32°
28°
24°
20°
16°

GOLFO DE MÉXICO
Llanura Costera del Golfo
UNIDOS
Texarkana
Greenville
Birmingham
Columbus
Tuscaloosa
La Grange
Macon
Fort Worth
DALLAS
Monroe
Jackson
Montgomery
Columbus
Savannah
Longview
Tyler
Shreveport
Vicksburg
Meridian
Jesup
Brunswick
Albany
Waco
Buffalo
Lufkin
Alexandria
Natchez
Hattiesburg
Laurel
Troy
Dothan
Valdosta
Mobile
Tallahassee
Jacksonville
Baton Rouge
Bogalusa
Austin
Lake Charles
Biloxi
Pensacola
Panama City
Lake City
Beaumont
Lafayette
Apalachicola
Gainesville
HOUSTON
Pasadena
Port Arthur
NUEVA ORLEANS
Houma
Is. Chandeleur
Daytona Beach
SAN ANTONIO
Galveston
Delta del Mississippi
ORLANDO
Victoria
Bay City
Clearwater
TAMPA
St. Petersburg
Beeville
B. de Matagorda
Alice
Kingsville
Corpus Christi
Península de Florida
Fort Myers
Harlingen
Brownsville
Matamoros
Cayos de Florida
Key West
Trópico de Cáncer
LA HABANA
Soto La Marina
Aldama
CUBA
Artemisa
Güines
Pinar del Río
Guane
Nva. Gerona
Isla Juventud o de Pinos
Altamira
Tampico-Ciudad Madero
Arrecife Alacrán
Cayo Arenas
Cayo Nuevo
Can. de Yucatán
Río Lagartos
Dzilam de Bravo
Puerto Juárez
Tizimín
Cancún
Progreso
Sisal
Mérida
Kanacin
Izamal
Valladolid
Puerto Morelos
Cozumel
Is. Triángulos
Tuxpan de Rodríguez Cano
Poza Rica de Hidalgo
Maxcanú
Calkiní
Ticul
Tekax
Peto
Tulum
Cayo Arcas
Tenabo
Campeche
Vigía Chico
Felipe Carrillo Puerto
Hopelchén
Península de Yucatán
Xalapa Enríquez
Bahía de Campeche
Champotón
Ciudad del Carmen
Escárcega
Chetumal
Banco Chinchorro
MAR CARIBE O DE LAS ANTILLAS
Veracruz Llave
PUEBLA
Córdoba
Orizaba
Tuxtla
Tehuacán
Coatzacoalcos
Minatitlán
Frontera
Palizada
Pital
Meseta de Zohlaguna
Corozal
Cayo Ambergris
I. del Cisne (Hond.)
Oaxaca
Villahermosa
Cárdenas
Balancán
Tenosique
Orange Walk
Belice
Dos Lagunas
Paso Caballos
Flores
Belmopan
Dangriga
Meseta Central de Chiapas
Petén
Tuxtla Gutiérrez
San Cristóbal de las Casas
Comitán
BELICE
G. de Honduras
Is. de la Bahía
Roatán
Trujillo
Puerto Cortés
Tela
La Ceiba
Puerto Lempira
El Progreso
San Pedro Sula
Yoro
GUATEMALA
Cobán
El Estor
Sierra Madre de Chiapas
Huehuetenango
Zacapa
Juticalpa
HONDURAS
Tapachula
Quezaltenango
GUATEMALA
El Progreso
Sta. Rosa de Copán
Tegucigalpa
NICARAGUA
Puerto Cabezas
Escuintla
Jutiapa
Sta. Ana
San Salvador
EL SALVADOR
Sonsonate
San José
Nacaome
Ocotal
Rosita
Siuna
Salina Cruz
G. de Tehuantepec
Tonalá
Acatepagua
Huixtla
Champerico
Masagua
La Esperanza
Comayagua
Juchitán de Zaragoza
Tehuantepec
S. Pedro Pochutla
Sta. María Colotepec
0 100 200 300 km

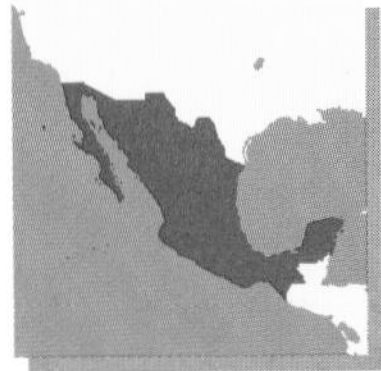

México

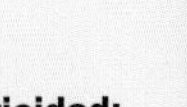

Datos generales
Nombre oficial: Estados Unidos Mexicanos
Superficie: 1 958 201 km²
Población: 97 483 412 hab.
Densidad: 49,8 hab./km²
Moneda: nuevo peso mexicano
Lenguas: español (oficial), indígenas
Religión: católicos (88 %)
Capital: Ciudad de México (8 605 239 hab.)
Ciudades: Guadalajara (1 646 319 hab.), Puebla (1 271 673 hab.), Netzahualcóyotl (1 225 083 hab.), Ciudad Juárez (1 187 275 hab.), Monterrey (1 110 909 hab.)
Divisiones administrativas: 31 estados y 1 distrito federal
Forma de gobierno: república federal

Indicadores demográficos
Tasa de natalidad: 19,9 ‰
Tasa de mortalidad: 4,2 ‰
Crecimiento vegetativo: 15,7 ‰
Tasa de mortalidad infantil: 23,2 ‰
Hijos por mujer: 2,3
Tasa anual de crecimiento demográfico: 1,7 %
Población menor de 15 años: 32,8 %
Población de 60 años o más: 6,9 %
Esperanza de vida al nacer: 78,0 años (mujeres), 74,0 años (hombres)
Población urbana: 75,5 %

Indicadores sociales
Tasa de alfabetización: 90,5 %
Núm. de médicos: 156 por 100 000 hab.
Núm. de automóviles: 12 185 300 unidades
Líneas telefónicas: 147 por mil hab.
Abonados a teléfonos móviles/celulares: 254 por mil hab.
Usuarios de internet: 99 por mil hab.
Gasto público en salud: 2,7 % del PIB
Gasto público en educación: 5,1 % del PIB

Indicadores económicos
PIB: 615 261 millones de $
PIB per cápita: 6 006 $
PIB por sectores: Primario 4 %, Secundario 27 %, Terciario 69 %
Población ocupada por sectores: Primario 18 %, Secundario 26 %, Terciario 56 %
Superficie cultivada: 14,3 %
Producción de energía: 203 648 millones kW/h
Consumo electricidad: 2 228 kW/h por hab.
Importaciones: 168 360 millones de $
Exportaciones: 160 588 millones de $

Recursos económicos
Agricultura: maíz, frijoles, arroz, trigo, avena, sorgo, tomates, batatas, patatas, habas, cebolla, pepinos, melones, algodón, cacahuete, lino, palma, soja, caña de azúcar, café, cacao, tabaco, agrios, vid, plátanos, ananás, manzanas, peras, melocotones, ciruelas, nuez de coco y dátiles
Ganadería: bovina, ovina, caprina, porcina, caballar, aves de corral
Pesca: 1 474 667 t
Silvicultura: 45 332 958 m³ de madera
Minería: plata, plomo, cinc, oro, hierro, azufre, cobre, carbón, petróleo, gas natural, fosfatos, manganeso, sal, fluorita, sílice, yeso
Industria: siderúrgica, alumínica, automovilística, textil, química, eléctrica, del caucho, del papel, maderera, del cemento, cerámica, cervecera, tabaquera y alimentaria en general

País de Norteamérica meridional, México limita al norte con Estados Unidos y al sudeste con Belice y Guatemala. Al este se asoma a las aguas del Atlántico (golfo de México) y el mar Caribe. Por el oeste, el Pacífico baña un extenso litoral que incluye el alargado perímetro de la península de Baja California.

Marco natural

El relieve mexicano se caracteriza por su topografía montañosa y la abundancia de estructuras volcánicas. El conjunto territorial se encuentra dividido en dos sectores, situados al norte y al sur de la cordillera Neovolcánica. El sector nordeste del país está integrado por la planicie costera del golfo de México; es, en realidad, una llanura baja, pantanosa y orlada de lagunas litorales, que se prolonga en Estados Unidos por la llanura del Mississippi. Esta llanura costera se encuentra limitada al oeste por la Sierra Madre Oriental, que corre en sentido norte-sur y culmina en Peña Nevada (3 664 m). El altiplano mexicano queda limitado al este por la Sierra Madre Oriental y al oeste por la Sierra Madre Occidental, y se extiende por el centro de la mitad norte del territorio. Presenta una parte meridional más elevada (2 000 m) y de relieve volcánico, mientras que hacia el norte desciende su altitud media y presenta una estructura más sedimentaria, suavemente ondulada. Al oeste, la Sierra Madre Occidental sigue paralela a la costa del golfo de California y limita al este con el desierto de Sonora. Al otro lado del golfo, la península de California se halla recorrida por la cordillera Surcaliforniana, que alberga sus puntos culminantes en las sierras de San Pedro Mártir y San Lorenzo. En el centro de México, la cordillera Neovolcánica (o Sierra Volcánica Transversal) se orienta en sentido oeste-este y marca un límite definido entre las estructuras septentrionales y las meridionales. El carácter volcánico de su formación se manifiesta a través de una serie de volcanes, como el Pico de Orizaba o Citlaltépetl (5 700 m), la cima más elevada del país, el Popocatépetl (5 452 m) y el Iztaccíhuatl (5 286 m), entre otros. Al sur del Eje Neovolcánico, las unidades del relieve abandonan las direcciones norteamericanas y entran en el dominio estructural centroamericano, adoptando una dirección noroeste-sudeste. Este sector meridional, más llano, está ocupado al este por la península de Yucatán y en él adquieren importancia los fenómenos cársticos. Paralela a la costa pacífica se levanta la Sierra Madre del Sur, que domina la planicie costera sudoccidental y está limitada al norte por la depresión del río Balsas; culmina en el cerro Teotepec, a unos 3 500 m de altitud. Hacia el flanco atlántico se eleva la Sierra Madre de Oaxaca. Al este del istmo de Tehuantepec se sitúan la Mesa Central de Chiapas, el Valle Central de Chiapas y la Sierra Madre de Chiapas, que culmina en el volcán Tacaná (4 093 m). En el extremo sudoriental se extiende la península de Yucatán, entre el golfo de México y el Caribe.

La cordillera Neovolcánica comprende el techo del relieve mexicano, el Pico de Orizaba o Citlaltépetl (5 700 m de alt.), que se eleva entre los estados de Veracruz y Puebla.

La red hidrográfica se articula en cuencas cerradas situadas en el altiplano o en cuencas avenadas hacia el mar. La vertiente atlántica posee los cursos de mayor caudal y longitud de tramo, y menor estiaje y pendiente, como el río Grande o Bravo del Norte y el Pánuco. La vertiente pacífica cuenta con el río Colorado, los ríos Concepción, Sonora, Guaymas, Yaqui, Mayo, Fuerte, Sinaloa, Culiacán, San Lorenzo, Acaponeta, San Pedro, Grande de Santiago, Atoyac, Balsas, Zacatula, Papagayo, Ometepec, Verde, Tehuantepec y el Suchiate. La circulación endorreica es particularmente importante en el altiplano y en la cordillera Neovolcánica.

Tres son los tipos climáticos regionales que, a grandes rasgos, pueden observarse en el país: un clima tropical lluvioso en las llanuras situadas al sur del Trópico de Cáncer y en las depresiones de los ríos Balsas y Chiapas; un clima templado lluvioso propio de las montañas elevadas y mesetas; y un clima seco, estepario o desértico en la meseta del norte, en las llanuras del noroeste y en gran parte de la península de California. En la costa atlántica, la vegetación está formada por un bosque lluvioso con gran exuberancia de vegetación arbórea y abundancia de especies. En la península de Yucatán y en la costa pacífica al sur del cabo Corrientes, se desarrolla una vegetación de sabana

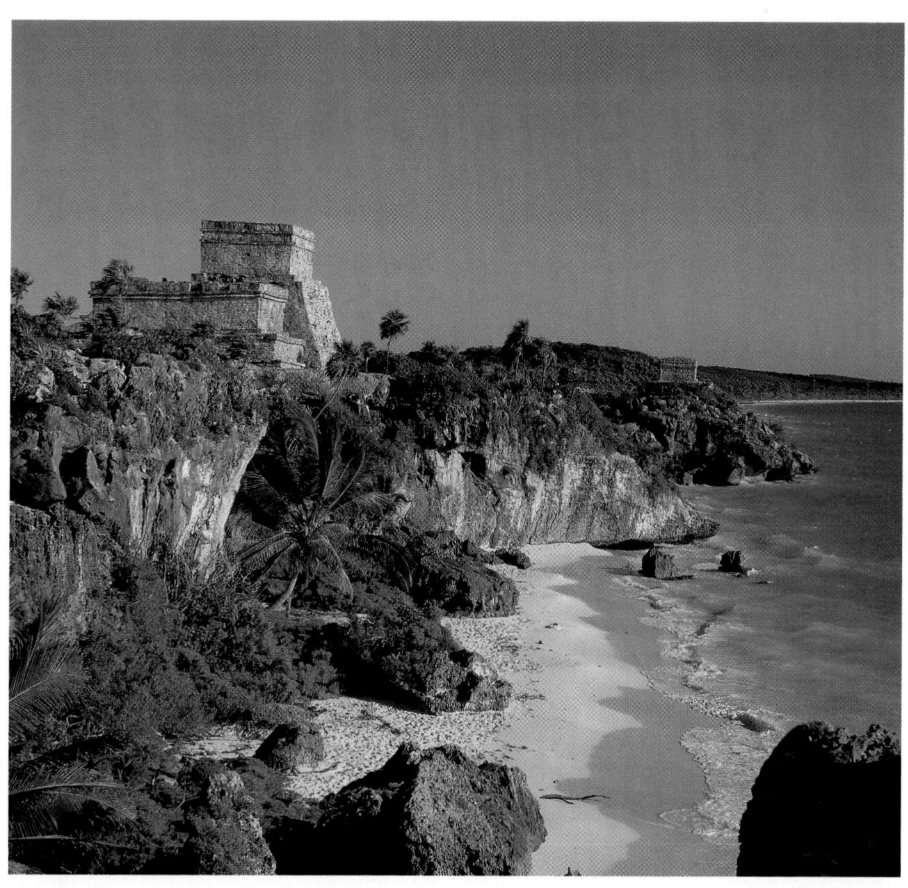

La península de Yucatán, que abarca 140 000 km^2, separa el golfo de México del mar Caribe; en la imagen, ruinas mayas de Tulum –conocidas como "El Castillo"–, en Quintana Roo.

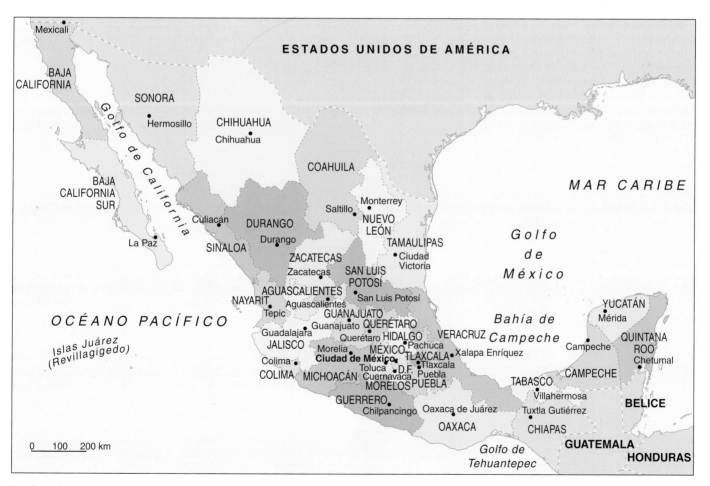

Según la Constitución de 1917, México es una república integrada por 31 estados y 1 distrito federal que alberga la sede de los poderes federales. La Ciudad de México, en el centro del país, es la capital de los Estados Unidos Mexicanos desde 1824.

La plaza del Zócalo, en el centro histórico de la Ciudad de México, está presidida por una gran bandera nacional y en ella se ubican la catedral (izquierda) y el Palacio Nacional (derecha).

tropical. En las sierras Madre, la vegetación corresponde a un bosque mixto si la altitud no es elevada y a un bosque exclusivamente de coníferas en las regiones altas. El altiplano mexicano presenta una vegetación esteparia.

Población

México es el tercer país más poblado de América –por detrás de Estados Unidos y Brasil– y se cuenta entre los diez países más habitados del mundo. La distribución de sus efectivos sobre el territorio no es uniforme. La mayor parte de la población se concentra principalmente en la zona central, donde se sitúan importantes ciudades industriales, como Guadalajara y Monterrey; una cuarta parte de la población vive en la aglomeración urbana que rodea la capital, Ciudad de México, una de las mayores metrópolis del mundo. Ello significa que existe un marcado desequilibrio regional, ya que muchos estados presentan una densidad de población muy por debajo de la media nacional. En el año 1950 comenzó un éxodo masivo del campo a las ciudades, donde se concentra la actividad económica e industrial. Hoy en día, en todos los estados –salvo Chiapas, Hidalgo y Oaxaca–, la población urbana supera a la población rural. Las entidades federativas más pobladas son el estado de México, el Distrito Federal, Veracruz y Jalisco. A lo largo del último cuarto del siglo XX, el crecimiento natural mexicano se fue reduciendo, a la vez que se mantuvo la corriente migratoria hacia el gran vecino del norte, Estados Unidos; el carácter clandestino de esta movilización impide obtener cifras exactas.

Por otra parte, la población mexicana desciende de etnias amerindias, que crearon grandes civilizaciones e imperios; el último de ellos, el azteca, fue el que encontraron los conquistadores españoles a su llegada al territorio (1519). En México existen aún muchas minorías amerindias. Así, en Yucatán y los Altos de Chiapas predominan los mayas; y en el valle de Oaxaca y la Sierra Madre del Sur destacan los zapotecas. Sólo una porción mínima de las etnias indígenas mexicanas se halla por completo exenta del mestizaje.

Recursos económicos

México ha experimentado un progresivo crecimiento industrial, favorecido por la existencia de dos materias primas básicas: la plata y el petróleo. La industria se encuentra muy diversificada, y su producción satisface gran parte de las necesidades manufactureras nacionales. La agricultura sigue siendo muy importante. El maíz y los frijoles son la base de la alimentación de la población. La zona cerealística es el altiplano. Para consumo interno también se producen hortalizas y, entre otros cultivos industriales, cabe mencionar el henequén, algodón, cacahuete, soja, palma aceitera, sésamo, caña de azúcar, café, cacao y tabaco. En la fruticultura hay una gran variedad: plátano, cítricos, ananás, manzana, melocotón, coco y dátil, así como aguacate y papaya.

Los bosques tropicales producen valiosas maderas. La ganadería es muy importante, sobre todo la cría vacuna. La pesca se practica intensamente en el golfo de México y en el golfo de California, y sobresale la captura de crustáceos para la exportación. México es uno de los prin-

La economía mexicana está dominada por los productos agrícolas y mineros, con el petróleo a la cabeza. Las principales zonas industriales coinciden con los grandes núcleos urbanos.

Yacimiento de petróleo en la Sonda de Campeche, en aguas del golfo de México.

Revolución y guerra civil en México (1911-1914)

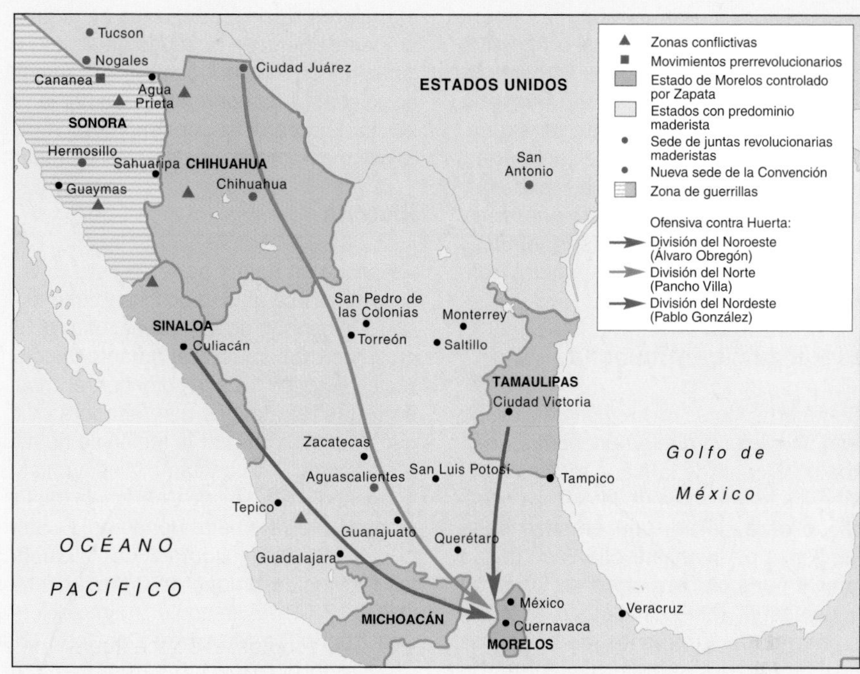

Los movimientos militares del mapa reflejan algunas de las grandes facciones durante la Revolución Mexicana: Victoriano Huerta, Zapata y Villa, los dos grandes caudillos de los "pelados", que llevaron a cabo sus propias reformas agrarias, y Álvaro Obregón. En la fase que contempla el mapa, todos ellos se cohesionan contra Huerta, en el frente común que presidiría Venustiano Carranza.

cipales productores mundiales de plata. Se extraen, asimismo, grandes cantidades de plomo, cinc, oro, cobre, hierro, antimonio, mercurio, uranio y otros minerales radiactivos, manganeso, azufre, fluorita, carbón, sal y fosfatos naturales. Pero, sin duda, el producto más importante para la economía nacional es el petróleo, que se obtiene de los yacimientos del golfo de México, sin olvidar el gas natural.

La industria de base está representada por los sectores siderúrgico y metalúrgico, que han permitido el desarrollo de una importante industria mecánica. A ésta se puede añadir la industria textil, química, de neumáticos, del papel, así como la industria maderera. También es importante la fabricación de cemento y la elaboración de calzado, cerámica, cerveza y cigarrillos. Especial relevancia presenta la industria alimentaria, basada en la transformación de productos agropecuarios. El turismo, favorecido por la gran riqueza arqueológica y artístico-cultural del país, constituye un sector económico relevante, que en los últimos años ha experimentado un auge significativo. Existen importantes centros turísticos, entre los cuales son muy famosos las playas de Acapulco y Cancún, en el océano Pacífico y el mar Caribe, respectivamente. La mayoría de intercambios comerciales de México se llevan a cabo con Estados Unidos.

Cronología

EL POBLAMIENTO PREHISPÁNICO Y EL DOMINIO ESPAÑOL

400 a.C.-900 d.C.: evolución de las antiguas sociedades (formativas) a las sociedades del período clásico; olmeca, Teotihuacán, El Tajín y Monte Albán (mixteca-zapoteca). El imperio maya antiguo incluye Yucatán.

Ss. IX-XIII: en una primera oleada, los toltecas unifican el valle de México. Centro en Tula hasta la irrupción de los chichimecas. Con el sustrato tolteca se revitaliza el imperio nuevo maya, cuyo núcleo geográfico es la península de Yucatán.

Ss. XIV-XV: los aztecas o mexicas crean un gran imperio. Guerras civiles y catástrofes naturales arruinan el poder maya.

1519-1521: Hernán Cortés desembarca en México y conquista el imperio azteca.

1529-1545: segunda fase de la conquista, una vez instaurado el Virreinato de Nueva España (1535).

Segunda mitad s. XVI-s. XVIII: estructuración colonial y ampliación territorial en América del Norte.

MÉXICO INDEPENDIENTE

1810: levantamiento dirigido por el cura Miguel Hidalgo y conocido como el "grito de Dolores".

1813-1815: movimiento insurreccional de José María Morelos, otro precedente independentista.

1821: plan de Iguala. Independencia de México.

1822-1823: Agustín de Iturbide, emperador (Agustín I). Expulsado y fusilado.

1824-1850: continuas guerras civiles entre federalistas y unitarios, liberales y conservadores. Secesión de Texas. Antonio López Santa Anna, nueva figura política preponderante.

1848: el tratado de Guadalupe Hidalgo sanciona la derrota ante EE UU; se le entregan los territorios del norte.

1857-1860: guerra civil de la Reforma. Ascensión de Benito Juárez.

1861-1867: aventura imperialista francesa: Maximiliano I, emperador.

1868-1872: Juárez culmina la empresa desamortizadora y reformista.

1877-1911: régimen autoritario de Porfirio Díaz.

1911-1920: ciclo de la revolución mexicana (Francisco I. Madero, Emiliano Zapata, Pancho Villa).

1924-1940: los presidentes Plutarco Elías Calles y Lázaro Cárdenas, líderes del Partido Revolucionario Institucional (PRI), impulsan algunos contenidos revolucionarios.

1968: disturbios resueltos con la intervención del ejército (matanza de Tlatelolco).

1988: Carlos Salinas de Gortari, candidato del PRI, elegido presidente.

1991: México, sede de la Primera Cumbre Iberoamericana. Crecimiento económico.

1994: Ernesto Zedillo Ponce de León, presidente. Entra en vigor el Tratado de Libre Comercio con EE UU y Canadá (TLCAN). Rebelión indigenista en Chiapas. Asesinato del candidato del PRI a la presidencia, Luis Donaldo Colosio.

2000: Vicente Fox, del Partido Acción Nacional (PAN), presidente de la República. Fin de 71 años de hegemonía del PRI.

2002: ley de Transparencia y Acceso a la Información.

2003: el PRI vence en los comicios legislativos.

2005: entra en vigor el Tratado de Libre Comercio con Japón, firmado el año anterior.

América Central continental

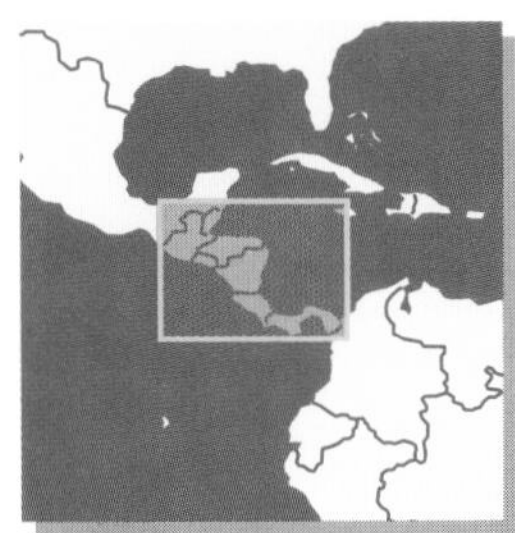

Bañada al este por el mar Caribe y al oeste por el océano Pacífico, la région de América Central continental o ístmica comprende la estrecha franja de tierra que se extiende entre la frontera meridional mexicana y la frontera panameño-colombiana. Este territorio incluye siete países: Belice, Costa Rica, El Salvador, Guatemala, Honduras, Nicaragua y Panamá.

Geografía física y humana

Centroamérica es una región de elevado riesgo sísmico, ya que se encuentra en el borde occidental de la placa tectónica del Caribe. La subducción de la corteza oceánica de este borde, que empezó hace 25 millones de años, elevó la tierra desde el mar. En una primera etapa se formaron una península y un archipiélago. Más tarde, hace unos 3 millones de años, las islas dispersas se fundieron y formaron un puente de tierra, o istmo, que unió Norteamérica y Sudamérica. Se trata, pues, de un territorio que sufre frecuentes terremotos y erupciones volcánicas. Toda la región está atravesada por una cadena montañosa de origen volcánico que alcanza sus máximas altitudes al norte, en Guatemala, y que deja escasos espacios llanos, de entre los que tan sólo destaca, por su extensión, la región atlántica de Nicaragua. El clima del conjunto del territorio es de tipo tropical, muy húmedo, y da lugar a una densa selva ecuatorial y de manglares tropicales. En las zonas montañosas, aparecen bosques de pinos y encinas. La región centroamericana también se ve constantemente afectada por la virulencia de huracanes, un fenómeno meteorológico característico de estas latitudes.

Historia

Aunque en buena parte de esta zona se constituyó una unidad política y cultural durante el período de los mayas, ésta se disgregó de manera radical durante la colonización europea. Desde entonces, el choque entre las tendencias disgregadoras y las que tendían a unificar la región se ha mantenido como una constante. Desmembrada la Capitanía General de Guatemala (que englobaba a Guatemala, Honduras, El Salvador, Nicaragua y Costa Rica), disueltas las Provincias Unidas de Centro América (1823-1838), fracasado el intento de crear una República Mayor de Centroamérica (integrada por Honduras, Nicaragua y El Salvador) en 1898, las antiguas provincias fueron objeto de apetencias foráneas (el intento estadounidense de adueñarse del istmo entre 1855 y 1857, la consolidación en Belice o las veleidades en la región costera de La Mosquitia por parte británica) y se convirtieron en pequeñas repúblicas monoproductoras, víctimas de las oligarquías locales y de las empresas frutícolas extranjeras. A lo largo de la segunda mitad del siglo XX, las convulsiones sociales y políticas fueron la tónica dominante en la región. Mientras en algunos países se impusieron movimientos revolucionarios (revolución sandinista en Nicaragua, 1979-1990), en otros se prolongaron las luchas civiles abiertas. En los últimos años, la región parece haber alcanzado cierta estabilidad política.

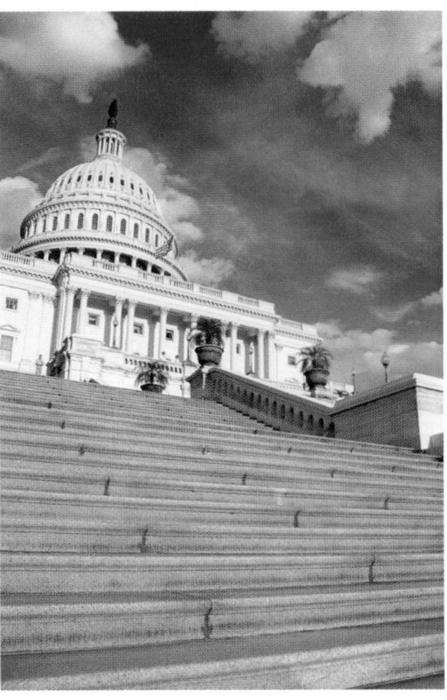

En las planicies de Petén, en Guatemala, se encuentra la segunda selva tropical mayor del continente, después de la Amazonia.

Rutas comerciales centroamericanas en el siglo XVII

■ *El cacao fue la principal mercancía de exportación de los países de Centroamérica y constituyó la mayor fuente de ingresos de muchos países como Costa Rica o Nicaragua entre los siglos XVI y XVIII. A partir de entonces, y a pesar de la proximidad de los países centroamericanos a los puertos de exportación de los que partían las naves hacia Europa y el Caribe, la gran competencia establecida con otras zonas productoras como Venezuela, Trinidad o Guayaquil (Ecuador) hizo caer los precios del cacao, lo que produjo también una disminución de la producción. Los principales países productores sufrieron, asimismo, constantes incursiones de los zambos mosquitos, los cuales robaban el fruto en el momento de la cosecha para vendérselo a los ingleses, quienes a través de Jamaica lo exportaban a Europa.*

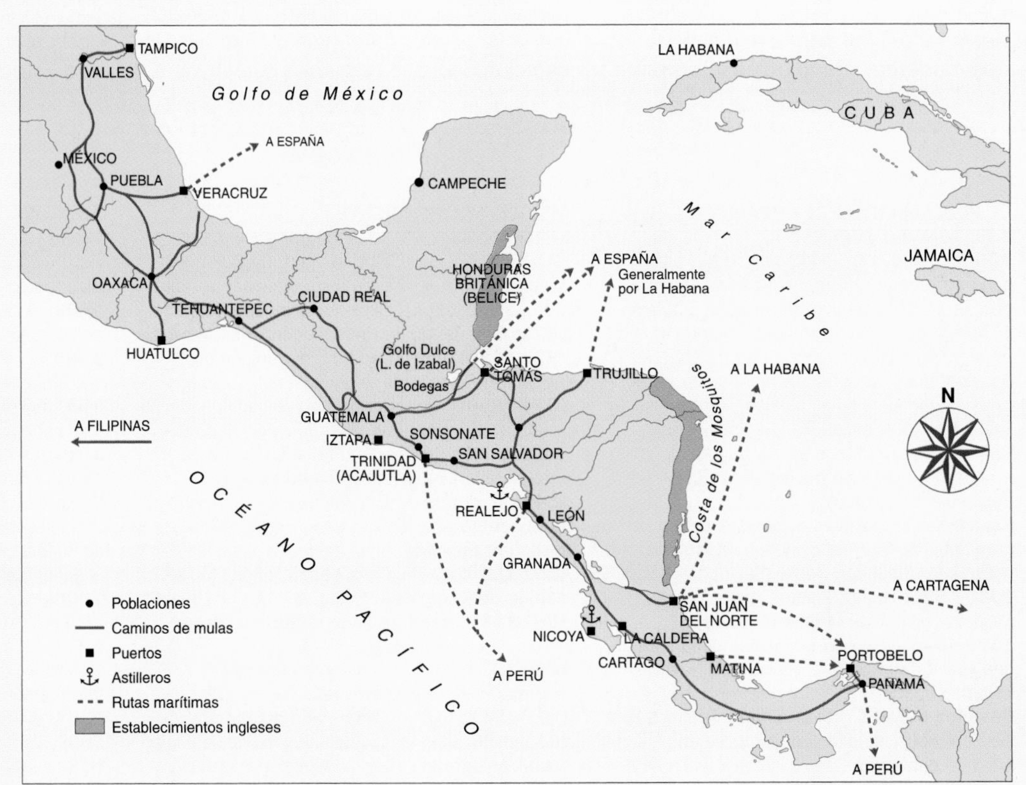

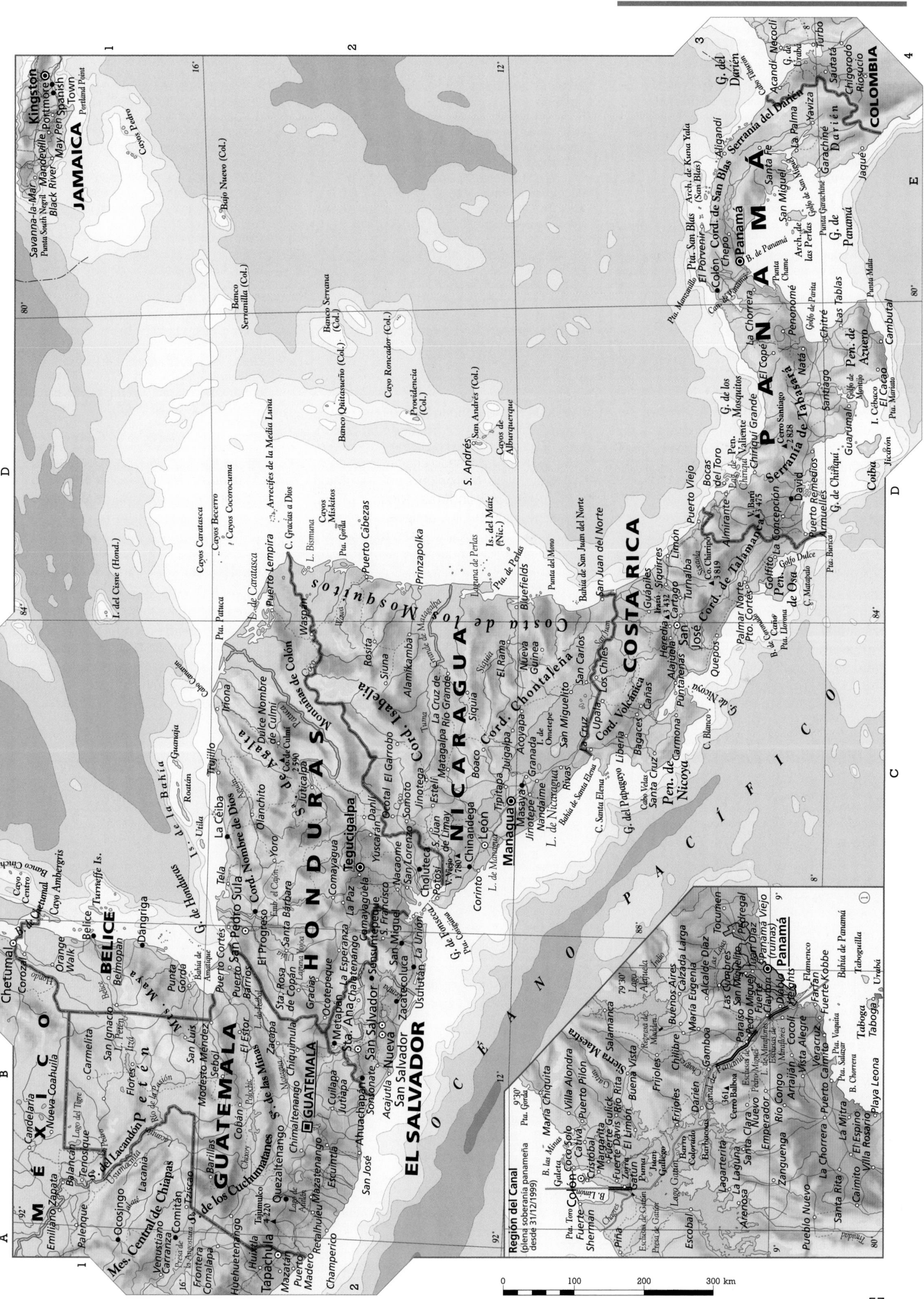
MÉXICO
BELICE
GUATEMALA
EL SALVADOR
HONDURAS
NICARAGUA
COSTA RICA
PANAMÁ
JAMAICA
COLOMBIA
OCÉANO PACÍFICO
Kingston
Tegucigalpa
Managua
San Salvador
GUATEMALA
Belmopan
San José
Panamá
Costa de los Mosquitos
G. de Honduras
G. de Fonseca
G. de Nicoya
G. de Chiriquí
G. de Panamá
G. del Darién
Región del Canal
(plena soberanía panameña
desde 31/12/1999)
0
100
200
300 km

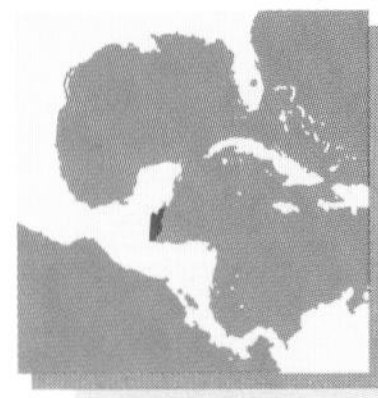

Belice

DATOS GENERALES
Nombre oficial: Belize
Superficie: 22 965 km²
Población: 240 000 hab.
Densidad: 10,5 hab./km²
Moneda: dólar de Belice
Lenguas: inglés (oficial), español, criollo inglés
Religión: católicos (57,7 %), protestantes (27,3 %), anglicanos (7,1 %)
Capital: Belmopan (9 115 hab.)
Divisiones administrativas: 6 distritos
Forma de gobierno: monarquía constitucional

INDICADORES DEMOGRÁFICOS
Tasa de natalidad: 31,0 ‰
Tasa de mortalidad: 6,1 ‰
Crecimiento vegetativo: 24,9 ‰
Tasa de mortalidad infantil: 27,8 ‰
Hijos por mujer: 4,0
Tasa anual de crecimiento demográfico: 2,3 %
Esperanza de vida al nacer: 74,0 años (mujeres), 70,0 años (hombres)
Población urbana: 48,6 %
Tasa de alfabetización: 76,9 %
Núm. de médicos: 102 por 100 000 hab.

INDICADORES ECONÓMICOS
PIB: 879 millones de $
PIB per cápita: 3 406 $
PIB por sectores: Primario 17 %, Secundario 19 %, Terciario 64 %
Importaciones: 526 millones de $
Exportaciones: 164 millones de $

Cronología

S. XVI: habitado por los mayas, el territorio es conquistado por España. Pertenece al Virreinato de Nueva España.
S. XVII: se establecen en la costa madereros ingleses, que explotan el palo campeche.
1859: tratado entre Guatemala y Gran Bretaña, sobre la fijación de fronteras.
1862: estatuto de colonia, con el nombre de Honduras Británica.
1940: Guatemala denuncia, por incumplimiento, el tratado de 1859.
1973: la colonia toma su nombre actual.
1981: acuerdo entre Guatemala y Reino Unido sobre la futura independencia de Belice. El Reino Unido, infringiendo el acuerdo, otorga unilateralmente la independencia, no reconocida por Guatemala.
1991: Guatemala reconoce el estado de Belice.
1993: Colville Young, gobernador general.
1998: Said W. Musa es elegido primer ministro.
2003: Musa es reelegido en el cargo.

Pequeño estado de América Central, Belice limita al norte con México, y al sur y oeste con Guatemala. En el sector oriental se sitúa el litoral bañado por las aguas del mar Caribe.

Marco natural

El relieve beliceño se caracteriza por la existencia de montañas de escasa altitud, pantanos y jungla tropical. El norte presenta una morfología compuesta por tierras bajas y pantanosas que alcanza una altitud media de 60 m sobre el nivel del mar. Esta zona se halla drenada por los ríos Belice (navegable), Nuevo y Hondo. Hacia el sudoeste se elevan algunos relieves de cierta entidad, como los montes Maya (Victoria, 1 122 m), que son prolongación del relieve guatemalteco. La costa está salpicada de lagunas e incluye numerosos cayos e islotes; se halla formada por arrecifes y posee yacimientos de coral. El clima, caluroso y húmedo, presenta temperaturas más suaves en las tierras altas. La superficie forestal ocupa alrededor de la mitad del país.

Población

Belice es el único territorio culturalmente británico que se encuentra situado en el istmo centroamericano. La mayor parte de la población es mestiza, aunque persisten grupos de amerindios y garífunas. Pese a que las tasas de natalidad siguen presentado valores elevados, el ritmo de crecimiento de la población se ha ralentizado desde los últimos años del siglo XX, en parte por la persistencia de una corriente migratoria hacia Estados Unidos. La densidad media de población es baja, y las mayores concentraciones urbanas se ubican en la costa: las principales ciudades son Belmopan (capital), Belice, Orange Walk, San Ignacio, Dangriga y Corozal.

Distribución de las lenguas en la Mesoamérica precolombina

Este mapa de la distribución lingüística mesoamericana durante la época precolombina permite percibir la multiplicidad de lenguas del área, así como la capacidad de difusión de sus diferentes poblaciones, ya que su desplazamiento territorial desde el sur hacia el norte puede advertirse en las influencias procedentes de Colombia y Ecuador, en tanto que los desplazamientos en sentido inverso se comprueban en las lenguas uto-nahuas de clara procedencia noroccidental; no resulta pues extraño el hecho de que en el valle de Teotihuacán (México) se hallan concentrado numerosos grupos lingüísticos. En las tierras de la actual república de Belice, el grupo dominante fue el maya.

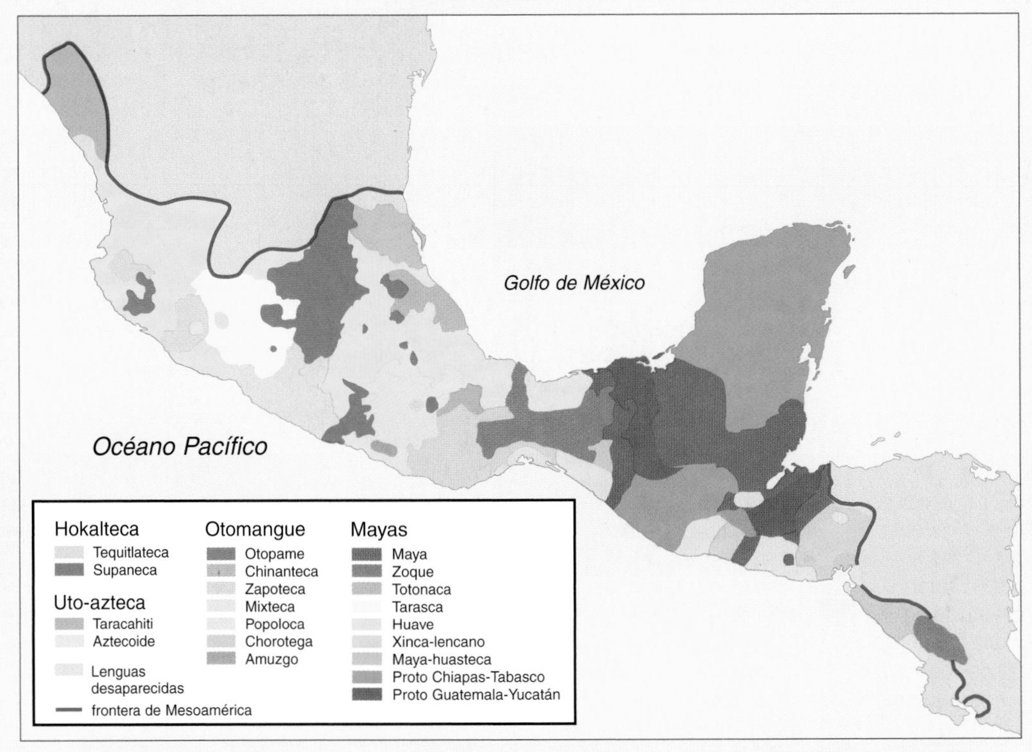

Recursos económicos

El sector terciario beliceño se ha convertido en el principal activo del país y está basado sobre todo en el turismo y las actividades financieras. Sin embargo, las actividades relacionadas con el sector primario continúan teniendo un peso destacado en el conjunto de la economía nacional. Así, la caña de azúcar es el cultivo más extenso y la base de la industria alimentaria; la mayor parte de las plantaciones de caña están gestionadas por multinacionales de capital extranjero. Otros productos agrícolas que se cultivan en Belice son cítricos, bananas, maíz y arroz. Igualmente destacada es la silvicultura. La explotación de las reservas forestales permite la obtención de madera de caoba, cedro, pino y palisandro, además de gomorresina. La ganadería es una actividad económica complementaria, mientras que la pesca produce excedentes destinados al comercio exterior. Por su parte, la actividad industrial comprende plantas de conservación de cítricos, de elaboración de azúcar, de ácido tánico y de extracción de resina, así como de elaboración de cerveza, cigarrillos y productos textiles.

El núcleo pesquero de Punta Gorda, bañado por el Caribe, es la localidad más meridional de Belice y un destacado centro turístico de este pequeño país del istmo centroamericano.

El azote de los huracanes en el Caribe y el golfo de México

El huracán Katrina *afectó al sur de EE UU en agosto de 2005.*

En el Caribe algunas ondas tropicales pueden evolucionar desde depresión tropical a tormenta tropical y, luego, a huracán. Así, entre junio y noviembre, Centroamérica y las Antillas suelen ser azotadas por el paso de algún huracán. Estas perturbaciones ciclónicas son muy profundas y van acompañadas por fuertes vientos periféricos que suelen alcanzar y aun superar los 180 km/h, produciéndose simultáneamente cuantiosas precipitaciones de gran intensidad.

Los huracanes más frecuentes en el continente americano son en general atlánticos y proceden del este. La mayoría de los huracanes se forman en aguas cálidas tropicales cuya temperatura sobrepasa los 26 °C y situadas en torno a los 15° de latitud norte. Otros huracanes pueden nacer durante el verano sobre las aguas cálidas del Pacífico; éstos azotan las costas meridionales y occidentales de México, siendo por lo general menos destructivos que los de origen atlántico. Los huracanes rara vez se originan en el Ecuador y tampoco es probable que se formen por encima de los 20° de latitud norte. Por lo general, los huracanes se mueven de este a oeste, o bien toman rumbos erráticos. En un período no muy superior a los cuatro o cinco días, los huracanes pueden recorrer miles de kilómetros siguiendo unas trayectorias curvas o parabólicas que toman la dirección de las Antillas antes de llegar a alcanzar el sur de Estados Unidos (Florida, Luisiana) o la costa oriental de Centroamérica. Una vez que el huracán llega a tierra, sus vientos se desecan y se convierten en tormentas tropicales. El grado de peligrosidad de los huracanes se mide con la escala Saffir-Simpson, que indica los daños potenciales que pueden provocar. En las últimas décadas, en la región atlántica se han sucedido más de 20 huracanes de categoría 5, la más peligrosa; entre los más destructivos: el *Camille* (1969), el *Gilbert*, el *Andrew*, el *Mitch* y el *Katrina*.

Huracanes de categoría 5 (escala Saffir-Simpson)

Año	Nombre	Período
1971	*Edith*	5 – 18 de septiembre
1977	*Anita*	29 de agosto – 3 de septiembre
1979	*David*	25 de agosto – 8 de septiembre
1980	*Allen*	31 de julio – 11 de agosto
1988	*Gilbert*	8 – 20 de septiembre
1989	*Hugo*	10 – 25 de septiembre
1992	*Andrew*	16 – 28 de agosto
1998	*Mitch*	22 de octubre – 9 de noviembre
2003	*Isabel*	6 – 20 de septiembre
2004	*Ivan*	2 – 24 de septiembre
2005	*Katrina*	28 – 29 de agosto

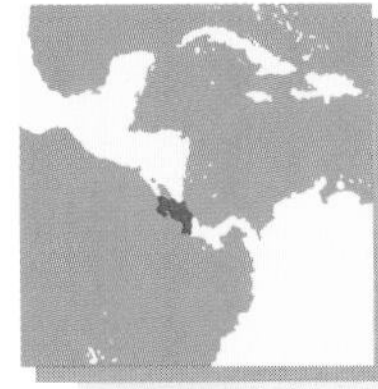

Costa Rica

DATOS GENERALES
Nombre oficial: República de Costa Rica
Superficie: 51 100 km²
Población: 3 810 179 hab.
Densidad: 74,6 hab./km²
Moneda: colón
Lenguas: español
Religión: católicos (86 %)
Capital: San José (309 672 hab.)
Ciudades: Limón (56 719 hab.), Alajuela (42 889 hab.)
Divisiones administrativas: 7 provincias
Forma de gobierno: república

INDICADORES DEMOGRÁFICOS
Tasa de natalidad: 17,8 ‰
Tasa de mortalidad: 3,9 ‰
Crecimiento vegetativo: 13,9 ‰
Tasa de mortalidad infantil: 10,1 ‰
Hijos por mujer: 2,4
Tasa anual de crecimiento demográfico: 2,5 %
Población menor de 15 años: 30,2 %
Población de 60 años o más: 6,0 %
Esperanza de vida al nacer: 79,0 años (mujeres), 74,0 años (hombres)
Población urbana: 60,0 %

INDICADORES SOCIALES
Tasa de alfabetización: 95,8 %
Núm. de médicos: 160 por 100 000 hab.
Núm. de automóviles: 341 000 unidades
Líneas telefónicas: 250 por mil hab.
Abonados a teléfonos móviles/celulares: 111 por mil hab.
Usuarios de internet: 193 por mil hab.
Gasto público en salud: 4,9 % del PIB
Gasto público en educación: 4,7 % del PIB

INDICADORES ECONÓMICOS
PIB: 17 775 millones de $
PIB per cápita: 4 263 $
PIB por sectores: Primario 10 %, Secundario 29 %, Terciario 61 %
Población ocupada por sectores: Primario 15 %, Secundario 22 %, Terciario 63 %
Producción de energía: 6 614 millones de kW/h
Consumo de electricidad: 1 727 kW/h por hab.
Importaciones: 6 870 millones de $
Exportaciones: 4 943 millones de $

RECURSOS ECONÓMICOS
Agricultura: café, bananas, cacao, caña de azúcar, tabaco, algodón, maíz, arroz, patata, mandioca, palma, agrios, nueces de coco
Ganadería: bovina, porcina, caballar y aves de corral; apicultura
Pesca: 45 253 t
Silvicultura: 5 150 401 m³ de madera
Minería: hierro, bauxita, manganeso, oro, plata y sal
Industria: azucarera, tabaquera, cervecera y alimentaria en general, del papel y del cemento

País de América Central, Costa Rica está situada en el sector del istmo centroamericano entre Nicaragua, con el que limita al norte, y Panamá, al sudeste. En el sector occidental presenta un prolongado litoral en el océano Pacífico, mientras que las costas orientales están bañadas por el mar Caribe.

Marco natural

Costa Rica comprende un relieve de perfil orográfico irregular y sinuoso. Es un país predominantemente montañoso, repleto de volcanes –más de un centenar–, que presenta también extensas planicies y depresiones. Las principales unidades del relieve son: los Andes centroamericanos, el Valle Central y las llanuras periféricas. Los Andes centroamericanos atraviesan el territorio a modo de columna vertebral y están compuestos, de noroeste a sudeste, por la cordillera de Guanacaste, la sierra de Tilarán, la cordillera Central y la cordillera de Talamanca. La cordillera de Guanacaste posee cimas volcánicas como la de Miravalles, Rincón de la Vieja y Orosí. En la cordillera Central se alzan, entre otros conos, el Irazú (3432 m), el Turrialba (3328 m) y el Poás (2704 m). La cordillera de Talamanca alberga la cumbre más alta del país (Chirripó, 3819 m). El Valle Central, en la zona intermedia de Costa Rica, divide la cordillera andina en dos unidades: una septentrional y otra meridional. Es una depresión de 1200 m de elevación media que constituye la zona más densamente poblada del país. Las llanuras periféricas se sitúan entre los límites de los Andes centroamericanos y las fachadas marítimas pacífica y caribeña. Son grandes áreas llanas, particu-

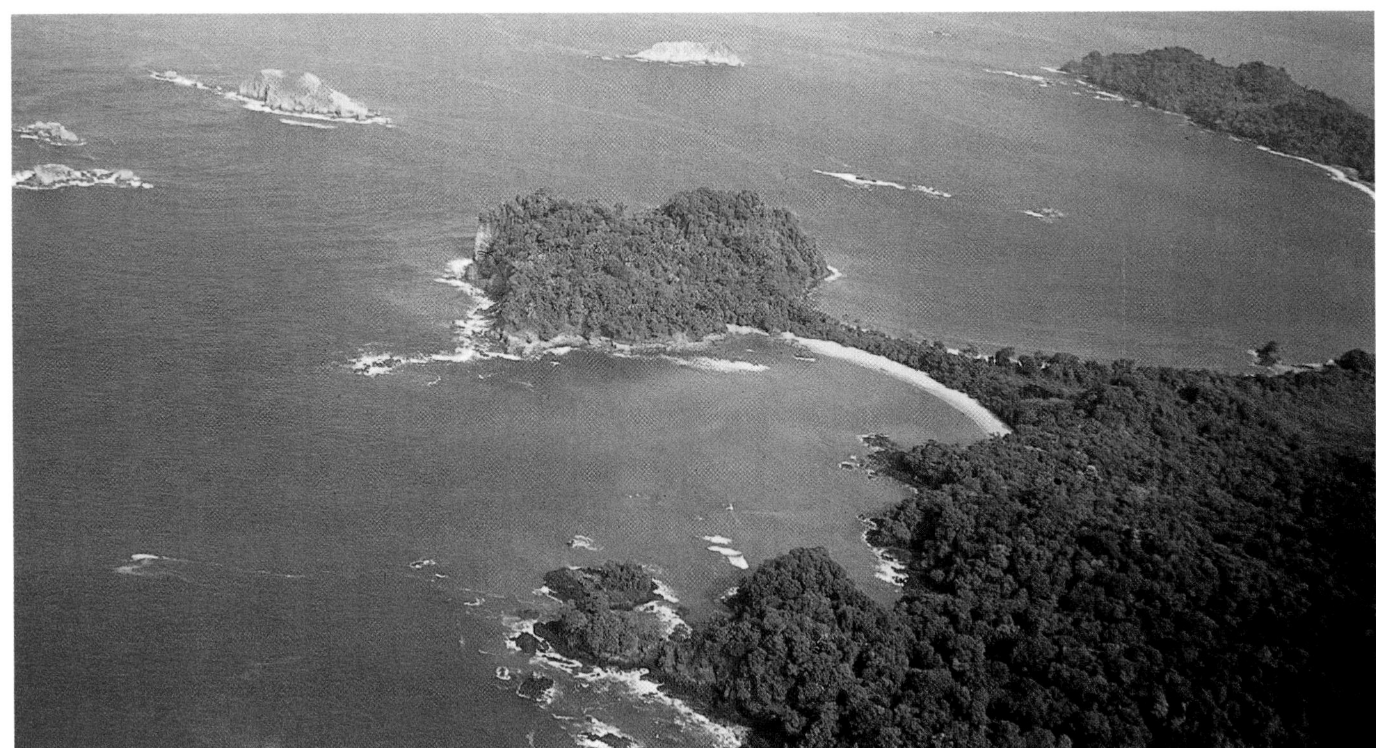

Punta Catedral es una gran masa rocosa de forma romboidal que se halla en la playa Manuel Antonio, en aguas del Pacífico. Esta punta, que presenta espectaculares acantilados, era una isla que quedó unida a tierra firme mediante un cordón de arena formado por las corrientes.

larmente extensas en los sectores septentrional y oriental del país.

Costa Rica posee una completa red hidrológica. Sin embargo, a excepción del San Juan, no hay ríos largos ni caudalosos. Los Andes centroamericanos, que dividen el país en sus vertientes caribeña y pacífica, determinan la dirección de las aguas y condicionan su caudal. La red hidrográfica comprende ríos que desembocan en el lago de Nicaragua y que, por intermedio de su emisario San Juan, vierten sus aguas en el mar Caribe. La cuenca caribeña recibe los ríos (Pacuare, sistema Matina-Chirripó, Estrella y Sixaola) que atraviesan la amplia llanura horizontal donde se suelen formar albuferas y caños litorales. La mayoría de los ríos de la vertiente pacífica son cortos y están accidentados por rápidos y cascadas; pero existen notables cursos como el Tempisque, el Grande de Tárcoles, el Pirrís o Parrita y el Grande de Térraba.

Debido a su situación latitudinal, las condiciones climáticas de Costa Rica corresponden a un clima tropical húmedo, pero este dominio general se ve modificado por la presencia de las montañas. El territorio se divide en tierras calientes, por debajo de los 800 m de altitud, tierras templadas de 800 a 1 500 m, y frías por encima de los 1 500 m. Las primeras corresponden a la llanura caribeña, el valle del General-Coto Brus, el golfo Dulce y la llanura de Guanacaste, donde la temperatura media anual oscila entre los 25 y los 28 °C y las precipitaciones alcanzan valores entre 1 500 y 4 000 mm. En las tierras templadas, las temperaturas varían entre 18 y 20 °C y las lluvias no superan los 1 800 mm. En las tierras frías, los promedios térmicos son inferiores a 18 °C y las precipitaciones presentan una estación seca de febrero a abril. La vegetación se caracteriza por la presencia de una selva densa con predominio de la caoba, el cedro y el ébano en la zona del Atlántico y en las áreas bajas del Pacífico. En las tierras templadas crece un bosque de encinas y helechos arborescentes. En las tierras frías abundan sobre todo las coníferas, los robles y las encinas.

Población

El crecimiento demográfico de Costa Rica a partir de la segunda mitad del siglo XX ha sido espectacular. Este incremento es esencialmente el resultado de la elevada tasa de crecimiento natural, del movimiento migratorio de miles de nicaragüenses –que llegaron a finales del siglo XX, tras la amnistía política y a consecuencia de la desocupación y la pobreza–, pero también de la reducción de los índices de mortalidad y mortalidad infantil, que son de los más bajos de América. La distribución de la población es muy desigual. En el Valle Central se concentra el 60 % de los habitantes, y las densidades

Arriba, vista del Parque Nacional Tortuguero, en la provincia de Limón, al este del país. Abajo, el volcán Irazú (3 432 m), en la cordillera Central, cuyo cráter principal alberga una laguna.

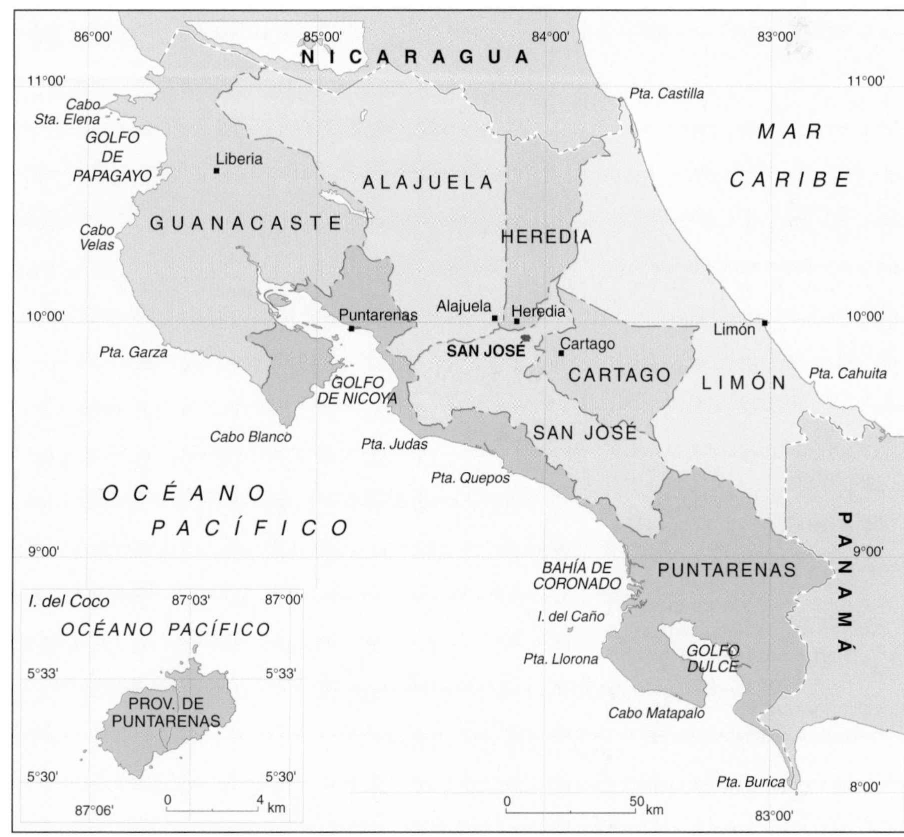

Costa Rica se divide administrativamente en 7 provincias, con sus respectivos cantones y distritos. Los límites provinciales se mantienen casi intactos desde la época colonial.

pueden superar los 2000 hab./km^2, como ocurre en el área metropolitana de la capital nacional, San José.

Gran parte de la población es de ascendencia europea o mestiza; hay un grupo significativo de población negra que vive agrupada en la zona del Caribe; los indígenas bórucas, térrabas, guatusos, chorotegas y guaymíes son grupos étnicos que todavía mantienen algunas características propias, pero ya han adoptado el español como lengua de comunicación y practican hábitos de vida similares a los de la población rural del país. Los grupos cabécar y bribrí conservan aún su lengua.

Recursos económicos

La economía costarricense se halla en su mayor parte dirigida a la exportación. La estructura de la producción se ha transformado de modo sensible en las últimas décadas del siglo XX, de tal manera que la economía ha dejado de ser predominantemente agrícola. Mientras que en el pasado la producción de materias primas era el motor de la economía y apenas se mantenía una industria incipiente, hoy en día la agricultura, sin dejar de ser importante, ha cedido en parte su lide-

Fundada en 1737, San José, la capital de la provincia homónima y de Costa Rica desde 1848, es la ciudad más populosa del país y un notable centro manufacturero y comercial.

Áreas culturales prehispánicas en Costa Rica

■ *Por su particular situación geográfica, Costa Rica ha desempeñado históricamente un papel muy significativo en las relaciones culturales establecidas entre los distintos pueblos de América Central y sus vecinos del norte y del sur. El territorio costarricense quedó dividido entre dos grandes áreas culturales: la primera, de influencia mesoamericana, más avanzada cultural y técnicamente, comprendía parte del sector meridional de México, Guatemala, el oeste de Honduras, El Salvador, el litoral pacífico de Nicaragua y el territorio de Costa Rica hasta el golfo de Nicoya; y la segunda, denominada Intermedia, con un nivel de desarrollo económico y cultural inferior, abarcaba desde el río Aguán (Honduras) al norte, hasta un sector de las tierras de Venezuela, al sudeste, y de Ecuador al sudoeste, ya en el subcontinente sudamericano.*

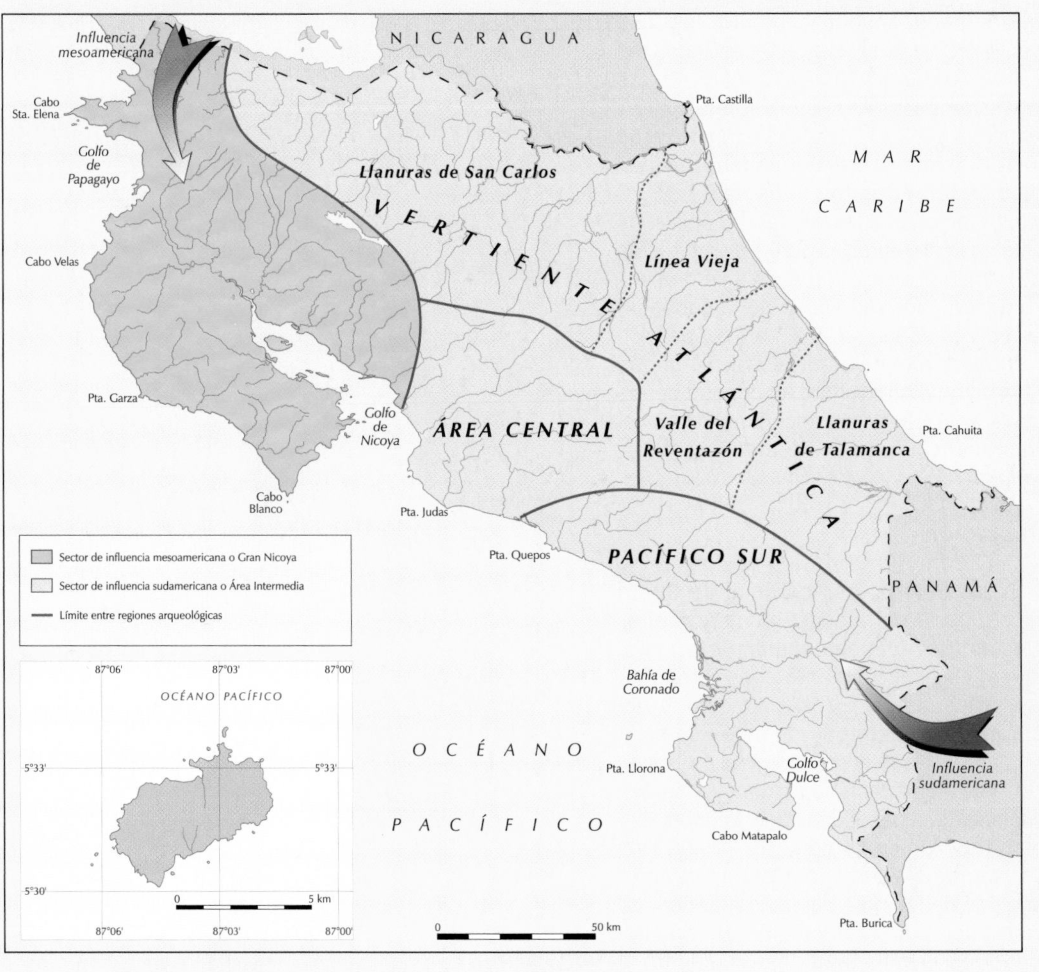

razgo a la industria y el turismo. El café y las bananas son los cultivos por excelencia. Las plantaciones de café se extienden a lo largo del Valle Central y la cordillera de Guanacaste y ofrecen una producción de gran calidad. El café empezó a cultivarse en Costa Rica a principios del siglo XIX y se convirtió, gracias a su acogida en los mercados internacionales, en el eje de la economía costarricense. Este hecho no sólo afectó a la estructura productiva del país, sino que también transformó profundamente su estructura social al crear distintas clases sociales ligadas al cultivo del grano. Hoy, la mayor parte de la producción de café continúa en manos de la población costarricense mientras que la producción bananera se halla casi en su totalidad bajo el control de capital estadounidense. El cultivo de la caña de azúcar ha dado lugar a la creación de refinerías de azúcar. El cacao y el algodón son otros dos productos en expansión. Los cereales, las papas, las frutas, las hortalizas y el tabaco están destinados al mercado interior. La riqueza forestal es reseñable, pero su explotación resulta reducida, debido a las dificultades y a la ley de protección del patrimonio forestal. La ganadería se basa en la cría de ganado de leche y carne, así como de aves de corral y de ganado porcino. La expansión de las reses bovinas ha permitido la promoción de la industria cárnica, hasta el extremo de ser una fuente importante de ingresos. La pesca es una actividad de poca relevancia en la economía costarricense. La captura del atún es la ocupación más importante y está monopolizada, tanto en la captura como en la conservación, por compañías estadounidenses. Existen yacimientos de oro, azufre, petróleo, bauxita, manganeso y plomo, pero únicamente tiene cierta importancia la explotación del oro y la bauxita. Es asimismo significativa la obtención de sal.

La industrialización, aunque limitada, es superior a la de las naciones vecinas. La industria se orienta principalmente al proceso de productos agrícolas. La mayoría de los establecimientos se dedica a la producción de abonos químicos, y al tratamiento de productos extraídos del campo (café, algodón, cacao y otros). Entre las industrias en expansión se cuentan el refino de petróleo, la industria eléctrica, la elaboración de azúcar y la de cerveza. Gracias a que el país cuenta con una gran variedad de espacios naturales en los que se protege una abundante fauna y flora, el auge del turismo complementa el resto de actividades económicas. La mayoría de intercambios comerciales costarricenses se llevan a cabo con Estados Unidos.

Cronología

CONQUISTA Y COLONIZACIÓN

1502-1560: primeros intentos de exploración y colonización de los españoles. Encuentran poblamiento de tribus chorotegas y boruca (órbita cultural chibcha y huetar).
1562: Juan Vázquez de Coronado emprende la conquista del territorio.
1569: el territorio se incorpora a la Audiencia de Guatemala.
Ss. XVII-XVIII: la conquista se extiende lentamente al interior. Adscripción a la Capitanía de Guatemala. Devastadoras incursiones de piratas y zambos mosquitos.

LA INDEPENDENCIA

1821: independencia; pacto de Concordia, primera Constitución de Costa Rica.
1823-1838: inclusión en la Federación de las Provincias Unidas de Centroamérica.
1856-1857: invasión del mercenario William Walker desde Nicaragua, cuya derrota en Rivas precipitó su caída.
1863-1947: mayor estabilidad que en el resto de América Central, con la excepción de dos años de dictadura de Federico Tinoco y la revolución de 1948.
1948-1978: socialdemócratas y socialcristianos se alternan en el poder.
1978: el conservador R. Carazo accede a la presidencia de la República.
1986: Óscar Arias Sánchez, jefe de Estado.
1990: período presidencial de Rafael Ángel Calderón Fournier.
1994: José María Figueres Olsen, presidente.
1998: Miguel Ángel Rodríguez Echeverría, al frente de la República.
2002: Abel Pacheco, elegido jefe de Estado.
2004: firma del CAFTA, Tratado de Libre Comercio entre EE UU y América Central.

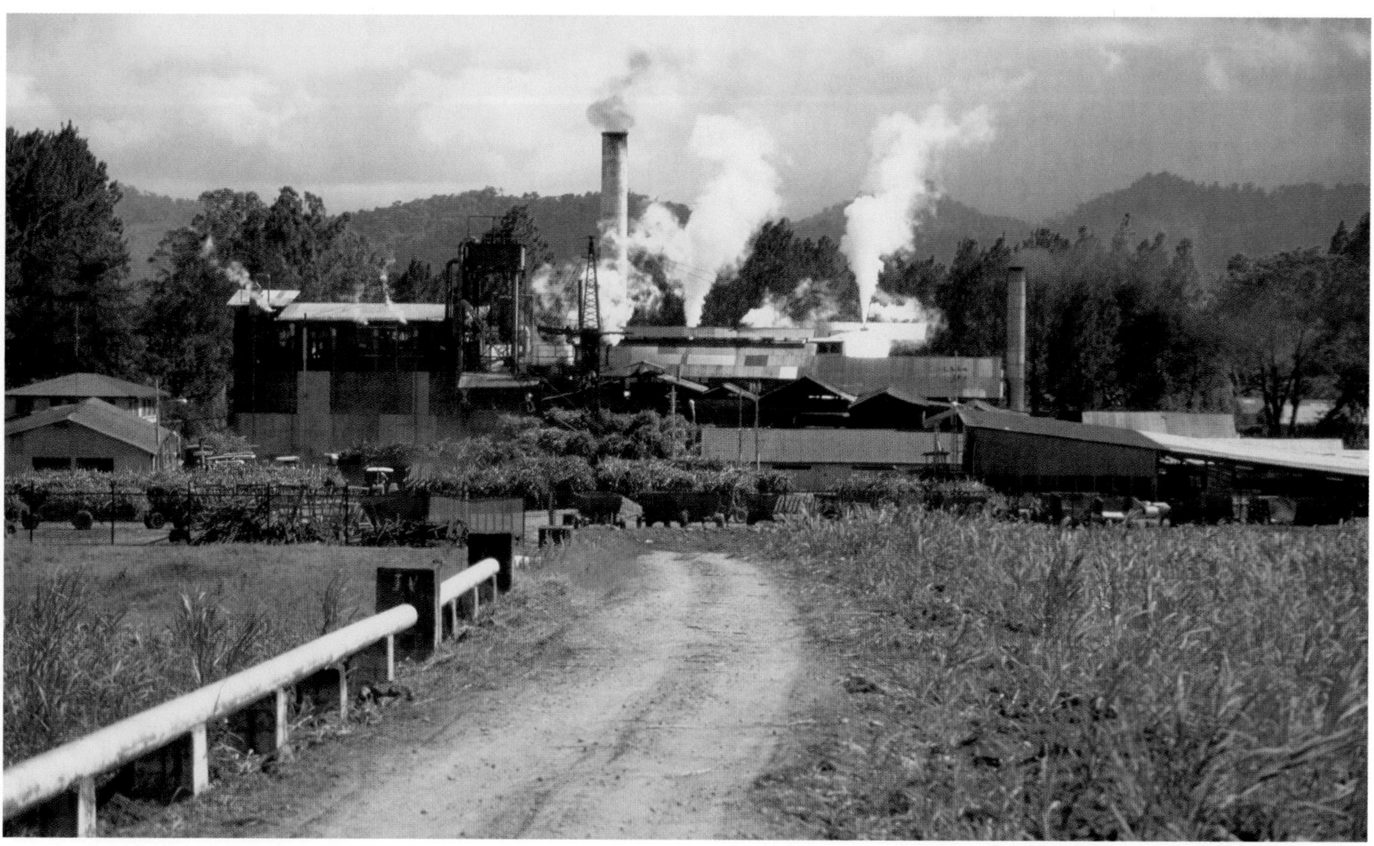

La caña de azúcar, uno de los principales cultivos del país, ha favorecido la creación de cooperativas, ya que se calcula que alrededor del 70 % de este producto es cultivado por pequeños agricultores. En la imagen, vista de un ingenio azucarero en la zona de Turrialba.

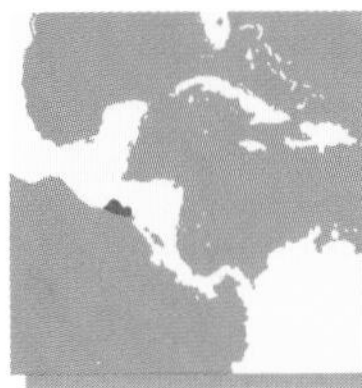

El Salvador

DATOS GENERALES
Nombre oficial: República de El Salvador
Superficie: 21 041 km²
Población: 6 274 999 hab.
Densidad: 298,2 hab./km²
Moneda: colón/dólar EE UU
Lenguas: español (oficial), nahuatl, dialectos mayas
Religión: católicos (78,3 %), protestantes (17,1 %)
Capital: San Salvador (503 147 hab.)
Ciudades: Santa Ana (265 594 hab.), San Miguel (266 582 hab.), Santa Tecla (181 024 hab.)
Divisiones administrativas: 14 departamentos
Forma de gobierno: república

INDICADORES DEMOGRÁFICOS
Tasa de natalidad: 28,3 ‰
Tasa de mortalidad: 6,1 ‰
Crecimiento vegetativo: 22,2 ‰
Tasa de mortalidad infantil: 27,6 ‰
Hijos por mujer: 3,3
Tasa anual de crecimiento demográfico: 1,9 %
Población menor de 15 años: 37,0 %
Población de 60 años o más: 7,3 %
Esperanza de vida al nacer: 74,0 años (mujeres), 67,0 años (hombres)
Población urbana: 59 %

INDICADORES SOCIALES
Tasa de alfabetización: 79,7 %
Núm. de médicos: 126 por 100 000 hab.
Núm. de automóviles: 125 000 unidades
Líneas telefónicas: 103 por mil hab.
Abonados a teléfonos móviles/celulares: 138 por mil hab.
Usuarios de internet: 47 por mil hab.
Gasto público en salud: 3,7 % del PIB
Gasto público en educación: 2,5 % del PIB

INDICADORES ECONÓMICOS
PIB: 13 169 millones de $
PIB per cápita: 1 981 $
PIB por sectores: Primario 9 %, Secundario 28 %, Terciario 63 %
Población ocupada por sectores: Primario 20 %, Secundario 24 %, Terciario 56 %
Producción de energía: 4 292 millones de kW/h
Consumo de electricidad: 661 kW/h por hab.
Importaciones: 3 907 millones de $
Exportaciones: 1 234 millones de $

RECURSOS ECONÓMICOS
Agricultura: maíz, arroz, frijoles, café, caña de azúcar, sésamo, algodón, tabaco, mandioca, agrios y olivos
Ganadería: bovina, porcina y aves de corral
Pesca: 18 142 t
Silvicultura: 5 200 238 m³ de madera
Minería: bauxita, hierro, níquel, oro, plata y sal
Industria: tabaco, cerveza, textil algodonera, cemento y fertilizantes

País de América Central ístmica, El Salvador limita con Guatemala al noroeste, y con Honduras al norte y al este. Las aguas del océano Pacífico bañan las costas meridionales del país.

Marco natural

A pesar de su reducida extensión, el territorio salvadoreño presenta un relieve bastante variado, resultado de un intenso dinamismo geológico. Hace unos veinte millones de años, la actividad volcánica del territorio se concentró en su sector norte, en una franja paralela a la costa. Luego, el vulcanismo cesó en la zona septentrional y dio comienzo un período de erupciones en las zonas central y meridional del país. El relieve de El Salvador está dominado por dos encadenamientos montañosos que recorren el territorio de oeste a este. Al norte, paralelamente a la frontera con Honduras, se extienden los Andes centroamericanos o Sierra Madre Salvadoreña. El río Lempa corta transversalmente este encadenamiento, al oeste del cual se eleva la cordillera Alotepeque-Metapán, mientras que al este se encuentran las cordilleras de Nahuaterique y Cacahuatique-Corobán. Entre los Andes centroamericanos y la cordillera Costera se extiende la Meseta Central salvadoreña. La cordillera Costera se sitúa paralela

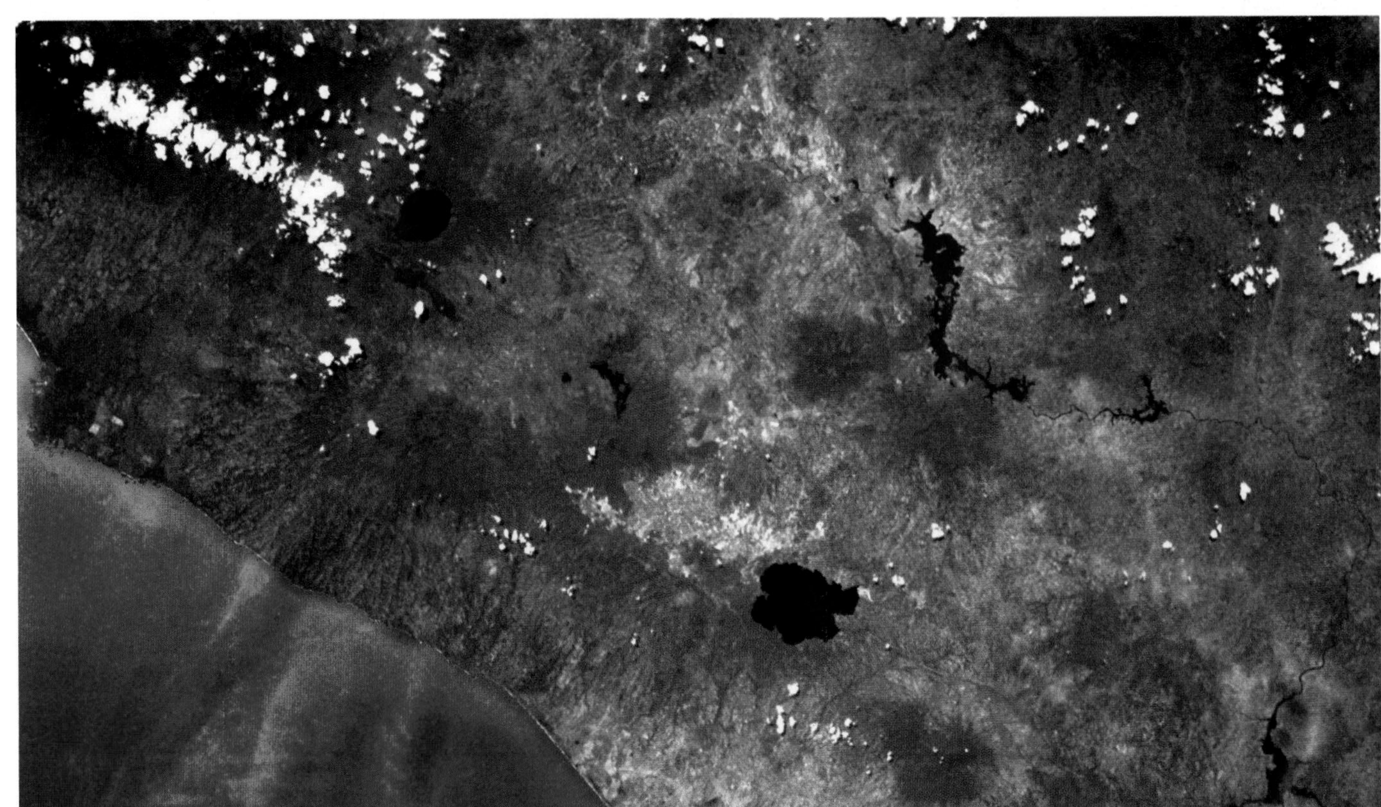

El litoral de El Salvador, en aguas del Pacífico, se extiende desde la desembocadura del río Paz, al sudoeste, hasta la del río Goascorán, al sudeste. En términos generales, las costas son bajas, arenosas, cenagosas y muy heterogéneas, con esteros, puntas, islas y penínsulas.

La mayor parte del territorio salvadoreño se caracteriza por una topografía accidentada, resultado de la intensa actividad volcánica y tectónica que tuvo lugar durante el período terciario. En la imagen, el Guazapa, uno de los principales volcanes extintos del país.

a la costa y forma parte del Eje volcánico guatemalteco-salvadoreño. Una peculiaridad de este territorio es la abundancia de volcanes. Entre los más activos están el Santa Ana (2365 m), el San Vicente (2181 m), San Salvador (Picacho, 1959 m), San Miguel (2129 m) y, sobre todo, el Izalco (1910 m). La llanura costera es una angosta franja (40 km de ancho máximo) formada por la acumulación aluvial de los torrentes cortos que bajan de la cordillera Costera.

La cuenca hidrográfica más importante de El Salvador es la del río Lempa. Otros cursos fluviales importantes son el Grande de San Miguel, el Paz, el Goascorán, el Jiboa y el Sucio. Uno de los usos más importantes dados en este territorio a los recursos hídricos ha sido la generación hidroeléctrica, aprovechando la fuerza y el caudal de los ríos. Esta energía hidroeléctrica ha sido el principal factor del desarrollo industrial y comercial salvadoreño. Dentro del territorio nacional se distinguen tres lagos principales: el Ilopango y el Coatepeque, formados por grandes masas de agua dulce depositadas en depresiones vulcano-tectónicas, y el de Güija, originado a partir del agua de los ríos retenida por una corriente de lava que cerró la salida de un valle.

Según la altitud, en El Salvador se distinguen tres zonas climáticas: las tierras calientes, las tierras templadas y las tierras con clima tropical de altura. Las tierras calientes se encuentran ubicadas hasta los 800 m sobre el nivel del mar. La temperatura máxima se da en marzo y abril, poco antes de la estación lluviosa. La temperatura del mes más caluroso sobrepasa los 22 °C. Las tierras templadas se encuentran entre los 800 y los 1200 m sobre el nivel del mar. La temperatura del mes más caluroso es inferior a 22 °C, pero al menos cuatro meses del año presentan temperaturas superiores a 10 °C. Por encima de los 1200 m se sitúan las tierras frías. Las temperaturas anuales son, según la altitud, las siguientes: en las planicies altas y valles, 16 y 20 °C, con posibles heladas en diciembre, enero y febrero. En las faldas de las montañas, las temperaturas oscilan entre los 16 y 19 °C, sin peligro de heladas. Las tierras más frías se encuentran entre 1800 y 2730 m.

Población

El Salvador es el país con mayor densidad demográfica de toda Centroamérica. Desde 1970, sin embargo, las tasas de crecimiento se han reducido de manera drástica, rompiendo la tendencia expansiva que históricamente habían mantenido. La evolución demográfica salvadoreña está estrechamente relacionada con los procesos que se registran en los ámbitos político, económico y social. La migración campo-ciudad se acentuó a raíz de la guerra civil (1979-1992). A fines del siglo XX, como consecuencia de la dinámica se-

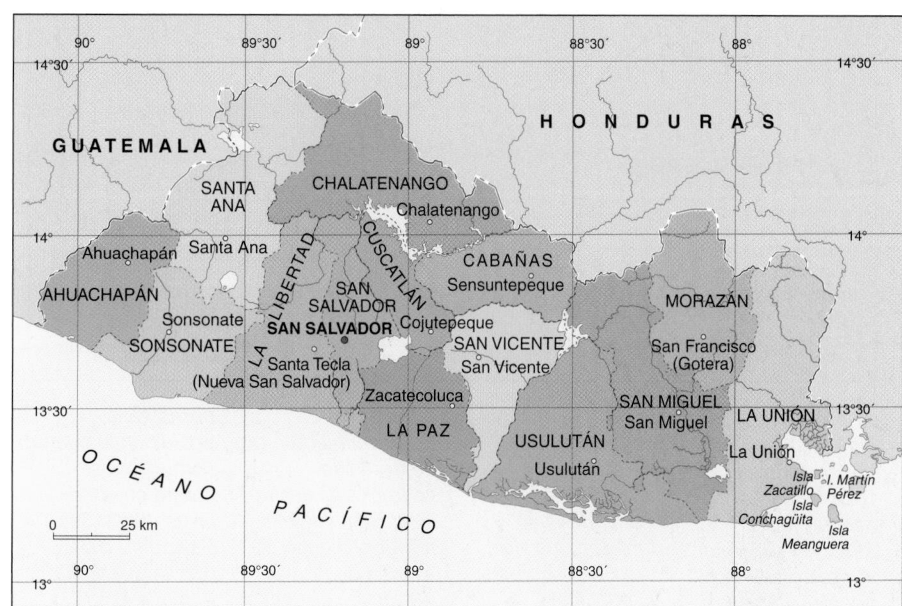

El territorio de El Salvador se compone de 14 departamentos, cada uno de los cuales se divide en municipios. Cada departamento está dirigido por un gobernador y un subgobernador.

El proceso de industrialización se inició a mediados del siglo XX, orientado hacia los bienes de consumo. En la imagen, embalaje en una planta industrial agroalimentaria de San Salvador.

Asentamientos españoles a comienzos del siglo XVI

GUATEMALA

HONDURAS

L. Güija

L. Ilopango

L. Olomega

OCÉANO PACÍFICO

0 25 50 km

• **Poblaciones indígenas**

s: Sonsonate
i: Izalco
sa: Santa Ana
ss: San Salvador
sv: San Vicente
a: Apastepeque
z: Zacatecoluca
u: Usulután
sm: San Miguel

■ *Tras la conquista de un territorio se solía fundar un asentamiento. A tal efecto se elegía un sitio cercano a los pueblos indígenas más poblados, o próximo a un lugar donde hubiera riqueza mineral, se realizaban los planos y se fundaba una villa de conquistadores. El principal objetivo de estos núcleos era el establecimiento de bases de operaciones desde las cuales sacarle mayor provecho al botín de la conquista, es decir, a los tesoros de la tierra y a la población indígena sometida; así surgieron, entre otras urbes, San Salvador (1525), San Miguel (1530), Acajutla (1532) y Sonsonate (1552).*

guida por las migraciones internas, más de la mitad de la población nacional se ubica en los principales centros urbanos y en sus municipios periféricos. Esto implica que la población salvadoreña se ha concentrado cada vez más en la parte central del país y, en particular, en los municipios aledaños a la ciudad de San Salvador, la capital. De forma paralela a los fuertes desplazamientos internos provocados por el conflicto político-militar, en los últimos años del siglo XX, centenares de miles de salvadoreños optaron por iniciar una nueva vida en el extranjero, especialmente en Estados Unidos, México, Guatemala y Canadá.

Por otra parte, la población salvadoreña es, desde el punto de vista étnico, en su mayoría, mestiza o ladina (casi el 89 %) a consecuencia del carácter que los españoles imprimieron a la conquista y ocupación del territorio, sin establecer distinciones culturales ni de asentamiento entre las poblaciones aborígenes y española. Los indígenas de origen maya quiché, nahua o chibcha representan el 9 %, y los blancos, en general de origen español, alemán, belga o italiano, alrededor del 2 % de la población total.

Recursos económicos

A partir de la década de 1990, caracterizada por la liberalización de los precios y las privatizaciones, el aparato productivo salvadoreño ha experimentado importantes transformaciones que pueden resumirse en dos tendencias: en primer lugar, una disminución de la importancia de la agricultura y la industria, merced al incremento de actividades terciarias relacionadas con el comercio y los servicios personales y financieros; en segundo lugar, una estabilización de los principales indicadores macroeconómicos debido al importante incremento de los flujos externos de divisas, especialmente de las remesas familiares. Además, el siglo XXI comenzó con notables modificaciones en la economía salvadoreña, entre ellas la dolarización de la moneda y la grave crisis de subsistencia vivida como consecuencia del terremoto que tuvo lugar en 2001.

El Salvador es un país de base agropecuaria. Entre los cultivos destinados a la exportación cabe mencionar el café, del cual este país está considerado uno de los primeros productores mundiales. También son importantes los cultivos de algodón, tabaco y caña de azúcar. Entre los productos agrarios destinados al consumo interno, hay que citar el maíz, el frijol, el maicillo y el arroz. Los bosques abastecen de madera de cedro, caoba, palo rosa y bálsamo del Perú, esencia utilizada en los productos cosméticos. La cría de vacunos y porcinos, y la pesca cubren el consumo interno.

El Estado desempeñó un importante papel dinamizador del proceso de industrialización. En la primera fase del mismo, la producción se orientó fundamentalmente a los bienes de consumo. En la actualidad, la industria se sustenta en la transformación de materias primas básicas, y se producen hilados y tejidos de algodón, cigarrillos, cerveza, cemento, calzado, refino de petróleo, carpintería metálica, accesorios eléctricos y productos químicos. El sector terciario en El Salvador alcanzó su apogeo con la introducción del cultivo del café. El turismo es uno de los sectores económicos pendientes de desarrollo en los próximos años; en este país, la actividad turística cuenta con la promoción del Estado y del sector privado.

Hasta mediados del siglo XX, El Salvador estaba básicamente dedicado a la exportación de productos agropecuarios. Con la promoción de la actividad industrial, a partir de la década de 1950, las exportaciones de los sectores industrial y agropecuario se diversificaron. El mismo proceso experimentaron las importaciones, que pasaron a incluir bienes de consumo y bienes intermedios y de capital. Sin embargo, desde la década de 1970, se vienen registrando déficits en la balanza comercial debido a los serios obstáculos para incrementar de manera sustancial el valor medio de las exportaciones y, también, por el mayor crecimiento absoluto de las importaciones. El principal rubro de las exportaciones salvadoreñas es la maquila.

Cronología

EL POBLAMIENTO PRECOLOMBINO Y LA COLONIZACIÓN ESPAÑOLA

Hacia s. III: extensión del imperio antiguo maya a una parte del actual territorio salvadoreño.
Ss. VIII-XV: irrupciones náhuatl: los pipiles se asientan en el centro. Con nuevas oleadas y aportes aztecas se forman importantes cacicazgos como Cuscatlán.
1524-1530: conquista española.
Ss. XVII-XVIII: dependiente de la Capitanía General de Guatemala.
1786: se constituye la intendencia de San Salvador.
1811-1815: primeros movimientos independentistas (Delgado, Arce).

LA INDEPENDENCIA

1821: proclamación de la independencia.
1822: tropas enviadas por Agustín de Iturbide integran el país por la fuerza en el imperio mexicano.
1823: incorporación de El Salvador a las Provincias Unidas de Centroamérica.
1824-1841: agitada existencia de la Federación de Provincias Unidas de Centroamérica. Respaldo a la obra liberal de Francisco Morazán.
1850-1900: luchas intestinas (conservadores, liberales, golpes militares), intentos de rehacer la Federación.
1913-1944: control de la familia Meléndez y el general Hernández. Revueltas campesinas.
1969: conflicto armado con Honduras («guerra del fútbol»).
1970-1982: golpes de Estado. Guerrilla del Frente Farabundo Martí para la Liberación Nacional (FMLN).
1984: José Napoleón Duarte, presidente.
1990: Alfredo Cristiani, jefe de Estado.
1992: acuerdo de paz que pone fin a una guerra civil de doce años.
1994: Armando Calderón, presidente.
1999: Francisco Flores, presidente.
2004: Elías Antonio Saca González, jefe de Estado. El congreso ratifica el CAFTA, Tratado de Libre Comercio entre EE UU y América Central.

Fundada en 1525, San Salvador es la principal ciudad del país. Capital departamental, es asimismo la sede del gobierno y concentra la mayoría de la actividad industrial, comercial, financiera, de servicios y cultural de la nación. En la imagen, vista exterior del Teatro Nacional.

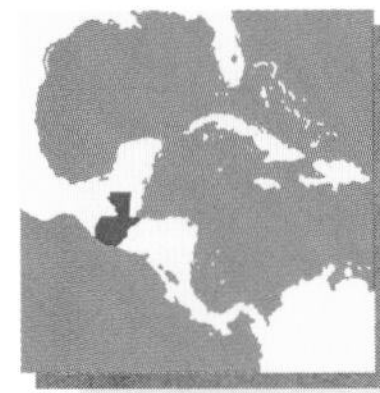

Guatemala

DATOS GENERALES
Nombre oficial: República de Guatemala
Superficie: 109 116 km^2
Población: 11 237 196 hab.
Densidad: 103,0 hab./km^2
Moneda: quetzal
Lenguas: español (oficial), dialectos maya
Religión: católicos (75,9 %), protestantes (21,8 %)
Capital: Guatemala (942 348 hab.)
Ciudades: Mixco (277 400 hab.), Villa Nueva (187 700 hab.), Quetzaltenango (106 700 hab.), Escuintla (65 400 hab.), Amatitlán (55 800 hab.)
Divisiones administrativas: 22 departamentos
Forma de gobierno: república

INDICADORES DEMOGRÁFICOS
Tasa de natalidad: 35,5 ‰
Tasa de mortalidad: 6,8 ‰
Crecimiento vegetativo: 28,7 ‰
Tasa de mortalidad infantil: 36,0 ‰
Hijos por mujer: 4,7
Tasa anual de crecimiento demográfico: 2,6 %
Población menor de 15 años: 43,1 %
Población de 60 años o más: 5,2 %
Esperanza de vida al nacer: 66,0 años (mujeres), 64,0 años (hombres)
Población urbana: 40,0 %

INDICADORES SOCIALES
Tasa de alfabetización: 69,9 %
Núm. de médicos: 109 por 100 000 hab.
Núm. de automóviles: 110 000 unidades
Líneas telefónicas: 71 por mil hab.
Abonados a teléfonos móviles/celulares: 131 por mil hab.
Usuarios de internet: 33 por mil hab.
Gasto público en salud: 2,3 % del PIB
Gasto público en educación: 1,7 % del PIB

INDICADORES ECONÓMICOS
PIB: 19 480 millones de $
PIB per cápita: 1 494 $
PIB por sectores: Primario 22 %, Secundario 19 %, Terciario 59 %
Población ocupada por sectores: Primario 39 %, Secundario 20 %, Terciario 41 %
Producción de energía: 6 608 millones de kW/h
Consumo de electricidad: 481 kW/h por hab.
Importaciones: 6 074 millones de $
Exportaciones: 2 227 millones de $

RECURSOS ECONÓMICOS
Agricultura: café, bananas, caña de azúcar, maíz, arroz, trigo, sorgo, patatas, algodón, tabaco, cacao, agrios, tomates, frijoles y sésamo
Ganadería: bovina, ovina, porcina, caprina
Pesca: 14 300 t
Silvicultura: 15 725 027 m^3 de madera
Minería: níquel, sal, cinc, plomo, antimonio y petróleo
Industria: textil algodonera, tabaquera, azucarera, del cemento y maderera

Estado de América Central, que limita al oeste y al norte con México, al nordeste con Belice y al sudeste con Honduras y El Salvador, Guatemala presenta un prolongado litoral en el sector sur, bañado por las aguas del océano Pacífico, y más corto al nordeste, en el mar Caribe.

Marco natural

El relieve se caracteriza por el predominio de las mesetas calcáreas en la mitad norte y los terrenos montañosos terciarios en la mitad sur. La prolongación del paisaje yucateco en territorio de Guatemala corresponde a la región de Petén, amplia plataforma calcárea, recorrida al sur por el río Usumacinta y su afluente el río de La Pasión. En la zona central del país se levantan las tierras altas, un conjunto de colinas y mesas que van desde los 1000 m de altitud, al este, hasta los 3 500 m en el sistema de los Cuchumatanes, en el extremo occidental. Estos cordones enlazan con la Sierra Madre, la continuación de la Sierra Madre de Chiapas, en México, y encierran varios lagos, entre los que destaca el de Izabal. Paralela a la costa pacífica se levanta la espina dorsal centroamericana, formada por un rosario de volcanes que continúa en El Salvador. Entre éstos destacan el Tacaná (4 093 m), el Tajumulco (4 220 m) –la mayor elevación del país–, el volcán de Agua y el volcán de Fuego. Las depresiones están ocupadas por lagos, como el Atitlán, de gran atractivo turístico.

Entre el Eje volcánico guatemalteco-salvadoreño y el mar, se extiende una es-

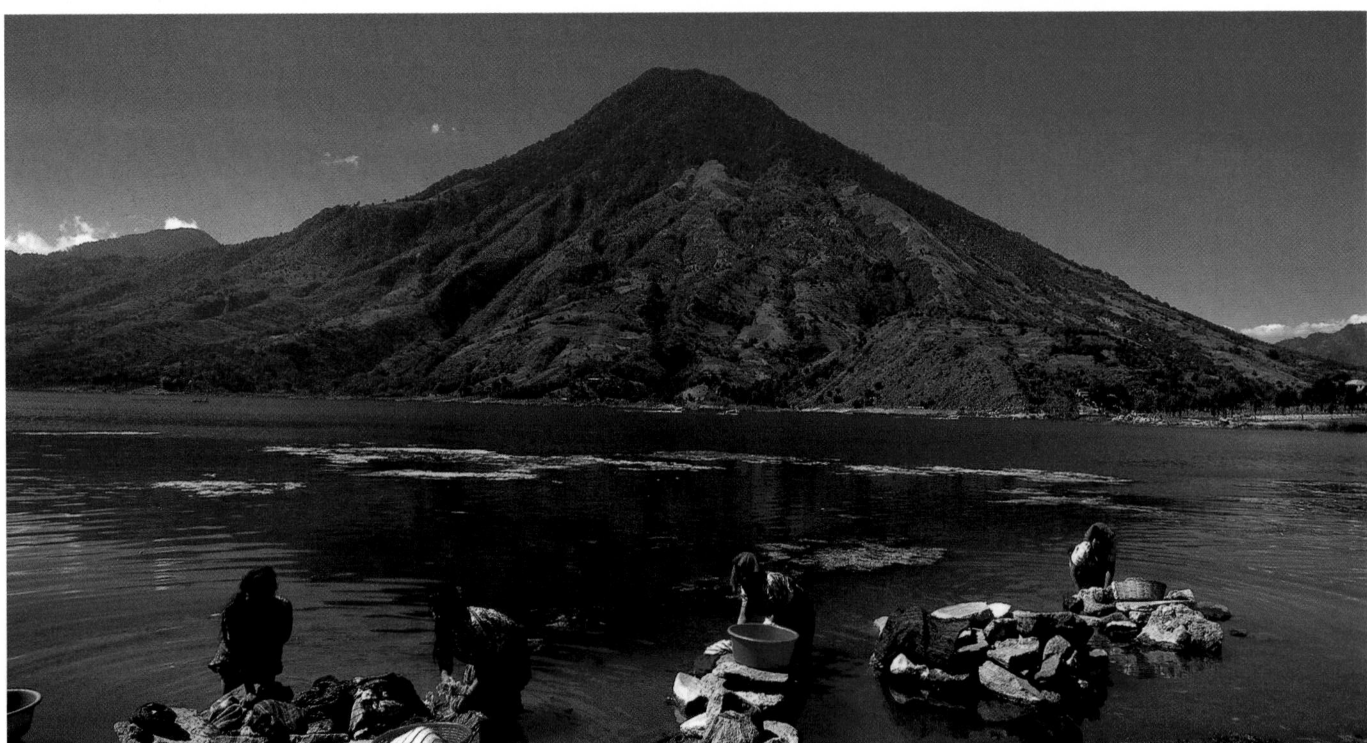

El lago de Atitlán es el segundo más extenso de Guatemala (126 km^2) y el que se sitúa a una mayor altitud (1 562 m). Se localiza al sur del país, en el altiplano occidental, habitado por los mayas, y ocupa el cráter de un volcán; sus aguas alcanzan una profundidad de 333 m.

trecha llanura litoral, poco propicia para el asentamiento humano debido a su clima extremadamente caluroso.

Desde el punto de vista hidrográfico, el país está irrigado por dos vertientes. La atlántica tiene ríos largos y caudalosos, algunos de ellos navegables como el Motagua, y otros fronterizos como el Usumacinta, que discurre por el límite de México con el Petén, y lo drena con sus afluentes. La cuenca del Pacífico la avenan ríos cortos y poco caudalosos, muchos de ellos secos durante largas temporadas, y que en la estación lluviosa pueden tener características torrenciales. El Suchiate es fronterizo con México, y el Esclavos y el Paz limitan con El Salvador. También destacan los ríos Samalá, Nahualate y Madre Vieja. Por otra parte, entre las cuencas lacustres destacan las del Izabal, Atitlán, Petén Itzá, Amatitlán, Güija y Ayarza.

El clima, por lo general cálido y húmedo, varía según la altitud. Las principales áreas climáticas son: tierras calientes por debajo de los 1000 m de altitud, con temperaturas que oscilan entre los 22 y 26 °C; tierras templadas, entre los 1000 y 2000 m, con oscilaciones térmicas entre los 17 y 22 °C; y tierras frías, entre los 2000 y 3500 m, con temperaturas situadas entre los 10 y 17 °C. En las denominadas “tierras heladas”, que se extienden por encima de los 3 500 m, como, por ejemplo, la cima de algunos volcanes, las temperaturas descienden por debajo de los 10 °C. La media pluviométrica anual es de 1000 mm. La vegetación atlántica y del Petén es tropical con selvas y extensos bosques de maderas preciosas. En el altiplano central, a causa de la actividad humana, el bosque se ha degradado en sabana y bosque claro. Por encima de los 1500 m, aparecen las coníferas y, en las zonas costeras, crecen los manglares.

Población

Guatemala es uno de los países más poblados del istmo centroamericano. La población mantuvo un crecimiento progresivo y sostenido por encima de la media mundial durante el último cuarto del siglo XX, debido a la sensible disminución de las tasas de mortalidad y al mantenimiento de una tasa de natalidad muy elevada. Su distribución, sin embargo, es muy irregular, de acuerdo con las condiciones de habitabilidad del territorio. Las mayores concentraciones humanas se registran en la vertiente meridional de la Sierra Madre y en la llanura pacífica, que comprenden los departamentos de Quetzaltenango, Sololá, Chimaltenango, Sacatepéquez, San Marcos y Guatemala.

Guatemala cuenta con una población cuyos rasgos característicos están deter-

Guatemala, capital del país, se halla en un área de elevado riesgo sísmico; desde su fundación en su actual emplazamiento (1776) ha sufrido las consecuencias de violentos terremotos.

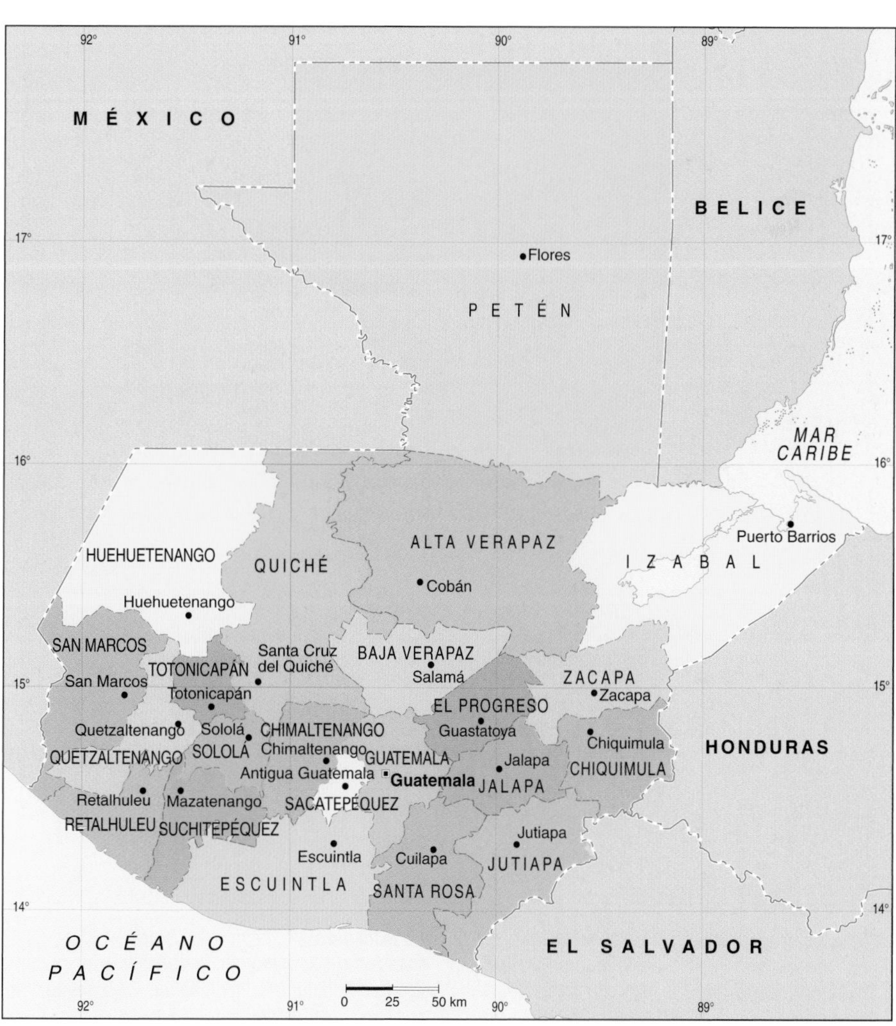

Guatemala se divide administrativamente en 22 departamentos y 330 municipios. Hasta 1991, el país consideró Belice como un departamento propio bajo administración extranjera.

Tikal, en la selva del Petén, es uno de los principales sitios arqueológicos mayas (300-950 d.C.). El parque nacional homónimo fue declarado Patrimonio de la Humanidad por la Unesco (1979).

minados por factores étnicos, socioeconómicos y biogeográficos muy marcados. La población comprende dos grandes grupos: el indígena, formado por individuos mayas, garífunas y xincas; y el ladino, término que engloba a toda la población no indígena. La población ladina agrupa a los mestizos, resultado de la mezcla de españoles e indígenas, y a descendientes de los inmigrantes de otros continentes. Cerca de la mitad de los habitantes de Guatemala son indígenas (40 % del total), y en su inmensa mayoría viven en la región del altiplano.

Recursos económicos

Guatemala es un país eminentemente agrario. La agricultura es la principal actividad económica del país. Su producción agrícola se puede clasificar en tres tipos según el destino: la de subsistencia, en la que básicamente se produce maíz, frijol, hortalizas y papas; la comercial, que abastece a los mercados locales; y la de exportación, para la cual se produce café, banano, caña de azúcar, algodón, ajonjolí, cardamomo, plantas ornamentales, frutas, arveja china, brócoli y miniverduras. La población maya es la productora de la mayor cantidad de granos básicos y legumbres que se consumen en el país. También se cultivan otros granos, cereales y productos para consumo industrial. La actividad tradicional en el campo es la agricultura familiar, predominante en la región del altiplano. Su organización está basada en una pequeña unidad familiar que produce básicamente alimentos para el autoconsumo y algún excedente para comercio local; el principal cultivo está constituido por los granos básicos.

La ganadería conforma un sector en expansión. En la región de los Cuchumatanes y la Sierra Madre se crían rebaños de ovejas que producen lana para textiles. El ganado bovino produce carne para los mercados locales y para exportación, así como para el consumo y procesamiento de leche. Se cría principalmente alrededor del municipio de Guatemala, en el departamento de Escuintla y en la Alta y Baja Verapaz, y la producción de carne se concentra en los departamentos de Izabal, Santa Rosa y Petén. La actividad se registra en el altiplano y en los alrededores del departamento de Guatemala. El Petén es rico en reservas forestales que proporcionan maderas finas, chicle y chinchona. En la producción pesquera destaca la exportación de camarón. Del subsuelo se obtiene antimonio, plomo, cinc, cobre, hierro, cadmio, volframio, manganeso, feldespato, plata, platino, y petróleo en el Petén y Alta Verapaz.

La producción industrial se desarrolló con gran intensidad a partir de 1960.

Principales yacimientos mayas

La cultura maya es una de las más complejas de la América prehispánica. Esta brillante civilización ocupó un territorio de casi 325 000 km², repartidos entre los actuales estados de México (Campeche, Yucatán, Quintana Roo, Tabasco y Chiapas), Guatemala, Belice y un sector de Honduras y El Salvador.

Dicha actividad, que no está muy diversificada, corresponde a las siguientes industrias: alimentaria, textil, tabacalera, maderera, talabartera y metalúrgica. También, con poca producción, pero dinámicas, existen manufacturas de la madera, caucho, corcho, papel, productos minerales, así como de construcción de maquinaria, equipos de transporte, artículos eléctricos y trabajos de imprenta. La industria alimentaria en Guatemala utiliza una parte de la producción agropecuaria nacional. Incluye el procesamiento, empaque y distribución de camarón y langosta; preparados de carne, pescado y crustáceos; preparados de cereales; los azúcares y artículos de confitería y bebidas, alcoholes y vinagres, y productos lácteos. Por otra parte, el hallazgo de petróleo ha favorecido el desarrollo de una industria de derivados (fertilizantes, neumáticos, plásticos) y la instalación de refinerías.

La actividad turística en Guatemala es una de las principales fuentes de obtención de divisas. Aunque se empezó a desarrollar este sector a partir de la década de 1960, no puede hablarse de un crecimiento constante, puesto que ha sufrido variaciones en función de la situación política interna del país. Por otro lado, constituye una actividad relativamente estacionaria. A pesar de ello, es un importante generador de empleo. Los principales destinos son lugares que ofrecen restos arqueológicos de la cultura maya, arquitectura colonial y áreas naturales. La balanza comercial es deficitaria, y la mayoría de productos que se exportan tienen como destino Estados Unidos, El Salvador y Honduras.

Cronología

EL POBLAMIENTO PRECOLOMBINO Y LA COLONIZACIÓN ESPAÑOLA

Ss. IV-IX: imperio maya antiguo.
Ss. XI-XV: tras desplazarse a la península de Yucatán, las guerras intestinas del imperio maya nuevo conducen a la fragmentación en señoríos independientes.
1523: Pedro de Alvarado emprende la conquista española del territorio.
1568: tras varias organizaciones coloniales, se crea la Capitanía General de Guatemala y la Audiencia.

GUATEMALA INDEPENDIENTE

1821: proclamación de la independencia de Guatemala.
1822-1823: integración en el imperio mexicano de Agustín de Iturbide.
1823-1839: se integra en la Federación de las Provincias Unidas de Centroamérica.
1839-1865: égida conservadora dirigida por Rafael Carrera.
1873-1885: turno liberal: Justo Rufino Barrios. Muere en el campo de batalla, en El Salvador, al intentar rehacer la unidad centroamericana.
1898-1920: gobierno liberal de Manuel Estrada Cabrera.
1931-1944: período autoritario del general Jorge Ubico.
1945-1951: decantación nacionalista con Juan José Arévalo.
1950-1957: tentativa reformista de Juan Jacobo Arbenz (reforma agraria y expropiaciones a la United Fruit). Es derrocado por Castillo Armas (asesinado).
1958-1963: gobierno del general Ydígoras Fuentes. Es depuesto por un golpe militar.
1970-1983: período de inestabilidad. Guerrillas: auge de la Unidad Revolucionaria Nacional Guatemalteca (URNG).
1985: elecciones democráticas. Vinicio Cerezo Arévalo, presidente.
1991-1993: Jorge Serrano, presidente. Se reconoce la independencia de Belice (1991).
1993-1996: Ramiro de León Carpio, al frente de la República.
1996: Álvaro Arzú es elegido presidente. Acuerdo de paz con la guerrilla de la URNG.
1998: paso del huracán *Mitch*.
1999: Alfonso Portillo, presidente.
2003: el conservador Óscar Berger Perdomo es elegido presidente.
2005: el congreso ratifica el CAFTA, Tratado de Libre Comercio entre EE UU y América Central.

El sector primario ocupa a casi el 40 % de la fuerza laboral del país y genera cerca de una cuarta parte del PIB nacional. En la imagen, recogida de paste (calabaza de estropajo), una planta típica de la región centroamericana de la que se obtienen esponjas de baño.

Honduras

DATOS GENERALES
Nombre oficial: República de Honduras
Superficie: 112 492 km²
Población: 6 535 344 hab.
Densidad: 58,1 hab./km²
Moneda: lempira
Lenguas: español (oficial), inglés, dialectos mayas y garífuna
Religión: católicos (86,7 %), protestantes (10,5 %)
Capital: Tegucigalpa (769 061 hab.)
Ciudades: San Pedro Sula (439 086 hab.), La Ceiba (114 584 hab.), Choloma (108 260 hab.), El Progreso (90 475 hab.), Choluteca (75 600 hab.)
Divisiones administrativas: 18 departamentos
Forma de gobierno: república

INDICADORES DEMOGRÁFICOS
Tasa de natalidad: 32,3 ‰
Tasa de mortalidad: 6,3 ‰
Crecimiento vegetativo: 26,0 ‰
Tasa de mortalidad infantil: 30,3 ‰
Hijos por mujer: 4,2
Tasa anual de crecimiento demográfico: 0,9 %
Población menor de 15 años: 41,6 %
Población de 60 años o más: 5,4 %
Esperanza de vida al nacer: 71,0 años (mujeres), 66,0 años (hombres)
Población urbana: 46,9 %

INDICADORES SOCIALES
Tasa de alfabetización: 80,0 %
Núm. de médicos: 87 por 100 000 hab.
Núm. de automóviles: 40 500 000 unidades
Líneas telefónicas: 48 por mil hab.
Abonados a teléfonos móviles/celulares: 49 por mil hab.
Usuarios de internet: 25 por mil hab.
Gasto público en salud: 3,2 % del PIB

INDICADORES ECONÓMICOS
PIB: 6 927 millones de $
PIB per cápita: 989 $
PIB por sectores: Primario 13 %, Secundario 31 %, Terciario 56 %
Población ocupada por sectores: Primario 33 %, Secundario 21 %, Terciario 46 %
Producción de energía: 3 626 millones de kW/h
Consumo de electricidad: 650 kW/h por hab.
Importaciones: 3 033 millones de $
Exportaciones: 1 627 millones de $

RECURSOS ECONÓMICOS
Agricultura: banana, tabaco, caña de azúcar, coco, agrios, maíz, mandioca, arroz
Ganadería: bovina, porcina, caballar, caprina y aves de corral
Pesca: 16 451 t
Silvicultura: 9 681 323 m³ de madera
Minería: plomo, cinc, sal, antimonio, plata, oro y petróleo
Industria: azucarera, alimentaria, tabaquera, textil algodonera

Estado del istmo centroamericano, Honduras limita al sudeste con Nicaragua, al sudoeste con El Salvador y al oeste con Guatemala. Presenta un prolongado litoral hacia el norte, en el mar Caribe, y hacia el sur tiene salida al océano Pacífico por las costas del golfo de Fonseca.

Marco natural

La mayor parte del relieve hondureño está integrado por tierras de carácter montañoso, con una altitud media de 1000 m, y características variadas de tierras agrietadas y empobrecidas. La cordillera Centroamericana, con dirección noroeste-sudeste, divide Honduras en dos grandes regiones: la Oriental y la Occidental; una tercera región diferenciada es la depresión Central, que se extiende, de norte a sur, desde el golfo de Honduras hasta el golfo de Fonseca, respectivamente. Esta depresión Central se halla flanqueada por las regiones montañosas de Occidente, con las sierras de Merendón, Celaque (donde se alza el pico homónimo, techo nacional a 2849 m), Puca-Opalaca y Montecillos, y las de Oriente, con las sierras de Comayagua y Nombre de Dios (pico Bonito, 2435 m). Formando barrera entre el Caribe y la región del interior, se encuentra la sierra de la Esperanza, y al sur, fronterizas con Nicaragua, las montañas de Colón; estas últimas se alzan como límite de la llanura litoral de La Mosquitia, continuación de la Costa de los Mosquitos nicaragüense, que se extiende entre los deltas de los ríos Patuca y Coco hasta la laguna de Caratasca. La costa meri-

La mayor parte del relieve de Honduras es de carácter eminentemente montañoso. El pico Bonito (2435 m de alt.) es la máxima elevación de la sierra Nombre de Dios, sistema orográfico que se alza paralelo a la línea de la costa, en el sector septentrional del país.

dional de Honduras es elevada, más empinada hacia el golfo de Fonseca, y carece de lagunas, por lo que históricamente ha sido más salubre que el litoral septentrional, lo que ha favorecido la ocupación humana. Las costas del Atlántico presentan una plataforma continental más amplia que las del Pacífico debido a que las cadenas montañosas se hallan más alejadas de la costa y como consecuencia del sedimento de los cursos fluviales de mayor recorrido hacia el litoral.

Las numerosas corrientes de agua que avenan el país se reparten en dos vertientes desiguales: una se dirige hacia el norte, al golfo de Honduras, en el mar Caribe o de las Antillas; y la otra desagua al sur, hacia el golfo de Fonseca, en el Pacífico. Los cauces de la vertiente norte de Honduras son más numerosos, extensos y caudalosos que los cursos de la fachada meridional. La divisoria de aguas entre ambas vertientes fluviales está formada por la cordillera del Sur, integrada por las sierras del Merendón, Celaque, Puca-Opalaca, la montaña de Yerbabuena y la montaña de La Sierra, entre otras. Entre los ríos caribeños destacan el Chamelecón con sus principales afluentes, el Chinamito, Chiquito, Camalote, Naco, Chotepe, Blanco, Bijao, el Jagua, Blanco y Tapalapa; el Ulúa y su afluente principal, el Higuito o Jicatuyo; el río León; el Aguán con sus afluentes el Jalegua, Macara, Yaguale Mame y el Locomapa; y el río Tinto y su principal afluente el Paulaya. Entre los ríos de la vertiente pacífica destacan el río Negro, el Choluteca, el Nacaome y el Goascorán.

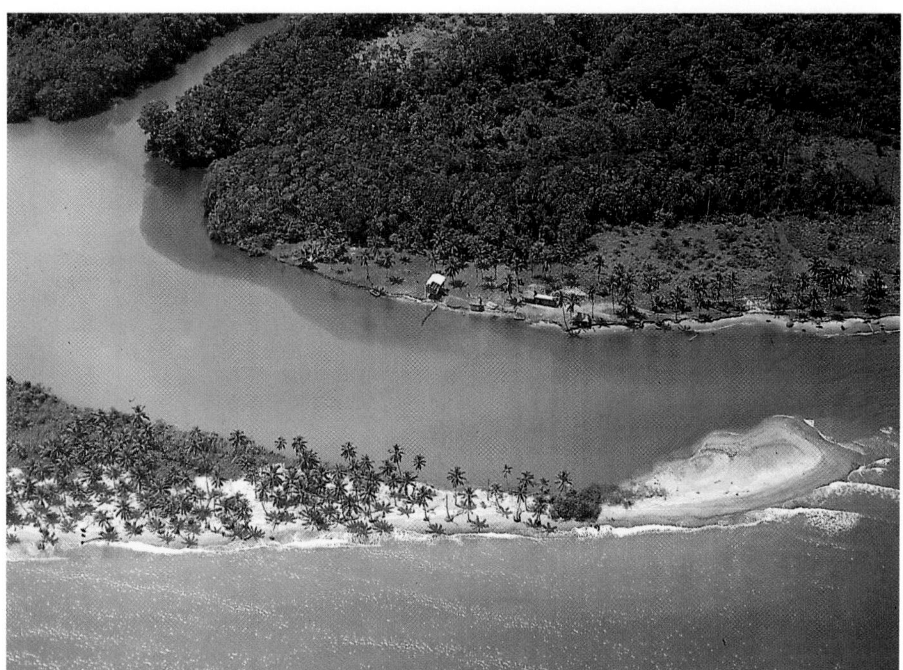

La cuenca del Ulúa, en la vertiente del mar Caribe, es una de las más extensas del país; este río tiene una gran importancia económica pues riega diez departamentos hondureños.

Solamente en la costa septentrional de Honduras hay lagunas de cierta consideración, que son más bien albuferas; en el centro y sur del territorio existen lagunas muy pequeñas, la mayoría de las cuales se secan durante la estación estival. Las principales lagunas son Caratasca, Brus, Ébano, Criba, Guaymoreto, Quemada o de los Micos, Tinta, Alvarado, Ticamaya, Jutucuma y Toloa.

El clima tropical que predomina en el país queda suavizado gracias a la eleva-

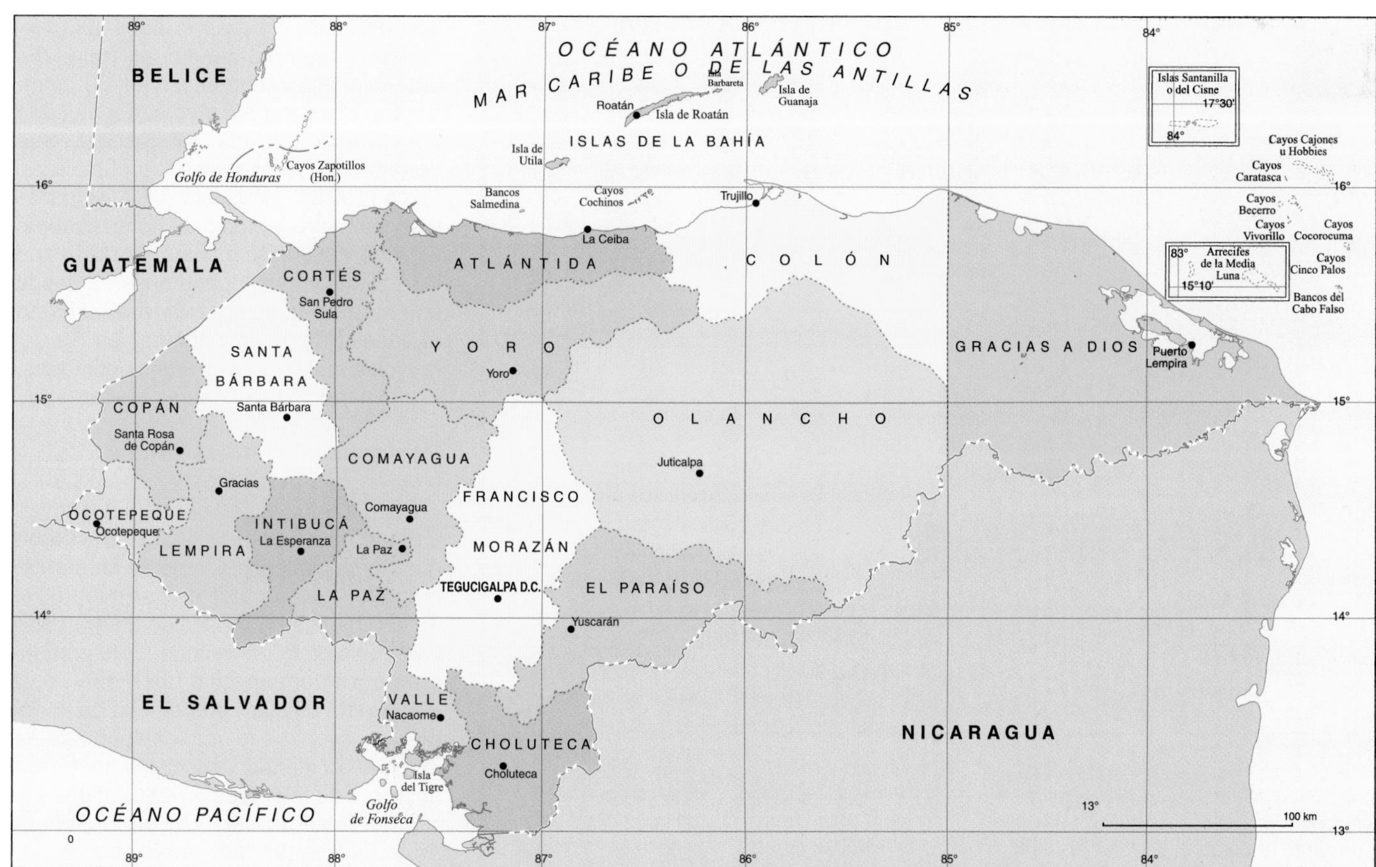

La división politicoadministrativa de Honduras consta de 18 departamentos, subdivididos en municipios y aldeas. La última modificación de este mapa regional data de febrero de 1957, cuando se creó el departamento de Gracias a Dios (al que pertenece La Mosquitia).

La ciudad de Tegucigalpa, capital de Honduras, se halla situada en el centro del país, a orillas del río Grande o Choluteca; fundada en 1578 por Alfonso de Contreras Guevara, su nombre de origen indígena significa "cerro de plata" y constituye un destacado núcleo económico.

Actividades económicas durante la Colonia

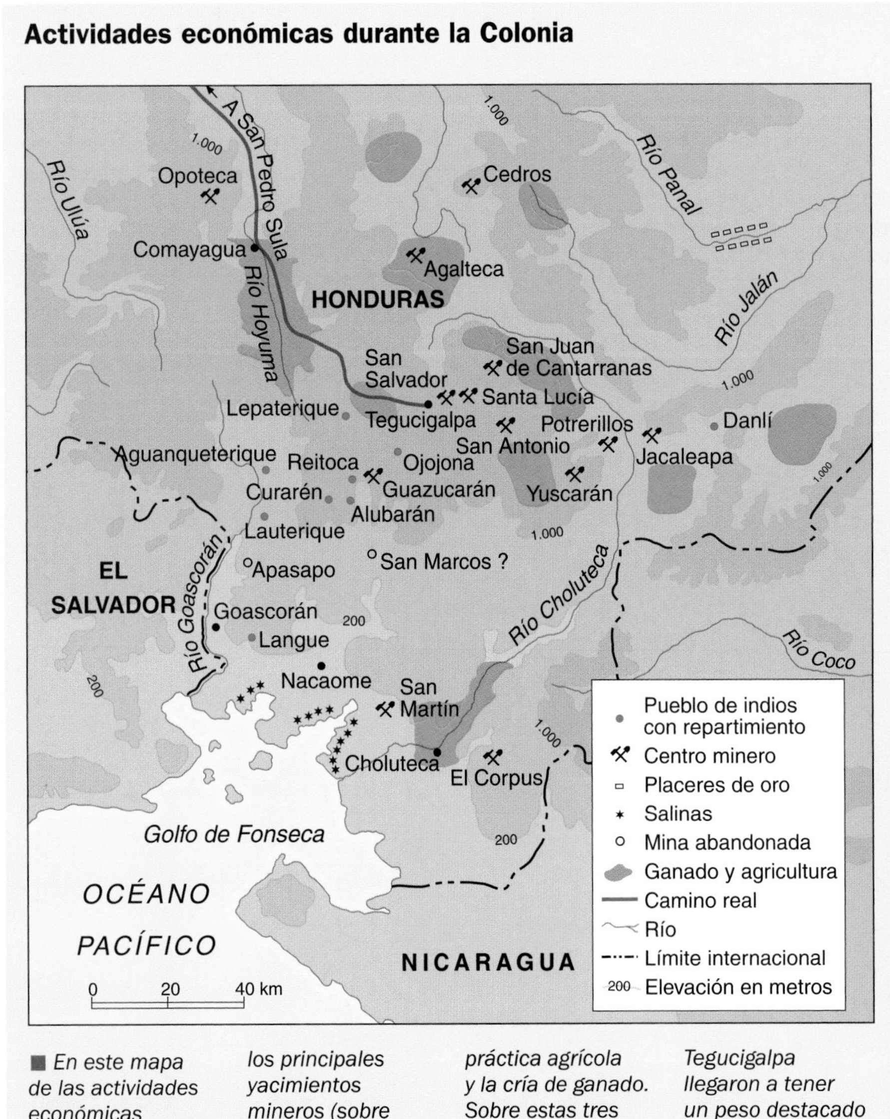

■ *En este mapa de las actividades económicas durante la Colonia se puede apreciar la distribución de los principales yacimientos mineros (sobre todo de plata y oro), así como las áreas destinadas a la práctica agrícola y la cría de ganado. Sobre estas tres actividades giró la economía colonial, y las minas de Tegucigalpa llegaron a tener un peso destacado a nivel de toda la Capitanía General de Guatemala.*

ción del territorio. Las temperaturas varían en función de la altitud: las regiones llanas cercanas a la costa del Caribe y al golfo de Fonseca alcanzan temperaturas en torno a los 27 °C; entre los 700 y 2000 m de altitud se encuentran las tierras templadas; y por encima de los 2000 m las zonas de clima frío. La pluviosidad también es variada: las llanuras litorales del Caribe, debido a la influencia de los vientos alisios, recogen una cantidad de lluvia cercana a los 3000 mm anuales, mientras que en las zonas del interior apenas sobrepasan los 800 mm. Honduras es un país afectado a menudo por lluvias torrenciales y huracanes. Uno de los más destructivos fue el huracán *Mitch* (1998), que causó miles de muertos y un millón y medio de damnificados. El clima y el relieve marcan los rasgos de la vegetación. Así, puede hallarse desde una flora típica de la selva tropical hasta el bosque de pinos y encinas en las superficies montañosas y menos húmedas, y manglares en las llanuras costeras.

Población

Honduras ha experimentado desde las últimas décadas del siglo XX un extraordinario crecimiento, ya que se ha mantenido una elevada tasa de nacimientos y, en cambio, se ha producido un marcado descenso de la mortalidad. Este gran incremento demográfico hace que en el país exista un claro predominio de la población joven. La región más poblada es la mitad occidental, especialmente en los sectores de la depresión Central que miran hacia el Caribe y hacia el Pacífico, donde se hallan, por otra parte, la capital, San Pedro Sula y otras principales urbes: La Ceiba, Comayagua, Choloma, Choluteca y El Progreso, las únicas que superan los 50 000 habitantes. Aparte de Puerto Cortés, Santa Rosa de Copán, Juticalpa, Catacamas, Cofradía, Danlí, La Lima, Siguatepeque y Villanueva, de tamaño medio, el resto son localidades pequeñas que explican la baja proporción de población urbana del país. La mitad oriental del territorio presenta densidades de población muy bajas.

Una de las características de la población hondureña desde el punto de vista étnico es el predominio del mestizaje. Frente a éste cabe señalar una minoría aborigen conformada por varios pueblos que mantienen sus particularidades culturales y antropológicas y, en algunos casos, su hábitat. Los siete grupos claramente diferenciados son los que forman los lencas, los misquitos, los tolupanes, los payas, los chortís, los sumos y los garífunas. En la frontera con Nicaragua se localizan los chorotegas, y en los límites con El Salvador, los pipiles.

Recursos económicos

La economía se basa tradicionalmente en la agricultura, que ocupa a gran parte de la población activa, y, en menor medida, en la ganadería. La exportación de productos agropecuarios constituye la principal fuente de ingresos del país. Predomina la agricultura extensiva tipificada por el latifundio y el cultivo de productos destinados a la exportación. Los cultivos para el consumo interno son los cereales y semillas industriales (maíz, arroz, maicillo, trigo y sésamo), leguminosas (frijol y garbanzo), y productos hortofrutícolas (naranja, mandarina, limón, toronja, cidra, melón, ananás, mango, guayaba, aguacate, coco, yuca, papa, camote, ñame, tomate, chile y otros). Los principales productos agrícolas para la industria y la exportación son el banano –del que este país es uno de los grandes productores mundiales–, el café, el algodón, la caña de azúcar y la palma africana. De los bosques se obtiene madera de caoba, cedro y pino, con excedentes exportables. Se cría también ganado vacuno, porcino, ovino, caprino, equino y aves de corral. La pesca no es una actividad demasiado desarrollada, y se lleva a cabo, sobre todo, en el litoral septentrional, que se abre al mar Caribe, y en las costas del golfo de Fonseca, en aguas del Pacífico. Del subsuelo se extrae oro, plomo, plata, cinc, antimonio y cadmio.

La industria se orienta a la transformación de los productos agropecuarios: conservas, elaboración de cerveza, azúcar, cigarrillos, etc. Es importante la producción de tejidos de algodón y cemento, y el refino de petróleo. Existen yacimientos petrolíferos potenciales en la llanura de La Mosquitia. La balanza comercial es deficitaria. La mayoría de productos que se exportan tienen como destino Estados Unidos, El Salvador y Guatemala.

Cronología

El poblamiento prehispánico y la colonización española

400-900: gran foco maya en Copán (imperio antiguo); el resto de pueblos autóctonos (jicaques, payas, lencas, misquitos) se hallan en una fase primitiva.
1497: los españoles llegan a Honduras.
1524-1536: expedición de Cristóbal de Olid y luchas entre los conquistadores. Lempira acaudilla la resistencia indígena.
1570: Honduras pasa a depender de la Capitanía General de Guatemala.
Ss. XVII-XVIII: resistencia indígena y presencia de piratas franceses e ingleses.

Honduras independiente

1821-1823: independencia e integración en el imperio mexicano de Agustín de Iturbide.
1823-1838: forma parte de la Federación de las Provincias Unidas de Centroamérica.
S. XIX: guerras civiles. Se intenta recomponer cuatro veces la Federación centroamericana. Guerras con Nicaragua y Guatemala.
1911-1933: hegemonía comercial de las compañías estadounidenses (United Fruit).
1933-1957: período presidencial del nacionalista Tiburcio Carías Andino.
1969: estalla la denominada "guerra del fútbol" con El Salvador.
1972-1978: continúan los golpes militares.
1981: Roberto Suazo accede a la presidencia.
1986: José Simón Azcona es elegido presidente de la República.
1990: Rafael L. Callejas, presidente.
1994: Carlos Roberto Reina, presidente.
1998: Carlos Roberto Flores, presidente.
2002: Ricardo Maduro Joest, presidente.
2005: el congreso ratifica el CAFTA, Tratado de Libre Comercio entre EE UU y América Central.

Arriba, vista de Nuevo San Andrés, localidad situada junto a los yacimientos de oro y plata de Las Minas de San Andrés. Abajo, trabajadoras de una empresa de comercialización de bananos, uno de los productos del agro destinados preferentemente a la exportación.

Nicaragua

DATOS GENERALES
Nombre oficial: República de Nicaragua
Superficie: 131 812 km²
Población: 5 482 340 hab.
Densidad: 41,6 hab./km²
Moneda: córdoba oro
Lenguas: español (oficial), miskito, sumo, rama, garífona, inglés creole
Religión: católicos (73 %), protestantes (16,6 %)
Capital: Managua (864 201 hab.)
Ciudades: León (123 865 hab.), Chinandega (97 387 hab.), Masaya (88 971 hab.), Granada (71 783 hab.), Estelí (71 550 hab.)
Divisiones administrativas: 15 departamentos y 2 regiones autónomas
Forma de gobierno: república

INDICADORES DEMOGRÁFICOS
Tasa de natalidad: 32,7 ‰
Tasa de mortalidad: 5,2 ‰
Crecimiento vegetativo: 27,5 ‰
Tasa de mortalidad infantil: 32,0 ‰
Hijos por mujer: 3,8
Tasa anual de crecimiento demográfico: 2,3 %
Población menor de 15 años: 41,5 %
Población de 60 años o más: 4,7 %
Esperanza de vida al nacer: 70,0 años (mujeres), 66,0 años (hombres)
Población urbana: 58,2 %

INDICADORES SOCIALES
Tasa de alfabetización: 76,7 %
Núm. de médicos: 62 por 100 000 hab.
Núm. de automóviles: 83 168 unidades
Líneas telefónicas: 32 por mil hab.
Abonados a teléfonos móviles/celulares: 38 por mil hab.
Usuarios de internet: 17 por mil hab.
Gasto público en salud: 3,8 % del PIB
Gasto público en educación: 4,0 % del PIB

INDICADORES ECONÓMICOS
PIB: 2 615 millones de $
PIB per cápita: 477 $
PIB por sectores: Primario 18 %, Secundario 25 %, Terciario 57 %
Población ocupada por sectores: Primario 43 %, Secundario 15 %, Terciario 42 %
Producción de energía: 2 477 millones de kW/h
Consumo de electricidad: 485 kW/h por hab.
Importaciones: 1 802 millones de $
Exportaciones: 603 millones de $

RECURSOS ECONÓMICOS
Agricultura: maíz, arroz, caña de azúcar, alubias secas
Ganadería: bovina
Pesca: 28 520 t
Silvicultura: 5 951 356 m³ de madera
Minería: oro, plata
Industria: alimentaria, de la bebida, del cemento, tabaquera

Nicaragua es el estado más extenso del istmo centroamericano y limita al norte con Honduras y al sur con Costa Rica. En los sectores oriental y occidental, sus costas están bañadas por el Atlántico y el Pacífico, respectivamente.

Marco natural

Uno de los elementos vertebradores del relieve de Nicaragua es la cordillera Centroamericana, que se estructura en tres grandes unidades, en el norte, centro y occidente del país. En el norte, junto a la frontera con Honduras, se elevan las sierras de Dipilto y Jalapa (pico Mogotón, el techo nacional a 2 106 m de alt.). El escudo central de Nicaragua se encuentra accidentado por una serie de elevaciones, la mayor parte de origen volcánico, alineadas de oeste a este, separadas por amplios valles e intensamente erosionadas, por lo que son frecuentes las mesetas y las cimas peniplanizadas; de norte a sur, la cordillera Isabelia (Peñas Blancas, 1 445 m), la cordillera Dariense (Chimborazo, 1 688 m) y los montes de Huapí, Amerrisque y Yolaina, situados más hacia el sur. Al oeste de estas alineaciones montañosas se extiende una gran fosa tectónica que atraviesa el país desde el golfo de Fonseca, en el noroeste, hasta la desembocadura del río San Juan, en el sudeste. Esta depresión, ocupada por fértiles llanuras y los extensos lagos de Nicaragua y Managua, está separada de la costa del Pacífico por el Eje volcánico que discurre paralelo a la costa. Se distinguen dos grandes conjuntos, representados por la cordillera de los Maribios, en el norte, y la denominada meseta de los Pueblos, en el sur. El conjunto agrupa a más de cuarenta

La cordillera Centroamericana cruza el país en dirección noroeste-sudeste y posee una notable actividad volcánica. El volcán Masaya (632 m) está formado por un cráter principal –con una boca de 585 m de diámetro y 215 m de profundidad– y varios adventicios, como el Santiago (en la foto).

El lago de Nicaragua (en la imagen) es el más extenso del país y uno de los mayores de América Latina. Este gran espejo lacustre, llamado Cocibolca por los indígenas, se halla situado en el sector sudoccidental del país y en su interior alberga numerosas isletas.

volcanes –de los más activos de Centroamérica–, entre los que están el San Cristóbal (1745 m), Concepción (1610 m) y Momotombo (1297 m). Por último, el sector oriental del país está constituido por un conjunto de tierras bajas, donde predominan los materiales sedimentarios, que descienden suavemente hasta la amplia llanura costera del Caribe. La zona litoral se caracteriza por su elevada humedad, así como por la profusión de marismas y zonas pantanosas.

La costa nicaragüense es baja y arenosa, poblada de manglares y con abundantes lagunas litorales, especialmente el sector septentrional, denominado Costa de los Mosquitos. Frente al litoral se encuentran las pequeñas islas del Maíz y los cayos de Perlas, Misquitos, Edimburgo y Media Luna. Esta zona del país –y especialmente la Costa de los Mosquitos– es un área poco poblada donde abundan los bosques tropicales y zonas pantanosas poco conocidas.

Como contrapartida de las elevaciones se encuentra la depresión ocupada por los lagos. Buena parte de la superficie del país está ocupada por el lago de Nicaragua (llamado Cocibolca por los indígenas y Mar Dulce durante el período colonial); con una superficie de 8264 km², es el lago más extenso del estado y de toda América Central. Situado en el sur de la depresión tectónica que atraviesa la parte occidental del país, en su interior se ubican más de mil islas, la mayor parte deshabitadas y cubiertas de una tupida vegetación tropical; entre ellas, la de Ometepe es la más extensa. Esta isla se ha formado por las sucesivas ampliaciones de dos conos volcánicos, el del monte Concepción y el del Maderas, que finalmente se unieron mediante el istmo de Itsián. Ometepe constituyó un lugar sagrado para los antiguos pobladores de la región y es rica en yacimientos arqueológicos. Al norte del lago de Nicaragua se halla el lago de Managua (Xolotlán), con 1025 km², que desagua en aquél a través del río Tipitapa. Ambos lagos formaban parte de la cuenca oceánica y quedaron aislados debido a una serie de erupciones volcánicas y movimientos tectónicos. Las aguas, saladas en un principio, se dulcificaron con el transcurso del tiempo, adaptándose progresivamente a estos cambios

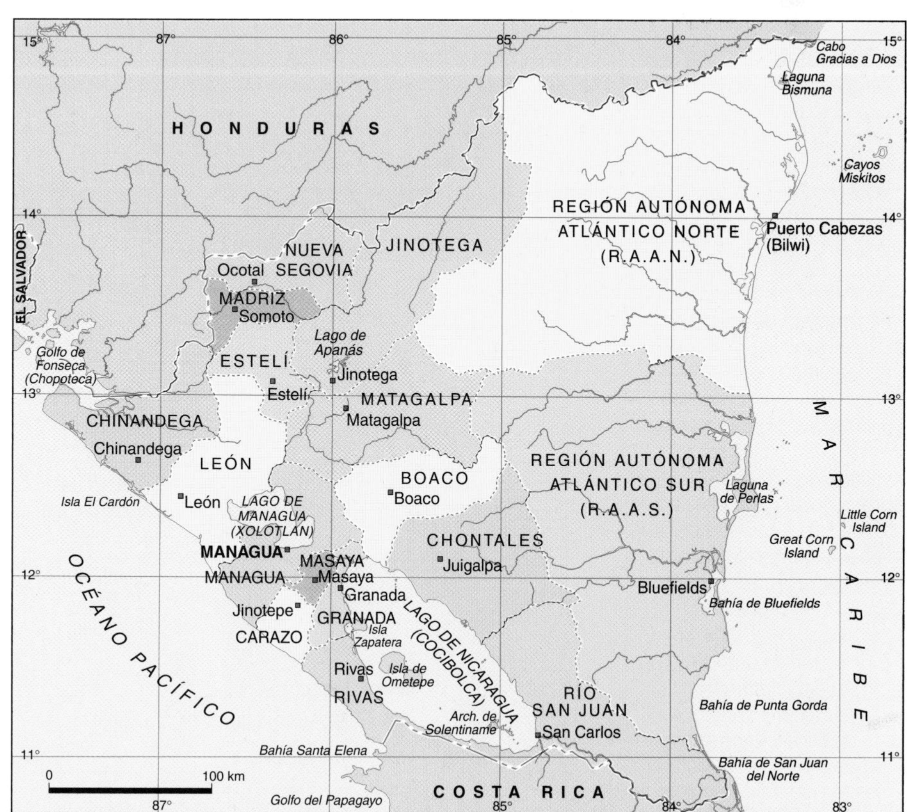

Nicaragua es una república dividida administrativamente en 15 departamentos y 2 regiones autónomas, Atlántico Norte y Atlántico Sur, que ocupan casi toda la vertiente del Caribe.

Managua es la capital del país y del departamento homónimo, a orillas del lago Managua (o Xolotlán). Esta ciudad se vio muy afectada por diversos desastres naturales durante el siglo XX, entre ellos el violento terremoto de 1972 y las graves inundaciones de 1982.

la fauna oceánica que había quedado atrapada en su interior. Debido a esta particular génesis, estos lagos son los únicos del mundo que cuentan con fauna oceánica, entre cuyas especies atípicas se encuentran tiburones de agua dulce. Los ríos más largos pertenecen a la cuenca del Caribe, como el Cocos o Segovia; el río Grande de Matagalpa, con su afluente el Tuma, donde se ubica el embalse de Apanás, uno de los mayores de América Central; y el Prinzapolca, navegable en más de la mitad de su curso. En el sur se encuentra el río San Juan, emisario del lago de Nicaragua y que traza la frontera con Costa Rica en su curso bajo. En la vertiente del Pacífico, los cursos fluviales son mucho más cortos, aunque igualmente caudalosos; entre ellos se pueden mencionar el Negro y el Estero Real, que desembocan en el golfo de Fonseca.

En todo el territorio predomina el clima cálido, con temperaturas entre 26 y 28 °C, que sólo descienden algunos grados en

Las migraciones de pueblos nahua

■ *Entre 800 y 1300 d.C. llegaron al territorio de la actual república de Nicaragua varios grupos nahuas que emigraron desde el centro de México empujados por la presión de los toltecas: entre ellos, los chorotega, los sutiava y los nicarao. Estas gentes estaban organizadas en señoríos, gobernados por un señor principal y un consejo de ancianos. En cada señorío existían numerosos "galpones" o comunidades de familias que descendían de un antepasado común. El jefe galpón transmitía las órdenes del cacique principal, recolectaba los tributos y regulaba el uso de la tierra comunitaria. El desarrollo de la agricultura y las oleadas migratorias contribuyeron al aumento demográfico: en el año 1523 se calcula que vivían en Nicaragua unos 800 000 indígenas.*

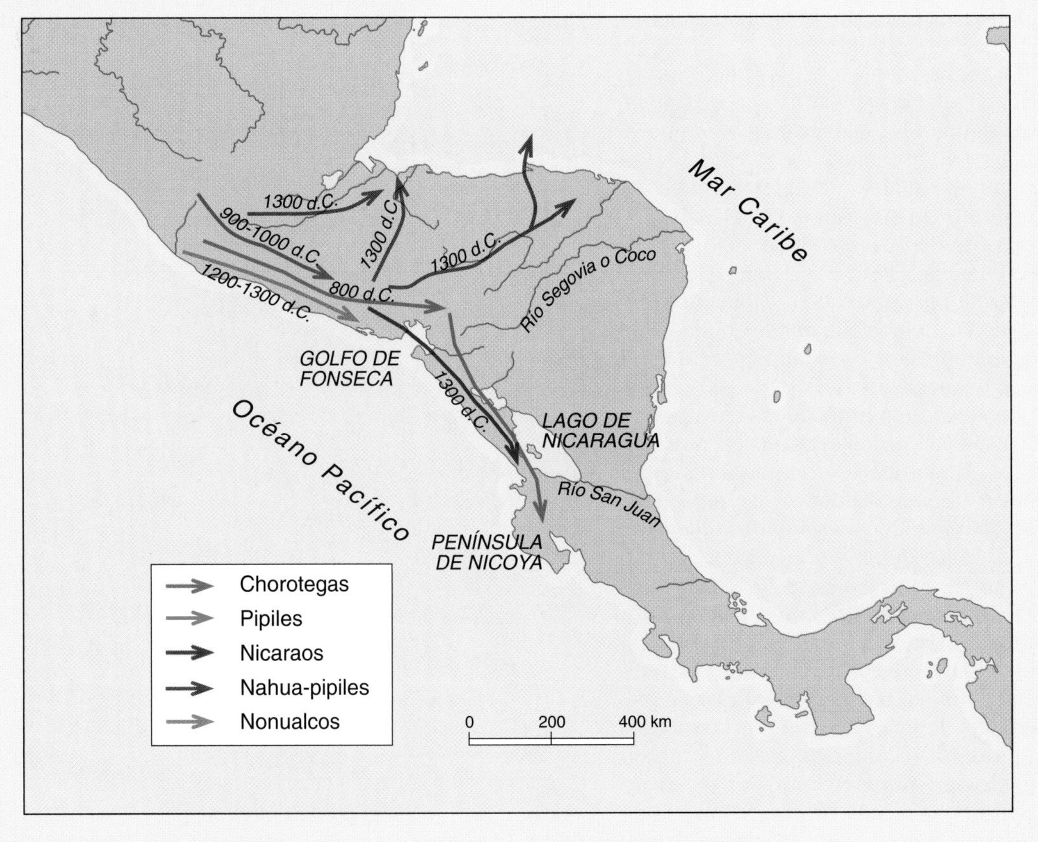

las partes altas. Las diferencias en realidad están marcadas por la cantidad de precipitaciones en cada una de las vertientes; las que se orientan al Pacífico reciben entre 1300 y 2000 mm anuales, con una estación seca que va de diciembre a abril; y las que se dirigen al Caribe y la gran llanura oriental se caracterizan por su humedad, con lluvias de 3000 mm que llegan hasta los 6000 mm cerca del litoral. La vegetación es bastante variada, con predominio del bosque húmedo tropical compuesto por extensas formaciones de cedros y caobas en la vertiente caribeña; los manglares bordean la Costa de los Mosquitos, y los bosques mixtos de pináceas y caducifolios cubren las regiones montañosas situadas en el centro y norte del país. La sabana herbácea, en su vertiente pacífica, ha reducido su extensión ante el avance de las actividades agrícolas y ganaderas.

Cronología

EL POBLAMIENTO PREHISPÁNICO Y LA COLONIZACIÓN ESPAÑOLA

1524: conquista española (Francisco Hernández de Córdoba) del territorio habitado por los pueblos nicarao (náhuatl), chontal y mosquito.
1527: constitución de la gobernación de Nicaragua (Audiencia de Guatemala).
S. XVI-XVIII: se asigna a las audiencias panameña y guatemalteca. Establecimiento inglés en la Costa de los Mosquitos; devolución formal. Intendencia de León (1728).

NICARAGUA INDEPENDIENTE

1821-1823: independencia e integración en el imperio mexicano de Agustín de Iturbide.
1823: se inician las guerras civiles en el contexto de la Federación de las Provincias Unidas de Centroamérica.
1838: secesión de Nicaragua.
1848: protectorado británico sobre la Costa de los Mosquitos, donde ampara un reino.
1855-1860: el aventurero William Walker señorea el país hasta su ejecución.
1893-1909: José Santos Zelaya, liberal; recupera la Costa de los Mosquitos.
1912-1933: intervenciones de EE UU e imposición del tratado Bryan-Chamorro. Réplica guerrillera de Augusto César Sandino.
1933-1978: dictadura somocista. Directamente o por presidentes interpuestos, se suceden Anastasio Somoza (asesinado), Luis y Anastasio "Tachito".
1979: las guerrillas sandinistas, junto a otras fuerzas, derrocan a Somoza.
1984-1990: Daniel Ortega, sandinista, presidente de la República.
1990-1996: Violeta Barrios, presidenta.
1996: Arnoldo Alemán, presidente.
1998: paso del huracán *Mitch*.
2002: Enrique Bolaños Geyer, presidente.
2004: firma del CAFTA, Tratado de Libre Comercio entre EE UU y América Central.

Población

El crecimiento demográfico anual es muy elevado –uno de los más altos del continente americano–, debido en parte a la alta natalidad y a la baja mortalidad. La distribución de la población es muy irregular, con zonas muy densamente pobladas en la franja occidental (vertiente del Pacífico), y sectores vacíos en la llanura del Caribe. Nicaragua se distingue en el conjunto regional centroamericano por presentar bajos niveles de densidad media de población.

Por otra parte, el ritmo de crecimiento de la población urbana y rural también es distinto. Nicaragua pasó de tener una población mayoritariamente rural en 1950 (65 %) a una población predominantemente urbana ya en 1995 –sólo Managua reúne hoy a más de una cuarta parte de los habitantes del país–. Las transformaciones agrarias de la región del Pacífico, en especial la expansión algodonera que se dio a finales de la década de 1940, unidas a la expansión cañera, cafetalera y ganadera, incidieron en una fuerte redistribución de la población del campo a la ciudad. Este cambio de tendencia demográfica es, en buena medida, el resultado del proceso de urbanización que se aceleró sensiblemente a partir de la década de 1960. Otra característica de esta población es su profunda mezcla étnica. A través de su historia, el territorio de la actual Nicaragua ha sido punto de encuentro de varios pueblos indígenas como misquitos, creoles, sumus, ramas, chorotegas, nicaraos, sutiavas, matagalpas, entre otros.

Recursos económicos

La economía de Nicaragua se basa en la agricultura. La revolución sandinista llevó a cabo una reforma agraria, con nacionalizaciones, reparto de tierras entre los campesinos y constitución de cooperativas. Sin embargo, a partir de 1990, el gobierno dio marcha atrás a este proceso. El café, el algodón y las bananas son los principales cultivos de valor comercial, a los que se añaden la caña de azúcar, el cacao y los cultivos de subsistencia: maíz, judías y sorgo. La explotación forestal proporciona maderas de caoba, cedro y palisandro, además de caucho. La cría de ganado se halla dedicada sobre todo a los vacunos y porcinos; completan el panorama de las actividades primarias en Nicaragua, la pesca y la extracción de oro y plata del subsuelo.

La industria nicaragüense comprende sobre todo plantas de elaboración de productos básicos (azúcar, cervezas, cigarrillos, cemento), así como una refinería de petróleo en Managua. La inestabilidad política del estado a lo largo de varias décadas ha condicionado el desarrollo económico de Nicaragua.

El sector agropecuario es considerado como uno de los sectores de mayor potencial productivo; el café (en la imagen), el maíz y el frijol concentran en torno al 80 % del empleo agrícola.

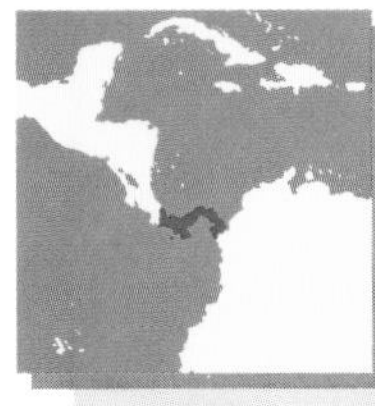

Panamá

DATOS GENERALES
Nombre oficial: República de Panamá
Superficie: 75 517 km^2
Población: 2 839 177 hab.
Densidad: 37,6 hab./km^2
Moneda: balboa
Lenguas: español (oficial), inglés y chibcha
Religión: católicos (80,2 %), protestantes (14,5 %)
Capital: Panamá (469 307 hab.)
Ciudades: San Miguelito (293 745 hab.), Tocumen (82 419 hab.), David (77 057 hab.), Santiago (56 134 hab.), La Chorrera (55 871 hab.)
Divisiones administrativas: 9 provincias y 5 comarcas indígenas (o kunas)
Forma de gobierno: república

INDICADORES DEMOGRÁFICOS
Tasa de natalidad: 20,2 ‰
Tasa de mortalidad: 4,1 ‰
Crecimiento vegetativo: 16,1 ‰
Tasa de mortalidad infantil: 21,3 ‰
Hijos por mujer: 2,6
Tasa anual de crecimiento demográfico: 1,7 %
Población menor de 15 años: 30,6 %
Población de 60 años o más: 8,7 %
Esperanza de vida al nacer: 77,0 años (mujeres), 72,0 años (hombres)
Población urbana: 57,1 %

INDICADORES SOCIALES
Tasa de alfabetización: 92,3 %
Núm. de médicos: 121 por 100 000 hab.
Núm. de automóviles: 190 000 unidades
Líneas telefónicas: 122 por mil hab.
Abonados a teléfonos móviles/celulares: 189 por mil hab.
Usuarios de internet: 41 por mil hab.
Gasto público en salud: 4,8 % del PIB
Gasto público en educación: 4,3 % del PIB

INDICADORES ECONÓMICOS
PIB: 12 692 millones de $
PIB per cápita: 4 231 $
PIB por sectores: Primario 6 %, Secundario 14 %, Terciario 80 %
Población ocupada por sectores: Primario 17 %, Secundario 17 %, Terciario 66 %
Producción de energía: 4 873 millones de kW/h
Consumo de electricidad: 1 770 kW/h por hab.
Importaciones: 3 124 millones de $
Exportaciones: 796 millones de $

RECURSOS ECONÓMICOS
Agricultura: maíz, arroz, mandioca, patatas, tomates, bananas, cacao, café, caña de azúcar, agrios, nuez de coco y tabaco
Ganadería: bovina, porcina y aves de corral
Pesca: 237 394 t
Silvicultura: 1 401 388 m^3 de madera
Industria: azucarera, láctea y alimentaria, tabaquera, neumática y del cemento.
Canal: tiene un tránsito anual de alrededor de 12 000 buques

Panamá está situado en el istmo centroamericano y limita al este con Colombia y al oeste con Costa Rica; al norte y sur posee extensos litorales bañados por las aguas del mar Caribe y el océano Pacífico, respectivamente. El territorio se halla seccionado en dos partes por el canal interoceánico.

Marco natural

El relieve de Panamá está accidentado por una serie de alineaciones montañosas, principalmente de origen volcánico, que se extienden por la parte central del territorio delimitando amplias llanuras litorales, tanto en el Caribe como en el Pacífico. En el sector occidental del país se distingue la serranía de Tabasará, continuación de la cordillera de Talamanca costarricense, que se extiende por la parte central del istmo de Panamá. En su extremo occidental se encuentra el volcán Barú, que con 3475 m constituye la cima más elevada del país. Otras cumbres destacadas son los cerros Fábrega (3335 m) e Itamut (3279 m). En su sector oriental, cerca de la costa caribeña, se alinean la cordillera de San Blas y la serranía del Darién, conocidas conjuntamente también como Arco del Darién, y relacionadas con las serranías occidentales y los Andes colombianos. Al sur de éstas y cerca de las costas del Pacífico, se extienden las sierras de Majé y del Sapo, de escasa altitud, que se prolongan en la serranía colombiana de Baudó. Las costas son sumamente articuladas, con profusión de cabos y bahías. En el

El canal de Panamá es la vía fluvial artificial que une las aguas del Caribe y el Pacífico a través del istmo de Panamá. Su profundidad mínima es de 12,2 m y su anchura mínima de 91,5 m. Un barco emplea aproximadamente 8 horas para completar el recorrido por sus aguas.

sector caribeño destaca la amplia laguna de Chiriquí, mientras que, en el Pacífico, los accidentes más importantes son la península de Azuero, que separa los extensos golfos de Chiriquí, al oeste, y de Panamá, al este. El país cuenta con numerosas islas, entre las que sobresalen los archipiélagos de Bocas del Toro, frente a la laguna de Chiriquí, y de San Blas, junto al golfo homónimo, en el Caribe. Sobre el Pacífico se encuentran, entre otros, el archipiélago de Las Perlas. Frente al golfo de Montijo está la isla de Cébaco y en el sector oriental del golfo de Chiriquí se encuentra la isla de Coiba, o Quibo, la mayor del país.

Hay numerosos ríos que se caracterizan por su abundante caudal y corto recorrido, lo que, unido a las fuertes pendientes que han de salvar en sus cursos altos, les confiere un gran poder erosivo. En la vertiente del Caribe se distinguen el Changuinola, Indio, Cricamola, Sixaola, La Miel y Chagres. Este último es el río más importante, ya que en su curso se encuentra el embalse de Alajuela, creado por la presa de Maddem, utilizada para regular el nivel del canal de Panamá, y el lago Gatún (425 km^2), que forma parte del canal. En la vertiente pacífica se distinguen el Chiriquí Viejo, el Santa María, el Bayano (también llamado Chepo) y el Tuira, con su afluente el Chucunaque, que constituyen una de las cuencas hidrográficas más extensas del territorio panameño. Los únicos ríos navegables son el Tuira, el Chucunaque y el Bayano. El clima es de tipo tropical, con temperaturas moderadamente altas y precipitaciones en general abundantes.

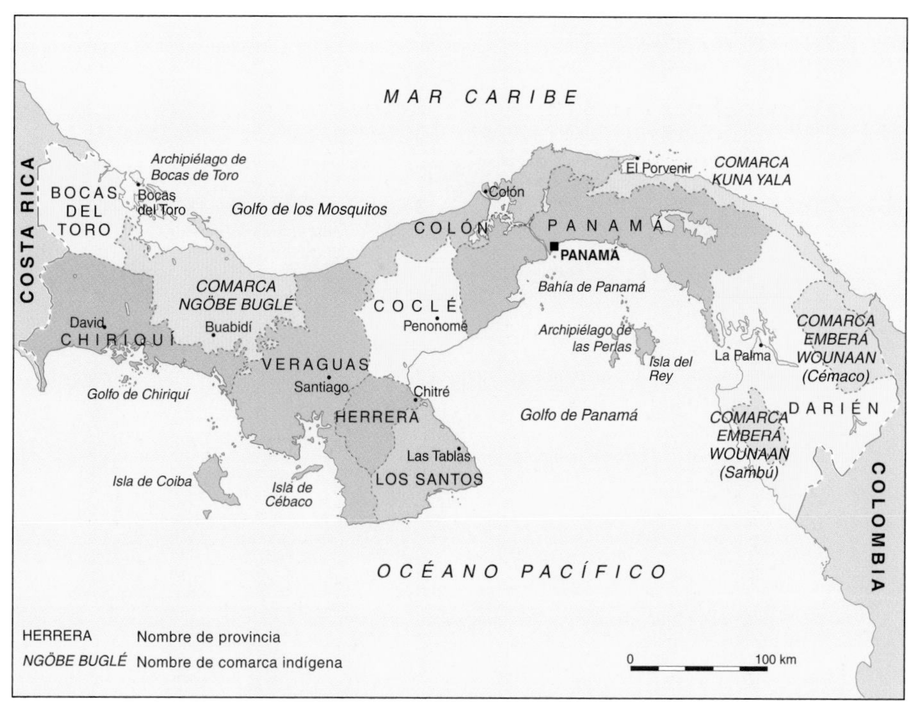

Panamá se divide en 9 provincias y 5 comarcas indígenas (kunas), como la comarca de San Blas (Kuna Yala), la kuna de Emberá Wounaan y la kuna de Ngöbe-Buglé (Guaymí), entre otras.

Población

Panamá es –junto con Nicaragua y Belice– uno de los países menos poblados de Centroamérica. En el territorio panameño, la población se halla repartida de manera poco uniforme; existen regiones prácticamente despobladas (algunas áreas de la vertiente caribeña y la provincia de Darién) que contrastan con otros territorios donde la densidad demográfica es elevada, como en la provincia de Panamá.

La población, por lo general, se concentra en la vertiente del Pacífico, donde tanto las condiciones climáticas co-

La mayoría de montañas del sector occidental de Panamá se originaron a partir de las islas de un archipiélago volcánico de la era terciaria. El volcán Barú (3 475 m de alt.) es la cima más alta del país y constituye el núcleo central de un parque nacional creado en 1976.

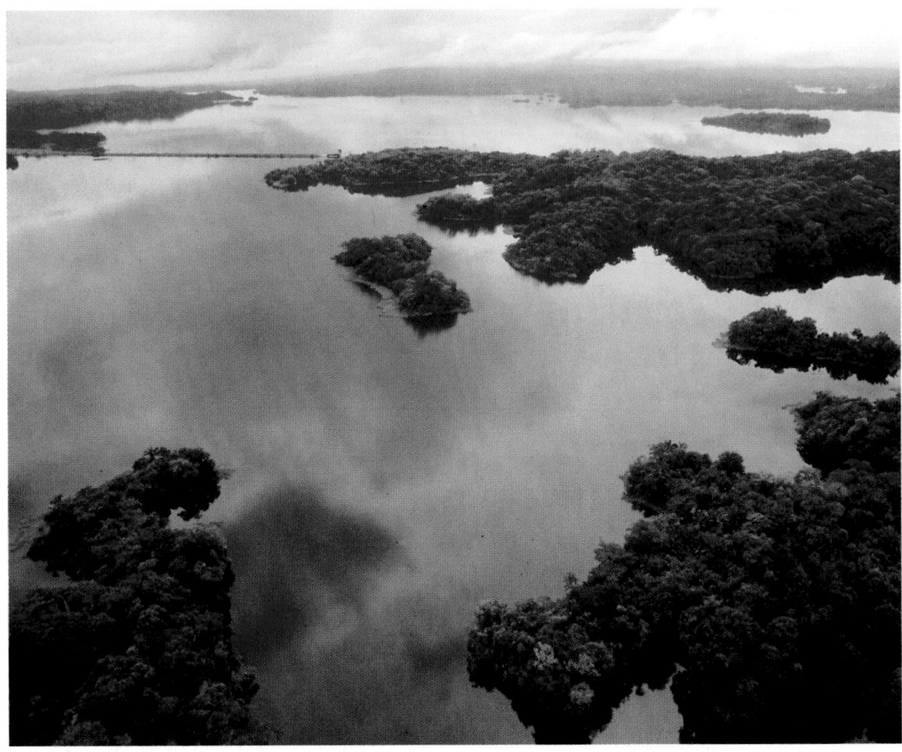

El lago Gatún (425 km²) remansa las aguas del río Chagres; este lago artificial es el más importante de los que forman parte del sistema de regulación del canal de Panamá.

mo las geográficas (tierras apropiadas para el cultivo y lluvias suficientes para cosechas abundantes) favorecen el asentamiento humano. Por este motivo, la población tiende a concentrarse en la franja del canal de Panamá, en el nordeste de la península de Azuero (provincias de Colón, Herrera y Coclé) y en la provincia de Chiriquí. En cambio, el noroeste y el tercio oriental están escasamente habitados y su población se halla muy dispersa. Más de la mitad de los habitantes vive en las ciudades, entre las que sobresale la capital, que reúne a una quinta parte de los panameños, y Colón, que también está muy poblada. Este proceso es resultado de la intensa actividad administrativa y comercial relacionada con el tránsito por el canal.

La composición demográfica de Panamá es muy heterogénea y compleja. Entre los principales grupos humanos sobresalen los aborígenes (kunas, guaymíes, teribes, bokotas, chocoes), los cuales representan en torno al 10 % de la población del país; la población hispanoindígena o mestizos, la población afrocolonial y la afroantillana, además de los pequeños grupos de centroeuropeos, asiáticos, hebreos, etc., que, debido a su reducido número de individuos, reciben la denominación genérica de "colonias". Los grupos aborígenes, que hoy en día presentan un poblamiento de carácter residual y disperso, constituyen el testimonio del amplio abanico étnico que habitaba el territorio de la actual república de Panamá en el momento previo a la etapa colonial.

Recursos económicos

Panamá es uno de los países entre los que con mayor rotundidad se puede afirmar que su principal recurso natural es su posición geográfica. La economía panameña se basa, por un lado, en el sector agropecuario y la industria de derivados de estos productos de origen agrícola y ganadero y, por otro, en el tráfico naval del canal. Para la demanda interna del país se cultivan, sobre todo, frutas y hortalizas, mandioca, arroz, maíz, papas y tubérculos. La agricultura co-

El canal de Panamá: la puerta entre el Caribe y el Pacífico

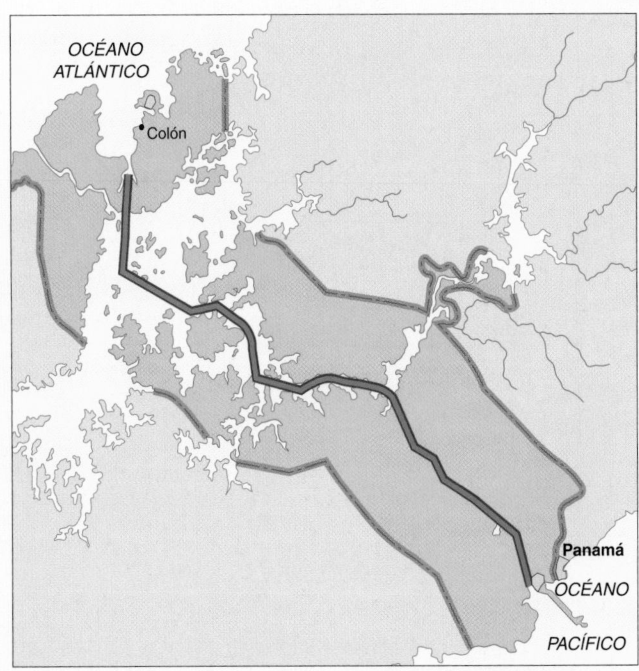

Dibujo esquemático del canal de Panamá, que une el Caribe y el Pacífico tras 81,6 km de canales, esclusas y desniveles.

El canal de Panamá, con una longitud de 81,6 km, es uno de los canales interoceánicos más importantes del mundo y conecta artificialmente las aguas del mar Caribe con las del Pacífico. Fue inaugurado en 1914, en el istmo Central panameño, y comunica el puerto caribeño de Colón con Balboa y la ciudad de Panamá, en la vertiente del Pacífico.

Entre lagos y esclusas

El canal consta de una excavación de 10 km de largo en la llanura costera del Caribe, de un cauce de 44 km sobre el lago Gatún, una zanja entre colinas de 14,5 km (Corte Culebra), un cauce sobre el lago Miraflores de 4,5 km y otro de 3,8 km sobre el estuario dragado del río Grande. En el conjunto de la obra hay tres grupos de esclusas: las del lago Gatún (Caribe) y las de Pedro Miguel y Miraflores (Pacífico). Estas esclusas –con unas cámaras de 304,8 m de largo y 33,5 m de ancho cada una– son dobles, para permitir el tránsito en uno y otro sentido simultáneamente, y funcionan por gravedad, aprovechando el agua de los embalses de Gatún, Alajuela (presa de Maddem) y Miraflores. Su profundidad mínima, 12,2 m, es superior a la mayoría de las obras similares. Para apoyar las operaciones de tránsito de barcos, el canal de Panamá dispone de numerosas lanchas, remolcadores y más de 80 "mulas" o locomotoras de remolque. También se sirve de un Centro de Control de Tráfico Marítimo, que emplea información de satélite para determinar la posición de las embarcaciones en tránsito.

Vista de la capital panameña, gran centro comercial a orillas de la bahía de Panamá.

Cronología

El poblamiento prehispánico y la colonización española

1501: exploración de Rodrigo de Bastidas del territorio de los chibcha, caribe y chocó.
1513: Vasco Núñez de Balboa atraviesa el istmo de Panamá y descubre el Pacífico.
Ss. XVI-XVII: Portobelo y Panamá se convierten en ejes del comercio americano, motivo por el cual sufren ataques piratas.
1671: el pirata inglés Henry Morgan destruye la ciudad de Panamá.
S. XVIII: pasa a depender de los virreinatos del Perú y de Nueva Granada.

Panamá independiente

1821: proclamación de la independencia. El país se integra en el seno de la Gran Colombia. Al disolverse ésta, permanece integrada a Colombia, como departamento del Istmo.
1903: secesión de Colombia. Simultáneo a la independencia, el tratado Hay-Bunau-Varilla estipula el dominio de EE UU en la zona del futuro canal de Panamá.
1914: inauguración del canal transoceánico.
1932-1969: alternancia de varias constituciones y golpes de Estado. Arnulfo Arias, figura descollante de este período. Con Remón se inicia la tutela de la Guardia Nacional. Arranca concesiones a EE UU.
1968-1981: Omar Torrijos, jefe de la Guardia Nacional, controla el poder efectivo y rescata la soberanía sobre la zona del canal, aunque diferida (tratado Torrijos-Carter de 1977).
1988: destitución mutua entre el presidente Del Valle y el primer ministro, general Noriega.
1990: Guillermo Endara es elegido presidente de la República.
1994: Ernesto Pérez Balladares, presidente.
1999: Mireya Moscoso, presidenta. El canal de Panamá y su zona adyacente son plenamente reintegrados a Panamá.
2004: Martín Torrijos, presidente.

mercial se basa en el cultivo de bananos, caña de azúcar, café y cacao. Se cría ganado vacuno, caballar, porcino y aves de corral. El territorio panameño es muy rico en especies madereras, pero el sector sufre una importante sobreexplotación con los consiguientes e irreversibles daños ecológicos. La actividad pesquera es también una actividad importante; además se destacan las perlas que se obtienen del archipiélago homónimo.

Del subsuelo panameño se extrae principalmente manganeso, bauxita, petróleo y cobre. Existen asimismo yacimientos de oro, hierro y carbón y se explota la sal marina y la piedra caliza. La industria, por otra parte, se basa sobre todo en la elaboración y transformación de productos agropecuarios. Además se fabrica cemento, papel y neumáticos, se elaboran cigarrillos, se destila alcohol y se refina petróleo.

Cabe destacar que Panamá posee una importante flota naval que surca por todos los océanos del mundo. La Zona del Canal permanece plenamente bajo soberanía del estado de Panamá desde el 31 de diciembre de 1999. Sus exportaciones se dirigen sobre todo a los mercados de Estados Unidos, pero también a Europa, en especial Alemania e Italia, y a Costa Rica. Entre los principales productos comerciales están bananos, azúcar, café, carne, cerveza y madera, a los hay que añadir moluscos y crustáceos, y subproductos del petróleo.

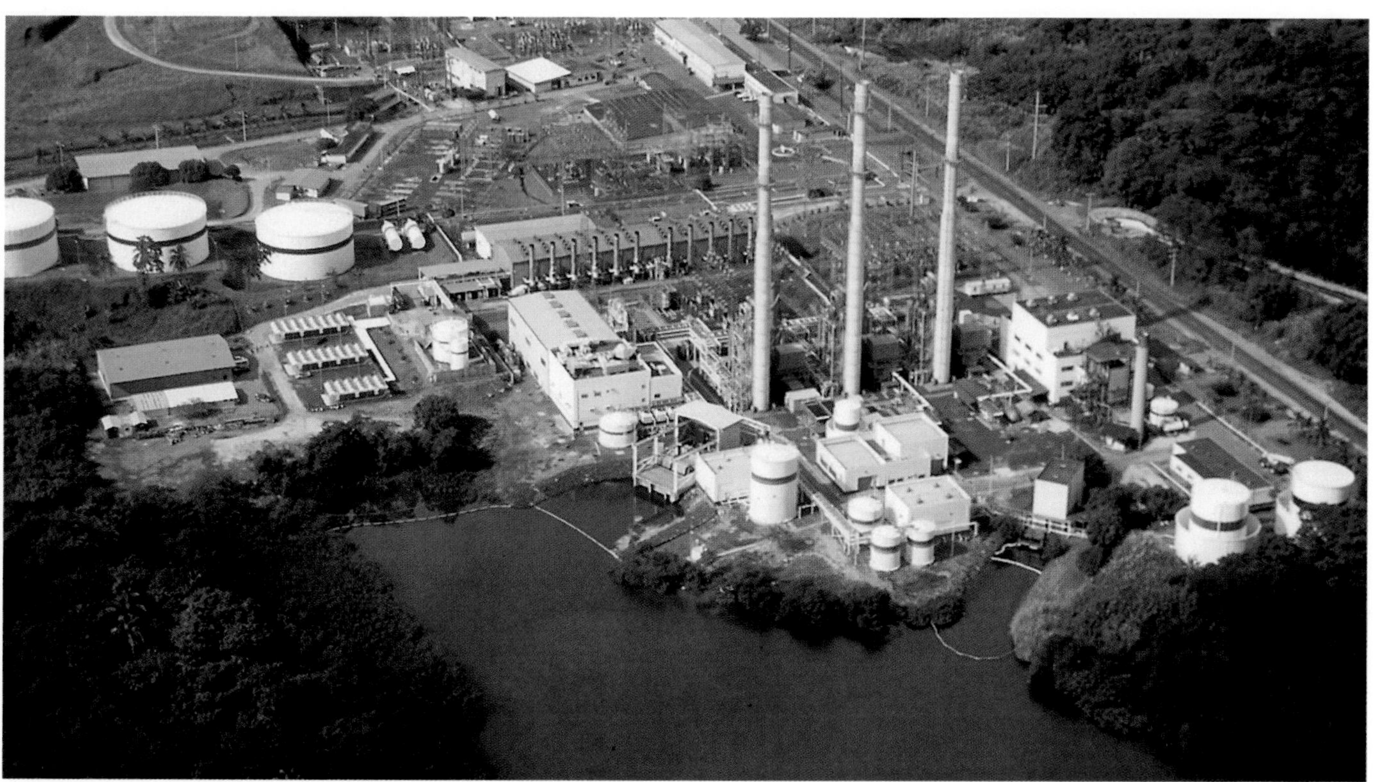

En la imagen, instalaciones de la central termoeléctrica de Bahía de las Minas, la más importante de Panamá. Construida en la costa del mar Caribe, esta central proporciona un considerable porcentaje de la energía eléctrica que consume el país.

Antillas

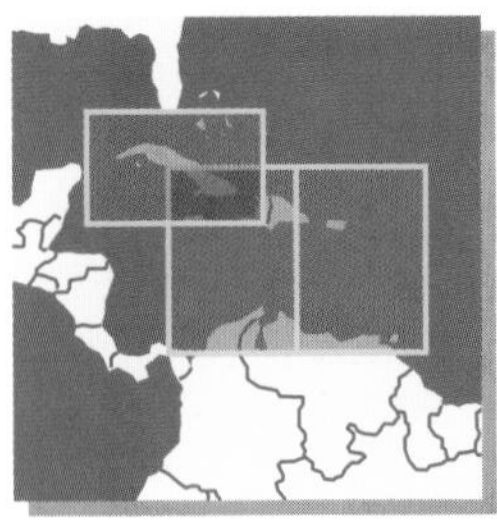

La región de las Antillas está formada por un rosario de tierras insulares agrupadas en dos conjuntos: las Grandes Antillas (Cuba, La Española, Jamaica y Puerto Rico) y las Pequeñas Antillas, divididas a su vez estas últimas en islas de Barlovento, al norte, desde las Vírgenes hasta Granada, y las de Sotavento, al sur, desde las Antillas Holandesas hasta Trinidad y Tobago.

Geografía física

En general, se puede decir que el archipiélago antillano presenta una tendencia montañosa bien definida, debido a su formación volcánica y a una gran actividad tectónica. Este conjunto insular se puede dividir en tres grupos en función de su origen geológico y sus rasgos paisajísticos. Un primer grupo está integrado por pequeñas islas e islotes de origen volcánico, y comprende Saba, Saint Eustatius, Saint Kitts, Nevis, Redonda, Montserrat, Dominica, Santa Lucía, San Vicente, Granada y la parte oeste de Guadalupe. El segundo grupo comprende islas de mayor extensión, de formación sedimentaria, alterada por movimientos tectónicos: Cuba, La Española (compartida por Haití y la República Dominicana), Puerto Rico, Jamaica, Islas Vírgenes, Santa Cruz (St. Croix), Anguila, St. Barthélémy, Antigua y la parte oriental de Guadalupe. Y el tercer grupo, de formación geológica más reciente, comprende un sinnúmero de islas, islotes y cayos de las Bahamas y, al sur, Barbuda, Anegada, Sombrero y Barbados.

Vista del Malecón de La Habana, uno de los grandes paseos de la capital cubana.

Una de las características climatológicas antillanas es la persistencia de vientos húmedos de mar a tierra. La presencia de los pequeños anticiclones locales produce grandes alteraciones en el régimen barométrico, y da lugar a huracanes y ciclones. En esta región, las estaciones se marcan, más que por los cambios termométricos, por el régimen de las precipitaciones. Se puede decir que hay una estación seca de noviembre a mayo y otra lluviosa de junio a octubre. Los bosques, que abundan en casi todas las islas, son de dos tipos: uno bajo y litoral, formado por manglares, palmeras y cocoteros, y otro alto e interior, con especies xerófitas y arbustos espinosos.

Geografía económica

La economía cubana se encuentra inmersa en una situación de subdesarrollo, dependiente de la exportación de productos primarios (tabaco). Sólo el turismo se ha revelado como un sector emergente desde las últimas décadas del siglo XX, capaz de activar la economía y fundamental para la captación de divisas extranjeras.

Los recursos minerales son modestos. Sólo destacan los yacimientos de bauxita en La Española y en Jamaica, uno de los principales productores mundiales. La pesca es una actividad tradicional, mientras que las dificultades orográficas y la escasez de espacio impiden un gran desarrollo de la agricultura de plantación. Los principales cultivos son de yuca, papa, boniato, maíz, coco, zapote, tamarindo, aguacate, piña, y también cacao, café, algodón y tabaco, entre otros. Para algunos de estos países caribeños, como Puerto Rico y Jamaica, el turismo ha pasado a ser su principal fuente de divisas desde las últimas décadas del siglo XX.

Historia

La población aborigen de las Grandes Antillas estaba formada por taínos, y en las Pequeñas Antillas, por caribes. Con la llegada de los españoles, la explotación a la que fueron sometidos y las enfermedades que les contagiaron provocaron su rápida extinción. Los caribes sobrevivieron durante algún tiempo más: seguramente refugiados en las Pequeñas Antillas, en las islas Dominica y San Vicente, perduraron hasta entrado el siglo XX. Conquistada la isla de Cuba por los españoles en 1511, su población autóctona fue completamente aniquilada. Los colonizadores desarrollaron una agricultura de plantación basada en el trabajo de esclavos africanos. Los movimientos independentistas contra la metrópolis no se iniciaron hasta el último tercio del siglo XIX y tras un largo conflicto bélico (1868-1878 y 1895-1898) se proclamó definitivamente la República de Cuba en 1902, después de tres años de ocupación estadounidense, país que tuvo un papel determinante en ese proceso. La proximidad con Estados Unidos ha marcado su historia y su economía durante el siglo XX. El triunfo de la revolución castrista, en 1959, dio paso a la instauración de un régimen comunista apoyado por la Unión Soviética. A partir de la desmembración de la URSS (1991), Estados Unidos endureció el bloqueo económico sobre la isla, iniciado en 1960.

Áreas culturales caribeñas

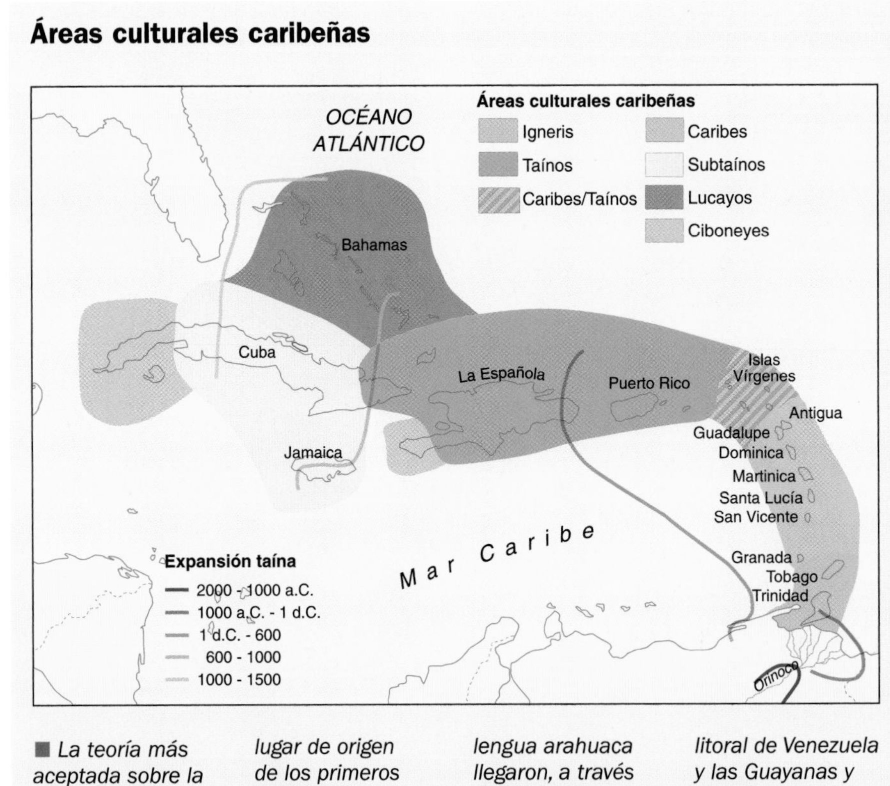

■ *La teoría más aceptada sobre la llegada del hombre a las Antillas señala a la cuenca amazónica como el lugar de origen de los primeros grupos de agricultores. Desde allí los grupos de lengua arahuaca llegaron, a través del río Negro, a la cuenca del Orinoco, se extendieron por el litoral de Venezuela y las Guayanas y penetraron en el área caribeña por las Pequeñas Antillas.*

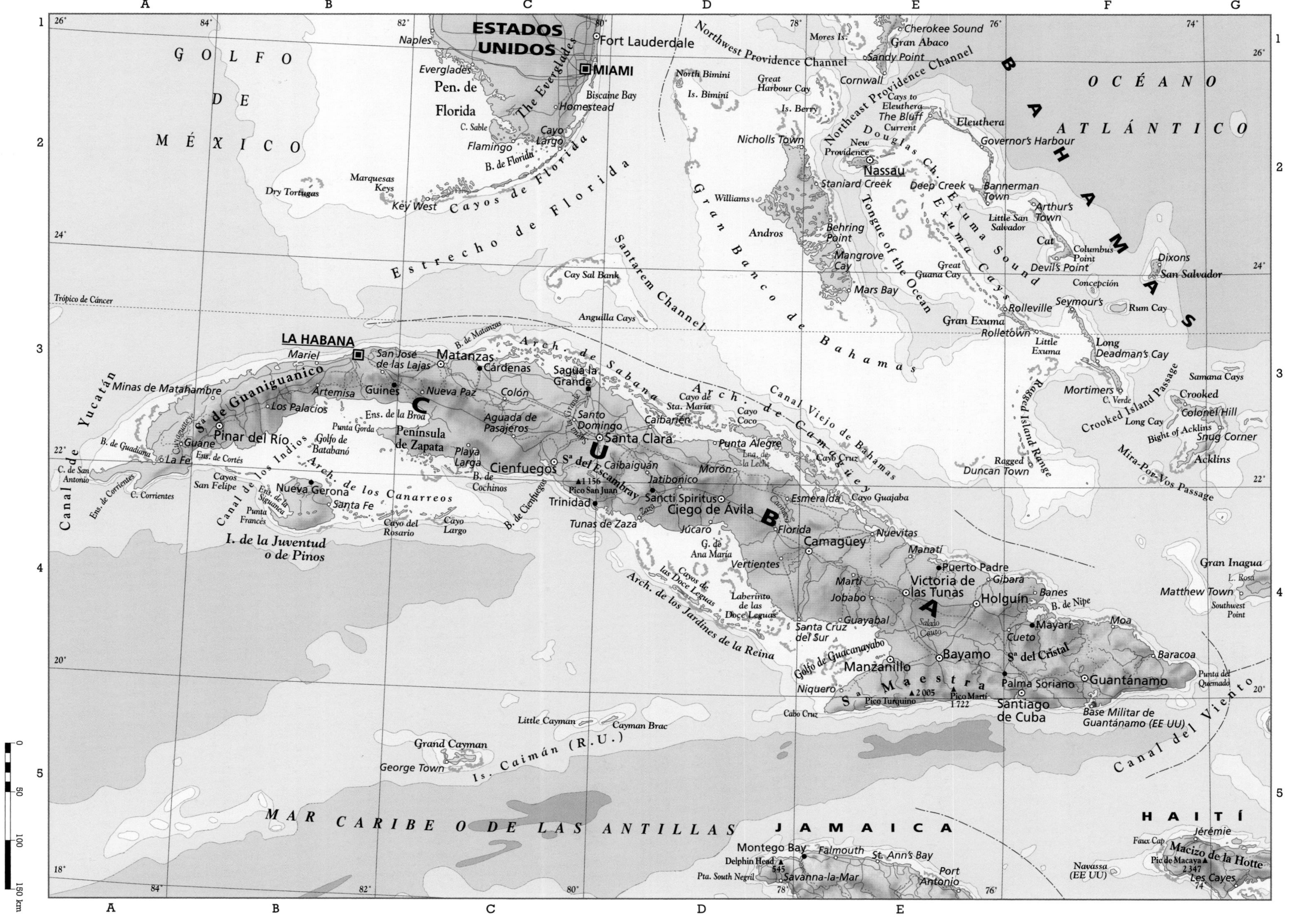
GOLFO DE MÉXICO
OCÉANO ATLÁNTICO
MAR CARIBE O DE LAS ANTILLAS
ESTADOS UNIDOS
MIAMI
Fort Lauderdale
Homestead
Biscayne Bay
Naples
Everglades
The Everglades
Pen. de Florida
C. Sable
Flamingo
B. de Florida
Cayo Largo
Key West
Cayos de Florida
Estrecho de Florida
Marquesas Keys
Dry Tortugas
Trópico de Cáncer
BAHAMAS
Gran Abaco
Cherokee Sound
Sandy Point
Northwest Providence Channel
Northeast Providence Channel
New Providence
Nassau
Andros
Eleuthera
Governor's Harbour
Tongue of the Ocean
Exuma Sound
Exuma Cays
Gran Exuma
Little Exuma
Cat
Arthur's Town
San Salvador
Rum Cay
Long
Crooked
Acklins
Ragged Island Range
Duncan Town
Gran Banco de Bahamas
Santarem Channel
Cay Sal Bank
Anguilla Cays
Canal Viejo de Bahamas
Gran Inagua
Matthew Town
CUBA
LA HABANA
Mariel
Artemisa
Matanzas
Cárdenas
Colón
Cienfuegos
Santa Clara
Trinidad
Sancti Spíritus
Ciego de Ávila
Morón
Camagüey
Nuevitas
Florida
Victoria de las Tunas
Holguín
Bayamo
Manzanillo
Santiago de Cuba
Guantánamo
Baracoa
Moa
Pinar del Río
Península de Zapata
I. de la Juventud o de Pinos
Nueva Gerona
Sª Maestra
Pico Turquino
▲2 005
Canal de Yucatán
Canal del Viento
HAITÍ
Jérémie
Macizo de la Hotte
Les Cayes
Navassa (EE UU)
JAMAICA
Montego Bay
Falmouth
St. Ann's Bay
Port Antonio
Savanna-la-Mar
Grand Cayman
George Town
Little Cayman
Cayman Brac
Is. Caimán (R.U.)
0 50 100 150 km

A
B
C
D
E
1
2
3
4
5
6
7
CUBA
Cuba
Ciego de Ávila
Camagüey
Manzanillo
Bayamo
Holguín
Santiago de Cuba
Guantánamo
Victoria de las Tunas
Base Militar de Guantánamo (EE UU)
BAHAMAS
Matthew Town
Gran Inagua
Pequeña Inagua
Islas Turks y Caicos (R.U.)
Cockburn Town
Paso de los Caicos
Canal del Viento
La Española
HAITÍ
Puerto Príncipe
Cap-Haïtien
Port-de-Paix
Gonaïves
Jérémie
Les Cayes
Jacmel
Tortuga
I. de la Gonâve
Golfo de Gonâve
REP. DOMINICANA
Santiago de los Caballeros
La Vega
Puerto Plata
Barahona
S. Cristóbal
Cord. Septentrional
Cord. Central
JAMAICA
Jamaica
Kingston
Montego Bay
Spanish Town
Mandeville
Canal de Jamaica
Cayos Morant (Jam.)
Cayos Pedro (Jam.)
Navassa (EUA)
Bajo Nuevo (Col.)
GRANDES ANTILLAS
MAR CARIBE O DE LAS ANTILLAS
Arch. Los Monjes (Ven.)
Aruba (P.B.)
Oranjestad
Pen. de La Guajira
Riohacha
Santa Marta
BARRANQUILLA
Cartagena
Valledupar
COLOMBIA
MARACAIBO
Golfo de Venezuela
Punto Fijo
Coro
Cabimas
Ciudad Ojeda
Lagunillas
L. de Maracaibo
Sa. Nevada de Sta. Marta
Sa. de Perijá

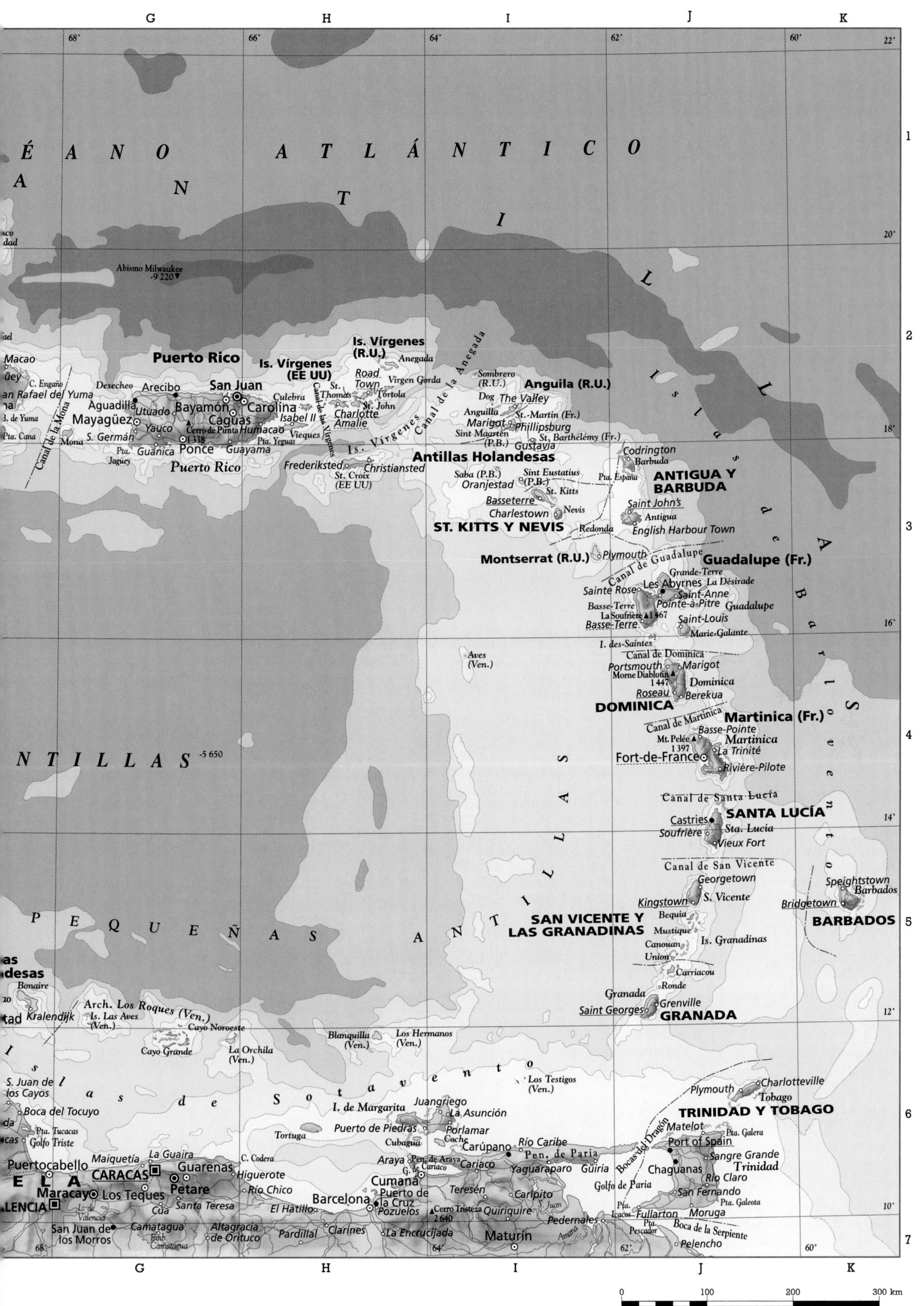
OCÉANO ATLÁNTICO
ANTILLAS
Abismo Milwaukee -9 220
Puerto Rico
San Juan
Bayamón
Carolina
Caguas
Arecibo
Aguadilla
Mayagüez
Utuado
Yauco
Ponce
Guayama
Humacao
Cerro de Punta 1 338
Culebra
Isabel II
Vieques
Desecheo
Mona
Canal de la Mona
Is. Vírgenes (EE UU)
Is. Vírgenes (R.U.)
Anegada
Road Town
Tortola
Virgen Gorda
St. Thomas
St. John
Charlotte Amalie
Canal de las Vírgenes
Canal de la Anegada
Frederiksted
Christiansted
St. Croix (EE UU)
Sombrero (R.U.)
Anguila (R.U.)
Dog
The Valley
Anguilla
St.-Martin (Fr.)
Marigot
Phillipsburg
Sint Maarten (P.B.)
St. Barthélemy (Fr.)
Gustavia
Antillas Holandesas
Saba (P.B.)
Oranjestad
Sint Eustatius (P.B.)
St. Kitts
Basseterre
Charlestown
Nevis
ST. KITTS Y NEVIS
Redonda
Codrington
Barbuda
Pta. España
ANTIGUA Y BARBUDA
Saint John's
Antigua
English Harbour Town
Montserrat (R.U.)
Plymouth
Canal de Guadalupe
Guadalupe (Fr.)
Grande-Terre
Les Abymes
La Désirade
Sainte Rose
Saint-Anne
Basse-Terre
Pointe-à-Pitre
Guadalupe
La Soufrière 1 467
Saint-Louis
Marie-Galante
I. des-Saintes
Canal de Dominica
Aves (Ven.)
Portsmouth
Marigot
Morne Diablotin 1 447
Dominica
Roseau
Berekua
DOMINICA
Canal de Martinica
Martinica (Fr.)
Basse-Pointe
Mt. Pelée 1 397
Martinica
La Trinité
Fort-de-France
Rivière-Pilote
Canal de Santa Lucía
SANTA LUCÍA
Castries
Soufrière
Sta. Lucía
Vieux Fort
Canal de San Vicente
Georgetown
Kingstown
S. Vicente
Speightstown
Barbados
Bridgetown
BARBADOS
SAN VICENTE Y LAS GRANADINAS
Bequia
Mustique
Canouan
Union
Is. Granadinas
Carriacou
Ronde
Granada
Saint Georges
Grenville
GRANADA
Islas de Barlovento
PEQUEÑAS ANTILLAS
-5 650
Bonaire
Kralendijk
Arch. Los Roques (Ven.)
Is. Las Aves (Ven.)
Cayo Noroeste
Cayo Grande
La Orchila (Ven.)
Blanquilla (Ven.)
Los Hermanos (Ven.)
Los Testigos (Ven.)
Islas de Sotavento
S. Juan de los Cayos
Boca del Tocuyo
Pta. Tucacas
Golfo Triste
I. de Margarita
Juangriego
La Asunción
Puerto de Piedras
Porlamar
Tortuga
Cubagua
Coche
Carúpano
Río Caribe
Pen. de Paria
Pen. de Araya
G. de Cariaco
Araya
Cariaco
Yaguaraparo
Güiria
Cumaná
Puerto Cabello
Maiquetía
La Guaira
C. Codera
CARACAS
Guarenas
Petare
Higuerote
Río Chico
Maracay
Los Teques
Cúa
Santa Teresa
Barcelona
Puerto de la Cruz
Pozuelos
El Hatillo
Teresén
Caripito
Cerro Tristeza 2 640
Quiriquire
San Juan de los Morros
Camatagua
Emb. Camatagua
Altagracia de Orituco
Pardillal
Clarines
La Encrucijada
Maturín
Pedernales
Plymouth
Charlotteville
Tobago
TRINIDAD Y TOBAGO
Matelot
Pta. Galera
Port of Spain
Bocas del Dragón
Sangre Grande
Trinidad
Chaguanas
Golfo de Paria
Río Claro
San Fernando
Pta. Galeota
Pta. Icacos
Fullarton
Moruga
Pta. Pescador
Boca de la Serpiente
Pelencho
0 100 200 300 km

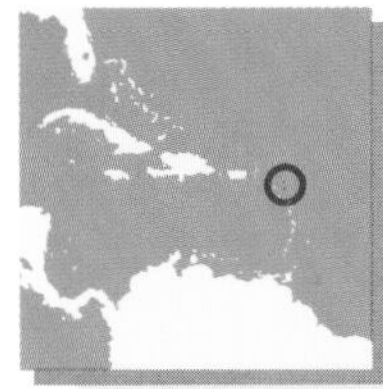

Antigua y Barbuda

Nombre oficial: Antigua and Barbuda
Superficie: 442 km²
Población: 76 000 hab.
Densidad: 171,9 hab./km²
Moneda: dólar del Caribe Oriental
Lenguas: inglés (oficial), criollo inglés
Religión: protestantes (42,3 %), anglicanos (32,4 %), católicos (11,3 %)
Capital: Saint John's (28 000 hab.)
Forma de gobierno: monarquía constitucional
Tasa de natalidad: 18,8 ‰
Tasa de mortalidad: 5,8 ‰
Tasa de mortalidad infantil: 12 ‰
Tasa de alfabetización: 85,8 %
PIB: 753 millones de $
PIB per cápita: 11 124 $
PIB por sectores: Primario 4 %, Secundario 22 %, Terciario 74 %

Cronología

1493: Cristóbal Colón descubre las islas, pobladas en primer lugar por los siboney y posteriormente por los arawak y caribes.
S. XVI: poblamientos españoles y lusos.
S. XVII: colonización británica de Antigua.
1860: los británicos se anexionan Barbuda.
1967: estado asociado a Gran Bretaña.
1981: independencia del país.
1994: Lester Bird, primer ministro.
1999: reelección de Bird.
2004: Baldwin Spencer, primer ministro.

Estado insular de América Central, situado al norte de Venezuela, Antigua y Barbuda comprende las islas de Antigua –de origen volcánico y donde se localiza la máxima altitud, el Boggy Peak, 402 m–, Barbuda –de origen coralino– y el islote deshabitado de Redonda, todas ellas integradas en el grupo insular de Barlovento. El clima del país es básicamente tropical. Las precipitaciones anuales superan los 1 000 mm en algunas zonas, pero la rápida evaporación y filtración del agua provoca una fuerte desecación de la superficie. La temperatura oscila entre los 27 y los 30 °C. La capital, Saint John's, ubicada en la isla de Antigua, es el principal centro urbano y cuenta con una refinería de petróleo. El turismo, la pesca y la actividad financiera son las principales fuentes de ingresos económicos del país.

El puerto natural de English Harbour ocupa una ensenada de la isla de Antigua, al pie de Shirley Heights; el conjunto presenta un gran atractivo turístico en este estado caribeño.

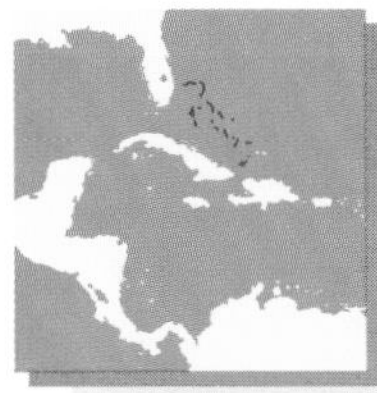

Bahamas

Nombre oficial: Commonwealth of The Bahamas
Superficie: 13 939 km²
Población: 304 000 hab.
Densidad: 21,8 hab./km²
Moneda: dólar de Bahamas
Lenguas: inglés
Religión: protestantes (45,4 %), católicos (16,9 %), anglicanos (10,8 %)
Capital: Nassau (210 832 hab.)
Forma de gobierno: monarquía constitucional
Tasa de natalidad: 18,9 ‰
Tasa de mortalidad: 8,5 ‰
Tasa de mortalidad infantil: 13 ‰
Población urbana: 88,8 %
Tasa de alfabetización: 95,5 %
PIB: 5 182 millones de $
PIB per cápita: 16 691 $
PIB por sectores: Primario 3 %, Secundario 7 %, Terciario 90 %

Cronología

1492: Cristóbal Colón arriba a la isla Guanahaní, habitada por arawaks, que bautizó como San Salvador (actual Watling).
S. XVI: la población indígena, forzada a trabajar en La Española, se extingue.
1648: se establecen los primeros colonos ingleses; las islas, centro de piratas.
1717: Bahamas, colonia inglesa.
1964: autonomía política de las islas.
1973: proclamación de la independencia.
2002: Perry Gladstone, primer ministro.

Estado insular de América Central, Bahamas ocupa el archipiélago homónimo situado en aguas del océano Atlántico y que se extiende a lo largo de 1 000 km, entre el sudeste de la península de Florida y el norte de la isla de La Española. Este archipiélago, de origen coralino, está integrado por 29 islas mayores, 661 islotes e islas menores y casi 2 400 escollos. El clima es paradisíaco: una temperatura que suele oscilar entre los 21 °C (enero) y los 27,5 °C (julio) en Nassau, sol y precipitaciones de los alisios en verano. La capital, Nassau, concentra a más de los dos tercios de la población del país. El archipiélago constituye un importante destino del turismo internacional.

La región de Exuma Cays forma parte del archipiélago de las Bahamas, estado que consta de diversas islas, islotes y cayos situadas en el Atlántico, entre Florida, Cuba y La Española.

Barbados

Nombre oficial: Barbados
Superficie: 431 km²
Población: 269 000 hab.
Densidad: 624,1 hab./km²
Moneda: dólar de Barbados
Lenguas: inglés (oficial), criollo inglés
Religión: anglicanos (33 %), protestantes (29,9 %), católicos (4,5 %)
Capital: Bridgetown (6 700 hab.)

Forma de gobierno: monarquía constitucional
Tasa de natalidad: 13,3 ‰
Tasa de mortalidad: 9,0 ‰
Población urbana: 50,5 %
Tasa de alfabetización: 99,7 %
PIB: 2 532 millones de $
PIB per cápita: 9 651 $
PIB por sectores: Primario 4 %, Secundario 15 %, Terciario 81 %

Cronología

1519: los españoles descubren la isla, deshabitada, y la denominan Barbada.
1627: inicio de la colonización británica.
S. XVII: importación de esclavos negros para el cultivo de la caña de azúcar, base de la economía insular.
1958-1962: estado asociado a la Federación de las Indias Occidentales británicas.
1966: proclamación de la independencia, dentro del marco de la Commonwealth.
1994: Owen Arthur, primer ministro.

Estado insular de América Central, Barbados está formado por la isla homónima, que es la más oriental del grupo de las islas de Barlovento, en las Pequeñas Antillas; se halla ubicada en pleno océano Atlántico, a unos 320 km al nordeste de las costas de Trinidad, y a unos 160 km al este del arco antillano. La superficie de Barbados tiene una longitud y anchura máximos de 34 y 21 km, respectivamente. El relieve es de origen coralino y presenta una orografía llana (monte Hillaby, 336 m). La isla goza de un clima cálido y húmedo, suavizado por los vientos alisios. Barbados es uno de los estados caribeños más habitados, con una densidad de población muy elevada. El turismo constituye la base de la economía del país. La industria azucarera y las empresas tecnológicas completan el panorama económico.

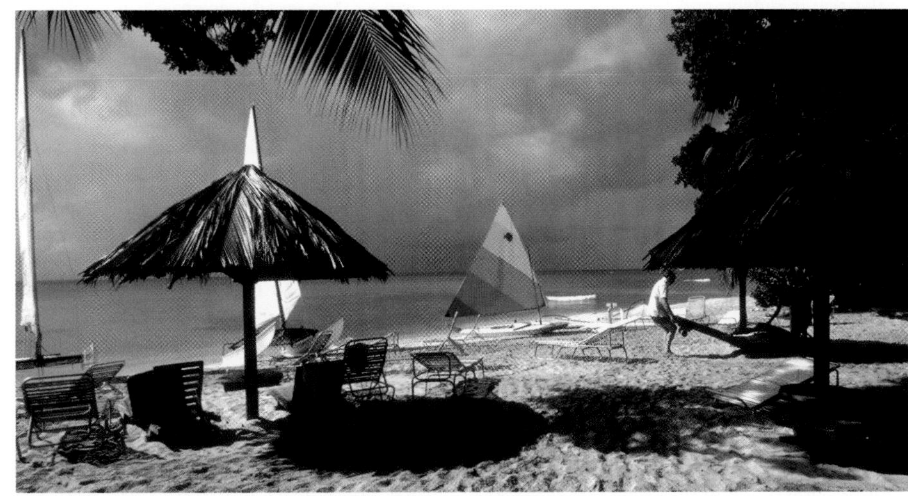

El turismo es una de las principales actividades económicas de la isla de Barbados, que cuenta con numerosos complejos hoteleros donde acuden turistas de todo el mundo.

Los ataques al imperio español en el Caribe

■ *A lo largo del siglo XVIII, el imperio colonial español en América fue objeto de violentas agresiones por los países europeos que querían beneficiarse de sus riquezas y arrebatar a la metrópoli hispana parte de aquellos territorios. Las acometidas contra el sistema colonial español, que a finales del siglo XVI se encontraba en la cima de su prosperidad, se iniciaron con las incursiones por parte de filibusteros y bucaneros. Al amparo de estas acciones, a principios del siglo XVII Holanda, Francia e Inglaterra iniciaron su política de penetración en la región caribeña, establecieron colonias permanentes y conquistaron algunas islas. Sin embargo, a principios del siglo XVIII, se produjo una acción más sistemática de Francia e Inglaterra, y las Pequeñas Antillas fueron disputadas por ambas naciones.*

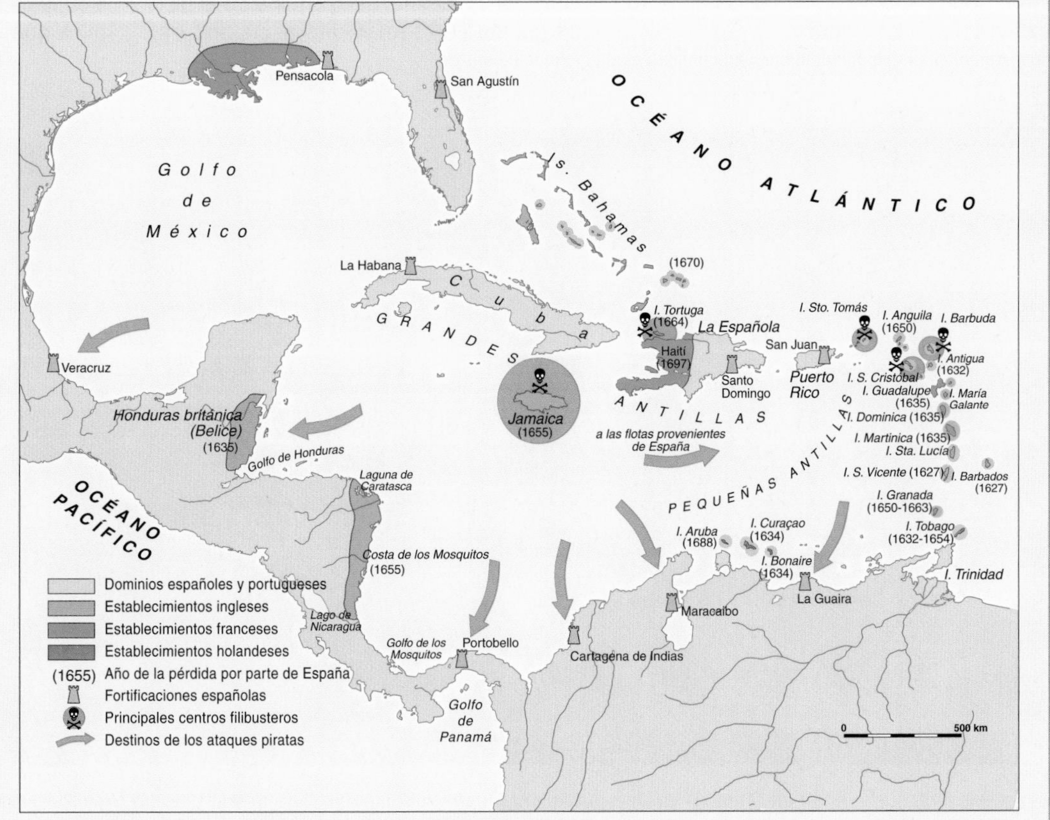

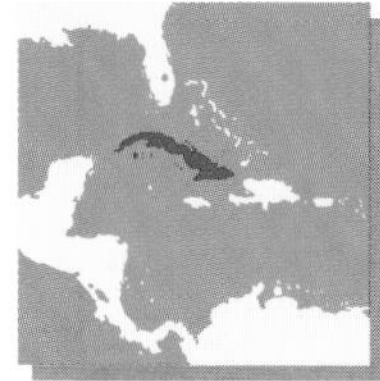

Cuba

DATOS GENERALES
Nombre oficial: República de Cuba
Superficie: 110 860 km²
Población: 11 243 358 hab.
Densidad: 101,4 hab./km²
Moneda: peso cubano
Lenguas: español
Religión: católicos (39,5 %)
Capital: La Habana (2 181 535 hab.)
Ciudades: Santiago de Cuba (441 524 hab.), Camagüey (306 049 hab.), Holguín (259 300 h.)
Divisiones administrativas: 14 provincias y 1 municipalidad especial
Forma de gobierno: república socialista

INDICADORES DEMOGRÁFICOS
Tasa de natalidad: 12,6 ‰
Tasa de mortalidad: 7,1 ‰
Crecimiento vegetativo: 5,5 ‰
Tasa de mortalidad infantil: 6,5 ‰
Hijos por mujer: 1,6
Tasa de crecimiento demográfico: 0,4 %
Población menor de 15 años: 20,5 %
Población de 60 años o más: 14,1 %
Esperanza de vida al nacer: 79,0 años (mujeres), 74,0 años (hombres)
Población urbana: 75,4 %

INDICADORES SOCIALES
Tasa de alfabetización: 96,9 %
Núm. de médicos: 596 por 100 000 hab.
Núm. de automóviles: 16 500 unidades
Líneas telefónicas: 51 por mil hab.
Abonados a teléfonos móviles/celulares: 2 por mil hab.
Usuarios de internet: 11 por mil hab.
Gasto público en salud: 6,2 % del PIB
Gasto público en educación: 8,5 % del PIB

INDICADORES ECONÓMICOS
PIB: 19 322 millones de $
PIB per cápita: 1 700 $
PIB por sectores: Primario 6 %, Secundario 27 %, Terciario 67 %
Población ocupada por sectores: Primario 24 %, Secundario 24 %, Terciario 52 %
Superficie cultivada: 40,7 %
Producción de energía: 14 413 millones de kW/h
Consumo de electricidad: 1 363 kW/h por hab.
Importaciones: 5 251 millones de $
Exportaciones: 1 655 millones de $

RECURSOS ECONÓMICOS
Agricultura: caña de azúcar, tabaco, café, especias, bananas, ananás, agrios, arroz, maíz, patatas, batatas, pomelos, cacao, algodón y nueces de coco
Ganadería: bovina, caballar, ovina, porcina y aves de corral
Pesca: 110 330 t
Silvicultura: 3 618 097 m³ de madera
Minería: cromita, níquel, manganeso, cobre, petróleo, gas natural, mercurio y sal
Industria: azucarera, tabaquera, alimentaria en general, maderera, del cemento, del papel, química, eléctrica, neumática, textil y siderúrgica

Cuba es un estado insular de América Central que ocupa la isla homónima, además de la isla de la Juventud y los archipiélagos de Camagüey, Canarreos, Los Colorados, Jardines de la Reina y Sabana, y otros múltiples cayos e islotes cuyo número supera los mil quinientos. La isla más extensa del grupo de las Grandes Antillas, Cuba limita al norte con el estrecho de Florida, que la separa de Estados Unidos, y con el banco de la Gran Bahama, al este con el paso de los Vientos, que se interpone con la isla de La Española, al sur con el mar de las Antillas (mar Caribe) y al oeste con el canal de Yucatán y el golfo de México.

Marco natural

El relieve cubano está formado por un basamento de rocas antiguas cubierto de rocas calizas y volcánicas. Como consecuencia de la erosión hídrica sobre los terrenos calcáreos, parte del territorio presenta el típico paisaje cárstico; ejemplo de ello son la sierra de los Órganos, del sistema de Guaniguanico, en el extremo occidental del territorio, y las alturas del Escambray, en el centro de la isla. En el extremo sudeste se elevan las sierras de Baracoa y Maestra, que culmina en el pico Turquino (2 005 m). El litoral cubano es, a excepción del sudoeste de Sierra Maestra, bajo y pantanoso. Toda la isla está rodeada de arrecifes coralinos y sus numerosas bahías favorecen el desarrollo de las playas, de gran atractivo turístico.

Cuba cuenta con unos doscientos cursos de agua, si bien ninguno de ellos reviste gran importancia. Los ríos son cortos; destaca el Cauto, con sus afluentes Salado y Bayamo. En cuanto al clima, se halla situada en el límite entre los climas tropical y subtropical, de ahí que participe de las características de ambos. Su posición respecto a las áreas barométricas explica que sufra bruscos cambios de pre-

En el extremo sudoriental de Cuba se levanta la Sierra Maestra, que se extiende desde el cabo Cruz (oeste) al cabo Maisí (este), a lo largo de 250 km, y alberga el pico Turquino (2 005 m de alt.), el techo insular; a sus pies se extiende un paisaje forestal dominado por palmeras.

La Habana, situada en aguas del estrecho de Florida, en la costa septentrional de la isla, fue fundada en 1515 y es la capital de Cuba y la ciudad más populosa de las Antillas.

sión, que la exponen a la acción de los ciclones tropicales. Las temperaturas medias anuales se mantienen alrededor de los 25 °C, suavizadas por la acción refrescante de las brisas marinas nocturnas, y las precipitaciones oscilan entre 1000 y 1500 mm anuales. Los bosques se limitan a las áreas montañosas, mientras que gran parte del territorio está cubierto de sabanas, con manglares en las costas.

Población

La tasa de natalidad ha descendido sensiblemente desde los últimos años del siglo XX, igual que la de mortalidad, como consecuencia de las mejoras introducidas en la infraestructura sanitaria del país. La mayor concentración demográfica se produce en la capital, La Habana; otras aglomeraciones menores se encuentran alrededor de las localidades de Pinar del Río, Cienfuegos, Camagüey y Santiago de Cuba. Aproximadamente, la mitad de la población cubana es de origen mulato; la población blanca, que es descendiente principalmente de españoles, representa en torno al 40 % del total; menor presencia tienen los negros y otras minorías.

Recursos económicos

A principios del siglo XXI, el bloqueo de las exportaciones y el aislamiento internacional han dejado maltrecha la economía de la isla, por lo que Cuba observa cómo se estrecha el cerco a su economía mediante la exigencia de introducir cambios en su sistema político. La producción agrícola es sensible –como, en general, toda la economía isleña– a las transformaciones internacionales. La caña de azúcar continúa siendo el cultivo más importante del país. Le siguen en importancia el tabaco, el café, los cítricos, además de los cultivos de subsistencia como maíz, arroz, papas, batata y yuca. La ganadería se compone principalmente de bovinos. La pesca ocupa un lugar secundario dentro de la economía nacional.

Del subsuelo se obtiene níquel –del que Cuba es uno de los principales productores mundiales–, cromita, cobre, manganeso, cobalto y piritas de hierro. La dependencia energética del exterior es casi total, dado que la producción nacional de

El proceso de independencia en Cuba (1895-1902)

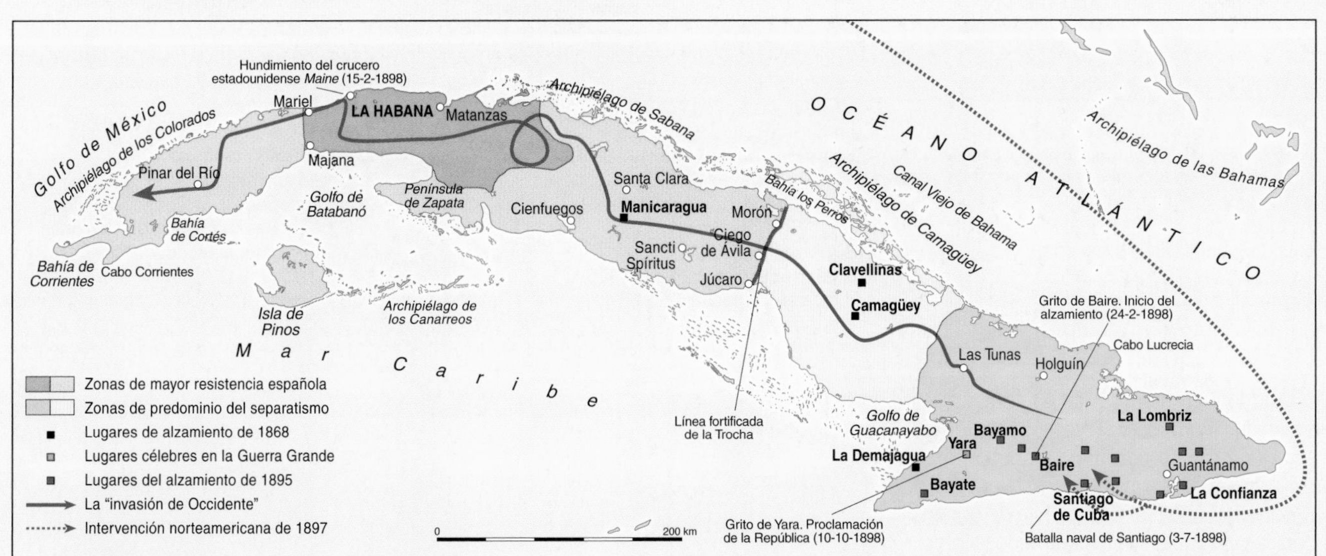

■ *La independencia de Cuba necesitó de tres guerras para poder concretarse: la guerra de los Diez Años o Guerra Grande, la Guerra Chiquita y la guerra de Independencia. Las crisis económicas entre 1847 y 1867 y la crisis del modelo colonial, sumadas a la intransigencia del gobierno español de reformar las leyes que afectaban a Cuba, desencadenaron la guerra de los Diez Años. Ésta marcó el comienzo de la independencia. Finalizó con la paz de Zanjón (1878) y trajo consigo la abolición de la esclavitud (1880). En esa época se impulsó la explotación azucarera. La ley para el autogobierno, elaborada en 1893, nunca llegó a aplicarse y cuando a la intranquilidad política se le unió la crisis económica, José Martí y Máximo Gómez iniciaron un nuevo movimiento separatista, que finalizó en 1898 con la derrota española, gracias a la intervención de Estados Unidos, que mantuvo la ocupación militar de la isla hasta 1902, año en que se logró la independencia.*

Dentro del sector agrícola cubano destaca la tríada tradicional formada por los cultivos de caña de azúcar, café y tabaco (en la imagen, plantación tabaquera en Pinar del Río).

petróleo es reducida y el aprovechamiento hidroeléctrico es modesto.

Junto a la producción industrial derivada del sector agropecuario, la industria ligera se complementa con la textil, del calzado, de construcción de muebles, artes gráficas, cervecera y alimentaria en general. La industria pesada no se encuentra aún plenamente desarrollada. Hay industria siderúrgica, de construcciones mecánicas, de construcción naval, química, de cemento y materiales de construcción. También existen plantas papeleras y refinerías de petróleo. Las actividades turísticas suponen una de las grandes fuentes de entrada de divisas para el país.

Cronología

1492: la isla es descubierta por Cristóbal Colón, que la bautiza como Juana.
1511: conquista española, dirigida por Diego Velázquez.
1519: fundación de La Habana.
Ss. XVI-XVIII: forma una capitanía general, dependiente de Nueva España. Repetidos ataques franceses, holandeses e ingleses. Economía colonial, esclavismo.
1823-1855: brotes independentistas.
1868-1878: el "Grito de Yara" marca el inicio de la primera guerra de emancipación. Carlos Manuel Céspedes organiza un gobierno propio. El conflicto termina con la paz de Zanjón, incumplida por España.
1879: fracasan los intentos radicales de continuar la insurrección.
1880: abolición de la esclavitud.
1895: nuevo movimiento emancipador, cuyo inspirador es José Martí, líder del Partido Revolucionario Cubano.
1898: EE UU derrota a España e impone su ocupación militar.
1902: independencia de Cuba. La enmienda Platt reserva el derecho de intervenir a EE UU.
1924-1933: el general Gerardo Machado es depuesto por un movimiento popular.
1952: Fulgencio Batista toma el poder.
1956: Fidel Castro organiza guerrillas en Sierra Maestra.
1959-1961: derrocamiento de Batista. Revolución socialista dirigida por Castro. EE UU organiza el bloqueo económico.
2005: endurecimiento del régimen cubano; represión a la disidencia.

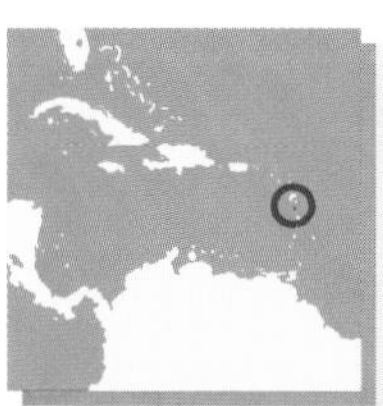

Dominica

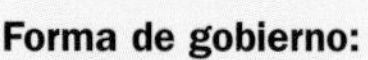

Nombre oficial: Commonwealth of Dominica
Superficie: 751 km²
Población: 71 727 hab.
Densidad: 95,5 hab./km²
Moneda: dólar del Caribe oriental
Lenguas: inglés (oficial), criollo francés
Religión: católicos (70,1 %), protestantes (16,9 %)
Capital: Roseau (19 700 hab.)
Forma de gobierno: república
Tasa de natalidad: 17,3 ‰
Tasa de mortalidad: 7,1 ‰
Tasa de mortalidad infantil: 13 ‰
Población urbana: 71,4 %
Tasa de alfabetización: 76,4 %
PIB: 252 millones de $
PIB per cápita: 3 520 $
PIB por sectores: Primario 19 %, Secundario 21 %, Terciario 60 %

Cronología

1493: Cristóbal Colón descubre la isla.
1627-1763: Francia y Gran Bretaña se disputan el territorio.
1759: los británicos ocupan la isla.
1763: anexión británica.
1963: la isla alcanza el estatus de estado asociado a la Commonwealth.
1967: autonomía política de Dominica.
1978: proclamación de independencia.
2003: Nicholas Liverpool, jefe de Estado.
2004: Roosevelt Skerrit, primer ministro.

Estado insular de América Central, entre las islas de Guadalupe, al norte, y Martinica, al sur, Dominica comprende la isla homónima, del grupo de las islas de Barlovento, en las Pequeñas Antillas. Es una isla de origen volcánico con un relieve accidentado (Morne Diablotin, 1 447 m). El clima es tropical. La mayoría de la población se concentra en el litoral. Las actividades terciarias son las que presentan mayor peso en el PIB nacional, aunque buena parte de la población activa se halla ocupada en actividades agrarias. El país produce bananas, cítricos y cocos. La industria se limita a la elaboración de ron y cigarrillos y a la fabricación de cemento. La pesca es una actividad complementaria. El turismo es un sector en expansión.

Dominica es una de las islas caribeñas pertenecientes al grupo de Barlovento; presenta un relieve montañoso, cubierto por extensas selvas tropicales, y un clima cálido y húmedo.

República Dominicana

DATOS GENERALES
Nombre oficial: República Dominicana
Superficie: 48 670 km^2
Población: 8 562 541 hab.
Densidad: 175,9 hab./km^2
Moneda: peso dominicano
Lenguas: español
Religión: católicos (81,9 %), protestantes (6,4 %)
Capital: Santo Domingo (913 540 hab.)
Ciudades: Santo Domingo Este (787 129 hab.), Santiago de los Caballeros (622 101 hab.), San Cristóbal (220 767 hab.), Concepción de la Vega (220 279 hab.), San Pedro de Macorís (217 141 hab.)
Divisiones administrativas: 31 provincias y 1 distrito nacional
Forma de gobierno: república

INDICADORES DEMOGRÁFICOS
Tasa de natalidad: 24,3 ‰
Tasa de mortalidad: 6,7 ‰
Crecimiento vegetativo: 17,6 ‰
Tasa de mortalidad infantil: 35,1 ‰
Hijos por mujer: 2,9
Tasa anual de crecimiento demográfico: 1,7 %
Población menor de 15 años: 33,9 %
Población de 60 años o más: 8,1 %
Esperanza de vida al nacer: 75,0 años (mujeres), 71,0 años (hombres)
Población urbana: 63,6 %

INDICADORES SOCIALES
Tasa de alfabetización: 84,4 %
Núm. de médicos: 190 por 100 000 hab.
Núm. de automóviles: 430 000 unidades
Líneas telefónicas: 110 por mil hab.
Abonados a teléfonos móviles/celulares: 207 por mil hab.
Usuarios de internet: 36 por mil hab.
Gasto público en salud: 2,2 % del PIB
Gasto público en educación: 2,4 % del PIB

INDICADORES ECONÓMICOS
PIB: 26 510 millones de $
PIB per cápita: 2 967 $
PIB por sectores: Primario 12 %, Secundario 33 %, Terciario 55 %
Población ocupada por sectores: Primario 12 %, Secundario 18 %, Terciario 70 %
Producción de energía: 9 583 millones de kW/h
Consumo electricidad: 1 233 kW/h por hab.
Importaciones: 8 660 millones de $
Exportaciones: 5 333 millones de $

RECURSOS ECONÓMICOS
Agricultura: caña de azúcar, arroz, maíz, mandioca, batata, tomates, café, tabaco, cacao, cacahuetes, agrios, bananas y sésamo
Ganadería: bovina, porcina, caprina, ovina, caballar y aves de corral
Pesca: 15 864 t
Silvicultura: 562 300 m^3 de madera
Minería: bauxita, hierro, níquel, oro, plata, sal
Industria: azucarera, alimentaria en general; destilerías de alcohol y manufactura tabaquera

Estado insular de América Central, la República Dominicana ocupa el centro y el este de la isla de La Española, en las Grandes Antillas. Limita al oeste con Haití, y su prolongado litoral está bañado por el océano Atlántico, al norte y al este, y el mar Caribe, al sur; el canal de la Mona separa esta isla de la de Puerto Rico.

Marco natural

La República Dominicana presenta un relieve de gran complejidad, que mediatiza todos los aspectos físicos y climáticos. La alternancia de montañas y depresiones tiene una incidencia clara sobre el clima y sobre la hidrografía del territorio, al tiempo que también ha influido a la hora de establecerse los asentamientos humanos. La República Dominicana es comparable en su orografía a Haití, con la que comparte las mismas formaciones montañosas.

El territorio está constituido por una sucesión de montañas y depresiones dispuestas casi paralelamente de norte a sur, lo que ha creado una gran diversidad de paisajes. La extraordinaria variedad en el relieve está determinada por una serie de plegamientos y fallas que afectan a toda la zona central del Caribe. Cuatro cordones cruzan el territorio en dirección noroeste-sudeste. Al norte, paralela a la costa atlántica, desde el cabo del Morro hasta la península de Samaná, se extiende la cordillera Septentrional. Esta cordillera es la prolongación de la Sierra Maestra cubana y culmina en el pico Diego de Ocampo (1 249 m). Al sur de la cordillera se encuentra la depresión del Cibao, surcada por dos ríos, el Yaque del Norte, que se dirige al oeste y desemboca en la ba-

El Yaque del Norte es uno de los principales cursos fluviales de la República Dominicana; tiene sus fuentes al pie de la cordillera Central, discurre en sentido sudeste-noroeste y desemboca en la bahía de Monte Cristi, en el extremo noroccidental del país.

La República Dominicana comprende las dos terceras partes de la isla de La Española. La belleza del paisaje y la benignidad del clima favorecen el turismo. Vista de la isla de Saona.

hía de Monte Cristi, cerca de la frontera norte con Haití, y el río Yuna, que fluye hacia el este, desembocando en la bahía de Samaná. Dicha depresión, y principalmente su vertiente oriental, está considerada una de las más fértiles del país. Descendiendo hacia el sur se encuentra la cordillera Central o del Cibao, que surca la isla en dirección noroeste-sudeste. En este sistema montañoso destacan el pico Duarte –el más alto de las Antillas (3 175 m)– y el de La Pelona (3 080 m). Dicha cordillera constituye una barrera entre las tierras húmedas del norte y las secas del sur. Entre esta cordillera y la sierra de Neiba se extiende una meseta recorrida por el curso superior del Artibonito y el sistema fluvial San Juan-Yaque del Sur. La sierra de Neiba se precipita bruscamente en la depresión de Enriquillo, ocupada por el lago homónimo, cuyas aguas saladas son prueba de su origen marino. Al sur de esta depresión se eleva la sierra de Baoruco, relacionada por su relieve cárstico con las montañas Azules de Jamaica. Este sistema montañoso es el que forma la cresta de la Beata y la isla del mismo nombre, al sur de la península meridional de La Española. Al sur de la cordillera Oriental y situada en el sudeste de la isla, se encuentra la llanura costera, la más extensa de La Española.

Las condiciones climáticas responden a su posición latitudinal y a la orientación del relieve respecto a los vientos alisios. Las temperaturas se caracterizan por su escasa variación con un valor medio en torno a 26 °C y las precipitaciones llegan a 2 500 mm en las vertientes atlánticas de la mitad norte, mientras que en las vertientes caribeñas son sensiblemente

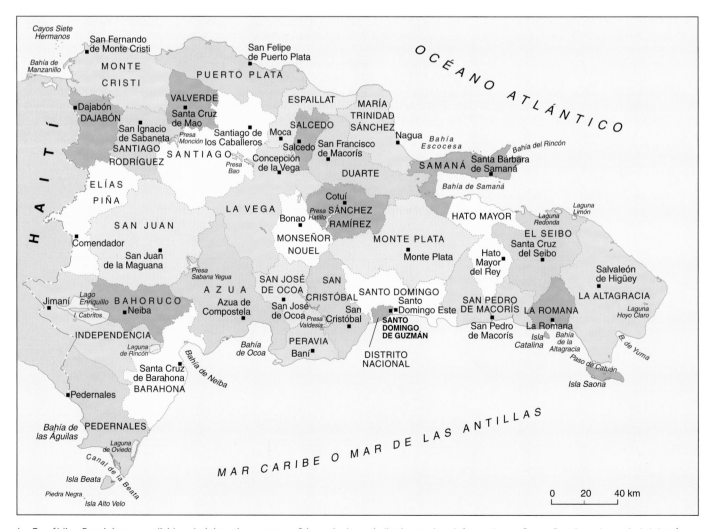

La República Dominicana se divide administrativamente en 31 provincias y 1 distrito nacional, formado por Santo Domingo, la capital del país. Fundada en 1496 por Bartolomé Colón, Santo Domingo fue la primera ciudad importante del continente americano.

menores, con una estación seca de noviembre a abril. El bosque tropical húmedo prospera en las regiones lluviosas de las vertientes septentrionales. En las depresiones donde se acusa la estación seca se desarrolla la sabana, mientras en las zonas más áridas del sudoeste abundan el chaparral y las cactáceas.

Población

La población dominicana ha experimentado un espectacular crecimiento desde el siglo XX. Dicha expansión demográfica se basa en el progresivo descenso de la tasa de mortalidad como resultado de las mejoras técnicas y sanitarias, mientras que la tasa de natalidad sigue siendo elevada. En este sentido, las corrientes inmigratorias, sobre todo de origen haitiano, no han representado una alteración significativa en el crecimiento demográfico nacional. El porcentaje de población rural sigue siendo importante, aunque se ha producido un lento, pero progresivo, aumento de la población urbana. La distribución demográfica obedece al propio desarrollo de las actividades económicas en el territorio y al condicionamiento del relieve y el clima en algunas zonas. Por esta razón, las ciudades pequeñas son las que han experimentado un mayor desarrollo poblacional, basado en la mo-

Vista aérea de la desembocadura del río Ozama, que divide la capital de la República Dominicana: Santo Domingo presenta el tradicional trazado en damero de época colonial.

Ocupación y asentamientos en La Española (siglos XV-XVI)

■ El estudio de la fundación de los asentamientos en la isla de La Española debe realizarse dentro del marco de la dinámica fundacional del Caribe insular español. Este poblamiento se inició con la fundación de La Isabela, en el año 1493, y con el establecimiento de fortificaciones que desaparecieron pocos años más tarde. En adelante se establecieron villas en sitios más ventajosos como Santiago, La Concepción (La Vega), Bonao y Santo Domingo, definiéndose así un eje norte-sur entre los núcleos de La Isabela y Santo Domingo, con asentamientos intermedios entre ambas poblaciones.

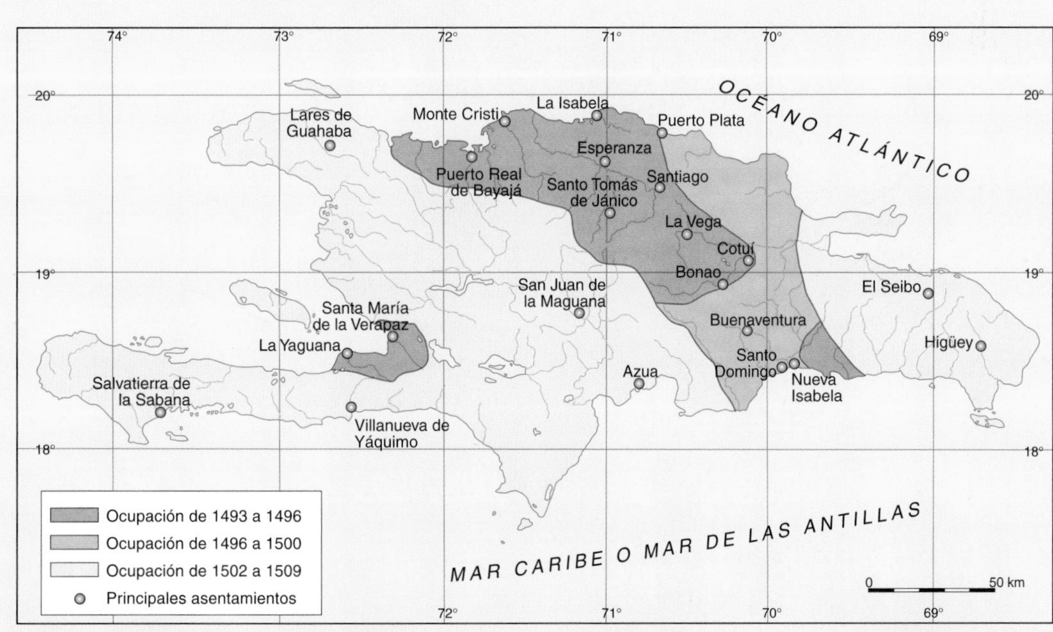

Durante el gobierno de fray Nicolás de Ovando empezó la verdadera colonización, cuando se fundaron villas cerca de importantes asentamientos indígenas, como por ejemplo La Yaguana e Higüey, estableciéndose un eje en sentido oeste-este, que era necesario para facilitar el control y para acortar etapas entre los centros de población principales. Después de esta fase colonizadora, la creación de asentamientos humanos se vio obstaculizada, principalmente, por la reducción de la mano de obra indígena y por el agotamiento de los yacimientos de oro. Ambos factores frenaron el poblamiento intensivo y provocaron que el continente se abriera a la exploración colonizadora.

Cronología

CONQUISTA Y COLONIZACIÓN
1492: descubrimiento por Cristóbal Colón.
Primera mitad del s. XVI: se aniquila la resistencia de los indígenas (ciguayos, caribes, taínos, lucayos), dirigida por los caciques Caonabó y Enriquillo.
1697: España cede Haití a Francia.
1795-1809: un movimiento de emigrados dominicanos ("La Reconquista") vuelve a colocar la parte oriental bajo dependencia española.

LA INDEPENDENCIA
1821: José Núñez de Cáceres proclama la independencia.
1822-1844: anexionada por Haití, hasta que una insurrección, dirigida por Juan Pablo Duarte, devuelve la independencia.
1861-1865: reintegración a España.
1882-1899: el general Ulises Heureaux controla el país (asesinado).
1916-1924: ocupación norteamericana.
1930-1961: Rafael L. Trujillo, presidente.
1962-1965: un golpe militar trunca las reformas de Juan Bosch. Guerra civil e intervención de EE UU.
1966-1978: Joaquín Balaguer, presidente.
1978-1982: Jorge Guzmán, presidente.
1986-1994: Joaquín Balaguer, presidente.
1996-2000: Leonel Fernández, presidente.
1998: el paso del huracán *Georges*.
2000-2004: Hipólito Mejía, jefe de Estado.
2004: firma del CAFTA, Tratado de Libre Comercio entre EE UU, América Central y la Rep. Dominicana. Leonel Fernández, presidente.

dernización de las infraestructuras y la descentralización de las actividades industriales. Las áreas más pobladas son la costa meridional, donde se encuentra la capital, y el valle del río Yuna.

Recursos económicos

La economía está fundamentada en las exportaciones de los principales cultivos agrícolas. En el territorio dominicano conviven tres paisajes agrarios diferentes, adaptados a las características del país y derivados de su historia. Así, en las fértiles llanuras del Yuna, las pendientes húmedas de las cordilleras Septentrional y Central, y la sierra de Baoruco, se extiende el típico policultivo minifundista de subsistencia tropical. El café, el cacao, la banana y otros cultivos comerciales se alternan con los propios para el autoconsumo (yuca, batata). Las zonas de sabana de las llanuras más secas, el Seibo, el Cibao occidental y el valle de San Juan, se dedican a la ganadería extensiva, principalmente de reses bovina y caballar. Como resultado de la introducción de capitales estadounidenses y de la política desarrollada por la familia Trujillo, se creó una economía de plantación dedicada principalmente a la caña de azúcar y, en algunas regiones, a la banana, el cacao, el café y el tabaco, destinados a la exportación. Estas plantaciones se desarrollan sobre todo en las llanuras del sur y en la zona de Puerto Plata. La adaptación de regiones más secas gracias a la irrigación artificial ha permitido el desarrollo de arrozales para la alimentación de la creciente población urbana. Una cuarta parte del territorio está cubierto de bosques, que proporcionan maderas valiosas y sustancias tintóreas. La cría de vacunos y porcinos, así como los productos de la pesca, abastecen al consumo interno.

Del subsuelo se extrae sobre todo bauxita, además de sal gema, yeso, níquel, plata y oro. La industria está poco desarrollada y se dedica principalmente a la transformación de productos agrarios, como caña de azúcar; hay fábricas de cerveza y cemento. Las actividades terciarias, concentradas principalmente en la capital, se benefician del auge del turismo. El valor de las exportaciones no cubre el de las importaciones. La mayoría de transacciones comerciales se realizan con Estados Unidos.

Santo Domingo fue la sede de las primeras audiencia (1511), catedral arzobispal (1521-1544) y universidad en lengua española (1538) del continente. La catedral de Santa María la Menor albergó hasta 1992 los restos de Cristóbal Colón, que aparece representado en esta estatua.

Granada

Nombre oficial: Grenada
Superficie: 345 km²
Población: 101 000 hab.
Densidad: 292,8 hab./km²
Moneda: dólar del Caribe oriental
Lenguas: inglés (oficial), criollo, francés e inglés
Religión: católicos (53 %), anglicanos (13,7 %)
Capital: Saint George's (3 908 hab.)
Forma de gobierno: monarquía constitucional
Tasa de natalidad: 23,0 ‰
Tasa de mortalidad: 7,6 ‰
Tasa de mortalidad infantil: 14,6 ‰
Población urbana: 38,4 %
Tasa de alfabetización: 94,4 %
PIB: 419 millones de $
PIB per cápita: 4 103 $
PIB por sectores: Primario 8 %, Secundario 23 %, Terciario 69 %

Cronología

1498: la isla es descubierta por Colón.
1650-1762: dominio francés.
1763-1779: control británico.
1779: Francia recupera la hegemonía.
1783: Gran Bretaña domina definitivamente la isla de Granada.
1967: estado asociado al Reino Unido.
1974: Granada accede a la independencia, en el seno de la Commonwealth.
1983: intervención militar de EE UU.
1995: Keith C. Mitchell, primer ministro
1999: reelección de Mitchell en el cargo.

Estado insular de América Central, integrado en el grupo de las islas de Barlovento, en las Pequeñas Antillas, Granada se halla situada al noroeste de la isla de Trinidad; comprende la isla del mismo nombre –una isla volcánica, de relieve accidentado (Saint Catherine, a 840 m de alt.)– y las islas meridionales del grupo de las Granadinas, entre las que destaca la de Carriacou. El clima tropical favorece una vegetación exuberante. El país mantiene una alta tasa de natalidad y posee una elevada densidad de población. El turismo y las actividades financieras son las principales fuentes de ingresos, aunque la agricultura, especialmente las plantaciones de banana, cacao, cítricos, algodón, caña de azúcar y nuez moscada, son la base de la industria de transformación y del comercio exterior.

Saint George's, situada en la costa meridional de la isla de Granada, es la capital del país y su principal puerto. Esta isla de las Pequeñas Antillas pertenece al grupo de Barlovento.

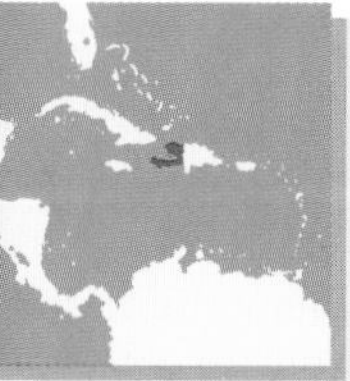

Haití

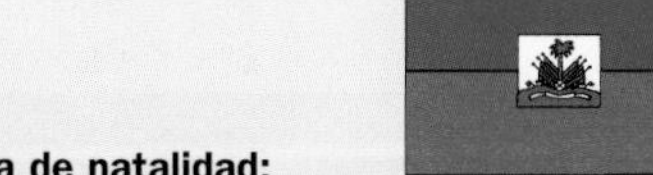

Nombre oficial: Repiblik Dayti/République d'Haïti
Superficie: 27 700 km²
Población: 8 326 000 hab.
Densidad: 300,6 hab./km²
Moneda: gourde
Lenguas: francés y criollo (oficiales)
Religión: católicos (68,6 %), protestantes (22,8 %)
Capital: Puerto Príncipe (990 558 hab.)
Forma de gobierno: república
Tasa de natalidad: 34,4 ‰
Tasa de mortalidad: 13,5 ‰
Tasa de mortalidad infantil: 79,0 ‰
Población urbana: 36,3 %
Tasa de alfabetización: 51,9 %
Núm. de médicos: 25 por 100 000 hab.
PIB: 3 826 millones de $
PIB per cápita: 460 $
PIB por sectores: Primario 26 %, Secundario 16 %, Terciario 58 %

Cronología

1492: poblada por los arawak, la isla es descubierta por Cristóbal Colón, quien la bautiza como La Española.
S. XVI: colonización española de la isla.
1697: España cede a Francia (tratado de Ryswick) el oeste de La Española (actual Haití). Próspera economía esclavista.
1794: abolición de la esclavitud. Proclamación de la República.
1795: por la paz de Basilea, toda la isla pasa a poder de Francia.
1804: J. J. Dessalines proclama la independencia del estado negro de Haití.
1915-1934: Haití es ocupado militarmente por EE UU.
1956-1971: dictadura de Françoise Duvalier. Le sucede su hijo Jean-Claude ("Baby-Doc").
1986: Jean-Claude, depuesto por el general Henry Namphi. Proceso constituyente.
1988: Manigat, presidente. Derrocado por Namphi, y éste, a su vez, por Prosper Avril.
1991: inestabilidad política. Jean-Bertrand Aristide, elegido presidente, es derrocado.
1994: retorno de Aristide bajo los auspicios del gobierno de EE UU.
1995: René Préval asume la presidencia.
2000: Aristide, único candidato en las elecciones, es elegido presidente.
2004: una revuelta armada fuerza el cese de Aristide. Boniface Alexandre le sucede en el cargo.

Haití ocupa el oeste de la isla de La Española y limita al este con la República Dominicana, al norte con el Atlántico, y al sur y al oeste con el Caribe. Comprende una serie de llanuras y mesetas bajas separadas por montañas (macizo del Norte, montañas Negras, La Hotte, La Selle). El clima es cálido y húmedo. Pese a tener una de las tasas de natalidad más altas del continente, su crecimiento demográfico es bajo debido a la fuerte emigración. La mayoría de la población vive en la capital y su área anexa. Una de las economías más pobres del mundo, el grueso de su población activa trabaja en el sector primario (caña de azúcar, banana, café). La industria se reduce a la elaboración de azúcar, ron, tejidos y cigarrillos.

La isla de la Gonâve (abajo) se sitúa frente a Puerto Príncipe, en el borde oeste del país.

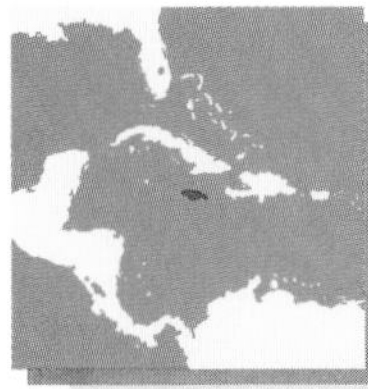

Jamaica

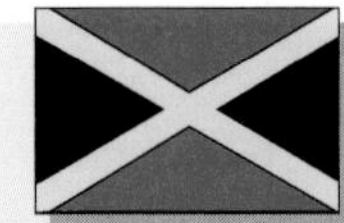

DATOS GENERALES
Nombre oficial: Jamaica
Superficie: 10 991 km²
Población: 2 608 000 hab.
Densidad: 237,3 hab./km²
Moneda: dólar jamaicano
Lenguas: inglés
Religión: protestantes (38,9 %), católicos (10,3 %)
Capital: Kingston (96 052 hab.)
Ciudades: Spanish Town (131 515 hab.), Portmore (93 800 hab.), Montego Bay (82 000 hab.)
Divisiones administrativas: 14 parroquias
Forma de gobierno: monarquía constitucional

INDICADORES DEMOGRÁFICOS
Tasa de natalidad: 19,9 ‰
Tasa de mortalidad: 6,4 ‰
Crecimiento vegetativo: 13,5 ‰
Tasa de mortalidad infantil: 13,7 ‰
Hijos por mujer: 2,3
Tasa anual de crecimiento demográfico: 0,7 %
Esperanza de vida al nacer: 78,0 años (mujeres), 74,0 años (hombres)
Población urbana: 52,1 %
Tasa de alfabetización: 87,6 %
Núm. de médicos: 85 por 100 000 hab.

INDICADORES ECONÓMICOS
PIB: 7 899 millones de $
PIB per cápita: 2 962 $
PIB por sectores: Primario 6 %, Secundario 31 %, Terciario 63 %
Población ocupada por sectores: Primario 19 %, Secundario 18 %, Terciario 63 %
Importaciones: 3 543 millones de $
Exportaciones: 1 104 millones de $

Cronología

1494: la isla es descubierta por Cristóbal Colón en su segundo viaje.
1509: se inicia la colonización española; se extingue la población indígena.
1537: Jamaica es otorgada a la familia Colón. Colonización poco intensa.
1655: ocupación inglesa de la isla. Por el tratado de Madrid (1670), España reconoce la soberanía británica.
S. XVIII: la isla se convierte en la base del tráfico de esclavos africanos hacia América del Sur.
1833: abolición de la esclavitud; inicio de la decadencia de la isla.
1866: administración directa británica.
1938-1940: expansión del movimiento autonomista.
1958: Jamaica se integra en la Federación de las Indias Occidentales.
1961: tras un referéndum, abandona la Federación, que se disuelve.
1962: independencia de Jamaica, en el seno de la Commonwealth. Gobierno de tendencia moderada.
1972-1980: gobierno de orientación izquierdista, con Michael Manley como primer ministro.
1980-1983: gobierno encabezado por E. Seaga, de tendencia conservadora.
1989: Manley vuelve a acceder a la jefatura del gobierno.
1992: dimisión de Manley; Percival Patterson, nuevo primer ministro.
2002: reelección de Patterson.

Estado insular de América Central, Jamaica ocupa la isla homónima, en el grupo de las Grandes Antillas, en el mar Caribe; se sitúa al sur de la isla de Cuba y al oeste de la de La Española, separada de ésta por el canal de Jamaica.

Marco natural

El relieve jamaicano es la continuación de las cadenas montañosas del istmo centroamericano que emergen aquí después de hundirse en el mar Caribe; al noroeste de la isla se encuentra la fosa del Caimán que, con 7680 m de profundidad máxima, constituye una de las zonas más profundas de la región caribeña. El sector oriental de la isla se halla accidentado por la cordillera de las montañas Azules (Blue Mountain, 2256 m de alt.). Al oeste se ubican una serie de mesetas de origen calcáreo, que presentan formas de erosión kárstica. Las llanuras costeras se ensanchan hacia el sur y son atravesadas por los ríos más caudalosos de la isla (Minho y Cobre). El clima es tropical, con una temperatura media anual de unos 27 °C, que disminuye con la altitud, y precipitaciones abundantes (2400 mm) en la mitad septentrional de la isla. Situada en plena área intertropical, Jamaica sufre periódicamente el efecto devastador de los ciclones que recorren la zona. Predominan los bosques tropicales y las sabanas.

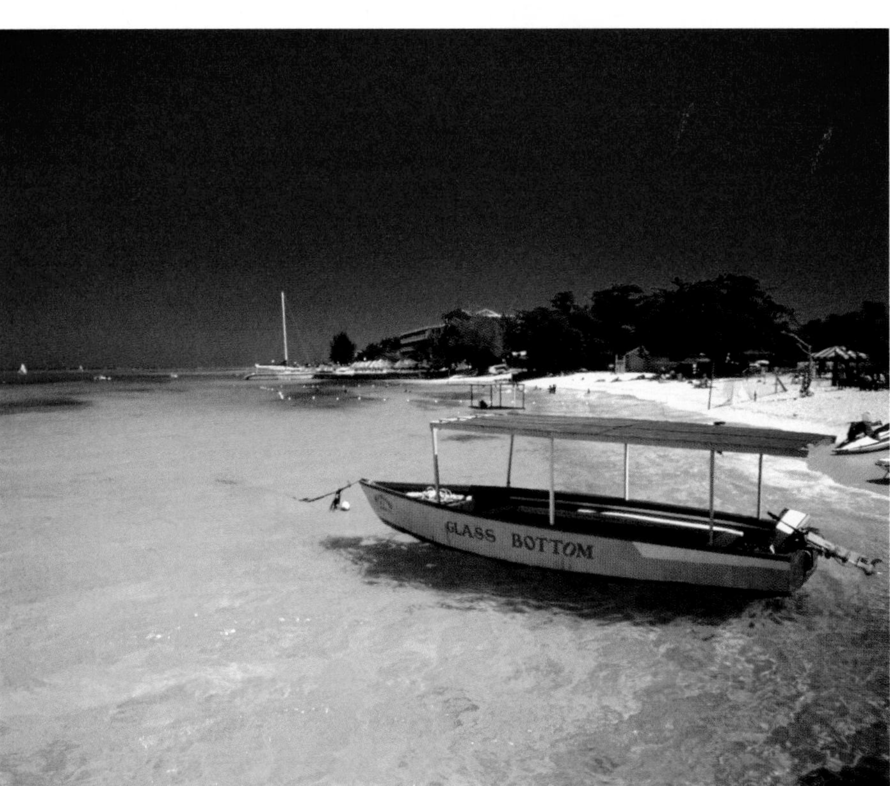

La bahía de Montego, localizada en el oeste de la costa septentrional de Jamaica, en las Grandes Antillas, constituye un destacado centro turístico desde principios del siglo XX.

Población

Pese a mantener un incremento natural de la población considerable, el ritmo de crecimiento demográfico se ha ido reduciendo paulatinamente como consecuencia de la corriente migratoria hacia Reino Unido, Estados Unidos y Canadá. La principal aglomeración urbana se concentra en el entorno de la capital del país, Kingston.

Recursos económicos

Jamaica posee una economía muy diversificada. Las actividades del sector terciario, y especialmente el turismo, son las que aportan un mayor porcentaje al PIB nacional. El país es además uno de los principales productores mundiales de bauxita. Sin embargo, la agricultura continúa siendo un sector importante, ya que las tierras agrícolas ocupan la cuarta parte de la superficie nacional. Entre los cultivos destaca la caña de azúcar, de la que se obtiene azúcar y ron. Además de la industria alimentaria y de bebidas destacan la industria de la alúmina y la petroquímica.

Puerto Rico

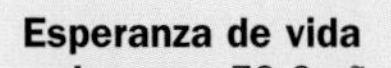

DATOS GENERALES
Nombre oficial: Commonwealth of Puerto Rico/ Estado Libre Asociado de Puerto Rico
Superficie: 9 104 km²
Población: 3 809 000 hab.
Densidad: 418,4 hab./km²
Moneda: dólar de EE UU
Lenguas: español e inglés (oficiales)
Religión: católicos (64,8 %), protestantes (28,2 %)
Capital: San Juan (437 000 hab.)
Divisiones administrativas: 78 municipios
Forma de gobierno: estado libre asociado a EE UU

INDICADORES DEMOGRÁFICOS
Tasa de natalidad: 15,5 ‰
Tasa de mortalidad: 7,5 ‰
Esperanza de vida al nacer: 79,6 años (mujeres), 70,4 años (hombres)

INDICADORES ECONÓMICOS
PIB: 74 362 millones de $
PIB per cápita: 19 220 $
PIB por sectores: Primario 1 %, Secundario 70 %, Terciario 29 %
Población ocupada por sectores: Primario 2 %, Secundario 18 %, Terciario 80 %

RECURSOS ECONÓMICOS
Agricultura: caña de azúcar, bananas, tabaco, café, ananás, cítricos, cocos, mandioca
Ganadería: bovina, caprina, porcina, caballar y aves de corral
Pesca: 3 952 t
Industria: azucarera, tabaquera, textil, del cemento, papelera, cerámica, cervecera, artesanal y de refino de petróleo

Cronología

1493: descubrimiento de la isla por Cristóbal Colón.
1508-1515: Ponce de León emprende la colonización y sumisión de los indios (taínos).
Ss. XVI-XVIII: ataques de filibusteros y de Gran Bretaña. Importación de esclavos.
1868: "Grito de Lares", una de las primeras manifestaciones separatistas.
1898: guerra hispano-norteamericana. La paz de París sanciona la entrega del territorio a EE UU.
1900-1901: primera organización del gobierno autónomo (ley Foraker) y de su estricto control por la nueva metrópoli.
1917: la ley Jones concede la ciudadanía norteamericana.
1948-1950: Luis Muñoz Marín, primer gobernador electo.
1952: la Constitución aprobada establece el estado libre asociado de Puerto Rico, bajo la órbita estadounidense.
1977-1985: C. Romero Barceló, gobernador. Intenta la integración a EE UU, pero se ve frenada por la disconformidad de parte de la población isleña.
1985-1993: R. Hernández Colón, gobernador. Mayor afirmación puertorriqueña.
1993-2001: Pedro Rosselló, gobernador. Cooficialidad de los idiomas español e inglés en la isla.
2001: Sila María Calderón, gobernadora.
2003: la marina de EE UU abandona su base en la isla de Vieques.
2004: Aníbal Acevedo Vilá, gobernador.

Puerto Rico es un estado libre asociado a Estados Unidos que ocupa la isla homónima, la más pequeña y oriental de las Grandes Antillas; además comprende de las vecinas islas de la Mona, Culebra y Vieques, y los islotes de Monito y Desecheo, entre otros de menor superficie. Al oeste, el canal de la Mona separa este grupo de islas de La Española; más al este se hallan el grupo de las Vírgenes y el resto del rosario de islas que compone las Pequeñas Antillas y encierra el mar Caribe.

Marco natural

El relieve puertorriqueño presenta un gran contraste entre la montaña interior y las llanuras litorales. El territorio insular está dominado por la cordillera Central (cerro de Punta, 1 338 m de altitud), una dorsal que atraviesa la isla de oeste a este y que es la prolongación de las cadenas dominicanas. En el sector oriental, la cordillera se bifurca en las sierras de Luquillo y Cayey. En el sector meridional de la isla, debido a la proximidad de la montaña, el litoral presenta un aspecto más abrupto. Los cursos fluviales más importantes de Puerto Rico son La Plata, Grande de Arecibo, Grande de Loiza, Grande de Manatí y Grande Anasco.

La isla goza de un clima tropical, con temperaturas que apenas varían durante el año, y precipitaciones muy abundantes en las tierras expuestas a los vientos alisios (4 780 mm); la zona de sotavento de la cordillera Central presenta una escasa pluviosidad. El bosque tropical cubre la vertiente septentrional de la cordillera y el bosque caducifolio se extiende por la vertiente meridional.

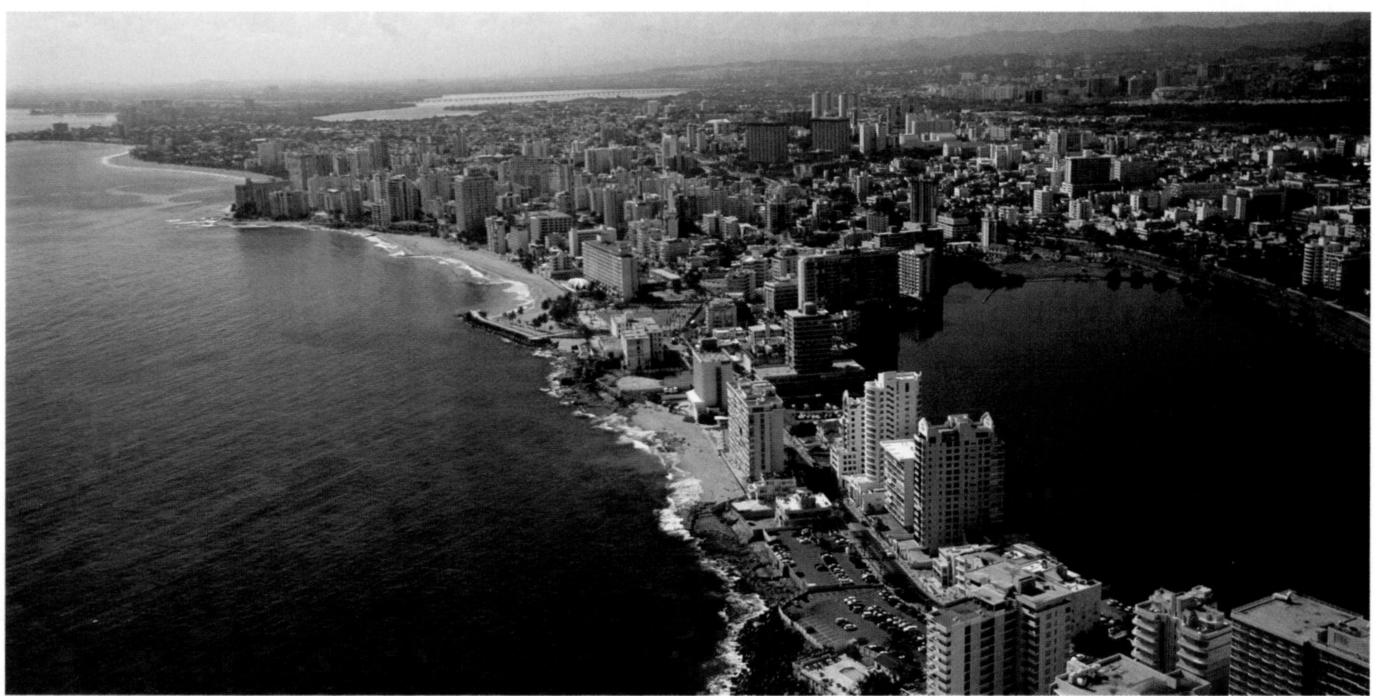

En las últimas décadas, Puerto Rico ha experimentado un fuerte incremento de su población urbana en detrimento de las zonas rurales. San Juan, a orillas del Atlántico, es la capital puertorriqueña, la ciudad más populosa y un notable núcleo industrial, cultural y turístico.

Vista del fuerte San Felipe del Morro, conocido popularmente con el nombre de "El Morro", emblemática edificación militar que fue construida entre los años 1539 y 1787; esta fortaleza fue declarada Patrimonio de la Humanidad por la Unesco en 1984.

Población

Puerto Rico es un territorio isleño superpoblado. La población mantuvo un ritmo de crecimiento acelerado a lo largo de buena parte del siglo XX. Éste se ha traducido, en la actualidad, en una gran densidad de población, una de las más elevadas de toda la región de las Antillas. La población puertorriqueña se distribuye preferentemente en la periferia y, de ella, tiende a aglomerarse en la costa norte, donde se halla la capital. La tradicional corriente migratoria con destino a Estados Unidos se invirtió en los últimos años del siglo XX. Por otra parte, la composición étnica de Puerto Rico está basada en tres tipos principales: la población autóctona, los descendientes de africanos y los de europeos, lo que ha dado lugar a una gran variedad cultural.

Recursos económicos

La reforma agraria, la industrialización y un potente desarrollo del sector de servicios y financiero han constituido los tres pilares del desarrollo económico de Puerto Rico. La industria se desarrolló en el territorio gracias a las inversiones estadounidenses, y se vio favorecida por la inclusión de Puerto Rico en las fronteras aduaneras de Estados Unidos. El sector industrial se basa en la elaboración de azúcar, ron, cigarrillos y cigarros, y la fabricación de tejidos, cemento, papel, vidrio, calzado, cerámica, cerveza y derivados del petróleo. Las tierras agrícolas ocupan poco menos de la cuarta parte de la superficie insular. Se cultiva caña de azúcar, banana, tabaco, café, ananás, cítricos y coco. Otro sector que se ha beneficiado de la inversión de capital estadounidense es el de servicios –sobre todo el turismo–, que reúne al mayor número de trabajadores. La balanza comercial acusa un fuerte desequilibrio; la mayoría de exportaciones (azúcar, tabaco, ron, tejidos, productos químicos y manufacturas) se dirigen a Estados Unidos, país de donde se importan casi todos los recursos que no se producen en la isla.

La histórica plaza de Armas, ubicada en la parte antigua de San Juan, constituye un tradicional punto de encuentro de la capital puertorriqueña.

El pico Yunque, en la cordillera de Luquillo, forma parte de una notable reserva forestal.

San Vicente y las Granadinas

Nombre oficial: Saint Vincent and the Grenadines
Superficie: 389 km²
Población: 109 000 hab.
Densidad: 280,2 hab./km²
Moneda: dólar del Caribe oriental
Lenguas: inglés (oficial), criollo inglés
Religión: anglicanos (41,6 %), protestantes (21,2 %), católicos (11,5 %)
Capital: Kingstown (13 526 hab.)

Forma de gobierno: monarquía constitucional
Tasa de natalidad: 17,5 ‰
Tasa de mortalidad: 6,1 ‰
Tasa de mortalidad infantil: 16,2 ‰
Población urbana: 58,3 %
Tasa de alfabetización: 83,1 %
PIB: 373 millones de $
PIB per cápita: 3 329 $
PIB por sectores: Primario 11 %, Secundario 25 %, Terciario 64 %

Cronología

1498: Cristóbal Colón descubre la isla de San Vicente, poblada por caribes.
S. XVIII: intentos de colonización de franceses, holandeses e ingleses.
1783: se convierte en colonia británica.
1958-1962: integración en la Federación de las Indias Occidentales.
1969: Estado asociado a Gran Bretaña.
1979: independencia, en el marco de la Commonwealth. James Mitchell, presidente.
2001: el laborista Ralph Gonsalves es elegido primer ministro.

Estado insular perteneciente al grupo de las islas de Barlovento (Pequeñas Antillas), San Vicente y las Granadinas se sitúa entre las islas de Santa Lucía, al norte, y Granada, al sur. Comprende la isla de San Vicente y la mayoría de las islas e islotes septentrionales del grupo de las Granadinas, entre las que destacan las islas de Bequia, Mosquito, Canouan, Mayereau y Unión. Todas las islas son de origen volcánico y se caracterizan por poseer un relieve muy accidentado. El volcán de La Soufrière (1 234 m) es la máxima altitud del país. Predomina un clima tropical, con temperaturas suaves y abundantes precipitaciones. La capital es la principal concentración urbana. La base de la economía es la agricultura; el país es uno de los principales productores mundiales de arrurruz. El turismo es una actividad en desarrollo.

Kingstown, en la costa sur de la isla de San Vicente, al pie de la colina de Berkshire, es la capital y el principal puerto de San Vicente y las Granadinas, en el grupo de Barlovento.

Saint Kitts y Nevis

Nombre oficial: Federation of Saint Kitts and Nevis
Superficie: 269 km²
Población: 46 000 hab.
Densidad: 171,0 hab./km²
Moneda: dólar del Caribe oriental
Lenguas: inglés (oficial), criollo inglés
Religión: anglicanos (33,3 %), protestantes (28,2 %)
Capital: Basseterre (13 033 hab.)

Forma de gobierno: monarquía constitucional
Tasa de natalidad: 18,6 ‰
Tasa de mortalidad: 9,0 ‰
Tasa de mortalidad infantil: 15,3 ‰
Población urbana: 32,2 %
Tasa de alfabetización: 97,8 %
PIB: 370 millones de $
PIB per cápita: 7 558 $
PIB por sectores: Primario 3 %, Secundario 30 %, Terciario 67 %

Cronología

1625-1713: colonización británica y francesa. Cesión definitiva de las islas a Gran Bretaña.
1967: estatuto de autonomía en el seno de la Commonwealth con Nevis y Anguila.
1971: separación de Anguila.
1983: accede a la independencia, como miembro de la Commonwealth.
1995: Denzil L. Douglas, primer ministro (reelegido en 2000).
1998: la isla de Nevis rechaza la secesión mediante referéndum.

Estado de América Central, formado por las dos islas homónimas del grupo de Barlovento, en las Pequeñas Antillas. Las islas, de origen volcánico, están separadas por el estrecho de The Narrows; las máximas elevaciones son el monte Misery (1332 m), en Saint Kitts, y el pico de Nevis (991 m). El clima es tropical, con temperaturas que oscilan entre 23 y 32 °C y precipitaciones de hasta 1 400 mm. La capital es el principal centro urbano del país. Las actividades terciarias son las que aportan más al PIB nacional. El principal cultivo es la caña de azúcar. Destaca una modesta industria basada en los sectores agroalimentario y electrónico. El turismo es un sector en expansión.

Las playas de la bahía de Friar, en el sur de la isla de Saint Kitts, albergan un especial interés para el desarrollo del sector turístico en este estado insular de las Pequeñas Antillas.

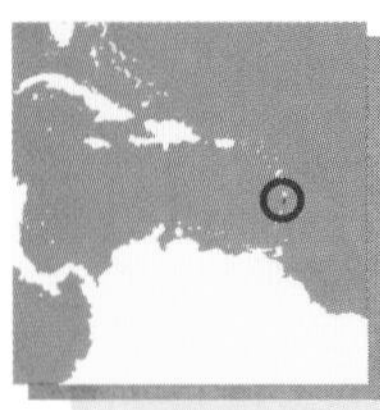

Santa Lucía

Nombre oficial: Saint Lucia
Superficie: 617 km²
Población: 158 000 hab.
Densidad: 256,1 hab./km²
Moneda: dólar del Caribe oriental
Lenguas: inglés (oficial), criollo francés
Religión: católicos (79 %)
Capital: Castries (13 191 hab.)
Forma de gobierno: monarquía constitucional

Tasa de natalidad: 17,3 ‰
Tasa de mortalidad: 6,2 ‰
Tasa de mortalidad infantil: 14,9 ‰
Población urbana: 30,5 %
Tasa de alfabetización: 94,8 %
PIB: 685 millones de $
PIB per cápita: 3 917 $
PIB por sectores: Primario 6 %, Secundario 19 %, Terciario 75 %

Cronología

1502: la isla es descubierta por Colón.
1650: es colonizada por franceses, tras una primera tentativa inglesa.
S. XVIII: pugna de Francia y Gran Bretaña.
1814: pasa a manos británicas.
1958-1962: pertenece a la Federación de las Indias Occidentales.
1967: estado asociado a Gran Bretaña.
1979: obtiene la independencia, en el seno de la Commonwealth.
1997: Kenny Anthony, primer ministro.

Santa Lucía ocupa la isla homónima, del grupo de Barlovento (Pequeñas Antillas). Situada entre las islas de Martinica, al norte, y San Vicente, al sur, es una tierra de origen volcánico, accidentada por una cadena montañosa que la atraviesa en sentido meridiano (Gimie, 950 m). El clima es tropical, con temperaturas suaves y abundantes precipitaciones. Santa Lucía presenta una densidad de población muy alta. Las principales fuentes de ingresos son la exportación de banana, las remesas de los emigrantes y la actividad turística. Desde finales del siglo XX se ha ido consolidando una modesta estructura industrial basada en la elaboración de productos alimenticios, bebidas y cigarrillos y la fabricación de componentes electrónicos, juguetes, cartón y ropa; próxima a la localidad de Vieux Fort, el gobierno ha creado una zona libre industrial.

Los Pitones son dos agujas volcánicas situadas cerca de Soufrière, en el sudoeste de la isla de Santa Lucía; fueron declaradas Patrimonio de la Humanidad por la Unesco en 2004.

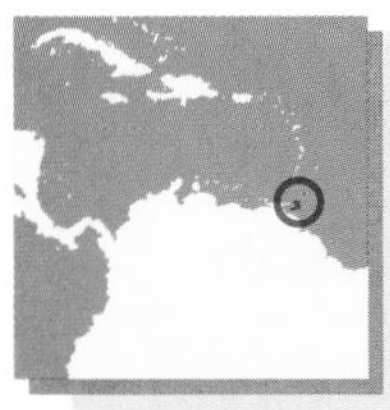

Trinidad y Tobago

Nombre oficial: Republic of Trinidad and Tobago
Superficie: 5 128 km²
Población: 1 262 000 hab.
Densidad: 246,1 hab./km²
Moneda: dólar de Trinidad y Tobago
Lenguas: inglés (oficial)
Religión: católicos (29,4 %), hinduistas (23,8 %), protestantes (18,8 %)
Capital: Port of Spain (49 031 hab.)

Forma de gobierno: república
Tasa de natalidad: 12,8 ‰
Tasa de mortalidad: 8,4 ‰
Tasa de mortalidad infantil: 17 ‰
Población urbana: 75,4 %
Tasa de alfabetización: 98,5 %
PIB: 10 046 millones de $
PIB per cápita: 7 836 $
PIB por sectores: Primario 2 %, Secundario 42 %, Terciario 56 %

Cronología

1498: Colón descubre la isla de Trinidad. Colonizada por españoles en el siglo XVI.
1802: por la paz de Amiens, Trinidad pasa a Gran Bretaña, que la ocupaba desde 1797.
1889: la isla de Tobago se incorpora a la colonia de Trinidad.
1962: proclamación de la independencia, en el marco de la Commonwealth.
1976: Constitución republicana.
1997: A. N. Raymond Robinson, presidente.
2003: George M. Richards, presidente.

Este país se halla formado por las islas de Trinidad y Tobago y varios islotes, al sur de las Pequeñas Antillas, cerca de Venezuela. La isla de Trinidad es la más extensa; Tobago es una isla de origen volcánico. El río más importante es el Coroní, en el noroeste de Trinidad. Domina un clima cálido y muy húmedo, con abundantes precipitaciones. La mayor parte de la población se concentra en el sector occidental de la isla de Trinidad. La base de la economía es la explotación de los yacimientos de petróleo y gas natural. El turismo tiene una gran importancia, especialmente en la isla de Tobago. Destaca la industria de elaboración y transformación de caña de azúcar.

La ciudad de Port of Spain, emplazada en el litoral oeste de la isla de Trinidad, es la capital de Trinidad y Tobago y asimismo un activo puerto exportador de cacao y azúcar.

Dependencias y otros territorios

Antillas británicas

Los territorios británicos de las Antillas comprenden: Anguila, dependencia formada por la isla homónima y la de Sombrero, al este de las Vírgenes; Caimán (Cayman), integrada por tres islas al sur de Cuba; Montserrat, formada por la isla de igual nombre, al sudeste de Saint Kitts y Nevis; Turks y Caicos, situada al sudeste de las Bahamas; e Islas Vírgenes Británicas, integrada por cuarenta islas del archipiélago, ubicado al este de Puerto Rico.

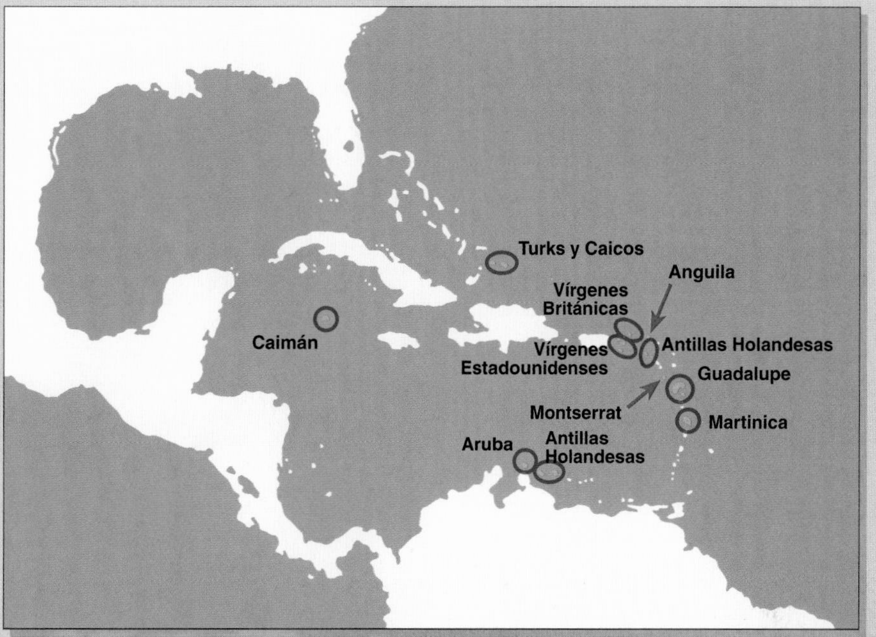

Anguila

Nombre oficial: Anguilla
Superficie: 96 km²
Población: 11 430 hab.
Capital: The Valley (800 hab.)
Estatus: territorio de ultramar británico
Se halla al norte de la isla de Saint-Martin (Pequeñas Antillas) y comprende la isla homónima, de origen coralino, y varios islotes (Sombrero). Turismo, pesca y salinas.

Caimán

Nombre oficial: The Cayman Islands
Superficie: 262 km²
Población: 39 410 hab.
Capital: George Town (9 000 hab.)
Estatus: territorio de ultramar británico
Situado al sur de Cuba y al noroeste de Jamaica, está formado por tres islas: Gran Caimán, Pequeño Caimán y Caimán Brac. La base económica del territorio se centra en el sector terciario (turismo y finanzas).

Montserrat

Nombre oficial: Montserrat
Superficie: 98 km²
Población: 4 482 hab.
Capital: Saint John (3 500 hab.)
Estatus: territorio de ultramar británico
Ubicado en las Pequeñas Antillas, al noroeste de Guadalupe y al sudoeste de Antigua. Las erupciones del volcán Soufrière (914 m) en 1997 ocasionaron la evacuación de buena parte de la población.

Turks y Caicos

Nombre oficial: The Turks and Caicos Islands
Superficie: 430 km²
Población: 20 014 hab.
Capital: Cockburn Town (2 500 hab.)
Estatus: territorio de ultramar británico
Situado entre las Bahamas, al noroeste, y La Española, al sur. Comprende el grupo de Turks formado por dos islas mayores, Grand Turk y Salt Cay, y varios islotes, y el grupo de las Caicos, entre las que destacan seis islas: Grand Caicos, North Caicos, East Caicos, Providenciales, West Caicos y South Caicos. El turismo es una actividad en franca expansión.

Islas Vírgenes Británicas

Nombre oficial: British Virgin Islands
Superficie: 153 km²
Población: 22 000 hab.
Capital: Road Town (4 000 hab.)
Estatus: territorio de ultramar británico
Comprende unas cuarenta islas e islotes de origen volcánico pertenecientes al archipiélago de las Islas Vírgenes, en las Pequeñas Antillas, al este de Puerto Rico. Las principales islas son Tórtola, Virgen Gorda, Anegada y Jost Van Dyke. El principal recurso es el turismo. La industria se limita a la elaboración de ron.

Antillas estadounidenses

Islas Vírgenes Estadounidenses

Nombre oficial: United States Virgin Islands
Superficie: 347 km²
Población: 108 612 hab.
Capital: Charlotte Amalie (12 000 hab.)
Estatus: territorio estadounidense no incorporado
Comprende unas sesenta islas e islotes de origen volcánico en las Islas Vírgenes. Las islas más extensas son Saint Croix, Saint John y Sant Thomas. Turismo. Refinería de petróleo.

Antillas francesas

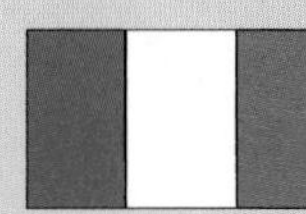

Los territorios franceses de las Antillas comprenden dos departamentos de ultramar: Guadalupe y dependencias, entre Antigua y Barbuda y Montserrat, al norte, y Dominica, al sur; y Martinica, entre Dominica al norte y Santa Lucía, al sur.

Guadalupe

Nombre oficial: Guadeloupe
Superficie: 1 703 km²
Población: 422 497 hab.
Capital: Basse-Terre (13 000 hab.)
Estatus: departamento de ultramar de Francia
Situado en el sector central de las Pequeñas Antillas, comprende dos islas mayores, Grande-Terre, de relieve kárstico, y Basse-Terre, volcánica, separadas por el estrecho canal de La Rivière Salée, además de una serie de pequeñas islas e islotes (María Galante, Les Saintes, La Désirade, Saint Barthélemy, Îles de la Petit-Terre, Tintanarre y la mitad norte de Saint-Martin). El principal monte es el volcán Soufrière (1 467 m). Caña de azúcar, banana y piña. Industria agroalimentaria. El turismo es una actividad en auge.

Martinica

Nombre oficial: Martinique
Superficie: 1 128 km²
Población: 381 427 hab.
Capital: Fort-de-France (141 400 hab.)
Estatus: departamento de ultramar de Francia
Formado por la isla homónima en las Pequeñas Antillas. De origen volcánico, se halla dominada por el volcán de la Montaña Pelada (1 463 m). Es una de las islas más densamente pobladas del Caribe. Turismo. Caña de azúcar, bananas y ananás. Pesca.

Antillas holandesas

Antillas Holandesas

Nombre oficial: Nederlandse Antillen
Superficie: 800 km²
Población: 175 653 hab.
Capital: Willemstad (43 547 hab.)
Las Antillas Holandesas son parte integrante de Países Bajos que comprende cinco islas de las Pequeñas Antillas: dos mayores, Curaçao y Bonaire, frente a las costas de Venezuela, y tres menores, Saba, San Eustaquio y Saint-Martin, al este de Puerto Rico. Turismo y petróleo. Industria petroquímica.

Aruba

Nombre oficial: Aruba
Superficie: 193 km²
Población: 90 506 hab.
Capital: Oranjestad (21 300 hab.)
Aruba es una dependencia de Países Bajos que comprende la isla homónima, situada frente a la costa venezolana. El centro urbano más poblado es la capital. Refinería de petróleo. Turismo.

Sudamérica noroccidental

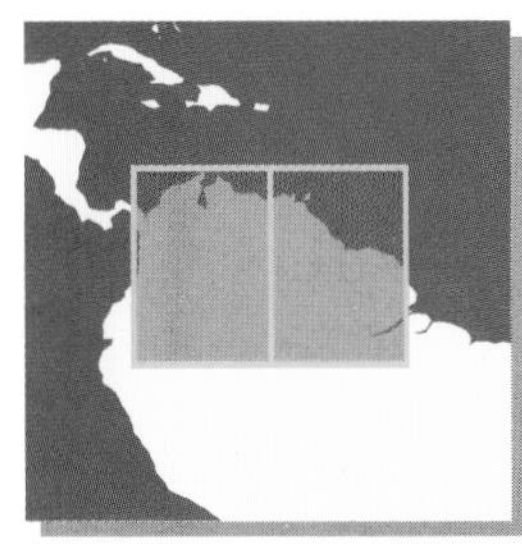

Esta región geográfica, situada en el extremo septentrional de América del Sur, comprende países tan importantes como Venezuela y Colombia, junto a otros de más reciente formación, de menor extensión y menor número de habitantes, como son Guyana y Surinam. La Guayana Francesa es un departamento de ultramar de Francia y constituye el territorio administrativo más pequeño del subcontinente sudamericano.

Vista aérea de la Avenida Bolívar, en Caracas, centro neurálgico de la capital venezolana.

Geografía física y humana

Los Andes configuran en Colombia cuatro espacios bien diferenciados: la franja costera del Pacífico, la región del Caribe, la región andina, formada por tres grandes cordilleras separadas por amplios valles en los que se instalan las principales ciudades del país, y los extensos llanos del Orinoco y del Amazonas que, aunque suponen la mitad del territorio, albergan muy poca población. Al oeste de Venezuela se alzan las estribaciones más septentrionales de los Andes, la serranía de Perijá –que comparte con Colombia– y la cordillera de Mérida; ambas rodean el lago de Maracaibo. Al este de estas montañas, y separados del mar Caribe por la cordillera de la Costa, se extienden los Llanos de Venezuela, extensas llanuras avenadas por los ríos de la cuenca del Orinoco. Más al este se sitúa el macizo de las Guayanas, de altitudes no muy elevadas, que abarca el sector oriental de Venezuela, Guyana, Surinam y, ya en su extremo más oriental, la Guayana Francesa. Este sector se abre al océano Atlántico a través de una costa bordeada de manglares y salpicada de bancos de arena y lagunas.

El clima de la región es esencialmente tropical, aunque con matices que vienen dados por la altitud y la continentalidad. Así, en la región de los Llanos aparece un paisaje de vegetación esteparia, propia del clima tropical seco, que permite la práctica de la ganadería extensiva, mientras que en la Amazonia, en el macizo de las Guayanas y en la vertiente caribeña y pacífica de Colombia se extienden densos bosques tropicales afines al clima tropical húmedo, e intensamente explotados para la obtención de madera. La agricultura que se desarrolla en estas zonas se caracteriza por las plantaciones de productos tropicales como café, bananas y caña de azúcar, entre otros. La riqueza mineral es extraordinaria, aunque debe destacarse la producción petrolífera en Colombia y, sobre todo, en Venezuela, donde constituye uno de los principales productos destinados a la exportación. El nivel de industrialización es notable en Colombia y

La colonización de América del Sur

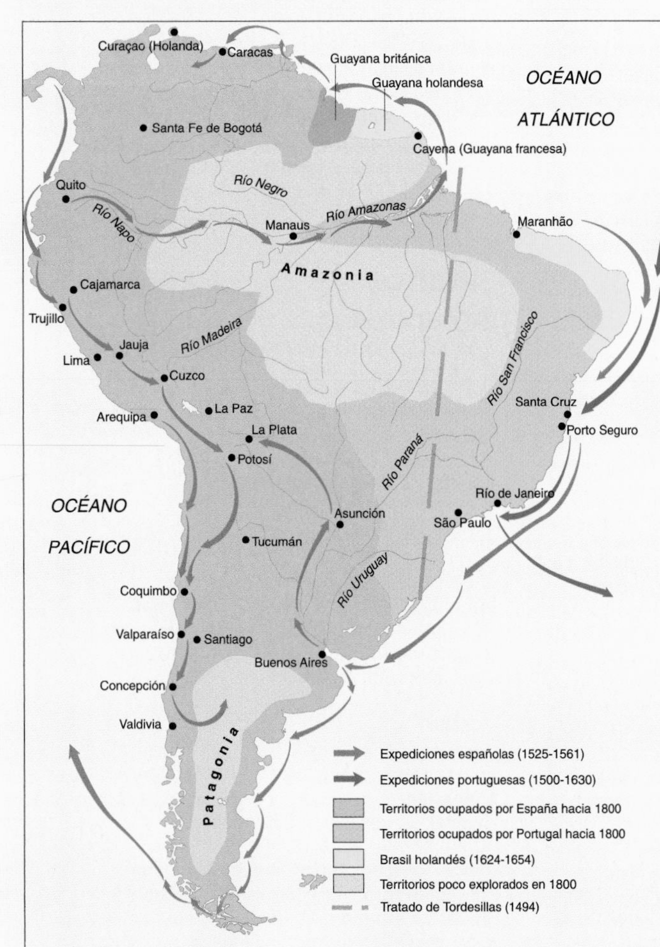

■ *Tras una primera fase de colonización entre 1492 y 1530, la ocupación de América del Sur avanzó a buen ritmo, sobre todo por el Pacífico, gracias a las expediciones de Francisco Pizarro y Diego de Almagro. Desde el litoral norte del Atlántico, donde británicos y holandeses consiguieron posesiones, los portugueses se adentraron hacia el oeste, superando la línea establecida en el tratado de Tordesillas (1494). La exploración del área más austral fue emprendida en 1534, pocos años después de los primeros establecimientos portugueses en Brasil, por Pedro de Mendoza, quien encabezó una expedición para crear asentamientos en la zona. Ésta fracasó y los supervivientes se dirigieron hacia el área guaraní, donde fundaron Asunción. Desde allí se emprendió, a finales del siglo XVI, la segunda fundación de Buenos Aires.*

La independencia de América del Sur

■ *La emancipación, a comienzos del siglo XIX, de los inmensos territorios hispanoamericanos vino a transformar radicalmente la geopolítica mundial. En julio de 1816 se consolidó la independencia de las Provincias Unidas del Río de la Plata, proclamada por las fuerzas republicanas en el congreso de Tucumán. La conquista de Perú, donde las fuerzas realistas permanecían sólidamente establecidas, fue iniciada por San Martín y su ejército de los Andes en 1820. En julio de 1821, la ciudad de Lima le abrió sus puertas y semanas después era proclamada la independencia peruana. En junio de 1821, la segunda batalla de Carabobo consolidó la independencia de Venezuela, mientras Antonio José de Sucre conseguía en Pichincha (1822) la independencia de Ecuador. Asimismo, en el Virreinato de Nueva España se declaraba la independencia mexicana y, a remolque, la de los territorios españoles de América Central. Tras la entrevista entre Bolívar y San Martín en Guayaquil (26 de julio de 1822), las victorias de las tropas independentistas en Junín y Ayacucho, en agosto y diciembre de 1824, significaron un golpe definitivo a la presencia española en Latinoamérica.*

Venezuela. Los sectores tradicionales son el textil y el alimentario, a los que se han sumado posteriormente el de las transformaciones de materias primas minerales, incluido el sector petroquímico.

Historia

La fundación de Santafé de Bogotá y la creación del virreinato español de Nueva Granada, a mediados del siglo XVI, determinarían la formación del actual territorio de Colombia. Los movimientos independentistas en Colombia tienen su origen a inicios del siglo XIX, y en 1819 Bolívar proclama la República de Colombia o Gran Colombia, conformada por los departamentos de Venezuela, Cundinamarca (Nueva Granada) y Quito, que se desmembraría en 1830. Tras años de continuas guerras civiles, a principios del siglo XX Colombia alcanzó la estabilidad política e inició una etapa de desarrollo económico que, sin embargo, supuso también el surgimiento de acusadas desigualdades sociales. Estas disparidades promovieron la aparición de diversos grupos guerrilleros y su enfrentamiento con el Estado, que ha degenerado en un conflicto que parece no tener fin. El auge del narcotráfico en la segunda mitad del siglo XX también causó problemas sociales e incidió en el conflicto armado.

Venezuela proclamó su independencia en 1811, pero no fue hasta 1821, tras la victoria del Libertador Simón Bolívar en la batalla de Carabobo, cuando se puso fin a la dominación española. Escindida de la Gran Colombia, Venezuela vivió un siglo XIX marcado en lo político por las continuas luchas entre liberales y conservadores, con episodios de gobiernos militares, y en lo económico, por el cultivo del café y el pujante sector comercial. El inicio de la explotación petrolera a principios del siglo XX revolucionó la economía venezolana, que experimentó un notable crecimiento. Por otra parte, a partir de la década de 1960 se alcanzó cierta estabilidad política presidida por la alternancia entre socialdemócratas y democristianos, turno político que se rompió a finales del siglo XX con el ascenso de Hugo Chávez.

Surinam, Guyana y la Guayana Francesa fueron los únicos territorios del subcontinente sudamericano no colonizados por españoles o portugueses, y también los últimos en emanciparse. Surinam logró su independencia de los Países Bajos en 1975 y hoy es uno de los principales exportadores mundiales de bauxita (transformada en aluminio). Guyana fue también territorio holandés, cedido al Reino Unido en 1814, tras dos siglos de luchas, y alcanzó la independencia en 1966 integrándose en la Commonwealth británica. La Guayana Francesa es todavía un territorio dependiente, ligado políticamente a Francia. Fue colonia penal hasta bien entrado el siglo XX, y hoy es conocido por albergar la base desde la que se efectúan los lanzamientos de naves espaciales de los programas europeos.

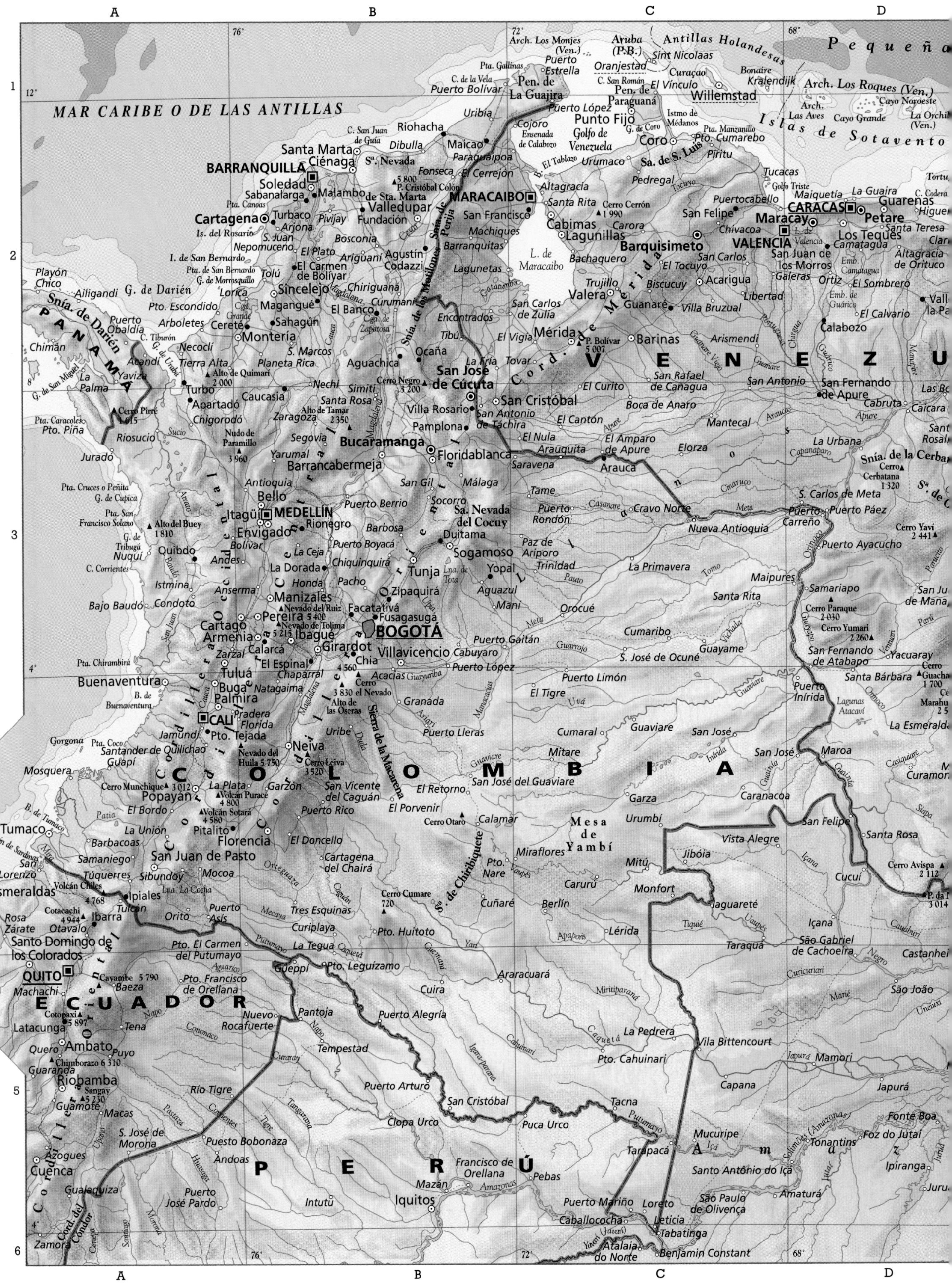
A
B
C
D
1
2
3
4
5
6
76°
72°
68°
12°
8°
4°
0°
MAR CARIBE O DE LAS ANTILLAS
Antillas Holandesas
Pequeña
Islas de Sotavento
Aruba (P.B.)
Oranjestad
Sint Nicolaas
Curaçao
Willemstad
Bonaire
Kralendijk
Arch. Los Roques (Ven.)
Arch. Los Monjes (Ven.)
Pen. de La Guajira
Pen. de Paraguaná
Punto Fijo
Golfo de Venezuela
Coro
Riohacha
Maicao
Uribia
Santa Marta
Ciénaga
BARRANQUILLA
Soledad
Cartagena
Valledupar
Sincelejo
Montería
Magangué
El Banco
MARACAIBO
L. de Maracaibo
Cabimas
Lagunillas
Barquisimeto
VALENCIA
Maracay
CARACAS
Petare
Los Teques
Valera
Mérida
Barinas
Guanare
San Cristóbal
San José de Cúcuta
Bucaramanga
Floridablanca
Barrancabermeja
Pamplona
MEDELLÍN
Bello
Itagüí
Envigado
Rionegro
Quibdó
Tunja
Sogamoso
Duitama
Manizales
Pereira
Armenia
Cartago
Ibagué
BOGOTÁ
Villavicencio
Girardot
Tuluá
Buga
Palmira
CALI
Buenaventura
Neiva
Popayán
Pitalito
Florencia
San Juan de Pasto
Ipiales
Tumaco
Esmeraldas
Ibarra
Santo Domingo de los Colorados
QUITO
Latacunga
Ambato
Riobamba
Cuenca
Iquitos
Leticia
Tabatinga
Benjamin Constant
PANAMÁ
VENEZUELA
COLOMBIA
ECUADOR
PERÚ
Cordillera Occidental
Cordillera Central
Cordillera Oriental
Cord. de Mérida
Llanos
Sierra de la Macarena
Mesa de Yambí
Snía. de Perijá
Golfo de Darién
Arauca
Puerto Carreño
Puerto Ayacucho
San Fernando de Apure
Mitú
Puerto Asís
Puerto Leguízamo
Nueva Antioquia

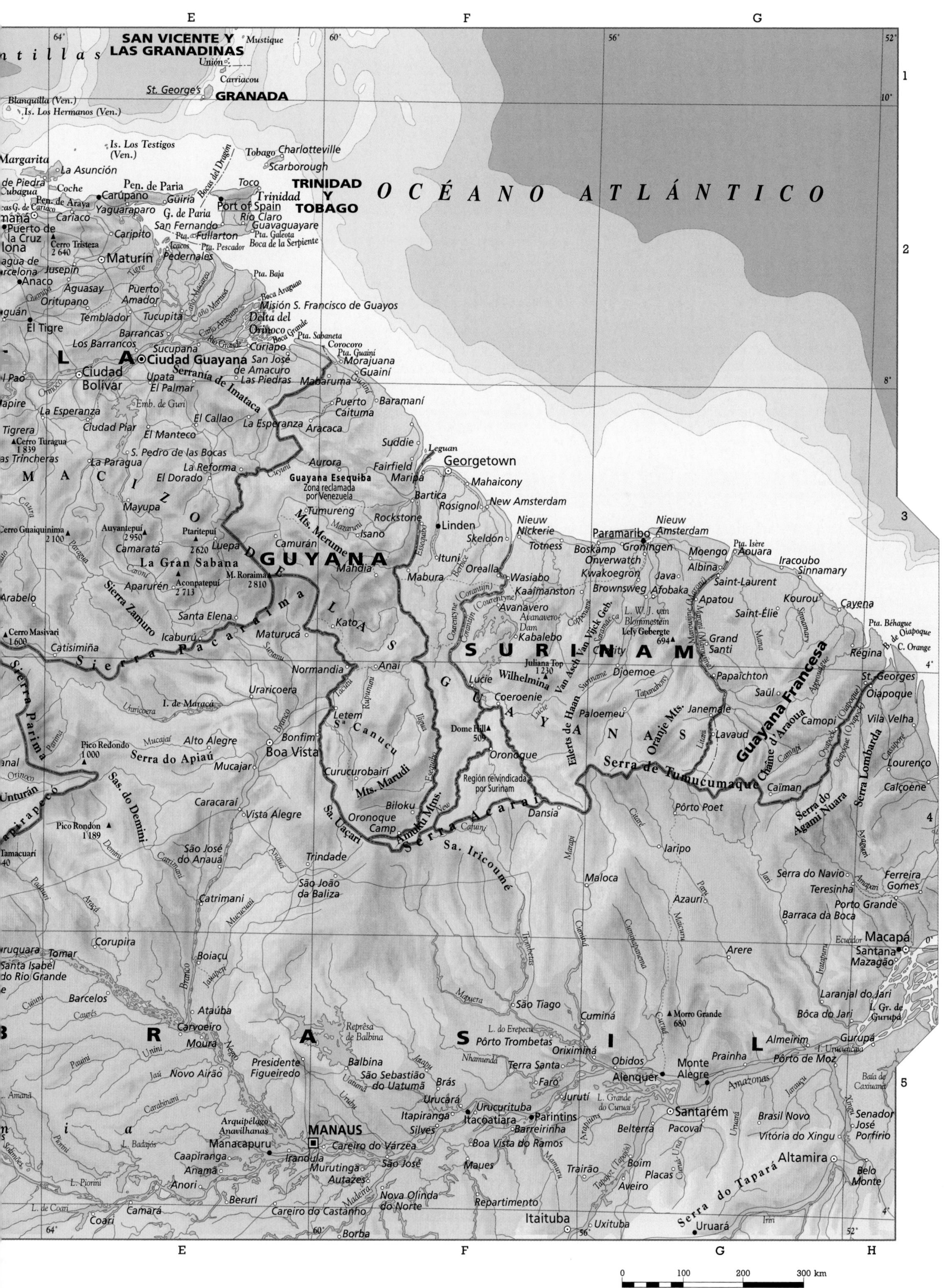
OCÉANO ATLÁNTICO
SAN VICENTE Y LAS GRANADINAS
GRANADA
TRINIDAD Y TOBAGO
GUYANA
SURINAM
Guayana Francesa
BRASIL
Georgetown
Paramaribo
Cayena
Macapá
MANAUS
Santarém
Ciudad Guayana
Ciudad Bolívar
Maturín
Port of Spain
Boa Vista
Sierra Pacaraima
Serra de Tumucumaque
Serra Acaraí
Guayana Esequiba
Zona reclamada por Venezuela
Región reivindicada por Surinam
Delta del Orinoco
La Gran Sabana
M. Roraima 2 810
Juliana Top 1 230
Morro Grande 680
Altamira
Itaituba
Óbidos
Alenquer
Parintins
Itacoatiara
Manacapuru
Linden
New Amsterdam
Nieuw Nickerie
Saint-Laurent
Kourou
Oiapoque
Amazonas
0 100 200 300 km

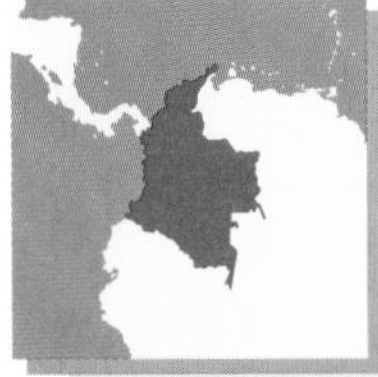

Colombia

DATOS GENERALES
Nombre oficial: República de Colombia
Superficie: 1 141 748 km²
Población: 46 045 111 hab.
Densidad: 40,3 hab./km²
Moneda: peso colombiano
Lenguas: español (oficial), chibcha y otras lenguas amerindias
Religión: católicos (92 %)
Capital: Bogotá (7 170 008 hab.)
Ciudades: Cali (2 397 187 hab.), Medellín (2 002 197 hab.), Barranquilla (1 384 121 hab.), Cartagena (952 855 hab.)
Divisiones administrativas: 32 departamentos y 1 distrito capital
Forma de gobierno: república

INDICADORES DEMOGRÁFICOS
Tasa de natalidad: 22,0 ‰
Tasa de mortalidad: 5,7 ‰
Crecimiento vegetativo: 16,3 ‰
Tasa de mortalidad infantil: 19,0 ‰
Hijos por mujer: 2,6
Tasa anual de crecimiento demográfico: 1,7 %
Población menor de 15 años: 31,4 %
Población de 60 años o más: 7,2 %
Esperanza de vida al nacer: 75,0 años (mujeres), 67,0 años (hombres)
Población urbana: 75,5 %

INDICADORES SOCIALES
Tasa de alfabetización: 92,1 %
Núm. de médicos: 94 por 100 000 hab.
Núm. de automóviles: 1 200 000 unidades
Líneas telefónicas: 179 por mil hab.
Abonados a teléfonos móviles/celulares: 106 por mil hab.
Usuarios de internet: 46 por mil hab.
Gasto público en salud: 3,6 % del PIB
Gasto público en educación: 4,4 % del PIB

INDICADORES ECONÓMICOS
PIB: 72 608 millones de $
PIB per cápita: 1 745 $
PIB por sectores: Primario 14 %, Secundario 30 %, Terciario 56 %
Población ocupada por sectores: Primario 21 %, Secundario 19 %, Terciario 60 %
Superficie cultivada: 4,4 %
Producción de energía: 44 871 millones de kW/h
Consumo de electricidad: 1 010 kW/h por hab.
Importaciones: 12 690 millones de $
Exportaciones: 11 785 millones de $

RECURSOS ECONÓMICOS
Agricultura: café, maíz, trigo, arroz, sorgo, mandioca, tomates, ananás, patatas, agrios, tabaco, cacao, sésamo, caña de azúcar, algodón, palma de aceite
Ganadería: bovina, ovina, caprina, porcina, caballar y aves de corral
Pesca: 190 000 t
Silvicultura: 11 609 500 m³ de madera
Minería: oro, plata, platino, esmeraldas, sal gema, carbón, azufre, hierro, mercurio, petróleo, gas natural, fosfatos
Industria: siderúrgica, metalúrgica del aluminio, química, neumática, textil algodonera, fibras sintéticas, del fieltro, tabaquera, cerámica, del cemento, del papel, alimentaria en general y eléctricas

Estado de Sudamérica, situado en el sector de contacto con el istmo centroamericano, Colombia limita al nordeste y este con Venezuela, al sudeste con Brasil, al sur con Ecuador y Perú, y al oeste con Panamá. Presenta extensos litorales en el océano Pacífico y el mar Caribe. Su territorio insular es escaso; tan sólo las islas de San Andrés y Providencia, en el Caribe, tienen cierta entidad en cuanto a superficie; el resto lo componen las islas Malpelo, Gorgona y Gorgonilla, en el Pacífico, además de un conjunto de cayos y bancos diseminados.

Marco natural

El relieve colombiano se divide en cinco regiones bien diferenciadas. La franja del Pacífico se extiende entre el golfo de Darién y la frontera ecuatoriana, enmarcada por el cordón occidental andino; al norte se levanta la serranía de Baudó, mientras que el centro y el sur son bajos, anegadizos y extremadamente húmedos, con máximos de precipitación de hasta 12 000 mm. La región del mar Caribe presenta una serie de fértiles valles, como el del Sinú, el de San Jorge, el del Bajo Cauca y el de Cesar. Estos valles contac-

Buena parte de Colombia se halla cubierta por la selva amazónica, extenso territorio forestal en el que viven más de medio centenar de etnias indígenas. La preservación de esta vasta región verde constituye una de las principales preocupaciones de los ecologistas de todo el mundo.

tan con la mole de la Sierra Nevada de Santa Marta (Cristóbal Colón, techo nacional a 5800 m). La región andina está formada por tres encadenamientos separados por los ríos Cauca y su colector, el Magdalena, que desemboca en el mar Caribe; el ramal Occidental arranca, como los otros dos, del nudo de los Pastos, cerca de Ecuador, y llega al Caribe; el cordón Central se alza entre el Cauca y el Magdalena, y culmina en el Nevado del Huila (5750 m); el cordón Oriental forma un altiplano en Cundinamarca, donde se asienta la capital del país. Ésta es la región más importante, porque controla la actividad económica colombiana y alberga la mayor parte de la población. Al este de la región andina, y contrastando con ella, está la Orinoquia o Llanos Orientales, que se extiende desde los Andes hasta la frontera con Venezuela. Al sudeste se encuentra la Amazonia, una zona relativamente llana y cubierta por la selva que se extiende desde los Andes hasta las fronteras con Brasil y Perú. La Orinoquia y la Amazonia abarcan la mitad del territorio, pero están prácticamente deshabitadas.

En Colombia se distinguen varias grandes cuencas hidrográficas. Entre los cursos fluviales que tributan en el mar Caribe sobresalen el río Magdalena, el más importante de este país, y su afluente el río Cauca; también en el Caribe desembocan los ríos Atrato y Sinú. A la vertiente del Pacífico pertenecen, entre otros, los ríos San Juan y Patía. En la región oriental tienen sus fuentes los ríos Amazonas y Orinoco. Por último, destaca la cuenca del río Catatumbo, que desemboca en el lago de Maracaibo. La densa red hidrográfica ha permitido la construcción de importantes embalses utilizados para usos agrícolas y la generación de electricidad.

En Colombia se dan hasta nueve tipos de clima. El tipo superhúmedo se presenta principalmente en el centro y el norte de la región del Pacífico, el sur de la Orinoquia, la mayor parte de la Amazonia, las estribaciones de la cordillera Oriental, el Bajo Cauca y una parte del Magdalena Medio. En el Pacífico, y durante todos los meses, el suelo permanece con un almacenamiento de agua al máximo de su capacidad, por lo que el exceso de agua escurre en forma superficial y subterránea, y las mayores escorrentías ocurren en octubre y noviembre. Las zonas con este clima reflejan la mayor disponibilidad de agua en el suelo, con excedente hídrico casi todos los meses, por lo que es mínima la deficiencia de agua debido a las abundantes precipitaciones, que son superiores a 2000 mm al año. El clima muy húmedo se presenta en el país en una franja transversal de la Orinoquia y la Amazonia, al sur del Pacífico, en las vertientes bajas de la cordillera Oriental, al norte del sistema andino y en las cuen-

Con sus 1000 km de longitud, el río Meta es uno de los principales de Colombia. Nace en la cordillera Oriental, atraviesa los Llanos y desemboca en el Casanare, afluente del Orinoco.

Colombia es una república administrativamente dividida en 32 departamentos y 1 distrito capital. Bogotá, la capital estatal, es además un gran centro industrial y comercial.

El Nevado del Huila (5 750 m de alt.), que se alza en la cordillera Central, es una de las cimas más elevadas del territorio colombiano; su última erupción tuvo lugar en el año 1555.

Las culturas prehispánicas en Colombia

■ *Las primeras agrupaciones de cazadores-recolectores ingresaron hacia el año 12 000 a.C., a través del istmo de Panamá, en la costa atlántica del actual territorio de Colombia. Más tarde se adentraron en los altiplanos andinos por medio de los grandes ríos Cauca y Magdalena. Hace 2300 años se inició la etapa conocida bajo el nombre de cacicazgos o sociedades de rango, en la que aparecieron las federaciones aldeanas o estados incipientes, como los taironas y los muiscas, sobre todo; entre otras culturas antiguas que también tuvieron como escenario Colombia destacan las de San Agustín, Tierradentro, Calima y Quimbaya.*

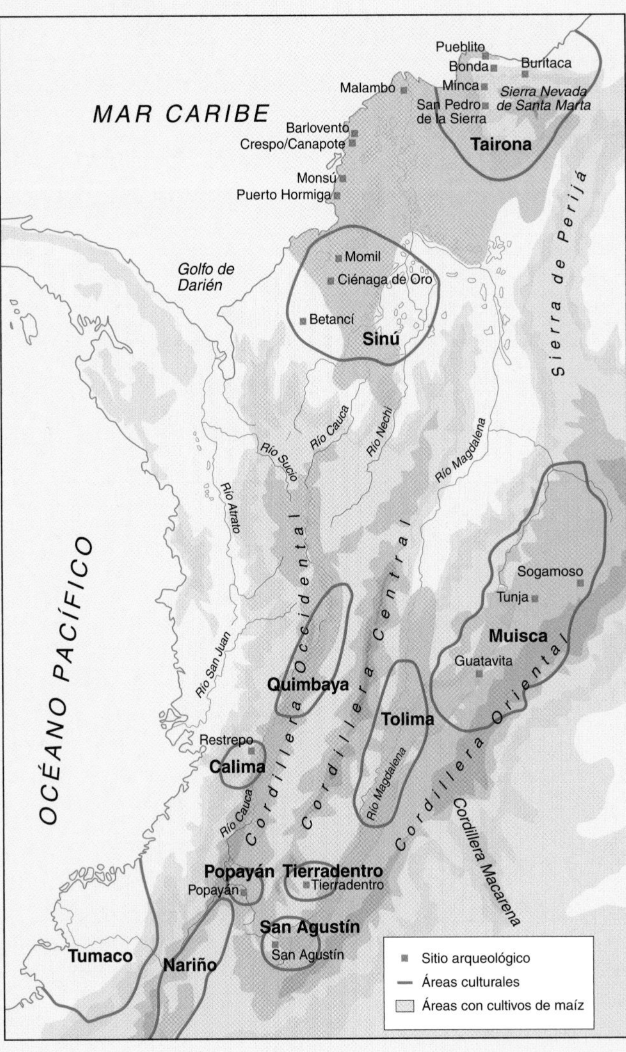

cas media y superior del río Cauca. Estas zonas climáticas se hallan en contacto con la región superhúmeda, la deficiencia de agua tiene lugar en junio, julio y agosto, mientras que en el resto del año hay un exceso hídrico y un almacenamiento de agua. El clima húmedo es propio de las vertientes medias de la cordillera Oriental y en el piedemonte sur de Nariño. Se caracteriza por un alto exceso de agua durante gran parte del año y un déficit marcado de noviembre a febrero. En una franja al norte de las tres cordilleras y en la parte media de la cuenca del Magdalena, el clima es moderadamente húmedo y ligeramente húmedo, en las partes bajas de la vertiente oriental de la cordillera Central y la vertiente occidental de la cordillera Oriental, en la cuenca alta del Magdalena y en la periferia de la Sierra Nevada de Santa Marta. El clima semihúmedo se localiza al sur de la región del Caribe, en una franja periférica del norte de la cordillera Oriental y la Sierra Nevada de Santa Marta, y en algunos pequeños sectores de las cuencas del Magdalena y el Cauca. Las precipitaciones máximas se concentran en los meses de octubre y noviembre. El clima semiseco se presenta en la mayor parte de la región del Caribe y en sectores concretos de la cuenca alta del Magdalena. El clima semiárido corresponde al norte de la región del Caribe. El dominio árido es característico de la península de La Guajira.

Población

Colombia ha sufrido los efectos de la explosión demográfica que ha caracterizado a la mayoría de los estados en desarrollo durante el siglo XX. Su tasa de crecimiento poblacional es todavía significativa. La irregular distribución de sus habitantes se refleja en la densidad de las distintas regiones. A pesar de los esfuerzos políticos para potenciar el desarrollo de algunas zonas deprimidas, las condiciones climáticas y la dificultad de las comunicaciones han hecho poco atractivas tradicionalmente vastas áreas que aún hoy pueden considerarse casi desérticas. Tradicionalmente, la población ha preferido para su residencia el eje geográfico que se inicia en los altiplanos de las cordilleras andinas (Bogotá, Cali, Medellín) y que, descendiendo por los valles fluviales, termina en las ciudades de Barranquilla y Cartagena. El proceso migratorio campo-ciudad tiene sus raíces en la superpoblación de algunas áreas andinas, el bajo nivel de vida de las poblaciones campesinas y en la inseguridad que padecen algunas zonas rurales.

A principios del siglo XXI hay censados unos 600 000 indígenas, pertenecientes a 81 etnias diferentes. Unas 56 etnias se hallan en regiones de selva y sabana de climas tropicales, un grupo étnico en zona desértica, y los restantes en la región andina. Sobresalen entre los grupos más numerosos los wayuu, en La Guajira, los paeces, en el Cauca, los emberá en Antioquia, Chocó y Córdoba, y los quillacingas en Nariño. Los tres primeros, sumados a los diversos grupos nariñenses, comprenden el 56 % de la población amerindia nacional. Cabe destacar también otros grupos como los indígenas amazónicos –con cerca de 50 000 individuos– por la pluralidad étnica en su interior; los kogui, los arahuacos y los arsarios, en el sector de la Sierra Nevada de Santa Marta; los cunas en la frontera con Panamá y los baríes en el límite con Venezuela. Respecto de la tenencia de la tierra indígena, cinco son sus formas básicas: resguardos de tierras, reservas territoriales, comunidades civiles indígenas, territorios comunales y posesiones individuales.

Recursos económicos

Colombia es un país tradicionalmente agrícola y minero. El desarrollo experimentado en los últimos años del siglo XX ha aumentado el grado de diversificación de los recursos, pero la modernización es lenta. La economía depende en gran medida del comercio exterior. Los sectores más dinámicos son la industria de bienes de consumo y los servicios, que han experimentado un fuerte crecimiento. La agricultura va perdiendo peso específico, aunque todavía constituye una de las partidas importantes del comercio exterior que Colombia mantiene con otros países. La agricultura destaca sobre todo por la producción de café y bananas, además de flores, tabaco, algodón y caña de azúcar. Es importante la cabaña vacuna y, en menor proporción, se crían ovinos y porcinos.

La explotación minera comprende la extracción de oro, plata, platino y esmeraldas, además de carbón, hierro, sal gema, sal marina y azufre. Pero el producto principal es el petróleo, al que se asocian yacimientos de gas natural. La industria ha desarrollado los sectores siderometalúrgico y químico; mantienen su importancia las ramas textil y alimentaria. El país tiene relaciones comerciales principalmente con Estados Unidos, Venezuela, México, Alemania y Ecuador.

Cronología

EL POBLAMIENTO PRECOLOMBINO

Antes s. XVI: tres grandes focos culturales: septentrionales (taironas); meridional (cultura de San Agustín); y muisca (cordillera Oriental), el más revolucionado mantenedor de importantes estados: zipas de Bacatá (Bogotá), zaques de Hunsa (Tunja). Penetración incaica en las zonas andinas.

LA CONQUISTA Y COLONIZACIÓN ESPAÑOLA

1499-1525: reconocimientos costeros por parte de los españoles (Ojeda, Bastidas, Juan de la Cosa, Pizarro).
1538: confluyen en Bogotá las expediciones de Jiménez de Quesada Federmán (de Venezuela) y Belalcázar (de Ecuador).
1550-1719: de la Audiencia de Santa Fe se pasa al Virreinato de Nueva Granada.
1781: movimiento de los Comuneros del Socorro, expresión criolla de independencia.

COLOMBIA INDEPENDIENTE

1810-1819: guerra de la Independencia. El congreso de Angostura proclama la Gran Colombia.
1830: Francisco de Paula Santander dirige la República de Nueva Granada.
1858-1902: guerras civiles; paso del Estado federalista al unitario, implantado por Rafael Núñez.
1949-1957: Laureano Gómez y Rojas Pinilla (desde el golpe que tuvo lugar en 1953) presiden un período de violenta agitación. Depuesto Rojas Pinilla, el pacto liberal-conservador del Frente Nacional asegura la alternancia en el poder.
1974-1982: cesa el Frente Nacional. De la opción liberal (López Michelsen, Turbay Ayala) se pasa a la conservadora (Betancur). Recrudecimiento de los movimientos guerrilleros.
1986: Virgilio Barco, jefe de Estado.
1990: César Gaviria, elegido presidente de la República.
1991: nueva Constitución.
1994: Ernesto Samper Pizano, presidente.
1998: asume el poder Andrés Pastrana.
1998-2002: negociaciones con las FARC (Fuerzas Armadas Revolucionarias de Colombia), interrumpidas en varias ocasiones.
2002: Álvaro Uribe es elegido nuevo presidente de la República.
2005: aprobada la Ley de Justicia y Paz como marco para la desmovilización de los paramilitares.

Vista de El Cerrejón (La Guajira), la mayor mina de carbón a cielo abierto del mundo.

Bogota, la ciudad más poblada del país, se halla emplazada en el sector centro-oeste de Colombia, al pie del cerro de Monserrate, en los dominios de la cordillera Oriental.

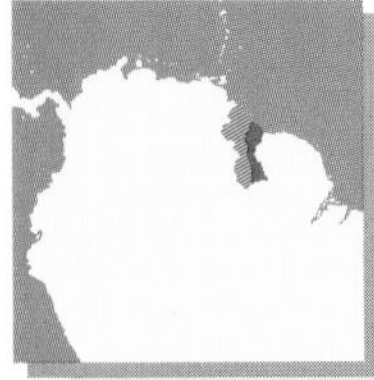

Guyana

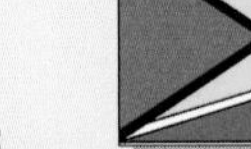

Nombre oficial: Co-operative Republic of Guyana
Superficie: 215 083 km²
Población: 749 000 hab.
Densidad: 3,5 hab./km²
Moneda: dólar de Guyana
Lenguas: inglés (oficial), criollo inglés, hindi
Religión: hinduistas (33,9 %), protestantes (18,7 %), católicos (11,5 %), musulmanes (9 %)
Capital: Georgetown (34 180 hab.)
Forma de gobierno: república
Tasa de natalidad: 17,9 ‰
Tasa de mortalidad: 8,9 ‰
Tasa de mortalidad infantil: 54 ‰
Población urbana: 37,6 %
Tasa de alfabetización: 98,7 %
PIB: 703 millones de $
PIB per cápita: 911 $
PIB por sectores: Primario 31 %, Secundario 29 %, Terciario 40 %

Guyana es un estado del sector norte de Sudamérica que limita al este con Surinam, al sur con Brasil y al oeste con Venezuela; sus costas están bañadas por las aguas del océano Atlántico.

Marco natural

Los rasgos físicos del país varían de este a oeste, ya que, si bien el interior de las zonas colindantes con Venezuela y Brasil se caracterizan por la existencia de diversas sierras que forman parte del primitivo macizo de las Guayanas (Roraima, 2810 m), la franja costera es predominantemente llana. La selva tropical, que cubre aproximadamente el 80 % del territorio guyanés, se ve sólo interrumpida por algunos sectores de sabana en la región de Rupununi, al sudoeste del país. Entre los cursos fluviales destacan el Cuyuni, que nace en Venezuela, el Berbice, el Courantyne, que delimita la frontera con Surinam –donde recibe el nombre de Corantijn–, y el Essequibo, el mayor de todos, que, tras su nacimiento en la sierra de Arari, recorre el país de sur a norte y desemboca en un amplio estuario en el que se encuentran las islas del mismo nombre. En la zona montañosa del interior, estos ríos y sus afluentes forman rápidos y saltos de agua. El Potaro, afluente del Essequibo, es notable por las cascadas Kaieteur (226 m de desnivel), cuya fuerza aprovechan diversas instalaciones hidroeléctricas, al igual que en las cascadas Tiboku y Peaima, en el curso del Mazaruni.

El clima es cálido-ecuatorial, matizado en el litoral por los vientos alisios del nordeste. La temperatura media anual es de 27 °C, sin apenas variación térmica, y las lluvias son muy abundantes en la región costera (2400 mm anuales), disminuyendo en el interior a medida que aumenta el calor. La selva tropical cubre gran parte del territorio.

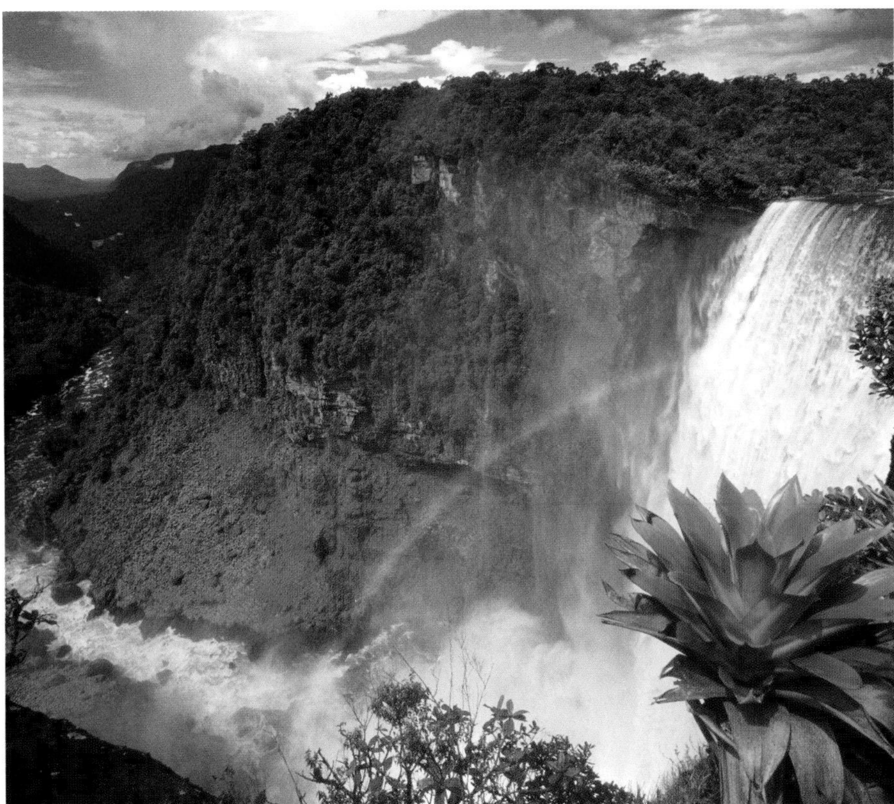

En el curso del río Potaro, las cascadas Kaieteur, situadas en el parque nacional homónimo, presentan una caída de 226 m: uno de los saltos de agua más espectaculares de América.

Cronología

1621-1791: dominio neerlandés.
1796: conquista británica (colonia de Guayana Británica desde 1831).
1834-1840: Gran Bretaña extiende la línea fronteriza de sus posesiones en Guayana al oeste del río Essequibo (Guayana Essequiba), lo que provoca la protesta venezolana.
1953: concesión de una Constitución y elecciones por sufragio universal: victoria de C. Jagan. Es acusado de comunista por los británicos, que suspenden la Carta Magna.
1966: independencia del país, en el seno de la Commonwealth. Se instala un régimen de orientación socialista.
1970: cambio constitucional: proclamación de la República Cooperativa.
1980: Forbes Burnham, presidente.
1983: fallece Burnham; Desmond Hoyle, nuevo presidente.
1992: Cheddi Jagan es elegido al frente de la jefatura de Estado.
1997: fallecimiento de Jagan, sucedido por su viuda, Janet Jagan en la presidencia de la República.
1999: dimite J. Jagan. Bharrat Jagdeo es elegido presidente.

Población

El país mantiene una tasa de crecimiento negativa debido a la corriente migratoria. La difícil habitabilidad de la densa selva guyanesa, en la que viven casi exclusivamente los grupos indígenas, provoca la concentración de la población en la zona aluvial y cultivable de la costa. Aun así, la densidad media de población en este país es reducida, y muy discreto el porcentaje de habitantes que vive en núcleos urbanos.

Por otra parte, una de las principales características de la población guyanesa es la notable diversidad en su composición étnica. Así, en Guyana predomina la población indostana, llegada para trabajar en las plantaciones tras la abolición de la esclavitud, pero también es importante el contingente de ascendencia africana, introducido en el territorio durante la época esclavista. Las minorías étnicas están formadas por amerindios de los grupos arahuaco y caribe, chinos y europeos, entre los que destacan los portugueses.

Recursos económicos

Las actividades del sector primario siguen teniendo un peso importante en el cómputo del PIB nacional. El desarrollo del país depende en gran medida de las inversiones extranjeras. Se cultivan caña de azúcar, arroz, cítricos y bananas. Del subsuelo se extraen grandes cantidades de bauxita, cuyos principales yacimientos se localizan en el valle de Demerara, además de diamantes y oro (montañas de Imbamaidai) y manganeso. La industria se limita básicamente a la transformación de las materias primas.

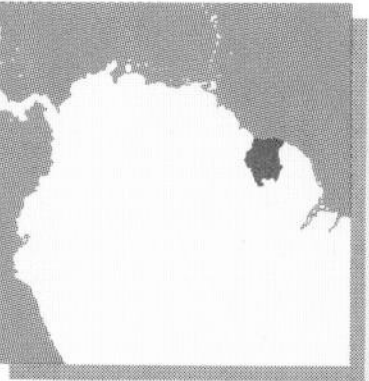

Surinam

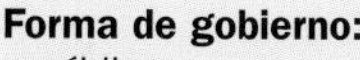

Nombre oficial: Republiek Suriname
Superficie: 163 820 km²
Población: 435 000 hab.
Densidad: 2,7 hab./km²
Moneda: florín de Surinam
Lenguas: holandés (oficial), criollo inglés
Religión: hinduistas (27,4 %), católicos (21,1 %), musulmanes (19,7 %), protestantes (16,5 %)
Capital: Paramaribo (253 000 hab.)

Forma de gobierno: república
Tasa de natalidad: 20,0 ‰
Tasa de mortalidad: 6,7 ‰
Tasa de mortalidad infantil: 31 ‰
Población urbana: 76,1 %
Tasa de alfabetización: 94,2 %
PIB: 989 millones de $
PIB per cápita: 2 131 $
PIB por sectores: Primario 11 %, Secundario 20 %, Terciario 69 %

Cronología

1616: inicio de las colonizaciones holandesa y británica (esclavos africanos).
1667: los británicos ceden la región a los holandeses.
S. XVIII: desarrollo de la región gracias al comercio de la caña de azúcar.
1796: ocupación británica.
1814: el territorio queda definitivamente en poder de los Países Bajos.
1954: concesión de la plena autonomía.
1975: independencia, impulsada por la población de origen africano. El antiguo gobernador, Johan Henri Eliza, será el primer presidente.
1980: golpe de Estado militar; supeditación del poder a las fuerzas armadas.
1982: Desi Bouterse asume el poder.
1987: se aprueba una nueva Constitución nacional.
1988: Ransewak Kraag, presidente.
1991: Ronald Venetiaan, nuevo jefe de Estado.
1992: el gobierno y la guerrilla firman un alto el fuego.
2000: reelección de Venetiaan.

Estado del norte de Sudamérica, Surinam limita al este con la Guayana Francesa, al sur con Brasil y al oeste con Guyana; sus costas están bañadas por el océano Atlántico.

Marco natural

La característica predominante del sector septentrional de Surinam es la horizontalidad del relieve, que aparece erosionado en gran parte del territorio. A la fértil llanura litoral sigue una franja de sabana arenosa, mientras que la sabana alta es típica de la zona fronteriza con Brasil. Las mayores altitudes se localizan en los montes Wilhelmina (Julianatop, 1230 m de altitud), al sudoeste del país, y las demás elevaciones son inferiores a los 1000 m. Los principales cursos fluviales son el Corantijn (Courantyne), que discurre en la frontera con Guyana, y el Marowijne (Maroni), que traza los límites con la Guayana Francesa; completan la red hidrográfica de Surinam, navegable en parte, los afluentes de estos dos cursos y algunos de recorrido más corto, como el Coppename, el Saramacca y el Surinam. El clima ecuatorial, es muy cálido y húmedo, matizado en la costa por los vientos alisios. Las abundantes precipitaciones favorecen el desarrollo de extensos bosques por todo el país, salvo en las llanuras litorales que se aprovechan para usos agropecuarios.

Población

Al igual que sucede en los territorios vecinos, la población de Surinam se caracteriza por su notable heterogeneidad en cuanto a su composición étnica; de este modo, este territorio sudamericano con pasado colonial de dominio neerlandés da cabida a contingentes de orígenes bien diversos: indostaneses, criollos, indonesios, negros *bush* o bosquimanos, los descendientes de esclavos rebeldes establecidos en poblados en el interior de la selva, a los que siguen minorías de amerindios, chinos y europeos.

El grueso de la población vive en la capital, Paramaribo, y en las áreas litorales. Se calcula que tres cuartas partes de los surinameses se concentra en las tierras ribereñas del río Surinam, en un radio aproximado de unos 25 km de Paramaribo; otro núcleo de población destacado es Nieuw Nickerie, un enclave portuario a orillas del Corantijn.

Por otra parte, las crisis internas que han jalonado la historia reciente de Surinam se deben tanto a las tensiones existentes entre los diferentes grupos de población como al problema que supuso la masiva emigración hacia Países Bajos en los años previos a la proclamación de la independencia del país.

Recursos económicos

La principal fuente de ingresos proviene de la explotación de bauxita, mineral del que Surinam es uno de los primeros productores del mundo. La actividad industrial se halla vinculada prioritariamente a la metalurgia del aluminio –que utiliza la bauxita como materia prima– y al trabajo de la madera, así como a la transformación de diversos productos agropecuarios.

Los principales cultivos son el arroz, la caña de azúcar, los cítricos, las bananas y los cocos. Por otra parte, la pesca de crustáceos proporciona excedentes destinados a la exportación.

A orillas del Atlántico, Paramaribo, capital de Surinam (la antigua Guayana Holandesa), presenta algunas céntricas calles con edificios que conservan el aire colonial neerlandés.

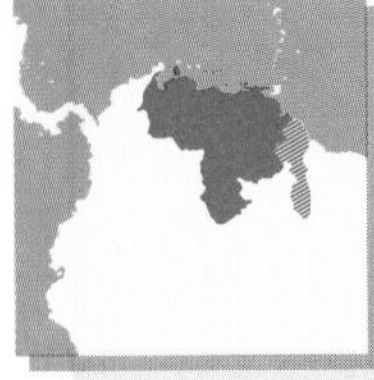

Venezuela

DATOS GENERALES
Nombre oficial: República Bolivariana de Venezuela
Superficie: 916 445 km²
Población: 23 054 210 hab.
Densidad: 25,2 hab./km²
Moneda: bolívar
Lenguas: español (oficial) y lenguas indígenas
Religión: católicos (92,7 %)
Capital: Caracas (1 836 286 hab.)
Ciudades: Maracaibo (1 854 300 hab.), Valencia (1 515 400 hab.)
Divisiones administrativas: 23 estados, 1 distrito capital y las dependencias federales
Forma de gobierno: república

INDICADORES DEMOGRÁFICOS
Tasa de natalidad: 20,2 ‰
Tasa de mortalidad: 4,9 ‰
Crecimiento vegetativo: 15,3 ‰
Tasa de mortalidad infantil: 19,0 ‰
Hijos por mujer: 2,7
Tasa anual de crecimiento demográfico: 0,6 %
Población menor de 15 años: 31,0 %
Población de 60 años o más: 7,2 %
Esperanza de vida al nacer: 77,0 años (mujeres), 71,0 años (hombres)
Población urbana: 87,7 %

INDICADORES SOCIALES
Tasa de alfabetización: 93,1 %
Núm. de médicos: 200 por 100 000 hab.
Núm. de automóviles: 1 885 000 unidades
Líneas telefónicas: 113 por mil hab.
Abonados a teléfonos móviles/celulares: 256 por mil hab.
Usuarios de internet: 51 por mil hab.
Gasto público en salud: 3,8 % del PIB

INDICADORES ECONÓMICOS
PIB: 77 462 millones de $
PIB per cápita: 3 041 $
PIB por sectores: Primario 3 %, Secundario 43 %, Terciario 54 %
Población ocupada por sectores: Primario 10 %, Secundario 21 %, Terciario 69 %
Superficie cultivada: 3,9 %
Producción de energía: 87 024 millones de kW/h
Consumo de electricidad: 3 659 kW/h por hab.
Importaciones: 11 673 millones de $
Exportaciones: 23 293 millones de $

RECURSOS ECONÓMICOS
Agricultura: maíz, papas, mandioca, sésamo, tomates, judías, ananás, nueces de coco, bananas, arroz, aguacates, café, cacao, caña de azúcar, tabaco, algodón, frutas en general y sorgo
Ganadería: bovina, porcina, caprina, ovina, caballar y aves de corral
Pesca: 434 569 t
Silvicultura: 4 923 911 m³ de madera
Minería: petróleo, gas natural, hierro, oro, diamantes, fosfato, asfalto, amianto magnesita, carbón y sal
Industria: del vidrio, del papel, del cemento, alimentaria en general, automovilística, textil algodonera, tabaquera, del cuero, química, neumática, siderúrgica y eléctricas

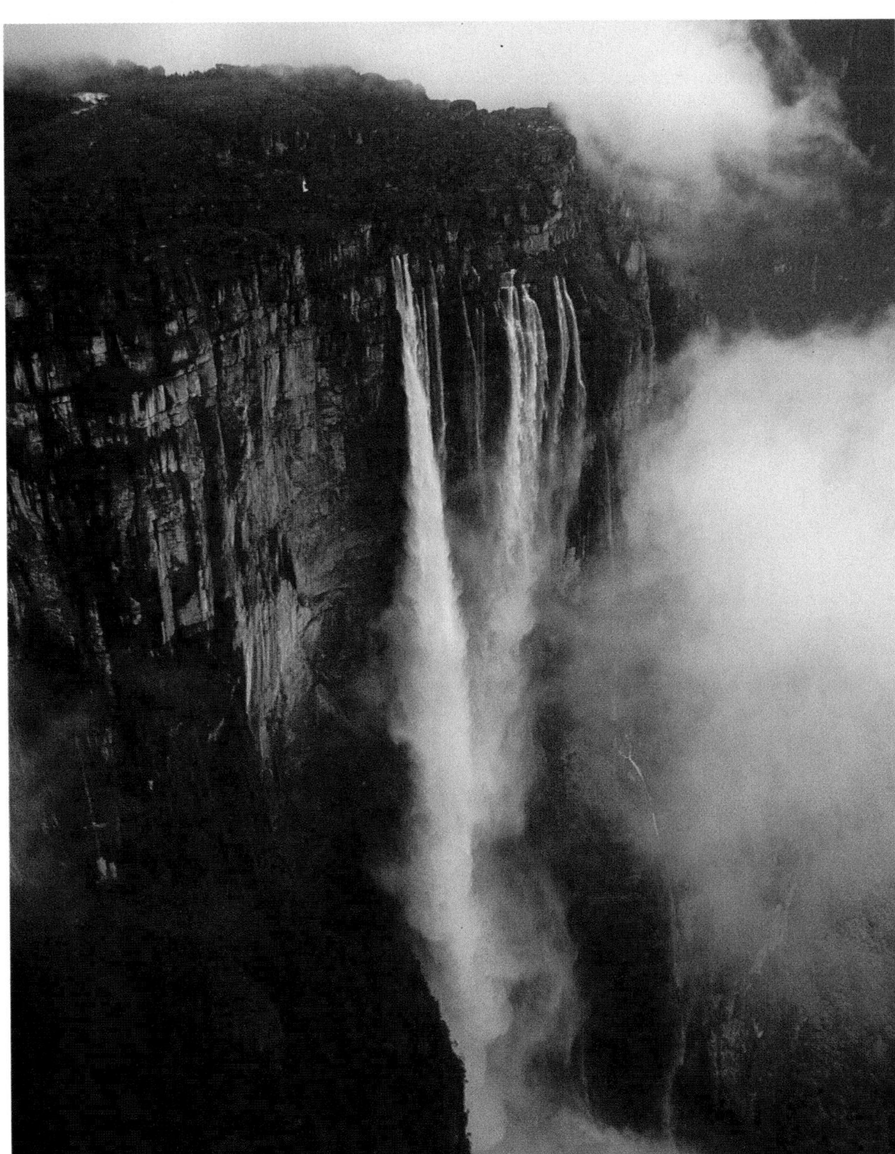

Las aguas del Churún se precipitan en un salto de 979 m desde la cima del Auyantepuy: el salto Ángel, la catarata más alta del mundo, forma parte del Parque Nacional Canaima.

Estado septentrional de América del Sur, Venezuela limita al este con Guyana, al sur con Brasil y al oeste y sudoeste con Colombia; al norte presenta un amplio litoral que se abre a las aguas del mar Caribe y el océano Atlántico. Pertenecen también al territorio venezolano más de trescientas islas, islotes, archipiélagos y cayos, entre las cuales están las islas de Los Monjes, Las Aves, Los Roques, La Orchila, La Tortuga, La Blanquilla, Los Hermanos, La Sola, Los Frailes, Los Testigos, Patos y Aves.

Marco natural

El relieve de Venezuela está conformado por dos grandes unidades montañosas: el sistema andino, en su zona más occidental y septentrional; y el macizo de las Guayanas, en la más oriental y meridional del país. Ambas unidades se encuentran separadas por una vasta depresión avenada por el río Orinoco, que se conoce con el nombre de los Llanos y que hacia el sur enlaza con la llanura amazónica. El sistema andino comprende tres sistemas orográficos distintos: los cordones andinos, propiamente dichos, el macizo de Falcón-Lara y la cordillera de la Costa. El sistema andino penetra en Venezuela procedente de Colombia y se bifurca en la cordillera de Mérida, cuya cima principal es el pico Bolívar (5 007 m), que es también la cumbre más alta del país, y la serranía de Perijá. Tanto la cordillera de Mérida como la serranía de Perijá tienen una orientación sudoeste-nordeste y bordean el lago de Maracaibo. El macizo de Falcón-Lara está situado al norte de la cordillera de Mérida, en la zona comprendida entre el lago de Maracaibo y el mar Caribe. Sigue también una orientación sudoeste-nordeste y presenta una altitud media de unos 800 m. Como su nombre indica, la cordillera de la Costa se encuentra emplazada en la zona interior del litoral septentrional de Venezuela y es la prolongación de los cordones andinos. Se divide en dos alineaciones montañosas paralelas. La más próxima al litoral recibe el nombre de cordillera de la Costa y la más alejada es conocida como sierra del Interior. Entre ambas alineaciones montañosas se hallan la depresión del lago de Valencia, los valles del Tuy y la extensa llanura de Barlovento. La región de la Guayana está integrada por mesetas orientadas hacia el sur, que conforman escarpes sobreelevados que dan lugar a la divisoria de aguas entre las cuencas del Orinoco y Amazonas; entre los escarpes están los montes Roraima (2810 m), Parima y Pacaraima. Los Llanos se extienden por la franja central de Venezuela. Constituyen una amplia zona de sedimentación cuya mitad occidental se ve afectada por frecuentes inundaciones, debido a su marcada horizontalidad, mientras que la mitad oriental está formada

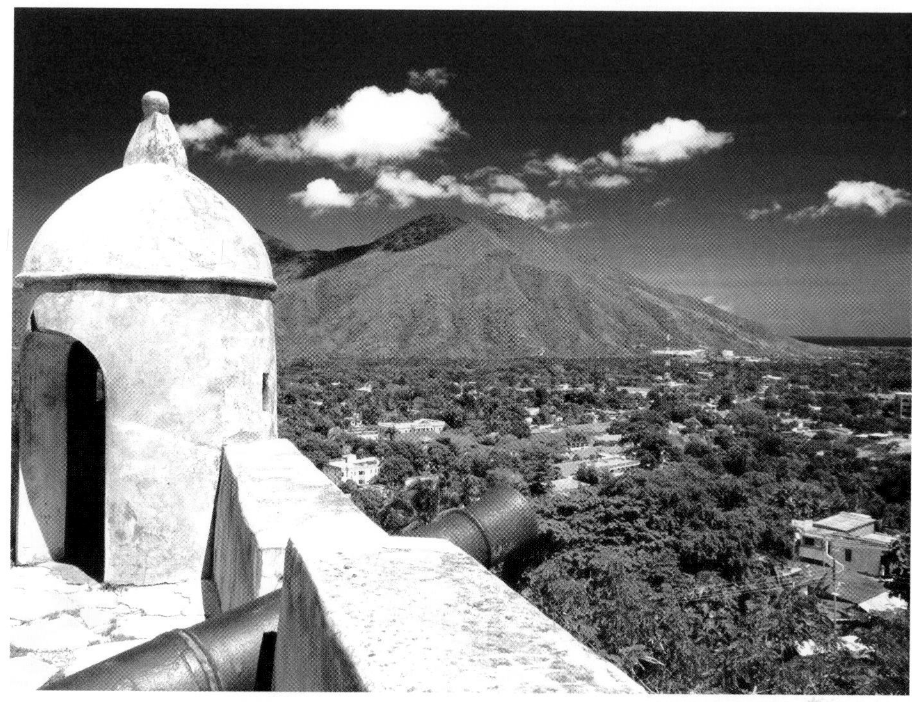

La isla Margarita, la mayor de las tierras insulares venezolanas, forma parte del estado de Nueva Esparta y destaca como centro turístico; en la imagen, restos de los fuertes costeros.

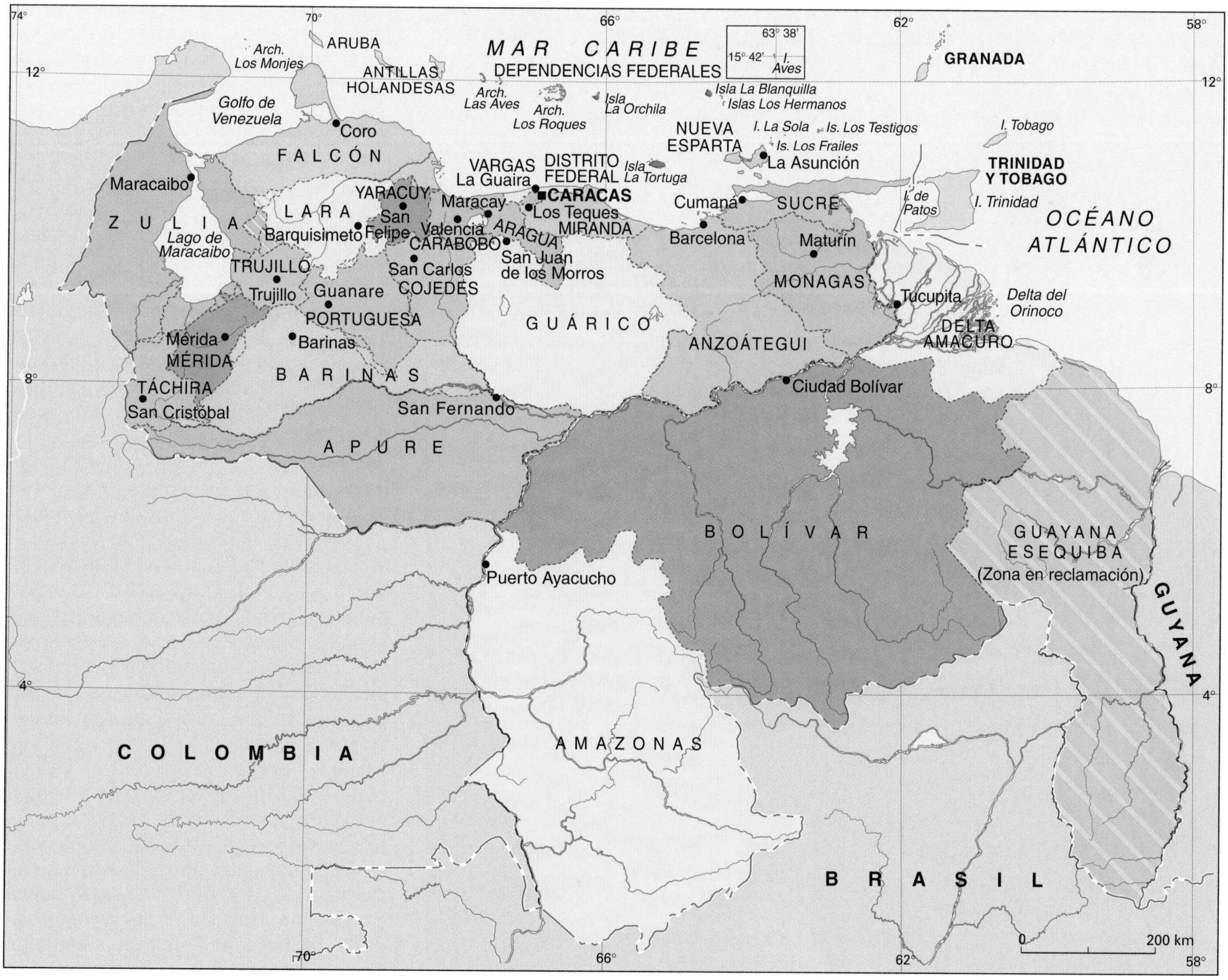

La República Bolivariana de Venezuela se halla dividida administrativamente en 23 estados, 1 distrito capital –donde se ubica Caracas– y las dependencias federales (insulares). El gobierno reclama la soberanía sobre la Guayana Esequiba, en el extremo oriental del país.

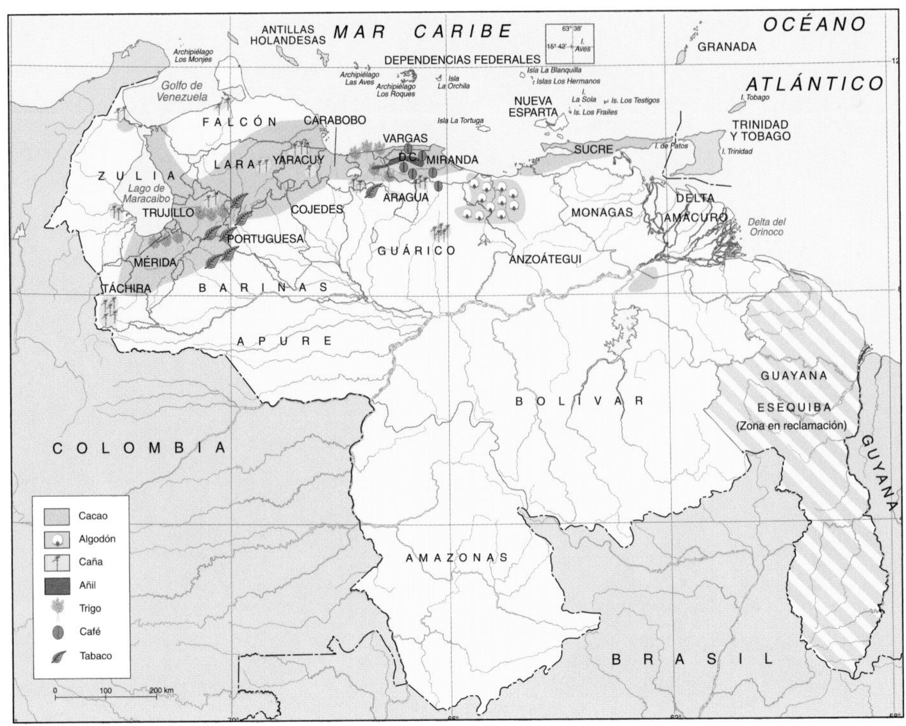

La agricultura, la ganadería y la pesca en territorio venezolano se hallan distribuidas en función de la orografía del país y de las distintas condiciones climáticas.

por mesetas escalonadas que descienden hacia la región meridional.

La red hidrográfica venezolana se distribuye entre el mar Caribe y el océano Atlántico. La vertiente del Caribe recibe las aguas de unos ríos de corto y mediano recorrido que, desde las montañas andinas, la sierra de Perijá y la cordillera de la Costa, se dirigen al lago de Maracaibo, al golfo de Venezuela o directamente al mar Caribe. De entre los ríos que desembocan en el lago de Maracaibo destacan el Catatumbo, el Santa Ana, el Socuy, el Escalante y el Chama. En el golfo de Venezuela desagua el Maticora, y en el mar Caribe, el Tocuyo, el Tuy y el Unare. La vertiente atlántica está formada por la cuenca del Orinoco, en su mayor parte venezolana, por la del Cuyuní y por la del golfo de Paria. El Orinoco es la principal arteria fluvial del país y abarca en su cuenca las cuatro quintas partes del territorio de Venezuela. A lo largo de su recorrido, este río recibe numerosísimos afluentes, por la izquierda, provenientes de los Llanos, y por la derecha, del macizo de las Guayanas. El Orinoco desemboca en el Atlántico y allí forma un amplio delta. Su red fluvial constituye una destacada vía de comunicación.

El clima venezolano presenta grandes diferencias regionales como consecuencia de su ubicación geográfica, la presencia montañosa en las zonas del litoral y la influencia de los vientos alisios. En la región montañosa del litoral se presenta una gran variedad de microclimas que abarcan desde el semiárido en las partes costeras hasta los propiamente tropicales en las montañas. En la región montañosa se encuentran zonas de temperaturas típicamente tropicales, con grandes oscilaciones térmicas durante el día y valores medios de 28 °C a lo largo del año. Estos valores descienden al aumentar la altitud, puesto que entre los 800 y los 2 000 m de altitud la temperatura media anual se sitúa en los 20 °C. En las tierras ubicadas por encima de los 2 000 m de altitud se encuentran zonas frías donde la temperatura media puede situarse por debajo de los 0 °C. En la zona de la llanura central venezolana se sitúa una región de clima subtropical cálido y lluvioso. Más al sur, en contacto con las fronteras brasileñas, hay una región de clima tropical lluvioso. El área oriental de esta región montañosa está dominada por un clima tropical, con lluvias menos intensas. La vegetación predominante es la sabana, que se convierte en selva en las áreas donde reina el clima ecuatorial.

Población

La población actual de este país es el resultado de la fusión de los pueblos autóctonos y de los inmigrantes llegados al territorio de la actual Venezuela a lo largo de la historia. Los pobladores originarios que habitaban el territorio cuando Cristóbal Colón avistó tierra venezolana en 1498 pertenecían a diferentes tribus: los timoto-cuicas en los Andes; los arahuacos en las costas noroccidentales y en los Llanos Occidentales; diversas tribus de la familia caribe en la costa central y nororiental; y los wayuu o guajiros, entre otros pueblos indígenas. A partir de los siglos XVI y XVII se fue estableciendo por el actual territorio nacional la población de origen europeo que llegaba como consecuencia de la colonización española y la población africana traída por ésta. Los nuevos pobladores fueron asentándose lentamente en el país y mezclándose con los aborígenes. Hoy el grueso de la población es el resultado de este largo proceso de mestizaje, aunque hay 500 000 individuos que forman parte de alguno de los pueblos autóctonos.

El crecimiento de la población registra uno de los índices más altos de América Latina. Al valorar las causas de este crecimiento se comprende que la importancia de la inmigración es relativa; hay que buscar su explicación en los elementos que determinan un acelerado crecimiento vegetativo, en especial una elevada tasa de natalidad y una reducida tasa de mortalidad. La distribución de la población es muy irregular. En las grandes ciudades la densidad es elevada, como en Caracas, la capital del país, mientras que los estados más meridionales se encuentran muy débilmente poblados.

Las grandes urbes del país se comunican a través de un red de autopistas asfaltadas que, en su mayor parte, convergen al norte, en la capital federal, Caracas.

El lago de Maracaibo, en el noroeste del país, alberga importantes reservas petrolíferas.

Cronología

CONQUISTA Y COLONIZACIÓN ESPAÑOLA
1498: llegada de Cristóbal Colón a Paria.
1499-1527: sucesión de intentos colonizadores de la tierra habitada por una gran diversidad de pueblos autóctonos, como los arawak y los caribes.
1528-1546: Carlos V pacta con los banqueros alemanes Welser la conquista del país, que emprenden Alfinger, Federman y Spira, hasta revocarse la concesión
Segunda mitad s. XVI: se lleva a cabo una sistemática conquista española a lo largo del continente.
Ss. XVII-XVIII: sucesivas configuraciones (dependencia de Nueva Granada, Capitanía General de Venezuela, Audiencia de Caracas) van ensamblando los territorios de la conquista. Monopolio de la compañía Guipuzcoana.

VENEZUELA INDEPENDIENTE
1781: inicio de los movimientos independentistas en territorio venezolano.
1811: se proclama la independencia.
1813: Simón Bolívar, El Libertador, entra triunfalmente en Caracas.
1830-1868: disuelta la Gran Colombia en 1830, Páez se erige en figura decisoria del nuevo estado. Guerras civiles.
1870-1888: autocracia de Guzmán Blanco.
1899-1908: caudillaje de Cipriano Castro.
1908-1935: le derroca Juan Vicente Gómez, que gobierna el país como una hacienda personal.
1936-1945: frágil democracia.
1945-1958: golpes militares, cuyo inspirador es M. Pérez Jiménez.
1959-1989: normalidad constitucional, alternancia de Acción Democrática y COPEI.
1989: disturbios sociales por el fuerte aumento de los alimentos y transportes públicos. Carlos Andrés Pérez, presidente.
1992: fracasa un golpe militar.
1994-1998: Rafael Caldera, presidente.
1998: Hugo Chávez Frías, presidente.
1999: se aprueba una nueva Constitución.
2000: reelección de Hugo Chávez.
2002: fracasa un intento de golpe de Estado contra Chávez.
2004: victoria del presidente Chávez en un referéndum revocatorio.

Recursos económicos

La economía venezolana sigue basada en la producción de materias primas y su intercambio por productos manufacturados. A pesar de haberse desarrollado nuevas fuentes de riqueza que han supuesto una alternativa a la economía de base colonial, Venezuela sigue dependiendo de varios productos para equilibrar su balanza comercial exterior. Los productos agrarios venezolanos se pueden dividir en dos grandes grupos: los destinados para el consumo interno (maíz, arroz, yuca, papas, sorgo, hortalizas, frutas y legumbres) y los orientados a la exportación (cacao, café, tabaco, azúcar y cultivos industriales). La ganadería es una actividad importante, en especial el sector vacuno. La pesca ha experimentado un gran avance en los últimos años. Todo el litoral venezolano es rico en recursos marítimos, pero la principal zona pesquera se sitúa en aguas del golfo de Cariaco y en las costas del estado de Nueva Esparta.

La minería es el sector económico más importante del país, debido a la explotación del petróleo y a las ricas reservas de crudo que se localizan en el territorio nacional. El gas natural se encuentra asociado a los pozos petrolíferos y constituye también una de las principales riquezas minerales. Cabe mencionar asimismo los yacimientos de hierro, del que existen grandes reservas, bauxita, oro y diamantes. La industria se encuentra en plena expansión. Comprende plantas siderúrgicas, refinerías de petróleo, instalaciones petroquímicas, industrias mecánicas y alimentarias. En los últimos años, el turismo se ha convertido en un sector económico en auge. La balanza comercial venezolana es claramente positiva. Los países con los que este país mantiene mayor volumen de relaciones comerciales son Estados Unidos, Colombia, Brasil, México y, en el ámbito europeo, España.

Dependencias y otros territorios

Guayana Francesa

Nombre oficial: Guyane Française
Superficie: 83 534 km²
Población: 177 000 hab.
Densidad: 2,1 hab./km²
Lenguas: francés (oficial)
Estatus: departamento de ultramar francés

CRONOLOGÍA
1637: inicio de los intentos franceses de colonización. Francia, Gran Bretaña y los Países Bajos se disputan el territorio.
1809-1814: dominio portugués.
1814: queda en poder de Francia.
1946: departamento de ultramar.
1968: establecimiento del centro espacial Kourou, de la Agencia Espacial Europea.

Departamento de ultramar francés, situado en el norte de Sudamérica, en la costa del océano Atlántico, Guayana Francesa limita al este y al sur con Brasil y al oeste con Surinam. El relieve, llano en la mitad septentrional, va ascendiendo hacia el sur, donde aflora el escudo guayanés. Los ríos principales son el Maroni, el Sinnamary y el Oyapock. El clima es cálido y húmedo con lluvias abundantes que favorecen la presencia de la selva, la cual cubre buena parte del territorio. La población se concentra en las zonas costeras, principalmente en la capital. La instalación de un centro para el lanzamiento de cohetes de la Agencia Espacial Europea (ESA) en Kourou ha impulsado la economía de un territorio con escaso nivel de desarrollo. Se cultiva arroz, mandioca y caña de azúcar con la que se elabora ron.

Barcas en Cayena, la capital de la Guayana Francesa, en Sudamérica septentrional.

Sudamérica occidental

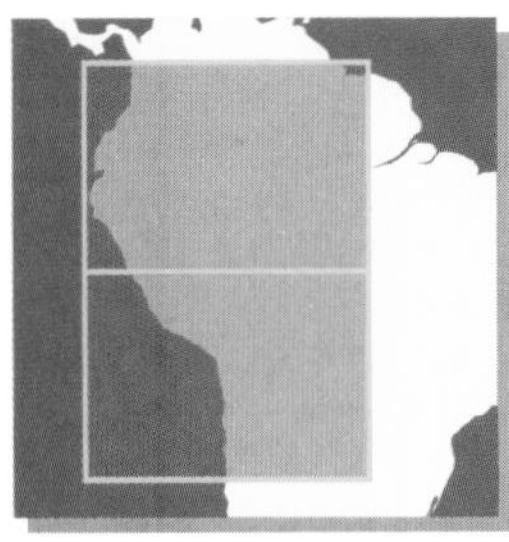

Esta región de América del Sur, bañada por el océano Pacífico y atravesada por la cordillera de los Andes, abarca los estados de Ecuador, Perú y Bolivia, este último el único país de América, junto con Paraguay, que no dispone de salida directa al mar.

La ciudadela de Machu Picchu, en Perú. Situada en el cañón del Urubamba, a 2400 m de altitud, es la muestra más conocida de la arquitectura y el urbanismo de los incas.

Geografía física y humana

El paisaje de la región está dominado por la imponente presencia de la cordillera de los Andes, que atraviesa toda esta zona desde Colombia hasta Bolivia y Chile. En Bolivia y Perú es donde los Andes tienen su máxima amplitud, que alcanza los 750 km de este a oeste. Hacia el norte, la cordillera va perdiendo anchura, pero en toda esta extensión aparecen picos de altitudes superiores a los 6000 m, muchos de ellos de origen volcánico.

En Ecuador, la cordillera se divide en dos cordones, Occidental y Oriental, y al oeste se extiende una amplia llanura costera a unos 300 m de altitud media. En el litoral ecuatoriano se abre el golfo de Guayaquil, el único accidente costero destacable en toda esta región. En Perú, la franja litoral que se extiende desde el piedemonte andino hasta la costa del océano Pacífico es más estrecha, con una anchura de entre 30 y 150 km, y con numerosos valles formados por los torrentes que bajan de los Andes. En ambos países las llanuras litorales constituyen el espacio donde vive la mayor parte de la población. También en Bolivia los Andes se dividen en dos sectores, el Occidental y el Oriental o Real; entre ambos cordones se extiende el Altiplano, una llanura elevada a más de 3500 m de altitud media, y donde se hallan las principales poblaciones del país. Una característica importante del Altiplano boliviano es la existencia de numerosos lagos, entre los que destacan por sus dimensiones el lago Titicaca, que comparte con Perú, y el Poopó.

Por el este, la cordillera acaba bruscamente, a causa de unas fallas muy marcadas; allí el relieve andino contrasta con las planicies orientales, como la selva o Amazonia de Perú y el Oriente de Bolivia. Se trata de extensas llanuras o mesetas bajas, avenadas por los ríos de la cuenca amazónica. Estas planicies son las zonas de contacto y transición entre el ambiente andino y la región amazónica, ocupada por la selva y escasamente poblada.

La cordillera de los Andes es una zona activa, tanto desde el punto de vista económico como demográfico, dado que la cercanía del Ecuador facilita la instalación humana en zonas elevadas. Es también donde se localizan grandes reservas mi-

Expansión del imperio inca

■ *Los incas fueron un pequeño grupo militarista, que conquistó a otros pueblos, integró sus culturas y estableció uno de los imperios por antonomasia. Su originalidad no radica en las aportaciones culturales, sino en la organización administrativa y política.*
Se cree que en el origen de los incas está la migración de un reducido grupo homogéneo desde la cuenca del Titicaca al valle del Cusco, ocupado por una población autóctona, a la que dominaron.
El imperio inca llegó a abarcar el territorio de los actuales Ecuador, Perú y Bolivia y el norte y centro de Chile. Su extensión total alcanzó unos 4 000 000 km² y su población ascendió a unos quince millones de habitantes. Sobre la multitud de etnias con lengua, cultura y tradiciones propias, que habían ido ocupando una geografía difícil y fragmentada, los incas supieron imponer su fuerza hasta constituir un poderoso imperio. La política imperial, que invocaba un supuesto origen solar y divino, no estuvo únicamente basada en un afán de conquista militar, sino en el control de la producción y la administración de los recursos de subsistencia, así como en el equilibrio demográfico de las poblaciones.

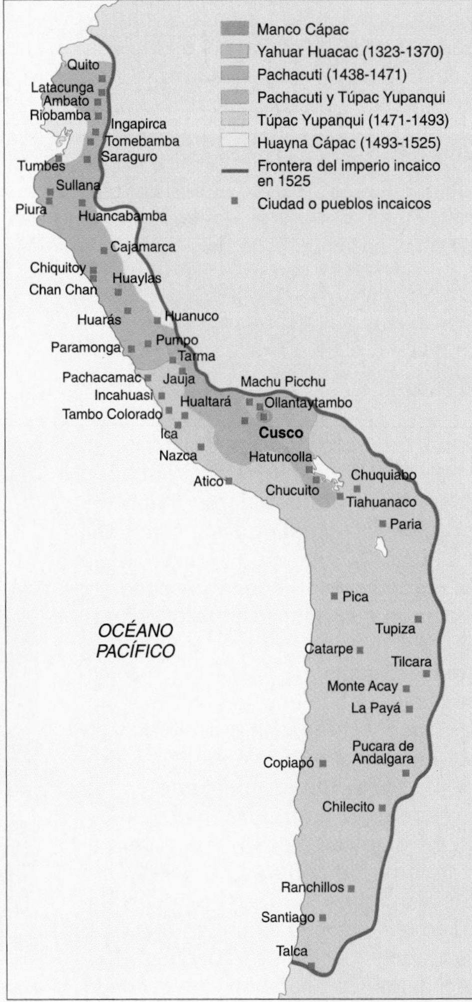

neras, que constituyen una importante fuente de ingresos para estos países.

La extensión latitudinal de la región y la presencia del macizo montañoso andino condicionan la distribución climática. Sobre el Ecuador, el clima es cálido, húmedo y uniforme durante todo el año, y predomina la selva amazónica. Al norte y al sur de esta franja se acentúa una estación seca invernal que impone la sabana y el bosque tropical. Los Andes actúan a modo de barrera climática, que convierte en desiertos muchos sectores de la costa peruana y la puna boliviana.

La economía de la región se explica en gran medida a partir de la herencia colonial española, de la que han derivado unas estructuras productivas basadas en la explotación de los recursos naturales. Tras su independencia, estos países no lograron modificar esa estructura económica y potenciar nuevos sectores, por lo que la agricultura y la minería siguen siendo la base de su economía. La industrialización es débil, y tan sólo los sectores textil y agroalimentario tienen cierta relevancia. En Perú debe destacarse también el sector pesquero, uno de los más importantes del continente.

Historia

La historia de la región ha estado determinada por la herencia de la cultura incaica y la posterior colonización española. A partir del siglo XIII, los incas extienden su enorme imperio a lo largo de toda esta zona. Sin embargo, en el siglo XVI la guerra civil en que estaba sumido el territorio incaico facilitó la conquista capitaneada por Pizarro. Se iniciaba así un largo período colonial caracterizado por la explotación de los recursos mineros mediante mano de obra indígena que era obligada a trabajar en las extracciones. El Virreinato del Perú llegó a comprender casi toda la Sudamérica española, y Lima disfrutó durante décadas del monopolio comercial con Europa. A partir del siglo XVIII se intensifican los movimientos independentistas de la población indígena y en el siglo siguiente, en 1821, San Martín ocupó Lima y proclamó la independencia de Perú. Poco después, la victoria de Simón Bolívar en la batalla de Ayacucho consolidó esta independencia y proporcionó también la del territorio de Bolivia. La independencia definitiva de Ecuador llegó en 1830, después de separarse de la Gran Colombia. Pese a algunos intentos de industrialización a finales del siglo XIX y mediados del XX, estos países siguen hoy basando su economía en la exportación de materias primas, especialmente de la minería. La creación del Pacto Andino constituyó en gran medida un nuevo impulso para proporcionar a sus miembros las bases de un proceso de industrialización. Sin embargo, la gran deuda externa que arrastran obstaculiza el progreso económico.

La guerra del Chaco (1932-1935)

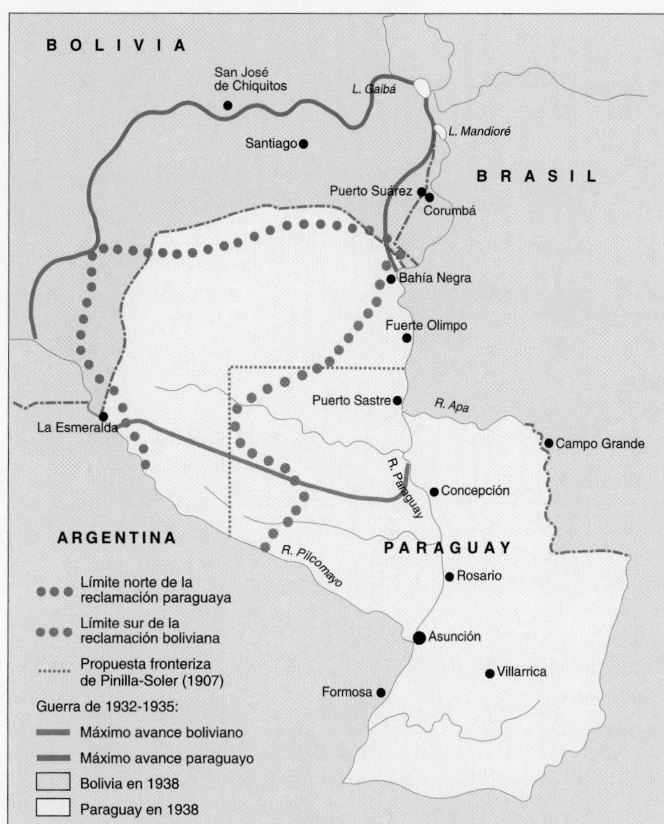

■ *Uno de los episodios más dramáticos de la historia de esta región fue la guerra del Chaco (1932-1935), en la que Bolivia y Paraguay se vieron involucrados en un conflicto bélico por la posesión de los supuestos yacimientos de petróleo en la región del Chaco; no obstante Bolivia no tuvo en cuenta la capacidad de combate de Paraguay y los poderosos intereses de los consorcios petrolíferos estadounidenses instalados en la región. La conferencia de paz del Chaco (1938) otorgó el 75 % del territorio a Paraguay y el acceso al río Paraguay a Bolivia, además de la ciudad de Puerto Casado. Sin embargo, la guerra sumió a ambos países en una grave crisis económica e institucional.*

Situado en el sector sudoeste de Bolivia, el salar de Uyuni (en la imagen) constituye una de las zonas más áridas y desérticas del Altiplano, junto con el salar de Coipasa.

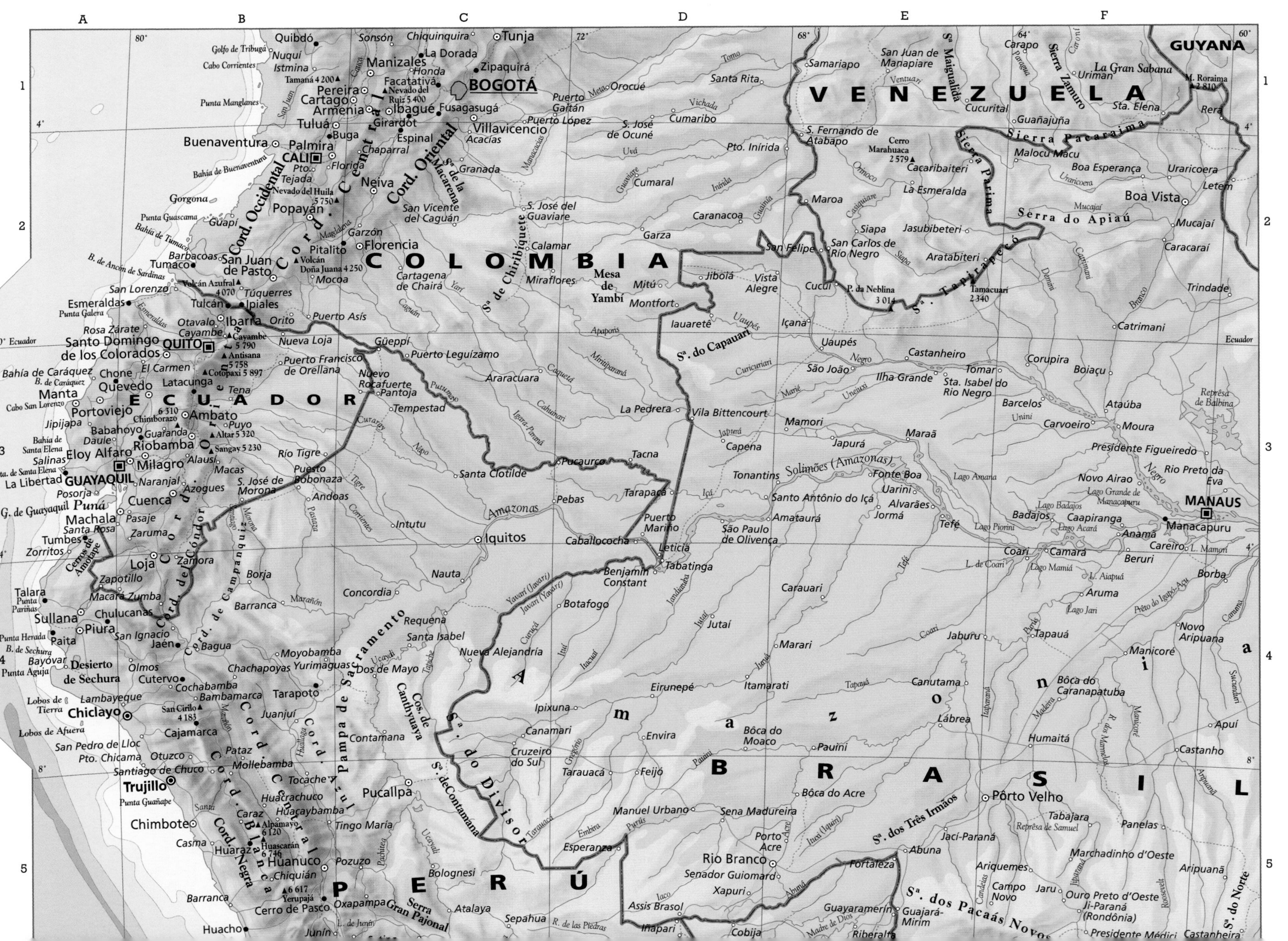
GUYANA
V E N E Z U E L A
C O L O M B I A
E C U A D O R
P E R Ú
B R A S I L
A m a z o n i a
BOGOTÁ
QUITO
MANAUS
GUAYAQUIL
CALI
Manizales
Pereira
Cartago
Armenia
Ibagué
Tuluá
Buenaventura
Palmira
Neiva
Popayán
San Juan de Pasto
Tumaco
Tulcán
Ipiales
Ibarra
Esmeraldas
Santo Domingo de los Colorados
Manta
Portoviejo
Ambato
Riobamba
Milagro
Cuenca
Machala
Loja
Talara
Sullana
Piura
Chiclayo
Trujillo
Chimbote
Huacho
Huánuco
Cerro de Pasco
Pucallpa
Iquitos
Leticia
Tabatinga
Tunja
Zipaquirá
Fusagasugá
Villavicencio
Florencia
Mitú
Boa Vista
Pôrto Velho
Rio Branco
Tefé
Coari
Manacapuru
Cord. Occidental
Cord. Central
Cord. Oriental
Cord. Blanca
Cord. Negra
Cord. Azul
Sierra Pacaraima
Sierra Parima
Serra do Apiaú
S. Tapirapecó
Sa. do Capauari
Sa. de Chiribiquete
Sa. do Divisor
Sa. deContamana
Sa. dos Três Irmãos
Sa. dos Pacaás Novos
Pampa de Sacramento
Cos. de Canthyuaya
Amazonas
Solimões (Amazonas)
Ecuador
0° Ecuador
80°
72°
68°
64°
60°
4°
8°
A
B
C
D
E
F
1
2
3
4
5

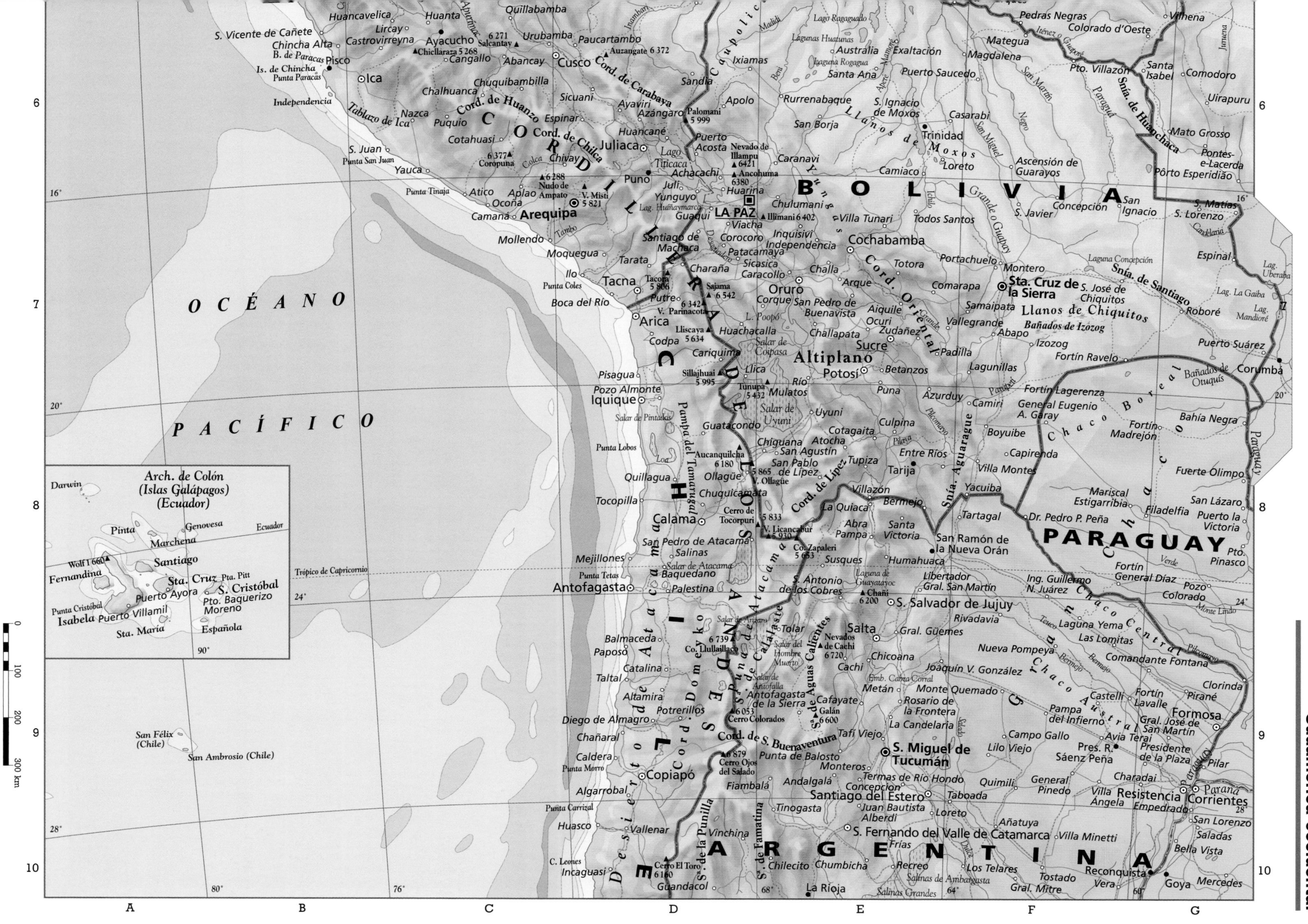
BOLIVIA
PARAGUAY
ARGENTINA
OCÉANO
PACÍFICO
CORDILLERA DE LOS ANDES
Desierto de Atacama
LA PAZ
Sta. Cruz de la Sierra
Cochabamba
Sucre
Potosí
Oruro
Arequipa
Cusco
Arica
Iquique
Antofagasta
Calama
Copiapó
Salta
S. Miguel de Tucumán
Santiago del Estero
Corrientes
Resistencia
Formosa
Altiplano
Titicaca
Chaco Boreal
Chaco Central
Chaco Austral
Pampa del Tamarugal
Llanos de Chiquitos
Trópico de Capricornio
Arch. de Colón (Islas Galápagos) (Ecuador)
San Félix (Chile)
San Ambrosio (Chile)

Bolivia

DATOS GENERALES
Nombre oficial: República de Bolivia
Superficie: 1 098 581 km²
Población: 8 274 325 hab.
Densidad: 7,5 hab./km²
Moneda: boliviano
Lenguas: español, quechua, aymará
Religión: católicos (88,5 %), protestantes (9 %)
Capital: La Paz (793 293 hab.) y Sucre (215 778 hab.)
Ciudades: Santa Cruz de la Sierra (1 135 526 hab.), El Alto (649 958 hab.), Cochabamba (517 024 hab.), Oruro (215 660 hab.), Tarija (153 457 hab.)
Divisiones administrativas: 9 departamentos
Forma de gobierno: república

INDICADORES DEMOGRÁFICOS
Tasa de natalidad: 30,5 ‰
Tasa de mortalidad: 8,2 ‰
Crecimiento vegetativo: 22,3 ‰
Tasa de mortalidad infantil: 56,0 ‰
Hijos por mujer: 4,0
Tasa anual de crecimiento demográfico: 1,9 %
Población menor de 15 años: 37,2 %
Población de 60 años o más: 6,4 %
Esperanza de vida al nacer: 67,0 años (mujeres), 62,0 años (hombres)
Población urbana: 62,4 %

INDICADORES SOCIALES
Tasa de alfabetización: 86,7 %
Núm. de médicos: 76 por 100 000 hab.
Núm. de automóviles: 265 000 unidades
Líneas telefónicas: 68 por mil hab.
Abonados a teléfonos móviles/celulares: 105 por mil hab.
Usuarios de internet: 32 por mil hab.
Gasto público en salud: 3,5 % del PIB
Gasto público en educación: 6,0 % del PIB

INDICADORES ECONÓMICOS
PIB: 8 452 millones de $
PIB per cápita: 1 038 $
PIB por sectores: Primario 26 %, Secundario 22 %, Terciario 52 %
Población ocupada por sectores: Primario 7 %, Secundario 19 %, Terciario 74 %
Superficie cultivada: 2 %
Producción de energía: 4 132 millones de kW/h
Consumo de electricidad: 469 kW/h por hab.
Importaciones: 1 769 millones de $
Exportaciones: 1 372 millones de $

RECURSOS ECONÓMICOS
Agricultura: cebada, papas, soja, yuca, maíz, arroz, trigo, café, cacao, tabaco, caña de azúcar, algodón, mandioca, batatas, tomates, agrios, bananas, uva
Ganadería: bovina, ovina, caprina, porcina, aves de corral, llamas, alpacas
Pesca: 6 260 t
Silvicultura: 10 237 753 m³ de madera
Minería: estaño, plata, oro, cobre, bismuto, plomo, cinc y tungsteno, petróleo, gas natural
Industria: cervecera, azucarera y alimentaria en general, del cemento, textil y eléctricas

Bolivia es un país sudamericano que limita al norte y al este con Brasil, al sudeste con Paraguay, al sur con Argentina, al sudoeste con Chile y al oeste con Perú. Sin salida al mar, Bolivia es, por la altitud media de su territorio, el techo de América del Sur y uno de los países más altos de todo el mundo.

Marco natural

El relieve boliviano presenta dos regiones muy contrastadas, no sólo por su ambiente físico, sino por el tipo e intensidad de las actividades económicas que en ellas se desarrollan. El sector occidental del país está ocupado por la cordillera de los Andes; este gran sistema montañoso se divide en dos cordones y múltiples ramificaciones que encierran una extensa meseta: el Altiplano, que se extiende desde el lago Titicaca, al norte, hasta la frontera argentina, al sur, y registra una altura media por encima de los 3 500 m –una de las mayores del mundo–. El resto del país, que comprende el sector septentrional y oriental, es el Oriente boliviano. Éste presenta una baja altitud y un clima tropical.

El cordón Occidental de la cordillera forma el límite con Chile y se halla jalonado de volcanes, con cimas superiores a los 6 000 m, entre las que destaca el Sajama (6 542 m), el techo nacional. El cordón Oriental, un sector del cual se denomina cordillera Real, bordea el Altiplano con sentido noroeste-sudeste, se divide en cordones que limitan valles interiores y culmina en macizos volcánicos, entre los que destacan los nevados de Illampu (6 421 m) e Illimani (6 402 m). La parte occidental del Altiplano –que es la que alcanza una mayor altitud– es un desierto, con cuencas la-

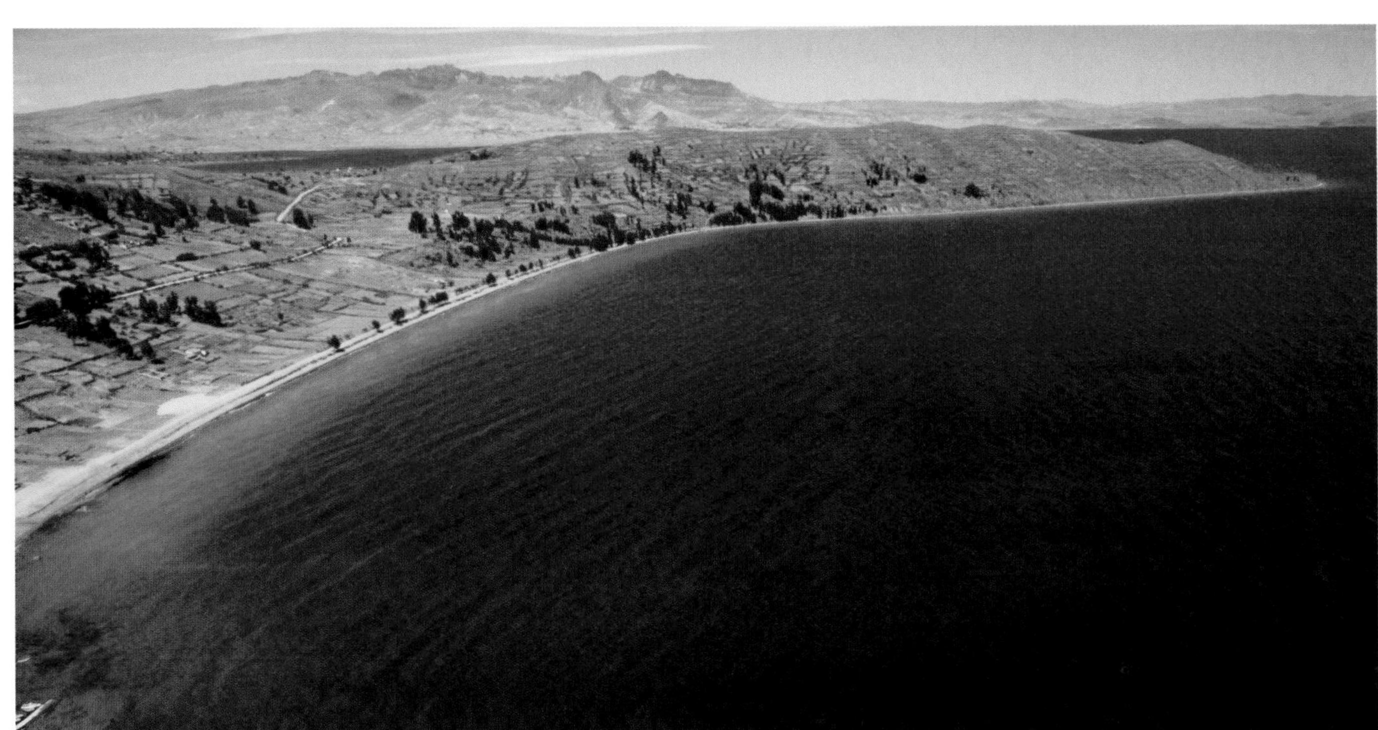

El Titicaca es un lago de origen tectónico, situado a caballo entre Bolivia y Perú, a 3 812 m de altitud. Este gran lago ocupa una superficie total de 8 330 km², de los cuales 3 790 km² corresponden a Bolivia; es el mayor depósito de agua dulce del subcontinente sudamericano.

custres endorreicas (Titicaca y Poopó) y grandes salares (Coipasa y Uyuni). En medio del Altiplano se encuentra La Paz que, a 3632 m sobre el nivel del mar, es la capital del mundo ubicada a mayor altitud.

En la red hidrográfica de Bolivia se distinguen tres vertientes: la endorreica del lago Titicaca, la del Río de la Plata y la del Amazonas. Al norte del Altiplano, el lago Titicaca (8330 km^2), compartido con Perú, tiene una longitud máxima de 200 km y una anchura de 70 km; la profundidad máxima conocida es de 280 m. En el interior de este lago se hallan numerosas islas como las míticas isla del Sol y de la Luna. El lago Poopó es el segundo mayor del país (4 200 km^2) y está situado al sur del anterior. El desnivel entre ambas cuencas lacustres es aprovechado por el río Desaguadero. A la misma cuenca endorreica pertenecen los salares del sur, entre ellos el de Uyuni (9 000 km^2) y el de Coipasa (2 218 km^2). La segunda vertiente boliviana está formada principalmente por el curso alto del río Pilcomayo. En la tercera cuenca, la tributaria del Amazonas, el principal río es el Madera (Madeira), que recibe las aguas del Beni y el Mamoré. La navegación fluvial constituye uno de los medios de transporte relevantes en Bolivia.

El clima del país está condicionado más por la altitud que por su situación geográfica en la zona tropical. En el Altiplano, durante el invierno, las temperaturas caen por debajo de los 0 °C. Hiela durante todas las noches de julio y agosto, pero durante el día el sol tropical hace subir las temperaturas por encima de los 20 °C. La escasez de precipitaciones (125-500 mm) origina una vegetación xerófila de poca altura en la que se desarrollan cactáceas, tola y paja brava. En las laderas andinas, las yungas, la precipitación es de 700-800 mm anuales. Las lluvias más abundantes caen en diciembre, enero y febrero. El promedio de temperaturas se sitúa entre los 16 y 18 °C. En las tierras bajas se extiende la sabana, que se convierte en bosque tropical en la cuenca del Beni y en bosque galería cuando va paralelo al curso de los ríos. Las precipitaciones son elevadas (1 000-2 000 mm), pero estacionales y amplias extensiones se ven afectadas por la alternancia de las inundaciones y la sequía. El clima es caluroso, y la temperatura oscila entre los 23 y 27 °C al norte. Al norte y este, el Oriente tiene una densa selva tropical, mientras abiertas llanuras cubiertas de ásperos pastos, zonas pantanosas y matorrales ocupan el centro.

Población

El ritmo de crecimiento medio anual es bastante elevado, debido al mantenimiento de unas altas tasas de natalidad. El índice de mortalidad infantil ha descendido considerablemente en los últimos años. Por otra parte, el índice de analfabetismo también ha experimentado re-

Situado entre la cordillera Occidental y la cordillera Real u Oriental, al sur del lago Titicaca, el Altiplano boliviano presenta importantes manifestaciones de actividad volcánica.

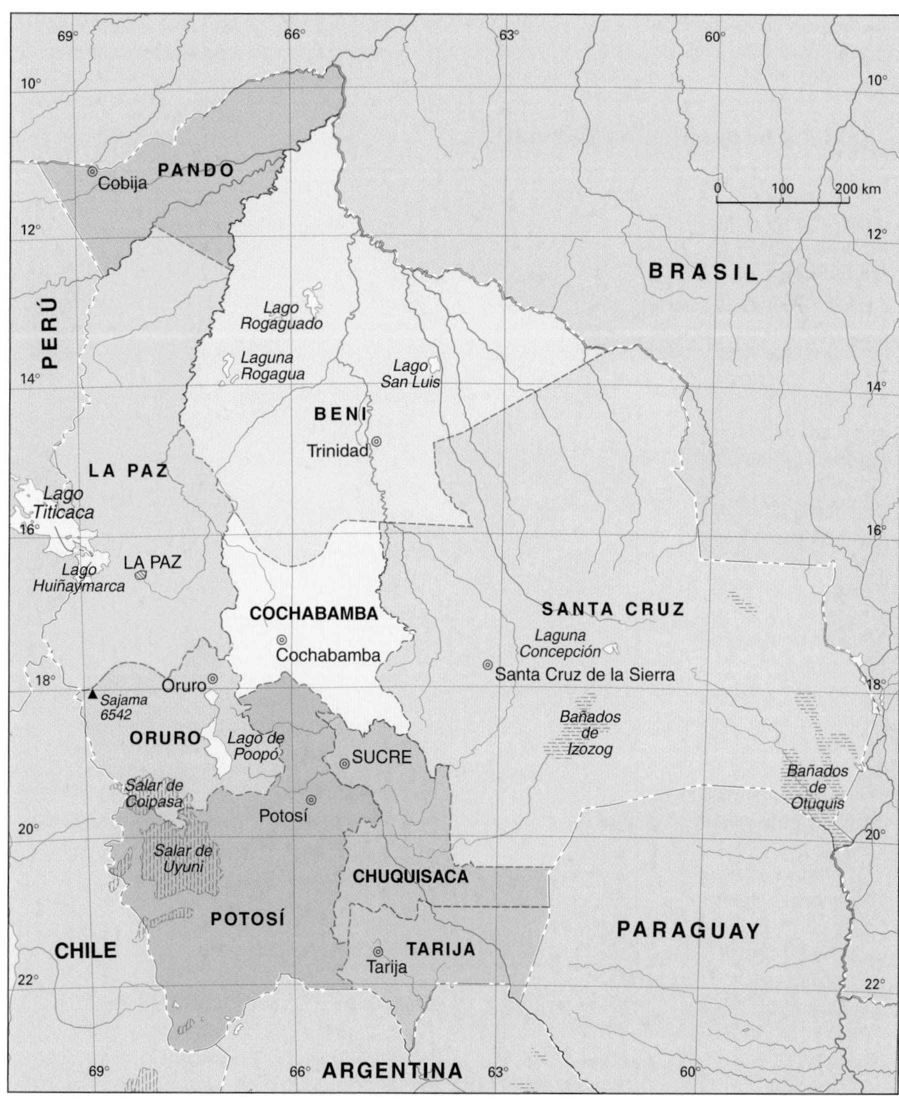

Bolivia es una república dividida administrativamente en 9 departamentos. Es el único país sudamericano con dos capitales: Sucre, sede del poder legislativo, y La Paz, sede del gobierno.

Los hidrocarburos (petróleo y gas natural), junto con el estaño, son los recursos naturales que aportan mayor riqueza al país. En la imagen, vista exterior de una refinería en Cochabamba.

Pueblos originarios de Bolivia

■ *La población indígena de Bolivia representa hoy en día en torno al 40 % del total nacional y pertenece a tres grupos principales. El primero, conocido como grupo andino, es el más numeroso y es el que hallaron los españoles a su llegada a la región montañosa: en el mismo destacan los grupos quechuas y los aymaras, que son los herederos de las grandes culturas andinas, y, en menor medida, los chipayas y los urus, comunidades más pequeñas y que se hallan en peligro de extinción; el segundo grupo autóctono está compuesto por chiriguanos y guarayos, ambos pertenecientes a la familia tupí-guaraní, y que se hallan asentados sobre todo en los departamentos de Santa Cruz, Tarija y Chuquisaca; por último, el tercer grupo, el arahuaco, se halla localizado en el departamento de Beni y está formado, entre otras familias, por las baure, trinitaria e ignaciana.*

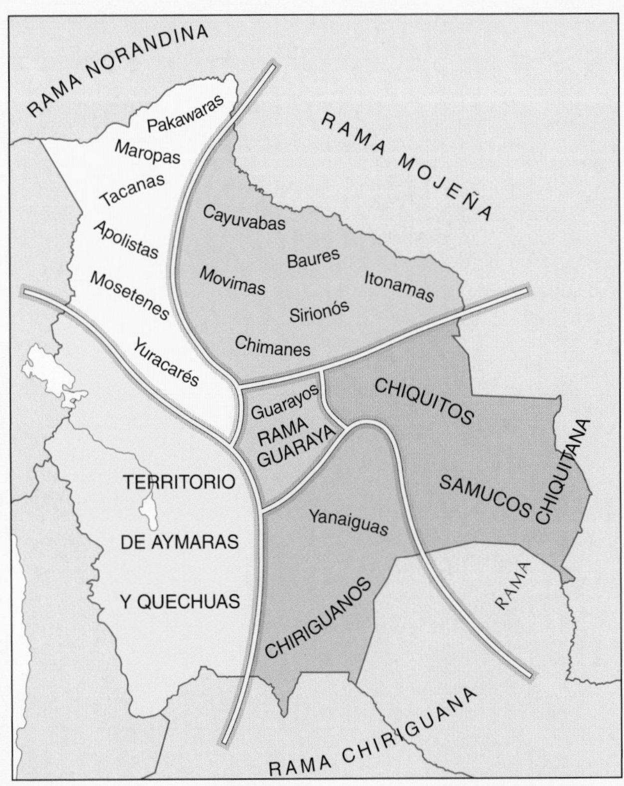

cientemente un descenso significativo. Bolivia es uno de los estados latinoamericanos con menor densidad demográfica. La distribución de sus habitantes sobre el territorio es, sin embargo, bastante irregular, pues hay regiones muy pobladas y otras que registran una densidad notablemente inferior a la media del país. La población, mayoritariamente urbana, tiende a concentrarse en el Altiplano. Entre las principales ciudades bolivianas cabe mencionar las siguientes: La Paz –que comparte capitalidad con Sucre–, Santa Cruz de la Sierra –una ciudad de gran dinamismo económico–, El Alto, Cochabamba, Oruro, Tarija y Potosí.

Como toda la población originaria americana, los grupos étnicos bolivianos son el resultado de las migraciones asiáticas y polinesias que se considera que poblaron el continente. Estos pueblos, que representan poco más de la mitad de la población total, pueden clasificarse en tres grupos de acuerdo con sus características culturales y lingüísticas: el grupo andino que habita las tierras del Altiplano, las cordilleras y los valles, y que comprende las familias lingüísticas quechua y jaqi; el grupo tupí-guaraní, que vive en el departamento de Santa Cruz y en parte de los de Chuquisaca y Tarija, y abarca varios pueblos entre los que están los guarayos; y, por último, el grupo de los arahuacos, que ocupa el departamento de Beni y está compuesto por las familias baure, ignaciana y trinitaria, entre otras.

El grupo andino, heredero de las culturas de Tiahuanaco e incaica, se caracteriza por su riqueza cultural, una de cuyas manifestaciones son las lenguas quechua y aymara, habladas por casi la mitad de los bolivianos. Los mestizos representan casi una tercera parte de los habitantes del país y son los descendientes de la unión de los españoles y los indígenas, en tanto que la población blanca, que tiene su origen en los descendientes de los colonizadores españoles, constituye una cuarta parte del total.

Recursos económicos

La economía boliviana está basada esencialmente en la explotación minera. La agricultura es una actividad tradicional que se halla dedicada casi en su totalidad al consumo interno. Un grave problema para la integración económica de todo el territorio boliviano lo constituye su accidentado terreno. En los valles, mediante riego, se cultivan papas, yuca, maíz, arroz y otros cereales para el consumo local. También se cosechan café, tabaco, caña de azúcar, algodón y banana. La producción para la alimentación ocupa el primer lugar en el Altiplano. Las cosechas para uso industrial están concentradas alrededor de Santa Cruz de la Sierra, mientras que la agricultura más comercial se sitúa

Interior de una mina en Cerro Rico (Potosí). cuya explotación se remonta a la Colonia.

Cronología

EL POBLAMIENTO PRECOLOMBINO Y LA COLONIZACIÓN ESPAÑOLA

500-1000: territorio habitado por los pukina y los aymarás, se desarrolla entre éstos la cultura de Tiahuanaco.
1450: sometimiento al imperio inca.
1535: comienza la conquista española.
1545: hallazgo de las minas de plata de Potosí, base económica de la región en la etapa colonial.
1548: creación de la Audiencia de Charcas.
Ss. XVI-XVIII: Audiencia de Charcas, base de la entidad boliviana (Alto Perú). Explotación minera (Potosí), complementada por la servidumbre indígena (*mita*). Sublevaciones (Túpac Katari).
1809: comienzan las guerras por la independencia en territorio boliviano.

LA INDEPENDENCIA Y LA REPÚBLICA

1825: se crea la República de Bolívar, que recibe poco después el nombre de Bolivia.
1826-1828: gobierno del mariscal Antonio José de Sucre.
1836-1839: confederación Perú-Boliviana.
1841: derrota peruana en Ingavi. Ratificación de la independencia boliviana.
1871: creación del departamento del Litoral.
1879-1884: guerra del Pacífico que enfrenta a Bolivia y Perú con Chile.
1898-1899: guerra civil entre liberales y conservadores: derrota de estos últimos. La Paz, sede del gobierno.
1903: tratado de Petrópolis con Brasil: pérdida del Acre.
1932-1935: guerra del Chaco con Paraguay.
1952-1964: gobierno del Movimiento Nacionalista Revolucionario: ley de Voto Universal, nacionalización de minas, ley de Reforma Agraria.
1964-1982: etapa de gobiernos militares.
1982: restauración de la democracia.
1982-1985: Hernán Siles Zuazo, presidente.
1985-1989: período presidencial de Víctor Paz Estenssoro.
1989-1993: Jaime Paz Zamora, presidente.
1993-1997: presidencia de Gonzalo Sánchez de Lozada.
1997-2001: Hugo Bánzer, presidente.
2001-2002: presidencia de Jorge Quiroga.
2002-2003: Gonzalo Sánchez de Lozada, de nuevo en la jefatura de Estado.
2003: Carlos Mesa, presidente.
2005: dimisión de Mesa. Asume la presidencia Eduardo Rodríguez.

en el este, donde hay un cierto número de plantas procesadoras de alimentos. La coca, un cultivo practicado de forma ancestral por las comunidades aymará y quechua e incorporado a sus formas culturales, conoció un espectacular desarrollo en la década de 1980 a causa de la demanda de la economía ilegal vinculada al comercio de estupefacientes. Como actividad asociada a la agricultura, se cría ganado ovino, vacuno, porcino y caprino. En el Altiplano abundan los rebaños de llamas y alpacas. La pesca es una actividad significativa en la zona del lago Titicaca, aunque está destinada al consumo local. La explotación forestal reviste una notable importancia, ya que en el territorio boliviano abundan las especies de árboles de gran valor comercial.

El subsuelo es muy rico en minerales. Bolivia es un importante productor mundial de antimonio y figura también entre los primeros en lo que respecta a la producción de estaño y tungsteno. Además, del subsuelo del país se extraen grandes cantidades de plomo, hierro, plata y cinc. Desde los últimos años del siglo XX ha cobrado importancia la extracción de petróleo y gas natural. Por otra parte, el desarrollo de la explotación de hidrocarburos ha favorecido la instalación de diferentes refinerías.

La industria está especializada en la elaboración de cerveza, cigarrillos, cemento, y tejidos de algodón, de lana y sintéticos. Es asimismo notable la producción de lana de alpaca que, debido a su calidad, ha conseguido imponerse comercialmente en el mercado internacional. La mayor parte del comercio exterior se lleva a cabo con Estados Unidos, Venezuela, Ecuador, Alemania y México.

En el Altiplano, al pie de las cumbres andinas, La Paz es la capital a mayor altitud del mundo (3632 m); alberga la sede del gobierno desde 1898 y es un notable centro económico.

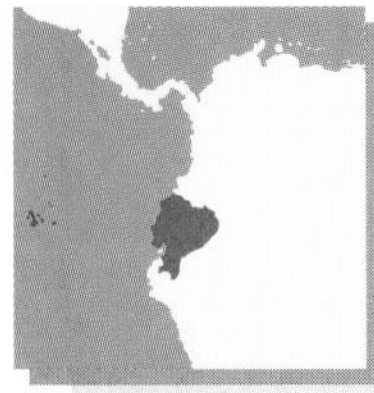

Ecuador

DATOS GENERALES
Nombre oficial: República del Ecuador
Superficie: 255 594 km^2
Población: 12 156 608 hab.
Densidad: 47,6 hab./km^2
Moneda: dólar EE UU
Lenguas: español (oficial), quechua, shuar y otras lenguas amerindias
Religión: católicos (92,5 %)
Capital: Quito (1 399 378 hab.)
Ciudades: Guayaquil (1 985 379 hab.), Cuenca (277 374 hab.), Machala (204 578 hab.), Portoviejo (171 847 hab.)
Divisiones administrativas: 22 provincias
Forma de gobierno: república

INDICADORES DEMOGRÁFICOS
Tasa de natalidad: 25,5 ‰
Tasa de mortalidad: 5,4 ‰
Crecimiento vegetativo: 20,1 ‰
Tasa de mortalidad infantil: 25,0 ‰
Hijos por mujer: 3,0
Tasa de crecimiento demográfico: 1,9 %
Población menor de 15 años: 33,0 %
Población de 60 años o más: 7,5 %
Esperanza de vida al nacer: 75,0 años (mujeres), 69,0 años (hombres)
Población urbana: 61,0 %

INDICADORES SOCIALES
Tasa de alfabetización: 91,0 %
Núm. de médicos: 145 por 100 000 hab.
Núm. de automóviles: 215 000 unidades
Líneas telefónicas: 110 por mil hab.
Abonados a teléfonos móviles/celulares: 121 por mil hab.
Usuarios de internet: 42 por mil hab.
Gasto público en salud: 2,3 % del PIB
Gasto público en educación: 1,0 % del PIB

INDICADORES ECONÓMICOS
PIB: 26 872 millones de $
PIB per cápita: 1 962 $
PIB por sectores: Primario 9 %, Secundario 28 %, Terciario 63 %
Población ocupada por sectores: Primario 9 %, Secundario 23 %, Terciario 68 %
Superficie cultivada: 10,8 %
Producción de energía: 11 544 millones de kW/h
Consumo de electricidad: 865 kW/h por hab.
Importaciones: 6 431 millones de $
Exportaciones: 5 041 millones de $

RECURSOS ECONÓMICOS
Agricultura: banano, café, cacao, arroz, patata, maíz , soja, caña de azúcar
Ganadería: bovina, porcina, ovina y caprina
Pesca: 654 539 t
Silvicultura: 6 187 042 m^3 de madera
Minería: petróleo, gas natural
Industria: textil, agroindustria, del cemento, cervecera, tabacalera, bebidas, química

Pequeño país de Sudamérica, Ecuador limita al norte con Colombia, y al este y al sur con Perú; al oeste sus costas están bañadas por las aguas del océano Pacífico. Atravesado por la línea ecuatorial, es un país ocupado por un tramo de la cordillera de los Andes.

El sistema montañoso andino es un factor que tiene una influencia decisiva en la división del territorio en tres regiones continentales: la Costa o Litoral, la Sierra y la región Oriental o Amazónica. A estas zonas hay que añadir la región insular, que constituye la provincia de Galápagos, en la que destaca el archipiélago de Colón.

Marco natural

La región de la Costa comprende la franja que va desde el piedemonte occidental de los Andes hasta el mar, y está formada por una llanura de unos 300 m de altitud franqueada al oeste por la cordillera de la Costa; ésta comprende una serie de sierras emparentadas con la colombiana serranía de Baudó. La región de la Sierra se halla integrada por la imponente cordillera de los Andes, que, en Ecuador, se divide en dos cordones, el Occidental y el Oriental, entre los cuales se abren una serie de cuencas llamadas hoyas. Durante el terciario, las cadenas se elevaron en sucesivos plegamientos, acompañados por una intensa actividad volcánica; testimonio de ella es la gran cantidad de conos que se alzan en todo el sistema mon-

El Chimborazo (6 310 m de alt.), considerado el "rey de los Andes ecuatorianos", es la cima más elevada del país; este símbolo nacional –cuyo nombre significa "montaña de nieve" en lengua quechua– es un volcán inactivo que se halla situado en la cordillera Occidental.

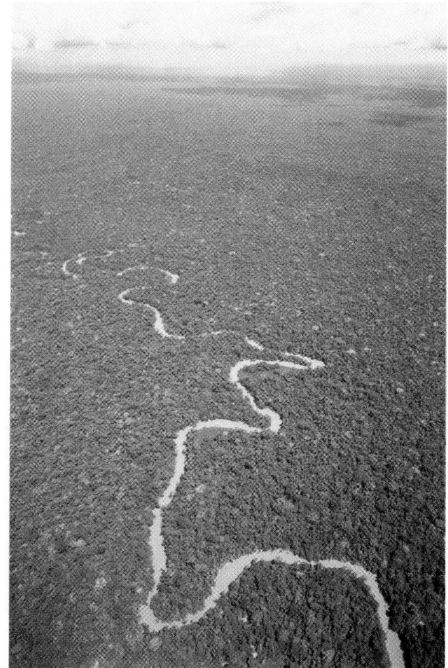

Vista de la Amazonia ecuatoriana, integrada por frondosas y extensas selvas.

Las islas Galápagos, en el Pacífico, a 1000 km al oeste de la costa ecuatoriana, ofrecen un paisaje único en el mundo, declarado Patrimonio de la Humanidad en el año 1984.

tañoso, por cuyo motivo recibe el nombre de "avenida de los volcanes". En la cordillera Occidental se encuentran, entre otros, los volcanes Chiles (4768 m), Cotacachi (4944 m) y Chimborazo (6310 m), este último el punto culminante del país. En la cordillera Real u Oriental, los principales conos volcánicos son el Cotopaxi (5897 m), Cayambe (5790 m), Antisana (5758 m), Altar (5320 m), Sangay (5230 m), entre otros. Las hoyas intermontanas están separadas por estribaciones de origen volcánico y generalmente albergan el valle de un río del cual toman el nombre. Al este de la cordillera Oriental se alza una serie de macizos de unos 3000 m, que reciben el nombre de Tercera Cordillera.

La región Amazónica se extiende al este de estos macizos, primero en forma de mesetas, que luego descienden hacia una amplia llanura avenada por los afluentes y los subafluentes del sistema Amazonas-Marañón. También forma parte del territorio ecuatoriano el archipiélago de Colón (o islas Galápagos) que se encuentra situado en el Pacífico, a unos 1000 km de distancia del continente; compuesto por trece islas y unos sesenta islotes y peñones, Galápagos es un verdadero paraíso para los naturalistas por sus ricos ecosistemas y constituye el principal destino turístico del país.

La hidrografía de Ecuador se distribuye en dos vertientes bien diferenciadas, a través de una divisoria de aguas de trazado irregular: los ríos que nacen en la cordillera Oriental se dirigen hacia el sistema Amazonas-Marañón –y, a través de éste, hacia el Atlántico–, y los de la cordillera Occidental desembocan en el Pacífico. Los ríos de la vertiente pacífica presentan un recorrido corto, en general debido a la proximidad de la cordillera Occidental a la costa. Entre ellos sobresale el Guayas, formado por la unión del Daule y el Babahoyo, el Esmeraldas, que nace de la confluencia del Blanco y el Guayllabamba, y el Mira. Al contrario que los del litoral, los ríos de la vertiente del este presentan gran caudal. Destaca entre ellos el Napo, que tiene por afluentes el Coca, el Tigre, el Pastaza, con su afluente el Bobonaza, el Morona, el Santiago y el Zamora. La frontera con Colombia está delimitada en el noroeste por el río San Juan y en el nordeste por el Putumayo.

En la región de la Costa, el clima es muy cálido (26 °C), con precipitaciones que disminuyen progresivamente de norte (2000 mm) a sur (500 mm). En el sector de la Sierra, las áreas climáticas se escalonan en sentido vertical y, de esa forma, se dividen en: tropical muy húmedo (500-1500 m), ecuatorial semihúmedo (1500-3000 m), ecuatorial seco en los valles intermontanos y ecuatorial de alta montaña a partir de los 3000 m de altitud; las oscilaciones térmicas son mínimas durante el año, pero muy acusadas entre el día y la noche. En la Amazonia rei-

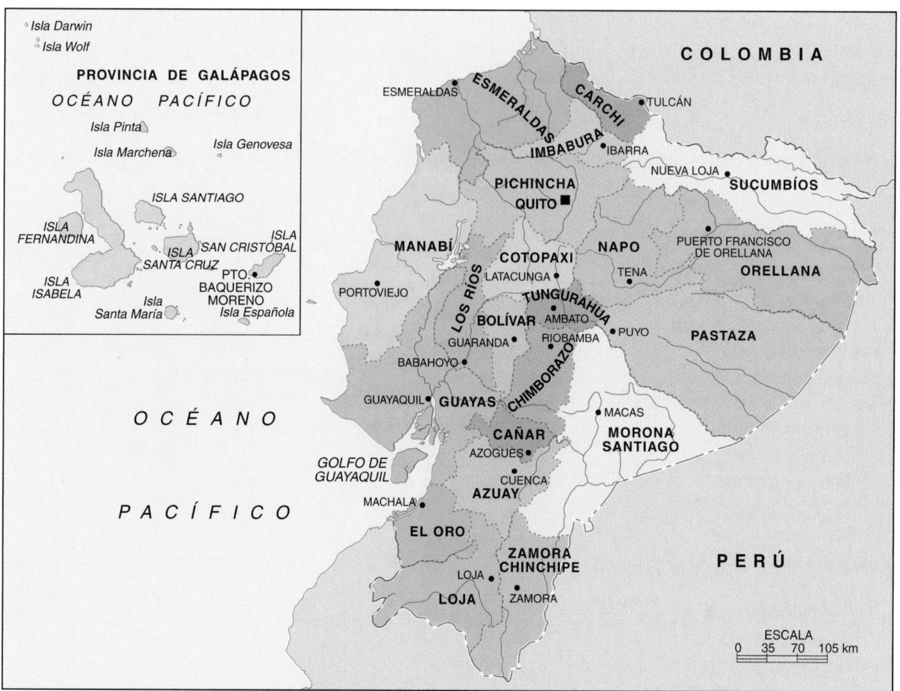

La actual división administrativa de Ecuador consta de 22 provincias, integradas por cantones, y éstos a su vez por parroquias urbanas y rurales, que conforman las entidades menores.

El banano es uno de los primeros rubros de exportación; en la foto, bananal en El Oro.

Quito, la capital del estado, es la segunda ciudad en número de habitantes de Ecuador. Vista de su sector moderno, con una gran concentración de bancos y centros comerciales.

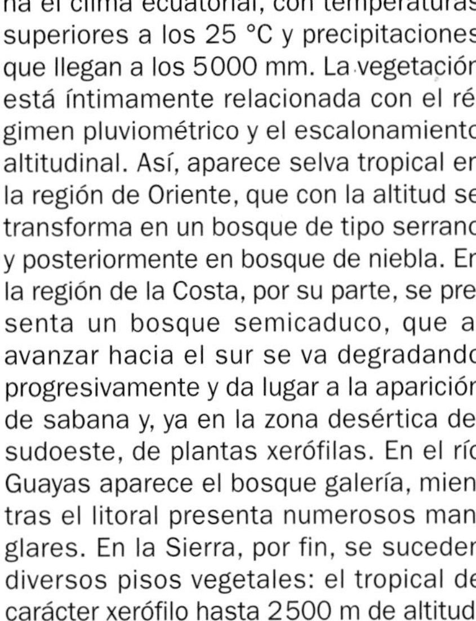

na el clima ecuatorial, con temperaturas superiores a los 25 °C y precipitaciones que llegan a los 5000 mm. La vegetación está íntimamente relacionada con el régimen pluviométrico y el escalonamiento altitudinal. Así, aparece selva tropical en la región de Oriente, que con la altitud se transforma en un bosque de tipo serrano y posteriormente en bosque de niebla. En la región de la Costa, por su parte, se presenta un bosque semicaduco, que al avanzar hacia el sur se va degradando progresivamente y da lugar a la aparición de sabana y, ya en la zona desértica del sudoeste, de plantas xerófilas. En el río Guayas aparece el bosque galería, mientras el litoral presenta numerosos manglares. En la Sierra, por fin, se suceden diversos pisos vegetales: el tropical de carácter xerófilo hasta 2500 m de altitud, la estepa herbácea (2 500-3 000 m), los páramos (3 500-5 000 m) y los musgos y líquenes, donde reina un clima glaciar (5000 m). En el archipiélago de Colón, la vegetación es de estepa, salvo en las vertientes mejor orientadas, que se hallan cubiertas de un bosque claro de tipo tropical; entre la fauna que se encuentra en estas islas destacan las tortugas gigantes de tierra, que dan nombre a la provincia, y las iguanas, marinas o terrestres, que se alimentan de cactos.

Población

Prácticamente sólo está poblada la mitad occidental del país, esto es, las regiones de la Sierra y la Costa y, de ellas, la zona central es la más densamente habitada. En cambio, la región Amazónica se halla prácticamente despoblada. La distribución geográfica de los habitantes por provincias es muy desigual. Guayas y Pichincha, las dos provincias más habitadas del país, concentran juntas el 44 % del total. La población de Ecuador es en su mayoría urbana gracias a una creciente corriente migratoria desde el campo a las ciudades, incrementada desde la década de 1970. La población rural se redujo del 72 %, en 1950, a menos del 45 % hacia 1990 y, en la actualidad, se estima que cerca de dos terceras partes vive en los núcleos urbanos. En la década de 1950, Ecuador sólo tenía dos ciudades con más de 100000 habitantes: Quito y Guayaquil; en 1975 contaba con tres, y en 1990 ya sumaban ocho. Tanto Quito como Guayaquil son núcleos de población que registran elevadas tasas de crecimiento demográfico, lo que comporta graves problemas socioeconómicos, en especial entre los sectores marginales.

Por otra parte, la población de Ecuador registra un índice de crecimiento medio anual elevado, debido a que se mantiene una alta tasa de natalidad, en tanto que la mortalidad decreció bastante en los últimos años del siglo XX. En su pirámide de población existe una proporción muy elevada de jóvenes y niños.

Pueblos amerindios a la llegada de la población negra

■ *A raíz del naufragio en 1553, frente a la costa de Esmeraldas, de un barco procedente de Panamá y con destino a Perú, que transportaba mercaderías y población negra esclava para ser intercambiados, más de una veintena de negros sobrevivientes arribaron por vez primera al litoral de Ecuador y trabaron relación con varios grupos indígenas.*

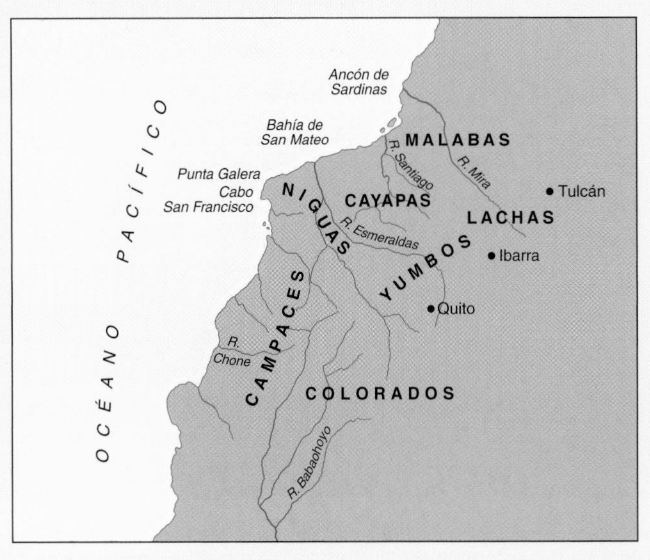

Recursos económicos

En los últimos tiempos, la industria ha recibido un nuevo impulso, al tiempo que también la actividad primaria ha atravesado un período de tecnificación progresiva y el sector servicios ha mostrado una tendencia ascendente. El sector tradicional de la economía está representado por la agricultura. Los cultivos comerciales comprenden el cacao, el café, la caña de azúcar y los bananos. En menor proporción se cosechan algodón, tabaco, una palma llamada tagua, que proporciona el marfil vegetal para hacer botones, la palma toquilla, cuyas fibras se utilizan en la confección de sombreros, y gran variedad de frutales, en especial cítricos y ananás. Todos estos cultivos se desarrollan en las tierras cálidas de la región de la Costa, mientras que en las tierras templadas del altiplano se cosechan los productos de consumo local (maíz, arroz, papas y yuca).

El sector primario de Ecuador cuenta además con una moderada explotación forestal que proporciona madera, caucho y tanino, una floricultura en auge, la cabaña ganadera y una creciente actividad pesquera. El sector minero ha experimentado un notable crecimiento gracias al descubrimiento de ricos yacimientos petrolíferos, cuya explotación ha transformado la economía nacional. También se extrae gas natural y, aunque cada vez en menores cantidades, oro y plata. En la actividad industrial destacan los sectores textil, alimentario y del cemento. La mayoría de las transacciones comerciales de Ecuador se llevan a cabo con Estados Unidos y, en menor medida, con Colombia.

Cronología

EL POBLAMIENTO PRECOLOMBINO Y LA COLONIZACIÓN ESPAÑOLA

± 3500 a.C.: primeras sociedades agro-alfareras.
500 a.C.: formación socio-política de señoríos en el actual territorio de Ecuador.
S. XV: se produce la conquista incaica. Reino incaico de Quito.
1529: primera exploración española de las costas ecuatorianas.
1534: fundación española de Quito sobre una ciudad autóctona.
1542: descubrimiento del río Amazonas.
1563: se crea la Real Audiencia de Quito.
1592-1593: rebelión de las Alcabalas.
1765: rebelión de los Barrios de Quito.
1809: primer movimiento autonomista en Ecuador.

LA INDEPENDENCIA Y LA REPÚBLICA

1822: batalla de Pichincha: independencia e ingreso en la Gran Colombia.
1830: separación de Colombia y fundación de la República del Ecuador.
1860-1875: dominación de García Moreno y consolidación del Estado oligárquico.
1895: guerra civil y triunfo de la revolución liberal con Eloy Alfaro a la cabeza.
1906: separación Iglesia-Estado.
1922: masacre de huelguistas de Guayaquil.
1925: revolución juliana: jóvenes militantes antioligárquicos modernizan el Estado.
1932: guerra de los 4 días. Los bonifacistas apoyan a los militares sublevados.
1942: la firma del protocolo de Río de Janeiro define el límite peruano-ecuatoriano.
1944: levantamiento contra Arroyo del Río y aclamación de Velasco Ibarra como presidente, por segunda ocasión de las cinco que ejercería el cargo.
1972-1979: gobiernos militares. Inicio de la explotación petrolera.
1979: reinicio del régimen constitucional con Jaime Roldós como presidente.
1996-1997: Abdalá Bucaram, presidente de la República.
1997-1998: Fabián Alarcón, presidente.
1998: Jamil Mahuad es elegido presidente. Firma del Acuerdo de Brasilia que pone fin al conflicto fronterizo con Perú.
2000: Gustavo Noboa sustituye a Mahuad en la jefatura de Estado.
2003: Lucio Gutiérrez Borbúa, presidente de la República.
2005: caída de Gutiérrez. Alfredo Palacio, jefe de Estado.

Santiago de Guayaquil fue fundada en 1558 por el capitán Francisco de Orellana a orillas del Guayas. Vista nocturna de Guayaquil, la ciudad más poblada del país, así como su principal polo económico y un dinámico puerto exportador en el Pacífico.

Perú

DATOS GENERALES
Nombre oficial: República de Perú
Superficie: 1 285 216 km²
Población: 26 748 972 hab.
Densidad: 20,8 hab./km²
Moneda: nuevo sol
Lenguas: español y quechua (oficiales), aymará y lenguas amazónicas
Religión: católicos (89,2 %)
Capital: Lima (6 464 693 hab.)
Ciudades: Arequipa (710 103 hab.), Trujillo (603 657 hab.), Callao (424 294 hab.), Chiclayo (375 058 hab.), Huancayo (305 039 hab.)
Divisiones administrativas: 24 departamentos y 1 provincia constitucional
Forma de gobierno: república

INDICADORES DEMOGRÁFICOS
Tasa de natalidad: 23,7 ‰
Tasa de mortalidad: 6,2 ‰
Crecimiento vegetativo: 17,5 ‰
Tasa de mortalidad infantil: 30,0 ‰
Hijos por mujer: 2,9
Tasa de crecimiento demográfico: 1,7 %
Población menor de 15 años: 33,2 %
Población de 60 años o más: 7,5 %
Esperanza de vida al nacer: 72,0 años (mujeres), 67,0 años (hombres)
Población urbana: 73,9 %

INDICADORES SOCIALES
Tasa de alfabetización: 85,0 %
Núm. de médicos: 103 por 100 000 hab.
Núm. de automóviles: 715 000 unidades
Líneas telefónicas: 66 por mil hab.
Abonados a teléfonos móviles/celulares: 86 por mil hab.
Usuarios de internet: 94 por mil hab.
Gasto público en salud: 2,6 % del PIB
Gasto público en educación: 3,3 % del PIB

INDICADORES ECONÓMICOS
PIB: 61 244 millones de $
PIB per cápita: 2 154 $
PIB por sectores: Primario 8 %, Secundario 28 %, Terciario 64 %
Población ocupada por sectores: Primario 9 %, Secundario 18 %, Terciario 73 %
Superficie cultivada: 3,3 %
Producción de energía: 21 739 millones de kW/h
Consumo de electricidad: 874 kW/h por hab.
Importaciones: 8 470 millones de $
Exportaciones: 6 870 millones de $

RECURSOS ECONÓMICOS
Agricultura: algodón, caña de azúcar, arroz cáscara, papas, trigo, maíz, sorgo, cacao, agrios, ananás, manzanas, duraznos, uva, té, tabaco, mandioca, tomates
Ganadería: ovina, aves de corral, llamas, alpacas, vacuno, caprina, porcina, caballar
Pesca: 7 995 507 t
Silvicultura: 8 419 000 m³ de madera
Minería: petróleo, gas natural, cobre, plata, oro, plomo, cinc, fosfatos, bismuto, guano, mercurio, antimonio, molibdeno, estaño, tungsteno, manganeso
Industria: siderúrgica, textil, lanera y algodonera, del cemento, química, tabaquera y alimentaria en general

Estado de América del Sur, Perú limita al noroeste con Ecuador, al nordeste con Colombia, al este con Brasil, al sudeste con Bolivia, y al sur sus tierras hacen frontera con Chile. En el sector occidental del territorio peruano se extiende un prolongado litoral bañado por las aguas del Pacífico (mar de Grau).

Marco natural

La cordillera de los Andes recorre el país de norte a sur y determina tres grandes unidades morfológicas: la costa, la selva y los Andes. En el sector oriental se extiende la Amazonia peruana o selva, que comprende vastos bosques tropicales. En el sector occidental se sitúa el litoral o costa, que presenta una superficie poco accidentada y tiene una anchura que oscila entre los 30 y 150 km. Esta región se halla atravesada por torrentes cortos y poco caudalosos que bajan de los Andes y que han labrado valles en los sedimentos, y han dado lugar a verdaderos oasis

El Nevado de Huascarán, techo del relieve peruano (6 746 m de alt.), es una imponente montaña que da nombre a un destacado parque nacional. Forma parte de la cordillera Blanca, la cordillera tropical más alta del mundo, con cerca de treinta nevados a más de 6 000 m.

de cultivo en un ambiente de clima desértico. Los Andes peruanos se dividen en Andes septentrionales, que se extienden desde la frontera con el Ecuador hasta el departamento de La Libertad; Andes centrales, que comprenden la mayor superficie glaciar del país y donde se eleva el Nevado de Huascarán (6 746 m), la cumbre más elevada del país; y Andes meridionales, donde se encuentra la cordillera Occidental o Volcánica, denominada así por sus numerosos conos volcánicos.

La cordillera andina, que atraviesa el país en sentido latitudinal, es el eje vertebral de las dos grandes vertientes hidrográficas: la del Pacífico, al oeste, y la del Atlántico, al este –a través de territorio brasileño–; una tercera corresponde a la cuenca endorreica del lago Titicaca. La vertiente del Pacífico está constituida por ríos que nacen en la cordillera Occidental, de corta longitud y con una elevada pendiente y un sinuoso recorrido por las tierras áridas de la Costa hasta su desembocadura, donde son aprovechados para el regadío. El caudal de estos cursos, que se alimentan de las nieves y son protagonistas de temidos aludes de barro y nieve procedente del deshielo, no es perenne, a excepción del río Santa; otros que desembocan en el Pacífico son el río de la Leche, Reque, Saña, Chira, el Pisco, el Ica y el Grande. La vertiente atlántica, por su parte, ocupa casi las tres cuartas partes de la superficie total y en ella se localizan las fuentes del Amazonas. La red fluvial más tupida se localiza en la mitad nordeste del país, por donde discurre el Marañón y el sistema Ucayali-Apurímac que da origen al río Amazonas. El Marañón recibe por su margen izquierda el aporte de numerosos cursos fluviales, entre los que sobresalen el Santiago, el Pastaza, el Tigre y el Napo. Al Ucayali vierte sus aguas el río Urubamba. En el sudeste peruano destacan los ríos de las Piedras y Madre de Dios. Por último, cabe mencionar la cuenca del Titicaca, gran lago (8330 km^2) que el país comparte con Bolivia.

En la franja costera, donde la aridez se manifiesta con todo rigor, la corriente fría de Humboldt sirve de atenuante al clima cálido que caracteriza la zona y logra mantener temperaturas uniformes a lo largo del año, no muy elevadas, a la vez que incide en el hecho de que las aguas marinas tengan aquí una temperatura casi tres grados inferior al de otras latitudes similares. Las precipitaciones, por lo tanto, son muy escasas, sobre todo en el sur del país donde no sobrepasan los 0,3 mm anuales. Tales sequías apenas se ven aliviadas por la llovizna denominada "garúa" que salpica el litoral y no consigue mitigar su extrema aridez. En consecuencia se desarrolla en la zona una vegetación xerófila que forma, al pie de la cordillera Occidental, verdaderas murallas que separan los dos

La formación rocosa conocida como "La Catedral", en la Reserva Nacional de Paracas, abarca una superficie de 355 000 hectáreas, en el departamento de Ica, al sur del país.

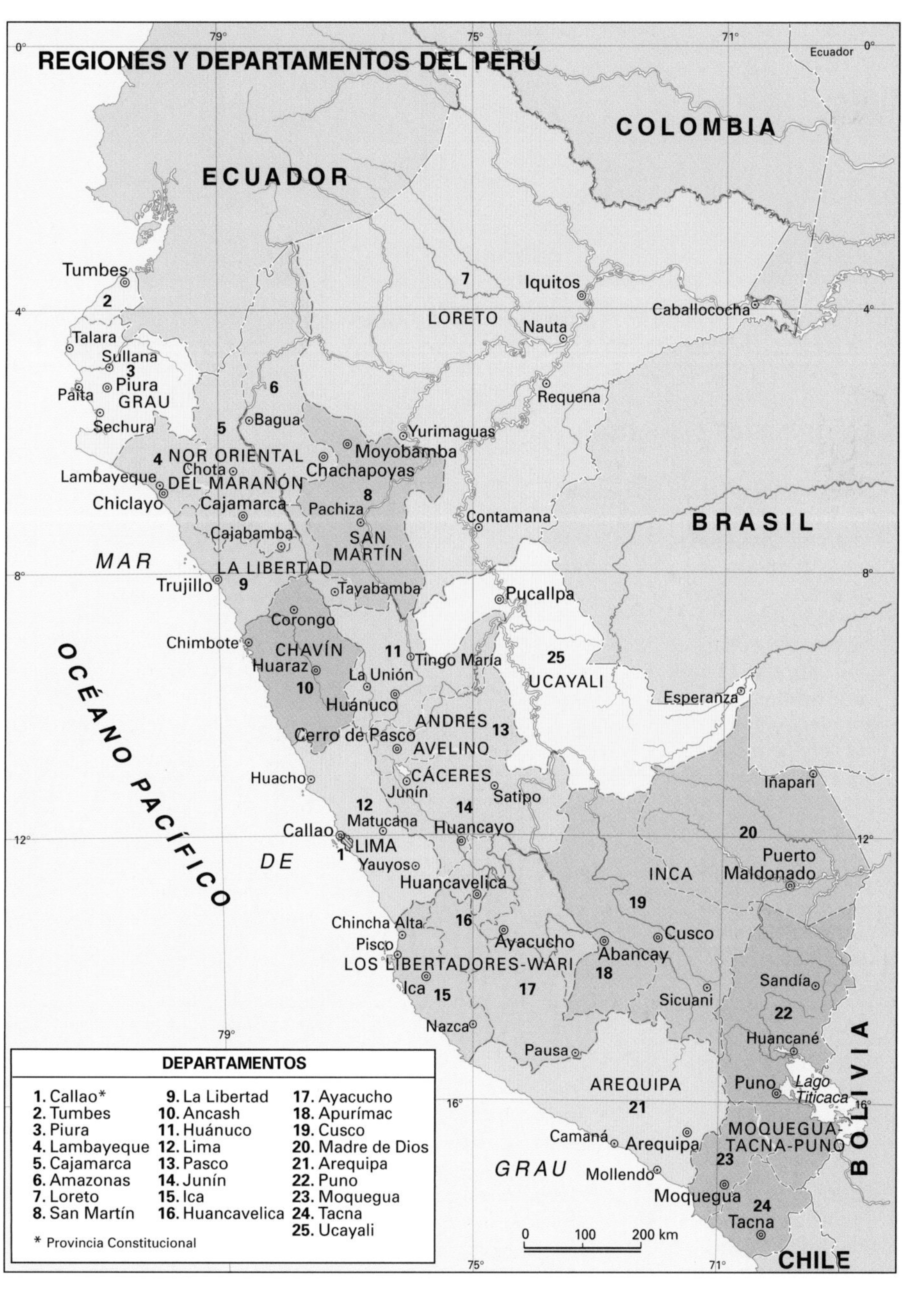

La actual división político-administrativa de Perú consta de 24 departamentos y la provincia constitucional del Callao; el departamento más extenso es Loreto, situado al norte del país.

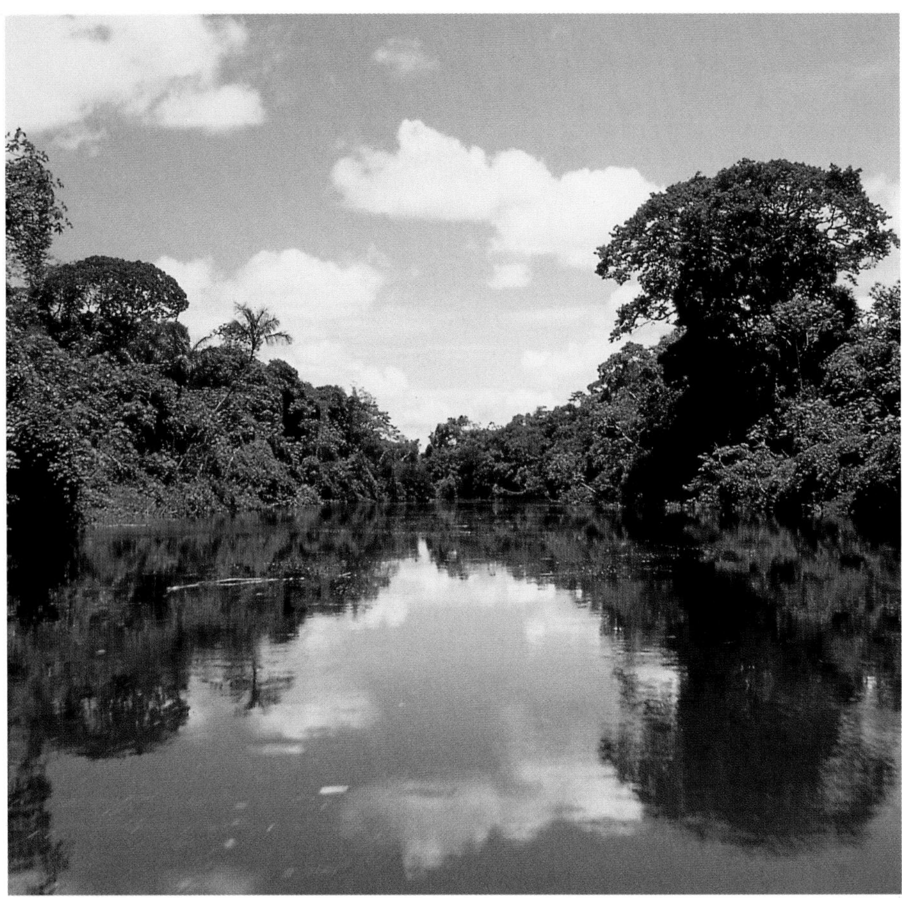

El río Samiria forma parte de la Reserva Nacional Pacaya-Samiria, situada en Loreto, en plena selva lluviosa, considerada una de las regiones con mayor riqueza ictiológica de todo el país

Las primeras culturas de Perú

■ *El primer gran escalón de la marcha civilizatoria en el territorio de la actual república de Perú está representado por la cultura de Chavín de Huántar, sitio arqueológico en la cordillera Blanca, que debió de ser un centro administrativo y de culto hacia el año 1000 a.C. Pero el momento artístico culminante se produjo en el primer milenio de la era cristiana con culturas como Mochica, Paracas-Nazca, Recuay y Tiahuanaco; esta última cultura floreció entre 600 y 1000 d.C. y tuvo como centro la ciudad homónima, a orillas del lago Titicaca.*

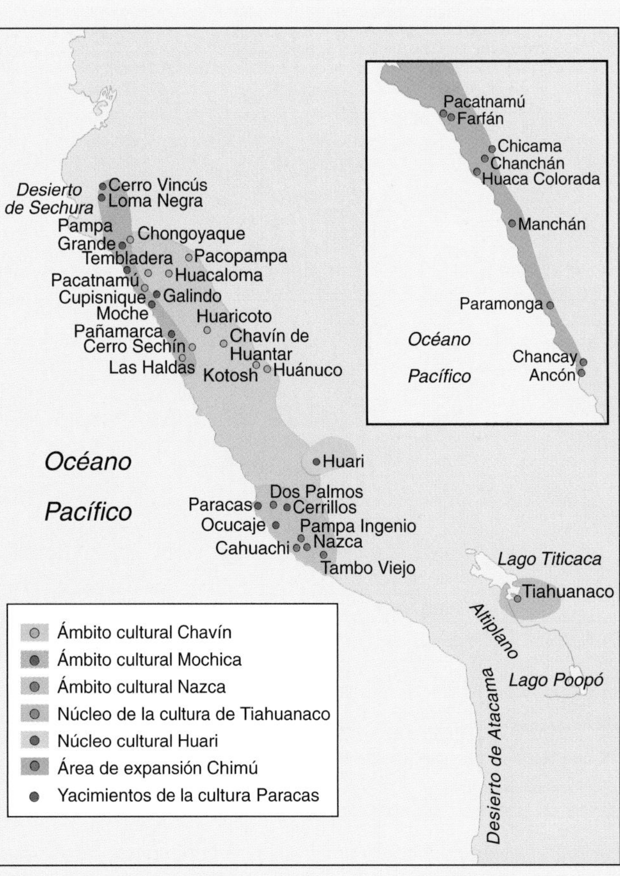

ámbitos climáticos y biogeográficos. Las temperaturas disminuyen a medida que se alcanzan mayores altitudes en la vertiente occidental de la sierra andina, mientras que en el Altiplano, con un clima típico de montaña, frío, no alcanza los 10 °C. Por su parte, las precipitaciones, de alrededor de unos 500 mm anuales, se concentran principalmente en el verano. Este clima da origen a una vegetación esteparia y prados de alta montaña, que proporcionan buenos pastos para el ganado. Por otra parte, la vertiente oriental de los Andes se caracteriza por su clima templado y subecuatorial con bosques tropicales. Por último, el sector septentrional del país participa del clima ecuatorial, típico de la selva amazónica, cálido y húmedo, con precipitaciones elevadas que nutren la exuberante vegetación selvática.

Población

A partir de la década de 1940, la demografía peruana se ha modificado sensiblemente debido a la incidencia de diversos factores: la explosión demográfica, causada por la disminución de la mortalidad y el mantenimiento de una alta tasa de natalidad; la migración del campo a la ciudad, proceso por el cual la Sierra dejó de ser el foco de poblamiento más destacado a mediados de la década de 1960 en favor de la Costa –la selva o Amazonia, por su parte, permanece muy poco poblada–; y un acelerado proceso de urbanización, que ha determinado que Perú sea desde la década de 1960 un país eminentemente urbano y ha consolidado la macrocefalia de la ciudad de Lima. Perú tiene en Lima Metropolitana su gran ciudad, comparable a las más destacadas capitales de América; le siguen en importancia Arequipa y Trujillo. De un modo general, las capitales departamentales constituyen centros urbanos con relevancia local, aunque a veces su peso adquiere dimensión regional, como es el caso de Ayacucho, Chiclayo, Cusco y Huancayo.

Desde el punto de vista etnocultural, Perú es el resultado de la fusión del tronco indígena y el español, mestizaje que ha sido enriquecido con aportes asiáticos y africanos. Las comunidades campesinas de la Sierra y los pueblos nativos de la Amazonia representan hoy la esencia de la herencia étnica prehispánica. Las comunidades de la Sierra se ubican en los departamentos andinos del sur (Cusco, Puno, Ayacucho, Apurímac) y en ellas la lengua materna dominante es el quechua, si bien en Puno, el aymará, lengua de la etnia colla, constituye el idioma materno de un tercio de la población. Por su parte, las comunidades amazónicas se agrupan en doce familias lingüísticas: arahuaca, jíbaro, pano, tupí-guaraní, cahuapana, peba-yagua, huitoto, harakmbet, tacana, tucano, zaparo y un último grupo de etnias sin clasificación lingüística.

Cronología

El poblamiento prehispánico y la colonización española

Ss. XII-XVI: desarrollo de diversas culturas amerindias (Chavín, Mochica, Chimú, Paracas, Nazca). Período inca.
1450-1532: fase de expansión inca.
1525-1532: guerra civil entre los incas Huáscar y Atahualpa.
1532-1533: llegan los españoles al Perú. Es ejecutado el último rey inca, Atahualpa.
1544-1546: gobierno del virrey Blasco Núñez Vela, primero de una serie de cuarenta virreyes.
Ss. XVI-XVII: monopolio comercial de Lima; base económica en torno a la explotación de las minas de plata.
1780-1820: levantamientos por la emancipación del Perú.
1780: con la revolución de José Gabriel Condorcanqui (Túpac Amaru II) culmina una larga serie de rebeliones indígenas.

Perú independiente

1821: se proclama en Lima la Independencia del Perú.
1821-1822: protectorado del general José de San Martín.
1822: primer Congreso Constituyente, presidido por Luna Pizarro.
1824: las victorias de Junín y Ayacucho consolidan la libertad del Perú.
1854: revolución liberal.
1879-1884: derrota de Perú, aliado de Bolivia, en la guerra contra Chile.
1919-1930: gobierno de Augusto B. Leguía.
1929: Perú y Chile firman el tratado de Lima, en el que se estipula que Tacna queda para Perú y Arica para Chile.
1962-1963: ningún candidato obtiene mayoría en las elecciones generales, se produce un golpe de Estado y se conforma una junta militar (R. Pérez Godoy, N. Lindley).
1968: el general J. Velasco Alvarado da un golpe de Estado e impone medidas nacionalistas y reformistas.
1980: retorno al sistema democrático: Fernando Belaúnde Terry asume el cargo de presidente de la República.
1990: Alberto Fujimori, líder de la coalición Cambio 90, presidente.
1992: Fujimori concentra el poder: disuelve el Congreso y suspende la Constitución.
1993: reforma de la Carta Magna.
2000: Fujimori (reelegido en 1995 y 2000) dimite. Valentín Paniagua, presidente interino.
2001: Alejandro Toledo, presidente.
2005: crisis política: renuncia del primer ministro Carlos Ferrero; asume Pedro P. Kuczynski.

Recursos económicos

Las actividades del sector terciario engloban el mayor porcentaje de población ocupada y son las que tienen una mayor aportación al cómputo del PIB nacional. Los sectores agrícola y pecuario están en directa relación con el clima y el relieve. En el litoral, donde se practica una agricultura comercial a gran escala, a pesar de la reducida superficie dedicada, destacan los cultivos de regadío artificial en los oasis, que precisan de un proceso altamente tecnificado; entre dichos cultivos sobresalen el arroz y las leguminosas y, entre los industriales, el algodón, la caña de azúcar, el café y los frutales. En la Sierra, la agricultura tiene una notable importancia, si bien no llega a alcanzar el nivel técnico de los cultivos de la Costa. Los cereales y las papas constituyen la principal aportación de este extenso territorio, en el que también abundan los pastos naturales que alimentan a las llamas, –de las que se aprovecha carne, lana y leche, y sirven a la vez como animales de carga– y a las alpacas –cuya lana sirve para elaborar telas de gran calidad–; asimismo se crían ovinos y bovinos; estos últimos aparecen también en la Costa, donde se localizan, en la parte septentrional, los mayores rebaños de ganado caprino. La selva comprende inmensas reservas forestales. En las costas peruanas se practica una intensa actividad pesquera que da origen a una notable producción industrial; la corriente Peruana o de Humboldt determina condiciones óptimas para el desarrollo de una importante fauna marina, entre cuyas especies se destaca la anchoveta, utilizada para la elaboración de harina de pescado.

El subsuelo es rico en yacimientos de cobre, plata, oro, plomo, cinc, estaño, petróleo y gas natural. La extracción de petróleo ha dado origen a la instalación de refinerías. La industria manufacturera se localiza, sobre todo, en el eje Lima-Callao, donde se concentra más de la mitad de los centros fabriles, entre los que sobresale la fabricación de textiles, productos químicos y cemento. La industria alimentaria sigue ocupando un lugar preeminente. La actividad industrial se centra, sin embargo, en industrias de base. La mayoría de las transacciones comerciales se llevan a cabo con Estados Unidos, China, Chile y Brasil.

Emplazada a 2 719 m de altitud, sobre un hermoso y fértil valle, Cajamarca es una ciudad de origen prehispánico que hoy es capital del departamento homónimo, en el norte del país.

Campos de maíz y trigo, dos cultivos de subsistencia tradicionales en Pisac (Cusco).

Sudamérica oriental

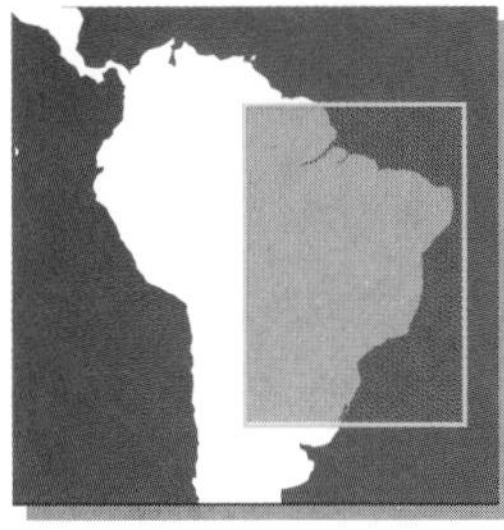

Esta región abarca la parte central y oriental de América del Sur, limitada al este por el océano Atlántico. En ella se pueden distinguir dos espacios diferenciados: la cuenca del río Amazonas al norte y oeste, y el altiplano brasileño y sus contrafuertes, en el centro y el este del conjunto regional.

Geografía física y humana

La Amazonia abarca el 42 % del territorio brasileño, pero es un área en su mayor parte virgen pese a que se ha intentado colonizar mediante la construcción de la carretera transamazónica (1970-1973). Esta obra, de unos 5 000 km de longitud, va desde Recife, en el nordeste del país, hasta Río Branco, en la frontera peruana, y constituye el eje económico sobre el que se ha acelerado la explotación de los recursos de la región.

El altiplano brasileño es la zona más activa económicamente, y el asiento de la agricultura y la ganadería más rica, donde se hallan las ciudades más populosas (São Paulo, Río de Janeiro, Belo Horizonte, Recife) y, por lo tanto, las principales industrias. Los rebordes montañosos paralelos a la costa han contribuido a aislar la franja litoral, cuyos habitantes –el 80 % del total de los brasileños– miran preferentemente hacia el exterior. Esta marginación del Brasil interior fue la razón que llevó a la creación de una nueva capital, Brasilia, una ciudad situada en el centro del altiplano.

Historia

Las grandes dimensiones del territorio brasileño, así como las características impuestas por la colonización portuguesa, han permitido que en Brasil coexistan culturas, modos de producción y relaciones sociales y económicas diferentes. La economía se orientó, desde antes de la independencia, hacia la exportación de materias primas agrícolas (azúcar, café y algodón). Al mismo tiempo, en extensas áreas del país, predominaba la economía de subsistencia.

Este desarrollo desigual se acentuó aún más con el crecimiento industrial, amplio y rápido, alcanzado después de la Segunda Guerra Mundial. A partir del año 1969, la instauración de un régimen que reunía, en la dirección del Estado, a altos jefes militares y dirigentes de las sucursales de poderosas compañías multinacionales, convirtió a Brasil en receptor de cuantiosos capitales extranjeros y a su economía en la de mayor crecimiento de América Latina y de buena parte del mundo. El precio pagado no ha sido solamente económico (endeudamiento exterior exorbitante), sino también político y social. La llegada al poder del ex sindicalista Lula da Silva en 2002 abrió nuevas expectativas económicas y sociales en el país.

Vista parcial del edificio del Congreso Nacional, en la ciudad de Brasilia, diseñado por el arquitecto brasileño Oscar Niemeyer.

La expansión de los *bandeirantes* (siglos XVII-XVIII)

■ *Los bandeirantes (así llamados por organizarse en bandeiras, expediciones a la captura del indio; y también paulistas por radicar su centro en São Paulo) representaron una forma particularmente brutal de la colonización en Brasil, pero constituyeron, asimismo, uno de los puntales de su expansión territorial hasta el siglo XVIII. Pese a la temprana y masiva introducción de esclavos negros, lo elevado de su coste –hasta que los portugueses organizaron a gran escala la trata en Angola– y la creciente demanda de mano de obra impulsaron a esos aventureros a la captura de indios para esclavizar desde el siglo XVI. Al adentrarse en la vasta tierra de nadie de las reducciones jesuíticas en la región del Plata, su ganancia era doble, pues se surtían de grandes cantidades de indígenas ya habituados al trabajo. Esto multiplicó los ataques contra las reducciones, por lo que los jesuitas prefirieron abandonar el Río Grande do Sul.*

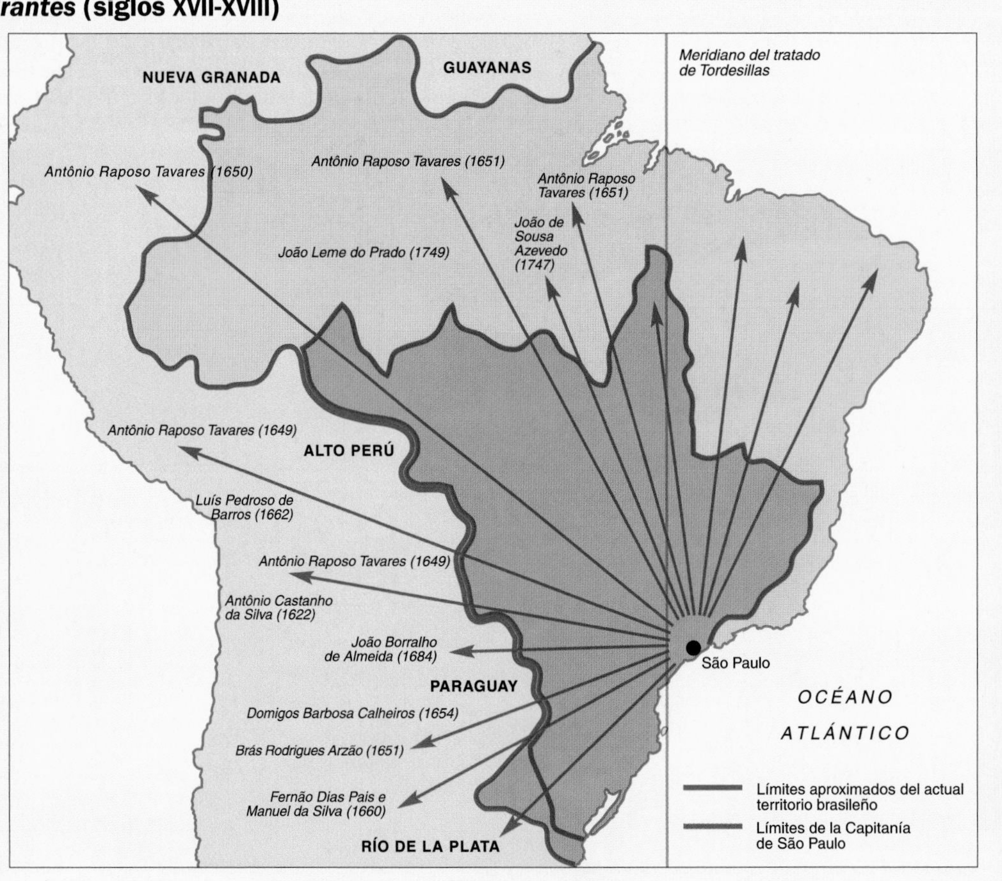

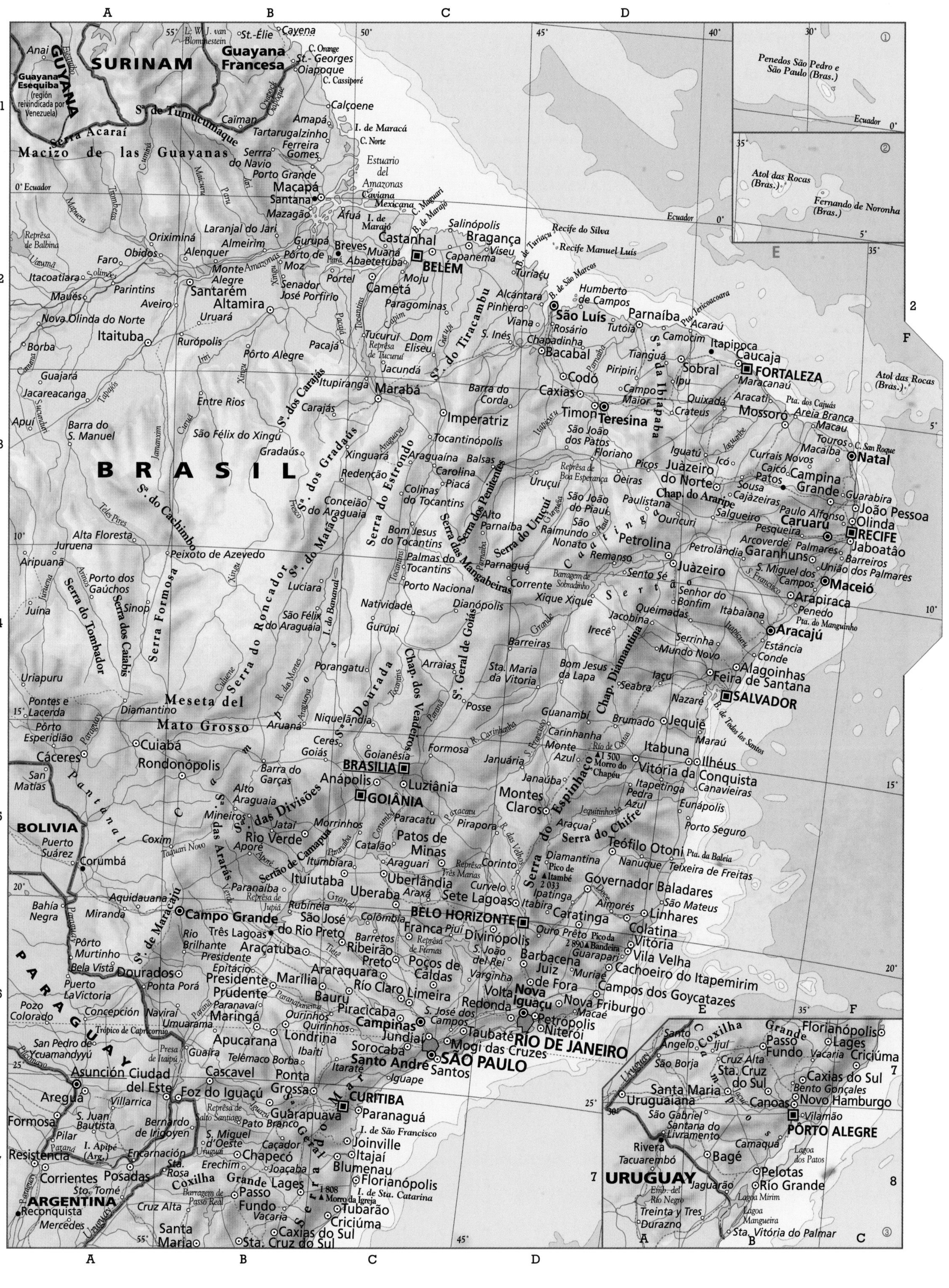
SURINAM
Guayana Francesa
GUYANA
BRASIL
BOLIVIA
PARAGUAY
ARGENTINA
URUGUAY
Macizo de las Guayanas
Meseta del Mato Grosso
BELÉM
FORTALEZA
RECIFE
SALVADOR
BRASILIA
GOIÂNIA
BELO HORIZONTE
RÍO DE JANEIRO
SÃO PAULO
CURITIBA
PÔRTO ALEGRE
Teresina
São Luís
Natal
João Pessoa
Maceió
Aracajú
Manaus
Macapá
Cuiabá
Campo Grande
Asunción
Estuario del Amazonas
Penedos São Pedro e São Paulo (Bras.)
Atol das Rocas (Bras.)
Fernando de Noronha (Bras.)
0 250 500 750 km

Brasil

DATOS GENERALES
Nombre oficial: República Federativa do Brasil
Superficie: 8 551 996 km²
Población: 168 729 380 hab.
Densidad: 19,7 hab./km²
Moneda: real
Lenguas: portugués (oficial), amerindios
Religión: católicos (73,6 %), protestantes (15,4 %)
Capital: Brasilia (2 094 100 hab.)
Ciudades: São Paulo (10 041 500 hab.), Río de Janeiro (5 974 100 hab.), Salvador (2 555 400 hab.), Belo Horizonte (2 305 800 hab.), Fortaleza (2 256 200 hab.)
Divisiones administrativas: 26 estados y 1 distrito federal
Forma de gobierno: república federal

INDICADORES DEMOGRÁFICOS
Tasa de natalidad: 14,8 ‰
Tasa de mortalidad: 5,5 ‰
Crecimiento vegetativo: 9,3 ‰
Tasa de mortalidad infantil: 30,0 ‰
Hijos por mujer: 2,1
Tasa anual de crecimiento demográfico: 1,6 %
Población menor de 15 años: 27,0 %
Población de 60 años o más: 8,5 %
Esperanza de vida al nacer: 75,0 años (mujeres), 67,0 años (hombres)
Población urbana: 81,7 %

INDICADORES SOCIALES
Tasa de alfabetización: 86,4 %
Núm. de médicos: 206 por 100 000 hab.
Núm. de automóviles: 16 021 000 unidades
Líneas telefónicas: 223 por mil hab.
Abonados a teléfonos móviles/celulares: 201 por mil hab.
Usuarios de internet: 82 por mil hab.
Gasto público en salud: 3,2 % del PIB
Gasto público en educación: 4,0 % del PIB

INDICADORES ECONÓMICOS
PIB: 507 014 millones de $
PIB per cápita: 2 922 $
PIB por sectores: Primario 6 %, Secundario 21 %, Terciario 73 %
Población ocupada por sectores: Primario 21 %, Secundario 14 %, Terciario 65 %
Superficie cultivada: 7,7 %
Producción de energía: 339 046 millones de kW/h
Consumo de electricidad: 2 122 kW/h por hab.
Importaciones: 49 735 millones de $
Exportaciones: 60 013 millones de $

RECURSOS ECONÓMICOS
Agricultura: maíz, arroz, mandioca, frijoles, patatas, batatas, tomates, cebollas, trigo, cebada, avena, centeno, sorgo, agrios, bananas, ananás, duraznos, peras, uva, cacahuetes, soja, ricino, algodón, lino, café, caña de azúcar, yute, tabaco, cacao, té
Ganadería: bovina, ovina, porcina, caballar, caprina, asnal, mular y aves de corral
Pesca: 980 000 t
Silvicultura: 237 467 063 m³ de madera
Minería: oro, diamantes, gemas, hierro, manganeso, magnesita, uranio, cromita, bauxita, níquel, cobre, tungsteno, estaño, berilo, circonio, plata, plomo, cinc, columbita, apatita, barita, fosforita, carbón, rutilo, petróleo, gas natural, cristal de roca, amianto, mica, sal marina, yeso, grafito y mármol
Industria: textil algodonera, fibras artificiales, alimentaria (azucarera, cárnica, láctica), tabaquera, del caucho, química, del papel, del cemento, siderúrgica, mecánica, automovilística, aeronáutica, eléctricas y naval

Estado de Sudamérica, Brasil limita con todos los países sudamericanos, salvo con Ecuador y Chile; por el norte con Venezuela, Guyana, Surinam y la Guayana Francesa, por el sur con Uruguay, y al oeste con Argentina, Paraguay, Bolivia, Perú y Colombia. Por el nordeste y el este posee un prolongado litoral, bañado por las aguas del océano Atlántico.

Marco natural

En el extenso territorio brasileño se pueden encontrar maravillosos contrastes gracias a la coexistencia de elementos aparentemente irreconciliables. La tradición colonial convive con las costumbres más modernas, los territorios vírgenes con algunas de las mayores metrópolis del mundo; el río más caudaloso del planeta, el Amazonas, los bosques intertropicales de mayor extensión y riqueza, una población en continuo crecimiento, grandes reservas minerales y paisajes de extrema belleza constituyen el potencial del mayor país del subcontinente sudamericano.

El relieve brasileño no es demasiado accidentado. La mitad del territorio se sitúa

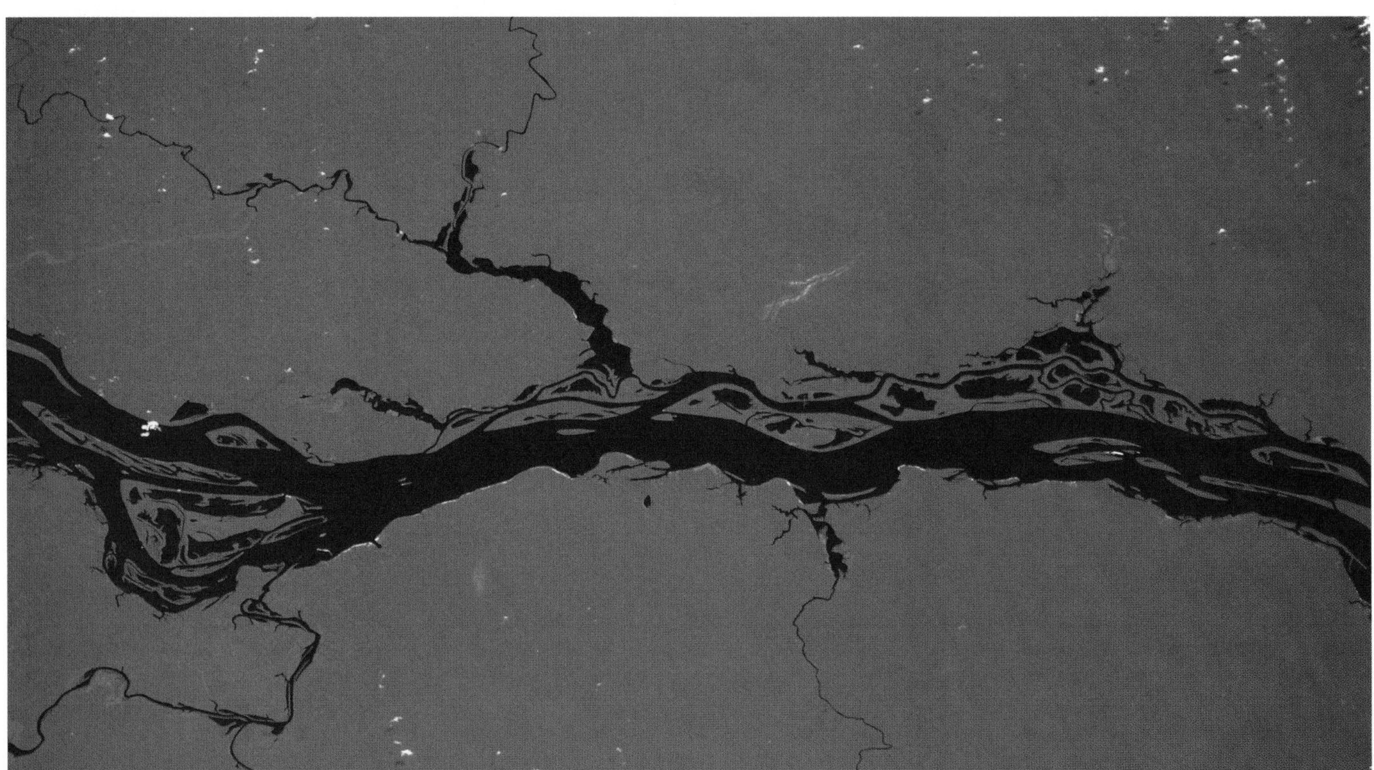

Imagen de satélite de la confluencia de los ríos Negro y Jaú, en la cuenca del Amazonas. La dificultad para acceder a esta zona de la Amazonia y explotarla agrícolamente explica que su vegetación permanezca casi inalterada. El Parque Nacional de Jaú es el mayor de Brasil.

por debajo de los 200 m de altitud, y predominan las llanuras y mesetas, pues su estructura está formada por un basamento cristalino muy antiguo, el macizo de Brasilia. Dicho basamento está cubierto, en parte, por capas sedimentarias, y en la franja oriental, así como en la zona centro-sur, se forman escarpes sobreelevados, las "serras", o bien relieves tabulares, las "chapadas". En el conjunto del país se pueden distinguir cinco regiones: la Amazonia, el Nordeste, el Este y Sudeste, la región Meridional y la región Central y Occidental.

La Amazonia es un profundo surco entre dos basamentos antiguos, el de Guayana, al norte, y el de Brasilia, al sur; cruza el país de oeste a este y se ensancha como un embudo aguas arriba de Manaus. Según ciertas teorías geológicas, la cuenca del Amazonas –la mayor del mundo, con 7 050 000 km^2– estaba ocupada por un brazo de mar que unía ambos océanos antes del levantamiento de los Andes. En la región del Nordeste predominan las mesetas limitadas por chapadas, como las de Maranhão, Piauí y Ceará, y sierras como las de Ibiapaba y Araripe, de altitudes que no sobrepasan los 1 000 m. Ríos anchos y caudalosos surcan la región de sur a norte, como el Gurupi, el Turiassú, el Itapicuru y el Parnaíba. Las regiones del Este y Sudeste son las áreas más importantes, porque en ellas se concentran las principales actividades económicas y las dos mayores aglomeraciones urbanas del país: Río de Janeiro y São Paulo. En esta región es donde el basamento se halla más sobreelevado y los relieves rocosos llegan hasta el Atlántico. De norte a sur se suceden la Chapada Diamantina, la Serra do Espinhaço y, cerca de la costa, las sierras de Mantiqueira, de Paranapiacaba y del Mar. En la región Meridional, el basamento está cubierto por areniscas al este y por basaltos al oeste, surcados por ríos que nacen en la Serra do Mar y forman parte de la cuenca del Paraná-Río de la Plata. Las regiones Central y Occidental están atravesadas por una serie de chapadas, como las de Goiás y Mato Grosso, y pertenecen a la cuenca del Paraná, cuyos afluentes en la zona central, con poca pendiente, forman el Pantanal.

La orografía y el clima brasileños favorecen la creación de enormes cuencas fluviales como la del Amazonas, la del Atlántico y la del Paraná-Paraguay, o cuenca del Plata, que convierten a Brasil en uno de los países con mayor potencial hidráulico y en el más drenado del planeta. El río Amazonas se adentra en territorio brasileño por la ciudad de Tabatinga y a partir de ella recorre los más de 3000 km que lo separan del mar, salvando un desnivel de tan sólo 82 m en territorio brasileño. Sus afluentes figuran entre los más importantes de la Tierra, ya que tres de ellos tienen más de 3 000 km y seis sobrepasan los 2 000 km. Entre los tributarios que le llegan por la orilla izquierda se cuentan: el Putumayo, el Yapurá (Japurá) y el río Negro. Por la margen derecha desembocan en el Amazonas los ríos más largos y de mayor caudal, como el Yavarí (Javarí), el Yuruá (Juruá), el Purús, el Madeira, Tapajoz (Tapajós) y el Xingú. La cuenca del Atlántico recibe al Tocantins, Gurupi, Parnaíba, Jaguaribe, San Francisco (São Francisco), Jequitinhonha, Doce y Paraíba, entre otros de menor importancia. La cuenca del Paraná-Paraguay recoge las aguas del sur del país; sus principales ríos son los que le dan nombre y se unen en la frontera paraguayo-argentina. Los principales afluentes son el Tieté y el Uruguay (Uruguai).

Brasil presenta una gran variedad de formaciones vegetales, cuya principal característica es la exuberancia y riqueza de es-

Pese a su gran extensión, el territorio de Brasil, dominado por llanuras aluviales y mesetas, carece de grandes sistemas montañosos. La Serra de Capivara se alza en el nordeste (Piauí).

Brasil es el país más grande del subcontinente sudamericano, ya que ocupa casi la mitad de su superficie. Esta república federativa se divide en 26 estados y 1 distrito federal, Brasilia.

pecies. La selva y grandes bosques de hoja perenne cubren las regiones ecuatoriales, la Serra do Mar y grandes zonas de las mesetas del interior y del sur. La sabana, como segunda formación más importante del país, se extiende por el Mato Grosso, Goiás y las praderas del sur, y en el Nordeste se encuentra la *caatinga*, formación leñosa adaptada a un suelo poco fértil.

El país comprende superficies de climas ecuatoriales, tropicales, tropicales de altitud y subtropicales. A lo largo del Ecuador, y siguiendo al Amazonas y sus afluentes, se ensanchan hacia el interior y hacia el sur, hasta el pie de los Andes, donde se halla una zona de clima ecuatorial con temperaturas regulares a lo largo del año y lluvias frecuentes que superan con facilidad los 2500 mm anuales. En el interior, en las mesetas que avanzan hacia el oeste y al sur de la región ecuatorial del Amazonas, se advierte un segundo tipo de clima que ofrece una clara división entre la estación seca y más fría, de mayo a octubre, y una estación húmeda y más cálida, que comprende los meses de diciembre a abril. Los climas subtropicales, con lluvias bien distribuidas durante el año, son la característica de regiones de veranos calientes, como la de São Paulo y parte de la región Sur. Pero la mayoría del territorio brasileño tiene un clima tropical, y varían sus características según la región. Así, en el Brasil Central, en un sector de Minas Gerais y Bahía y en el territorio de Roraima, hay precipitaciones en verano y sequía en invierno. En el litoral septentrional hasta Ceará, las lluvias son de verano y otoño, y el clima tropical del Nordeste tiene como característica un régimen de lluvias en octubre e invierno.

Población

Brasil es, después de Estados Unidos, el país más habitado del continente americano y comprende la principal concentración de población de ascendencia europea en la zona intertropical. La variedad del medio físico y las diferencias económicas se reflejan en la desigual distribución de sus habitantes, con grandes contrastes entre la Amazonia y la región del Sudeste. En general, las regiones más pobladas son las de la franja litoral sur, donde se ubican Río de Janeiro y São Paulo.

Por otra parte, los fenómenos migratorios externos han afectado a Brasil de maneras bien distintas a lo largo del tiempo. Si los portugueses y los alemanes eran los únicos que se habían establecido en

Arriba, São Paulo, la ciudad más poblada y el principal polo industrial y financiero; en el centro, montaje de automóviles, una de las principales ramas de la industria mecánica; y abajo, las principales zonas industriales, junto al litoral meridional.

el país durante el proceso de colonización, a finales del siglo XIX, con el auge de la explotación del caucho amazónico y la expansión cafetalera en la zona de São Paulo, se iniciaron grandes campañas de inmigración que conllevaron la irrupción, en menos de un decenio, de más de un millón de europeos procedentes de los países mediterráneos. Entre los años 1850 y 1950, los inmigrantes superaban los cinco millones, aunque sólo se quedaron poco más de tres. La migración interior pone de relieve las desigualdades económicas de las distintas regiones del país. Estos desplazamientos de orden interno se iniciaron ya en la época de la colonización, cuando la riqueza de las plantaciones y la búsqueda de minerales fue capaz de movilizar a una gran parte de la población para ocupar nuevos espacios. En el siglo XIX y buena parte del XX, los territorios receptores de inmigración fueron los situados a lo largo del Trópico de Capricornio, entre los estados de São Paulo y Paraná. Desde mediados del siglo XX, la migración se dirigió también a ocupar las tierras del centro y del norte por causas diversas, como la instalación de la capital en Brasilia, entre Goiás y Minas Gerais, o la pujanza de los cafetales del interior.

Recursos económicos

La gran riqueza de recursos naturales que posee Brasil lo convierten en una de las principales potencias del continente, así como en uno de los estados con claras perspectivas de futuro en el concierto internacional. El país cuenta con una notable producción agrícola; es uno de los primeros productores mundiales de café, bananas, naranjas, sisal, cacao, azúcar y soja; además, obtiene grandes cantidades de maíz, arroz, yuca, judías, papas, batatas, trigo y hortalizas, y también produce ananás, oleaginosas, algodón, palmas de varias especies, tabaco, yute, cocos y té. La cantidad y la variedad de las reservas forestales es enorme. Asimismo, Brasil posee una de las principales cabañas de ganado vacuno y porcino a nivel mundial. Es relevante su sector pesquero, tanto en capturas marinas como fluviales.

El subsuelo proporciona gran variedad de minerales, entre los que se destacan las producciones de hierro, oro, diamantes y piedras preciosas, manganeso, magnesita, uranio, cromita y bauxita. Es igualmente significativa la producción petrolera y de gas natural. La industria brasileña está en plena expansión y abarca sectores muy diversos: textil, azucarero, cervecero, del tabaco, de neumáticos, químico, del papel, del cemento, siderúrgico, metalúrgico, mecánico, etc. El turismo es un sector en franco desarrollo. Por otra parte, la mayoría de transacciones económicas se llevan a cabo con Estados Unidos, Argentina, Japón y Alemania.

Las capitanías hereditarias en Brasil

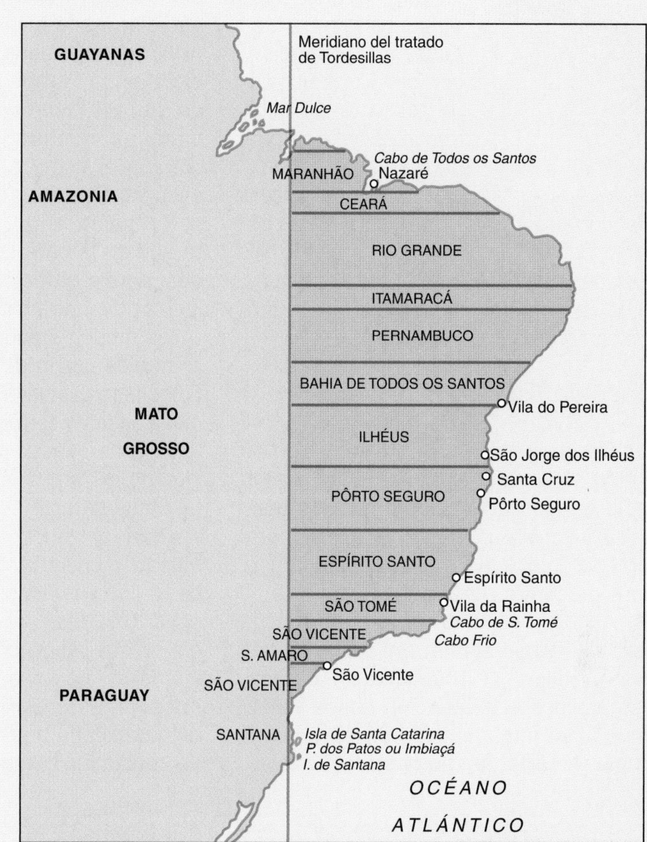

■ *La implantación de las capitanías hereditarias en Brasil marcó el tardío arranque de la colonización (1532) y la refundición del carácter mercantil de ésta con las instituciones feudales de la metrópoli. Cada una de las capitanías se extendía hasta el meridiano fijado por el tratado de Tordesillas (1504), firmado entre las coronas castellana y portuguesa, y comprendía un promedio de cincuenta lenguas en la costa. Sus donatarios o capitanes las recibieron del rey Juan III en feudo perpetuo, hereditario y doblado con derechos señoriales (desempeño de funciones judiciales, concesión de tierras a colonos). Prácticamente sin poder efectivo desde el año 1549, con la llegada del primer gobernador general, persistieron formalmente hasta 1789, cuando fueron suprimidas definitivamente por orden del marqués de Pombal.*

Cronología

El período colonial

1500: primeras expediciones descubridoras: tres españolas (Pinzón, Lepe, Vélez de Mendoza) y la portuguesa de Pedro Alvares Cabral, que toma posesión del territorio.
1532: el sistema de capitanías inicia la colonización. Tendrá que someter a los pueblos araucos (entre los ríos Negro y Orinoco), tupí-guaraníes (desde el Paraná al Amazonas y Guayana) y tapuyas (mesetas).
Ss. XVI-XVII: Tomé de Sousa inaugura el gobierno centralizado. Se producen intentos de penetración por parte de franceses y holandeses (Pernambuco). Ataques ingleses. Desarrollo de una economía esclavista. Los *bandeirantes* procuran mano de obra india, en pugna con las colonizaciones jesuitas y exploran enormes extensiones.
S. XVIII: desarrollo de la minería. Expulsión de los jesuitas. Tratado de San Ildefonso (1777): ampliaciones a costa de España.
1808-1821: con la invasión napoleónica de Portugal, su rey Juan VI se traslada al Brasil.

El imperio brasileño

1815: Juan VI crea el reino de Brasil.
1822: el "Grito de Ypiranga" proclama el imperio independiente en la persona de Pedro I, hijo del rey portugués Juan IV.
1831: forzado a abdicar en Pedro II.
1851: intervención en Argentina contra Rosas.
1865-1870: aliado de Argentina y Uruguay, lucha contra Paraguay (guerra de la Triple Alianza).
1888: abolición de la esclavitud.

La república brasileña

1889-1891: proclamación de la República.
1917: Brasil declara la guerra a Alemania durante la Primera Guerra Mundial.
1930-1954: égida populista de Getulio Vargas.
1942: Brasil en la Segunda Guerra Mundial.
1951-1960: etapa de Juscelino Kubitschek.
1960: la capital del país se traslada a Brasilia.
1964-1982: período de dictadura militar.
1985: elecciones democráticas. José Sarney asume la presidencia.
1990: Fernando Collor de Mello, presidente.
1992: Collor de Mello es destituido. Itamar Franco asume la presidencia.
1994: el socialdemócrata Fernando Henrique Cardoso, presidente (reelegido en 1998).
1997: reforma de la Constitución para permitir la reelección presidencial.
2002: Luiz Inácio Lula da Silva, líder del Partido de los Trabajadores, presidente.
2005: crisis política en el gobierno a raíz de diversos escándalos de corrupción.

Cono Sur

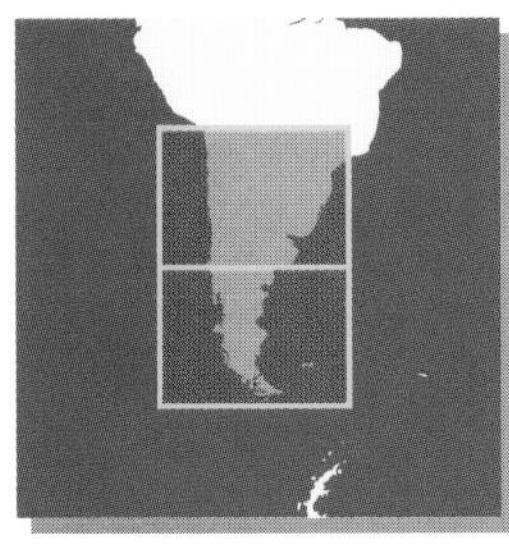

El sector meridional del continente americano, o América austral, tiene forma triangular, y es conocido como el Cono Sur. La parte norte de esta región se halla en plena zona subtropical, y el vértice sur se acerca al continente antártico, con el que se encuentra conectado a través de una guirnalda de islas. Chile, Argentina, Paraguay y Uruguay son los países que se reparten políticamente este vasto territorio.

Geografía física y humana

El relieve de la zona se dispone en el sentido de los meridianos, de modo que, desde el océano Pacífico hasta el Atlántico, se suceden: una estrecha llanura litoral, la cordillera de los Andes, los cordones precordilleranos, las mesetas patagónicas y las llanuras orientales (Chaco, Pampa y Mesopotamia). En la costa meridional chilena, el hundimiento de bloques provocó la inundación de los valles dando lugar a la aparición de islas y costas muy recortadas (fiordos).

La extensión en latitud y la presencia de la cordillera andina condicionan la distribución climática: en el norte, una estación seca invernal da lugar al desarrollo de la sabana y de la selva subtropical; en la Pampa reina el clima templado, lo que favorece la existencia de las praderas, mientras que en la Patagonia domina el clima subpolar, donde el frío seco sólo permite que crezca una estepa arbustiva xerófila. Todo ello se ve alterado en la barrera orográfica de los Andes, donde el factor altitudinal endurece las condiciones climáticas.

Las mesetas patagónicas y las llanuras orientales gozan de unas condiciones óptimas para el cultivo extensivo de cereales, oleaginosas y forrajeras, y para la cría extensiva de ganado de gran calidad. La región de la Pampa constituye el paradigma de estos caracteres: es una de las áreas agrícolas y ganaderas más extensas del mundo y es la protagonista fundamental de la vida y la historia argentinas.

Salvo el oasis de riego del área andina, en el que se practica una explotación intensiva con altos rendimientos por hectárea, el resto de la superficie explotable está dedicada a producciones extensivas de rendimiento medio o bajo. La densidad de la población también es muy baja en toda la región, con enormes áreas de población dispersa (Patagonia, norte de Chile y oeste del Chaco) y pequeñas zonas de concentración demográfica, entre las que destaca el área del Río de la Plata (Buenos Aires y Montevideo) y la de Santiago-Valparaíso-Viña del Mar.

El palacio Salvo se halla en la plaza de la Independencia, en Montevideo. Proyectado en el año 1922, es uno de los edificios más emblemáticos de la capital uruguaya.

Principales grupos indígenas de la América austral

■ *Las diferentes condiciones climáticas determinaron los modos de vida de los pueblos originarios de la América austral. Así, las gentes del litoral del Paraná y el Paraguay, como los guaraníes y los tobas, eran agricultores y recolectores. Para desplazarse por los ríos utilizaban canoas fabricadas con troncos de árboles. Otros, en un medio natural árido, buscaron dónde obtener agua para desarrollar su vida, y cultivaron en pequeños oasis y valles. En esta área se asentaron los atacameños, los matacos, los comechingones y los diaguitas. Llegaron a ser agricultores que utilizaron el riego en terrazas, y pastores con ganado de llamas y alpacas. Tuvieron un desarrollo social y político más avanzado. Por otra parte, aquellos pueblos aborígenes ubicados en tierras más fértiles necesitaron menos esfuerzos para conseguir alimento, como fue el caso de los mapuches, en la costa del Pacífico. Otros grupos de cazadores se desplazaban por la Pampa en busca de animales, como los tehuelches, los patagones y los onas. Los alacalufes, onas y yaganes se trasladaban en canoas a través de los canales y fiordos del sur, buscando su sustento en el mar.*

Historia

Chile ocupa una posición casi insular con respecto al resto de América Latina, debido al aislamiento geográfico que impone la cordillera de los Andes. Éste favoreció un mayor mestizaje entre los colonizadores y la población autóctona, pese a que los indígenas del sur –como los mapuches– opusieron incialmente una fuerte resistencia a la penetración de los europeos. La economía chilena siguió el modelo general del resto del subcontinente, de base primaria y exportadora de productos mineros (nitratos, cobre). Tras la Segunda Guerra Mundial inició un proceso de industrialización basado en la sustitución de importaciones; sin embargo, a partir de 1973, tras el golpe de Estado del general Augusto Pinochet, la economía del país se orientó hacia un liberalismo y aperturismo comercial muy acentuado. El país recuperó la democracia en 1990, y Chile es en la actualidad uno de los países más prósperos de América del Sur.

La influencia económica y política de la Argentina disminuyó a partir de la década de 1960, reemplazada en parte por la creciente presencia de Brasil, que se plasmó en el establecimiento, en 1975, de un enlace ferroviario entre la costa del Brasil y los puertos chilenos del Pacífico –una vieja aspiración brasileña– y en la construcción, junto con Paraguay, de la gigantesca represa de Itaipú, en el río Paraná. De la misma manera que Chile, también la Argentina vivió una primera etapa de industrialización basada en un férreo proteccionismo, aunque las posteriores políticas de apertura comercial evidenciaron la existencia de unas estructuras productivas industriales incapaces de competir en los mercados exteriores. Los conflictos internos y las sucesivas dictaduras desembocaron en la ruina del país, que llegó a alcanzar altas cotas de inflación. A principios de la década de 1990 se desarrolló una política económica de corte neoliberal, que logró reducir la inflación y permitió un grado de desarrollo y un crecimiento económico elevados. Sin embargo, la desaceleración de este crecimiento, a finales del siglo XX y principios del siglo XXI, ha sumido al país en una notable crisis, con una gran deuda externa y un empobrecimiento que afecta a más de un tercio de la población.

Paraguay ha tenido que enfrentarse desde el principio de su historia en conflictos con los países vecinos, lo que le ha llevado a ver reducido su territorio originario y a sufrir grandes pérdidas humanas y materiales. Las consecuencias de estos conflictos (guerra de la Triple Alianza, guerra del Chaco) fueron desastrosas: algunas de sus secuelas persisten en la primera década del siglo XXI. Además, hasta el retorno al sistema democrático, a finales de la década de 1980, el país ha estado sumido en el más absoluto aislamiento, orientando la economía nacional hacia un modelo agrario y exportador y una dependencia de los estados más industrializados, sobre todo sus vecinos (Argentina y Brasil) y Estados Unidos. Este país sudamericano se enfrenta hoy en día al gran desafío de consolidar las instituciones democráticas y reconducir su economía.

Uruguay, por su parte, fue un país poblado por inmigrantes europeos (españoles e italianos) a partir de mediados del siglo XIX, que desarrollaron una próspera actividad ganadera, aprovechando las excelentes condiciones de sus extensas praderas. Merced al inicio de las exportaciones de carne, el país experimentó un notable crecimiento económico. La política de industrialización para sustitución de importaciones fue muy activa durante las décadas de 1940 y 1950, hasta que en la década siguiente se firmaron los primeros acuerdos con el Fondo Monetario Internacional (FMI) para la apertura de sus mercados; ello supuso el inicio de una difícil coyuntura para la industria del país, que la llevó a una situación de constante regresión. Durante buena parte del siglo XX, Uruguay se distinguió en América Latina por el asentamiento temprano de la democracia –salvo el paréntesis de la dictadura militar entre 1976 y 1984– y por su arraigada cultura política.

Las misiones de los jesuitas

■ *Las misiones fueron pueblos de guaraníes dirigidos por religiosos jesuitas, que lograron un gran desarrollo en la elaboración de artesanías. Se autoabastecían de productos agrícolas y manufacturados básicos. Estaban ubicadas en la cuenca de los ríos Paraná y Uruguay, una región actualmente repartida entre Argentina, Paraguay y Brasil. Los jesuitas introdujeron algunos de los avances europeos, como la primera imprenta que hubo en el territorio del Río de la Plata. Dentro de su objetivo de dar adoctrinamiento cristiano a los pueblos aborígenes, los jesuitas intentaron compenetrarse con las culturas nativas y respetaron los diversos ritos paganos de las mismas, pero su método fue criticado en Europa.*

Vista aérea de las cumbres nevadas de la cordillera de los Andes, la columna vertebral del relieve del subcontinente sudamericano, con una longitud de 7500 km.

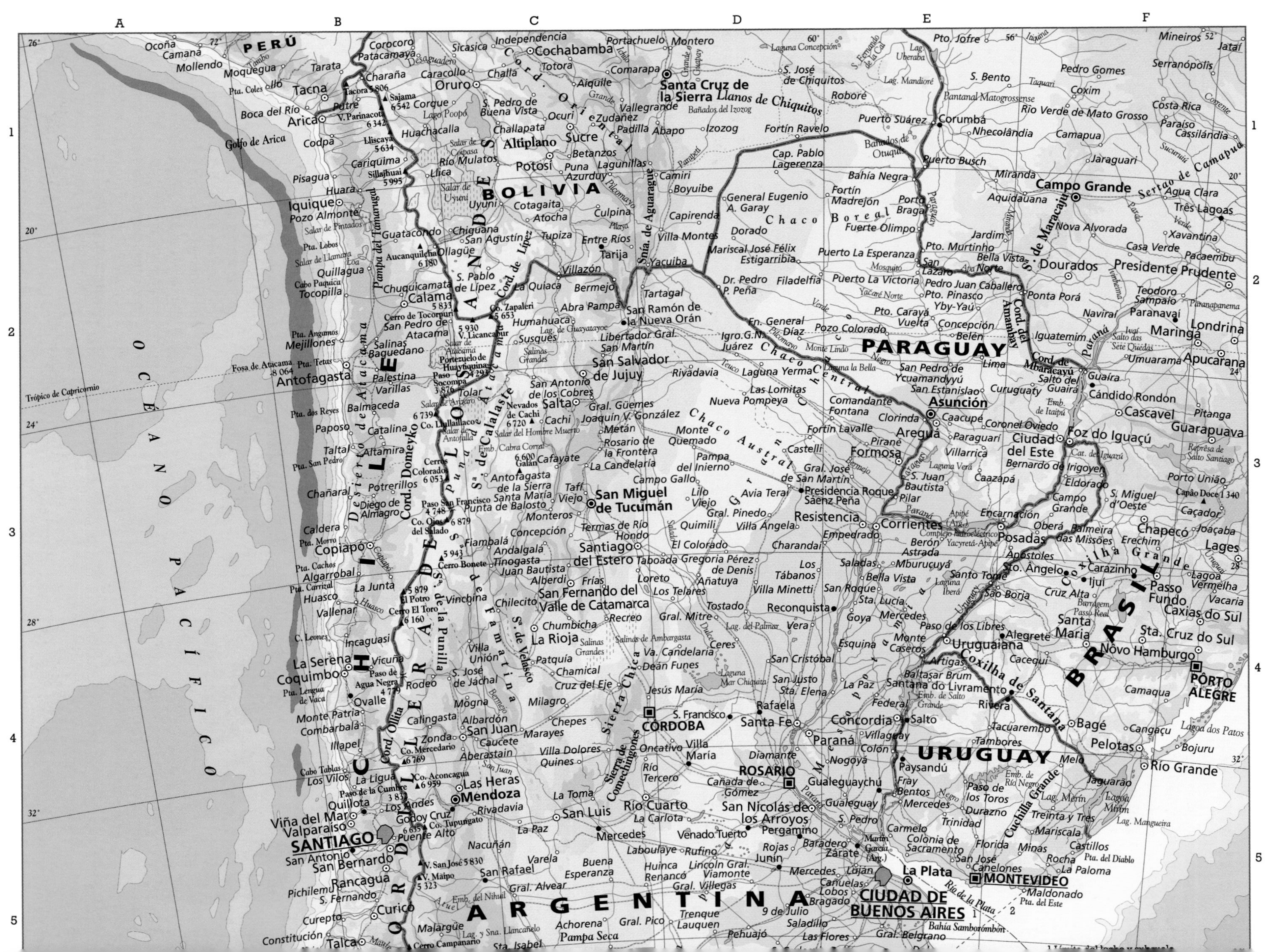

OCÉANO PACÍFICO
PERÚ
BOLIVIA
PARAGUAY
URUGUAY
ARGENTINA
BRASIL
CHILE
ASUNCIÓN
MONTEVIDEO
CIUDAD DE BUENOS AIRES
SANTIAGO
PÔRTO ALEGRE
Campo Grande
Santa Cruz de la Sierra
Sucre
Potosí
Oruro
Cochabamba
Tacna
Arica
Iquique
Antofagasta
Calama
Copiapó
La Serena
Coquimbo
Valparaíso
Viña del Mar
Mendoza
San Juan
La Rioja
San Fernando del Valle de Catamarca
San Miguel de Tucumán
Salta
San Salvador de Jujuy
Santiago del Estero
CÓRDOBA
ROSARIO
Santa Fe
Paraná
Resistencia
Corrientes
Posadas
Formosa
San Luis
Río Cuarto
La Plata
Ciudad del Este
Foz do Iguaçu
Londrina
Maringá
Cascavel
Guarapuava
Pelotas
Rio Grande
Salto
Paysandú
Chaco Boreal
Chaco Austral
Altiplano
Cord. Oriental
Trópico de Capricornio
Golfo de Arica

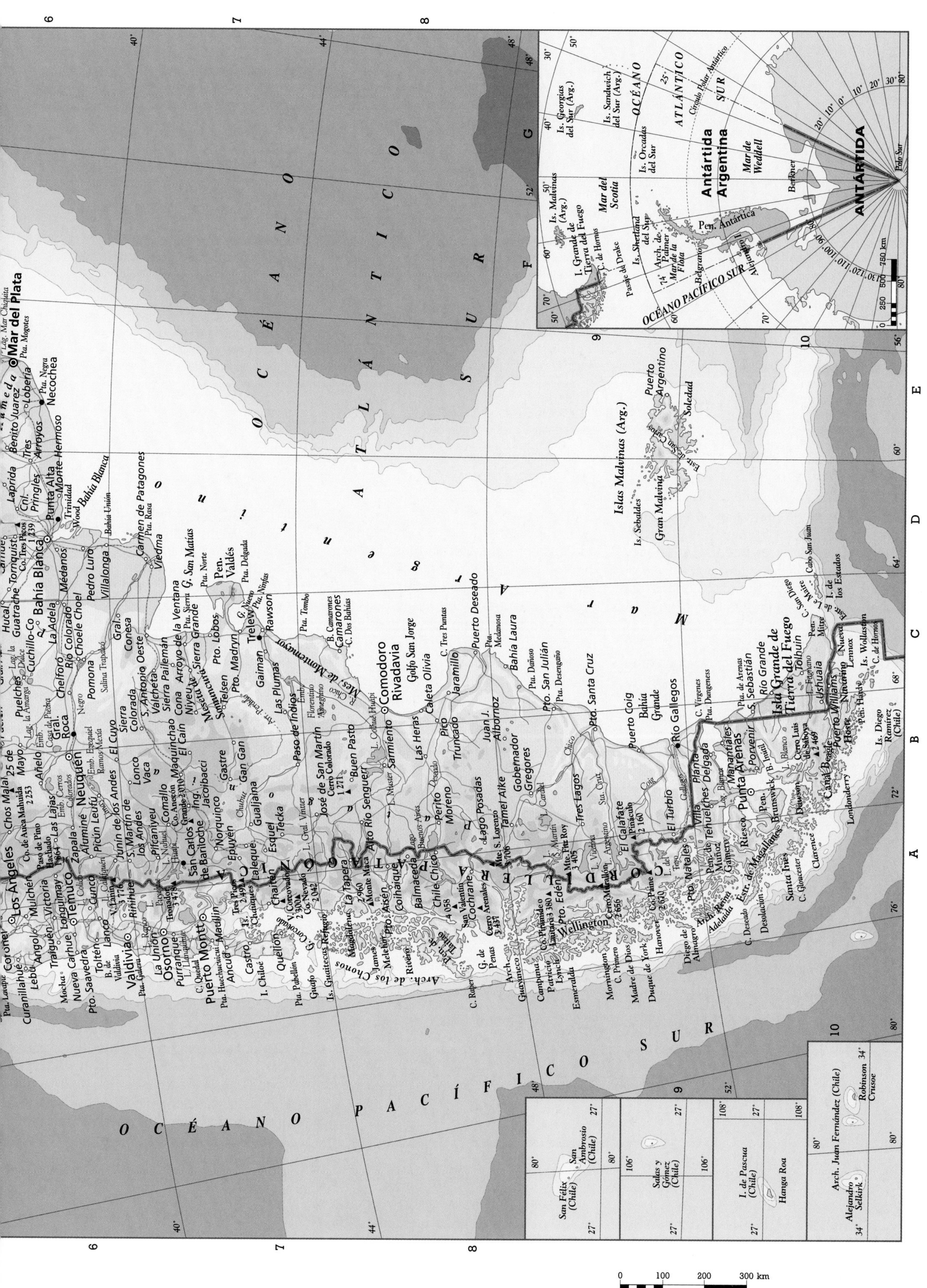
OCÉANO PACÍFICO SUR
OCÉANO ATLÁNTICO SUR
Mar Argentino
Islas Malvinas (Arg.)
Gran Malvina
Soledad
Puerto Argentino
Isla Grande de Tierra del Fuego
Estr. de Magallanes
CORDILLERA PATAGÓNICA
Puerto Montt
Valdivia
Osorno
Temuco
Los Ángeles
Neuquén
Bahía Blanca
Mar del Plata
Necochea
Viedma
Rawson
Trelew
Comodoro Rivadavia
Puerto Deseado
Río Gallegos
Punta Arenas
Ushuaia
Puerto Williams
ANTÁRTIDA
Antártida Argentina
Mar de Weddell
Mar del Scotia
Pasaje de Drake
Círculo Polar Antártico
OCÉANO PACÍFICO SUR
San Félix (Chile)
San Ambrosio (Chile)
Salas y Gómez (Chile)
I. de Pascua (Chile)
Hanga Roa
Arch. Juan Fernández (Chile)
Alejandro Selkirk
Robinson Crusoe
0 100 200 300 km

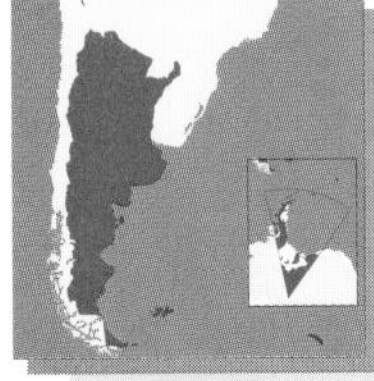

Argentina

Datos generales

Nombre oficial: República Argentina
Superficie: 3 761 274 km²
Población: 36 260 130 hab.
Densidad: 13 hab./km²
Moneda: peso argentino
Lenguas: español (oficial), quechua y guaraní
Religión: católicos (87,8 %)
Capital: Ciudad de Buenos Aires (2 776 138 hab.)
Ciudades: Córdoba (1 267 774 hab.), Rosario (1 118 984 hab.), La Plata (553 002 hab.), San Miguel de Tucumán (525 853 hab.), Salta (462 668 hab.)
Divisiones administrativas: 23 provincias y 1 distrito federal (Capital Federal)
Forma de gobierno: república federal

Indicadores demográficos

Tasa de natalidad: 17,7 ‰
Tasa de mortalidad: 7,6 ‰
Crecimiento vegetativo: 10,1 ‰
Tasa de mortalidad infantil: 16,3 ‰
Hijos por mujer: 2,1
Tasa anual de crecimiento demográfico: 1,0 %
Población menor de 15 años: 28,3 %
Población de 60 años o más: 13,4 %
Esperanza de vida al nacer: 76,0 años (mujeres), 68,0 años (hombres)
Población urbana: 89,3 %

Indicadores sociales

Tasa de alfabetización: 97,3 %
Núm. de médicos: 304 por 100 000 hab.
Núm. de automóviles: 6 630 000 unidades
Líneas telefónicas: 219 por mil hab.
Abonados a teléfonos móviles/celulares: 178 por mil hab.
Usuarios de internet: 112 por mil hab.
Gasto público en salud: 5,1 % del PIB
Gasto público en educación: 4,6 % del PIB

Indicadores económicos

PIB: 127 162 millones de $
PIB per cápita: 4 220 $
PIB por sectores: Primario 10 %, Secundario 32 %, Terciario 58 %
Población ocupada por sectores: Primario 8 %, Secundario 19 %, Terciario 73 %
Superficie cultivada: 9,9 %
Producción de energía: 81 387 millones de kW/h
Consumo de electricidad: 2 453 kW/h por hab.
Importaciones: 8 990 millones de $
Exportaciones: 25 709 millones de $

Recursos económicos

Agricultura: soja, caña de azúcar, maiz, trigo, girasol, sorgo, uva y patatas
Ganadería: bovina, ovina, porcina, aves de corral
Pesca: 924 662 t
Silvicultura: 9 307 000 m³ de madera
Minería: petroleo, gas natural, plata y oro
Industria: oleícola, azucarera, cervecera, papelera, química, del cemento, plástica, siderúrgica, automovilística, textil algodonera, textil lanera, fibras artificiales, fibras sintéticas, eléctricas, cárnica, refino de petróleo

La República Argentina se halla situada en el Cono Sur sudamericano y limita al norte con Bolivia y Paraguay, al este con Brasil, Uruguay y el océano Atlántico, al oeste con Chile, y al sur con Chile y el Atlántico. Fuera del territorio continental americano, el país integra la Antártida Argentina, situada entre los meridianos 25° y 74° de longitud oeste y los paralelos 60° y 90° de latitud sur, que incluye asimismo los archipiélagos de las Orcadas del Sur y las Shetland del Sur. También forman parte de Argentina el archipiélago de las islas Malvinas y las islas Australes (Georgias del Sur y Sandwich del Sur).

A orillas del Río de la Plata, la Ciudad de Buenos Aires, capital de Argentina, integra una de las grandes aglomeraciones urbanas sudamericanas. Vista nocturna de la Avenida 9 de Julio.

Marco natural

El relieve argentino está formado por dos estructuras contrastadas: los basamentos cristalinos precámbricos de Brasilia y Patagonia, que forman las grandes áreas de llanuras y mesetas del sector central y oriental del país; y el gran macizo montañoso del sector oeste, cuyo plegamiento elevó los picos más altos del continente. Estos elementos, unidos a las variadas condiciones del clima y la vegetación, han configurado, según la geografía tradicional, las siguientes regiones: el Noroeste, el Chaco, la Mesopotamia, la Pampa, el Cuyo, las Sierras Pampeanas, la Patagonia, y la Antártida Argentina; sin embargo, la moderna geografía ha dividido el país en la Llanura Platense, la Meseta Subtropical, las Sierras Pampeanas, el Cuyo, el Noroeste, la Patagonia, el Mar Argentino y la Antártida Argentina. Se ha incorporado como región el denominado Mar Argentino, la porción de océano emplazado sobre la plataforma continental argentina y que engloba los fondos marinos, las islas que emergen de los mismos y el conjunto del litoral argentino.

En el ángulo noroeste se elevan tres estructuras que forman parte del macizo andino: la Puna, la cordillera Oriental o Precordillera Saltojujeña y las sierras Subandinas. La Puna es un enorme bloque precámbrico sobreelevado (más de 4000 m). El paisaje puneño se caracteriza por un clima árido, con grandes amplitudes térmicas diarias, lo que contribuye a la configuración de un ambiente hostil. Al este de la Puna, formando su borde oriental, se eleva una serie de cordones montañosos en sentido norte-sur, compuestos por las sierras Santa Victoria y Aguilar, los nevados de Chañi y Acay y la cumbre del Libertador General San Martín, al oeste, y las sierras de Zenta y Tilcara, al este, que constituyen en conjunto la cordillera Oriental o Precordillera Saltojujeña. Entre estos cordones, los ríos han abierto profundos surcos denominados "quebradas". Tres grandes ríos bajan de la Puna: el río Grande, que forma la quebrada de Humahuaca; el río Toro, que ha labrado la quebrada del Toro; y el río Calchaquí, que desciende por la quebrada de los Valles Calchaquíes. Al este de la cordillera Oriental se eleva una serie de sierras de dirección norte-sur que reciben el nombre de sierras Subandinas. Se trata de suaves

El monte Fitz Roy (3405 m de alt.) se alza en la provincia de Santa Cruz, junto a la frontera con Chile; constituye el techo de la Patagonia.

plegamientos cuya altura desciende de oeste a este. Se dividen en tres grupos separados por los valles transversales de los ríos San Francisco y Pasaje (Juramento).

Al sur de los 27° de latitud sur se inicia la cordillera de los Andes propiamente dicha, que se extiende hasta la isla de los Estados, en el extremo sur del continente. En Argentina, la cordillera presenta dos sectores bien definidos. El primero, los Andes centrales, va desde el sur de la Puna hasta los 39° de latitud sur y se caracteriza por presentar un bloque compacto, con las mayores cimas de América (cerro Aconcagua, a 6959 m de alt.; cerro Mercedario, 6769 m), pocos pasos transversales y, a gran altura, clima extremadamente árido; hay escasa vegetación y el límite inferior de las nieves perpetuas se sitúa en torno a los 5000 m de altitud. En las cimas nacen los ríos de la cuenca del Desaguadero. Pasando los llanos de piedemonte, hacia el este, se elevan los cordones de la Precordillera de La Rioja, San Juan y Mendoza. A partir de los 39° de latitud sur, los Andes comienzan a modificar sus características morfológicas y climatológicas. Las montañas de los Andes Patagónico-fueguinos son más bajas, por debajo de los 2800 m de altitud, y en ellas abundan los pasos transversales a baja altitud. Otro efecto de las glaciaciones es la presencia de numerosos lagos, algunos de gran tamaño y compartidos con Chile, como el Buenos Aires, el Pueyrredón y el San Martín, y otros, como el Nahuel Huapi, que han generado centros turísticos de fama internacional. El clima es mucho más húmedo que en los Andes centrales, lo que favorece una densa vegetación de bosque. Por otra parte, el límite inferior de las nieves perpetuas desciende en altitud hacia el sur. En la zona meridional también aparecen extensos campos de hielo, restos de las glaciaciones cuaternarias.

Las mesetas patagónicas, al este de los Andes Patagónico-fueguinos, descienden como una inmensa escalinata hacia el océano Atlántico. El clima es desértico frío, caracterizado por los fuertes y constantes vientos del oeste. Los ríos Colorado, Negro, Chubut, Deseado, Chico, Santa Cruz y Gallegos forman profundos valles. La mitad centro-oriental y el nordeste del país están ocupadas por vastas llanuras, que por sus peculiaridades regionales se dividen en tres sectores: el Chaco, que es parte del Gran Chaco sudamericano y se prolonga por Paraguay; la Mesopotamia, llamada así porque está bordeada casi enteramente por ríos; y la Pampa, inmensa llanura que parece prolongarse siempre más allá de lo que la vista logra alcanzar.

La República Argentina se halla dividida administrativamente en 23 provincias y 1 distrito federal autónomo, cuyos límites coinciden con los de la Ciudad de Buenos Aires.

Las dos terceras partes del ganado bovino se cría en la región de la Pampa, la zona más fértil, poblada e industrial del país.

Población

A lo largo de su territorio, la población argentina se distribuye de modo muy irregular, en función del determinismo geográfico –como puede ser la rigurosidad del clima en la provincia de Tierra del Fuego, Antártida e Islas del Atlántico Sur– y también de los recursos económicos regionales. Por otra parte, la población argentina es predominantemente urbana y se concentra, sobre todo, en los núcleos industriales y agrícolas. La aglomeración del Gran Buenos Aires es el área urbana de mayor concentración del país, seguida de las capitales de provincia, como Córdoba, Mendoza y Tucumán. Ciudades como Rosario (Santa Fe) y La Plata (Buenos Aires) cuentan con un importante cinturón industrial.

Argentina presenta unos índices sociodemográficos característicos de un país desarrollado; así, por ejemplo, posee uno de los índices de alfabetismo más elevados del mundo. Además, su crecimiento vegetativo es bajo debido al descenso de la natalidad y al estancamiento de las tasas de mortalidad y mortalidad infantil.

La ascendencia de la población argentina es en su práctica totalidad europea, mientras que la indígena es meramente testimonial. Entre 1857 y 1926 llegaron a Argentina más de seis millones de inmigrantes europeos (italianos, españoles, alemanes, polacos, franceses, etc.), atraídos por la perspectiva de disponer de tierras y otras ventajas garantizadas por el gobierno. Esta gran masa inmigratoria, que en 1914 ya constituía un tercio del total de la población, modificó sustancialmente la demografía nacional, incorporando nuevos elementos a un mestizaje que hundía sus raíces en tiempos de la colonización. La gran vitalidad de la economía argentina durante la primera mitad del siglo XX atrajo no sólo a inmigrantes del Viejo Continente, sino también a gentes de los países vecinos (chilenos, bolivianos, paraguayos, brasileños y uruguayos).

Recursos económicos

El sector agropecuario es, tradicionalmente, uno de los puntales de la economía argentina, gracias a las posibilidades que ofrecen las llanuras chacopampeana y mesopotámica para la explotación agrícola de secano y la ganadería extensiva, y merced a los altos rendimientos obtenidos en los oasis de riego del Noroeste, Cuyo y el norte de Patagonia. Los principales cultivos son los cereales, en espe-

Descubrimiento del Río de la Plata

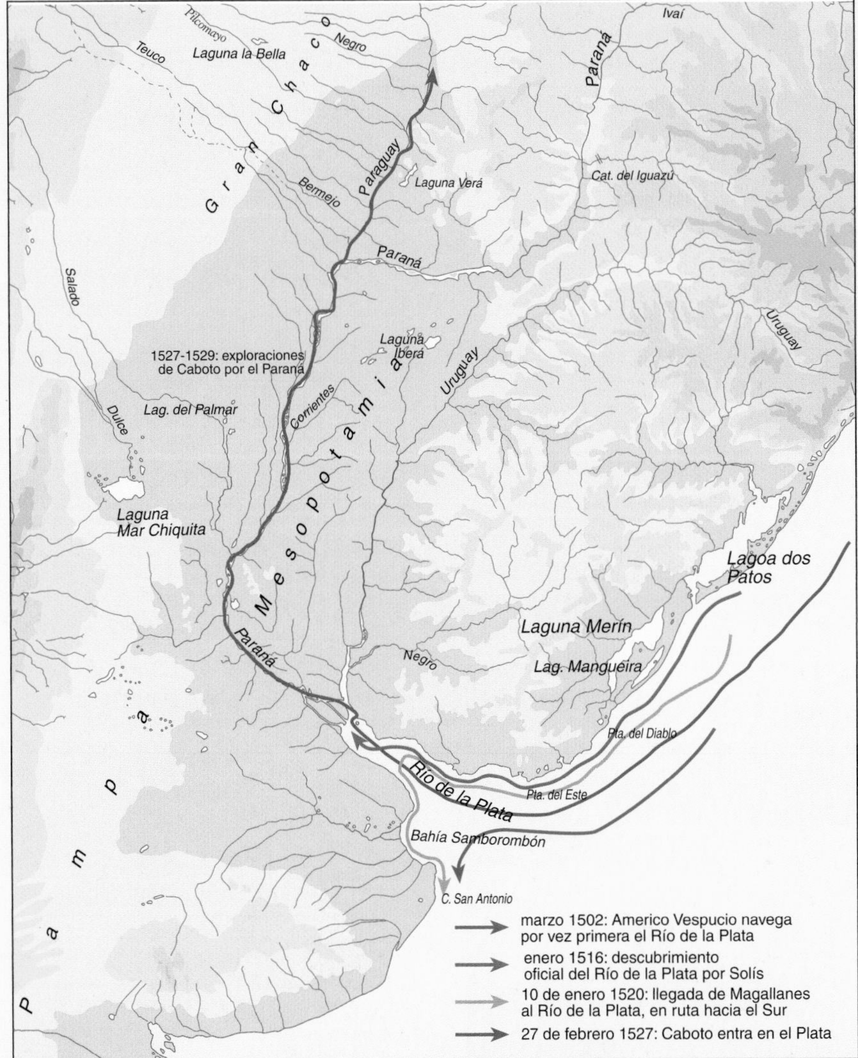

■ *Los colonizadores españoles navegaron por primera vez el Río de la Plata en 1516, con la expedición dirigida por Juan Díaz de Solís, quien buscaba un paso que comunicara el océano Atlántico con el Pacífico. Años más tarde, Alejo García, un superviviente de la expedición de Díaz de Solís, escuchó noticias sobre la existencia del Rey Blanco, en cuyas tierras abundarían el oro y la plata. Partió en su búsqueda y así llegó hasta Chuquisaca, en la actual Bolivia, donde halló los ricos metales. Esos relatos alimentaron la ilusión de otros aventureros deseosos de llegar allí, y este sueño de riquezas hizo que el estuario hallado por Solís fuera conocido desde entonces como Río de la Plata.*

cial el trigo y el maíz, además de avena, cebada, centeno, arroz, mijo y sorgo. Éstos son los cultivos característicos de las grandes llanuras, junto con plantas oleaginosas (soja, girasol y lino), papas, batatas y hortalizas en general. Los cítricos están muy difundidos al este de la Llanura Platense y el algodón al norte también de dicha región. La caña de azúcar y el tabaco se cultivan en la región del Noroeste, y la vid, el olivo y los frutales en Cuyo y los valles patagónicos. La cabaña ganadera coloca a Argentina en los primeros puestos mundiales por su cantidad y calidad, lo que le ha dado renombre a escala internacional. La cría está muy extendida, pero la mayor concentración de vacunos se produce en la Pampa y la mayoría de ovinos se encuentran en el sur de esta región y en la Patagonia. Es notable la producción de leche, queso, manteca y lana. La plataforma submarina es muy rica en recursos pesqueros.

Del subsuelo argentino se extraen notables cantidades de carbón, hierro, plomo, plata, cinc, manganeso, uranio, cobre, azufre y en especial hidrocarburos (petróleo y gas natural). Los principales yacimientos se encuentran en las regiones de Patagonia, Cuyo y Noroeste, desde donde una red de oleoductos y gasoductos lo transportan a la conurbación industrial del frente Paraná-Plata, que se extiende entre Rosario y La Plata y tiene como núcleo principal el Gran Buenos Aires. Ésta es el área industrial más importante del país, que monopoliza la mayor parte de la actividad fabril. Existen otros centros en Córdoba, Tucumán y Mendoza, fomentados para descentralizar la industria. Los principales sectores industriales son el siderometalúrgico, el mecánico, el textil, el alimentario, el químico, el del papel y el del cemento. El turismo constituye una importante fuente de ingresos. Las exportaciones argentinas superan en valor a las importaciones. Los principales mercados internacionales adonde el país exporta sus productos son Brasil, Estados Unidos y Alemania.

El glaciar Perito Moreno, uno de los principales reclamos turísticos, se sitúa en la Patagonia andina; desciende sobre el lago Argentino y su imponente pared de hielo tiene casi 60 m.

Cronología

EL POBLAMIENTO PRECOLOMBINO

S. XVI: el territorio se halla poblado por diaguitas o calchaquíes, guaraníes, tehuelches, onas, pampas, patagones, huerpes, puelches y fueguinos, entre otros pueblos autóctonos.

CONQUISTA Y COLONIZACIÓN ESPAÑOLA

1516: Juan Díaz de Solís descubre el estuario del Río de la Plata.
1520: el navegante portugués Fernando de Magallanes explora la Patagonia.
1526: Sebastián Gaboto remonta el río Paraná y funda el fuerte Sancti Spiritu.
1536: Pedro de Mendoza funda el puerto de Santa María del Buen Aire.
1573: Juan de Garay funda Santa Fe, y Jerónimo Luis de Cabrera, Córdoba.
1580: refundación de Santa María del Buen Aire por J. de Garay. Constitución del Cabildo.
1695: Buenos Aires, capital legal de la gobernación del Río de la Plata.
1776: Carlos III ordena la creación del Virreinato del Río de la Plata.

LA INDEPENDENCIA

1810: revolución de Mayo. Cabildo abierto del 22 de mayo. Junta Nacional o "Junta Grande". Expediciones en el Alto Perú. Rebelión en Córdoba y muerte de Santiago Liniers.
1812: Manuel Belgrano enarbola la bandera nacional en las barracas del Paraná (Rosario).
1813: batalla de San Lorenzo, con los Granaderos a Caballo de José de San Martín.
1816: congreso de Tucumán. Independencia de las Provincias Unidas del Río de la Plata.
1826: creación de la presidencia y elección de Bernardino Rivadavia.
1830: Juan Manuel de Rosas, Restaurador de las Leyes. Firma del Pacto Federal. Las provincias del interior se agrupan en la Liga Unitaria.
1835: asesinato de Quiroga. Rosas es designado gobernador de la Confederación Argentina.
1852: derrocamiento de Rosas.
1854: Urquiza, primer presidente constitucional. Buenos Aires adopta su Constitución provincial.
1859-1860: guerra entre la Confederación Argentina y Buenos Aires.
1862: Bartolomé Mitre es proclamado presidente de la República reunificada.
1865: tratado de la Triple Alianza: Brasil, Argentina y Uruguay declaran la guerra a Paraguay, país que resultará derrotado (1870).
1868: Domingo Faustino Sarmiento, presidente.

EL RADICALISMO, EL PERONISMO Y LOS REGÍMENES MILITARES

1890: fundación de la Unión Cívica Radical (UCR).
1916: Hipólito Yrigoyen, radical, presidente.
1930: golpe de Estado. Intervencionismo militar.
1946: Juan Domingo Perón, presidente.
1947: fundación del Partido Peronista.
1951: Perón gana la reelección.
1952: muerte de Eva Perón.
1955-1973: se alternan el poder militar (Lonardi, Aramburu, Onganía) con frágiles retornos constitucionales (Frondizi, Illia).
1973: retorno y triunfo electoral de Perón.
1974: muerte de Perón, le sucede su tercera esposa, María Estela Martínez. Estado de sitio. Se crea la Alianza Anticomunista Argentina (Triple A).
1976-1983: golpe de Estado. "Proceso de Reorganización Nacional" (30 000 desaparecidos). Se suceden en el poder Videla, Viola, Galtieri y Bignone. Guerra de las Malvinas con el Reino Unido (1982).

RESTABLECIMIENTO DE LA DEMOCRACIA

1983: fin del régimen militar, convocatoria de elecciones libres y restablecimiento de la democracia. Raúl Alfonsín, radical, presidente de la República.
1989: Carlos Saúl Menem, justicialista (peronista), jefe de Estado.
1992: se establece la paridad peso-dólar.
1994: reforma de la Constitución.
1995: Menem es reelegido presidente. Entra en vigor el Mercosur.
1999: Fernando de la Rúa, radical, presidente.
2001: crisis económica y social; dimite De la Rúa. Adolfo Rodríguez Saá, presidente.
2002: Eduardo Duhalde, presidente. Fin de la paridad peso-dólar.
2003: elecciones anticipadas: Néstor Kirchner, ex gobernador justicialista de la provincia de Santa Cruz, presidente de la República.
2005: la Corte Suprema declara inconstitucionales las leyes de Obediencia Debida y Punto Final.

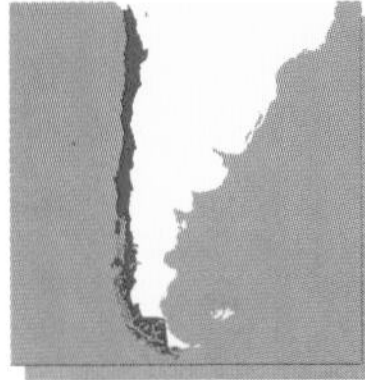

Chile

DATOS GENERALES
Nombre oficial: República de Chile
Superficie: 756 096 km²
Población: 15 116 435 hab.
Densidad: 19,9 hab./km²
Moneda: peso chileno
Lenguas: español (oficial), mapuche
Religión: católicos (70 %), protestantes (15,1 %)
Capital: Santiago (6 061 185 hab.)
Ciudades: Puente Alto (492 603 hab.), Antofagasta (296 905 hab.), Viña del Mar (286 931 hab.), Valparaíso (275 982 hab.), Temuco (245 347 hab.)
Divisiones administrativas: 12 regiones y 1 región metropolitana
Forma de gobierno: república

INDICADORES DEMOGRÁFICOS
Tasa de natalidad: 18,0 ‰
Tasa de mortalidad: 5,7 ‰
Crecimiento vegetativo: 12,3 ‰
Tasa de mortalidad infantil: 11,6 ‰
Hijos por mujer: 2,3
Tasa anual de crecimiento demográfico: 1,2 %
Población menor de 15 años: 25,7 %
Población de 60 años o más: 11,4 %
Esperanza de vida al nacer: 80,0 años (mujeres), 73,0 años (hombres)
Población urbana: 86,6 %

INDICADORES SOCIALES
Tasa de alfabetización: 95,7 %
Núm. de médicos: 115 por 100 000 hab.
Núm. de automóviles: 1 351 896 unidades
Líneas telefónicas: 230 por mil hab.
Abonados a teléfonos móviles/celulares: 428 por mil hab.
Usuarios de internet: 238 por mil hab.
Gasto público en salud: 2,9 % del PIB
Gasto público en educación: 3,9 % del PIB

INDICADORES ECONÓMICOS
PIB: 69 693 millones de $
PIB per cápita: 4 408 $
PIB por sectores: Primario 9 %, Secundario 34 %, Terciario 57 %
Población ocupada por sectores: Primario 14 %, Secundario 24 %, Terciario 62 %
Superficie cultivada: 3,1 %
Producción de energía: 42 997 millones de kW/h
Consumo de electricidad: 2 851 kW/h por hab.
Importaciones: 15 383 millones de $
Exportaciones: 17 182 millones de $

RECURSOS ECONÓMICOS
Agricultura: trigo, avena, maíz, arroz, cebada, centeno, patatas, tabaco, vid, manzanas, peras, duraznos, remolacha azucarera, agrios
Ganadería: bovina, ovina, porcina, caballar, caprina, llamas, alpacas, aves de corral
Pesca: 4 363 239 t
Silvicultura: 37 817 139 m³ de madera
Minería: cobre, nitratos, petróleo, gas natural, oro, plata, azufre, molibdeno, hierro, manganeso, carbón, guano, sal y vanadio
Industria: textil, siderúrgica, naval, automovilística, del cemento, química, del papel, cárnica, azucarera, tabaquera y eléctricas

Estado de Sudamérica austral, Chile se halla limitado al norte por Perú, al nordeste por Bolivia y al este por Argentina; al oeste y sur se extiende un prolongado litoral en el océano Pacífico. La forma peculiar del territorio chileno, muy extendido en latitud (4 300 km), como una estrecha franja comprimida entre la cordillera de los Andes y el océano, que apenas tiene unos 400 km de anchura máxima, determina decisivamente la división regional del país y todos los aspectos de la vida chilena.

Marco natural

La superficie de Chile es muy variada, no sólo por la estructura geológica, sino también por el modelado resultante de los distintos sistemas erosivos. Chile presenta un relieve sumamente accidentado y montañoso; sólo una cuarta parte de la superficie es llana. Cabe distinguir, sobre todo, la cordillera de los Andes, estructurada a modo de fachada oriental del territorio y que marca la frontera con Argentina; su altitud media es de 5000 m sobre el nivel del mar. Al norte, la cordillera presenta formas macizas que encierran cuencas con salares (como los de Atacama, Pedernales y Punta Negra) y culmina en altos cerros, muchos de ellos volcánicos. Entre los principales picos del norte y centro se cuentan el Llullaillaco (6 739 m), Ojos del Salado (6 879 m), del Toro (6 160 m) y Maipo (5 323 m), todos ellos compartidos con Argentina. Al sur de Santiago, la cordillera andina cambia completamente de aspecto: disminuye la altura

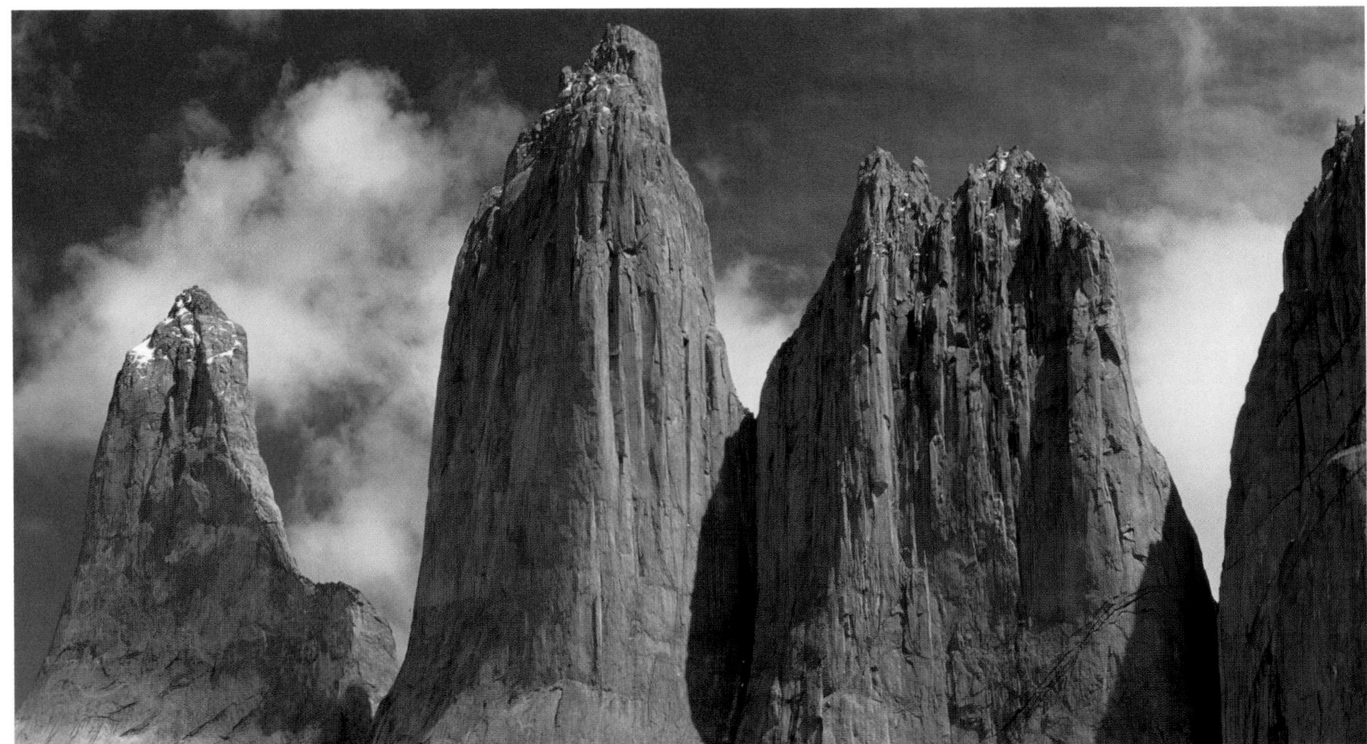

Chile es un país de elevadas montañas y grandes volcanes que jalonan las tierras limítrofes con Bolivia y Argentina. Los Andes patagónicos o meridionales, aunque alcanzan menor altura que el resto de la cordillera, albergan las impresionantes Torres del Paine (XII Región).

de sus cerros (Tronador, 3478 m, y Murallón, 2656 m, ambas cimas compartidas con Argentina, y San Valentín, 4058 m) y los pasos son más accesibles; asimismo aparecen glaciares, campos de hielo y lagos, y el suelo se cubre de una espesa vegetación boscosa. En el extremo sur, esta cordillera se fragmenta en islas y fiordos al hundirse en el mar.

Al oeste de la cordillera se abre el valle longitudinal, que al norte está formado por amplias pampas con salares (Tamarugal). Luego se divide en valles transversales (Copiapó, Huasco, Limarí, Aconcagua), y al sur de Santiago se inicia el gran Valle Central, constituido por los valles del Maule y el Biobío. En la mitad sur del país, el valle es invadido por el mar, convirtiéndose en los canales interinsulares y golfos (Corcovado y de Penas). La cordillera de la Costa forma un litoral acantilado al norte, con alturas inferiores a 1500 m; al sur está representada por la isla de Chiloé, el archipiélago de los Chonos, la península de Taitao y otras islas.

En general, los ríos chilenos son cortos, torrenciales y de escaso caudal, difíciles para la navegación, pero, en cambio, de un alto valor hidroeléctrico. Los de la zona desértica no llegan al mar, salvo el Lluta, el Camarones y el Loa, cuya cuenca hidrográfica es la mayor de Chile. En los valles transversales sobresalen el Copiapó, el Huasco, el Elqui y el Limarí, de caudal permanente. En la zona climática mediterránea los principales son el Maipo, el Rapel y el Mataquito. En el sector centrosur, destacan el Maule, el Itata, el Biobío y el Imperial. Hasta el canal de Chacao, el Toltén, el Valdivia, el Bueno y el Maullín, y en la región patagónica, el Palena y otros. En el sector sur abundan los lagos.

Chile presenta una gran variedad climática: de norte a sur se dan los siguientes tipos de clima: desértico, estepario, mediterráneo, templado cálido y lluvioso, marítimo, templado frío muy lluvioso y nival. El sector norte de Chile es un desierto donde prácticamente no llueve nunca; en las zonas desérticas la temperatura media es de 19 °C; en la zona mediterránea, de 15 °C. La flora desértica se reduce a musgos, líquenes y arbustos. En las quebradas hay algarrobos y tamarugos. En la zona esteparia predomina el arbusto y progresivamente el arbolado: desde el guayacán, hasta el canelo y la puya. En la desembocadura del río Limarí arrancan las primeras agrupaciones boscosas. En la zona andina dominan los matorrales espinosos. Hacia el sur crecen la araucaria, el olivillo y el coihue, así como el roble y el laurel. En la zona patagónica crece el alerce, el ciprés y el copihue, la flor nacional chilena.

Población

La desigual distribución espacial de la población chilena es una de las características demográficas más significativas del estado. La mayoría de los habitantes –aproximadamente tres cuartas partes de la población chilena– se aglomera en el sector central del país y en torno al 40 % se concentra en la Región Metropolitana de Santiago, que a su vez registra la densidad regional más elevada de Chile. En cambio, el norte y el sur albergan una escasa población. La proporción de habitantes de carácter urbano tiende a aumentar a expensas de la despoblación rural. El índice de crecimiento medio anual es moderado, debido al descenso soste-

En las regiones de Antofagasta y Atacama, entre los ríos Loa y Copiapó, se extiende el desierto de Atacama, uno de los lugares más secos del planeta; en la imagen, sector del Valle de la Luna.

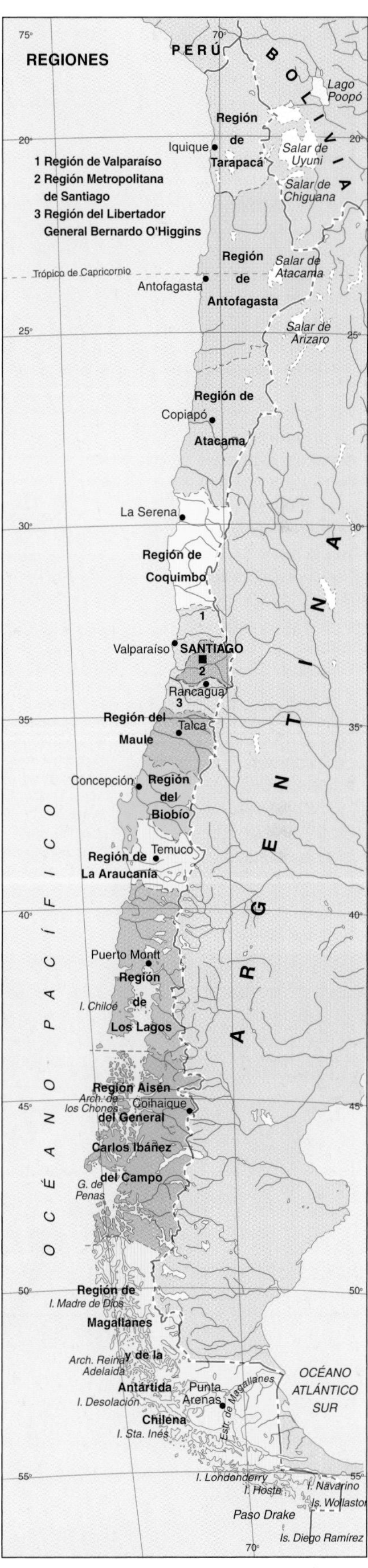

La actual división administrativa (12 regiones y 1 región metropolitana) data de 1974.

Las ciudades chilenas en los primeros tiempos de la Colonia

El conquistador de Chile, Pedro de Valdivia, fue también un destacado fundador de ciudades. La primera urbe que se levantó en territorio chileno fue Santiago del Nuevo Extremo (la actual Santiago de Chile), que fue fundada el 12 de febrero de 1541 a orillas del río Mapocho y junto al cerro Huelén; a ésta le seguirían en un breve espacio de tiempo La Serena (1544), algo al norte, y, ya en tierras del sur, la antigua Concepción (actual Penco, 1550), La Imperial (1551), Valdivia (1552), Villarrica (1552) y Los Confines (hoy Angol, 1553). Tras la muerte de Valdivia se fundaron Osorno (1558), Castro (1567), en la isla de Chiloé, y Chillán (1580).

El subsuelo chileno atesora una gran riqueza mineral, sobre todo en salitre y cobre. Una de sus principales minas cupríferas es El Teniente (Región del Libertador General Bernardo O'Higgins).

nido de la tasa de natalidad. Los valores más elevados de la tasa de crecimiento anual del siglo XX tuvieron lugar entre 1952 y 1960, cuando se alcanzó la cifra del 2,5 % anual. Las décadas posteriores marcaron una progresiva desaceleración del ritmo de crecimiento natural. Hoy en día, la población chilena refleja una tendencia decreciente, tanto en lo que se refiere a la tasa de fecundidad como a la de mortalidad. El marcado descenso de la mortalidad ha incidido directamente en el incremento de la esperanza de vida.

Desde el punto de vista étnico, la población chilena presenta un cuadro bastante homogéneo que, asentado sobre las bases española e indígena, ha dado lugar a una mayoría mestiza. Entre los grupos autóctonos que han contribuido a la formación del pueblo chileno figuran los picunches (que vivían entre los ríos Aconcagua e Itata), los mapuches (entre el Itata y Toltén), los huilliches (en las zonas de Osorno y Llanquihue), los cuncos y los chonos (en la isla de Chiloé y el archipiélago de las Guaitecas). La población blanca de origen hispano representa alrededor del 30 % del total, mientras la autóctona se sitúa en torno a las 700000 personas; las tres minorías étnicas más importantes del país son la mapuche, la aymará y la rapanui.

Recursos económicos

Chile es un país agrícola y ganadero, con importantes yacimientos minerales. La peculiar distribución de su territorio en una franja larga y angosta en el litoral del océano Pacífico determina el que exista una gran variedad climática, que da lugar a una agricultura muy contrastada. La mayor parte del suelo destinado a los cultivos anuales está dedicado a los cereales. Se obtiene, sobre todo, trigo, cebada y avena; asimismo se produce maíz, destinado básicamente a la alimentación del ganado. El arroz, de introducción más reciente, y las papas abastecen el consumo interno. Otros cultivos importantes son la remolacha azucarera y los frutales. Una especial mención merece también la viña vinífera y la pisquera. Los bosques constituyen grandes reservas forestales. La cría de ganado, principalmente ovino y vacuno en los valles intramontanos, es una importante fuente de ingresos. El ganado menor, aves de corral, cerdos y conejos, se lleva a cabo mediante la estabulación. Los camélidos chilenos domesticables son la llama y la alpaca.

En lo que a la pesca se refiere, Chile es una potencia mundial y la importancia de este sector en la economía nacional es muy grande; ello se debe a que el litoral chileno es muy rico en pesca y contiene también una gran variedad de marisco. Entre las principales especies de valor comercial cabe citar el pez espada, el ba-

Santiago de Chile es la capital del estado y la urbe más poblada del país. Se sitúa en el Valle Central, próxima a las alturas andinas.

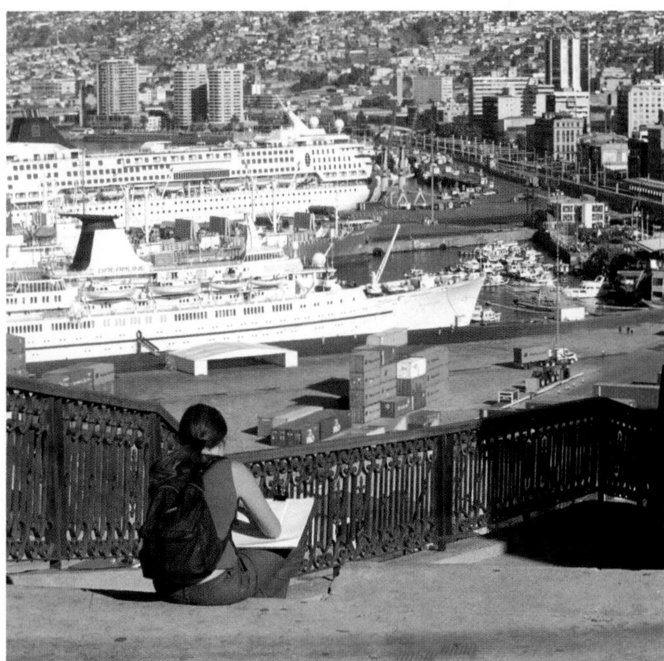

Ciudad emplazada en una amplia bahía del Pacífico, Valparaíso es un notable núcleo portuario y alberga la sede del poder legislativo.

calao, la merluza austral y el congrio dorado; y entre los mariscos, los locos, los erizos, las ostras, las centollas, las machas y las almejas. Gran parte de las exportaciones chilenas están relacionadas con productos alimenticios de procedencia marina, como harinas de pescado, pescado fresco y congelado o conservas.

La verdadera riqueza de Chile radica en sus yacimientos minerales, especialmente de cobre (Chuquicamata, El Teniente), del que Chile es uno de los primeros productores mundiales, nitratos (salitre) y hierro; también se extrae bórax, oro, plata, azufre, molibdeno, carbón, petróleo y gas natural. Es muy importante la obtención de salitre, un producto que entre la segunda mitad del siglo XIX y el primer tercio del XX fue la principal fuente de riqueza del país.

La actividad industrial comprende el sector textil y el del cuero, la siderurgia, la metalurgia del cobre, el montaje de automóviles y la fabricación de neumáticos, la industria frigorífica, del azúcar, del papel y química. La mayoría de las transacciones comerciales chilenas se llevan a cabo con Estados Unidos, Japón, China, México, Corea del Sur, Brasil, Francia y Argentina.

Explotación de viñedos en el Norte Chico (Copiapó), destinados a la exportación.

Cronología

CONQUISTA Y COLONIZACIÓN ESPAÑOLA

S. XV: dominio incaico en el norte del territorio. Los araucanos se extienden por el centro, y los alacalufes y yaganes, al sur.
1536: expedición de Diego de Almagro.
1541-1553: Pedro de Valdivia emprende la conquista de Chile. Resistencia araucana (Lautaro, Caupolicán).
1557-1561: Villagra, vencedor sobre Lautaro, y sobre todo Hurtado de Mendoza, que termina con Caupolicán, sientan las bases sólidas de la colonización.
1609: audiencia con sede en Santiago.
1747: creación de la universidad de San Felipe.

CHILE INDEPENDIENTE

1810-1818: guerra de la independencia (Carrera, O'Higgins), consolidada con las victorias en Chacabuco (1817) y Maipú (1818).
1820-1823: el Libertador General Bernardo O'Higgins, Director Supremo de Chile.
1822-1832: período de convulsiones. La batalla de Lircay (1830) decide la hegemonía conservadora: Diego Portales, Manuel Bulnes.
1839: victoria chilena en la batalla de Yungay, que provoca la disolución de la confederación Peru-Boliviana.
1851-1861: gobierno de Manuel Montt.
1879-1884: Chile se enfrenta y derrota a Perú y Bolivia, coligadas en la guerra del Pacífico.
1880-1881: última guerra araucana: "Pacificación de La Araucanía".
1891: la caída de José Manuel Balmaceda marca el relevo del presidencialismo por el control político parlamentario.
1924-1931: influencia y gobierno del general Carlos Ibáñez del Campo. Gobierno civil de Alessandri.
1938-1952: hegemonía política del Frente Popular, iniciada con Aguirre Cerda (muerto en 1941).
1952-1958: nueva etapa de presidencia del general Carlos Ibáñez del Campo.
1964-1970: fase democristiana (Eduardo Frei Ruiz Montalva).
1970-1973: dominio de la Unidad Popular (Salvador Allende, socialista).
1973-1990: golpe de Estado y establecimiento de una Junta Militar. Augusto Pinochet asume la jefatura del Estado (1974).
1990: restablecimiento de la democracia. Patricio Aylwin, democristiano, presidente.
1994: Eduardo Frei Ruiz-Tagle, presidente.
2000: Ricardo Lagos, líder socialista, presidente de la República.
2003: firma del TLC con EE UU.
2005: profunda reforma de la Constitución de 1980.

Paraguay

DATOS GENERALES
Nombre oficial: República del Paraguay/ Tetã Paraguáype
Superficie: 406 752 km²
Población: 5 183 080 hab.
Densidad: 12,7 hab./km²
Moneda: guaraní
Lenguas: español y guaraní (oficiales)
Religión: católicos (88,4 %)
Capital: Asunción (510 910 hab.)
Ciudades: Ciudad del Este (223 350 hab.), San Lorenzo (202 745 hab.), Luque (170 433 hab.), Capiatá (154 469 hab.)
Divisiones administrativas: 17 departamentos y 1 distrito capital
Forma de gobierno: república

INDICADORES DEMOGRÁFICOS
Tasa de natalidad: 30,1 ‰
Tasa de mortalidad: 5,2 ‰
Crecimiento vegetativo: 24,9 ‰
Tasa de mortalidad infantil: 37,6 ‰
Hijos por mujer: 3,9
Tasa anual de crecimiento demográfico: 2,2 %
Población menor de 15 años: 38,5 %
Población de 60 años o más: 6,8 %
Esperanza de vida al nacer: 77,0 años (mujeres), 72,0 años (hombres)
Población urbana: 56,7 %

INDICADORES SOCIALES
Tasa de alfabetización: 92,9 %
Núm. de médicos: 49 por 100 000 hab.
Núm. de automóviles: 370 000 unidades
Líneas telefónicas: 47 por mil hab.
Abonados a teléfonos móviles/celulares: 288 por mil hab.
Usuarios de internet: 17 por mil hab.
Gasto público en salud: 3,1 % del PIB
Gasto público en educación: 4,7 % del PIB

INDICADORES ECONÓMICOS
PIB: 5 616 millones de $
PIB per cápita: 948 $
PIB por sectores: Primario 22 %, Secundario 29 %, Terciario 49 %
Población ocupada por sectores: Primario 32 %, Secundario 17 %, Terciario 51 %
Superficie cultivada: 6 %
Producción de energía: 48 364 millones de kW/h
Consumo de electricidad: 1 124 kW/h por hab.
Importaciones: 1 672 millones de $
Exportaciones: 951 millones de $

RECURSOS ECONÓMICOS
Agricultura: caña de azúcar, algodón, tabaco, maíz, arroz, mandioca, trigo, soja, café, agrios
Ganadería: bovina, ovina, caprina, caballar, porcina, aves de corral,
Pesca: 25 110 t
Silvicultura: 9 787 375 m³ de madera
Industria: alimentaria en general, tabaquera, del cemento, algodonera y cervecera

País de Sudamérica, Paraguay limita al oeste y al norte con Bolivia, al este con Brasil y al sur y al sudoeste con Argentina. El territorio paraguayo presenta dos regiones bien diferenciadas: la región Oriental y la región Occidental, separadas por el curso del río Paraguay.

Marco natural

La principal característica de Paraguay es la extensa red hidrográfica que lo riega; hasta tal punto es importante, que el río que le da nombre lo divide en dos regiones de diferentes características físicas. Al este del río Paraguay se extiende la región Oriental, que abarca alrededor del 40 % de la superficie del país y alberga a la mayor parte de su población. En esta región se desarrollan también gran parte de las actividades económicas. En el Oriente paraguayo se encuentran los únicos accidentes orográficos de cierta relevancia: las cordilleras de Amambay, Mbaracayú y Caaguazú, que son escarpes sobreelevados del basamento cristalino de Brasilia, a unos 500 m de altitud media. La mitad occidental del Oriente paraguayo es marcadamente horizontal, lo que ocasiona el desbordamiento del río Paraguay y la formación de "bañados" y "esteros". En este sector, el bosque tropical es poco denso y se abren claros a manera de sabana. En las áreas más deprimidas se desarrollan especies herbáceas tropicales, vastos palmerales y también arbustos espinosos propios de la sabana. En la franja oriental de esta misma región, el basamento está cubierto por una capa

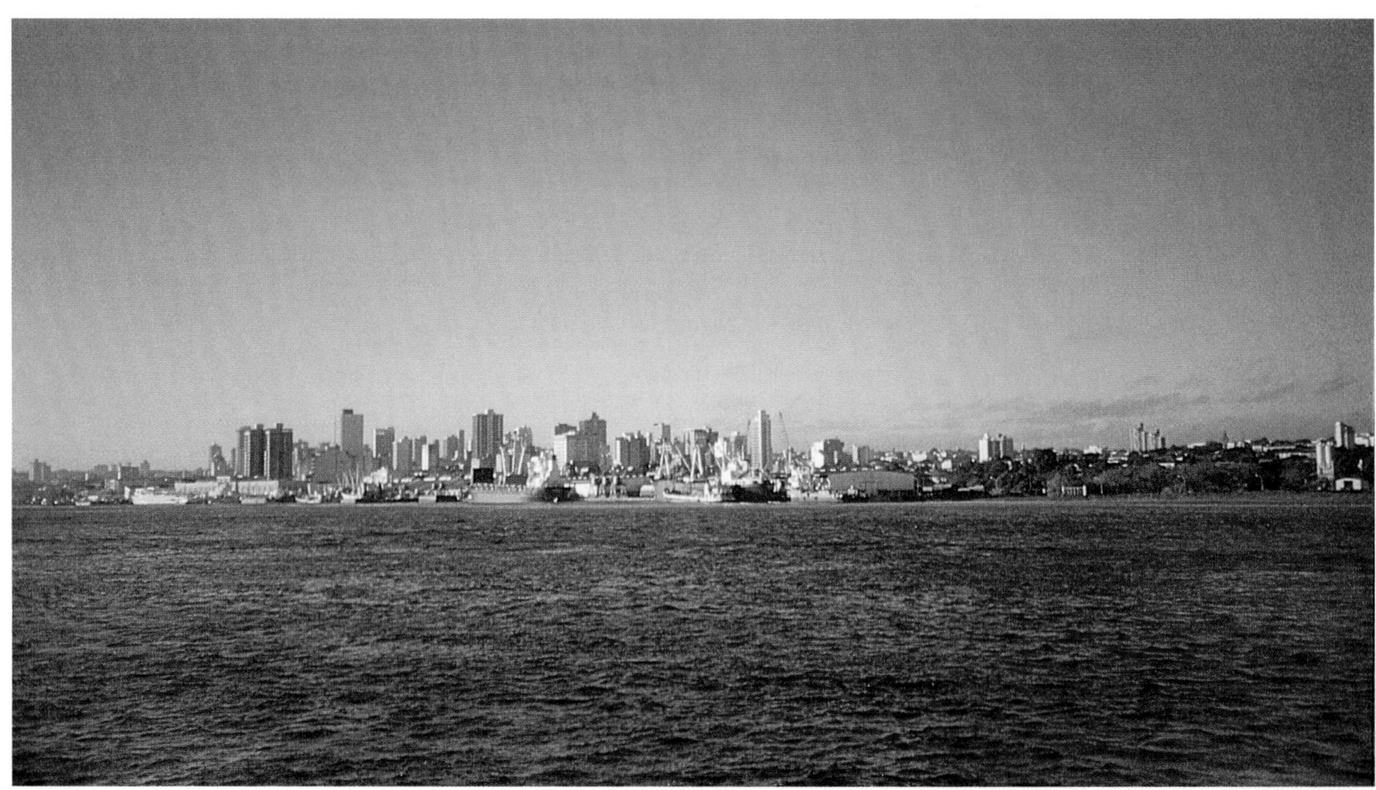

Asunción, la capital de Paraguay, fue fundada por Juan de Salazar y Espinosa en 1537, en la margen izquierda del río Paraguay. Durante la Colonia fue conocida como "la madre de ciudades", pues desde ella partieron los colonizadores para fundar otras villas de la región.

de suelos lateríticos, que favorecen una vegetación de bosque tropical. Este ambiente geográfico es la prolongación meridional del Mato Grosso brasileño y de la meseta de Misiones (Argentina), que está situada al otro lado del río Paraná.

La región Occidental corresponde al Chaco paraguayo y, aunque abarca un 60 % de la superficie total del país, paradójicamente se encuentra escasamente poblada. En el Chaco, el basamento de Brasilia se halla dislocado y hundido en su parte central y cubierto por una espesa capa de sedimentos. El hundimiento central se refleja en la indefinición hidrográfica, con numerosos cauces secos la mayor parte del año, y en la formación de vastas extensiones de esteros y bañados en las inmediaciones del río Pilcomayo. La franja occidental de esta región conforma una amplia planicie a unos 200 m de altitud media donde viven especies xerófilas, aunque predomina el bosque con claros.

El río Paraguay, el curso más destacado del territorio, que define y caracteriza la nación, nace en Brasil y fluye por un cauce de escasa pendiente a través de la llanura, donde recibe los aportes de numerosos afluentes, entre los que sobresalen el Verde y el Montelindo. En la capital, Asunción, aquél se une al río Pilcomayo y juntos alcanzan el Paraná al sur de la ciudad de Pilar. Es navegable, dentro de Paraguay, en todo su recorrido por embarcaciones de pequeño calado. El otro gran curso fluvial del país es el Paraná, que forma las cataratas de Guairá en la frontera con Brasil, desde donde es navegable para pequeñas embarcaciones. A través de la región Oriental discurren numerosos ríos y riachuelos que vierten sus aguas al Paraguay y Paraná; al margen de los ya nombrados, sobresalen el Jejuí, Tebicuary, Apa, Aquidabán, Ypané, Negro y Aguaray, entre otros.

La amplia presencia de la red hidrográfica contribuye, junto con los vientos procedentes de Brasil, a que el clima en Paraguay sea particularmente húmedo, sobre todo en los meses cálidos de verano. Las temperaturas, que en la parte norte del país caracterizan una zona tropical y en el resto subtropical, alcanzan una media durante los meses estivales de 27 °C, aunque no es raro que las temperaturas máximas rebasen los 40 °C. En invierno, los vientos secos y fríos procedentes de Argentina soplan con cierta intensidad al no encontrar en su camino barreras orográficas que los puedan amainar; en esta estación, la temperatura media se sitúa alrededor de 17 °C. Las precipitaciones son abundantes con un promedio de casi 1500 mm anuales y caen con relativa periodicidad en la región del Chaco Boreal, mientras que en el sector oriental se caracterizan por una cierta persistencia.

El Chaco Bajo se adentra casi un centenar de kilómetros al norte del Pilcomayo, río con el que limita al sur, y se extiende desde Bolivia, al oeste, hasta el río Paraguay, al este.

La actual división administrativa de Paraguay, que consta de 17 departamentos y 1 distrito capital, data de 1992; los tres departamentos del oeste son los más extensos del estado.

Capital del departamento de Alto Paraná, Ciudad del Este fue fundada en 1957 a orillas del río Paraná, en el borde oriental del país, y es la segunda urbe económica paraguaya.

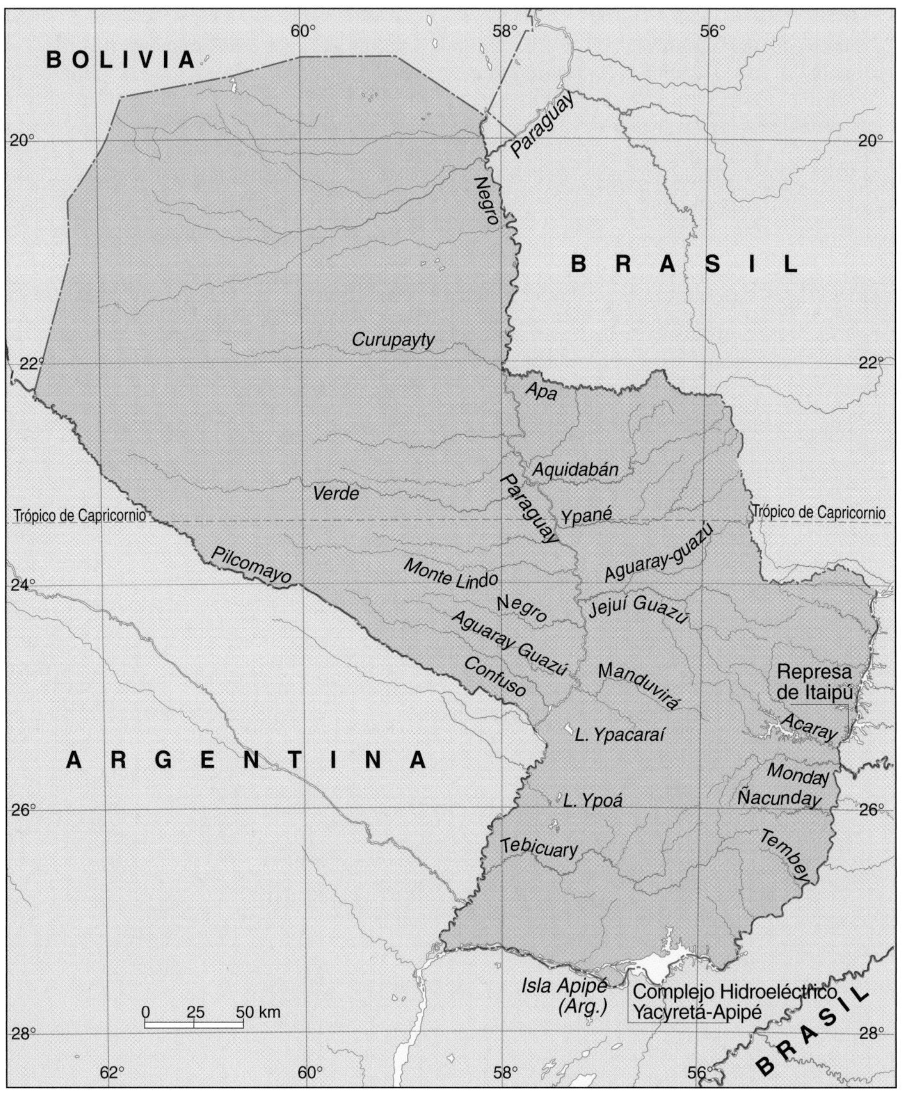

La riqueza hidrográfica paraguaya es aprovechada sobre todo por dos grandes obras hidráulicas: las represas de Itaipú, en la frontera con Brasil, y de Yacyretá-Apipé, en los límites con Argentina.

Población

La mayor parte de los habitantes de Paraguay se asientan en la región Oriental del país, donde a su vez se localizan casi todos los núcleos urbanos: Pedro Juan Caballero, Curuguaty, Villarrica, Caazapá, San Juan Bautista y Paraguarí, en el interior; Concepción y San Pedro, junto al río Paraguay; Hernandarias y Encarnación, sobre el río Paraná; Asunción, en la confluencia del Paraguay y el Pilcomayo, y Pilar, al sur del país, a orillas del Paraguay. Sólo la aglomeración urbana de la capital absorbe un tercio de la población total, debido al hecho de que, además de ser el núcleo administrativo del Estado y un importante nudo de comunicaciones, es donde se encuentra el mayor contingente de industrias, así como un destacado puerto fluvial y la universidad. Con todo, poco más de la mitad de la población paraguaya vive en ámbitos urbanos. En contraste con esta situación, el Chaco, en la región Occidental de Paraguay, es una zona prácticamente despoblada. El país presenta una estructura por edades joven, gracias al mantenimiento de una elevada tasa de natalidad y a la drástica reducción de la tasa de mortalidad.

El distinto talante de las tribus que habitaban el territorio antes de la llegada de los españoles marcó las relaciones con los europeos y determinó el futuro mapa étnico del país. Los guaraníes, en particular los carios, que tenían hábitos sedentarios y se dedicaban a la agricultura, se mostraron más receptivos a la presencia española; no así las tribus nómadas del Chaco y del norte (guaicurú, toba, morotocos, macacos, chiriguanos, mbayá, payaguá, etc.), que mantuvieron una hostilidad permanente hacia los colonizadores. Como consecuencia, la población paraguaya actual es el resultado del mestizaje de los guaraníes con españoles y otros inmigrantes europeos o descendientes de europeos procedentes de Brasil y Argentina. La población blanca es minoritaria, al igual que la indígena, la cual vive en su mayoría en la región chaqueña. Entre las etnias amerindias más importantes figuran las de los lenguas, los chulupí, los toba, los chiripá, los tavyterâ, los chamacoco, los sapananas, los guaraní, los ñandevá, los mbayá, los maká, los angaité y los aché.

Recursos económicos

Paraguay es un país eminentemente agropecuario. Las actividades agrícolas, junto con la ganadería y la explotación forestal, constituyen una de las principales fuentes de ingresos. El área cultivada se extiende sobre todo en la franja que bordea la margen izquierda del río Paraguay. Entre los principales cultivos de tipo industrial se encuentran la caña de azúcar, que se utiliza para obtener azúcar y para destilar ron y alcohol, así como el algodón y la soja, que son, estos últimos, los principales productos agrícolas de exportación. También se cultivan café, trigo, maní, arroz, sorgo, tung, tártago o ricino, maíz, yuca, tabaco y cártamo. Entre los productos hortofrutícolas destacan las frutas tropicales (mamón, banano, mango, ananás), la vid y los cítricos. Asimismo, en los últimos años ha experimentado un importante desarrollo el cultivo de las plantas forrajeras, destinadas a la alimentación del ganado. Paraguay mantiene una importante cabaña vacuna, que produce carne para la exportación, así como leche y derivados. También son significativas las cabañas porcina, ovina y caprina, y la cría de aves de corral. La explotación de madera es otro actividad económica importante. El país alberga especies de gran valor maderero, como el quebracho colorado, del que se obtiene tanino, producto utilizado como curtiente natural. Es también relevante el cultivo de la yerba mate, que se destina en gran parte a la exportación. La minería, por el contrario, es un sector poco desarrollado; se obtienen arcillas, yeso, mármol, arena y piedras para la ornamentación y construcción.

La industria se caracteriza por la elaboración de azúcar, cigarrillos, cerveza, harinas, tanino, papel e hilados de algodón. En Asunción se lleva a cabo el refino de petróleo. Los cursos de los ríos Paraná y Acaray se han convertido en importantes fuentes de energía hidroeléctrica, gracias a la instalación de presas. Itaipú, la represa construida en aguas del Paraná, al norte de Ciudad del Este, y en la frontera con Brasil, es una de las mayores del mundo, con una capacidad máxima de generar energía de 12600 MW; esta impresionante obra hidráulica provee al país de energía, pero también de notables ingresos, dado que Paraguay vende una parte de su producción a Brasil; también en aguas del río Paraná, a la altura de la ciudad de Ayolas, en la frontera con Argentina, se levantó el complejo hidroeléctrico de Yacyretá-Apipé. La mayoría de transacciones comerciales de Paraguay se llevan a cabo con Brasil, Argentina, Uruguay y Estados Unidos.

Cronología

CONQUISTA Y COLONIZACIÓN ESPAÑOLA

1524-1542: primeras exploraciones (Alejo García, hasta el Chaco) y fundaciones españolas (Ayolas, Juan de Salazar) en el hábitat guaraní.
1541-1618: la colonización de toda la región del Plata gira en torno a la concentración en Paraguay (Asunción) hasta el repoblamiento de Buenos Aires. Bajo Hernandarias se procede a la división entre las dos gobernaciones de Río de la Plata y Guairá o Paraguay.
S. XVII: sistema jesuita de las reducciones, controvertida fórmula colonial. Para resistir a los *bandeirantes* brasileños arman un ejército guaraní.
S. XVIII: rebelión criolla de los Comuneros. Expulsión de los jesuitas. Paraguay pasa a depender del Virreinato del Río de la Plata.

PARAGUAY INDEPENDIENTE

1810-1814: proceso independentista: José Gaspar Rodríguez de Francia sube al poder.
1814-1840: gobierno absolutista de Rodríguez de Francia: aislamiento y organización social original.
1844-1862: gobierno de Carlos Antonio López. Apertura exterior y desarrollo del país.
1865-1870: su hijo Francisco Solano López sostiene la guerra contra la Triple Alianza (Uruguay, Argentina y Brasil). En ella mueren el 75 % de los hombres y se pierde una parte del territorio nacional.
1870: se promulga una Constitución de carácter liberal.
1880-1904: primera etapa de hegemonía política del Partido Colorado.
1904: revolución liberal, apoyada por Argentina.
1922-1923: guerra civil.
1932-1935: guerra del Chaco con Bolivia.
1940-1948: gobierno del general Higinio Morínigo.
1954-1989: dictadura del general Alfredo Stroessner.
1989: Andrés Rodríguez derroca a Stroessner y es elegido presidente.
1993: Juan Carlos Wasmosy, presidente.
1998: Raúl Alberto Cubas, elegido presidente.
1999: Cubas dimite y Luis González Macchi es nombrado presidente de la República.
2003: Nicanor Duarte Frutos, nuevo jefe de Estado paraguayo.

Cerca de las cataratas de Iguazú, al norte de Ciudad del Este, se sitúa la represa de Itaipú, una de las mayores del mundo. Se trata de un enorme complejo hidroeléctrico binacional (Paraguay y Brasil), que aprovecha la fuerza de las bravas aguas del río Paraná.

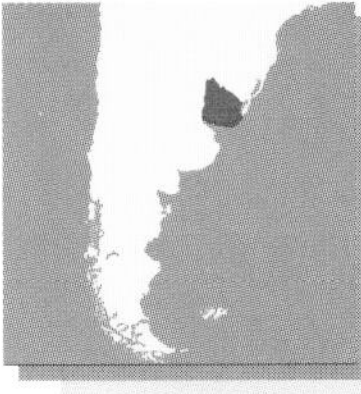

Uruguay

DATOS GENERALES
Nombre oficial: República Oriental del Uruguay
Superficie: 175 016 km^2
Población: 3 240 887 hab.
Densidad: 18,5 hab./km^2
Moneda: peso uruguayo
Lenguas: español
Religión: católicos (78,3 %), protestantes (4,6 %)
Capital: Montevideo (1 341 000 hab.)
Ciudades: Salto (93 117 hab.), Paysandú (74 568 hab.), Rivera (62 859 hab.)
Divisiones administrativas: 19 departamentos
Forma de gobierno: república

INDICADORES DEMOGRÁFICOS
Tasa de natalidad: 15,0 ‰
Tasa de mortalidad: 9,6 ‰
Crecimiento vegetativo: 5,4 ‰
Tasa de mortalidad infantil: 15 ‰
Hijos por mujer: 2,2
Tasa anual de crecimiento demográfico: 0,5 %
Población menor de 15 años: 24,4 %
Población de 60 años o más: 17,5 %
Esperanza de vida al nacer: 79,0 años (mujeres), 71,0 años (hombres)
Población urbana: 91,8 %

INDICADORES SOCIALES
Tasa de alfabetización: 97,7 %
Núm. de médicos: 387 por 100 000 hab.
Núm. de automóviles: 525 000 unidades
Líneas telefónicas: 283 por mil hab.
Abonados a teléfonos móviles/celulares: 95 por mil hab.
Usuarios de internet: 119 por mil hab.
Gasto público en salud: 5,1 % del PIB
Gasto público en educación: 2,5 % del PIB

INDICADORES ECONÓMICOS
PIB: 11 071 millones de $
PIB per cápita: 3 275 $
PIB por sectores: Primario 9 %, Secundario 27 %, Terciario 64 %
Población ocupada por sectores: Primario 4 %, Secundario 22 %, Terciario 74 %
Producción de energía: 9 078 millones de kW/h
Consumo de electricidad: 2 380 kW/h por hab.
Importaciones: 2 190 millones de $
Exportaciones: 2 198 millones de $

RECURSOS ECONÓMICOS
Agricultura: trigo, maíz, arroz, avena, cebada, sorgo, lino, girasol, vid, duraznos, agrios, remolacha azucarera, patatas, cacahuetes, batatas, tabaco, soja, tomates
Ganadería: ovina, bovina, porcina, caballar y aves de corral
Pesca: 108 361 t
Silvicultura: 6 163 000 m^3 de madera
Minería: mármol, cuarzo, granito, talco
Industria: lanera, del calzado, tabaquera, del cemento, siderúrgica, azucarera y alimentaria en general

Estado de Sudamérica, Uruguay limita al norte y nordeste con Brasil y al oeste con la República Argentina; el resto de su perímetro está constituido por costas marítimas bañadas por las aguas del océano Atlántico, desde Punta del Este hacia el nordeste, y márgenes fluviales, desde esa ciudad hacia el oeste. El país está situado sobre la margen izquierda del estuario del Río de La Plata, en la Banda Oriental, nombre que le dieron los colonizadores y que inspiró la denominación oficial actual: República Oriental del Uruguay.

Marco natural

El relieve uruguayo tiene su origen en el basamento cristalino de Brasilia, profundamente erosionado y cubierto por capas sedimentarias, salvo en las zonas norte y sudeste, donde aflora. La altitud media del territorio es de sólo 116 m, y la altitud máxima, el cerro Catedral, es de 514 m; otros cerros notables como Pan de Azúcar y Betete de las Ánimas, Gigante y del Inglés no alcanzan los 500 m de altitud; y el cerro de Montevideo, que domina la bahía del mismo nombre, alcanza 140 m. La presencia de estos relieves residuales es extraordinariamente importante, pues-

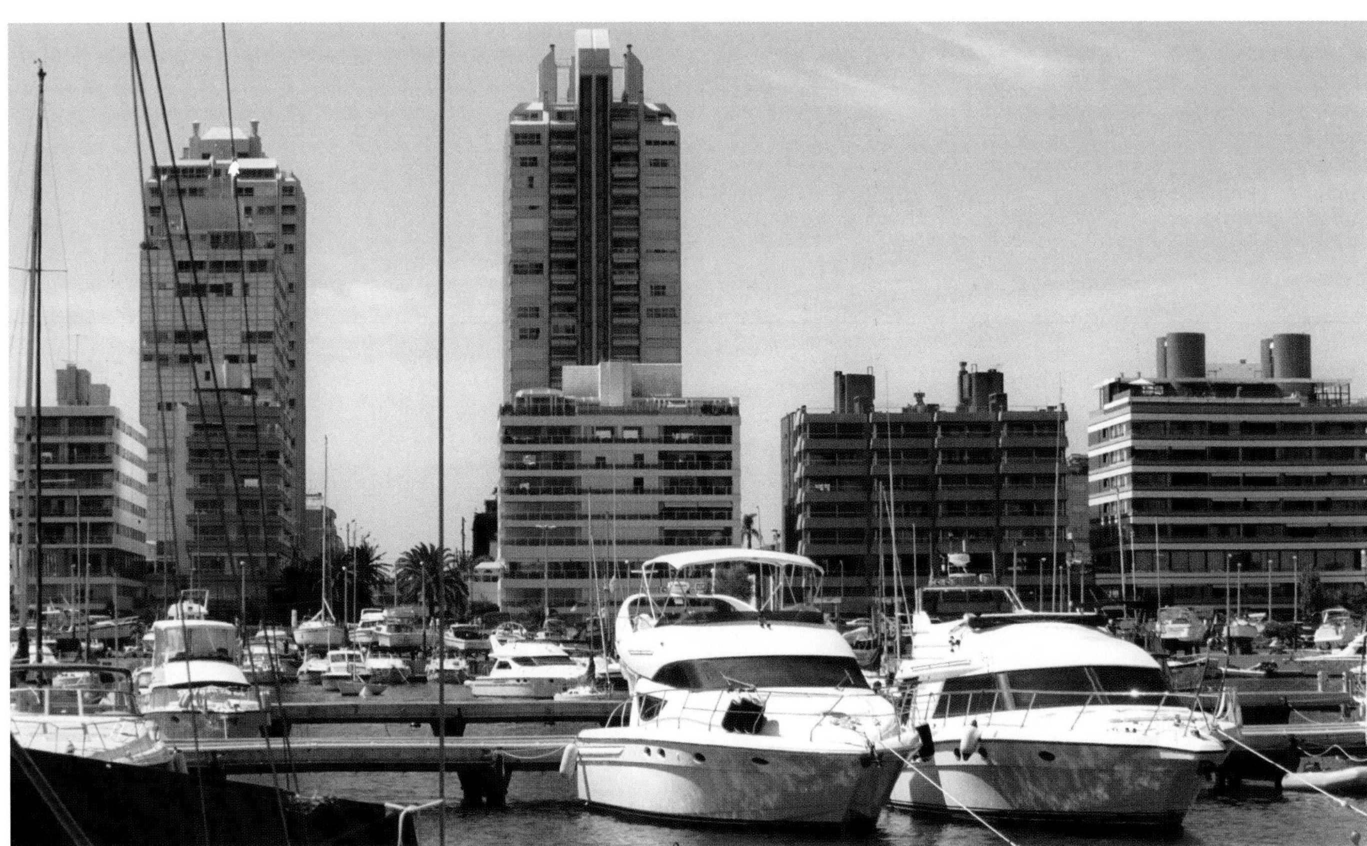

Originariamente un pueblo de pescadores, Punta del Este es hoy día un centro turístico de nivel internacional; situada en el departamento de Maldonado, suma a la belleza de sus playas y de su paisaje circundante una moderna infraestructura hotelera y de servicios.

to que actúan como amortiguadores del viento, que sopla en ocasiones con una fuerza inusitada, y coadyuvan a la formación de numerosas corrientes de agua que riegan los abundantes pastos y praderas de los que se alimenta el ganado. El resto del territorio presenta una topografía ondulada formada por las "cuchillas", escarpas esquistosas que actúan de divisoria de aguas. En la frontera uruguayo-brasileña se levanta la cuchilla de Santa Ana, en dirección noroeste-sudeste, relieve tabular revestido de areniscas; de ella parten las cuchillas de Belén, Haedo y Yacaré. La cuchilla de Haedo, de origen volcánico y constituida por basaltos, es, junto con la cuchilla Grande Principal, el accidente orográfico más sobresaliente del país y constituye la divisoria entre las cuencas del Uruguay y de su afluente el río Negro. En la parte oriental, la cuchilla Grande, que posee multitud de ramificaciones, a pesar de su escasa altitud, representa el elemento orográfico que separa la vertiente del Uruguay de aquellos cursos fluviales que tributan directamente al océano Atlántico. Alrededor de estas elevaciones se extienden llanuras sedimentarias de origen marino. Otras cuchillas destacadas son: Las Cañas, Daymán y Queguay, también dispuestas entre la cuchilla de Haedo y el río Uruguay.

Los ríos uruguayos, excepto los que directamente vierten sus aguas al océano Atlántico, forman una amplia red en torno al Uruguay, que corre al oeste del país, en la frontera argentina, donde forma el embalse de Salto Grande. Este río, tributario del Río de la Plata, penetra en Uruguay después de bañar diversos territorios brasileños y argentinos. Desde su desembocadura hasta Fray Bentos, su anchura media es de 5 km, y de 400 m frente a la ciudad de Salto, hasta donde es navegable. La cuenca del Uruguay abarca las dos terceras partes del país; en su recorrido recibe los aportes del Cuareim, el Arapey, el Daymán, el Queguay, el San Salvador y el río Negro, el más importante, que nace en territorio brasileño y atraviesa Uruguay de nordeste a sudoeste; a él afluyen el Tacuarembó y el Yi; en su curso se halla uno de los embalses más grandes del mundo, que forma el lago artificial de Rincón del Bonete. Al Río de la Plata vierten sus aguas el San Salvador, el San Juan, el Rosario y el Santa Lucía, y al océano Atlántico desaguan, a través de la laguna Merín (o Mirim), los ríos Yaguarón, Tacuarí y Cebollatí.

El litoral, que se reparte entre el Río de la Plata y el Atlántico, tiene costas bajas con ensenadas separadas por escollos rocosos, entre los que sobresalen la Punta Brava, donde se asienta Montevideo, y la Punta del Este, cuyas magníficas playas acogen a gran número de turistas. En su parte sudoriental, la franja costera presenta muchas lagunas: de los Castillos,

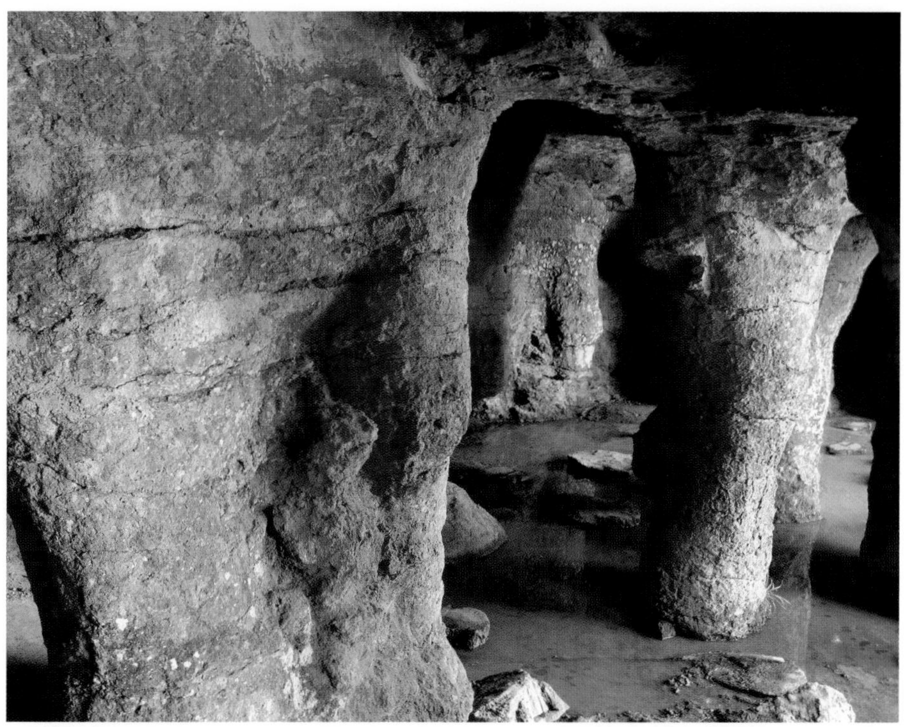

La gruta del Palacio, ubicada en el Rincón de Marincho (departamento de Flores), en el borde noroeste de la cuchilla Grande Inferior, presenta estas curiosas formas debido a la erosión.

La última modificación en la división político-administrativa de la República Oriental del Uruguay data de 1882, cuando el país quedó integrado por 19 departamentos.

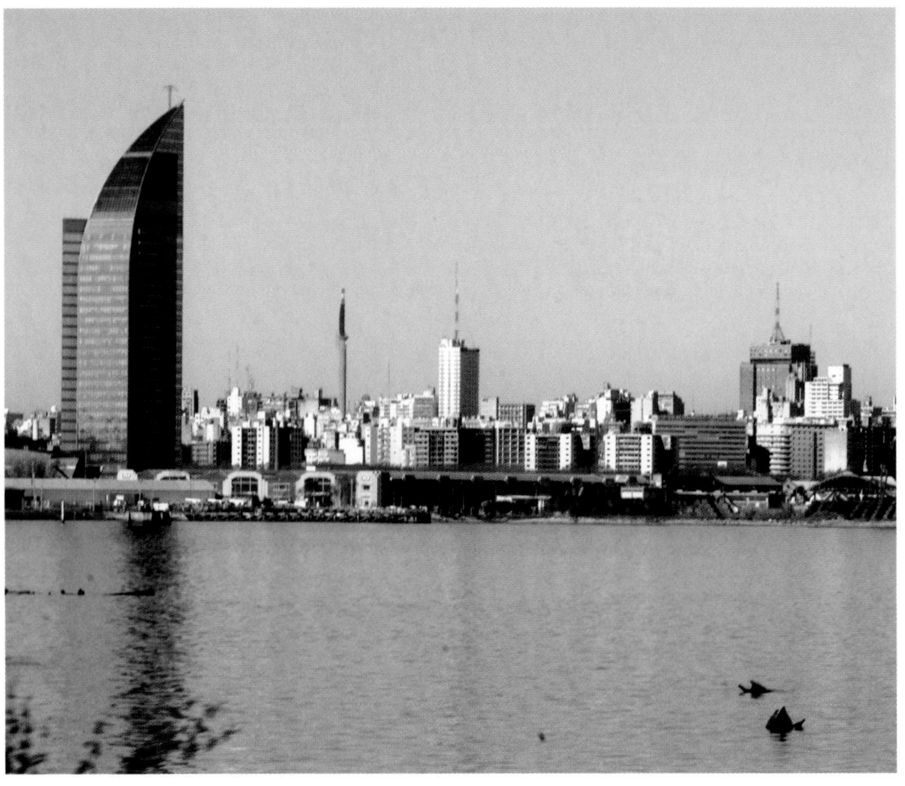

A orillas del Río de la Plata, Montevideo, la capital de Uruguay, concentra buena parte del total de la población nacional; presenta una fachada marítima con más de 20 km de longitud.

De la Gobernación al Virreinato del Río de la Plata

■ *La región histórica del Río de la Plata abarca las cuencas de los ríos Paraná, Paraguay y Uruguay: en total, 3 000 000 de km², repartidos entre los actuales estados de Brasil, Paraguay, Argentina y Uruguay. En esta vasta región del Cono Sur, la colonización española se inició con la llegada del primer adelantado del Río de la Plata, Pedro de Mendoza, en 1535. Meses antes, el 21 de mayo de 1534, el rey de España Carlos I había firmado con éste una capitulación por la cual se le concedía a Mendoza la conquista y colonización del Río de la Plata. Más tarde, bajo el reinado de Carlos III, este territorio se convirtió en el Virreinato del Río de la Plata (1776-1814).*

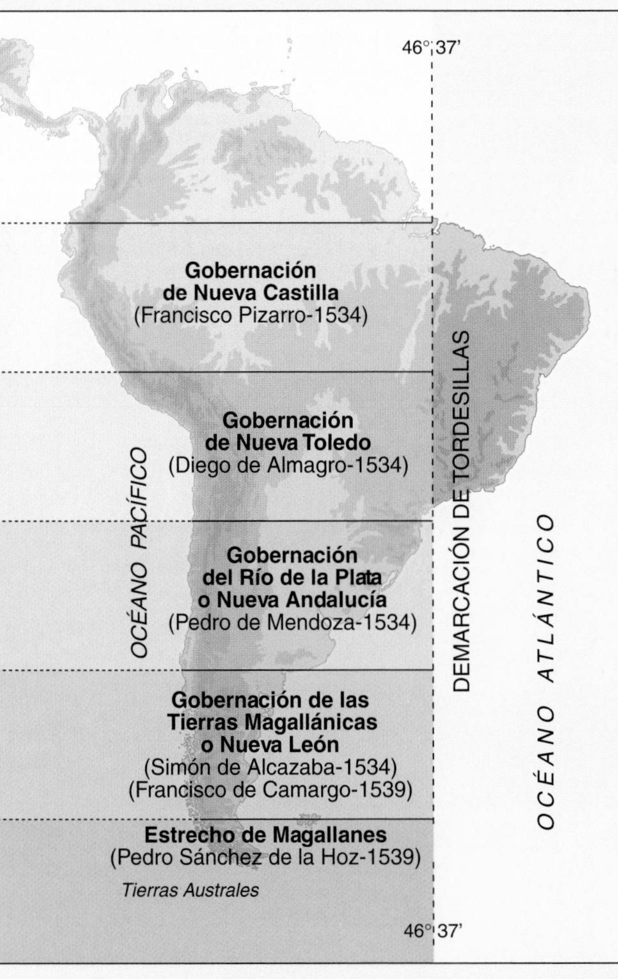

Laguna Negra y Merín, esta última compartida con el vecino territorio de Brasil.

La situación de Uruguay en un zona templada, le proporciona un clima benigno con una temperatura media que oscila entre los 10 °C en invierno y los 22 °C en verano, y lluvias que se distribuyen a lo largo de todo el año, sobre todo en su parte septentrional donde alcanzan 1 350 mm anuales. En el norte, las precipitaciones atenúan el calor, función que en el sur corresponde a las brisas marinas. Sin embargo, a menudo soplan vientos huracanados procedentes de la Pampa, los denominados "vientos pamperos", que ocasionan tempestades, y vientos del norte, que dan lugar a temperaturas elevadas y tormentas con grandes descargas eléctricas. En las márgenes de los cursos fluviales y en los valles se localizan algunos bosques galería. Los árboles más abundantes son el quillay, el ceibo, el sauce, el algarrobo, la pita, el chañar y el laurel, entre otras especies; también destacan las extensas praderas y gramíneas que cubren las distintas cuchillas.

Población

La distribución geográfica de la población uruguaya se caracteriza por una acentuada macrocefalia, ya que poco menos de la mitad de los habitantes se concentra en el departamento de Montevideo, donde la densidad es muy elevada; también registran densidades significativas el resto de departamentos de la ribera del Plata (Colonia, San José y Canelones). El porcentaje de población urbana es elevado; aparte de Montevideo, entre las principales urbes –con más de 50000 habitantes– destacan Las Piedras, Salto, Paysandú y Rivera. La densidad demográfica disminuye progresivamente hacia el norte. En comparación con otros países latinoamericanos, Uruguay presenta una pirámide de edad con tendencia al envejecimiento paulatino, en buena parte debido a la baja tasa de natalidad y a la elevada tasa de mortalidad, pero también como consecuencia de un sostenido proceso de emigración, consecuencia de las crisis económicas que padeció el país de manera cíclica a lo largo de toda la segunda mitad del siglo XX.

Por otra parte, la población de Uruguay es prácticamente en su totalidad de origen europeo; la mayoría de los uruguayos son descendientes de españoles e italianos y, en grado mucho menor, de alemanes, ingleses y franceses. En la ciudad de Montevideo existe también una minoría negroide, que arribó al país como resultado del tráfico de esclavos del siglo XVIII. La presencia de población africana en Uruguay fue menor que en Brasil, ya que la producción ganadera, a diferencia de las grandes plantaciones brasileñas, no requería mucha mano de obra. Por último, cabe mencionar la ausencia de población indígena en todo el territorio nacional, puesto que ésta fue exterminada paulatinamente tras la llegada de los conquistadores, primero por los españoles y más tarde por los criollos. A comienzos del siglo XIX, la población indígena total apenas alcanzaba las 600 personas, exiguo contingente que no tardó en extinguirse definitivamente.

Recursos económicos

La economía uruguaya se basa en la producción agropecuaria y, en especial, la ganadería. Los principales cultivos son el trigo, el maíz, el arroz y, en menor proporción, la avena, la cebada, el sorgo, el lino y el girasol. También destacan los frutales y la vid, la remolacha azucarera, la caña de azúcar, los cacahuetes y el tabaco. El sector ganadero es una actividad tradicionalmente importante, debido a que la mayor parte del territorio está cubierto de pastos naturales propicios para la cría de ovinos y vacunos, y, en menor escala, de porcinos y equinos. Los recursos ganaderos han originado una importante industria frigorífica y constituyen la mayor parte de las exportaciones. Las actividades forestal, pesquera y minera tienen escasa incidencia, al igual que la actividad industrial, que se dedica sobre todo a la transformación de las materias primas agropecuarias.

Cronología

CONQUISTA Y COLONIZACIÓN ESPAÑOLA

1515-1531: las exploraciones españolas y portuguesas no se consolidan por la hostilidad de los indios charrúas.
Ss. XVI-XVII: fracasan los intentos de someter a los indios (Ortiz de Zárate, Hernandarias), hasta que la labor de jesuitas y franciscanos prepara la colonización en la llamada Banda Oriental, que favorecerá la fundación de Montevideo. Colonia portuguesa del Sacramento.
S. XVIII: conflictos luso-españoles por el Sacramento, hasta la firma del tratado de San Ildefonso. Fundación de la fortaleza de Montevideo (1726).
1806-1807: toma inglesa de Montevideo.

URUGUAY INDEPENDIENTE

1811-1814: emancipación colonial, dirigida por Artigas; su federalismo provincial enfrentado al unitarismo de Buenos Aires.
1817-1824: invasión portuguesa y anexión al imperio de Brasil.
1825-1828: de la expedición de los “Treinta y Tres Orientales” de Lavalle a la independencia.
1842-1851: Guerra Grande entre los partidos blanco y colorado.
1865-1870: guerra de la Triple Alianza contra Paraguay.
1903-1917: José Batlle pacífica el país y le procura un nuevo marco institucional y económico.
1951: sistema colegiado de gobierno.
1967-1972: vuelta al presidencialismo: Gestido, Pacheco, Bordaberry. Guerrilla de los Tupamaros.
1972-1973: proclamado el estado de guerra interno, las fuerzas armadas desarticulan la guerrilla urbana.
1976-1984: establecimiento de una dictadura militar.
1984: restauración democrática. Julio María Sanguinetti es elegido presidente.
1990: Luis Alberto Lacalle, presidente.
1995: Sanguinetti, de nuevo presidente. Uruguay se integra en el Mercosur.
1996: reforma de la Constitución.
1999: Jorge Batlle, del Partido Colorado, gana las elecciones presidenciales.
2005: Tabaré Vázquez asume la presidencia y se convierte en el primer presidente de izquierdas de la historia de la República.

El sector industrial comprende plantas textiles (lana, algodón, fibras sintéticas y artificiales), del calzado, de neumáticos y de cigarrillos. También se produce cemento, azúcar, jabón, acero y derivados del petróleo. El turismo es una actividad relevante; los principales centros turísticos son Punta del Este y Piriápolis, y el grueso de los visitantes extranjeros procede de Argentina. La balanza comercial uruguaya es deficitaria. La mayoría de transacciones económicas se realizan con Brasil, Argentina, Estados Unidos y Alemania.

La cría de bovinos ha sido el principal recurso económico de Uruguay. En el siglo XVII se introdujeron las primeras cabezas de ganado en la Banda Oriental, por entonces un territorio despoblado, aunque muy rico en pastos. Paisaje agropecuario en la cuchilla de Haedo (Paysandú).

Europa es el continente con mayor densidad de población. En general, sus habitantes se distribuyen de forma uniforme sobre un territorio sin grandes vacíos demográficos. La catedral de Santa Maria del Fiore y el centro histórico de Florencia (Italia) son Patrimonio de la Humanidad.

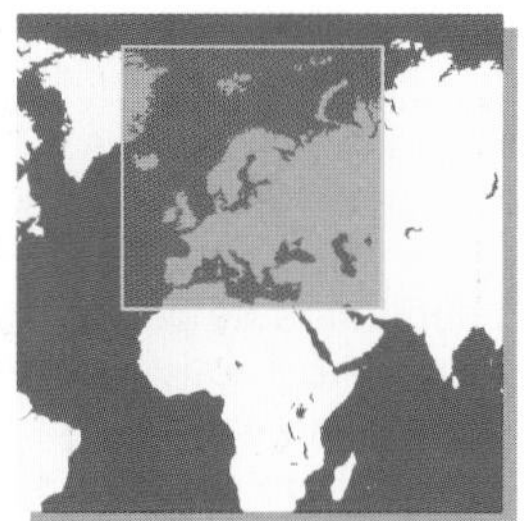

Europa

Situada en el hemisferio norte, Europa es, con 10,2 millones de km² aproximadamente, el segundo continente con menor superficie de la Tierra –sólo más grande que Oceanía–; su territorio abarca en torno al 7 % de las tierras emergidas. Desde un punto de vista físico, el llamado Viejo Continente puede ser considerado como una gran península al oeste del continente asiático –con una extensión equivalente a una cuarta parte de éste–, junto con el que forma una unidad, Eurasia.

Marco natural

En cuanto a sus límites, aunque sean algo convencionales en su sector oriental, se hallan suficientemente definidos: Europa se encuentra separada de Asia, al este, por los montes Urales, el río Ural, el mar Caspio, la cordillera del Cáucaso y el mar Negro, mientras que, al sur, el mar Mediterráneo –con los mares Tirreno, Jónico, Adriático y Egeo, entre otros– separa las tierras de Europa y África; los puntos más cercanos entre estos dos últimos continentes se localizan en los estrechos de Gibraltar y Sicilia. El océano Atlántico –con sus dependencias: mares de Noruega, Irlanda, Báltico, del Norte, Cantábrico– baña las costas occidentales del continente, y el océano Glacial Ártico delimita el borde norte de la península Escandinava y de las tierras europeas de Rusia.

Europa se extiende de norte a sur sobre más de 4 200 km y de este a oeste sobre 5600 km. Sus tierras abarcan desde los 71° 08' de latitud norte en el cabo Norte (Noruega), en el extremo septentrional de Escandinavia, hasta los 36° de latitud norte en la punta de Tarifa (España), al sur de la península Ibérica –o semejante latitud en Malta–. El punto más oriental del continente se halla situado en el litoral del mar de Kara, junto a la península de Yamal (68° de longitud este), mientras que el más occidental –si no se tiene en cuenta la lejana isla de Islandia– es el cabo Roca (10° de longitud oeste), en el centro-sur del litoral de Portugal.

Europa registra una baja altitud media (340 m) –la menor del planeta si se exceptúa Australia–, y más de la mitad de su territorio no alcanza los 180 m. Según las características de la latitud y el relieve, existe una Europa septentrional, formada sobre todo por mesetas y llanuras; una Europa central, de planicies y montañas desgastadas; una Europa oriental, con predominio del relieve llano; y una Europa meridional, muy accidentada por relieves jóvenes.

Europa en cifras

Superficie: 10,2 millones de km²
Límites: al N el cabo Norte (71° 08' lat. N), al S la punta de Tarifa (36° lat. N), al E la costa del mar de Kara (68° long. E) y al O el cabo Roca (10° long. O)
Altitud media: 340 m s.n.m
Punto más alto: Elbrús (Rusia), 5 642 m
Punto más bajo: mar Caspio (Rusia), –28 m
Cordillera más larga: montes Urales (Rusia), 2 000 km
Península más extensa: península de Escandinavia (800 000 km²)
Golfo más extenso: golfo de Botnia (117 000 km²)
Longitud de las costas: 37 900 km
País más grande: Rusia (4 238 500 km²; parte europea)
País más poblado: Rusia (112 195 000 hab.; sector europeo)

Las estructuras geológicas más antiguas se sitúan en el norte europeo y están representadas por el Escudo Báltico (o Escandinavo) y los cordones caledonianos de las tierras nórdicas y del norte de las islas Británicas. Se trata de montañas muy antiguas (primario), sometidas durante millones de años a los efectos de la erosión, que se fueron convirtiendo en penillanuras (superficies bajas y extensas recubiertas en parte por sedimentos) y que posteriormente se vieron afectadas por el plegamiento alpino (terciario): Fennoscandia (Noruega y los dos tercios septentrionales de Suecia y Finlandia), Islandia, el noroeste de Irlanda y la región de los Highlands, en Escocia. En el sector centro-occidental europeo se extienden los terrenos y macizos hercinianos, de edad intermedia, que también fueron sometidos a la erosión, sumergidos bajo las aguas en el secundario y posteriormente elevados durante el plegamiento alpino: Macizo Central francés, los Vosgos, Selva Negra, las Ardenas, Macizo Esquistoso renano, macizo de Bohemia y Meseta Central ibérica, con altitudes que no suelen sobrepasar los 2 000 m; se originaron asimismo cuencas rellenadas por sedimentos secundarios y terciarios (Aquitania, París, Londres, Sajonia, etc.).

Al sur, rodeando la cuenca mediterránea, se levanta el plegamiento alpino, que comprende las principales cordilleras con-

La cima más elevada de Europa, el Elbrús (5 642 m), es un volcán inactivo que se alza en la cordillera del Cáucaso, en la frontera de Rusia y Georgia, entre el mar Negro y el mar Caspio.

tinentales y que, además de plegar los materiales acumulados en los fondos marinos en la época secundaria, englobó entre sus pliegues los macizos hercinianos, elevándolos en algunos casos o hundiéndolos y fragmentándolos en otros (Córcega, Cerdeña, macizo del Adriático, etc.). La cadena montañosa más importante es la cordillera de los Alpes, que forma un arco de unos 1200 km de longitud, desde la frontera franco-italiana hasta Viena, y presenta su anchura máxima (350 km) entre el macizo de Karawanken (Eslovenia) y la extremidad oriental de la Selva vienesa. La formación de la cordillera Central, en la península Ibérica, y los Pirineos, los montes de la Baja Provenza y la cordillera del Cáucaso fue el resultado del choque entre los bloques indoafricano y europeo, lo que produjo una deformación de la superficie terrestre, que vino acompañada de roturas con plegamiento de la cobertura sedimentaria. El componente vertical de estas fuerzas hizo surgir las cordilleras propiamente alpinas: Sierra Nevada, el arco alpino-carpático y los Balcanes; también se originaron los Apeninos y el arco dinaro-táurico.

Finalmente, las grandes llanuras ocupan buena parte del centro-norte y, sobre todo, del sector oriental del territorio europeo. Desde el sudeste de Gran Bretaña, las llanuras se extienden por el norte de Francia, se ensanchan progresivamente hacia el sector este, ocupan una gran parte de Bélgica, Países Bajos, el norte de Alemania, Dinamarca y el sur de Suecia, y se prolongan por Polonia hacia la plataforma rusa. La Gran Llanura del Norte de Europa está formada por materiales arcillosos, arenas y limos.

El transbordador espacial Atlantis *sobre el estrecho de Gibraltar, brazo de mar entre el océano Atlántico y el mar Mediterráneo.*

Ríos y lagos

Ni por su longitud, ni por su caudal, los ríos europeos pueden compararse a los grandes sistemas hidrográficos de otros continentes. Al tratarse de un territorio pequeño, estos cursos fluviales no son, en general, muy largos ni caudalosos, aunque presentan un régimen regular. La misma configuración horizontal del continente europeo y las condiciones climáticas explican dicha moderación en estos cauces. Los estrechamientos o istmos y la falta de grandes espacios continuos no permiten el desarrollo de largos ríos, salvo en la Europa oriental y, en el caso del Danubio, que avena un vasto sector de Centroeuropa. Por otra parte, la situación de Europa en una zona templada deja el continente fuera del área de las grandes lluvias tropicales, que son las que alimentan los ríos más caudalosos del mundo.

Entre las principales cuencas hidrográficas de la vertiente atlántica destacan, por su caudal e importancia económica, las del Loira, el Rin y el Elba; la vertiente mediterránea presenta ríos cuyos valles son un ejemplo de explotación agroindustrial. como los valles del Ródano, Po y Ebro. El río Danubio, que desemboca en el mar Negro, es la arteria básica de los países centroeuropeos y del norte de la península de los Balcanes. El río más largo de Europa, el Volga –con algo más de 3500 km–, discurre por los confines orientales del suelo europeo; atraviesa buena parte de Rusia en sentido norte-sur y desemboca formando un extenso delta en el mar Caspio.

Por otra parte, las regiones europeas septentrionales, cubiertas por la glaciación cuaternaria, poseen abundantes lagos que se originaron durante la retirada de los hielos. Rodeados de morrenas, presentan formas irregulares y, con frecuencia, se comunican por canales o valles fluviales poco erosionados. Entre las principales cuencas lacustres destacan las del Ladoga, Onega y Ribinsk, en Rusia; Peipus (o Chudskoie), entre Estonia y Rusia; los suecos Vänern, Vättern y Mälaren, y los finlandeses Iso-Saimaa e Inari. Un caso aparte es el mar Caspio, el mayor lago del mundo –aunque de agua salada–, en los confines de Europa y Asia.

El Volga (en la imagen, a la altura de Yaroslavl) es el río más largo de Europa, con 3531 km. Nace en las colinas de Valdái (Rusia) y desemboca en el mar Caspio por un amplio delta.

Costas, mares e islas

De todos los continentes, Europa es el que cuenta con un mayor desarrollo costero con respecto a su superficie total: tiene 1 km de litoral por cada 260 km^2 de territorio. En sus costas, sobre todo al norte y al oeste, abundan las penínsulas y las islas, como en los recortados fiordos noruegos labrados por los glaciares, o en las rías británicas y gallegas en el Atlántico. Entre las principales penínsulas destacan las de Kola, Escandinavia, Jutlandia, Cotentin, Bretaña, Ibérica, Italiana y Balcánica; y entre los golfos, los de Botnia, Finlandia, Riga, Vizcaya, León y Génova.

Del cabo Norte a la punta de Tarifa se extiende, al oeste, el frente atlántico europeo, compartimentado en diversos mares. El mar de Noruega –el mayor de los de la Europa atlántica– se sitúa al norte

El clima de las diferentes regiones europeas es uno de los factores que, junto a la altitud, determina la distribución de las principales formaciones vegetales sobre el territorio.

de la isla de Gran Bretaña y alcanza el litoral escandinavo; el mar del Norte –el más importante desde el punto de vista económico– se extiende entre las islas del Reino Unido, Países Bajos, Alemania, Dinamarca y Noruega; el mar de Irlanda, entre la isla homónima y la de Gran Bretaña; el canal de la Mancha, entre Gran Bretaña y Francia; y el mar Báltico, entre la península Escandinava y las tierras polacas y las de las pequeñas repúblicas bálticas. Entre los estrechos que comunican estos mares se pueden citar: el paso de Calais (o estrecho de Dover), entre el mar del Norte y el canal de la Mancha; y los estrechos daneses (Skagerrak, Kattegat, Oresund, Gran Belt y Pequeño Belt), entre el mar Báltico y el mar del Norte. Y por lo que respecta a las principales islas del Atlántico cabe destacar: Gran Bretaña, Irlanda e Islandia. Más al norte, en los dominios del océano Glacial Ártico, se ubican los mares Blanco y de Barents, y las islas de Spitsbergen –en el archipiélago noruego de las Svalbard–, Kolguiev y Nueva Zembla (Rusia).

Por su parte, la Europa meridional está dominada por la cuenca del Mediterráneo, cuya longitud máxima es de 3750 km y su ancho mínimo de 14 km en el estrecho de Gibraltar. La península Italiana, prolongada por la isla de Sicilia –la mayor del Mediterráneo, a 138 km del litoral de Tunicia–, divide la cuenca mediterránea en dos grandes sectores: la subcuenca occidental, con las islas Baleares, Córcega y Cerdeña; y la oriental, con Malta, Creta y el resto de las islas griegas, y Chipre. En el extremo oriental de la cuenca mediterránea, el mar Negro se comunica con sus aguas a través de los estrechos del Bósforo y los Dardanelos.

Clima y vegetación

El continente europeo se halla ubicado en uno de los espacios más favorables para la vida humana, ya que la mayor parte de su territorio queda englobado en la zona templada del hemisferio norte. Las temperaturas disminuyen con la altitud y presentan las menores amplitudes térmicas en los sectores costeros, mientras en el interior esas oscilaciones aumentan conforme disminuye la influencia marítima. El mayor número de borrascas transitan por la fachada atlántica, debido a la posición del anticiclón de las Azores. Las mayores precipitaciones se registran en las costas del Atlántico y en las altas cadenas montañosas; las menores coinciden con los sectores más bajos.

Predominan los climas templados muy húmedos en el sector noroccidental del continente; al sur dominan los climas mediterráneos, caracterizados por veranos cálidos y secos que garantizan buen tiempo para el turismo estival. En la península Escandinava y la mitad este continental reina un clima templado frío, con inviernos muy rigurosos y precipitaciones regulares durante todo el año. Las zonas más secas se sitúan en la Meseta Central ibérica, el sur de las penínsulas Italiana y Balcánica y el sector meridional de Rusia. La mayor parte del continente está cubierto del bosque templado que alterna con las zonas cultivadas. En los sectores ribereños del Mediterráneo, la principal cobertura vegetal es el bosque de pinos mezclado con vegetación arbustiva típica de la región. En la alta montaña de las cadenas alpinas y escandinavas prolifera una flora compuesta de musgo y líquenes.

Al pie de los Alpes se extiende la llanura de la Provenza (Francia), una región de clima mediterráneo, intensamente aprovechada para usos agrarios desde la Antigüedad.

Principales elementos del relieve

El Mont Blanc es el techo de los Alpes y la cima más elevada de Europa occidental.

El lago Onega se sitúa en el noroeste de Rusia; iglesias ortodoxas en la isla de Kizhi.

Situado en el sector oriental de Sicilia, el Etna es el volcán activo más alto de Europa.

Mares

Mar	Superficie	Profundidad máx.
Mediterráneo	2 505 000 km^2	5 120 m
Noruega	1 547 000 km^2	4 020 m
Del Norte	580 000 km^2	237 m
Báltico	420 000 km^2	463 m
Negro	413 000 km^2	2 243 m

Islas

Isla	País	Superficie
Gran Bretaña	Reino Unido	229 885 km^2
Islandia	Islandia	102 819 km^2
Irlanda	Irlanda-Reino Unido	84 420 km^2
Nueva Zembla Sept.	Rusia	48 904 km^2
Spitsbergen	Noruega	39 435 km^2
Nueva Zembla Mer.	Rusia	33 275 km^2
Sicilia	Italia	25 426 km^2
Cerdeña	Italia	23 813 km^2
Córcega	Francia	8 681 km^2
Creta	Grecia	8 259 km^2

Montañas

Cima	País	Altitud
Elbrús	Georgia-Rusia	5 642 m
Mont Blanc	Francia-Italia	4 808 m
Monte Rosa	Italia-Suiza	4 638 m
Cervino	Italia-Suiza	4 478 m
Finsteraarhorn	Suiza	4 274 m
Jungfrau	Suiza	4 158 m
Massif des Écrins	Francia	4 102 m
Gran Paradiso	Italia	4 061 m
Bernina	Italia-Suiza	4 050 m
Grossglockner	Austria	3 798 m
Mulhacén	España	3 482 m
Pico de Aneto	España	3 404 m
Marmolada	Italia	3 343 m
Zugspitze	Alemania	2 963 m
Musala	Bulgaria	2 925 m
Olimpo	Grecia	2 917 m
Triglav	Eslovenia	2 863 m
Korab	Albania-Macedonia	2 764 m
Daravica	Albania-Serbia y M.	2 656 m
Picos de Europa	España	2 648 m
Moldoveanu	Rumania	2 543 m
Durmitor	Serbia y Montenegro	2 522 m
Glittertind	Noruega	2 472 m
Hvannadalshnúkur	Islandia	2 119 m

Volcanes activos

Volcán	País	Altitud
Etna	Italia	3 323 m
Grímsvötn	Islandia	1 725 m
Hekla	Islandia	1 491 m
Katla	Islandia	1 450 m
Vesubio	Italia	1 279 m
Stromboli	Italia	926 m
Santorini	Grecia	566 m
Vulcano	Italia	385 m

Ríos

Río	Longitud	Cuenca
Volga	3 531 km	1 360 000 km^2
Danubio	2 860 km	817 000 km^2
Ural	2 428 km	231 000 km^2
Dniéper	2 201 km	504 000 km^2
Kama	2 032 km	507 000 km^2
Don	1 870 km	422 000 km^2
Pechora	1 809 km	322 000 km^2
Dniéster	1 352 km	72 000 km^2
Rin	1 326 km	252 000 km^2
Dvina Septentrional	1 302 km	357 000 km^2
Elba	1 165 km	144 000 km^2
Donets	1 053 km	98 900 km^2
Vístula	1 047 km	194 300 km^2
Dvina Occidental	1 026 km	87 900 km^2
Loira	1 020 km	121 000 km^2
Tajo	1 007 km	80 000 km^2
Ebro	928 km	83 100 km^2
Duero	850 km	98 160 km^2

Lagos

Lago	País	Superficie
Mar Caspio	Europa-Asia	371 000 km^2
Ladoga	Rusia	18 400 km^2
Onega	Rusia	9 610 km^2
Vänern	Suecia	5 585 km^2
Iso-Saimaa	Finlandia	4 400 km^2
Ribinsk	Rusia	4 100 km^2
Peipus (Chudskoie)	Estonia-Rusia	3 550 km^2
Ilmen	Rusia	2 330 km^2
Vättern	Suecia	1 912 km^2
Mälaren	Suecia	1 140 km^2
Inari	Finlandia	1 102 km^2
Päijänne	Finlandia	1 054 km^2
Topozero	Rusia	910 km^2

Reservas de la Biosfera

Arriba, vista de la Reserva de la Biosfera de Cévennes (Francia). Abajo, el delta del Danubio, compartido entre Rumania y Ucrania.

Principales reservas

Reserva de la Biosfera	País (año declaración)	Superficie (ha)
Archipiélago Estonio Oeste	Estonia (1990)	1 560 000
Pechoro-Ilychskiy	Rusia (1984)	1 253 753
Vodlozersky	Rusia (2001)	862 360
Delta del Danubio	Rumania-Ucrania (1998)	626 403
Teberda	Rusia (1997)	536 000
Chernyje Zemli	Rusia (1993)	532 901
Vidzeme Norte	Letonia (1997)	474 447
Darvinskiy	Rusia (2002)	438 243
Las Dehesas de Sierra Morena	España (2002)	424 400
Archipiélago Área Mar	Finlandia (1994)	420 000
Flusslandschaft Elbe	Alemania (1979)	374 432
Terras do Miño	España (2002)	363 669
Carelia Norte	Finlandia (1992)	350 000
Cévennes	Francia (1984)	323 000
Pfälzerwald/Vosgos del Norte	Alemania-Francia (1998)	301 800
Kavkazskiy	Rusia (1978)	295 700
Mar de Wadden de Schleswig-Holstein	Alemania (1990)	285 000
Laplandskiy	Rusia (1984)	278 400
Islas Toscanas	Italia (2003)	264 800
Área de Waddensee	Países Bajos (1986)	260 000
Mar de Wadden de Baja Sajonia	Alemania (1992)	240 000
Cárpatos Este	Eslovaquia-Polonia-Ucrania (1998)	213 211
Monte Velebit	Croacia (1977)	200 000
Alpes Julianos	Eslovenia (2003)	195 723

Islandia
Reykjavík
Vatnajökull
Langjökull
C. Horn
Círculo Polar Ártico
C. Fontur
C. Reykjanes
Faxaflói
Vestmannaeyjar
C. Dyrhólaey
Hvannadalshnúkur 2119
Mar de Noruega
Is. Vesterålen
Senja
Is. Lofoten
Fiordo del Oeste
Donna
Vega
Okstindan 1915
Is. Feroe
Strömö
Syderö
Fiordo de Trondheim
Hitra
Snøhetta 2286
Glittertind 2472
Fiordo de Sogne
ALPES ESCANDINAVOS
Svealand
Oslo
Fiordo de Bokna
Mälaren
Hjälmaren
Vänern
Vättern
C. Lindesnes
Fiordo de Oslo
Skagerrak
Kattegat
Jutlandia
Tomtabacken 377
Götaland
Escania
Öland
Copenhague
Fionia (Fyn)
Sjælland
B. de Hanö
Bornholm
Lolland
Rügen
G. de Pomerania
OCÉANO ATLÁNTICO
Islas Británicas
Rockall
Mainland
Is. Shetland
Is. Orcadas
C. Duncansby
Lewis
Is. Hébridas
Canal de Minch
Skye
Ben Nevis 1343
Moray Firth
C. Kinnaird
Mull
Mts. Grampianos
Escocia
Firth of Forth
C. Malin
B. de Donegal
C. Erris
Canal del Norte
Irlanda (Baile Átha Cliath)
Dublín
B. de Galway
Carrantuohill 1041
Shannon
C. Mizen
I. de Man
M. de Irlanda
Mts. Peninos
Gran Bretaña
C. Flamborough
The Wash
Snowdon 1085
Mts. Cámbricos
Gales
Inglaterra
Birmingham
Can. de S. Jorge
Can. de Bristol
Mar Céltico
C. Land's End
Londres
Támesis
Mar del Norte
Is. Frisias Sept.
Is. Frisias Or.
Is. Frisias Occ.
Mar de Ijssel
Amsterdam
Rotterdam
Hamburgo
Baja Sajonia
Pomerania
Berlín
Llanura Germano-polaca
Warta
Oder
Canal de la Mancha
I. de Wight
Paso de Calais
Flandes
Artois
Bruselas
Rin
Mosa
Weser
Harz
Sajonia
Selva de Turingia
Mts. Metálicos
Sudetes
Silesia
Snezka 1602
Klinovec 1244
Praga
Bohemia
Praded 1492
Moravia
Is. del Canal (Anglo-normandas)
C. de la Hague
G. de St.-Malo
Pta. de S. Mateo
Bretaña
Normandía
Sena
París
Champaña
Lorena
Macizo Esquistoso Renano
Main
Selva de Baviera
Gr. Arber 1456
Feldberg 1493
Selva Negra
Munich
Inn
Danubio
Viena
Bratislava
Austria
Budapest
Loira
Borgoña
Jura
Vosgos
Saona
L. de Constanza (Bodensee)
Berna
ALPES
Hochgolling 2863
Grossglockner 3798
Tauern
Dolomitas
Liubliana
Lemosín
Puy de Dôme 1465
Macizo Central
Mont-Dore 1886
Lyon
Ródano
Mont Blanc 4808
L. de Ginebra (Léman)
Mt. Rosa 4638
Bernina 4050
L. de Como
L. de Garda
Milán
Turín
Pelvoux 4103
Lombardía
Liguria
Véneto
Triglav 2863
Zagreb
Eslavonia
G. de Pen. de Istria
Venecia
Po
Mt. Pelat 3052
Mt. Cimone 2165
Provenza
Marsella
Languedoc
Aquitania
Garona
G. de León
C. de Creus
G. de Génova
Mar de Liguria
Alpes Dináricos
Dalmacia
Vlashic 1943
Bosnia
Durmitor 2522
Mar Adriático
APENINOS
Toscana
Elba
Córcega
Mt. Cinto 2710
Gr. Sasso 2912
Pen. Itálica
Roma
Tíber
Estr. de Bonifacio
Nápoles
Vesubio 1279
Apulia
Cerdeña
La Mármora 1834
C. Caccia
C. Comino
Mar Tirreno
G. de Tarento
Calabria
C. Teulada
Is. Lípari (Eolias)
C. San Vito
Estr. de Mesina
Etna 3323
C. Spartivento
Sicilia
C. Passero
Mar Jónico
Malta
Is. Pelagias
Can. de Sicilia
Pantelaria
C. Bon
C. Blanco
Túnez
G. de Hammamat
MAR MEDITERRÁNEO
Mar Cantábrico
Pta. de la Estaca de Bares
C. Finisterre (Fisterra)
C. Peñas
G. de Vizcaya
Galicia
Miño
P. de Europa 2648
Cord. Cantábrica
PIRINEOS
Ebro
Duero
Península Ibérica
Sistema Ibérico
Moncayo 2313
Aneto 3404
Aragón
Cataluña
Barcelona
C. de Tortosa
Almanzor 2592
Sistema Central
Madrid
Tajo
C. Roca
Lisboa
Castilla La Mancha
Guadiana
C. de San Vicente
Sierra Morena
Júcar
G. de Valencia
Is. Baleares
Menorca
Mallorca
Ibiza
C. de la Nao
Guadalquivir
Sistema Bético
G. de Cádiz
Mulhacén 3482
C. de Palos
C. de Gata
Estr. de Gibraltar
Alborán
C. Tres Forcas
Rif
Casablanca (Dar el-Beida)
Rabat
U. Oum-er-Rbia
Adrar-Bou-Nasseur 3340
Atlas Medio
GRAN ATLAS
U. Cheliff
Argel
Atlas Telliano
Mts. del Aurès 2326
Meseta el-Aliya (Altas Mesetas)
Chott el-Hodna
Chott ech-Chergui
U. Medjerda
J. Amour 2008
Atlas Sahariano
A B C D E F G H I J K L
G H I J K L
3 4 5 6 7 8 9

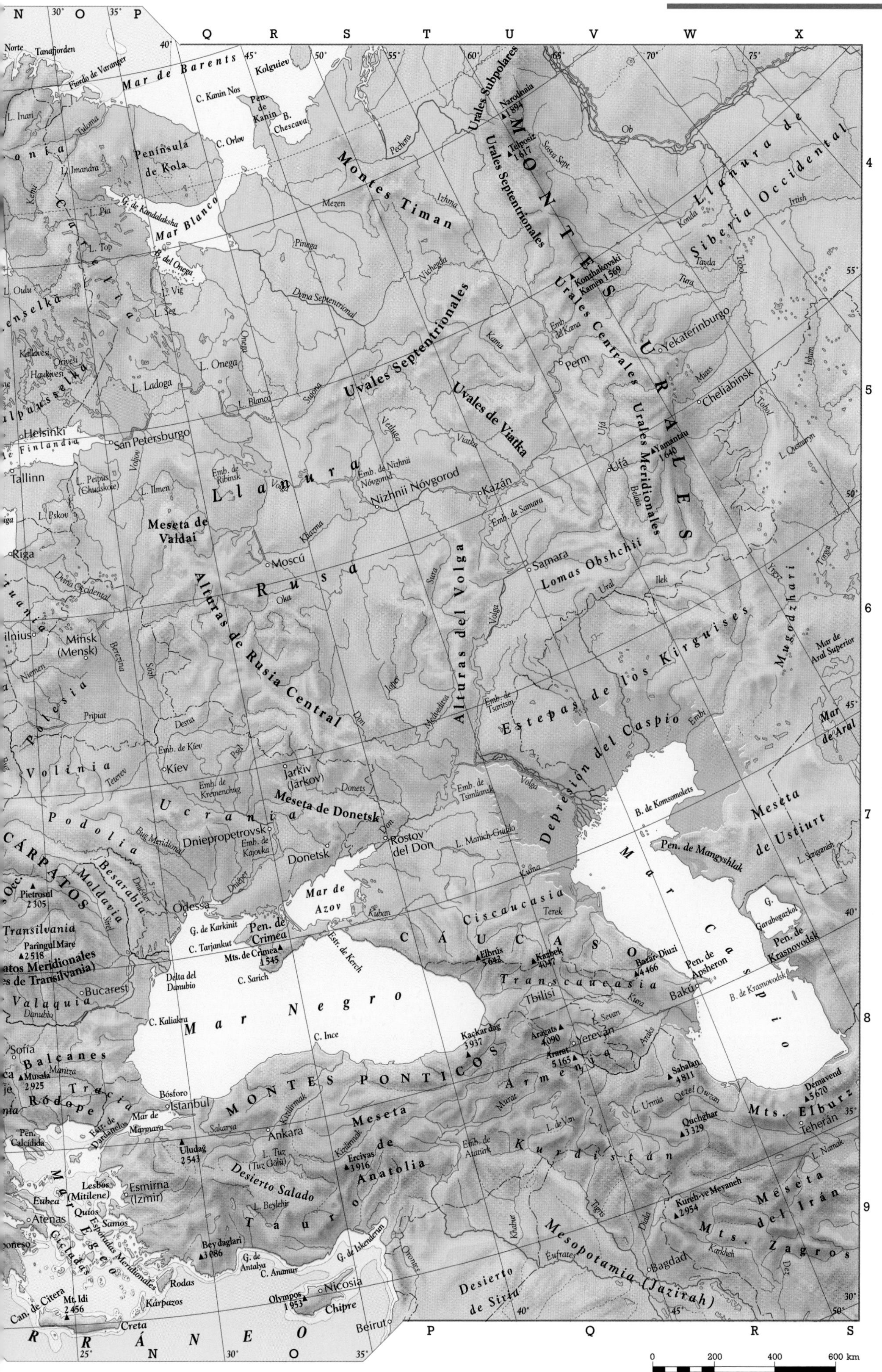
Mar de Barents
Montes Timan
Urales Subpolares
Urales Septentrionales
MONTES URALES
Urales Centrales
Urales Meridionales
Llanura de Siberia Occidental
Península de Kola
Mar Blanco
Uvales Septentrionales
Uvales de Viatka
Llanura Rusa
Meseta de Valdai
Alturas de Rusia Central
Alturas del Volga
Lomas Obshchii
Estepas de los Kirguises
Depresión del Caspio
Meseta de Ustiurt
Mugodzhari
Mar de Aral
Polesia
Volinia
Ucrania
Podolia
Meseta de Donetsk
CÁRPATOS
Besarabia
Moldavia
Transilvania
Mar de Azov
Pen. de Crimea
Mar Negro
Ciscaucasia
CÁUCASO
Transcaucasia
Mar Caspio
MONTES PÓNTICOS
Armenia
Meseta de Anatolia
Desierto Salado
Tauro
Kurdistán
Mesopotamia (Jazirah)
Desierto de Siria
Mts. Elburz
Meseta del Irán
Mts. Zagros
Mar Egeo
Balcanes
Ródope
Tracia
Valaquia
Moscú
San Petersburgo
Helsinki
Tallinn
Riga
Minsk (Mensk)
Kiev
Jarkiv (Járkov)
Dniepropetrovsk
Donetsk
Rostov del Don
Odessa
Bucarest
Sofía
Istanbul
Ankara
Esmirna (Izmir)
Atenas
Nicosia
Beirut
Bagdad
Teherán
Bakú
Tbilisi
Yereván
Samara
Kazán
Nizhnii Nóvgorod
Perm
Yekaterinburgo
Cheliabinsk
Ufá
Elbrús 5 642
Kazbek 5 047
Bazar-Diuzi 4 466
Aragats 4 090
Ararat 5 165
Kaçkar dag 3 937
Erciyas 3 916
Sabalan 4 811
Demavend 5 670
Quchghar 3 329
Kureh-ye Meyaneh 2 954
Narodnaia 1 894
Telposiz 1 617
Konzhakovski Kamen 1 569
Yamantau 1 640
Musala 2 925
Pietrosul 2 305
Paringul Mare 2 518
Uludag 2 543
Bey daglari 3 086
Mt. Idi 2 456
Olympos 1 953
Volga
Don
Dniéper
Ural
Ob
Kama
Oka
0 200 400 600 km

ISLANDIA
Reykjavík
Akureyri
Höfn
Seydisfjördhur
C. Reykjanes
C. Fontur
Círculo Polar Ártico
Is. Vesterålen
Is. Lofoten
Mar de Noruega
Thorshavn
Is. Feroe (Din.)
Is. Shetland
Is. Hébridas
C. Duncansby
OCÉANO ATLÁNTICO
NORUEGA
SUECIA
Trondheim
Ålesund
Bergen
Oslo
Stavanger
Kristiansand
Lillehammer
Narvik
Bodø
Östersund
Sundsvall
Gävle
Uppsala
Örebro
Västerås
ESTOCOLMO
Norrköping
Linköping
Jönköping
Göteborg
Växjö
Kalmar
Öland
Malmö
Helsingborg
COPENHAGUE
Bornholm (Din.)
DINAMARCA
Ålborg
Århus
Esbjerg
Odense
Mar del Norte
REINO UNIDO
Aberdeen
Inverness
Dundee
Edimburgo
Glasgow
Carlisle
Newcastle u. Tyne
Sunderland
Belfast
Londonderry (Doire)
IRLANDA
Dublín (Baile Átha Cliath)
Galway
Limerick (Luimneach)
Cork (Corcaigh)
C. Mizen
Lancaster
Bradford
Leeds
Hull
Manchester
Liverpool
Sheffield
Stoke-on-Trent
Nottingham
BIRMINGHAM
Leicester
Norwich
Northampton
Swansea
Cardiff
Oxford
Bristol
Ipswich
LONDRES
Southampton
Plymouth
Dover
Brighton
Mar Céltico
C. Land's End
Canal de la Mancha
Is. del Canal (Anglo-normandas) (R.U.)
Pta. de S. Mateo
PAÍSES BAJOS
Groninga
AMSTERDAM
Utrecht
ROTTERDAM
BÉLGICA
Brujas
Amberes
BRUSELAS
Lieja
LUX.
Luxemburgo
Calais
Lille
Valenciennes
FRANCIA
Brest
Le Havre
Caen
Ruán (Rouen)
Rennes
Le Mans
PARÍS
Reims
Metz
Nantes
Angers
Tours
Orleáns
Nancy
Estrasburgo
Mulhouse
Besançon
Dijon
Poitiers
Bourges
Limoges
Clermont-Ferrand
Burdeos
St.-Étienne
LYON
Grenoble
Bayona
Pau
Toulouse
Nîmes
Montpellier
MARSELLA
Niza
Cannes
Tolón
MÓNACO
Perpiñán
ANDORRA
Andorra la Vella
ALEMANIA
Bremen
HAMBURGO
Kiel
Rostock
Schwerin
Hannover
BERLÍN
Enschede
Münster
Duisburgo
Essen
Colonia
Bonn
Kassel
Brunswick
Magdeburgo
Erfurt
Leipzig
Jena
Dresde
Chemnitz
Frankfurt del Main
Karlsruhe
Mannheim
Núremberg
Stuttgart
Regensburgo
Augsburgo
MUNICH
SUIZA
Basilea
Zurich
Berna
Lausana
Ginebra
LIECH.
Vaduz
AUSTRIA
Innsbruck
Salzburgo
Linz
VIENA
Graz
REP. CHECA
PRAGA
Plzen (Pilsen)
Brno
Liberec
POLONIA
Szczecin
Gdansk (Danzig)
Poznan
Gorzow Wielkopolski
Legnica
Wroclaw
VARSOVIA
ESLOVAQUIA
Bratislava
HUNGRÍA
BUDAPEST
Györ
Kecskemét
Pecs
ESLOVENIA
Liubliana
Maribor
CROACIA
Zagreb
Rijeka (Fiume)
Zadar (Zara)
Split (Spalato)
BOSNIA-HERZEGOVINA
Banja Luka
BELGRADO
Novi Sad
Mostar
ITALIA
Bolzano (Bozen)
Udine
Trieste
Novara
MILÁN
TURÍN
Verona
Padua
Venecia
Alessandria
Módena
Génova
Bolonia
Rímini
SAN MARINO
Pisa
Florencia
Ancona
Terni
Pescara
VATICANO
ROMA
NÁPOLES
Foggia
Bari
Salerno
Tarento
Cosenza
Reggio de Calabria
Mesina
Palermo
Sicilia
Catania
Siracusa
Agrigento
Mar Adriático
Mar Tirreno
Córcega
Bastia
Ajaccio
Cerdeña
Sássari
Cagliari
MALTA
La Valletta
ESPAÑA
PORTUGAL
Pta. de la Estaca de Bares
A Coruña
C. Finisterre (Fisterra)
Oviedo
Gijón
Santander
Bilbao
Vigo
Ourense
León
Pamplona
Braga
Oporto
Bragança
Burgos
Logroño
Coimbra
Valladolid
Salamanca
Zaragoza
Tarragona
Girona
Sabadell
BARCELONA
l'Hospitalet de Llobregat
LISBOA
Setúbal
Santarém
Évora
Badajoz
Móstoles
MADRID
Alcalá de Henares
Teruel
Ciudad Real
Castellón de la Plana
Valencia
Albacete
Is. Baleares
Menorca
Mallorca
Palma
Ibiza
Córdoba
Sevilla
Huelva
Faro
Jaén
Murcia
Alicante
Cádiz
Jerez de la Frontera
Granada
Málaga
Almería
Cartagena
C. de Palos
Tánger
Gibraltar (R.U.)
Tetuán
CASABLANCA (DAR EL-BEIDA)
Rabat
Kenitra
Fez
Mequinez (Meknés)
Alhucemas (Al-Hoseima)
Oujda
Marrakech
MARRUECOS
ARGELIA
ARGEL
Orán
Mostaganem (Moustaghani)
Sidi-Bel-Abbès
Tlemcen (Tilimsin)
Ech Cheliff
Boulaida
Bejaia
Sétif
Qacentina
Skikda
Annaba (Bona)
Chott ech-Chergui
Djelfa
Chott el-Hodna
Bama
Biskra
TUNICIA
Bizerta
C. Blanco
Túnez
Susa (Sousse)
MAR MEDITERRÁNEO

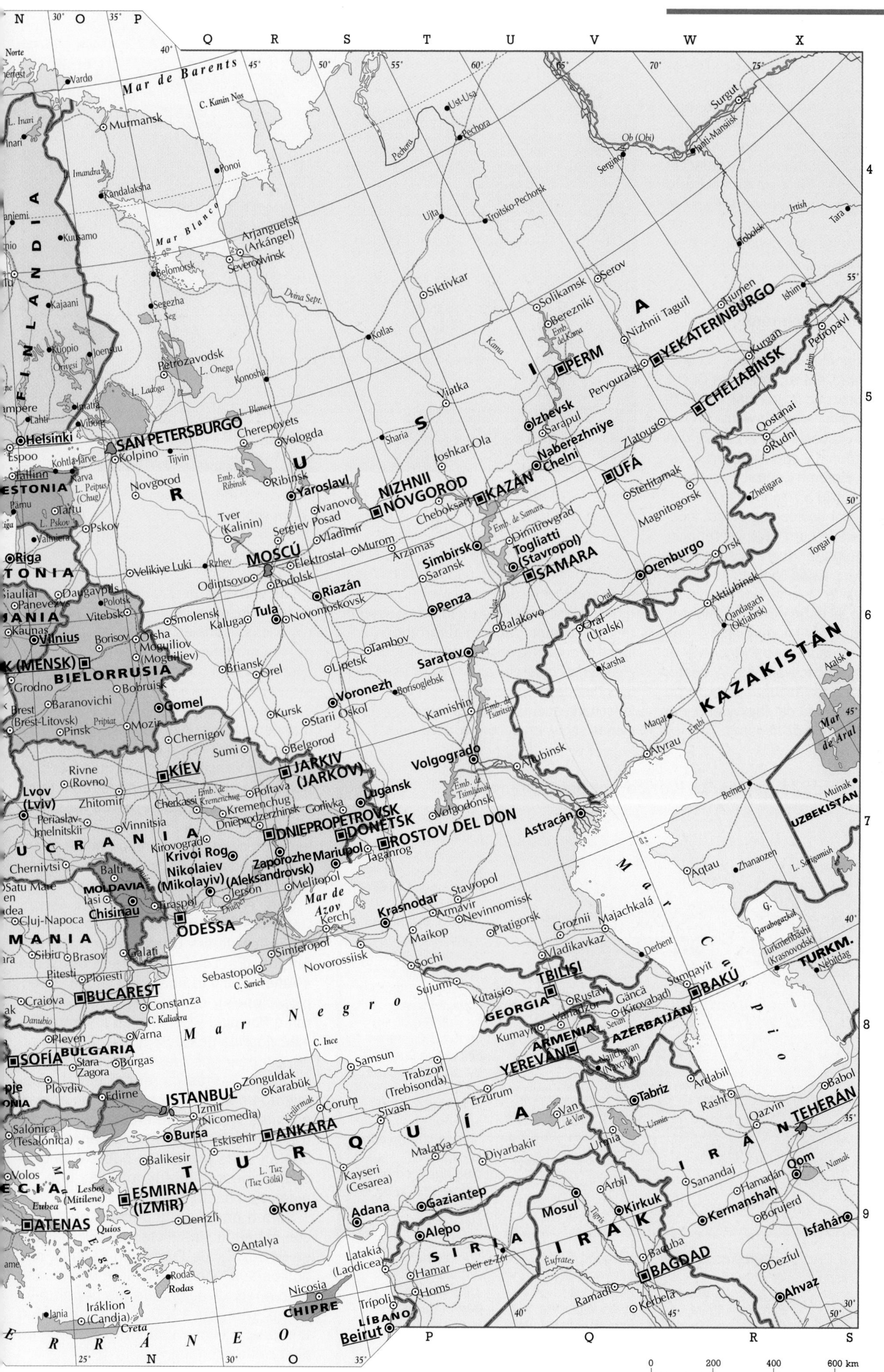
Mar de Barents
C. Kanin Nos
Vardø
Murmansk
L. Inari
Inari
L. Imandra
Ponoi
Kandalaksha
Mar Blanco
Kuusamo
Arjanguelsk (Arkángel)
Severodvinsk
Belomorsk
Kajaani
Segezha
L. Seg
Kuopio
Joensuu
L. Orivesi
Petrozavodsk
L. Onega
L. Ladoga
Konosha
Kotlas
Dvina Sept.
Siktivkar
Ujta
Troitsko-Pechorsk
Ust-Usa
Pechora
Surgut
Ob (Obi)
Janti-Mansiisk
Sergino
Irtish
Tara
Tobolsk
Serov
Tiumen
Ishim
Solikamsk
Berezniki
Emb. del Kama
Kama
Nizhnii Taguil
YEKATERINBURGO
PERM
Kurgan
Petropavl
Ishim
Pervouralsk
CHELIABINSK
Viatka
Izhevsk
Sarapul
Naberezhniye Chelni
Zlatoust
Qostanai
Rudni
UFÁ
Sterlitamak
Magnitogorsk
Zhetigara
Imatra
Lahti
Viborg
Helsinki
Espoo
Kohtla-Järve
Tallinn
Narva
L. Peipus (Chud)
ESTONIA
Pärnu
Tartu
L. Pskov
Valmiera
Riga
SAN PETERSBURGO
Kolpino
Tijvin
L. Blanco
Cherepovets
Vologda
Sharia
Ioshkar-Ola
Emb. de Ribinsk
Ribinsk
Yaroslavl
Novgorod
R U S I A
Ivanovo
NIZHNII NÓVGOROD
KAZÁN
Cheboksari
Emb. de Samara
Dimitrovgrad
Tver (Kalinin)
Sergiev Posad
Vladimir
Murom
Arzamas
Simbirsk
Togliatti (Stavropol)
SAMARA
Pskov
Velikiye Luki
Rzhev
MOSCÚ
Elektrostal
Odintsovo
Podolsk
Riazán
Saransk
Orenburgo
Orsk
Torgai
Daugavpils
Polotsk
Vitebsk
Smolensk
Kaluga
Tula
Novomoskovsk
Penza
Aktiubinsk
Qandagach (Oktiabrsk)
Siauliai
Panevezys
Kaunas
Vilnius
Borisov
Orsha
Moguiliov (Moguiliev)
Balakovo
Oral (Uralsk)
Tambov
Saratov
Volga
MINSK (MENSK)
BIELORRUSIA
Briansk
Orel
Lipetsk
Karsha
Aralsk
KAZAKISTÁN
Grodno
Bobruisk
Baranovichi
Gomel
Voronezh
Borisoglebsk
Brest (Brest-Litovsk)
Pinsk
Pripiat
Mozir
Kursk
Starii Oskol
Kamishin
Emb. de Tsaritsin
Maqat
Embi
Mar de Aral
Chernigov
Sumi
Belgorod
Volgogrado
Atyrau
Rivne (Rovno)
KÍEV
JARKIV (JARKOV)
Ajtubinsk
Lvov (Lviv)
Zhitomir
Emb. de Kremenchug
Poltava
Cherkassi
Kremenchug
Dnieprodzerzhinsk
Gorlivka
Lugansk
Emb. de Tsimliansk
Volgodonsk
Astracán
Beineu
Muinak
UZBEKISTÁN
Periaslav-Jmelnitskii
Vinnitsia
DNIEPROPETROVSK
DONETSK
ROSTOV DEL DON
U C R A N I A
Kirovograd
Krivoi Rog
Zaporozhe (Aleksandrovsk)
Mariupol
Taganrog
Aqtau
Zhanaozen
L. Sarigamish
Chernivtsi
Balti
Nikolaiev (Mikolayiv)
Jersón
Melitopol
Mar Caspio
Satu Mare
MOLDAVIA
Iasi
Chisinau
Tiraspol
Mar de Azov
Kerch
Krasnodar
Stavropol
Armavir
Nevinnomissk
Pitigorsk
Grozni
Majachkalá
G. Garabogazkol
Turkmenbashi (Krasnovodsk)
Cluj-Napoca
R U M A N I A
ODESSA
Maikop
Derbent
TURKM.
Nebitdag
Sibiu
Brasov
Galati
Simferopol
Vladikavkaz
Pitesti
Ploiesti
Sebastopol
C. Sarich
Novorossiisk
Sochi
TBILISI
Sumgayit
BAKÚ
Craiova
BUCAREST
Constanza
Danubio
C. Kaliakra
Sujumi
Kutaisi
GEORGIA
Rustavi
Gäncä (Kirovabad)
Sevan
AZERBAIJÁN
Pleven
Varna
Mar Negro
C. Ince
Kumayri
ARMENIA
YEREVÁN
Najichevan (Naxçivan)
SOFÍA
BULGARIA
Stara Zagora
Burgas
Samsun
Zonguldak
Karabük
Trabzon (Trebisonda)
Ardabil
Babol
Plovdiv
Edirne
ISTANBUL
Izmit (Nicomedia)
Kizilirmak
Çorum
Sivash
Erzurum
Tabriz
Rasht
Qazvin
TEHERÁN
Salónica (Tesalónica)
Bursa
Eskisehir
ANKARA
T U R Q U Í A
Van
L. de Van
L. Urmia
Urmia
I R Á N
Malatya
Diyarbakir
Balikesir
L. Tuz (Tuz Gölü)
Kayseri (Cesarea)
Sanandaj
Hamadán
Qom
L. Namak
Volos
Lesbos (Mitilene)
ESMIRNA (IZMIR)
Eubea
Arbil
Mosul
Kirkuk
Kermanshah
Borujerd
Isfahán
ATENAS
Quíos
Konya
Denizli
Adana
Gaziantep
Tigris
I R A K
Alepo
S I R I A
Antalya
Latakia (Laodicea)
Deir ez-Zor
Éufrates
Baquba
Dezful
Rodas
Hamar
Homs
BAGDAD
Ahvaz
Nicosia
CHIPRE
Trípoli
Ramadi
Kerbela
LÍBANO
Beirut
Jania
Iráklion (Candia)
Creta
M E D I T E R R Á N E O
0 200 400 600 km

Península Ibérica

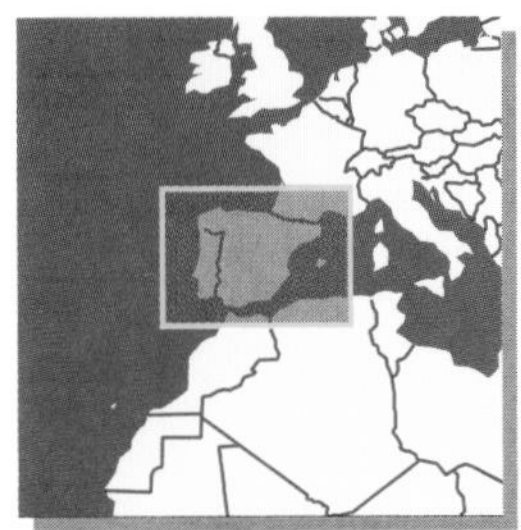

La península Ibérica, con una extension de más de 581 000 km^2, es la mayor y la más occidental de las tres penínsulas mediterráneas de Europa. El 85 % de su territorio pertenece a España y el resto corresponde a Portugal, salvo las dos pequeñas extensiones de Andorra y la colonia británica de Gibraltar.

El puente 25 de Abril en Lisboa (Portugal), inaugurado en 1966, franquea el estuario del Tajo, el principal río de la península Ibérica, a 70 m sobre el nivel de las aguas.

Geografía física y humana

El rasgo fundamental del relieve lo constituye la Meseta Central, entre los 600 y 700 m de altitud y que ocupa más del 35 % de la superficie peninsular. Presenta una inclinación de este a oeste y se articula en un sector septentrional y otro meridional, separados por el Sistema Central. Excepto el sector oeste, abierto al Atlántico, la Meseta está bordeada por accidentes orográficos: al norte se eleva la cordillera Cantábrica, al este el Sistema Ibérico y al sur Sierra Morena. Las principales llanuras se sitúan en la periferia de la Meseta; son las depresiones del Ebro, al este, y del Guadalquivir, al sur, bordeadas por las cordilleras más altas de la Península, los Pirineos y el Sistema Bético, respectivamente. Al oeste, las tierras bajas de Portugal (llanura de Beira Litoral, depresión del Tajo y del Sado) completan el conjunto de llanuras.

De tal variedad morfológica se deriva la correspondiente diversidad climática: acusada continentalidad en la Meseta septentrional, clima oceánico en la costa septentrional y occidental, y mediterráneo en el litoral oriental. No obstante, el aspecto más característico del clima peninsular es el fuerte contraste entre las regiones húmedas de la fachada atlántica y la cantábrica, y las regiones secas en el centro, este y sur.

Historia

Los primeros asentamientos humanos en la Península se remontan a épocas prehistóricas. A finales del siglo III a.C. los romanos sometieron a los celtas, iberos y vascones, y la romanización del territorio se prolongó hasta las invasiones visigodas del siglo V. En el año 711, los musulmanes penetraron en la Península desde el sur y se instalaron en ella durante ocho siglos. En el siglo IX, los diversos focos de población cristiana que resistían a la invasión árabe en los sectores más septentrionales de la Península iniciaron un lento proceso de expansión hacia el sur que, a mediados del siglo XIII, había limitado el dominio árabe al reino de Granada.

Con el matrimonio de los Reyes Católicos, en 1469, se realizó la unión dinástica de las Coronas de Castilla y Aragón. En 1492, la llegada de Colón a América inició una larga etapa de exploraciones y conquistas que convirtieron a Portugal y España en los imperios más florecientes del mundo. Sin embargo, y a pesar de las riquezas obtenidas en estos vastos imperios, el estancamiento de sus estructuras productivas y sociales implicó que ambos países entraran en la Edad Contemporánea sumidos en unas profundas crisis económicas e inestabilidad política, que se alargarían hasta el siglo XX.

Sólo a partir de la década de 1970, con el final de las dictaduras de Salazar en Portugal y de Franco en España, ambos países ibéricos iniciaron un proceso de democratización que les permitió incorporarse, en 1986, a la Comunidad Europea, e iniciar una intensa etapa de desarrollo económico.

La conquista de la península Ibérica por los romanos

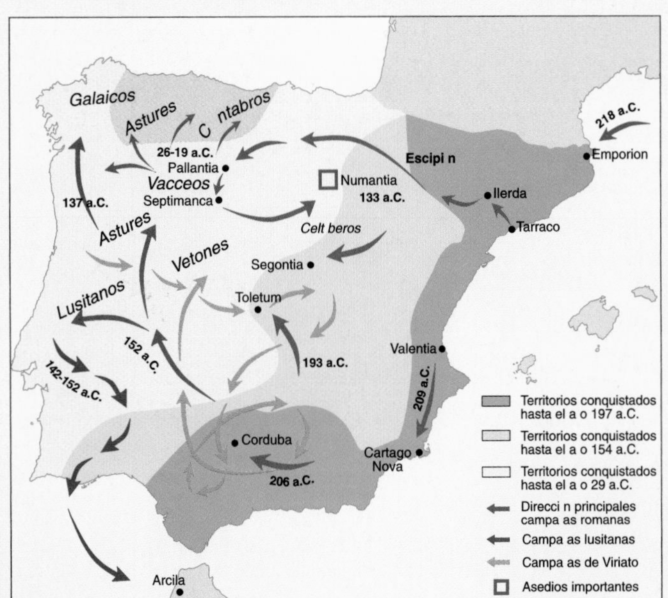

■ *Mapa de la conquista de Hispania por los romanos. Por su particular situación geográfica, la península Ibérica se convirtió desde muy temprano en "puente" entre Eurasia y África. Pueblos en extremo variados han penetrado en el territorio ibérico atravesándolo o asentándose en él. Históricamente, está constatada la presencia de iberos y celtas, cartagineses y romanos, suevos, vándalos y alanos, visigodos y árabes-bereberes. Otros, como fenicios, griegos, bizantinos y francos, dejaron una huella más residual. Incluso un grupo autóctono como el vasco ha mantenido su carácter diferenciado a lo largo de los siglos. Bajo las pautas marcadas por la historia, tal aluvión humano se ha combinado con la especial configuración de la naturaleza: la llana monotonía del interior influyó en la homogeneidad poblacional, mientras en la orla periférica se registraron diversidad de asentamientos.*

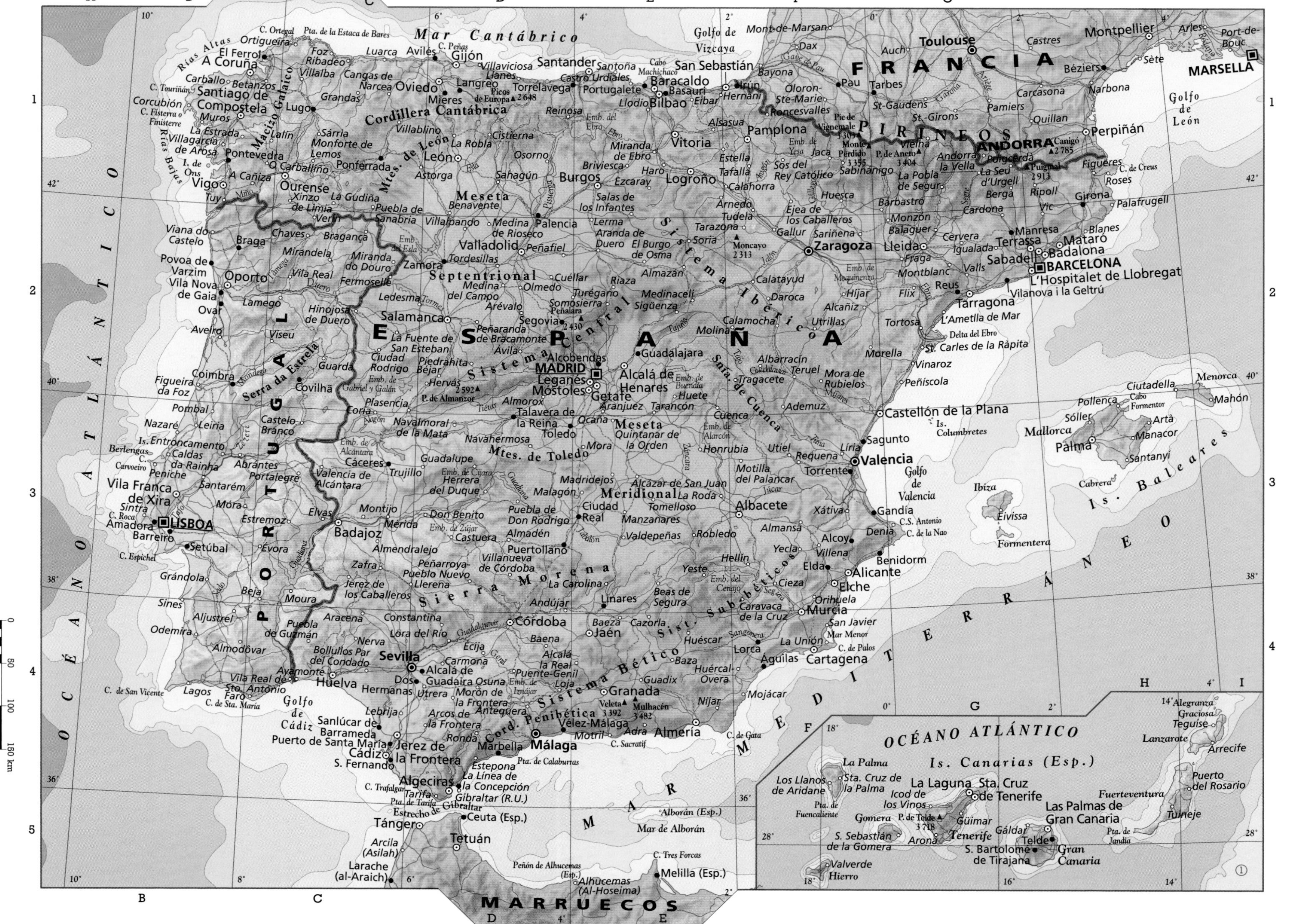
FRANCIA
ESPAÑA
PORTUGAL
MARRUECOS
MADRID
LISBOA
BARCELONA
ANDORRA
MARSELLA
Toulouse
Montpellier
Valencia
Zaragoza
Sevilla
Málaga
Granada
Córdoba
Bilbao
Oporto
Pirineos
Cordillera Cantábrica
Sistema Central
Sistema Ibérico
Sierra Morena
Sistema Bético
Meseta Septentrional
Meseta Meridional
Mar Cantábrico
Golfo de Vizcaya
Golfo de León
Golfo de Valencia
Golfo de Cádiz
Mar de Alborán
MAR MEDITERRÁNEO
OCÉANO ATLÁNTICO
Is. Baleares
Mallorca
Menorca
Ibiza
Formentera
Is. Canarias (Esp.)
0 50 100 150 km

Europa continental atlántica

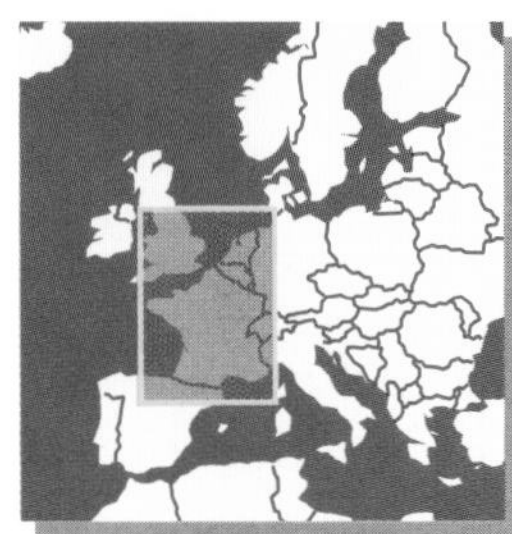

Este amplio territorio de Europa occidental abarca gran parte de la fachada atlántica del continente, en la que se incluyen Francia y los tres estados que conforman el denominado Benelux: Bélgica, Países Bajos y Luxemburgo. Francia, a su vez, se extiende al sudeste hasta el Mediterráneo, donde tambien se ubica el Principado de Mónaco, uno de los microestados del continente europeo.

Panorámica de la Grand-Place, en Bruselas, que reúne importantes edificios civiles de finales del siglo XVII, todos ellos de un gran valor arquitectónico.

Geografía física y humana

El relieve de Francia estructura el país en dos sectores: la mitad norte, en el que predomina un relieve llano, y la mitad meridional, en la que se encuentran los principales sistemas montañosos (los Pirineos y los Alpes), con el Macizo Central separando ambos sectores. Las llanuras atlánticas tienen un clima oceánico, húmedo y templado, mientras que el territorio meridional disfruta de un clima mediterráneo. Los países del Benelux se caracterizan por presentar un relieve llano y de escasa altitud en su mayor parte, que llega a ser inferior al nivel del mar en buena parte de Países Bajos. Solamente en el sector sudeste de Bélgica y en Luxemburgo el territorio está dominado por macizos y mesetas, con altitudes que no superan los 700 m. El clima es también de tipo templado-húmedo.

La explotación agrícola y ganadera de la Francia septentrional es de tipo intensivo mecanizado, en la que se aplican modernas técnicas. Esta zona presenta una poderosa e importante concentración industrial, especializada en productos de base y en la fabricación de bienes de equipo. La economía de la subregión mediterránea francesa se caracteriza por la producción de vid y las industrias alimentarias, aunque se han desarrollado polos de concentración industrial de alto nivel tecnológico. El sector turístico es otro motor económico de la región.

En el área del Benelux, la agricultura y la ganadería se realizan de forma tan intensiva que proporcionan uno de los máximos rendimientos del mundo. En cuanto a la actividad industrial, estos países han desarrollado una de las concentraciones industriales más importantes del mundo, con una amplia diversificación de productos.

Este desarrollo económico fue asociado a un gran crecimiento demográfico y urbanístico, del que París es el mayor referente, y Países Bajos es hoy uno de los estados más densamente poblados del planeta. Los rasgos demográficos de la región son los que caracterizan a Europa occidental: baja natalidad, envejecimiento de la población y una creciente inmigración que en las últimas décadas ha conllevado algunos problemas de cohesión social.

Historia

La romanización de la mayor parte de este territorio constituye la primera etapa histórica que confiere una unidad cultural a la región. Pero fue durante la Edad Media cuando comenzaron a forjarse las realidades nacionales que hoy conocemos. La expansión de los francos, provenientes del norte, constituyó el embrión de la edificación política de Francia, mientras que los poderes feudales medievales acabaron configurando también los estados modernos del Benelux.

De entre la densa evolución histórica del territorio, cabe destacar el período de la Revolución Francesa, referente fundamental en la transición de las sociedades de régimen feudal a los estados modernos.

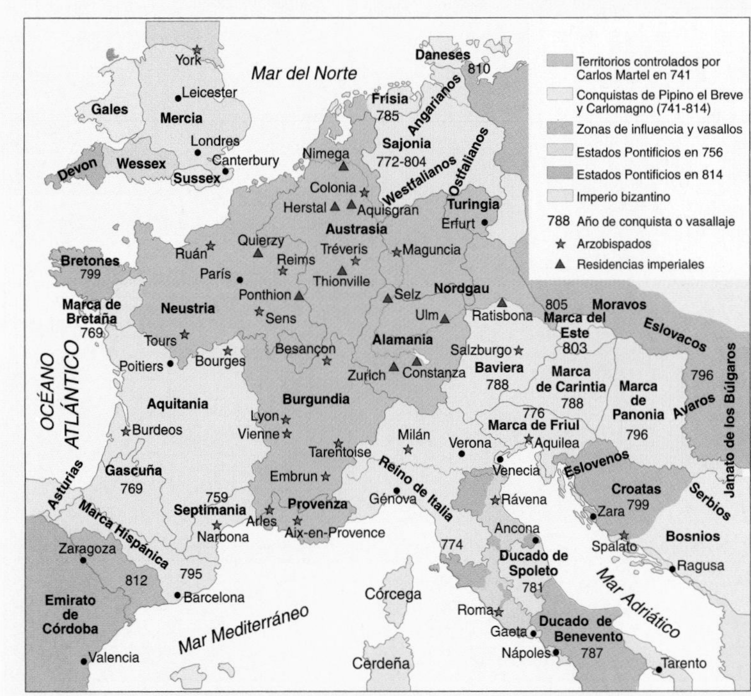

Extensión del imperio de Carlomagno

■ *El proceso de disgregación económica y de fragmentación política que supuso la desaparición del Imperio Romano fue detenido por la unificación política y religiosa llevada a cabo por Carlomagno.*
En el siglo VIII, Carlos Martel, al servicio de los sucesores del rey franco merovingio Clodoveo (481-611), detuvo a los musulmanes en Poitiers. El declive de la dinastía merovingia era bien patente cuando Pipino el Breve, hijo de Carlos Martel, depuso al último rey de la misma. Carlomagno, hijo de Pipino, fue proclamado emperador en el 800 y extendió la influencia franca hasta el este de Europa: aplastó a los lombardos, sometió a los sajones que habitaban entre el Rin y el Elba y aniquiló a los ávaros en la llanura del Danubio medio. Tras la muerte del monarca, su reino fue repartido en tres partes (tratado de Verdún, 843), constituyendo las zonas occidental y oriental los núcleos respectivos de las futuras Francia y Alemania. Las tierras situadas al oeste del Mosa y del Ródano (Francia), pasaron a manos de Carlos el Calvo, mientras que a Luis el Germánico le fue asignada Germania.

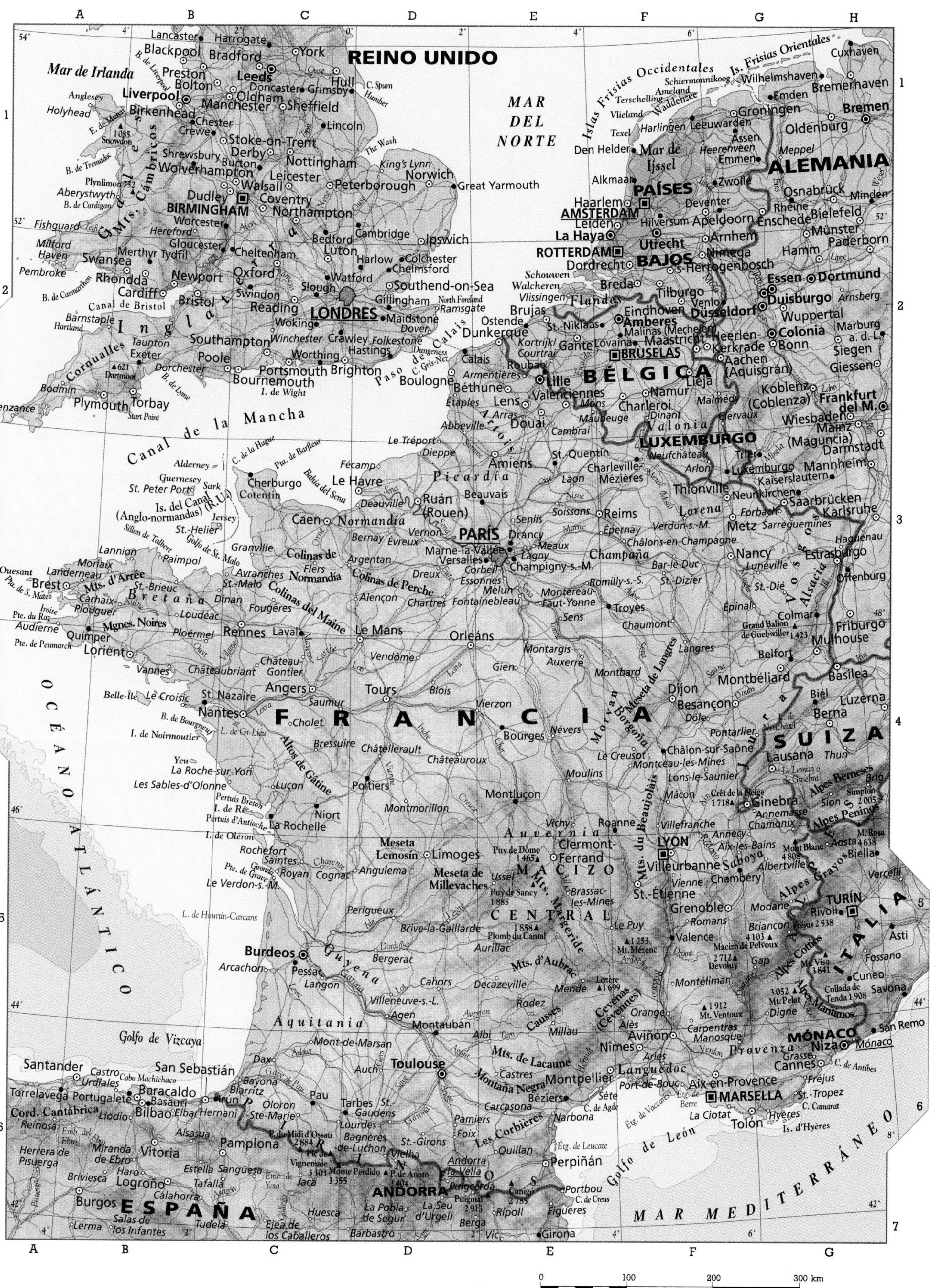
REINO UNIDO
Mar de Irlanda
MAR DEL NORTE
Canal de la Mancha
OCÉANO ATLÁNTICO
Golfo de Vizcaya
Golfo de León
MAR MEDITERRÁNEO
FRANCIA
BÉLGICA
LUXEMBURGO
PAÍSES BAJOS
ALEMANIA
SUIZA
ITALIA
ESPAÑA
ANDORRA
MÓNACO
Islas Frisias Occidentales
Is. Frisias Orientales
Inglaterra
Cornualles
Bretaña
Normandía
Picardía
Champaña
Lorena
Alsacia
Borgoña
Auvernia
Aquitania
Guyena
Provenza
Languedoc
Saboya
Valonia
Flandes
Artois
MACIZO CENTRAL
Pirineos
Alpes
Jura
Vosgos
Mts. Cámbricos
Montaña Negra
Mts. de Lacaune
Mts. d'Aubrac
Cevenas (Cévennes)
Alpes Berneses
Alpes Peninos
Alpes Grayos
Alpes Cotios
Alpes Marítimos
Cord. Cantábrica
Londres
París
Bruselas
Amsterdam
Luxemburgo
Birmingham
Liverpool
Manchester
Leeds
Sheffield
Bristol
Cardiff
Southampton
Portsmouth
Brighton
Plymouth
Lille
Amberes
Rotterdam
La Haya
Utrecht
Colonia
Düsseldorf
Essen
Dortmund
Frankfurt del M.
Estrasburgo
Nancy
Metz
Reims
Amiens
Ruán (Rouen)
Le Havre
Caen
Cherburgo
Brest
Rennes
Nantes
Angers
Tours
Orléans
Le Mans
Dijon
Besançon
Lyon
Ginebra
Lausana
Berna
Basilea
Turín
Grenoble
Clermont-Ferrand
Limoges
Poitiers
La Rochelle
Burdeos
Toulouse
Montpellier
Nîmes
Aviñón
Marsella
Tolón
Niza
Mónaco
Perpiñán
Bilbao
San Sebastián
Santander
Pamplona
Vitoria
Burgos
Logroño
Andorra la Vella
0 100 200 300 km

Europa septentrional e islas Británicas

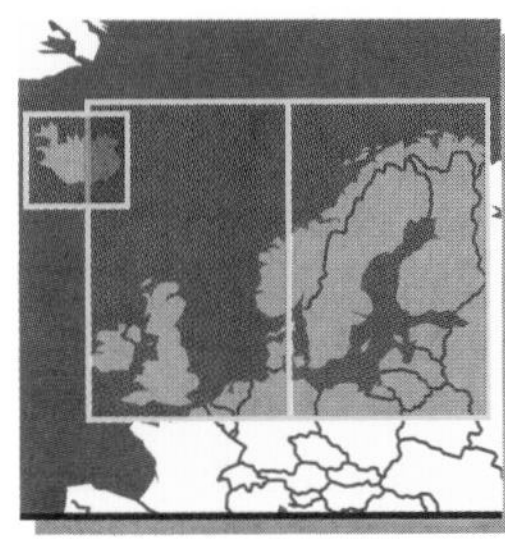

Esta región del continente europeo comprende varias áreas geográficas claramente diferenciadas: la región de Escandinavia (que incluye Dinamarca, Finlandia, Islandia, Noruega y Suecia), los países del litoral meridional del mar Báltico (Lituania, Letonia y Estonia), y las islas Británicas (Irlanda y Gran Bretaña).

Geografía física y humana

La región de Escandinavia está situada en el norte de Europa, y una parte de su territorio se extiende más allá del Círculo Polar Ártico. La evolución geomorfológica del territorio es el elemento que da mayor unidad al conjunto: al norte se extienden los Alpes Escandinavos, mientras que al sur de Suecia se abre una llanura sedimentaria (Escania) que se prolonga en territorio danés. Islandia es una isla de origen volcánico, pero las características físicas que la unen al resto de la región se basan en la acción de los glaciares cuaternarios, que han labrado fiordos en las costas y han formado multitud de lagos, como en Finlandia y en el sur de Suecia y Noruega. Existe también una unidad climática, pues se trata de un área de clima templado-frío, con influencia oceánica en su sector occidental que se convierte en más riguroso a medida que se asciende en latitud. Al sur del golfo de Finlandia, los estados bálticos presentan un relieve muy uniforme, absolutamente plano, dado que se extienden en un extremo de la denominada Gran Llanura del Norte de Europa.

El Puente de Londres, o Puente de la Torre (Tower Bridge), se halla emplazado sobre el río Támesis, en la capital británica; este famoso puente levadizo fue concluido en 1894.

Al oeste de Escandinavia se encuentran las islas Británicas, integradas por dos islas principales, Irlanda y Gran Bretaña, además de la isla de Man y los archipiélagos de las Hébridas, Orcadas y Shetland. El relieve de las islas está formado por montañas muy antiguas, desgastadas y modeladas por las glaciaciones cuaternarias, junto a zonas llanas producto de la acumulación sedimentaria. Su clima es de tipo templado oceánico, con abundantes precipitaciones.

Principales expediciones vikingas

■ *Los vikingos, pueblo de guerreros y navegantes, llevaron a cabo expediciones marítimas desde fines del siglo* VIII *hasta principios del* XI. *Las gentes establecidas en el este de Europa recibieron el nombre de varegos, y normandos los asentados en el sur. Los vikingos poblaron y colonizaron las islas Feroe, las Shetland, el norte de Escocia, la costa de Yorkshire, la región de Dublín e Islandia. Desde Islandia emprendieron expediciones a Groenlandia y Nueva Inglaterra (a esta última la denominarían Vinland). En Noruega establecieron importantes centros comerciales como Bjarkøy y Skiringssal. Durante los siglos* IX *y* X *se produjo el agrupamiento de pequeños reinos vikingos en entidades estatales mayores; así aparecieron los reinos de Noruega, durante el reinado de Harald I, y el de Dinamarca, durante el gobierno de Harald II.*

En los países escandinavos, la amplia extensión de bosques, el aprovechamiento hidroeléctrico de los ríos, la explotación del subsuelo, en especial de los yacimientos de hierro, y la pesca en las extensas costas, han permitido desarrollar fuentes de energía, y así generar las principales industrias de la región: electrometalurgia, fabricación de celulosa y conservas. Todos estos países han alcanzado un elevado nivel de desarrollo económico, gracias a unas estructuras productivas muy abiertas al exterior, y ello ha ido tradicionalmente acompañado de una atención a las políticas sociales que frecuentemente ha sido tomada como modelo en otros estados europeos. En cambio, las tres repúblicas bálticas, que formaban parte de la extinta Unión Soviética, presentan un nivel de desarrollo económico inferior, inmersas en una transición hacia la competitividad de su economía en los mercados internacionales. También en el Reino Unido, el nivel de industrialización y de desarrollo económico es muy elevado, herencia de su pionera Revolución Industrial y de una constante modernización de sus estructuras productivas; en contraste, la vecina Irlanda tuvo que esperar hasta bien entrado el siglo XX para acercar su crecimiento económico al del resto de países de la región.

La guerra civil inglesa (1642-1645)

■ *La guerra civil inglesa enfrentó a los defensores del absolutismo monárquico de Carlos I Estuardo y los partidarios del parlamento. Las tropas reales fueron derrotadas por el ejército del parlamento, organizado por Oliver Cromwell (1599-1658), y el rey huyó a Escocia, pero fue entregado al parlamento, evitándose el pacto entre las facciones políticas moderadas y el monarca. Temerosos los parlamentarios del radicalismo de los cromwellianos, puritanos en su mayoría, intentaron pactar con el rey, pero el ejército de Cromwell dio un golpe de Estado en 1648. Carlos I fue decapitado en 1649, y el parlamento fue depurado de los elementos contrarios a los golpistas. En mayo de 1649, el parlamento instauró la República, que iba a durar once años, hasta que las luchas por el poder entre los generales sucesores de Cromwell llevaron a la restauración de la monarquía en 1660.*

Historia

La cultura vikinga conlleva la expansión de los pueblos escandinavos hasta muchos puntos de Europa, y comienza a dar forma a unas estructuras de organización social que culminarían a lo largo de la Edad Media con la consolidación de las diferentes monarquías nórdicas. Éste es el embrión de los modernos estados de Suecia, Noruega, Dinamarca, Islandia e incluso Finlandia, aunque, tras largos siglos de avatares históricos, luchas y ocupaciones entre sí, el mapa actual de la región no se completa hasta el siglo XX: Noruega obtuvo definitivamente su independencia del reino sueco en 1905, Finlandia se liberó de la ocupación rusa en 1917 y, ya en 1944, Islandia logró también emanciparse de Dinamarca. En cambio, tras un breve período de independencia entre la Primera y la Segunda Guerra Mundial, los estados bálticos de Estonia, Letonia y Lituania tuvieron que esperar a la desintegración de la Unión Soviética (1991) para recuperar su soberanía política.

También la historia del Reino Unido tiene en la Edad Media el origen de su estado moderno. La estabilidad política que alcanzó el territorio a partir del siglo XV permitió impulsar un desarrollo naval superior al de las grandes potencias de la época, Francia y España, lo que supuso el inicio de siglos de expansión y conquista de amplios territorios a lo largo de los cinco continentes. La vecina isla de Irlanda, ocupada por los ingleses desde el siglo XII, se independizó del Reino Unido en 1921, tras una cruenta guerra civil. Sin embargo, la provincia nororiental del Ulster (Irlanda del Norte) quedó bajo soberanía británica, iniciándose un período de enfrentamientos entre los independentistas republicanos, católicos, y los unionistas, protestantes, hasta que finalmente en 1998 se firmaron los Acuerdos del Viernes Santo (Stormont), que sentaron las bases para la apertura de un proceso de paz.

Bosques de pinos, abedules y abetos a orillas del lago Inari, uno de los mayores espejos lacustres de Finlandia, muy visitado por los finlandeses en temporada estival.

OCÉANO ATLÁNTICO
MAR DE NORUEGA
ISLANDIA
MAR DE GROENLANDIA
Reykjavík
Is. Feroe (Din.)
Thorshavn
Is. Shetland (R.U.)
Lerwick
Is. Orcadas
Kirkwall
Islas Hébridas
ESCOCIA
Edimburgo
Glasgow
Aberdeen
Irlanda del Norte
Belfast
IRLANDA
Dublín (Baile Átha Cliath)
REINO UNIDO
MAR DEL NORTE
Gran Bretaña
Inglaterra
Gales
MAR CÉLTICO
Canal de la Mancha
LONDRES
Liverpool
Manchester
Leeds
Sheffield
BIRMINGHAM
Bristol
Cardiff
Southampton
Plymouth
Cork (Corcaigh)
FRANCIA
Le Havre
Brest
Lille
BÉLGICA
BRUSELAS
Amberes
PAÍSES BAJOS
AMSTERDAM
La Haya
ROTTERDAM
Utrecht
Is. Frisias Occidentales
Is. Frisias Orientales
DINAMARCA
Bergen
Stavanger
Skagerrak
Hamburgo
Bremen
Hannover
Düsseldorf
Essen
Dortmund
Münster
Círculo Polar Ártico
Paso de Calais
Canal de San Jorge
Mar de Irlanda

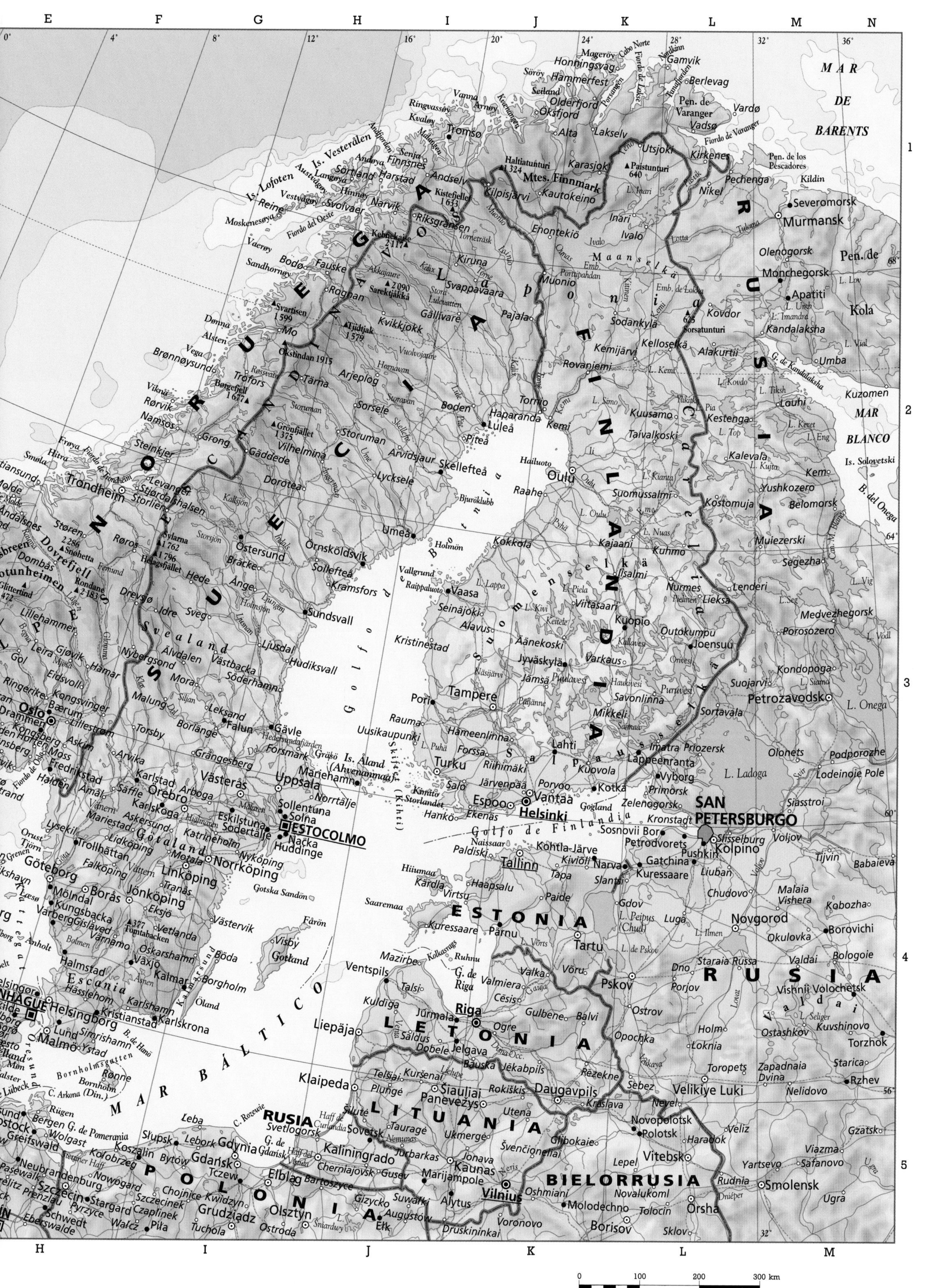
E
F
G
H
I
J
K
L
M
N
MAR DE BARENTS
MAR BLANCO
1
2
3
4
5
NORUEGA
ESCANDINAVIA
SUECIA
FINLANDIA
Laponia
Suomenselkä
Carelia
RUSIA
ESTONIA
LETONIA
LITUANIA
BIELORRUSIA
POLONIA
Svealand
Gotaland
Escania
Salpausselkä
Golfo de Botnia
Golfo de Finlandia
MAR BÁLTICO
Is. Lofoten
Is. Vesterålen
Is. Åland (Ahvenanmaa)
Is. Solovetski
Pen. de Kola
Pen. de Varanger
Pen. de los Pescadores
Mtes. Finnmark
Cabo Norte
Hammerfest
Tromsø
Narvik
Kiruna
Luleå
Oulu
Umeå
Vaasa
Sundsvall
Trondheim
Östersund
Tampere
Turku
Helsinki
Vantaa
Espoo
Oslo
Uppsala
ESTOCOLMO
Norrköping
Linköping
Göteborg
Jönköping
Helsingborg
Malmö
Tallinn
Tartu
Riga
Klaipeda
Kaliningrado
Kaunas
Vilnius
Gdansk
Gdynia
SAN PETERSBURGO
Vyborg
Novgorod
Pskov
Petrozavodsk
Murmansk
Severomorsk
Monchegorsk
Kandalaksha
L. Ladoga
L. Onega
L. Peipus (Chud)
L. Ilmen
Vitebsk
Smolensk
Daugavpils
0
100
200
300 km

Europa central y oriental

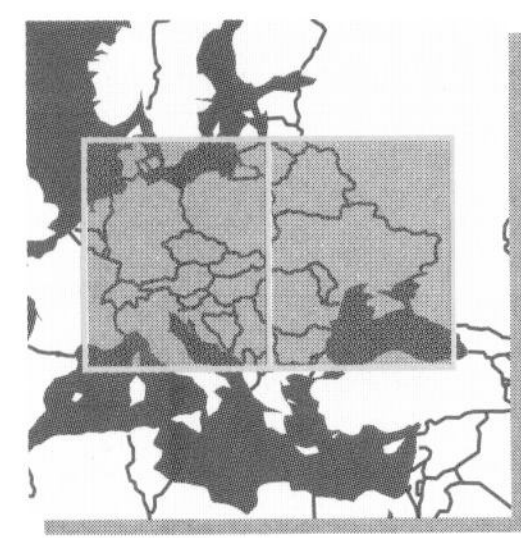

El sector central del continente europeo está ocupado por Alemania, la República Checa y más al sur, por los tres países de la llamada Europa alpina: Suiza, Austria y Liechtenstein. Al este de Alemania, Polonia se extiende sobre la continuación de la Gran Llanura del Norte de Europa. Al este de Austria se abre la Europa danubiana o panónica, que corresponde a la cuenca del río Danubio, y que comparten esencialmente Hungría, Eslovaquia y Rumania. Finalmente, en la parte más oriental de la región se hallan Bielorrusia, Ucrania y Moldavia, tres estados que formaron parte de la antigua Unión Soviética.

Vista de la catedral y del Ayuntamiento Nuevo de Munich, al sur de Alemania. Ubicado en la Marienplatz, en el centro de la capital bávara, el ayuntamiento es un edificio neogótico.

Geografía física y humana

Todo este conjunto geográfico tan heterogéneo se extiende sobre cuatro grandes unidades de relieve: la Gran Llanura del Norte de Europa, los Alpes, los Cárpatos y la cuenca danubiana.

Al norte de la región se halla la gran llanura, sobre la que se extiende la mayor parte de Alemania, prácticamente toda Polonia y que se abre hacia el este a través de Bielorrusia y de Ucrania hasta conectar con las planicies rusas. Estos cuatro países presentan, pues, una fisonomía esencialmente llana. En Alemania, tan sólo la parte meridional es montañosa: son las primeras estribaciones de los Alpes, la gran cordillera centroeuropea sobre la que se asientan Suiza, el microestado de Liechtenstein y la parte occidental de Austria. El otro sector de Austria, en cambio, pertenece ya a la llanura panónica, la gran cuenca del río Danubio, sobre la que también se encuentran Hungría, Eslovaquia y la mitad meridional de Rumania. Finalmente, la cordillera de los Cárpatos se extiende desde la parte central de Rumania hacia el norte y oeste, configurando los límites fronterizos entre Rumania y Ucrania, Eslovaquia y Polonia y los de la República Checa con Polonia y Alemania.

El clima es atlántico en las amplias llanuras de Alemania y Polonia. En el sector alpino, las alturas condicionan la existencia de un clima de alta montaña, al igual que en los Cárpatos. En el resto del territorio, alejado de la influencia atlántica, se da un clima continental, más húmedo en las llanuras interiores de Bielorrusia y el norte de Ucrania y estepario al sur de Ucrania y en las llanuras húngaras de la cuenca danubiana.

La economía de la región tiene un marcado carácter industrial. Aunque en países como Alemania, Suiza o Austria la mayor parte de la población activa trabaja en el sector servicios, esta terciarización de sus economías se basa en una potente industrialización. La cuenca del Rin-Ruhr, Baviera, la región de Hamburgo o la Baja

Expansión del imperio de los Habsburgo entre los siglos XV y XVIII

La dinastía germánica de los Habsburgo reinó en Austria de 1278 a 1918, esto es, más de seis siglos. Ocupó ininterrumpidamente el trono imperial de 1440 a 1806, y el español de 1516 a 1700. Desde que en los siglos XIV y XV perdiera sus dominios primitivos (en Suiza), la casa de los Habsburgo se estableció en Austria, de ahí que se les conociera también como la dinastía de los Austria. En este mapa se puede observar la expansión territorial que protagonizó esa casa real europea hacia finales del siglo XVIII.

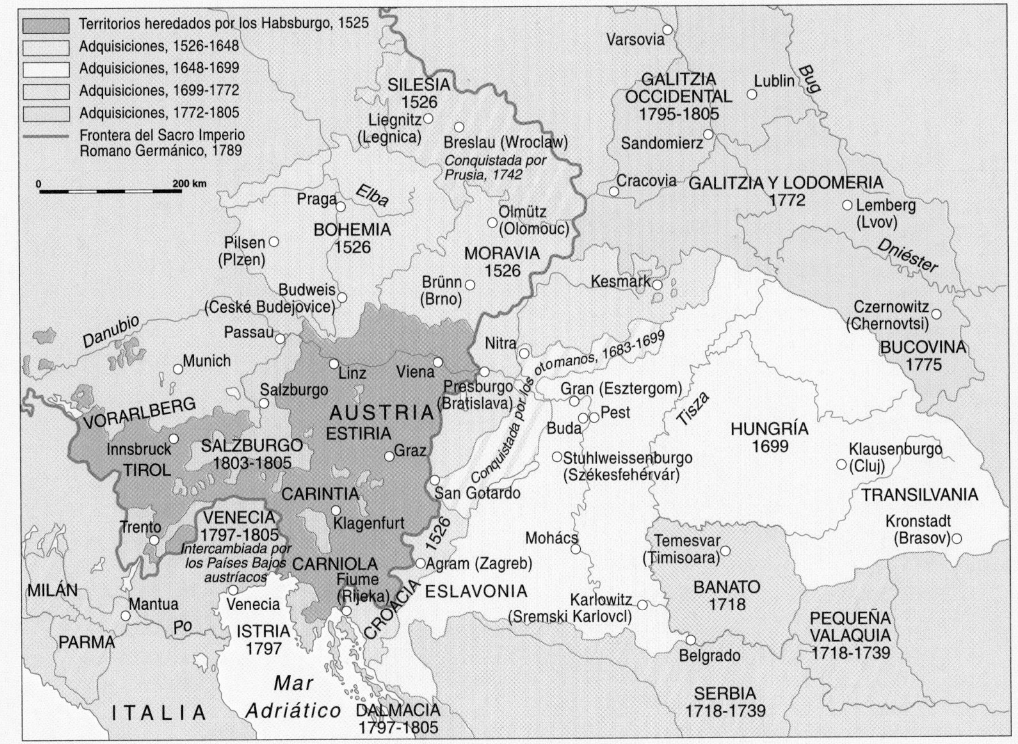

Austria son algunas de las principales áreas de concentración industrial.

Polonia, la República Checa y Hungría son también países de larga tradición industrial, aunque en las últimas décadas sus estructuras productivas se han visto inmersas en un profundo proceso de reconversión para su óptima integración en los nuevos mercados occidentales, tras la época en que estuvieron tan sólo vinculadas al mercado soviético; la región polaca de Silesia, la Bohemia checa o los alrededores de Budapest, en Hungría, son las áreas más emblemáticas de la industrialización de estos países.

Más dificultosa está siendo la reconversión industrial en países como Eslovaquia, Rumania, Bielorrusia o Ucrania, donde sus plantas productivas se han revelado obsoletas, muy atrasadas tecnológicamente ante los nuevos mercados a los que deben hacer frente, y las inyecciones de capital foráneo para su modernización han sido muy inferiores.

Los repartos de Polonia (siglo XVIII)

■ *El prolongado declive del Estado polaco se acentuó en el siglo XVIII. La intervención de Austria y Rusia en sus asuntos internos se hizo evidente cuando Augusto III de Sajonia (1733-1763) arrebató el trono al candidato elegido por la Dieta, Estanislao I Leszczinski, lo cual dio lugar a la guerra de sucesión de Polonia (1733-1738). A la muerte de Augusto III, Polonia se convirtió en un protectorado ruso, y como colofón, entre los años 1773 y 1795, vio cómo rusos, prusianos y austríacos se repartían el territorio polaco hasta su desaparición como estado.*

Historia

La historia de la región viene marcada por la presencia en sus dos extremos de dos grandes culturas europeas, la alemana y la rusa, cuya influencia, a veces ejercida directamente por la fuerza militar, ha determinado la elevada movilidad de los trazados fronterizos a lo largo de su historia. Tras la Segunda Guerra Mundial, gran parte de este territorio quedó bajo la influencia política directa de la Unión Soviética (Bielorrusia, Ucrania y Moldavia incluso formaban parte de aquel país) y, por lo tanto, con una organización social y económica socialista. Alemania (exceptuando la parte de la antigua República Democrática Alemana, también bajo órbita soviética), Suiza, Liechtenstein y Austria se integraban en el bloque de la Europa occidental capitalista.

La desintegración de la Unión Soviética conllevó la última transformación en el mapa de la región: la unificación de Alemania, la separación de la República Checa y Eslovaquia (países que formaban la antigua Checoslovaquia) y la independencia de los tres estados que formaban parte de la antigua URSS (Bielorrusia, Ucrania y Moldavia). Aquel hecho histórico supuso el desmoronamiento del sistema político comunista y, a su vez, que muchos de estos países comenzaran de nuevo a mirar hacia Occidente.

Polonia, la República Checa, Eslovaquia y Hungría se incorporaron en el año 2004 a la Unión Europea, mientras que Bielorrusia, Ucrania y Moldavia siguen muy vinculadas a la vecina Rusia, con la que mantienen aún unos fuertes lazos económicos y culturales.

La unificación de Alemania (1815-1871)

■ *La unificación alemana se inició con la victoria de Prusia (aliada con Francia e Italia) sobre Austria en la batalla de Sadowa (1866). Por la paz de Praga (1866), se suprimió la Confederación Germánica y se formó en torno a Prusia la Confederación Alemana del Norte (1867), integrada por veintiún estados y de la que se excluía a Austria. Tras la guerra franco-prusiana (1870) –donde el ejército prusiano puso de manifiesto su supremacía con fulminantes victorias–, y la anexión de Alsacia y Lorena, Guillermo I fue nombrado emperador de la Alemania unida (II Reich) en Versalles. Después de esta victoria, los estados alemanes del sur del Main, movidos por intereses económicos, no dudaron en unirse a Prusia.*

MAR DEL NORTE
MAR BÁLTICO
DINAMARCA
COPENHAGUE
SUECIA
PAÍSES BAJOS
AMSTERDAM
ROTTERDAM
BRUSELAS
BÉLGICA
LUX.
ALEMANIA
HAMBURGO
BERLÍN
Hannover
Bremen
Dortmund
Essen
Düsseldorf
Colonia
Frankfurt del Main
Leipzig
Dresde
MUNICH
POLONIA
VARSOVIA
Poznan
Wrocław (Breslau)
Cracovia
Gdańsk (Danzig)
REPÚBLICA CHECA
PRAGA
ESLOVAQUIA
Bratislava
AUSTRIA
VIENA
Salzburgo
Innsbruck
Graz
HUNGRÍA
BUDAPEST
FRANCIA
Estrasburgo
Dijon
Lyon
SUIZA
Berna
Zurich
Basilea
Ginebra
Lausana
LIECHT.
ITALIA
MILÁN
TURÍN
Génova
Venecia
Bolonia
Florencia
ROMA
CIUDAD DEL VATICANO
SAN MARINO
MÓNACO
Niza
Mar de Liguria
MAR TIRRENO
Córcega (Fr.)
Cerdeña (It.)
ESLOVENIA
Ljubljana
CROACIA
Zagreb
BOSNIA HERZEGOVINA
Sarajevo
SERBIA Y MONTENEGRO
BELGRADO
Skopje
MAR ADRIÁTICO
Alpes Dináricos
Alpes Julianos
Alpes Cárnicos
Alpes Nóricos
Alpes Tridentinos
Alpes Berneses
Alpes Peninos
Alpes Lepontinos
Alpes Marítimos
Apenino Toscano
Cárpatos Blancos
Bajo Tatra
Alto Tatra
Mts. Metálicos
Bohemia
Baviera
Selva Negra
Dalmacia

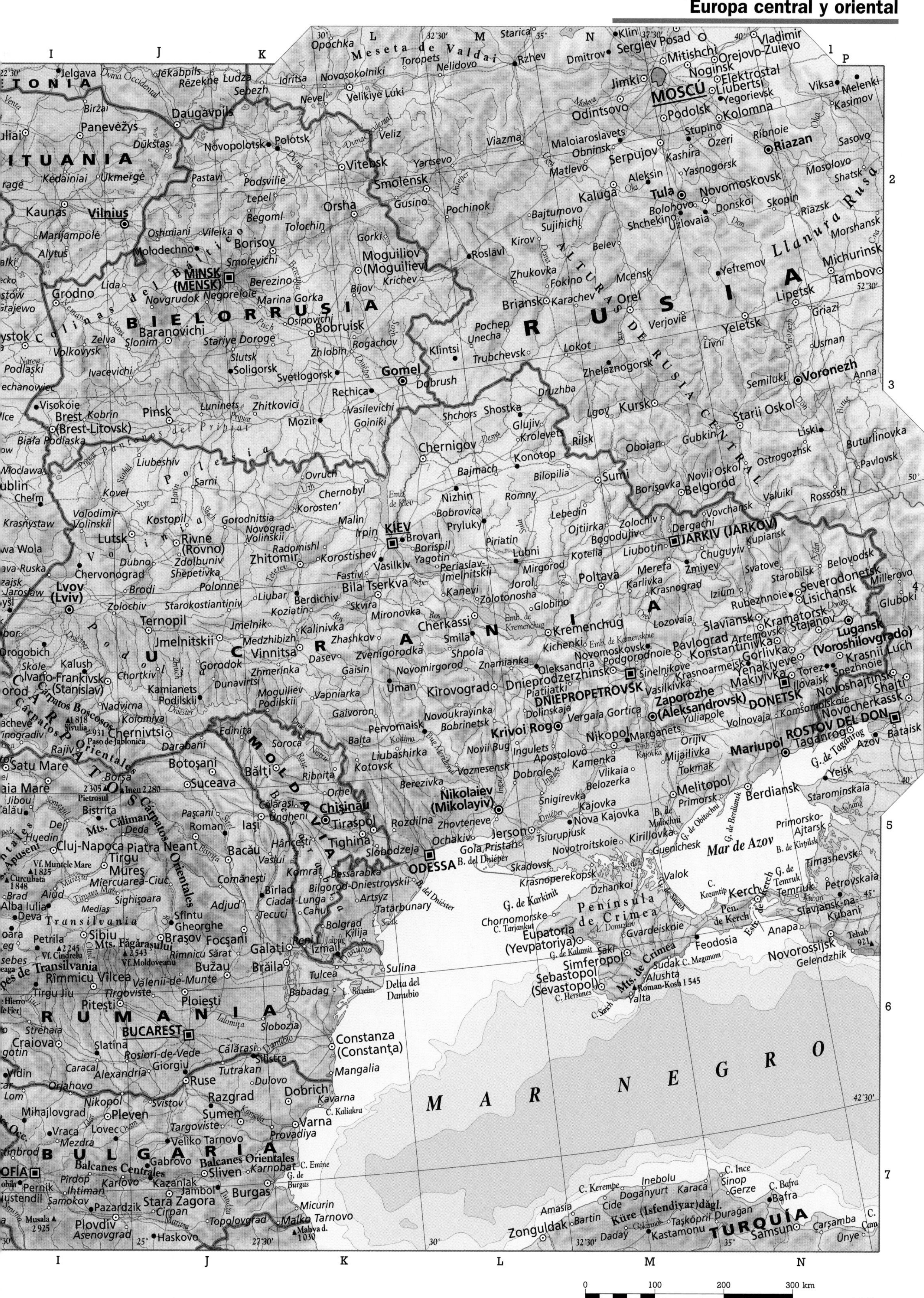
RUSIA
UCRANIA
BIELORRUSIA
MOLDAVIA
RUMANIA
BULGARIA
TURQUÍA
LITUANIA
MAR NEGRO
Mar de Azov
MOSCÚ
MINSK (MENSK)
KÍEV
Chişinău
BUCAREST
Vilnius
JARKIV (JARKOV)
DNIEPROPETROVSK
DONETSK
ODESSA
ROSTOV DEL DON
Península de Crimea
Llanura Rusa
Alturas de Rusia Central
Meseta de Valdai
Colinas del Báltico
Pantanos del Pripiat
Volinia
Podolia
Polesia
Cárpatos Orientales
Delta del Danubio
Balcanes Centrales
Balcanes Orientales
Transilvania
0 100 200 300 km

Península Itálica y Balcanes

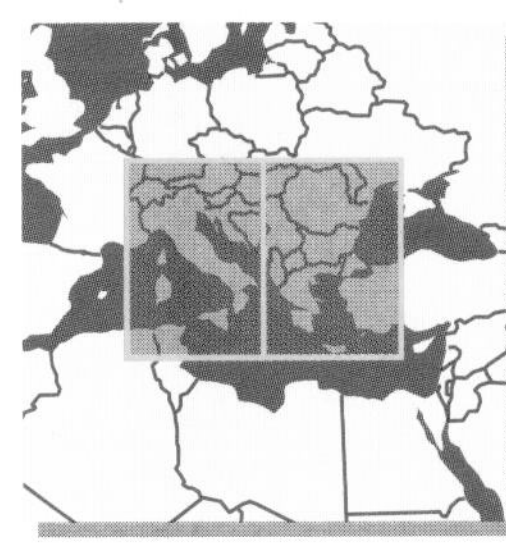

El extremo sudoriental del continente europeo se abre al mar Mediterráneo a través de dos grandes penínsulas, la Itálica y la de los Balcanes. Mientras que la primera presenta una uniformidad política (con las excepciones de los microestados de San Marino y Ciudad del Vaticano), la península Balcánica está ocupada por numerosos países: Eslovenia, Croacia, Bosnia-Herzegovina, Serbia y Montenegro, Macedonia, Bulgaria, Albania, Grecia y un sector de Turquía. Asimismo debe citar el pequeño estado insular de Malta, situado al sur de la península Itálica.

Miembros de la Guardia Suiza en la plaza de San Pedro, obra proyectada por Gian Lorenzo Bernini en 1656, en Roma (Ciudad del Vaticano). Al fondo, la basílica de San Pedro.

Geografía física y humana

Las cordilleras de los Alpes y los Cárpatos separan esta región del resto del continente. El arco alpino constituye una barrera al norte de Italia, mientras que la cadena de los Apeninos se extiende por el sector central del país, con una orientación norte-sur, a modo de espina dorsal; todo ello hace de Italia un país montañoso, excepto por pequeñas llanuras litorales en la costa adriática y una única alteración notable a este relieve abrupto: la gran llanura del río Po, al norte del país, entre los Alpes y los Apeninos.

La cadena alpina continua hacia el sudeste y se eleva paralela a la costa del mar Adriático, a lo largo de la península de los Balcanes; se trata de una sucesión de cordilleras que reciben los nombres de Alpes Julianos, Alpes Dináricos y Alpes Albaneses. Al sur de estos últimos, ya en el extremo más meridional de los Balcanes, se alzan los montes Pindo, que convierten a Grecia en un país montañoso y abrupto. Además de este continuo montañoso, en la península Balcánica hay otros importantes relieves de orientación este-oeste: la cordillera de los Balcanes y los montes Ródope, ambos enclavados en su mayor parte en territorio de Bulgaria.

Parte esencial de la geografía de la región la constituyen los espacios insulares. En esta zona se encuentran las mayores islas del Mediterráneo: al oeste de la península Itálica están Córcega (que pertenece a Francia), la pequeña isla de Elba y Cerdeña y, más al sur, Sicilia; al sur de Sicilia están las tres pequeñas islas que forman el archipiélago maltés. En cuanto a las islas griegas, éstas son de dimensiones menores, pero mucho más numerosas; se agrupan en el archipiélago de las Jónicas (en el mar Jónico), las Espóradas Septentrionales, las Cícladas y las islas del Dodecaneso (en el mar Egeo), además de Creta, la isla griega más meridional y la de mayores dimensiones.

El Imperio Bizantino en época de Justiniano (siglo VI)

■ *El Imperio Bizantino o Imperio Romano de Oriente se constituyó como unidad política independiente entre 330 y 395, y perduró hasta el año 1453. El imperio pasó por dos etapas claramente diferenciadas. La primera de ellas se caracterizó por la fortaleza de su economía y el valor de su moneda; el Estado controlaba la fabricación y comercialización de determinados productos. Al final de este período, a partir de 641, se sucedieron oleadas de invasiones (persas sasánidas, árabes) que arrebataron al imperio parte de sus posesiones: Siria, Egipto y los territorios norteafricanos, que pasaron a los dominios del Islam.*

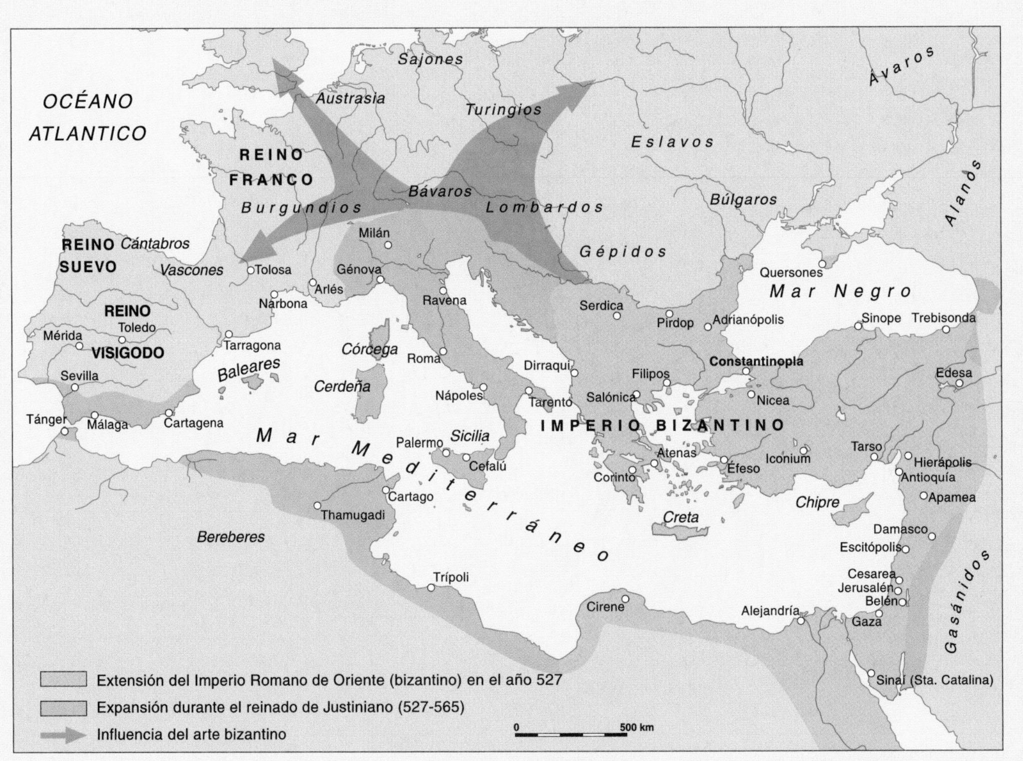

El clima de la región es esencialmente de carácter mediterráneo. En las áreas montañosas se da un clima de montaña, mientras que algunas zonas interiores, como el valle del Po, en Italia, o el centro de los Balcanes, presentan tendencias propias de un clima continental.

El norte de Italia es el área de mayor crecimiento industrial y económico. Hacia el sur, Italia cuenta con otros polos de desarrollo industrial, como las áreas que rodean Roma y Nápoles. En Grecia, los principales núcleos económicos son las ciudades de Atenas y Salónica, mientras que en el resto del país, incluidos los sectores insulares, el turismo tiene una gran importancia. También el litoral del mar Adriático, que comparten Eslovenia, Croacia, Serbia y Montenegro y Albania, presenta un notable potencial turístico, aunque la inestabilidad política de la región ha impedido su pleno desarrollo.

Salvo Grecia, el resto de los países balcánicos son herederos de políticas sociales y económicas socialistas, de las que Albania era su expresión más ortodoxa y la antigua Yugoslavia la más aperturista. La transición de aquellas estructuras a la economía de mercado se ha ido completando con distintos grados de éxito, desde una Eslovenia que ha alcanzado unos altos niveles de vida, hasta países como Bulgaria, Macedonia y, sobre todo, Albania, en los que estas transformaciones han tropezado con enormes dificultades.

Un mosaico de estados en Italia (1490-1505)

■ *Hacia finales del siglo XV y principios del XVI, los estados italianos eran muy prósperos económicamente y el centro de mayor difusión de la cultura renacentista. Sin embargo, la península Italiana se encontraba políticamente dividida. En este marco, Francia y la Corona de Aragón se disputaron el dominio de los territorios italianos. La existencia de esta multitud de pequeñas unidades políticas (ducados, repúblicas y reinos) debilitó sin duda el desarrollo de la península Itálica en los siglos XV y XVI. De todas estas unidades merecen especial mención el reino de Nápoles, los ducados de Saboya y Milán, las repúblicas de Génova, Venecia y Florencia y los Estados Pontificios.*

Historia

Mientras la península Itálica alcanzaba la unidad política con la unificación italiana en 1870, la península de los Balcanes, en cambio, constituía un complicado mosaico de países, etnias, culturas y religiones que ha sido fuente de una constante inestabilidad política hasta la actualidad.

Esta región fue durante siglos frontera entre las culturas centroeuropeas y el vasto imperio otomano. La progresiva retirada de los turcos desde finales del siglo XIX dio inicio a una larga etapa de conflictos, inestabilidad y cambios fronterizos, a los que contribuyeron plenamente las potencias europeas, ansiosas de consolidar sus intereses.

Así, en las dos guerras mundiales que sacudieron Europa durante el siglo XX, la región balcánica constituyó un escenario de tensión fundamental. Tras la Segunda Guerra Mundial, la creación de la República Federal Yugoslava, encabezada por la emblemática figura del mariscal Tito, supuso un largo período de estabilidad en la zona. A la muerte de Tito, sin embargo, las diferentes repúblicas que constituían aquel Estado federal iniciaron procesos para su separación e independencia, algunos de los cuales comportaron procesos bélicos: primero fue Eslovenia, con un breve conflicto armado de apenas dos meses de duración; inmediatamente le siguieron Croacia, con una guerra mucho más prolongada y cruenta, y Bosnia-Herzegovina, un territorio cuya complejidad étnica provocó un conflicto mucho más dramático, que culminó con una decidida intervención de la comunidad internacional. Aún posteriormente, la intervención militar y la fuerte represión del ejército serbio en la región de Kosovo, al sur de Serbia pero con mayoría de población albanesa, desencadenó un último conflicto armado, que también tuvo que ser sofocado por fuerzas de pacificación de las Naciones Unidas.

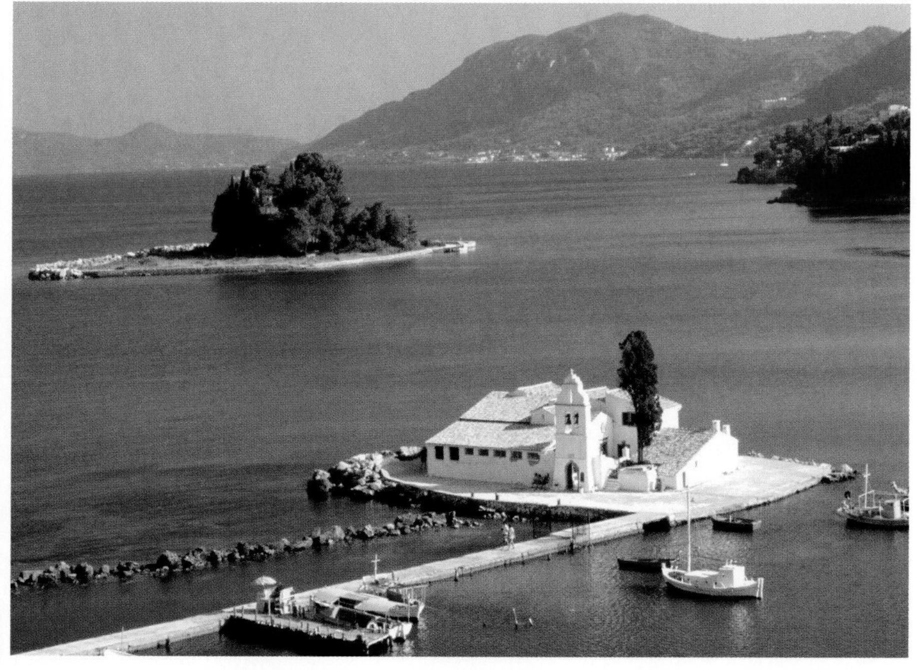

Vista del monasterio de Vlajernes y el islote de Pondikonisi, que alberga una ermita del siglo XIII, vistos desde Kanoni, al sur de la isla griega de Corfú, en el mar Jónico.

A B C D E F G
1 2 3 4 5 6 7
SUIZA
LIECHT.
AUSTRIA
HUN
FRANCIA
ESLOVENIA
CROACIA
BOSN
HERZEGOV
SAN MARINO
MONACO
ITALIA
CIUDAD DEL VATICANO
MALTA
TUNICIA
ARGELIA
Lausana
Mâcon
Bourg-en-Bresse
Ginebra
L. Léman o de Ginebra
Villeurbanne
LYON
Annecy
Vienna
Grenoble
Valence
Albertville
Chambéry
Chamonix
Mont Blanc 4 808
Aosta
Alpes Berneses
Alpes Peninos
Alpes Graios
Sion
Brig
Paso Simplón
Andermatt
S. Bernardino
St. Moritz
Alpes Réticos
Alpes Lepontinos
Chiavenna
Sondrio
L. Mayor
M. Rosa 4 638
Varese
Como
Lecco
L. de Como
Biella
Novara
Monza
Bérgamo
MILÁN
Lombardía
Vercelli
Gran Paradiso 4 061
Modane
Susa
Rivoli
TURÍN
Piamonte
Briançon
Macizo de Pelvoux 4 103
Dévoluy 2 712
Gap
Alpes Cocios
Bra
Asti
Alessandria
Casale Monferrato
Pavía
Voghera
Cremona
Piacenza
Parma
Mts. Ventoux
Mt. Ventoux 1 912
3 841 M. Viso
Col de Maddalena 1 966
Mt. Pelat 3 052
Fossano
Cuneo
Digne
Acqui
Liguria
Apenino Ligur
Génova
Savona
Loano
Imperia
Col de Tenda 1 908
Alpes Marítimos
San Remo
Niza
Mónaco
Manosque
Aix-en-Provence
MARSELLA
Cannes
C. de Antibes
La Ciotat
St.-Tropez
Tolón
Is. d'Hyères
Mar de Liguria
G. de Génova
Rapallo
La Spezia
Massa
Pontremoli
Fidenza
Bobbio
Reggio nell'Emilia
Módena
Bolonia
Emilia-Romaña
Mirandola
Ferrara
Rovigo
Mantua
Verona
Legnago
Brescia
Vicenza
Padua
Véneto
Treviso
Venecia
Chioggia
G. de Venecia
Mesola
Valli di Comacchio
Comacchio
Ravena
Imola
Forlì
Cesena
Rimini
Pésaro
Mt. Falterona 1 654
Mt. Cimone 2 165
Apenino Tosco-Emiliano
Pistoia
Prato
Lucca
Pisa
Florencia
Livorno
Cecina
Gorgona
Capraia
C. Corso
Toscana
Siena
Arezzo
Cortona
Gubbio
L. Trasimeno
Perugia
Foligno
Umbría
Jesi
Ancona
Marcas
Apeninos de Umbría
Civitanova Marche
S. Benedetto del Tronto
Ascoli Piceno
Teramo
Mts. Sibillini
Piombino
Portoferraio
I. de Elba
Pianosa
Massa Marittima
Mt. Amiata 1 738
Grosseto
Orbetello
L. de Bolsena
Orvieto
Terni
Viterbo
Rieti
Gran Sasso 2 912
L'Aquila
M. Corno
Pescara
Chieti
Lanciano
Vasto
Giglio
Montecristo
Tarquinia
Civitavecchia
L. Bracciano
Lacio
ROMA
Frascati
Lido di Ostia
Mts. Sabinos
Sulmona
Abruzos
Apen. de los Abruzos
Mt. Velino 2 487
Isola del Liri
Frosinone
La Meta 2 241
Larino
Archipiélago Toscano
Bastia
Calvi
La Marana
M. Cinto 2 710
Córcega (Fr.)
Ajaccio
G. de Ajaccio
C. Rosso
M. Incudine 2 136
Porto-Vecchio
Bonifacio
C. Pertusato
Estrecho de Bonifacio
Palau
I. Maddalena
Pta. Caprara
Asinara
Pta. Falcone
G. de Asinara
Porto Torres
Sássari
Golfo Aranci
Olbia
C. de Caccia
Alghero (l'Alguer)
Ozieri
Mt. Rasu 1 259
Bosa
Dorgali
C. Comino
G. de Orosei
C. Mannu
Oristano
C. San Marco
G. de Oristano
C. Frasca
Montes Gennargentu
La Marmora 1 834
Lanusei
Cerdeña (It.)
Iglesias
S. Pietro
Carbonia
Cagliari
Sant'Antioco
Teulada
C. Teulada
G. de Cagliari
C. Carbonara
C. Spartivento
MAR TIRRENO
MAR
Latina
Terracina
Cassino
Gaeta
G. de Gaeta
Islas Pontinas
Teano
Campania
Caserta
Benevento
NÁPOLES
Pozzuoli
Ischia
Vesubio 1 279
Avellino
G. de Nápoles
Capri
Salerno
Eboli
G. de Salerno
Agropoli
Sala Consilina
Potenza
Mt. Volturino 1 835
Mt. Sirino 2 005
Apen. Lucano
Lauria
C. Palinuro
G. de Policastro
Mt. Pollino 2 267
Castrovillari
C. Bonifati
Paola
Cosenza
La Sila 1 928
Rossano
Pta. Alice
Ciro Marina
Crotona
Lamezia Terme
G. de Sta. Eufemia
Catanzaro
C. Rizzuto
G. de Esquilache
Vibo Valentia
Calabria
Apenino Calabrés
Locri
Reggio de Calabria
Melito di Porto Salvo
C. Spartivento
S. Severo
Campobasso
Molise
Matese
Foggia
Manpedonia
G. de Manfredonia
Mt. Calvo 1 055
Testa del Gargano
Peschici
Is. Tremiti
Cerignola
Barletta
Andria
Molfetta
Bari
Melfi
Apulia
Le Murge
Monopoli
Ostuni
Matera
Pisticci
Tarento
Manduria
Lecce
Golfo de Tarento
Gallipoli
C. Sta. M. de L.
Ustica
Is. Eolias o Lípari
Stromboli
Filicudi
Salina
Lipari
Vulcano
Pta. del Faro
C. San Vito
G. de Castellammare
C. Gallo
Is. Egates (Egadi)
Trapani
Palermo
Cefalù
Favignana
Marsala
Alcamo
Castelvetrano
Le Madonie 1 979
Mts. Nebrodi
Montes Peloritani
Patti
Mesina
Estr. de Mesina
Taormina
Etna 3 323
Sciacca
Caltanissetta
Catania
G. de Catânia
Agrigento
Sicilia
Licata
Gela
Augusta
Siracusa
Ragusa
C. Scaramia
Pozallo
Pachino
C. delle Correnti
Pantelaria (It.)
Is. Pelagias (It.)
Linosa (It.)
Lampedusa
Gozo (Ghawdex)
Victoria
Malta
La Valetta
MAR MEDITERRÁNEO
MAR JÓNICO
MAR ADRIÁTICO
Djalita (La Galite)
C. Serrat
C. Blanco
Bizerta
Menzel Burguiba
Skikda
Annaba (Bona)
El Kala
Tabarqa
Bedja
TÚNEZ
G. de Túnez
C. Bon
Qelibia
Hammam en-Nif
Guelma
Montes de la Medjerda
Jendouba
Ghardimaou
Medjez al-Bab
Souq Ahras
Zaghouan
Nabeul
Hammamat
G. de Hammamat
Tébessa
Qalaa al-Djerda
Susa (Sousse)
Kairuán
Khenchela
El Mahdiya
El Qasserin
Fériana
El Djem
Vaduz
Feldkirch
Landeck
Paso de Resia 1 504
Alpes Tridentinos
Brixlegg
Innsbruck
Salzach
Brennero 1 372
Bressanone (Brixen)
Bolzano (Bozen)
Merano
Dobbiaco (Toblach)
Ortles 3 899
3 342
Marmolada
Alpes Dolomitas
Cortina d'Ampezzo
Trentino-Alto Adigio
Adamello 3 554
Breno
Trento
Belluno
Tolmezzo
Friul-Venecia Julia
Spilimbergo
Udine
Pordenone
Conegliano
Portogruaro
San Donà di Piave
L. de Garda
Alpes Nóricos
Lienz
Spittal
Alpes Cárnicos
Klagenfurt
Karawanken
Jesenice
Alpes Julianos
Kranj
Ljubljana
Trieste
G. de Trieste
Kras (Karst)
Postojna
Novo Mesto
Koper
Pirán
Pen. de Istria
Rovinj
Labin
Pula (Pola)
Rijeka (Fiume)
Krk
Cres
Rab
Senj
Velebit
C. Kamenjak
Losinj
Karlobag
Pag
Gospić
Starigrad-Paklenica
Zadar (Zara)
Dugi Otok
Biograd
Kornat
Knin
Shibenik
Zirje
Troglava 1 913
Split (Spalato)
Sinj
Omish
Sholta
Brach
Hvar
Vis
Korchula
Lastovo
Mljet
Dubrovnik (Ragusa)
Herceg
Pelieshac
Ploche
Metko
Stol
Treb
Judenburg
Graz
Szombathely
Mts. Bakony
Szekesfeh
Zalaegerszeg
Keszthely
L. B.
Maribor
Pohorje 1 543
Grintavec 2 558
Celje
Trbovlje
Nagykanizsa
Varazhdin
Koprivnica
Krizhevci
Kaposv
Pecs
Dom
Virovitica
Dugo Selo
Zagreb
Karlovac
Kupa
Ogulin
Sisak
Novska
Papuk 953
Nova Gradiska
Daruvar
Nasi
Sljunj
Plitvice
Bihać
Novi
Bosanski Novi
Bosanska Gradiska
Prijedor
Derventa
Bosanska Krupa
Banja Luka
Kljuch
Drvar
Jajce
Zavidovi
Zenica
Alpes Dináricos
Sarajevo
Livno
Jablanica
Mostar
Snezhnik 1 796
Oriental Livno
Salzburg
Drava
Sava
Una
Vrbas
Neretva
Piave
Adige
Po
Tíber
Arno
Reno
Secchia
Tanaro
Trebbia
Ticino
Adda
Oglio
Durance
Ródano
Ain
Dora Baltea
Dora Riparia
Sele
Ofanto
Volturno
Simeto
Salso
Mejerda
10° 12° 14° 16° 18° 6° 8°
46° 44° 42° 40° 38° 36°
0 100 200 300 km

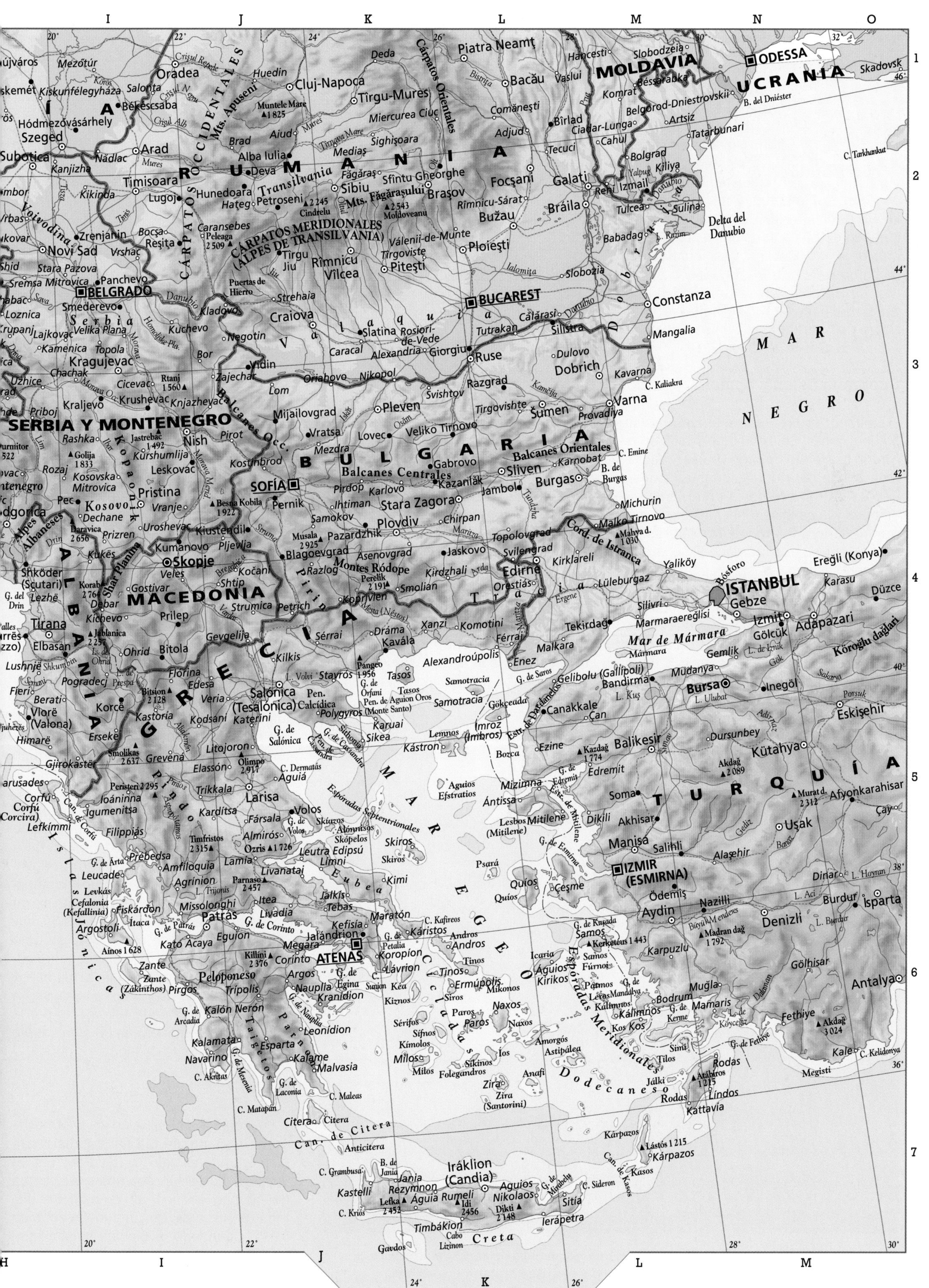

Rusia europea

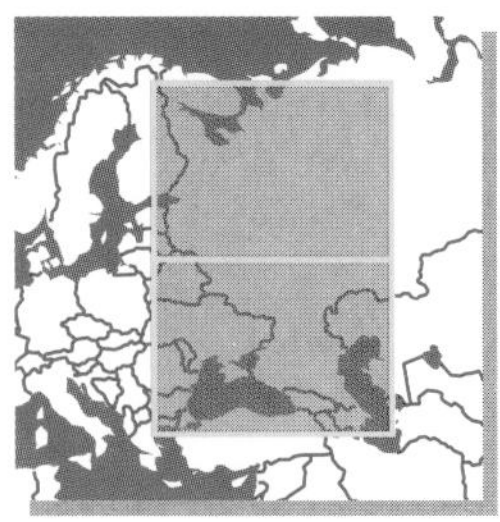

Este amplio sector de Europa oriental abarca todo el territorio de la Rusia europea, cuyos límites orientales se sitúan en la cordillera de los Urales y la altiplanicie de Kazakistán, y que por el oeste limita con los estados de Finlandia, Estonia, Letonia, Lituania, Bielorrusia y Ucrania. El sector europeo de Rusia tiene una extensión de más de 4000000 km^2, casi la mitad del continente. Al norte está bañado por el mar de Barents, un sector del océano Glacial Ártico, al sur se hallan el mar Negro y el mar Caspio, y entre ambos se alza la cordillera del Cáucaso.

Vista de San Petersburgo, la segunda ciudad de Rusia, con la columna de Alejandro y el Palacio de Invierno, que alberga el museo del Ermitage, una de las mayores pinacotecas del mundo.

Geografía física y humana

La llanura rusa es el elemento físico predominante. Se extiende por todo el territorio hasta los montes Urales, cadena montañosa de altitud modesta y considerada la frontera física entre la Rusia europea y la asiática. Por el sudoeste cierran la llanura las modestas Alturas de Rusia Central, mientras que al sur, entre los mares Negro y Caspio, se alza la cordillera del Cáucaso, que pertenece a la orogenia de tipo alpino y cuyas cumbres superan los 5000 m de altitud (el monte Elbrús, con 5642 m, es el más alto de Europa). El Volga, que desemboca en el mar Caspio, es el principal río de los numerosos que drenan la llanura rusa. La mayoría de éstos son navegables y, junto a una extensa red de canales, han constituido tradicionalmente una alternativa fundamental en las comunicaciones por tan vasto territorio.

Esta extensión territorial provoca un gran efecto de continentalidad, un debilitamiento de la influencia atlántica que explica la existencia de un riguroso clima continental en el centro y este de Rusia. Los inviernos son largos y crudos, y los veranos cortos pero cálidos, salvo en las zonas más septentrionales, donde las temperaturas son bajas todo el año.

Gran parte del territorio central de la Federación Rusa se halla ocupado por una llanura avenada por ríos largos y caudalosos, y cubierta por extensos bosques de coníferas.

La economía rusa, que durante el régimen soviético estuvo sometida a un control absoluto por parte del Estado, se ha visto inmersa en un proceso de privatización y adaptación a los mercados internacionales. La agricultura es uno de los sectores más afectados por este proceso de transición, a pesar de las inversiones para su modernización. En la industria la situación es semejante: los sucesivos planes quinquenales del antiguo régimen comunista situaron a la URSS entre las grandes potencias industriales. Sin embargo, mientras el complejo militar industrial se benefició de la prioridad en materia de inversiones, de contratación de personal cualificado y de abastecimiento de material, el de la fabricación civil y, sobre todo, el de bienes de consumo, se caracterizó por la falta de medios y una capacidad de renovación limitada. Ello provocó que la adaptación a las estructuras productivas de los mercados occidentales haya sido muy difícil, poniendo de manifiesto su baja productividad y su retraso tecnológico. La industria pesada, que es la que ha experimentado un mayor desarrollo, se ha visto tradicionalmente favorecida por la abundancia de minerales en el subsuelo ruso, básicamente de hierro y carbón.

Historia

La progresiva ampliación del enorme imperio ruso, desde la Edad Media hasta bien entrado el siglo XX, logró abarcar un territorio que alcanzaba hasta las costas del océano Pacífico. Sin embargo, la historia de Rusia dio un giro fundamental en 1917, cuando la revolución bolchevique acabó derribando la monarquía zarista. La victoria de la Unión Soviética sobre la

Alemania nazi en la Segunda Guerra Mundial hizo posible una última expansión territorial de este país, del que Rusia constituía su núcleo central. Tras el conflicto bélico, la URSS se consolidó como una gran potencia militar, ideológicamente enfrentada a los países occidentales, lo que abrió el período de la llamada guerra fría.

La disolución de la Unión Soviética, en 1991, supuso la recuperación del protagonismo histórico de Rusia: aunque había perdido su dominio sobre un gran imperio, a partir de entonces retornaba a su trayectoria como país independiente.

En 1993 se aprobó una nueva Constitución, que acababa definitivamente con la economía estatalizada y sentaba las bases de un Estado democrático. En 1994 tropas del ejército ruso penetraron en la república caucásica de Chechenia, iniciando un conflicto armado que sigue aún sin resolverse políticamente.

El río Don nace al sur de Moscú y desemboca en el mar de Azov, aguas abajo de Rostov del Don; es una notable arteria fluvial que se halla unida por un canal con el río Volga.

La expansión territorial rusa a partir del Gran Principado de Moscú

A resguardo de las rutas tradicionales de invasión y de las fuerzas que avasallaban Rusia en la Edad Media (suecos al norte, polacos y lituanos al occidente, tártaros y turcos al mediodía), los príncipes moscovitas se hicieron depositarios de una idea nacional y de un modelo de Estado unitario. Un elemento primordial sería la configuración de una Iglesia propia y sometida a los intereses de la monarquía. Iván III proporcionó los símbolos al intitularse zar de todas las Rusias y casarse con una princesa bizantina: de esta manera recogió la continuidad imperial de Bizancio y de una "tercera Roma" situada en Moscú. Los primeros miembros de la familia Romanov encontraron así abierto el camino de los montes Urales y Asia, destruida la Horda de Oro; su control de los cosacos de Ucrania, aunque dificultoso, les dio acceso a Polonia. La gran guerra del Norte aseguró a Pedro I la supremacía definitiva sobre ésta y Suecia. El gran objetivo de sus sucesores fue Turquía, destinada a ser engullida. Impedida la realización completa de ese sueño por las potencias europeas, Rusia halló sobradas compensaciones en Turkestán y Siberia.

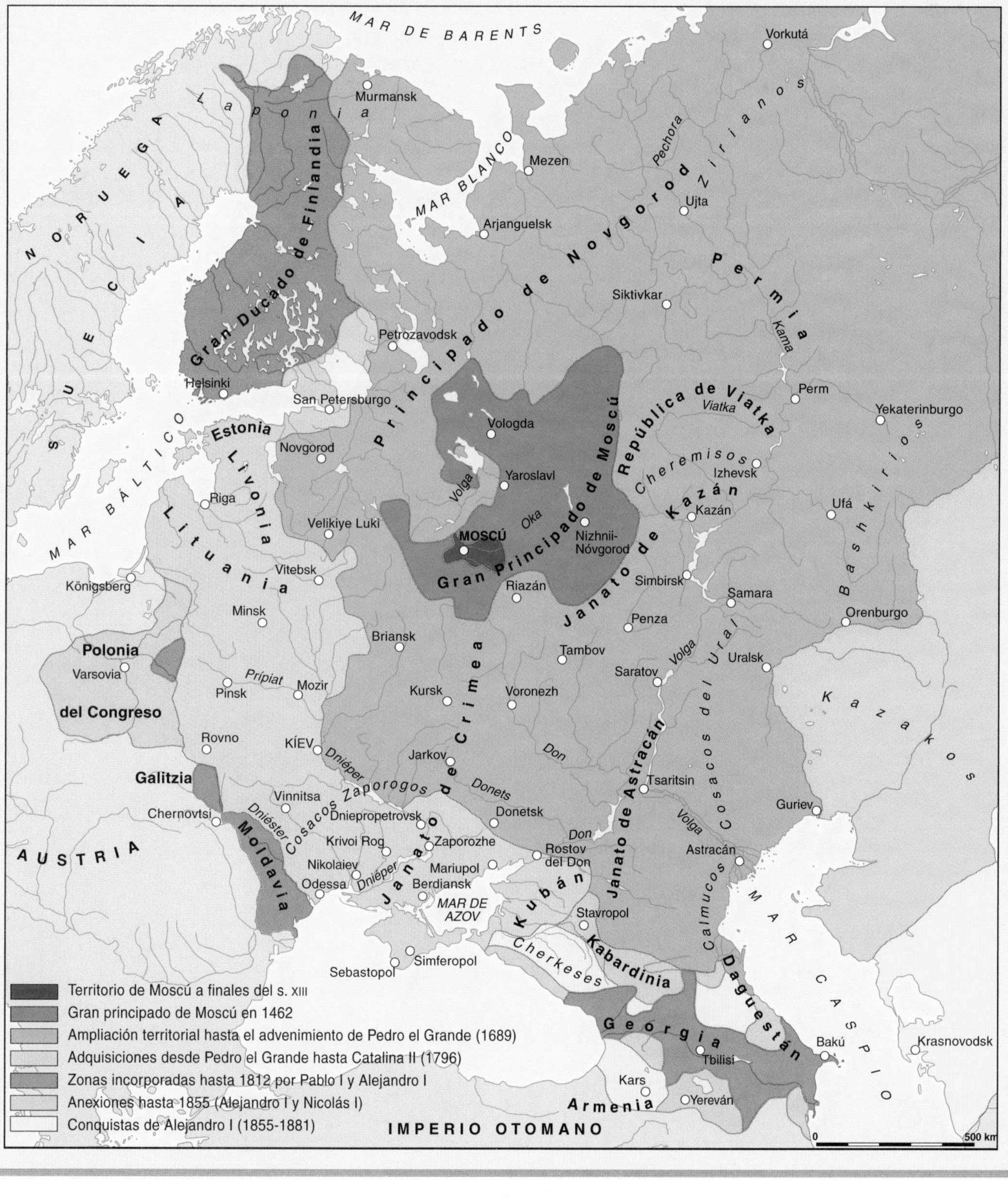

- Territorio de Moscú a finales del s. XIII
- Gran principado de Moscú en 1462
- Ampliación territorial hasta el advenimiento de Pedro el Grande (1689)
- Adquisiciones desde Pedro el Grande hasta Catalina II (1796)
- Zonas incorporadas hasta 1812 por Pablo I y Alejandro I
- Anexiones hasta 1855 (Alejandro I y Nicolás I)
- Conquistas de Alejandro I (1855-1881)

MAR DE BARENTS
Nueva Zembla
Mar de Kara
Golfo del Obi
Pen. de Yamal
Pai-Joi
Llanura de Siberia Occidental
Mar del Pechora
Bolshezemelskaia Tundra
Malozemelskaia Tundra
Montes Timan
Urales Polares
Urales Subpolares
Urales Septentrionales
Urales Centrales
Urales Meridionales
MONTES URALES
Uvales de Viatka
Uvales Septentrionales
Península de Kola
Mar Blanco
Meseta de Andoma
Valdai
Laponia
Carelia
FINLANDIA
NORUEGA
ESTONIA
LETONIA
RUSIA
Pen. de Kanin
Kolguiev
Vaigach
Lago Onega
L. Ladoga
G. de Finlandia
SAN PETERSBURGO
Murmansk
Arjanguelsk (Arkángel)
Vorkuta
PERM
YEKATERINBURGO
CHELIABINSK
UFA
KAZAN
NIZHNII NÓVGOROD
Vologda
Kotlas
Siktivkar
Pechora
Inta
Salejard
Viatka
Izhevsk
Yaroslavl
Kostromá
Ivanovo
Vladimir
Tver (Kalinin)
Novgorod
Pskov
Petrozavodsk
Severodvinsk
Oulu
Kuopio
Lahti
Tartu
Tiumen
Obi
Pechora
Kama
Volga
Mezen
Izhma

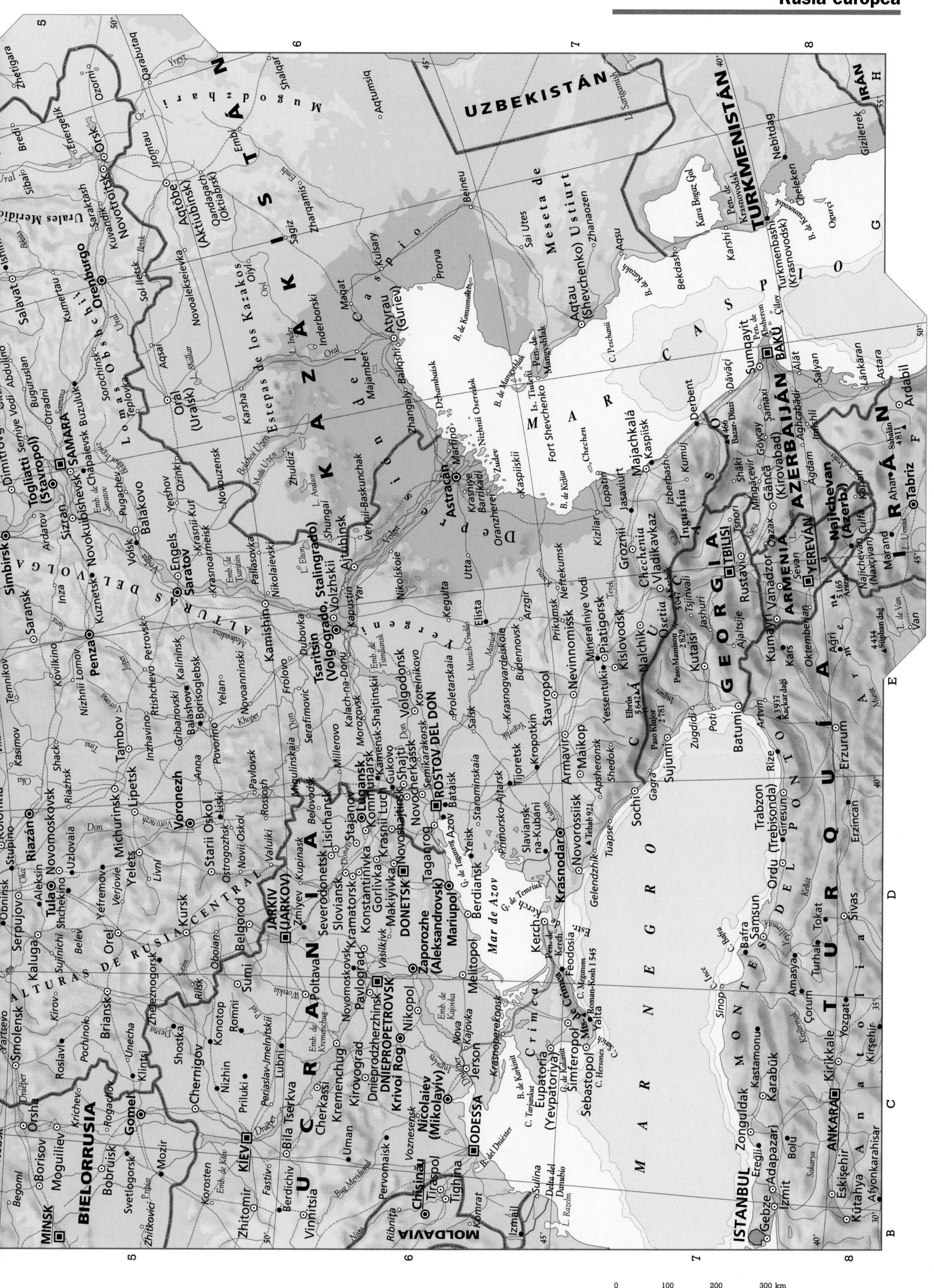
UZBEKISTÁN
TURKMENISTÁN
KAZAKISTÁN
BIELORRUSIA
UCRANIA
MOLDAVIA
GEORGIA
ARMENIA
AZERBAIJÁN
IRÁN
TURQUÍA
MAR NEGRO
MAR CASPIO
Mar de Azov
ALTURAS DEL VOLGA
ALTURAS DE RUSIA CENTRAL
MINSK
KÍEV
MOSCÚ
TBILISI
YEREVÁN
BAKÚ
ANKARA
ISTANBUL
Chisinău
ODESSA
ROSTOV DEL DON
DONETSK
DNIEPROPETROVSK
JARKIV (JARKOV)
Tsaritsin (Volgogrado, Stalingrado)
Astracán
SAMARA
Togliatti (Stavropol)
Saratov
Penza
Simbirsk
Orenburgo
Voronezh
Krasnodar
Sebastopol
Simferopol
Trabzon (Trebisonda)
Tabriz
0
100
200
300 km

Asia es el continente más extenso del planeta. En sus vastos dominios se desarrollaron civilizaciones milenarias como la japonesa, la china y la hindú. La Gran Muralla, cuya construcción se inició en el siglo II a.C., tuvo hasta 6 000 km de longitud y simboliza el poder de la cultura china que llegó a dominar un enorme sector de las tierras de Oriente.

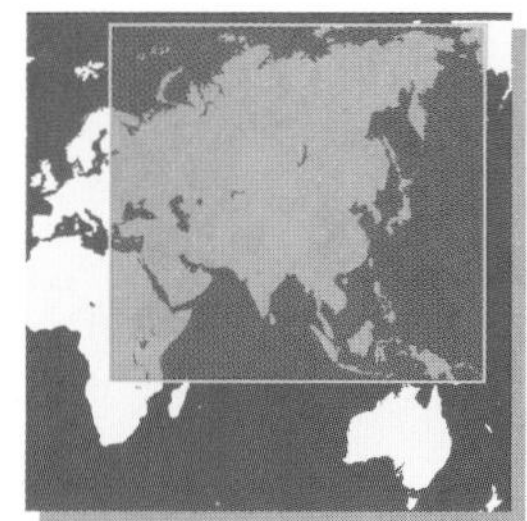

Asia

Asia es el continente más extenso de todos, con unos 44,5 millones de km^2, y ocupa una tercera parte de la superficie terrestre del planeta. Entre el cabo Cheliuskin, situado en el extremo septentrional de Siberia, y el cabo de Burn, la punta meridional de la península de Malaca, la diferencia latitudinal es de 77°, y la distancia que separa ambos puntos es de 8600 km; y de oeste a este, entre la punta del cabo de Baba, en Asia Menor, y el cabo Dézhnev, en la península de Chukchi, la diferencia es de más de 140° de longitud, y la distancia entre ambos puntos, de 9600 km.

Marco natural

El continente asiático está limitado al norte por el océano Glacial Ártico, al este por el Pacífico, al sur por el Índico y al oeste por el mar Rojo, el mar Mediterráneo, el mar Negro, el mar Caspio, el río Ural y los montes Urales, la cadena montañosa que convencionalmente separa las tierras asiáticas de Europa –con la que forma una única masa continental denominada Eurasia–. Asia se halla separada de África, al oeste, tan sólo por un canal artificial, el canal de Suez, y de América del Norte, al nordeste, por el estrecho de Bering. También forma parte de Asia el cinturón de islas que la bordean por el este y sudeste, algunas de las cuales son una prolongación de las cadenas montañosas continentales, como las islas Kuriles, el archipiélago japonés, Taiwan –la antigua Formosa– y los grupos insulares de las Filipinas e Insulindia.

Con una altitud media de 960 m sobre el nivel del mar, Asia es el más elevado de todos los continentes (a excepción de las tierras antárticas). La mayor parte del territorio asiático es de carácter montañoso y su paisaje comprende impresionantes sistemas orográficos, con los picos más altos de la Tierra. El Himalaya es la cordillera más elevada, con varios picos por encima de los 8000 m –entre ellos el techo del mundo, el Everest (8848 m)–. Y en el extremo opuesto, Asia también es el continente que cuenta con las depresiones más profundas: al noroeste de la península Arábiga se sitúa el punto más bajo de la Tierra, en el mar Muerto (–395 m), mientras que a lo largo de la costa oriental asiática y al este de las islas Kuriles, Japón y las Filipinas, se localizan las mayores profundidades marinas, a más de 10000 m de profundidad.

Asia en cifras

Superficie: 44,5 millones de km^2
Límites: al N la Tierra del Norte (81° lat. N), al S la isla de Roti (11° lat. S), al E el cabo Dézhnev (169° 40' long. E) y al O el cabo de Baba (26° 5' long. E)
Altitud media: 960 m s.n.m
Punto más alto: Everest (China-Nepal), 8848 m
Punto más bajo: mar Muerto (Israel-Jordania), –395 m
Meseta más vasta: Tíbet (1 200 000 km^2)
Mayor península: península Arábiga (2730000 km^2)
Golfo más extenso: golfo de Bengala (2172000 km^2)
Longitud de las costas: 69900 km
País más grande: Rusia (12836900 km^2; parte asiática)
País más poblado: China (1242612226 h.)

El hecho más sobresaliente del relieve asiático lo constituye la oposición entre inmensas superficies llanas y cadenas de elevadas montañas, que se hallan dispuestas unas veces paralelas y otras se ramifican en direcciones divergentes. Los bloques antiguos constituyen, al sudoeste, la península Arábiga, y al sur, la península del Indostán, además del subsuelo de las llanuras siberianas y de Manchuria, en los sectores septentrional y centro-oriental del continente; estas tierras llanas se encuentran accidentadas por algunos murallones o escarpes rectilíneos, como los de Arabia, Decán, Sinkiang, Mongolia, China del Norte y China del Nordeste.

Desde el nudo del Pamir se distribuyen en forma radial una serie de cordones orográficos de edad terciaria (Himalaya, Karakorum, Hindu Kush, Elburz, Zagros, Cáucaso): hacia el oeste, hasta llegar a Turquía (Taurus), y hacia el este, abrazando la imponente meseta del Tíbet –el altiplano más extenso del mundo–, a 4000-5000 m de altitud media. En el este de Asia, las montañas toman una dirección meridional y posteriormente se abren en gigantescos arcos volcánicos, que fragmentan el continente en el borde mismo de las grandes fosas submarinas (arcos de Insulindia, Filipinas, Japón, Kuriles). Tanto Asia occidental como Asia central se caracterizan por la presencia de penillanuras y elevadas mesetas, en gran parte con circulación hídrica endorreica y rodeadas por vastos conjuntos de montañas periféricas. Sólo la cordillera del Cáucaso se halla desgajada de este conjunto tan compacto.

En el Himalaya, entre China (Tíbet) y Nepal, se levanta el Everest (8 848 m de alt.), la montaña más alta del planeta, llamada la "diosa madre del mundo" (Yomolungma) *por los tibetanos.*

Ríos y lagos

Por otra parte, la mayoría de las llanuras asiáticas son el producto de la sedimentación fluvial; un claro ejemplo de ellas son: la fértil región de Mesopotamia, entre los ríos Tigris y Éufrates, en Irak; los valles del Indo y del Ganges, en Pakistán y la India; los del Irawadi y el Mekong, en la península de Indochina; los del Chang Jiang o Yang Tsé –el tercer río más largo del mundo, por detrás del Nilo y el Amazonas– y el Huang He, en China. Todos estos ríos, tributarios del Índico –los cinco primeros– y del Pacífico –el resto–, desempeñaron un papel trascendental en el desarrollo de las grandes civilizaciones antiguas y, en la actualidad, sus riberas constituyen hervideros humanos donde se practica el cultivo intensivo, especialmente de arroz. Finalmente, los ríos siberianos (Obi, Yeniséi y Lena), tributarios del océano Glacial Ártico, se caracterizan por la longitud de sus cursos y por permanecer helados durante buena parte del año.

Las fértiles márgenes de los grandes ríos asiáticos son las zonas donde se han desarrollado las principales civilizaciones; el Gran Canal (1 782 km) une Pekín y Hangzhou (China).

Asia cuenta asimismo –aunque compartido con Europa– con el mayor lago del mundo, el mar Caspio (371 000 km²), situado al sur de los montes Urales, entre Asia central y Asia sudoccidental, y también con el lago más profundo del orbe, el Baikal (1620 m), en Siberia meridional. Otras cuencas lacustres destacadas son: las del mar de Aral –un claro ejemplo de cómo la acción humana puede llegar a destruir un ecosistema– y los lagos Balqash (o Baljash) e Isyk-Kol (Issyk-Kul), en Asia central, los lagos chinos de Poyang y Qinghai, y el de Van, en Turquía.

Costas e islas

Las costas septentrionales de Asia, bañadas por el Ártico, son en general bajas y se hallan poco accidentadas; sus principales accidentes geográficos son las penínsulas de Yamal y Taimir. Al este, en las recortadas costas del Pacífico, cabe destacar las penínsulas de Chukchi y de Kamchatka y el golfo de Anadir, en el extremo nororiental del continente; la península de Corea, en el tramo central del litoral pacífico; y las penínsulas de Indochina y Malaca, y los golfos de Tonkín y de Thailandia, en el sector meridional. Por su parte, las costas del Índico, al sur, se hallan dominadas por los salientes de la península del Indostán, que delimita al este el golfo de Bengala y al oeste el mar Arábigo, y la península Arábiga –la mayor del mundo–, que se halla rodeada del mar Rojo y los golfos de Adén, Omán y Pérsico. En el extremo occidental, la península del Sinaí es fronteriza con África y, más al norte, la península de Anatolia (Asia Menor) está separada de las costas europeas por el estrecho de los Dardanelos, el mar de Mármara y el estrecho del Bósforo, que comunican el mar Mediterráneo con el mar Negro.

Esta enorme masa continental está bordeada por grandes islas y archipiélagos. En el Pacífico, y de norte a sur, se esparcen las islas Kuriles, Sajalin, el archipiélago japonés, Taiwan (antigua Formosa), Hainan, las islas Filipinas, Borneo, Célebes, las islas Molucas y las islas de la Sonda; los accidentes del litoral y algunas de estas islas delimitan una serie de mares: Bering, Ojotsk, Japón, Amarillo, China Oriental, China Meridional, Célebes, Banda, Java, Flores, Arafura, Timor, etc. En el Índico destacan la isla de Sri Lanka (antigua Ceilán) y los grupos de Andamán, Nicobar, Laquedivas y Maldivas.

Uno de los rasgos diferenciales de Asia respecto al resto de continentes –salvo Oceanía– es la gran presencia de las formaciones insulares: Japón, Indonesia, Filipinas (en la imagen), etc.

Clima y vegetación

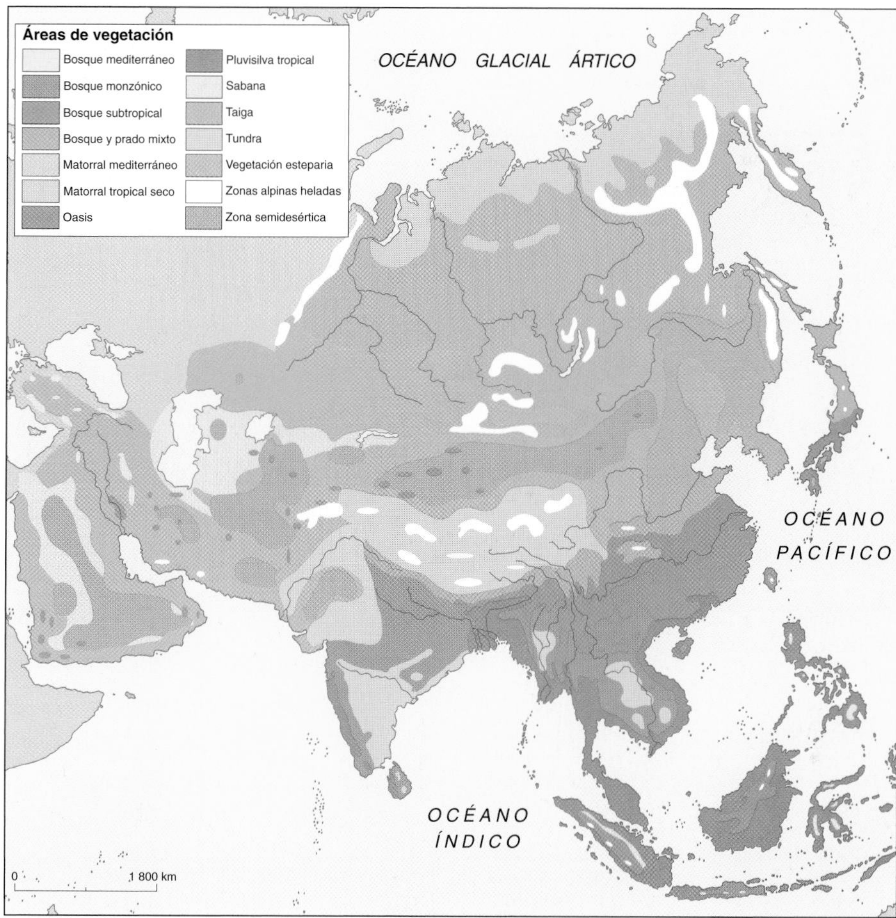

La extensión en latitud de Asia explica su diversidad climática. El continente alberga diversos tipos de formaciones vegetales, si bien con predominio de las de tipo arbustivo y herbáceo.

La inmensa extensión latitudinal del continente, las características regionales de la circulación atmosférica y los contrastes del relieve condicionan una gran variedad climática. Desde los climas continentales fríos –que constituyen la peculiaridad climática más notable, con importantes variaciones térmicas diarias y anuales (entre 30 y 60 °C) en la zona central– hasta los cálidos y húmedos al sur y sudeste –donde los vientos monzónicos son responsables de abundantes precipitaciones estivales– una amplia muestra de regímenes climatológicos y microclimas específicos se suceden a lo largo y ancho del continente; a pesar de esta diversidad, determinados fenómenos climáticos, como el monzón, dan unidad a una vasta zona del territorio. En efecto, la existencia de los monzones, fruto de la gran masa continental asiática, determina en cierto modo la geografía del clima asiático. De noviembre a febrero, masas de aire frío y seco procedentes del norte (anticiclón siberiano) se dirigen hacia el sudoeste, dando origen al monzón de invierno. Posteriormente, este anticiclón se desplaza lentamente hacia el norte y, entonces, las masas de aire caliente procedentes de las regiones tropicales y del hemisferio sur se dirigen hacia el nordeste, cargándose de humedad sobre los mares, lo que da lugar al monzón de verano.

La combinación de fenómenos climáticos singulares está en el origen de las distintas zonas climáticas. En Asia central y occidental septentrional (Siberia occidental) se hallan los climas frío continental y árido; en el borde sudoccidental aparece un clima sin invierno, o con invierno benigno, y en el extremo nordeste (Siberia oriental), los inviernos duros. En estos sectores existen grandes áreas desérticas (frías), como los desiertos de Gobi (Mongolia) y Takla Makan (China). El sur y sudeste pertenecen al área de influencia de los monzones, que abarcan la India, Indochina, Malaysia, China y la parte más meridional de Japón. Aunque el norte de China, Corea y el sector septentrional de Japón presentan rasgos climáticos fríos, finalmente, Asia sudoccidental se encuentra esencialmente dominada por características típicas del clima mediterráneo, subtropical con lluvias de invierno y amplias zonas de degradación árida de tipo desértico (Rub Al Jali, en el sur de la península Arábiga), pero de grandes contrastes térmicos.

La vegetación está en estrecha relación con las áreas climáticas; espesas junglas cubren las islas de Indonesia y Malaysia, así como las costas de Indochina e Indostán. La planicie siberiana es el reino de la taiga, bosque templado frío de coníferas, mientras que en las costas árticas domina la inhóspita tundra de musgos, líquenes y arbustos enanos. Al sur de la taiga, en el corazón del continente asiático, se encuentran grandes extensiones de estepas, recorridas desde la Antigüedad por pueblos de pastores nómadas. Las altitudes de la meseta tibetana reproducen las condiciones extremas del norte siberiano, es decir, la tundra o la ausencia de vegetación. La península Arábiga presenta el típico paisaje del desierto, con extensas áreas pedregosas y de arena, salpicadas por verdes oasis.

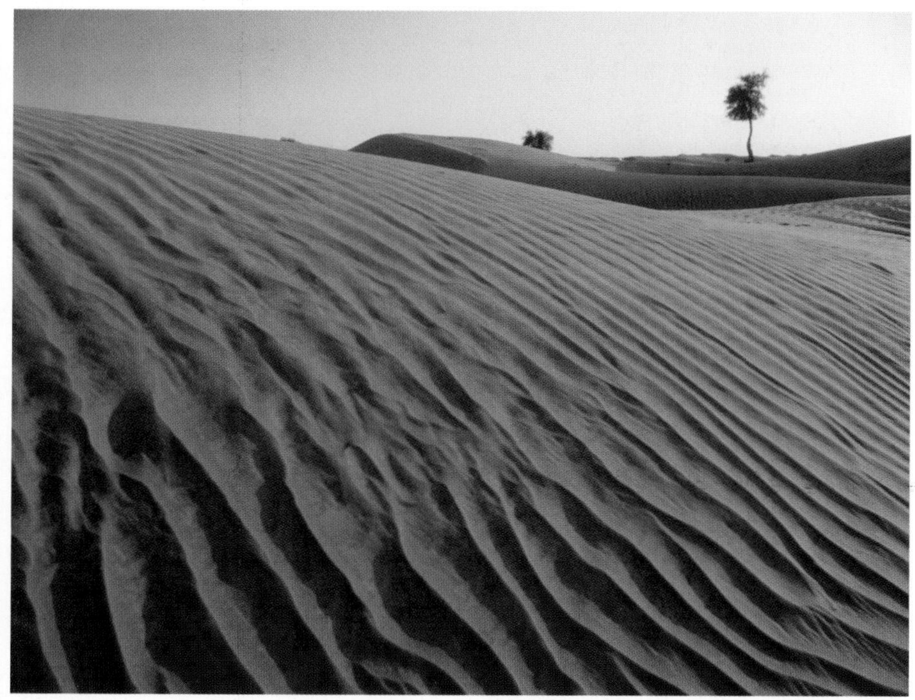

Situado en el sur de Arabia, el Rub Al Jali es el desierto cálido más extenso de Asia, con 650 000 km². Su nombre, que significa "cuarto vacío", deriva de su forma en media luna.

Principales elementos del relieve

A la derecha de la imagen, el Lhotse I, cima vecina del Everest, a 8 501 m de altitud.

Borneo es una enorme isla repartida entre tres países: Indonesia, Malaysia y Brunei.

El Chang Jiang o Yang Tsé (río Azul) es el curso fluvial más largo del continente.

Mares

Mar	Superficie	Profundidad máx.
Arábigo	3 683 000 km²	5 800 m
China Meridional	3 447 000 km²	5 560 m
Bering	2 270 000 km²	4 191 m
Ojotsk	1 580 000 km²	3 372 m
Japón	978 000 km²	4 230 m
Kara	883 000 km²	620 m
China Oriental	752 000 km²	2 720 m
Banda	695 000 km²	7 440 m
Timor	615 000 km²	3 310 m
Andamán	602 000 km²	4 180 m

Islas

Isla	País	Superficie
Borneo	Bru.-Indonesia-Malaysia	736 000 km²
Sumatra	Indonesia	420 000 km²
Honshu	Japón	227 414 km²
Célebes (Sulawesi)	Indonesia	172 000 km²
Java	Indonesia	125 900 km²
Luzón	Filipinas	104 687 km²
Mindanao	Filipinas	94 630 km²
Hokkaido	Japón	78 073 km²
Sajalin	Rusia	76 400 km²
Sri Lanka (Ceilán)	Sri Lanka	65 600 km²
Kyushu	Japón	42 163 km²
Taiwan (Formosa)	Taiwan	36 188 km²
Timor	Indonesia-Timor Oriental	33 986 km²
Shikoku	Japón	18 803 km²
Samar	Filipinas	13 080 km²

Montañas

Cima	País	Altitud
Everest	China-Nepal	8 848 m
K2	China-Pakistán	8 611 m
Kanchenjunga	India-Nepal	8 586 m
Lhotse I	China-Nepal	8 501 m
Makalu I	China-Nepal	8 481 m
Lhotse II	China-Nepal	8 400 m
Dhaulagiri	Nepal	8 172 m
Manaslu	Nepal	8 156 m
Cho Oyu	China-Nepal	8 153 m
Nanga Parbat	China-Pakistán	8 126 m
Annapurna I	Nepal	8 091 m
Gasherbrum	Pakistán	8 068 m
Gosainthan	China	8 047 m
Broad Peak	Pakistán	8 046 m

Volcanes activos

Volcán	País	Altitud
Kliuchevskaia Sopka	Rusia	4 750 m
Kerinci	Indonesia	3 800 m
Rindjani	Indonesia	3 726 m
Semeru	Indonesia	3 676 m
Slamet	Indonesia	3 418 m
Raung	Indonesia	3 332 m
Agung	Indonesia	3 142 m
On Take	Japón	3 054 m
Merapi	Indonesia	2 911 m

Desiertos

Desierto	País	Superficie
Gobi	China-Mongolia	1 096 000 km²
Rub Al Jali	Arabia Saudita	650 000 km²
Sirio	Arabia S.-Jordania-Siria	520 000 km²
Thar	India-Pakistán	453 000 km²
Kara-Kum	Turkmenistán	350 000 km²
Takla Makan	China	270 000 km²

Ríos

Río	Longitud	Cuenca
Chang Jiang (Yang Tsé)	5 800 km	1 826 715 km²
Obi-Irtish	5 410 km	2 975 000 km²
Huang He	4 845 km	771 000 km²
Mekong	4 500 km	810 000 km²
Amur	4 416 km	1 855 000 km²
Lena	4 400 km	2 490 000 km²
Yeniséi	4 092 km	2 580 000 km²
Obi-Katun	4 070 km	–
Indo	3 180 km	1 165 500 km²
Sir-Dariá	2 991 km	219 000 km²
Brahmaputra	2 900 km	1 125 000 km²
Éufrates	2 760 km	765 000 km²

Lagos

Lago	País	Superficie
Mar Caspio	Asia-Europa	371 000 km²
Mar de Aral	Kazakistán-Uzbekistán	41 000 km²
Baikal	Rusia	31 500 km²
Balqash (Baljash)	Kazakistán	18 200 km²
Isyk-Kol (Issyk-Kul)	Kirguisistán	6 280 km²
Urmia	Irán	5 800 km²

Reservas de la Biosfera

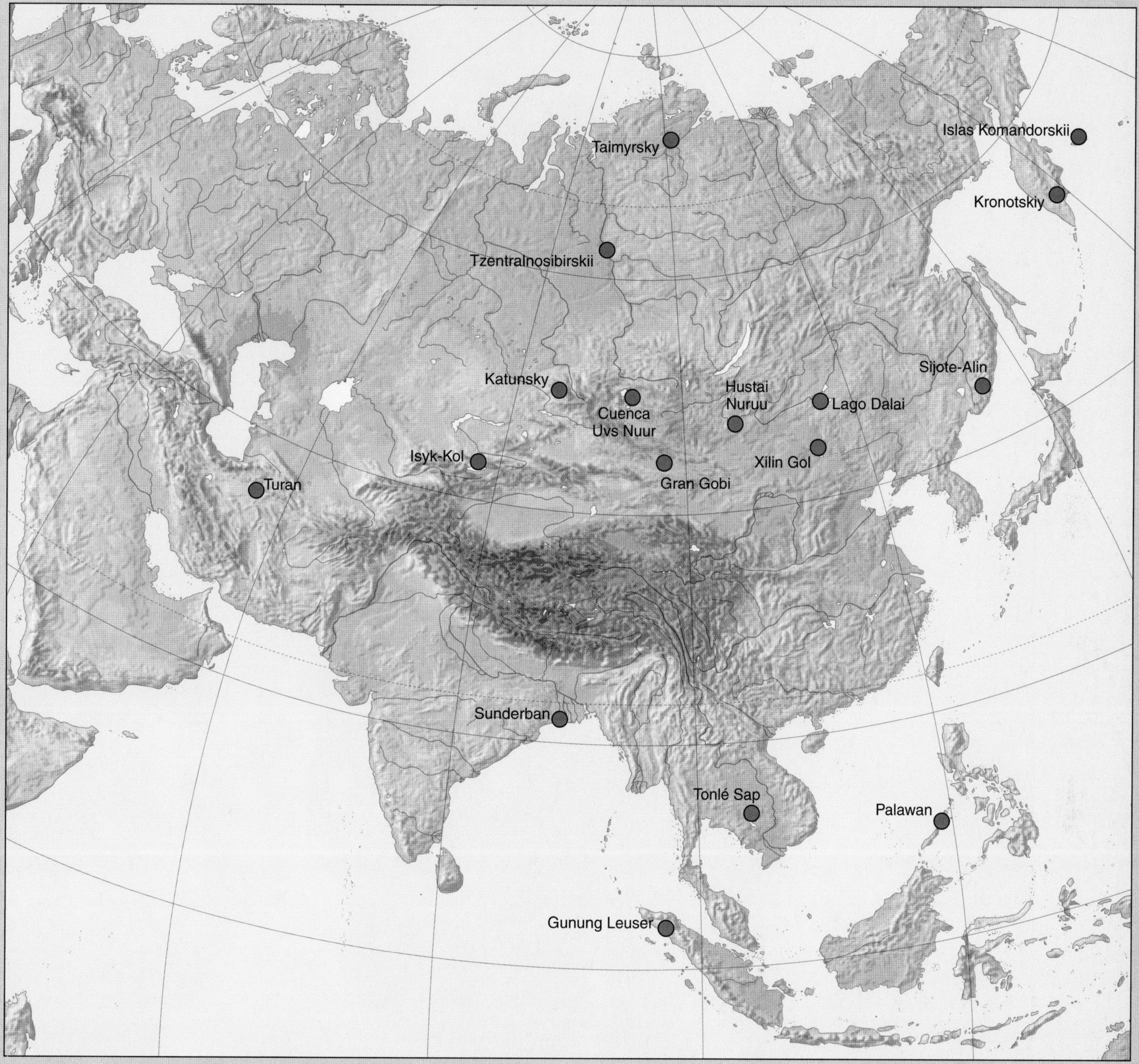

Islas Komandorskii
Taimyrsky
Kronotskiy
Tzentralnosibirskii
Sijote-Alin
Katunsky
Hustai Nuruu
Lago Dalai
Cuenca Uvs Nuur
Xilin Gol
Isyk-Kol
Gran Gobi
Turan
Sunderban
Tonlé Sap
Palawan
Gunung Leuser

Vista del sector mongol del desierto de Gobi, el más extenso de Asia, repartido entre las repúblicas de Mongolia y China.

Principales reservas

Reserva de la Biosfera	País (año declaración)	Superficie (ha)
Gran Gobi	Mongolia (1990)	5 300 000
Tzentralnosibirskii	Rusia (1986)	5 288 849
Sijote-Alin	Rusia (1978)	4 469 088
Isyk-Kol (Issyk-Kul)	Kirguisistán (2001)	4 311 588
Islas Komandorskii	Rusia (2002)	3 648 679
Taimyrsky	Rusia (1995)	2 750 291
Tonlé Sap	Camboya (1997)	1 481 257
Turan	Irán (1976)	1 470 640
Palawan	Filipinas (1990)	1 150 800
Kronotskiy	Rusia (1984)	1 142 134
Xilin Gol	China (1987)	1 077 450
Sunderban	India (2001)	963 000
Gunung Leuser	Indonesia (1981)	792 675
Hustai Nuruu	Mongolia (2002)	778 000
Cuenca Uvs Nuur	Mongolia (1997)	771 700
Lago Dalai	China (2002)	740 000
Katunsky	Rusia (2000)	695 262

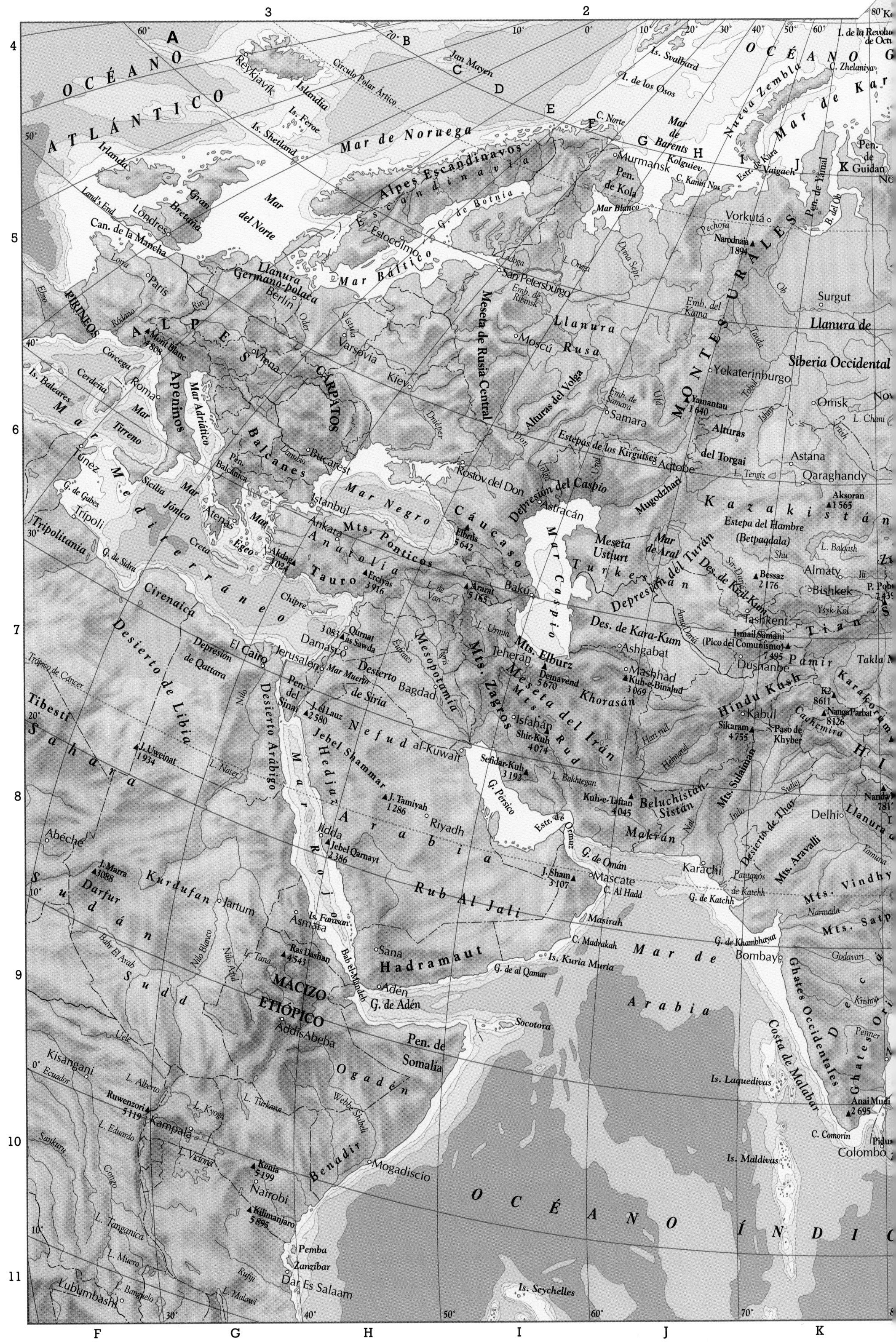
OCÉANO ATLÁNTICO
Reykjavik
Islandia
Círculo Polar Ártico
Jan Mayen
Is. Feroe
Is. Shetland
Mar de Noruega
Irlanda
Gran Bretaña
Mar del Norte
Londres
Can. de la Mancha
París
Alpes Escandinavos
Escandinavia
Estocolmo
G. de Botnia
Mar Báltico
Llanura Germano-polaca
Berlín
Varsovia
PIRINEOS
ALPES
Mont Blanc 4808
Córcega
Cerdeña
Is. Baleares
Roma
Apeninos
Mar Adriático
Viena
CÁRPATOS
Kíev
Mar Tirreno
Mar Mediterráneo
Túnez
Sicilia
Mar Jónico
Balcanes
Pen. Balcánica
Bucarest
Atenas
Mar Egeo
Creta
Mar Negro
Istanbul
Ankara
Mts. Ponticos
Anatolia
Tauro
Akdag 3024
Erciyas 3916
Chipre
Trípoli
Tripolitania
G. de Sidra
Cirenaica
Desierto de Libia
Depresión de Qattara
El Cairo
Jerusalem
Damasco
Mar Muerto
Qurnat as Sawda 3083
Is. Svalbard
I. de los Osos
Mar de Barents
C. Norte
Murmansk
Kolguiev
C. Kanin Nos
Pen. de Kola
Mar Blanco
Nueva Zembla
OCÉANO
Mar de Kara
Estr. de Kara
Vaigach
Pen. de Yamal
Vorkutá
Narodnaia 1894
MONTES URALES
San Petersburgo
L. Onega
Emb. de Ribinsk
Meseta de Rusia Central
Llanura Rusa
Moscú
Alturas del Volga
Emb. de Samara
Samara
Yekaterinburgo
Yamantau 1640
Alturas del Torgai
Estepas de los Kirguises
Aqtobe
Rostov del Don
Depresión del Caspio
Astracán
Cáucaso
Elbrús 5642
Ararat 5165
Bakú
Mar Caspio
Mugodzhari
Meseta Ustiurt
Mar de Aral
Turkestán
Depresión del Turán
Des. de Kizil-Kum
Des. de Kara-Kum
Ashgabat
Mts. Elburz
Teherán
Demavend 5670
Mashhad
Kuh-e-Binalud 3069
Khorasán
Meseta del Irán
Mts. Zagros
Mesopotamia
Bagdad
Desierto de Siria
Isfahán
Shir-Kuh 4074
Surgut
Llanura de Siberia Occidental
Omsk
Astana
Qaraghandy
Kazakistán
Aksoran 1565
Estepa del Hambre (Betpaqdala)
L. Balqash
Bessaz 2176
Almaty
Bishkek
Tashkent
Ismail Samani (Pico del Comunismo) 7495
Dushanbe
Pamir
Hindu Kush
Kabul
Sikaram 4755
Paso de Khyber
K2 8611
Nanga Parbat 8126
Cachemira
Karakorum
Pen. del Sinaí
J. el Lauz 2580
Nefud
al-Kuwait
Jebel Shammar
Hedjaz
Desierto Arábigo
Mar Rojo
J. Tamiyah 1286
Riyadh
Arabia
Jidda
Jebel Qarnayt 2386
Sefidar-Kuh 3192
G. Pérsico
Estr. de Ormuz
Kuh-e-Taftan 4045
Beluchistán
Sistán
Makrán
Mts. Sulaiman
Delhi
Desierto de Thar
Mts. Aravalli
Karachi
G. de Omán
Mascate
C. Al Hadd
J. Sham 3107
Rub Al Jali
Masirah
G. de Katchh
G. de Khambhayat
Bombay
Tibesti
Sahara
J. Uweinat 1934
L. Naser
Abéche
J. Marra 3088
Darfur
Sudán
Kurdufan
Jartum
Sudd
Is. Farasan
Asmara
Ras Dashan 4543
L. Tana
MACIZO ETIÓPICO
Addis Abeba
Sana
Hadramaut
Adén
G. de Adén
Bab el-Mandeb
C. Madrakah
Is. Kuria Muria
Mar de Arabia
Socotora
Pen. de Somalia
Ogadén
Kisangani
L. Alberto
Ruwenzori 5119
Kampala
L. Kyoga
L. Turkana
L. Victoria
L. Eduardo
Kenia 5199
Nairobi
Kilimanjaro 5895
Benadir
Mogadiscio
L. Tanganica
L. Muero
L. Bangüelo
Lubumbashi
L. Malawi
Pemba
Zanzíbar
Dar Es Salaam
Is. Seychelles
OCÉANO ÍNDICO
Is. Laquedivas
Costa de Malabar
Ghates Occidentales
Is. Maldivas
C. Comorin
Colombo
Anai Mudi 2695
Mts. Vindhya
Mts. Satpura
Tropico de Cáncer

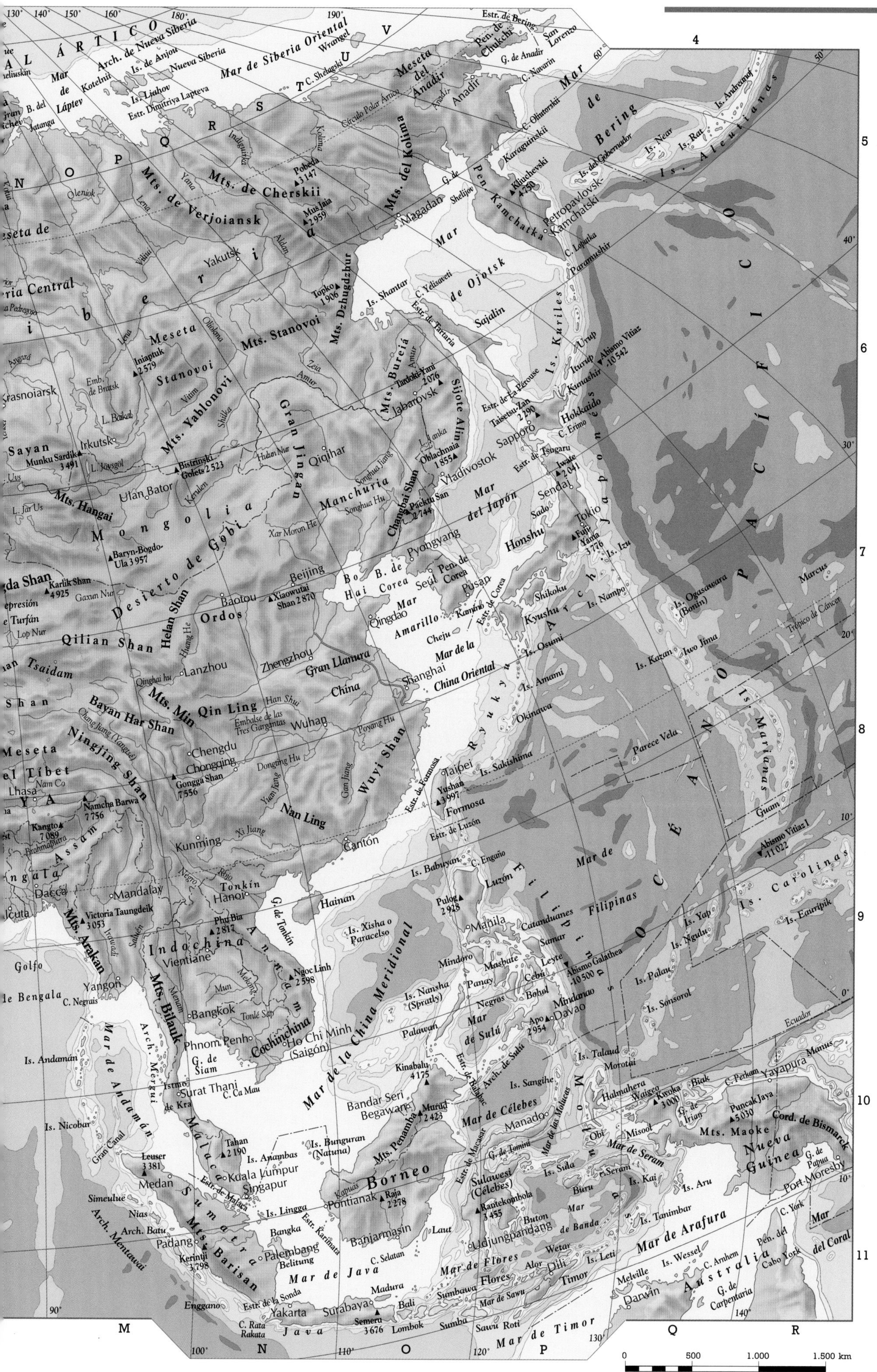
Mar de Siberia Oriental
Arch. de Nueva Siberia
Mar de Láptev
Estr. de Bering
Pen. de Chukchi
Mar de Bering
Meseta del Anadir
G. de Anadir
Mts. de Cherskii
Mts. de Verjoiansk
Mts. del Kolima
Pen. Kamchatka
Is. Aleutianas
Magadan
Petropavlovsk-Kamchatski
Mar de Ojotsk
Yakutsk
Mts. Stanovoi
Mts. Dzhugdzhur
Sajalin
Is. Kuriles
Meseta Stanovoi
Mts. Yablonovi
Gran Jingan
Mts. Bureiá
Sijote Alin
Jabarovsk
Irkutsk
L. Baikal
Sayan
Ulan Bator
Mts. Hangai
Mongolia
Desierto de Gobi
Manchuria
Qiqihar
Vladivostok
Sapporo
Hokkaido
Mar del Japón
Honshu
Sendai
Tokio
Fuji Yama 3776
Pyongyang
Seúl
Pen. de Corea
Pusan
B. de Corea
Bo Hai
Beijing
Baotou
Ordos
Helan Shan
Qilian Shan
Lanzhou
Mar Amarillo
Qingdao
Shikoku
Kyushu
Gran Llanura China
Zhengzhou
Shanghai
Mar de la China Oriental
Is. Ryukyu
Okinawa
Qin Ling
Mts. Min
Bayan Har Shan
Wuhan
Chengdu
Chongqing
Meseta del Tíbet
Lhasa
Wuyi Shan
Taibei
Formosa
Yushan 3997
Nan Ling
Kunming
Cantón
Hanoi
Tonkín
Mandalay
Hainan
G. de Tonkín
Indochina
Vientiane
Mts. Arakan
Yangón
Golfo de Bengala
Bangkok
Cochinchina
Phnom Penh
Ho Chi Minh (Saigón)
G. de Siam
Mar de Andamán
Is. Andamán
Is. Nicobar
Mar de la China Meridional
Is. Xisha o Paracelso
Is. Nansha (Spratly)
Luzón
Manila
Mar de Filipinas
Mindanao
Davao
Palawan
Mar de Sulú
Kinabalu 4175
Bandar Seri Begawan
Mar de Célebes
Borneo
Kuala Lumpur
Singapur
Sumatra
Medan
Padang
Palembang
Pontianak
Banjarmasin
Sulawesi (Célebes)
Ujung Pandang
Mar de Java
Java
Yakarta
Surabaya
Bali
Lombok
Sumbawa
Flores
Mar de Flores
Mar de Banda
Timor
Dili
Mar de Timor
Mar de Arafura
Nueva Guinea
Port Moresby
Mts. Maoke
Puncak Jaya 5030
Cord. de Bismarck
Mar del Coral
Australia
Darwin
G. de Carpentaria
Pen. del Cabo York
Is. Marianas
Guam
Abismo Vitiaz I 11 022
Is. Carolinas
Is. Ogasawara (Bonin)
Iwo Jima
Is. Marcus
Trópico de Cáncer
Ecuador
OCÉANO PACÍFICO
0 500 1.000 1.500 km

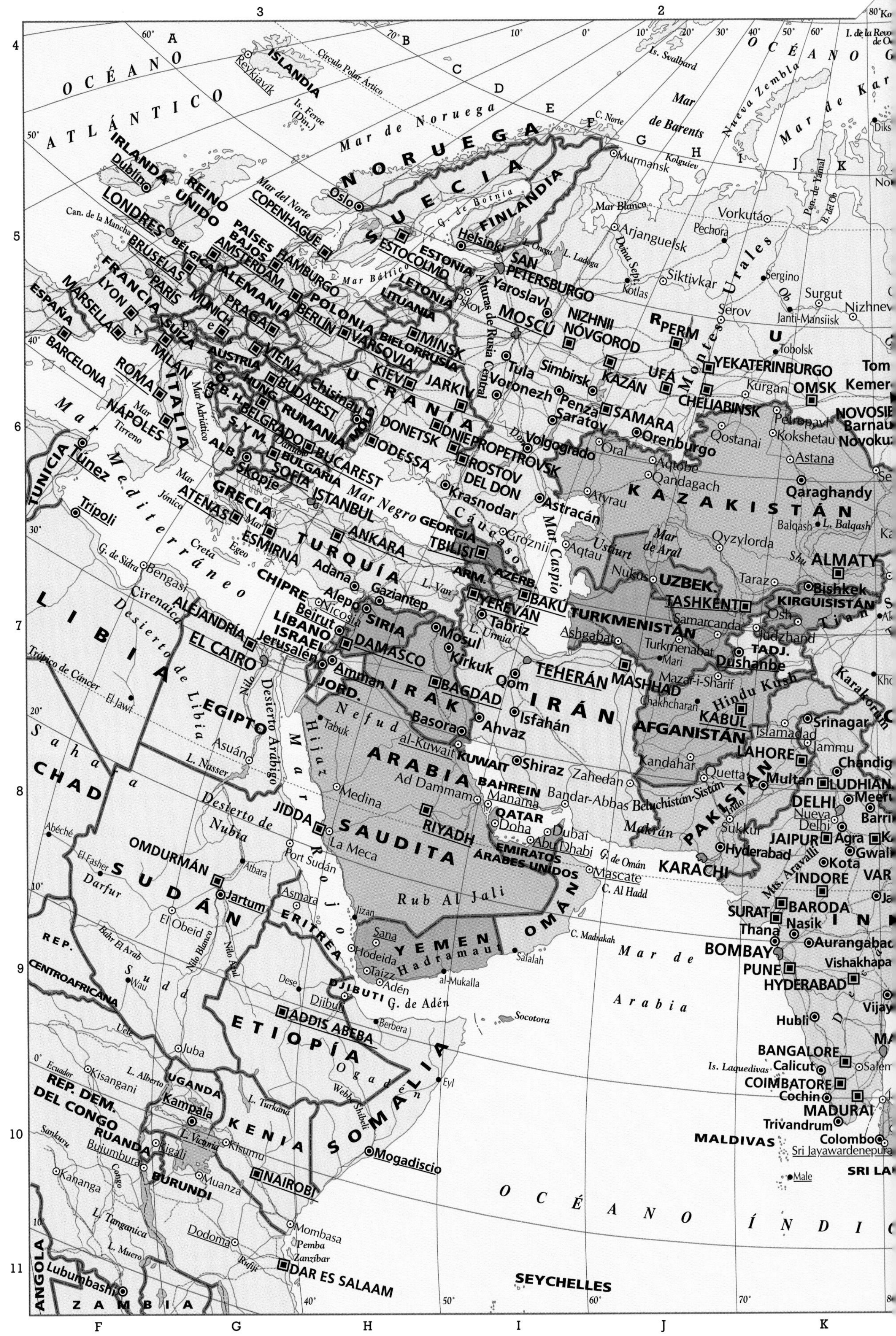

OCÉANO ATLÁNTICO
ISLANDIA
Reykiavik
Círculo Polar Ártico
Is. Feroe (Din.)
Mar de Noruega
NORUEGA
Oslo
SUECIA
ESTOCOLMO
FINLANDIA
Helsinki
G. de Botnia
Is. Svalbard
C. Norte
Mar de Barents
Nueva Zembla
OCÉANO
Mar de Kara
Murmansk
Kolguiev
Mar Blanco
Arjanguelsk
Vorkutá
Pechora
Pen. de Yamal
B. del Ob
IRLANDA
Dublín
REINO UNIDO
LONDRES
Can. de la Mancha
Mar del Norte
COPENHAGUE
PAÍSES BAJOS
AMSTERDAM
BÉLGICA
BRUSELAS
HAMBURGO
ALEMANIA
BERLÍN
Mar Báltico
ESTONIA
LETONIA
LITUANIA
SAN PETERSBURGO
L. Ladoga
Onega
Dvina Sept.
Kotlas
Siktivkar
Montes Urales
Sergino
Surgut
Janti-Mansiisk
Nizhnev
FRANCIA
PARÍS
LYON
MARSELLA
ESPAÑA
BARCELONA
SUIZA
MÚNICH
PRAGA
POLONIA
VARSOVIA
BIELORRUSIA
MINSK
Pskov
Yaroslavl
MOSCÚ
NIZHNII NÓVGOROD
PERM
Serov
Ob
Tobolsk
YEKATERINBURGO
Tom
Kemer
AUSTRIA
VIENA
MILÁN
ITALIA
ROMA
NÁPOLES
Mar Tirreno
Mar Adriático
HUNG.
BUDAPEST
ESLOV.
CRO.
B.H.
Chisinau
UCRANIA
KIEV
JARKIV
Alturas de Rusia Central
Tula
Voronezh
Simbirsk
KAZÁN
UFÁ
Penza
SAMARA
Saratov
Kurgan
OMSK
CHELIABINSK
Petropavl
Kokshetau
NOVOSIB
Barnau
Novokuz
TÚNEZ
Túnez
Mar Mediterráneo
RUMANIA
BELGRADO
S.Y.M.
ALB.
Skopje
SOFÍA
BULGARIA
BUCAREST
ODESSA
DONETSK
DNIEPROPETROVSK
ROSTOV DEL DON
Volgogrado
Orenburgo
Oral
Qostanai
Astana
Aqtobe
Qandagach
Qaraghandy
Trípoli
Mar Jónico
GRECIA
ATENAS
ISTANBUL
Mar Negro
Krasnodar
Astracán
Atyrau
KAZAKISTÁN
Balqash
L. Balqash
Creta
Mar Egeo
ESMIRNA
TURQUÍA
ANKARA
GEORGIA
Cáucaso
Grozni
Mar Caspio
Aqtau
Ustiurt
Mar de Aral
Qyzylorda
G. de Sidra
Bengasi
Cirenaica
Adana
TBILISI
ARM.
AZERB.
Nukus
UZBEK.
Taraz
ALMATY
CHIPRE
Nicosia
Alepo
Gaziantep
L. Van
YEREVÁN
BAKÚ
TURKMENISTÁN
TASHKENT
Bishkek
KIRGUISISTÁN
LIBIA
Desierto de Libia
ALEJANDRÍA
Beirut
LÍBANO
SIRIA
Mosul
Tabriz
L. Urmia
Ashgabat
Samarcanda
Osh
Khudzhand
EL CAIRO
ISRAEL
Jerusalén
DAMASCO
Kirkuk
Qom
TEHERÁN
Turkmenabat
Mari
TADJ.
Dushanbe
Trópico de Cáncer
El Jawf
Nilo
Ammán
JORD.
IRAK
BAGDAD
IRÁN
MASHHAD
Mazar-i-Sharif
Hindu Kush
Karakoram
EGIPTO
Desierto Arábigo
Tabuk
Nefud
Basora
Isfahán
Ahvaz
Chakhcharan
KABUL
Srinagar
Sahara
Asuán
Hijaz
al-Kuwait
KUWAIT
AFGANISTÁN
Islamabad
Jammu
CHAD
L. Nasser
ARABIA SAUDITA
Shiraz
Zahedan
Kandahar
Quetta
LAHORE
Chandig
Desierto de Nubia
Medina
Ad Dammam
BAHREIN
Manama
Bandar-Abbas
Beluchistán-Sistán
Multan
LUDHIAN
Meeru
Barri
Abéché
JIDDA
La Meca
Mar Rojo
RIYADH
QATAR
Doha
Dubai
Abu Dhabi
EMIRATOS ÁRABES UNIDOS
Makrán
PAKISTÁN
Indo
Sukkur
DELHI
Nueva Delhi
Agra
JAIPUR
Gwali
OMDURMÁN
Atbara
Port Sudán
G. de Omán
Mascate
C. Al Hadd
KARACHI
Hyderabad
Kota
Mts. Aravalli
INDORE
El Fasher
Darfur
SUDÁN
Jartum
Asmara
Rub Al Jali
OMÁN
SURAT
BARODA
Nasik
El Obeid
ERITREA
Jizan
Sana
YEMEN
Hadramaut
C. Madrakah
Mar de Arabia
Thana
BOMBAY
Aurangabad
PUNE
Vishakhapa
HYDERABAD
REP. CENTROAFRICANA
Bahr El Arab
Sudd
Wau
Nilo Blanco
Nilo Azul
Hodeida
Taizz
Adén
al-Mukalla
Salalah
Dese
DJIBUTI
Djibuti
G. de Adén
Socotora
ADDIS ABEBA
ETIOPÍA
Berbera
Hubli
Uele
Juba
Ogadén
SOMALIA
Eyl
BANGALORE
Calicut
Salem
Is. Laquedivas
COIMBATORE
Cochin
MADURAI
Ecuador
Kisangani
L. Alberto
UGANDA
Kampala
L. Turkana
Webbe Shibeli
REP. DEM. DEL CONGO
RUANDA
Kigali
L. Victoria
Kisumu
KENIA
Trivandrum
MALDIVAS
Colombo
Sri Jayawardenepura
SRI LA
Male
Sankuru
Bujumbura
BURUNDI
Mwanza
NAIROBI
Mogadiscio
OCÉANO ÍNDICO
Kananga
Congo
L. Tanganica
Dodoma
Mombasa
Pemba
Zanzíbar
L. Muero
Rufiji
DAR ES SALAAM
SEYCHELLES
ANGOLA
Lubumbashi
ZAMBIA

Eurasia septentrional

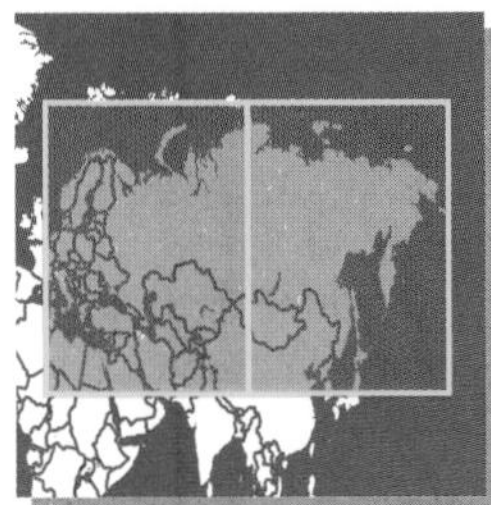

El sector septentrional del continente asiático comprende básicamente Siberia, una extensa región de Rusia que se encuentra enmarcada al oeste por los montes Urales, al norte por el océano Glacial Ártico, al este por el océano Pacífico y al sur por las fronteras rusas con China, Mongolia y Kazakistán.

En las áreas menos húmedas de la llanura rusa siberiana, en los dominios de la Rusia asiática, los suelos de pradera han sido explotados tradicionalmente para la ganadería.

Geografía física y humana

La región de Siberia se puede dividir en tres importantes áreas fisiográficas. Al oeste se extiende la llanura de Siberia Occidental, que ocupa el área situada entre los montes Urales y el río Yeniséi. La meseta de Siberia Central se encuentra entre los ríos Yeniséi y Lena, y su altitud oscila entre los 300 y los 1200 m. Más al este aparece un complejo sistema montañoso que se extiende hasta la península de Kamchatka, compuesto por las cordilleras de Yablonovi y Stanovoi; éstas se extienden desde la frontera con Mongolia hasta el mar de Ojotsk, y tienen su continuación hacia el sudoeste con los montes Sayan y los Altai, los más elevados, y hacia el nordeste a través de una cadena de picos volcánicos, algunos de los cuales todavía se hallan activos.

El clima de Siberia es continental extremo, con inviernos largos y muy fríos, en los que se alcanzan temperaturas mínimas a nivel mundial. Ello ha dificultado la instalación de asentamientos humanos, aunque la región ha sido lentamente colonizada para explotar sus riquezas minerales. Siberia es un territorio especialmente rico en carbón, oro, mineral de hierro, gas natural y petróleo.

Historia

Durante los siglos XVII y XVIII, el principal interés de Rusia en Siberia fue el rentable comercio de pieles. Sin embargo, la inmigración a gran escala y la verdadera colonización rusa del territorio no comenzó

La expansión territorial rusa en Asia (1815-1900)

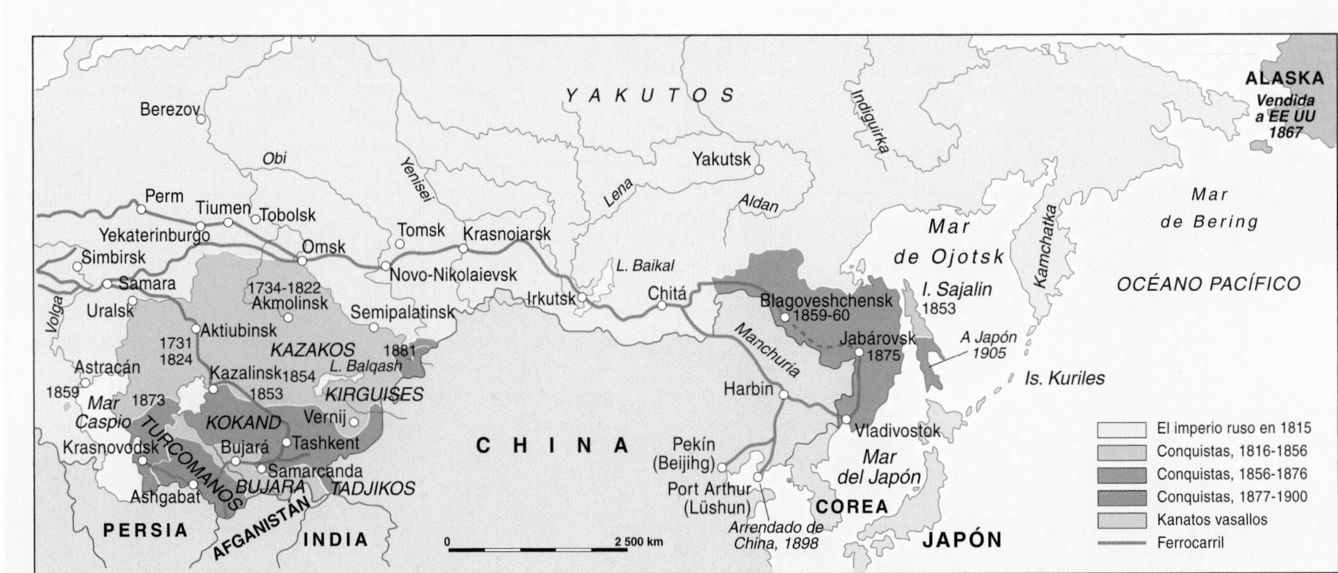

■ *Paralelamente a la expansión colonial que llevaron a cabo durante el siglo XIX las grandes potencias mundiales, Rusia desarrolló también una gran influencia sobre diversas zonas asiáticas, ampliando así sus territorios. Dentro de esta misma línea de expansión destacó, durante el mandato del zar Alejandro II, la colonización de Siberia, un inmenso territorio, condicionado por un clima riguroso, pero rico en posibilidades de explotación. Alejandro II inició también una reforma agrícola, cuya implantación no sólo aumentó la producción agraria, sino que trajo consigo un cierto crecimiento industrial y urbano, potenciado a su vez por la ampliación de la red ferroviaria hasta tierras siberianas.*

La expansión territorial rusa en Siberia (1581-1800)

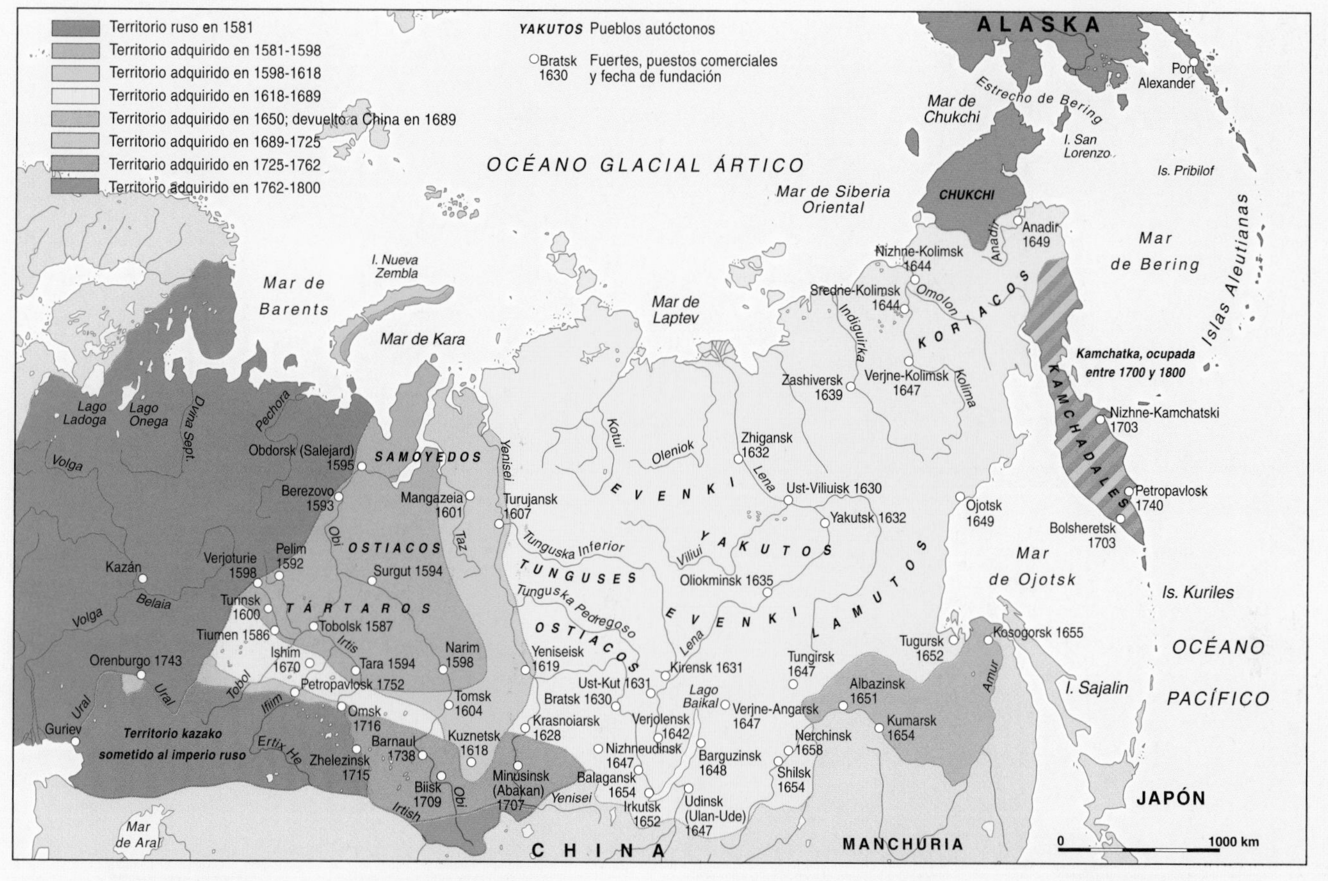

■ *Con la anexión de Kazán por Iván IV en 1552, Rusia inició la verdadera conquista de Siberia. La colonización de estas tierras fue iniciada por Boris Godunov y la penetración rusa en las estepas siberianas, que ofrecían amplias expectativas para el aumento de los recursos agrícolas, estuvo capitaneada por el príncipe Golinsky. Sin embargo, durante los gobiernos de Pedro I y de Catalina II se dio una mayor importancia al comercio de los puertos del mar Negro, lo que provocó conflictos intermitentes con Turquía por el control de estos núcleos.*

hasta mediados del siglo XIX. Esta oleada fue estimulada por el exceso de población en algunas regiones de la Rusia europea, la abolición de la servidumbre en 1861 y la construcción de la línea ferroviaria del Transiberiano, desde 1891 a 1916, que facilitó en gran medida el transporte y las comunicaciones. El exilio a Siberia como castigo a criminales y disidentes políticos fue una práctica iniciada inmediatamente después de la conquista rusa, pero se aceleró con el auge del movimiento revolucionario entrado el siglo XX.

La industrialización de la región recibió un fuerte estímulo durante la Segunda Guerra Mundial, cuando gran parte de la actividad industrial rusa fue trasladada a Siberia para protegerla del avance militar alemán. Actualmente, Siberia desempeña un papel importante en la economía rusa, sobre todo gracias a la extracción de petróleo, gas natural y otras riquezas minerales y forestales, pero todavía afronta algunos de los problemas que impidieron su desarrollo en épocas anteriores, derivados de las enormes distancias y las adversas condiciones geográficas y climáticas.

Colonia de focas y leones marinos en la isla rusa de Komandorskii, en el mar de Bering.

3
A
2
1
B
C
E
G
H
4
5
6
E
F
G
H
I
NORUEGA
SUECIA
FINLANDIA
ESTONIA
LETONIA
LITUANIA
BIELORRUSIA
UCR.
MAR DE BARENTS
OCÉANO
MAR DE KARA
Nueva Zembla
Tierra de Francisco José
Is. Svalbard (Nor.)
Alpes Escandinavos
Golfo de Botnia
Mar Blanco
Pen. de Kola
Pen. de Yamal
Pen. de Guidan
Bahía del Ob
Oslo
Bergen
Stavanger
Trondheim
Tromsø
Narvik
Kiruna
Luleå
Umeå
Östersund
Sundsvall
Uppsala
Västerås
Örebro
Norrköping
ESTOCOLMO
Turku
Pori
Vaasa
Oulu
Tampere
Helsinki
Kuopio
Tallinn
Pärnu
Riga
Narva
Viborg
SAN PETERSBURGO
Pskov
Novgorod
Velikiye Luki
Tver (Kalinin)
Smolensk
MOSCÚ
Moguiliov (Moguiliev)
Briansk
Podolsk
Tula
Riazán
Orel
Kursk
Voronezh
Belgorod
Lipetsk
Tambov
Penza
Saransk
Yaroslavl
Kostromá
Vologda
Cherepovets
Ribinsk
Sergiev Posad
Vladimir
Murom
Kolomna
Petrozavodsk
Murmansk
Monchegorsk
Kandalaksha
Belomorsk
Kem
Onega
Arjanguelsk (Arkángel)
Severodvinsk
Plesetsk
Velsk
Kotlas
Narian-Mar
Pechora
Ujta
Vorkutá
Inta
Siktivkar
Salejard
Labitnangi
Novii Port
Nida
Tazovskii
Dudinka
Norilsk
Igarka
Dikson
NIZHNII NOVGOROD
Cheboksari
Ioshkar-Ola
KAZÁN
Naberezhniye Chelni
Izhevsk
Viatka
Glazov
PERM
Bereznikі
Solikamsk
Nizhnii Taguil
Chusovoi
Serov
Ivdel
YEKATERINBURGO
Pervouralsk
Kamensk Uralskii
Tiumen
Tobolsk
Tavda
Alapaievsk
CHELIABINSK
Kurgan
Ishim
Zlatoust
Miass
Troitsk
Magnitogorsk
UFA
Salavat
Novotroitsk
Orsk
Orenburgo
SAMARA
Togliatti (Stavropol)
Sizran
Novokuibishevsk
Balakovo
Saratov
Volgogrado
Volzhskii
Volgodonsk
Kamishin
Astracán
Elista
Depresión del Caspio
Alturas del Volga
MAR CASPIO
Majachkalá
Derbent
AZER.
Surgut
Nefteyugansk
Nizhnevartovsk
Janti-Mansiisk
Llanura de Siberia Occidental
Kolpashevo
Tomsk
Asino
Achinsk
Krasnoiarsk
NOVOSIBIRSK
Kemerovo
Anzhero-Sudzhensk
Leninsk-Kuznetski
Prokopievsk
Novokuznetsk
Barnaul
Biisk
Rubtsovsk
Abakan
OMSK
Tara
Tatarsk
Barabinsk
Petropavl
Qostanai
Rudni
Kokshetau
Astana (Aqmola)
Pavlodar
Semey
Öskemen
Temir-Tau
Qaraghandy (Karaganda)
Zhezqazgan
Baiqongyr (Baikonur)
Aral
Aralsk
Qyzylorda
Shymkent
Taraz
Bishkek (Frunze)
ALMATY
Taldyqorghan
Balqash
L. Balqash
Estepa del Hambre (Betpaqdala)
KAZAKISTÁN
Aqtöbe (Aktiubinsk)
Atyrau
Aqtau
Beineu
Mugodzhari
Alturas del Torgai
KIRGUISISTÁN
UZBEKISTÁN
TURKMENISTÁN
TADJIKISTÁN
TOSHKENT
Samarcanda
Bujoro
Urganch
Nukus
Dashoguz
Turkmenbashi
Ashgabat
Turkmenabat (Chardzhou)
Mari
Dushanbe
Namangan
Andizhán
Osh
Farghona
Qarshi
Termez
Mazar-i-Sharif
Kashi (Kashgar)
Aksu
Kuqa
Korla
Turpan
Hami
Yining
ÜRÜMQI
Karamay
Zungaria
Tian Shan
Pamir
Mts. Elburz
MASHHAD
IRÁN
Gorgan
Babol
Montes Altai
Tarbagatai
Desierto de Kizil-Kum
Depresión del Karakum

MAR DE CHUKCHI
MAR DE SIBERIA ORIENTAL
MAR DE LÁPTEV
MAR DE BERING
MAR DE OJOTSK
MAR DEL JAPÓN
OCÉANO PACÍFICO
Archipiélago de Nueva Siberia
Meseta del Anadir
Montes Cherskii
Montes Verjoiansk
Mts. Suntar Jaiata
Mts. Dzhugdzhur
Montes Stanovoi
Meseta Stanovoi
Meseta de Patom
Mts. Yablonovoi
Gran Jingan
Peq. Jingan
Manchuria
Cordillera Central
Pen. Kamchatka
Sajalín
Is. Kuriles
Hokkaido
Honshu
JAPÓN
COREA DEL N.
Desierto de Gobi
Lago Baikal
Ulan Bator (Ulaanbaatar)
Yakutsk
Magadan
Petropavlovsk-Kamchatski
Jabarovsk
Vladivostok
Irkutsk
HARBIN
QIQIHAR
CHANGCHUN
JILIN
SHENGYANG
FUSHUN
ANSHAN
SAPPORO
TOKIO
YOKOHAMA
Sendai
Wrangel
San Lorenzo (EE UU)
S. Matías (EE UU)
Is. Pribilof (EE UU)
Estr. de Bering
EE UU

Transcaucasia

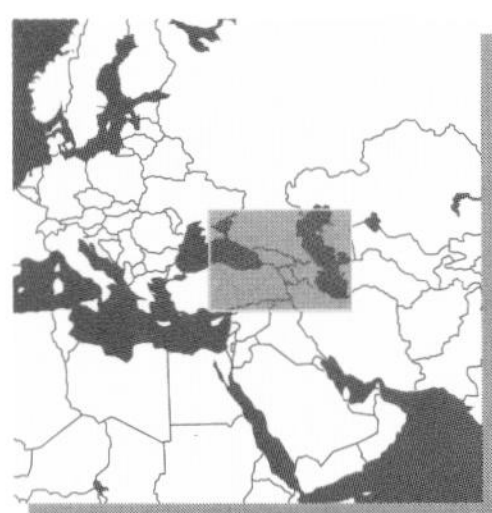

La región de Caucasia se extiende entre el mar Negro, al oeste, y el mar Caspio, al este, en el istmo donde se levanta la gran cordillera del Cáucaso, frontera natural entre Europa y Asia. El límite septentrional de la región lo constituye la cuenca del río Terek y el meridional queda definido por el altiplano de Anatolia, que continúa hacia el este por tierras de Irán.

La cordillera del Cáucaso, que se extiende a lo largo de 1250 km en dirección noroeste-sudeste, se divide en dos ramales: el Gran Cáucaso, donde se erigen las máximas elevaciones del sistema, y el Pequeño Cáucaso. El cordal cimero del Gran Cáucaso divide la región de Caucasia en dos subregiones: la Ciscaucasia, que abarca la vertiente septentrional de la cordillera, y la Transcaucasia, que comprende la vertiente meridional.

Geografía física y humana

La región transcaucásica ocupa la vertiente meridional del Gran Cáucaso e incluye los actuales estados de Azerbaiján, Georgia y Armenia, cuyas fronteras no se ajustan plenamente a su distribución étnica. Con aproximadamente 186000 km^2, y más de 15 millones de habitantes, en torno al 55 % de la población habita en áreas

En el mar Caspio se concentra la mayoría de los yacimientos de petróleo de la región.

urbanas, si bien tan sólo las tres capitales, Bakú, Yereván y Tbilisi, superan el millón de habitantes.

El marco físico transcaucásico es muy variado. Al norte se imponen las alturas del Gran Cáucaso. Su formación comenzó en la era primaria. El núcleo principal lo constituyen materiales cristalinos, recubiertos en ocasiones por materiales sedimentarios plegados. El sector central se extiende entre los conos volcánicos extintos del Elbrús (5642 m), punto culminante de la cordillera, y el Kazbek (5047 m). Al pie de la vertiente meridional del Gran Cáucaso se alza un conjunto de macizos antiguos, entre los cuales se sitúan las profundas depresiones de los ríos Rioni y Kura. Al sur de estos macizos hay una serie de cadenas montañosas que pertenecen a tipos estructurales distintos; es el denominado Pequeño Cáucaso, formado por la cadena Adzharo-Imeretiana, las montañas de Trialeti, entre el mar Negro y la depresión del Kura, y el sistema de montañas de Armenia, en la región del lago Sevan.

Las características climáticas de la región presentan una marcada diferencia entre los sectores oriental y occidental de la cordillera; mientras que en el primero destacan los elevados valores de aridez, el sector occidental se caracteriza por gozar de un clima húmedo. La distribución de las precipitaciones queda determinada en gran medida por el relieve, ya que las montañas actúan como pantallas pluviométricas.

El húmedo sector oeste de Transcaucasia incluye la Cólquida subtropical, que en el interior se convierte en área de bosque de especies caducifolias. Hacia el noroeste, en las costas del mar Negro, las condiciones ambientales se hacen más secas y la vegetación es de tipo xerófilo, con claros caracteres mediterráneos. En altitud sigue un bosque caducifolio y el bosque de coníferas. El este de Transcaucasia, seco, coincide con la cuenca del río Kura; en los niveles intermedios aparece el bosque de hayas, mientras que en los inferiores, más secos cuanto más al este, se origina toda una gama de vegetación de tipo estepario, semidesértico y desértico, a lo largo de las costas del mar Caspio. El altiplano de Armenia constituye una gran pradera entre montañas, con bosques de coníferas en las mayores altitudes; hacia el sur, en la cuenca de Yereván, aparece una vegetación de transición de la estepa seca a especies semidesérticas.

La economía transcaucásica ha encontrado serias dificultades para su desarrollo; durante largo tiempo tuvo un carácter colonial, basado en la expoliación de los recursos. En las colinas contiguas a las depresiones o en el litoral del mar Negro se cultivan productos hortícolas y viñedos, así como tabaco y plantas oleaginosas, medicinales y aromáticas, mientras que en los llanos irrigados se cosecha algodón. La explotación forestal es una actividad destacada. Igualmente descuellan la minería y la extracción de metales no ferrosos, manganeso y cobre. Antes de la Revolución Rusa, la única fuente de energía era el petróleo de Bakú y las industrias urbanas eran de tipo artesanal. En el período soviético, la explotación de otras fuentes de energía, especialmente gas y energía hi-

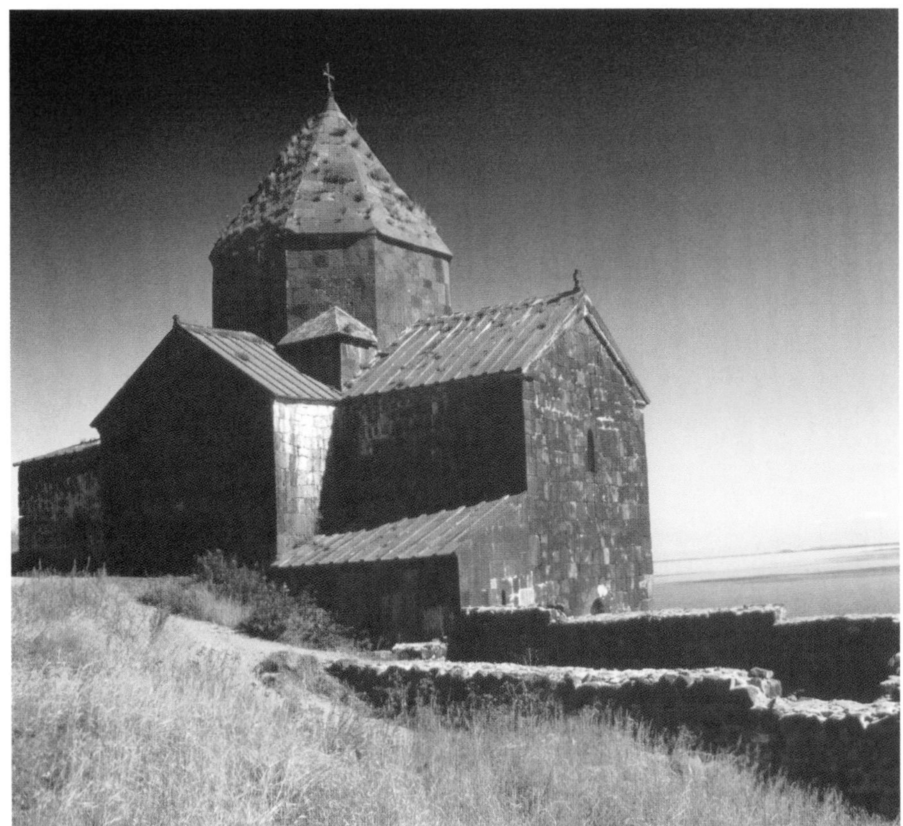

El lago Sevan, situado en el norte de Armenia, es uno de los espejos lacustres alpinos más extensos del mundo; en sus orillas, a más de 1900 m de altitud, se ubican diversas iglesias.

dráulica, permitió un desarrollo industrial más amplio. Las características geomorfológicas hacen del Cáucaso una cordillera difícil de superar; tan sólo la atraviesan tres carreteras
y ninguna línea férrea. La región constituye un verdadero mosaico de etnias.

Historia

Armenia, Azerbaiján y Georgia, los tres estados transcaucásicos, presentan una historia paralela. En la Antigüedad, estos territorios fueron conquistados primero por el imperio persa y posteriormente cayeron bajo el dominio de los árabes.

A principios del siglo XIX, Rusia se anexionó estos territorios. El interés del gobierno zarista se centraba sobre todo en el descubrimiento de yacimientos de petróleo en la región del mar Caspio. En 1918, los tres estados se establecieron nuevamente como repúblicas independientes, pero a principios de la década de 1920, el ejército soviético invadió la región e instauró el régimen comunista.

Esta situación se mantuvo hasta 1991, año en que la Unión Soviética se desintegró y como consecuencia de ello las repúblicas federadas de Armenia y Georgia y la región autónoma de Azerbaiján recupe-

Tbilisi (la antigua Tiflis) está ubicada en un valle al abrigo del Cáucaso y a orillas del río Kura. La capital de Georgia es un destacado enclave económico, cultural y nudo de comunicaciones.

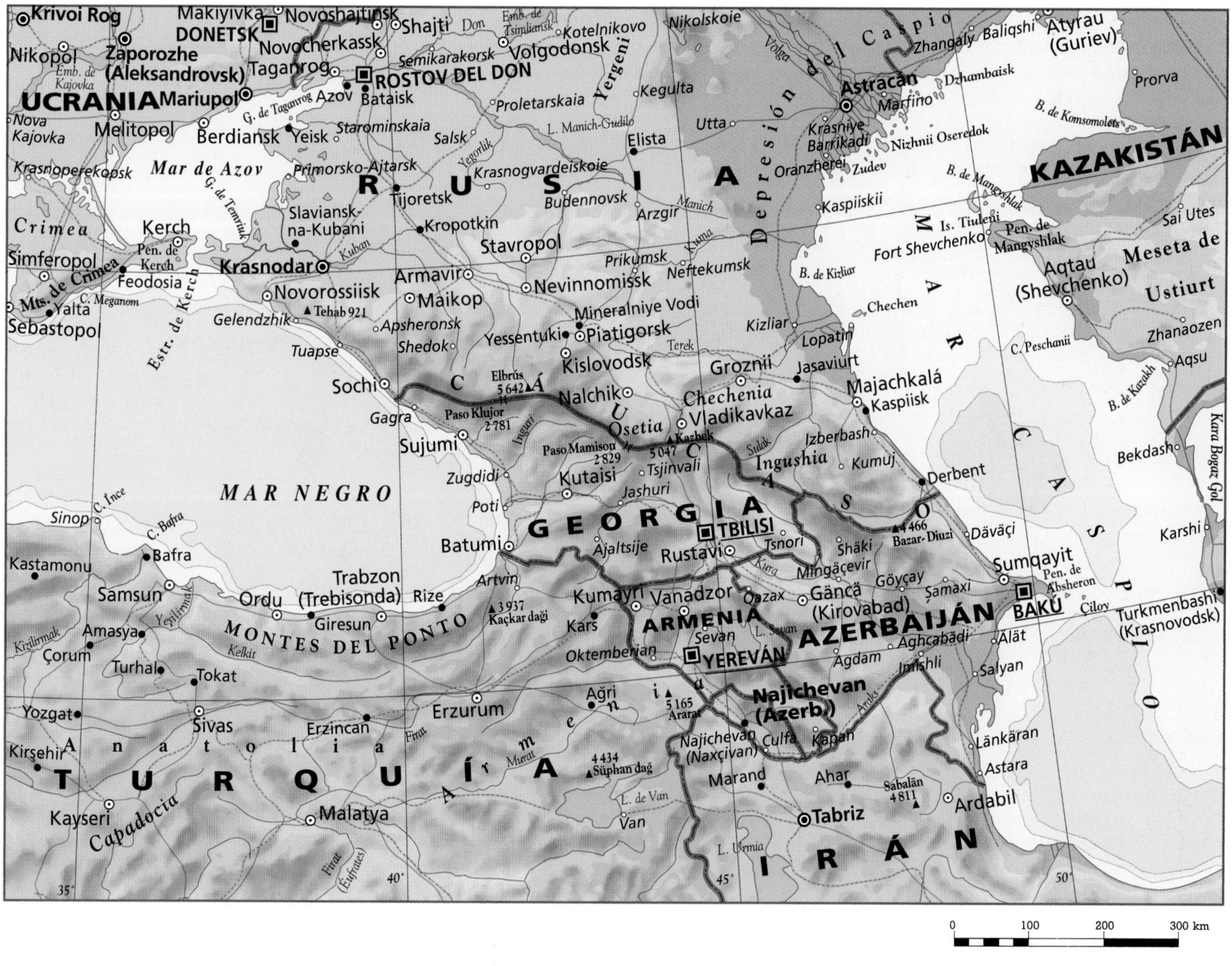

Asia central

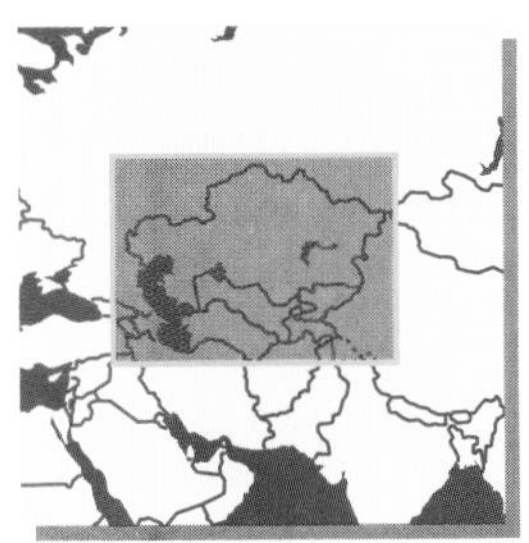

Esta región se halla integrada por las repúblicas ex soviéticas de Asia central, y tiene una extensión de casi 4 millones de km^2. Abarca cinco países, independizados todos ellos tras la desintegración de la URSS en 1991: Kazakistán, Uzbekistán, Turkmenistán, Kirguisistán y Tadjikistán.

Geografía física y humana

El relieve muestra grandes contrastes entre, por un lado, un Kirguisistán y un Tadjikistán extremadamente montañosos y, por el otro, los desiertos de la depresión del Turán y del Caspio, que abarcan buena parte de Turkmenistán, Uzbekistán y el sur de Kazakistán. El espacio geográfico de mayores dimensiones es la gran meseta esteparia de Kazakistán, que ocupa toda la parte septentrional de la región.

El clima es producto de la doble influencia del aire frío siberiano en invierno, y de las temperaturas altas y las precipitaciones escasas del resto del año. En un medio natural tan hostil, los núcleos de población se sitúan al pie de las cordilleras que cierran la región por el sur y el este. Estos países, que ocupaban el llamado "vientre soviético", fueron los menos favorecidos por las políticas de industrialización llevadas a cabo por la URSS, y sus economías se basan fundamentalmente en el sector agrario, lo que implica una elevada tasa de población rural, a pesar de no gozar de unas condiciones de vida muy favorables. De entre sus recursos minerales destaca la extracción de petróleo en Kazakistán.

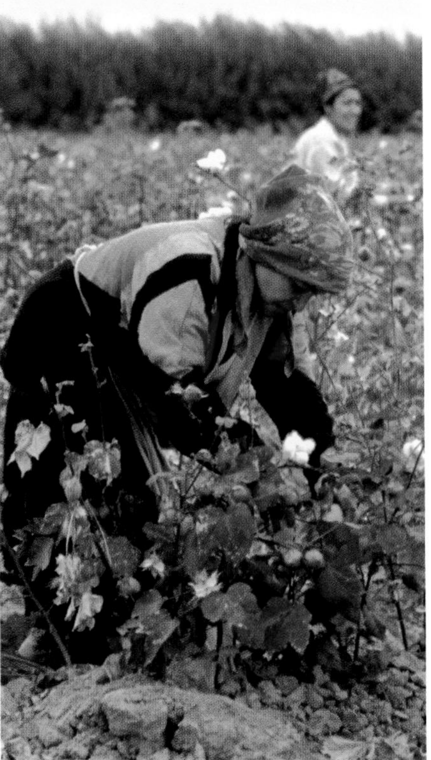

Mujeres recogiendo algodón, el principal cultivo de Tadjikistán.

Historia

La independencia de estos cinco estados de Asia central y su inmediata incorporación a la Comunidad de Estados Independientes (CEI) tras la desaparición de la URSS, a finales de 1991, no fue el resultado de una evolución propia, sino más bien de las circunstancias que llevaron a la desaparición del antiguo Estado soviético y del pulso de poder ejercido por las clases dirigentes, que pertenecían al propio Partido Comunista de la Unión Soviética. Los nuevos estados, que se convirtieron en repúblicas presidencialistas, experimentaron una rápida transición hacia una economía de mercado, a pesar de sus débiles estructuras productivas, muy dependientes del resto de territorios de la extinta URSS. De hecho, la región sigue manteniendo unos fuertes vínculos con Rusia, no sólo impuestos por su dependencia económica sino también en materia de seguridad, ante una hipotética expansión del islamismo radical importado desde Irán, Pakistán y Afganistán. En los años que siguieron a la independencia de estos países tuvieron lugar una guerra civil en Tadjikistán y violentos conflictos locales en Uzbekistán y Turkmenistán.

La ruta de la seda

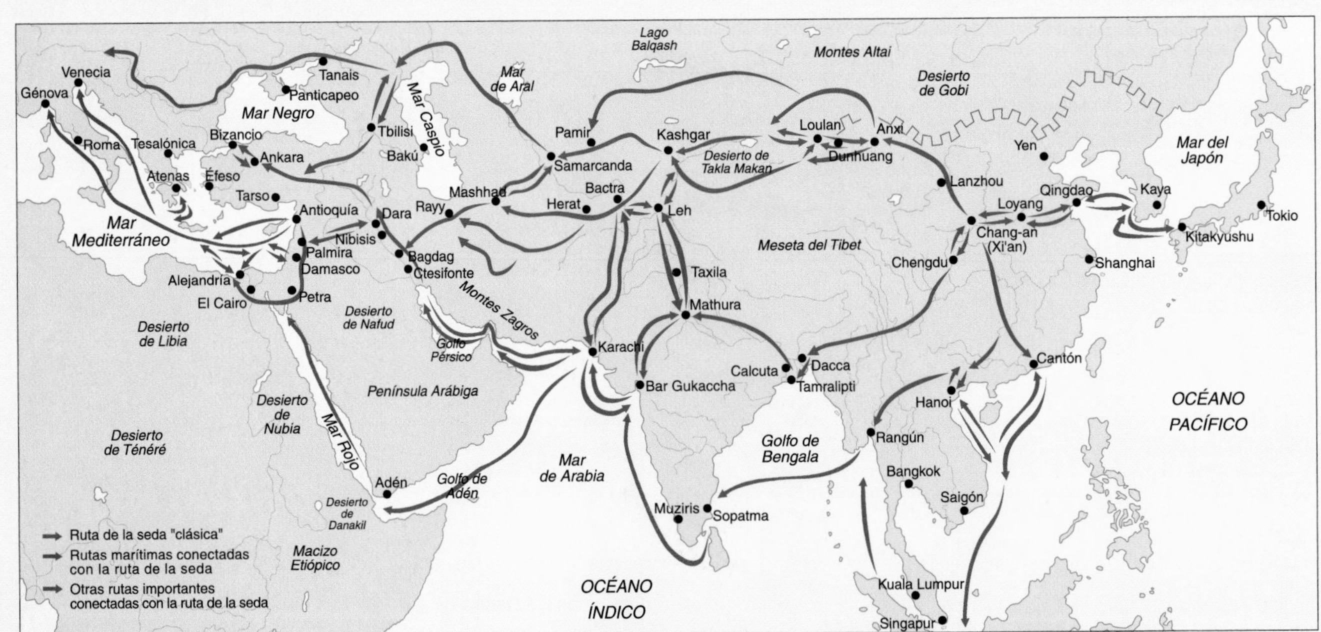

■ Ferdinand von Richthofen (científico e investigador alemán del siglo XIX) bautizó como "ruta de la seda" la vía comercial, cultural y artística que conectó tanto por tierra como por mar el mundo chino con el mediterráneo. La mercancía que presidió el comercio por estas vías fue la seda, conocida únicamente en China y muy pronto demandada por los extranjeros. La ruta de la seda surgió como consecuencia de intereses comerciales, pero acabó por convertirse en una vía de intercambio entre Oriente y Occidente de ideas filosóficas y religiosas, y de tendencias culturales y artísticas, hecho que tuvo una importancia extraordinaria sobre todo durante la Edad Media. A partir del siglo VII, su control pasó a manos de los musulmanes, que sustituyeron en parte los caminos terrestres por la vía marítima.

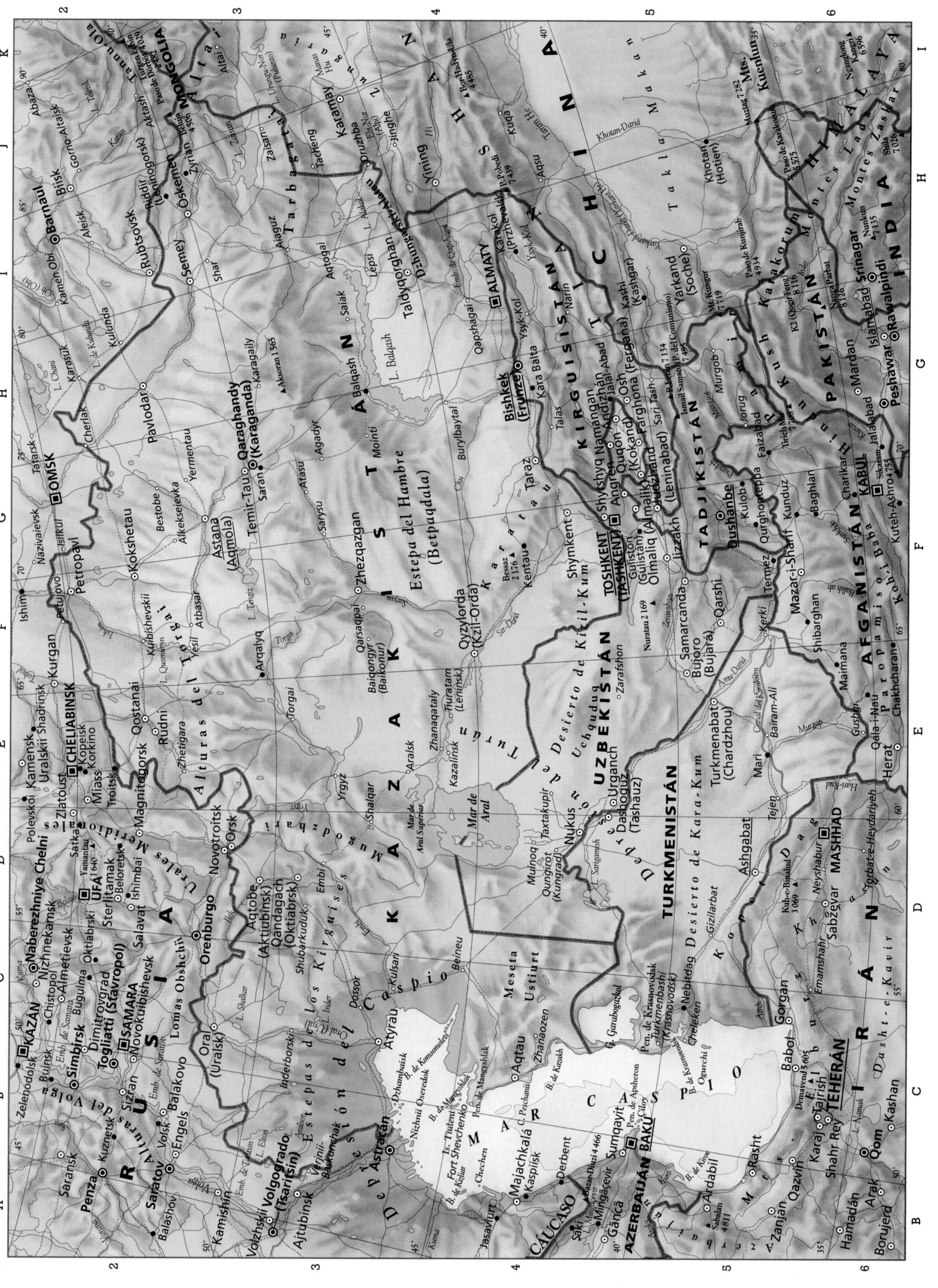
RUSIA
KAZAJSTÁN
UZBEKISTÁN
TURKMENISTÁN
KIRGUISISTÁN
TADJIKISTÁN
AFGANISTÁN
PAKISTÁN
IRÁN
INDIA
CHINA
MONGOLIA
AZERBAIJÁN
CÁUCASO
MAR CASPIO
Mar de Aral
Estepa del Hambre (Betpaqdala)
Desierto de Kizil-Kum
Desierto de Kara-Kum
Depresión del Caspio
Meseta Ustiurt
Alturas del Torgai
Urales Meridionales
Montes Kuenlun
Takla Makan
Karakorum
Hindu Kush
HIMALAYA
Lomas Obshchi
Alturas del Volga
L. Balqash
ASTANA (Aqmola)
ALMATY
TOSHKENT (TASHKENT)
Bishkek (Frunze)
Dushanbe
Ashgabat
KABUL
Islamabad
TEHERÁN
BAKÚ
OMSK
CHELIABINSK
UFÁ
SAMARA
KAZÁN
Orenburgo
Volgogrado (Tsaritsin)
Astrakán
Atyrau
Aqtau
Aqtobe (Aktiubinsk)
Qaraghandy (Karaganda)
Pavlodar
Semey
Öskemen
Barnaul
Samarcanda
Bujoro (Bujara)
Mashhad
Herat
Peshawar
Rawalpindi
Srinagar
Khotan (Hotien)
Kashi (Kashgar)
Yarkand (Soche)
Yining
Karamay
Asia central

Próximo Oriente y Turquía

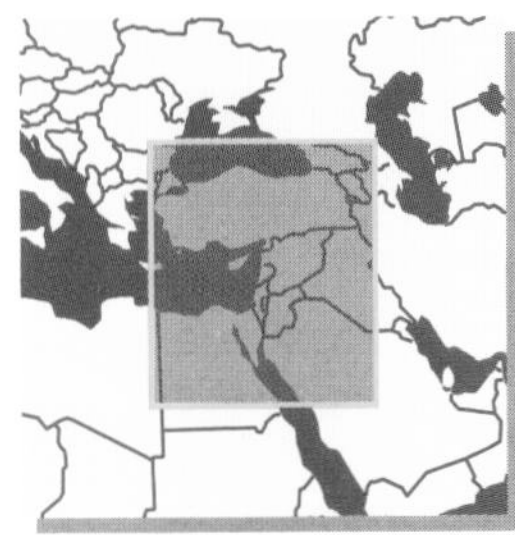

Esta región comprende el territorio que tradicionalmente se conoce como Asia Menor, en el que en esta obra se incluye el sector europeo de Turquía, y el Próximo Oriente. El área geográfica así delimitada está integrada por Chipre, Turquía, Siria, Líbano, Israel, Jordania y los territorios autónomos de Palestina.

Geografía física y humana

Si se excluye la franja mediterránea, es evidente que el rasgo característico de esta región geográfica es la aridez. El desierto, ya sea de piedra *(hamada)*, ya sea de arena *(erg)*, con los cursos de agua intermitentes (*uadi*) y los oasis, son los elementos que predominan en el paisaje. Desde hace milenios, la actividad humana ha tenido que adaptarse a la dureza del entorno y las gentes se han visto obligadas a trasladarse con sus rebaños en busca de pastos y agua, siguiendo circuitos preestablecidos, uniéndose para formar tribus de organización patriarcal.

En las áreas donde existen ríos permanentes, su aprovechamiento mediante sistemas de regadío ha permitido la aparición de modos de vida sedentarios basados en la agricultura. Éste es el caso del río Orontes en Siria y el Líbano, o del Jordán en Israel y Jordania. La presencia de los ríos transforma radicalmente el paisaje, en el que surgen parcelas de vegetación que contrastan con la aridez del desierto: son los llamados "oasis de cultivo".

Oasis de cultivo en las riberas del río Éufrates a su paso por Siria, en su recorrido hacia el sur.

En la península de Anatolia –perteneciente a Turquía–, este paisaje árido se extiende sobre una meseta abrupta y montañosa que tiene su culminación al norte, en los montes del Ponto o Pónticos, con cumbres que superan los 3 000 m de altitud.

Las estructuras económicas tradicionales, basadas en el pastoreo y la agricultura, siguen teniendo una notable importancia. La riqueza petrolífera con que cuentan las áreas vecinas es aquí casi inexistente y el desarrollo industrial es también muy débil, con las excepciones de Israel y de algunas zonas de Turquía. Este último país ha experimentado un importante desarrollo económico en las últimas décadas, favorecido por los acuerdos comerciales preferentes con la Unión Europea.

Historia

El principal problema con el que cuenta la región para impulsar su desarrollo es la inestabilidad política debido a los numerosos conflictos armados que se han ido sucediendo desde la segunda mitad del siglo XX. Las históricas disputas entre Grecia y Turquía en la isla de Chipre, o las guerras civiles de Siria y Líbano, frenaron el incipiente desarrollo de estos países. Pero el conflicto más prolongado de la zona es el árabe-israelí. La proclamación en 1948 del Estado de Israel en Palestina suscitó la oposición del mundo árabe. El incremento de la inmigración judía al país, la venta de tierras y la progresiva militarización de Israel fueron paralelos a la creciente hostilidad de los países árabes. Los desencuentros entre ambas comunidades y los intereses de las potencias mundiales en la zona llevaron en numerosas ocasiones al conflicto armado. Tras los constantes dictámenes de Naciones Unidas e iniciativas de paz, el conflicto se encuentra actualmente en vías de solución, no sin dificultades y estallidos de violencia por ambas partes.

Estados latinos de Oriente en el siglo XI

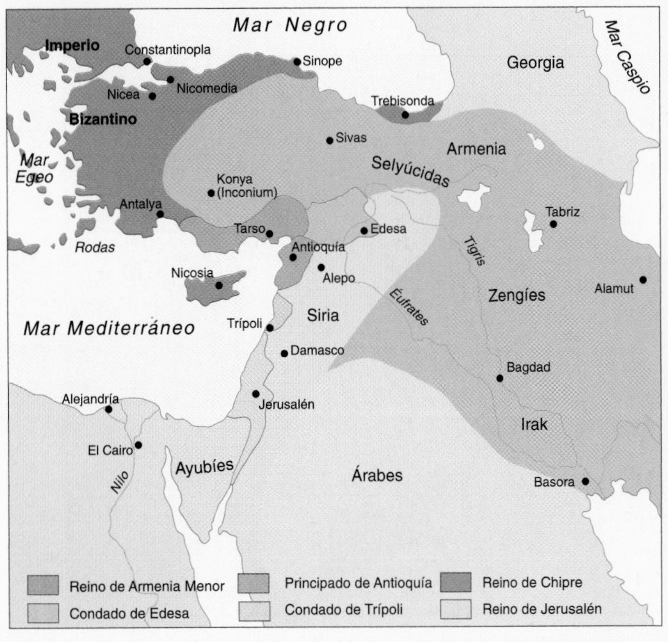

■ *El período que abarca las cruzadas, entre los siglos XI y XIII, fue desastroso en el orden político para los musulmanes, que no valoraron suficientemente la amenaza occidental. Tardaron casi medio siglo en movilizarse, tiempo que los cristianos aprovecharon para apoderarse de Siria y Palestina, y para entrar en Jerusalén, que fue el primero de los estados que crearían en Tierra Santa, junto con el condado de Edesa, el de Trípoli y el principado de Antioquía. El reino de Chipre fue el único establecido tras la tercera cruzada, en 1191.*

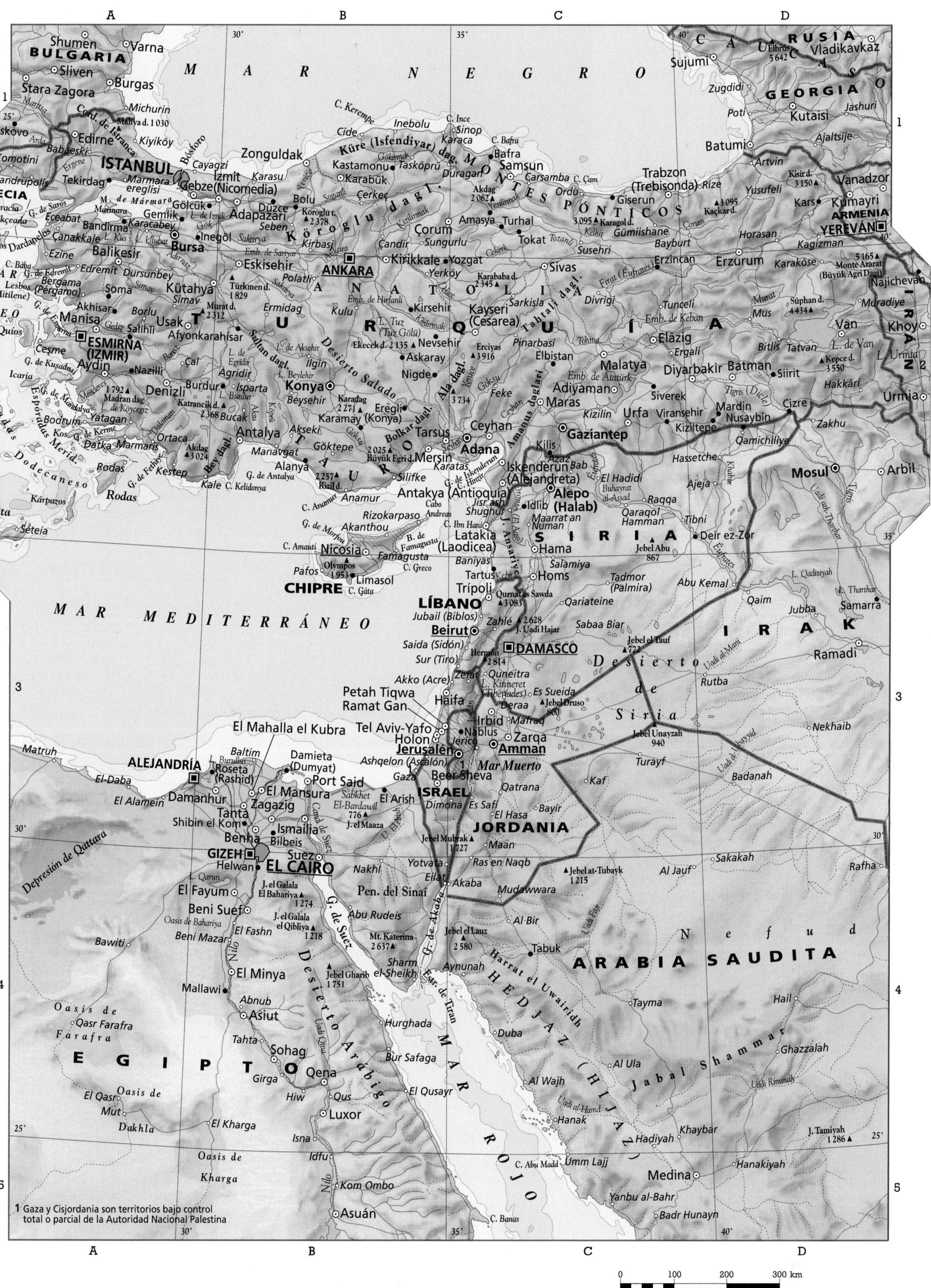
A
B
C
D
MAR NEGRO
BULGARIA
Shumen
Varna
Sliven
Stara Zagora
Burgas
Michurin
Edirne
Kiyiköy
Komotini
Babaeski
ISTANBUL
Bósforo
Tekirdag
Marmara ereglisi
Gebze (Nicomedia)
Izmit
Zonguldak
Karasu
Gölcük
Adapazari
Gemlik
Bandirma
Karacabey
Çanakkale
Eceabat
Bursa
Inegöl
Balikesir
Ezine
Edremit
Dursunbey
Eskisehir
Bergama
Lesbos (Pérgamo)
Soma
Kütahya
Simav
Akhisar
Manisa
Salihli
Borlu
Usak
Afyonkarahisar
ESMIRNA (IZMIR)
Çesme
Aydin
Nazilli
Denizli
Burdur
Isparta
Agridir
Çal
Bodrum
Yatagan
Marmaris
Datka
Rodas
Kestep
Antalya
Manavgat
Alanya
Kale
C. Kelidonya
Rodas
Kárpazos
Séteia
MAR MEDITERRÁNEO
Inebolu
C. Ince
Sinop
Cide
Karaca
C. Bafra
Bafra
Samsun
Kastamonu
Tasköprü
Karabük
Çerkeş
Bolu
Düzce
Durağan
Köroglu dagl.
Çorum
Amasya
Turhal
Tokat
Çandir
Sungurlu
Kirikkale
Yozgat
ANKARA
Polatli
Yerköy
Ermidag
Kulu
Kirsehir
ANATOLIA
Kayseri (Cesarea)
Sarkisla
Sivas
L. Tuz (Tuz Gölü)
Nevsehir
Aksaray
Konya
Beysehir
Ilgin
Desierto Salado
Karaman (Konya)
Eregli
Nigde
Tarsus
Adana
Mersin
Ceyhan
Silifke
Anamur
Karatas
Iskenderun (Alejandreta)
Antakya (Antioquia)
Alepo (Halab)
Gaziantep
Kilis
Azaz
Bab
Idlib
Maarrat an Numan
Jisr ash Shughur
Latakia (Laodicea)
Hama
Homs
Baniyas
Tartus
Salamiya
SIRIA
Raqqa
Deir ez-Zor
Tadmor (Palmira)
Abu Kemal
Qariateine
CHIPRE
Nicosia
Famagusta
Limasol
Pafos
Rizokarpaso
Akanthou
Trípoli
LÍBANO
Jubail (Biblos)
Beirut
Zahlé
Saida (Sidón)
Sur (Tiro)
DAMASCO
Akko (Acre)
Haifa
Petah Tiqwa
Ramat Gan
Tel Aviv-Yafo
Holon
Jerusalén
Nablus
Jericó
Irbid
Mafraq
Zarqa
Amman
Mar Muerto
Ashqelon (Ascalón)
Gaza
Beer Sheva
ISRAEL
Dimona
JORDANIA
Ma'an
Akaba
Eilat
Yotvata
Zerqa
Quneitra
Deraa
Es Sueida
Qatrana
Es Safi
El Hasa
Bayir
Ras en Naqb
Mudawwara
Trabzon (Trebisonda)
Rize
Giresun
Ordu
Gümüshane
Bayburt
Erzincan
Erzurum
Susehri
Divrigi
Tunceli
Elâzig
Malatya
Adiyaman
Maras
Diyarbakir
Batman
Siirt
Siverek
Urfa
Viransehir
Mardin
Nusaybin
Kiziltepe
Cizre
Zakhu
Qamichiliye
Hassetche
Mosul
Arbil
IRAK
Samarra
Ramadi
Rutba
Nekhaib
Qaim
Jubba
Desierto de Siria
Turayf
Badanah
Kaf
Rafha
Sakakah
Al Jauf
Tabuk
ARABIA SAUDITA
Nefud
Tayma
Hail
Ghazzalah
Jabal Shammar
Al Ula
Al Wajh
Duba
HEDJAZ (HIJAZ)
Hanak
Hadiyah
Khaybar
Umm Lajj
Medina
Hanakiyah
Yanbu al-Bahr
Badr Hunayn
MAR ROJO
GEORGIA
Sujumi
Zugdidi
Poti
Kutaisi
Batumi
Artvin
Kars
Kumayri
ARMENIA
YEREVÁN
Vanadzor
RUSIA
Vladikavkaz
Najichevan
IRÁN
Khoy
Van
Urmia
Hakkârî
Tatvan
Bitlis
Mus
Horasan
Kagizman
ALEJANDRÍA
Rosetta (Rashid)
Damietta (Dumyat)
Port Said
El Mansura
Damanhur
Zagazig
Tanta
Shibin el Kom
Benha
Ismailia
Bilbeis
Suez
GIZEH
Helwan
EL CAIRO
El Arish
El Mahalla el Kubra
El Alamein
El Daba
Matruh
Depresión de Qattara
El Fayum
Beni Suef
El Fashn
Beni Mazar
Bawiti
El Minya
Mallawi
Abnub
Asiut
Oasis de Farafra
Qasr Farafra
EGIPTO
Tahta
Sohag
Girga
Qena
Hiw
Qus
Luxor
Isna
Idfu
Kom Ombo
Asuán
El Qasr
Mut
Oasis de Dakhla
El Kharga
Oasis de Kharga
Desierto Arábigo
Hurghada
Bur Safaga
El Qusayr
Nakhl
Pen. del Sinaí
Abu Rudeis
Sharm el-Sheikh
Aynunah
Nilo
G. de Suez
G. de Akaba
Estr. de Tirán
C. Banas
1 Gaza y Cisjordania son territorios bajo control total o parcial de la Autoridad Nacional Palestina
0 100 200 300 km

Arabia y Oriente Medio

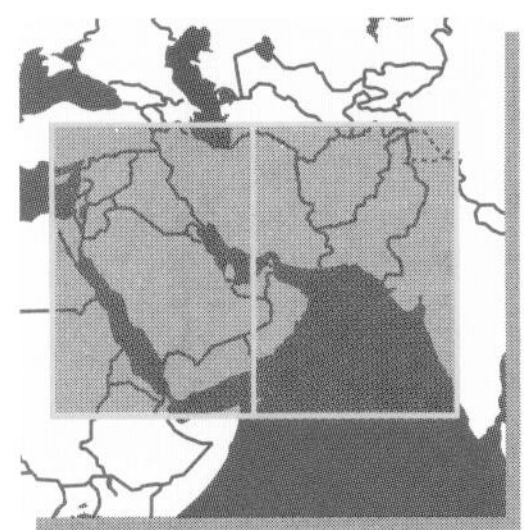

Esta región sudoccidental de Asia abarca la península Arábiga (Arabia Saudita, Yemen, Omán, Emiratos Árabes Unidos, Qatar, Bahrein y Kuwait) y, al norte de ésta, el Asia Anterior, que incluye Irak, Irán, Afganistán y Pakistán. El mar Rojo y el golfo Pérsico enmarcan la gran península Arábiga por el oeste y el este, respectivamente, mientras que al sur toda la región está bañada por el mar de Arabia.

Vista del fuerte de Muttrah, construido en el siglo XVI, en Omán. Este sultanato, situado en el sudeste de la península Arábiga, posee una antigua tradición comercial.

Geografía física y humana

La característica más extendida de esta región geográfica es la aridez. El desierto de Arabia ocupa la mayor parte de la península del mismo nombre, el desierto de Siria se extiende sobre buena parte del país homónimo y de Irak, mientras que también en Irán y en Afganistán las zonas áridas y desiertos de piedra dominan un sector muy amplio de estos territorios. El relieve de Irán y Afganistán forma parte del gran plegamiento terciario que afectó a la franja central de Asia y que está representado por elevados cordones montañosos que encierran altiplanicies y áridas mesetas interiores. Las únicas llanuras son periféricas, como la del Indo o la del Amu-Dariá. Las zonas montañosas se ex-

La unificación del imperio persa

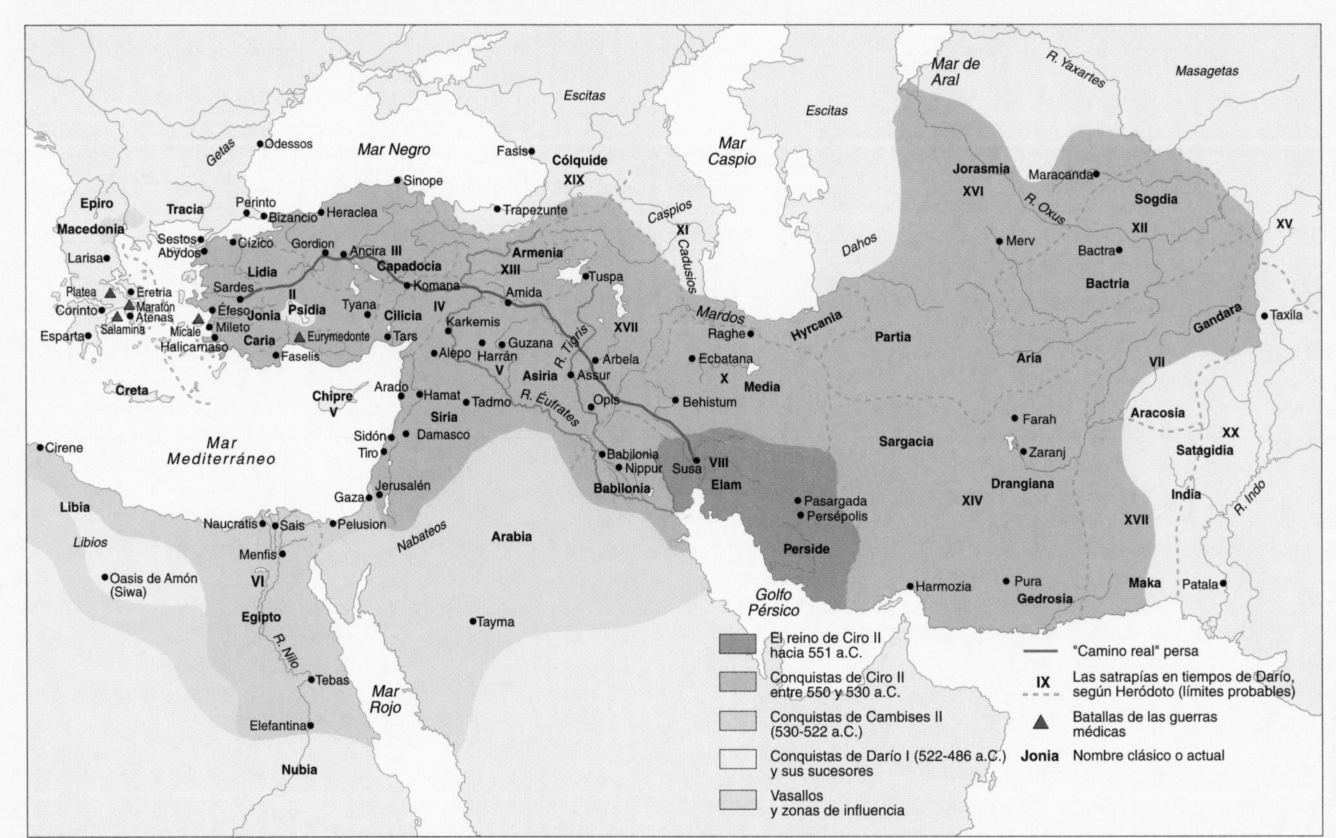

El gobierno de Ciro II el Grande (558-530 a.C.) marcó una profunda inflexión en la estabilidad de la que durante algunos decenios había gozado Oriente Medio tras la desaparición del poderío asirio, pues durante su reinado los persas se convirtieron en dueños de la mayor parte de la región. El hijo y sucesor de Ciro II, Cambises (529-522 a.C.), prosiguió la labor de conquista y se anexionó Egipto. No obstante, su reinado fue muy corto, y a su muerte estalló una dura lucha por el poder, de la que salió victorioso Darío, un noble persa que pertenecía a una de las ramas colaterales de la dinastía aqueménida. Su reinado supondría la conso- lidación interna del imperio y su expansión por Egipto, el Indo, Tracia y Macedonia.

La expansión del Islam

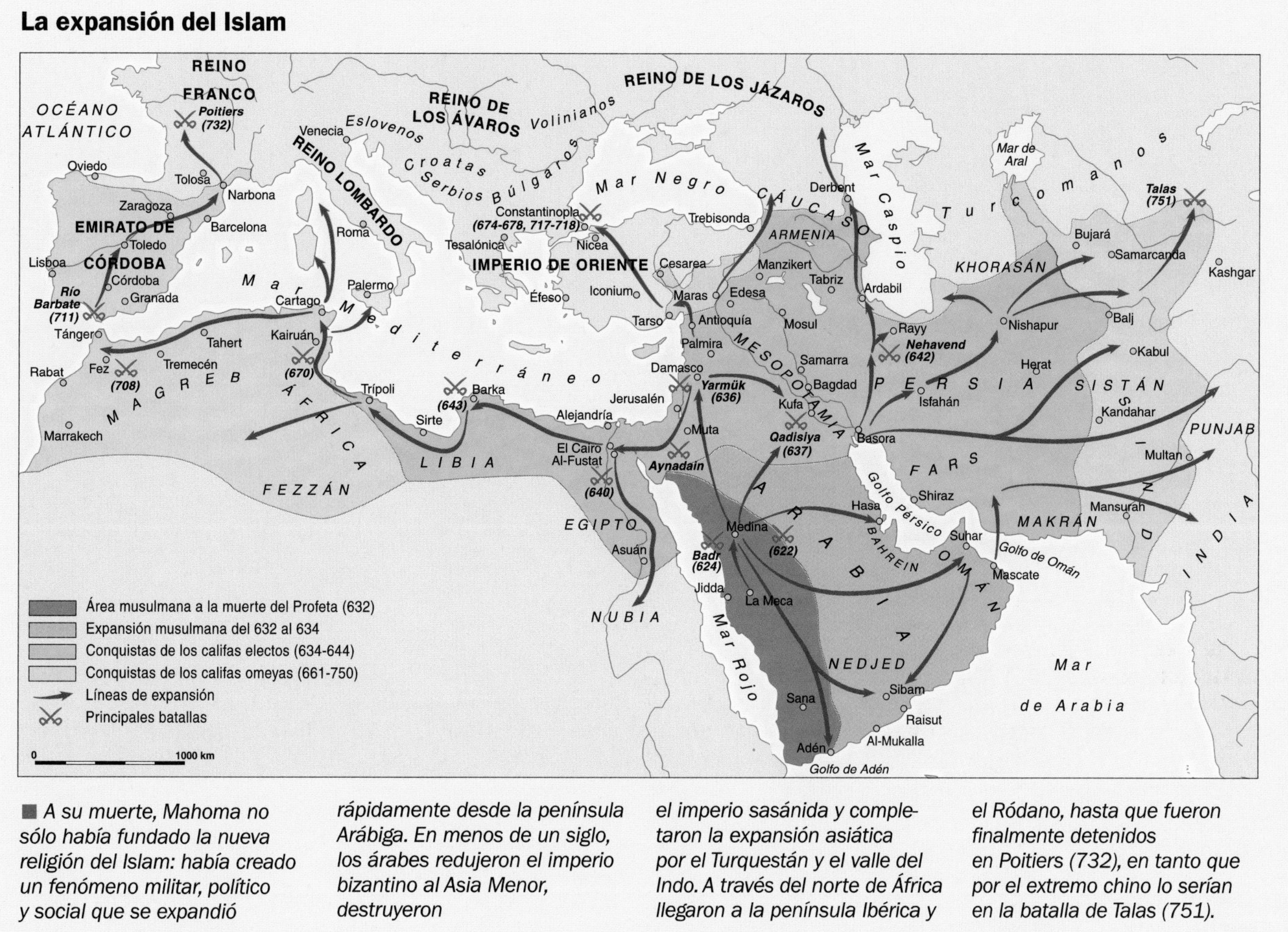

■ *A su muerte, Mahoma no sólo había fundado la nueva religión del Islam: había creado un fenómeno militar, político y social que se expandió rápidamente desde la península Arábiga. En menos de un siglo, los árabes redujeron el imperio bizantino al Asia Menor, destruyeron el imperio sasánida y completaron la expansión asiática por el Turquestán y el valle del Indo. A través del norte de África llegaron a la península Ibérica y el Ródano, hasta que fueron finalmente detenidos en Poitiers (732), en tanto que por el extremo chino lo serían en la batalla de Talas (751).*

tienden al norte de la región, desde los montes Elburz y Kopet Dag, al norte de Irán, hasta la región de Hindu Kush, en Afganistán y, sobre todo, el macizo del Karakorum, al norte de Pakistán, con cimas que superan los 8 000 m.

Con unas estructuras económicas tradicionales basadas en el pastoreo y la agricultura, la región experimentó un profundo cambio a partir del desarrollo de una nueva actividad económica: la extracción de petróleo. La creciente importancia de este recurso energético a partir del siglo XX constituye, con mucha diferencia, la principal fuente de ingresos de la mayoría de estos países. En el desierto de Arabia y alrededor del golfo Pérsico se agrupan las mayores reservas petrolíferas del mundo. También al norte de Irak, en Irán y en Pakistán la extracción de crudo es un elemento absolutamente fundamental de sus economías. Afganistán es el único país de la región que queda al margen de esta fuente de riqueza, y se ha convertido a lo largo de las últimas décadas en uno de los países más empobrecidos del continente.

Historia

El carácter árido de la región ha comportado una difícil adaptación de la actividad humana a lo largo de la historia, basada en un pastoreo nómada y trashumante, en la agricultura de bajo rendimiento de las difíciles zonas áridas, en las actividades artesanas y en la apertura de rutas comerciales a través de las grandes superficies desiertas, como las rutas de la seda. Tan sólo en las zonas donde existen importantes ríos ha sido posible consolidar unos modos de vida sedentarios, basados en el aprovechamiento de las tierras para la agricultura. La región de Mesopotamia, entre los ríos Tigris y Éufrates, el valle del Indo, o la llanura irrigada del Punjab, en el norte del Pakistán, constituyen los mejores ejemplos de ello, y configuran fértiles paisajes que contrastan radicalmente con los áridos espacios que los rodean.

Los ingentes beneficios del petróleo han modificado sustancialmente las tradicionales estructuras económicas y de organización social en la región, y sin embargo, no han acabado de dar un impulso definitivo al desarrollo de estas sociedades. Los regímenes autoritarios que han gobernado estos países han constituido un obstáculo para una amplia distribución de esta riqueza y para la inversión de los capitales obtenidos en otros sectores económicos. Por otro lado, la evidente importancia que estos recursos petrolíferos tienen para las potencias industriales del mundo occidental ha originado constantes pugnas por el dominio político de la zona. En este contexto de desigualdad económica y de injerencia exterior, han proliferado los movimientos islamistas radicales, que tuvieron su máxima expresión en la revolución islámica de Irán (1979) y en la toma del poder por los talibanes en Afganistán (1996-2001).

También la guerra entre Irán e Irak en la década de 1980 o el conflicto entre Pakistán e India por el control del territorio de Cachemira han contribuido a la inestabilidad política de la región. Uno de los más graves conflictos, la invasión de Kuwait por Irak en 1990, suscitó una reacción internacional que tuvo como desenlace la retirada del invasor tras la guerra del Golfo, que fue librada a principios del año 1991.

Posteriormente, los ataques terroristas de islamistas radicales del 11 de septiembre de 2001 contra las torres gemelas de Nueva York y el Pentágono tuvieron como consecuencia una escalada de la tensión internacional que desembocó ese mismo año en la invasión de Afganistán y la caída del régimen talibán. En 2003, Estados Unidos y otros países aliados invadieron Irak y derrocaron el régimen de Saddam Hussein, cuando el país todavía sufría las consecuencias económicas y sociales de las guerras anteriores.

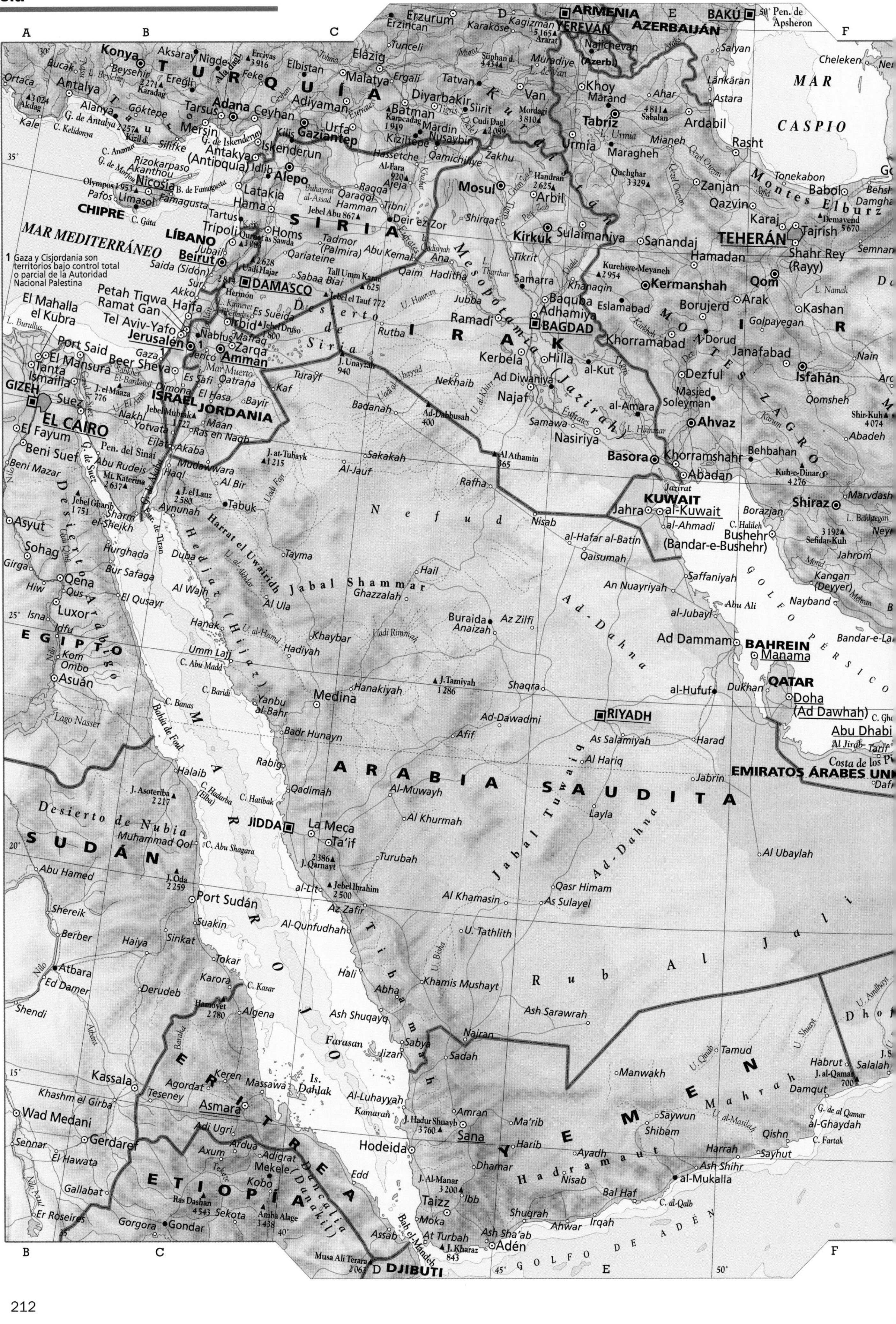

ARMENIA
YEREVÁN
AZERBAIJÁN
BAKÚ
Pen. de Apsheron
TURQUÍA
Konya
Aksaray
Nigde
Erciyas 3 916
Elbistan
Elâzig
Tunceli
Erzurum
Erzincan
Karaköse
Kagizman
Ararat 5 165
Najichevan (Azerb.)
Salyan
Cheleken
Beysehir
Eregli
Feke
Malatya
Ergani
Tatvan
Süphan d. 4 434
Muradiye
L. de Van
Khoy
Marand
Ahar
Lankäran
Astara
MAR CASPIO
Antalya
Alanya
Göktepe
Tarsus
Adana
Ceyhan
Adiyaman
Diyarbakir
Siirt
Van
Mordagi 3 810
Sabalan 4 811
Ardabil
Batman
Karacadag 1 919
Mardin
Cudi Dagi 2 089
Urfa
Gaziantep
Kilis
Mersin
Silifke
G. de Iskenderun
Iskenderun
Antakya (Antioquía)
Idlib
Alepo
Kiziltepe
Nusaybin
Qamichliye
Zakhu
Urmia
L. Urmia
Tabriz
Maragheh
Mianeh
Rasht
Montes Elburz
Tonekabon
Babol
Behshahr
Damghan
Hassetche
Al-Fara 920
Ajeja
Raqqa
Buhayrat al-Assad
Qaraqol
Hamman
Tibni
Mosul
Handran 2 625
Arbil
Quchghar 3 329
Zanjan
Qazvin
Karaj
Tajrish
Demavend 5 670
CHIPRE
Nicosia
Limasol
Famagusta
Rizokarpaso
Akanthou
Olympos 1 953
Pafos
C. Gata
MAR MEDITERRÁNEO
Latakia
Hama
Tartus
Trípoli
Qurnat as Sawda 3 083
Homs
SIRIA
Jebel Abu 867
Tadmor (Palmira)
Deir ez Zor
Shirqat
Kirkuk
Sulaimaniya
Sanandaj
TEHERÁN
Shahr Rey (Rayy)
Semnan
LÍBANO
Jubail
Beirut
Saida (Sidón)
Sur
Akko
Haifa
Qariateine
Abu Kemal
Ana
Qadisiyah
Tikrit
Hamadan
Kureh-ye-Meyaneh 2 954
Qom
Tall Umm Karir 625
DAMASCO
Hermón 2 814
Sabaa Biar
Qaim
Haditha
Samarra
Khanaqin
Kermanshah
Petah Tiqwa
Ramat Gan
Tel Aviv-Yafo
Jerusalén
Kinneret
Irbid
Es Sueida
Jebel Druso 1 800
Jebel el Tauf 772
Desierto de Siria
U. Hawran
Jubba
Mesopotamia
Baquba
Adhamiya
BAGDAD
Eslamabad
Borujerd
Arak
Kashan
Golpayegan
IRAK
IRÁN
El Mahalla el Kubra
L. Burullus
Port Said
El Mansura
Tanta
Ismailia
GIZEH
EL CAIRO
Suez
Gaza
Beer Sheva
Dimona
Nablus
Mafraq
Zarqa
Amman
Jericó
Mar Muerto
Rutba
Ramadi
Kerbela
Hilla
Khorramabad
Dorud
Janafabad
Isfahán
Nain
ISRAEL
JORDANIA
Es Safi
Qatrana
El Hasa
Bayir
Kaf
Turayf
J. Unayzah 940
Uadi al Ubayyid
Nekhaib
Ad Diwaniya
al-Kut
Dezful
Najaf
Jazirah
Masjed Soleyman
Qomsheh
Montes Zagros
J. el Mazar 776
Nakhl
Jebel Mubrak 1 727
Yotvata
Maan
Ras en Naqb
Badanah
Ad-Dabbusah 400
Samawa
al-Amara
Ahvaz
Shir-Kuh 4 074
Nasiriya
Abadeh
El Fayum
Beni Suef
Eilat
Akaba
Pen. del Sinaí
J. at-Tubayk 1 215
Sakakah
Al-Jauf
Al Athamin 365
Basora
Khorramshahr
Abadan
Behbahan
Beni Mazar
Abu Rudeis
Mt. Katerina 2 637
Mudawwara
Haql
Al Bir
Rafha
Kuh-e-Dinar 4 276
Marvdasht
Jebel Gharib 1 751
J. el Lauz 2 580
Tabuk
Nefud
Jazirat
KUWAIT
Jahra
al-Kuwait
al-Ahmadi
Shiraz
Asyut
Sharm el-Sheikh
Aynunah
Nisab
Borazjan
C. Halileh
Bushehr (Bandar-e-Bushehr)
Sefidar-Kuh 3 192
Sohag
Desierto Arábigo
Hurghada
Str. de Tirán
Duba
Harrat el Uwairidh
Tayma
al-Hafar al-Batin
Qaisumah
Jahrom
Girga
Qena
Qus
Bur Safaga
Hedjaz (Hijaz)
Hail
Saffaniyah
Kangan (Deyyer)
Hiw
Al Wajh
Jabal Shammar
Ghazzalah
An Nuayriyah
Nayband
El Qusayr
Al Ula
Isna
Luxor
Idfu
Hanak
Buraida
Anaizah
Az Zilfi
al-Jubayl
Abu Ali
EGIPTO
Kom Ombo
Asuán
Umm Lajj
C. Abu Madd
Hadiyah
Khaybar
Uadi Rimmah
Ad-Dahna
Ad Dammam
BAHREIN
Manama
GOLFO PÉRSICO
Bandar-e-Lengeh
C. Banas
Bahía de Foul
C. Baridi
Yanbu al-Bahr
Medina
Hanakiyah
J. Tamiyah 1 286
Shaqra
al-Hufuf
Dukhan
QATAR
Doha (Ad Dawhah)
Lago Nasser
Badr Hunayn
Ad-Dawadmi
Afif
RIYADH
As Salamiyah
Al Hariq
Harad
Abu Dhabi
Al Jirab
Tarif
Costa de los Piratas
EMIRATOS ÁRABES UNIDOS
Halaib
C. Hadarba (Elba)
J. Asoteriba 2 217
Rabigh
Qadimah
ARABIA SAUDITA
Al-Muwayh
Jabrin
Desierto de Nubia
C. Hatibak
JIDDA
La Meca
Ta'if
Al Khurmah
Layla
Jabal Tuwaiq
SUDÁN
Muhammad Qol
C. Abu Shagara
J. Qarnayt 2 386
Turubah
Al Ubaylah
Abu Hamed
J. Oda 2 259
Port Sudán
al-Lit
Jebel Ibrahim 2 500
Al Khamasin
Qasr Himam
As Sulayel
Shereik
Suakin
Az Zafir
Berber
Haiya
Sinkat
Al-Qunfudhah
U. Tathlith
Rub Al Jali
Atbara
Tokar
Hali
Tihama
Ed Damer
Karora
C. Kasar
Abha
Khamis Mushayt
Derudeb
Shendi
Hamoyet 2 780
Algena
Ash Shuqayq
Ash Sarawrah
MAR ROJO
Farasan
Jizan
Sabya
Najran
Sadah
Tamud
Habrut
Salalah
J. al-Qamar 700
Dhofar
Kassala
Agordat
Keren
Massawa
Is. Dahlak
Manwakh
Damqut
Khashm el Girba
Teseney
Asmara
ERITREA
Al-Luhayyah
Kamaran
Amran
Ma'rib
Saywun
Shibam
Mahrah
G. de al Qamar
al-Ghaydah
Wad Medani
Adi Ugri
J. Hadur Shuayb 3 760
Sana
YEMEN
Qishn
C. Fartak
Sennar
Gerdaref
Ardua
Axum
Adigrat
Mekele
Hodeida
Harib
Ayadh
Harrah
Sayhut
El Hawata
Danakil
Dancalia
Dhamar
Hadramaut
Nisab
Ash Shihr
al-Mukalla
Gallabat
ETIOPÍA
Kobo
Edd
J. Al-Manar 3 200
Ibb
Bal Haf
Ras Dashan 4 543
Sekota
Amba Alage 3 438
Taizz
Shuqrah
C. al-Qalb
Er Roseires
Gorgora
Gondar
Moka
Ahwar
Irqah
Assab
Bab el-Mandeb
At Turbah
Ash Sha'ab
J. Kharaz 843
Adén
GOLFO DE ADÉN
Musa Ali Terara 2 063
DJIBUTI

1 Gaza y Cisjordania son territorios bajo control total o parcial de la Autoridad Nacional Palestina

G
H
I
J
K
L
1
2
3
4
5
6
TURKMENISTÁN
UZBEKISTÁN
TADJIKISTÁN
AFGANISTÁN
PAKISTÁN
INDIA
CHINA
OMÁN
SOMALIA
Desierto de Kara-Kum
Turkmenabat (Chardzhou)
Ashgabat
Dushanbe
Kulob
Qurghonteppa
Termez
Kerki
Mari
Tejen
Kelif
Andkhui
Khulm
Kunduz
Khanabad
Faizabad
Shibarghan
Mazar-i-Sharif
Aibak
Baghlan
Pul-i-Khumri
Túnel de Salang
Charikar
Maimana
Sarakhs
MASHHAD
Neyshabur
Sabzevar
Bojnurd
Torbat-e-Heydariyeh
Kashmar
Gushgi
Tor Ghundai
Qala-i-Nau
Bamiyan
KABUL
Jalalabad
Paso de Khyber
Herat
Chakhcharan
Kuteh-Ashro
Baraki Barak
Ghazni
Gardez
Zarghunshahr
Tarin Kot
Koh-i-Qaisar 4148
Farah
Kalat-i-Ghilzai
Gereshk
Kandahar
Lashkargah
Fort Sandeman
Chaman
Bostan
Quetta
Loralai
Registán
Zabol
Zaranj
Kang
Khairabad
Rudbar
Mts. Chagai
Zahedan
Nok Kundi
Dalbandin
Raskoh 3007
Kalat
Sibi
Kahan
Jacobabad
Shikarpur
Sukkur
Larkana
Khanpur
Khuzdar
Mts. Siahan
Montes Kirthar
Dadu
Sehwan
Nawabshah
Mirpur Khas
Hyderabad
Kotri
Tatta
KARACHI
Bahía de Sonmiani
Delta del Indo
Bela
Panjgur
Turbat
Pasni
Ormara
Gwadar
Govater
Chah Bahar (Chab Bahar)
Iranshahr (Bampur)
Beluchistán-Sistán
Nikshahr
Makrán
Kerman
Mahan
Zarand
Bam
Baft
Sabzevara
Kuh-e-Taftan 4045
Khash
Khash-Kuh 3962
Bandar-Abbas
Qeshm
Kuhestak
Jask
Bent
Piyashg
Fakkan
al-Fujayrah
Suhar
GOLFO DE OMÁN
al-Khaburah
Barka
Matrah
Mascate
Ibri
J. Sham 3017
Izki
Nazwa
Manah
Ibra
Sur
C. Al Hadd
Al Hadd
Al Ashkhirah
C. Jibsh
Ras an Nuqdah
Masirah
G. de Masirah
Ras ad Daqm
C. Madrakah
B. de Sauqira
Sawqirah
C. Sharbithat
Kuria Muria (Reinv. pelo Iêmen)
MAR DE ARABIA
Trópico de Cancer
Peshawar
Islamabad
Rawalpindi
Kohat
Bannu
Salt Range
Gujrat
Sialkot
Gujranwala
Sargodha
FAISALABAD (LVALLPUR)
LAHORE
Amritsar
Jullundur
LUDHIANA
Chandigarh
Dehra Dum
Dera Ismail Khan
Jhang Maghiana
Kasur
Okara
Sahiwal
Dera Ghazi Khan
Multan
Bahawalpur
Mts. Sulaiman
Bhatinda
Patiala
Ambala
Hardwar
Sahjharanpur
Meerut
Moradabad
Ganganagar
Hissar
Rohtak
DELHI
Nueva Delhi
Faridabad
Aligarh
Mathura
Agra
Alwar
Churu
Sikar
Bikaner
JAIPUR
Gwalior
Desierto de Thar
Phalodi
Jaisalmer
Jodhpur
Ajmer
Beawar
Pali
Kota
Barmer
Mts. Aravalli
Udaipur
Guru Sikha 1722
Pantanos de Katchh
Patan
Mehsana
AHMADABAD
Nadiad
Godhra
Ujjain
INDORE
BHOPAL
Montes Vindhya
Bhuj
Kandla
Morvi
G. de Katchh (Kutch)
Jamnagar
Khambhat
BARODA
Okha
Rajkot
Bhaunagar
Broach
SURAT
Porbandar
Dhoraji
Veraval
Navsari
Dhulia
Jalgaon
Akola
Malegaon
Nasik
Aurangabad
Jalna
Daman
G. de Khambhayat (Cambay)
Thana
Ulhasnagar
Ahmadnagar
BOMBAY (MUMBAI)
PUNE (POONA)
Dhond
Barsi
Sholapur
Srivardhan
Satara
Sangli
Bijapur
Ratnagiri
Ichalkjaranji
Kolhappur
Belgaum
Dharwar
Hubli
Panaji (Panjim)
Karwar
Ghates Occidentales
Costa de Malabar
Udipi
Mangalore
Cannanore
Khandwa
Montes Satpura
Ratlam
Guna
Chitral
Gilgit
Chilas
Baltit
Dir
Mardan
Srinagar
Jammu
Pathankot
Batala
Cachemira (Kashmir)
Leh
Skardu
Nanga Parbat 8126
K2 (Qogir Feng) 8616
Nunkun 7135
HIMALAYA
KARAKORUM
HINDU KUSH
Pamir
Paropamiso
Koh-i-Baba
Tirich Mir 7708
Sikaram 4755
Zona reivindicada por la India
Paso de Karakorum 5575
Paso de Kunjirab 4934
Mt. Kungur 7719
Taxkorgan
Murgob
Jorug
Qala-i-Panja
Shaymak
Gurna (Pishan)
Moyu
Khotan (Hotien)
Muztag 7282
Rutog
Shiquanhe
Montes Zaskar
Shilla 7026
Montes Ladakh
Kavir
Khorasán
Gonabad
Ferdow
Golshan (Tabas)
Birjand
Sarbisheh
Nehbandan
Dasht-e-Lut
Kuh-e-Darband 2438
Hamun-e-Jaz-Muryan
Hamun-i-Mashkel
Socotora (Yemen)
Tamridah
Abd al Kuri
J. Hajir 1503
Los Hermanos
Caalula
C. Guardafui
Mt. Taayis 800
C. Binna
C. Hafun
Hafun
OCÉANO ÍNDICO
0
200
400
600 km

Asia meridional

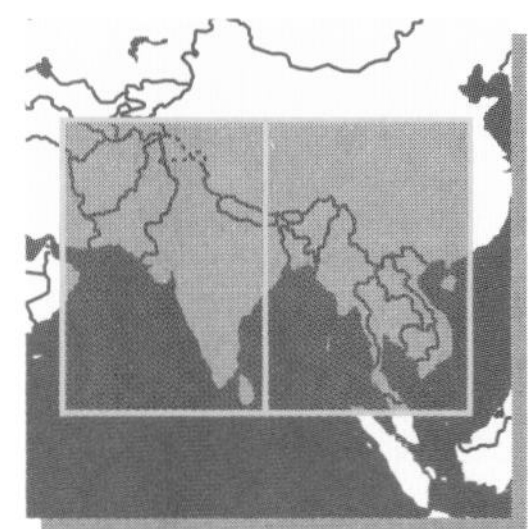

La parte centromeridional del continente asiático está constituida por dos enormes penínsulas que se abren al océano Índico: la península del Indostán y la península de Indochina. La primera está ocupada fundamentalmente por la India, que tiene como pequeños estados vecinos a Nepal y Bután, al norte, a los territorios insulares de Sri Lanka y Maldivas, al sur, y al estado de Bangladesh, al este. La península de Indochina, por su parte, está repartida entre cinco estados: Myanmar (la antigua Birmania), Thailandia, Laos, Vietnam y Camboya. Entre ambos espacios peninsulares se halla el archipiélago de las islas Andamán y Nicobar, que pertenecen a la India.

El arroz es el principal cultivo de la región. Arriba, cultivo de arrozales en Vietnam.

Geografía física y humana

La península del Indostán tiene sus límites bien definidos por elementos naturales como el desierto de Thar al noroeste, las cumbres del Himalaya al norte, los montes Naga y Patkai al nordeste y las aguas del océano Índico por el este, sur y oeste. Uno de los rasgos característicos que imprime unidad a esta área geográfica es la estacionalidad climática provocada por la influencia de los vientos monzónicos de verano, ráfagas cargadas de la humedad del océano que se desploman al chocar con las zonas montañosas (Himalaya y Ghates Occidentales). Esto incide en la vida de millones de personas, cuya práctica agrícola se basa en esta estacionalidad climática.

Otro elemento unificador lo constituyen las grandes concentraciones humanas que se localizan en áreas de cultivo como el valle del Ganges, en la India, y el delta del Ganges-Brahmaputra, en Bangladesh. El volumen demográfico de la región representa el 30 % de la población asiática y el 20 % del total mundial. La agricultura tiene rasgos muy definidos por la gran densidad demográfica y la excesiva atomización de la tierra. Predomina la cultura del arroz, cultivado mediante métodos rudimentarios y en forma intensiva no mecanizada.

Más al este, la península de Indochina constituye un territorio con unas características geográficas muy uniformes, originadas por un relieve montañoso joven, con cordilleras abruptas afectadas por seísmos y erupciones volcánicas; un clima tropical influido por los monzones, que producen torrenciales lluvias de verano; una vegetación selvática exuberante; mares cálidos azotados por tifones, y llanuras aluviales y extensos deltas donde se encuentran los milenarios arrozales. Estas características y las altas densidades humanas han favorecido el cultivo de plantación de carácter intensivo no mecanizado, con elevados rendimientos por hectárea, pero no por habitante, lo que sitúa a estos países entre los grandes productores de arroz, mandioca, plátanos, palmera cocotera y aceitera, caña de azúcar, tabaco, café, té y yute. La explotación del caucho y de las maderas preciosas, así como de minerales valiosos (estaño, oro, plata, cromo, tungsteno, cobre y fosfatos), es otra de las actividades tradicionales de estos países.

Las religiones del subcontinente indio

■ *La India no sólo es la cuna de las dos religiones más antiguas y extendidas de Asia, el budismo y el hinduismo, sino también el país que alberga mayor diversidad de creencias y de sectas y en el que la religión ocupa un lugar más relevante, ya que impregna muchas facetas de la vida cotidiana a pesar de la declarada aconfesionalidad del Estado. El grupo religioso mayoritario está formado por los hinduistas, al que se adscribe el 80 % de la población. El segundo grupo, que conforma la minoría religiosa más numerosa de la India reúne el 11 % de la población, está formado por los musulmanes, la mayoría de ellos de confesión sunnita. A este grupo le siguen en número los cristianos y los sijs, seguidos de budistas (sólo un 1 % de la población), jainitas y parsis.*

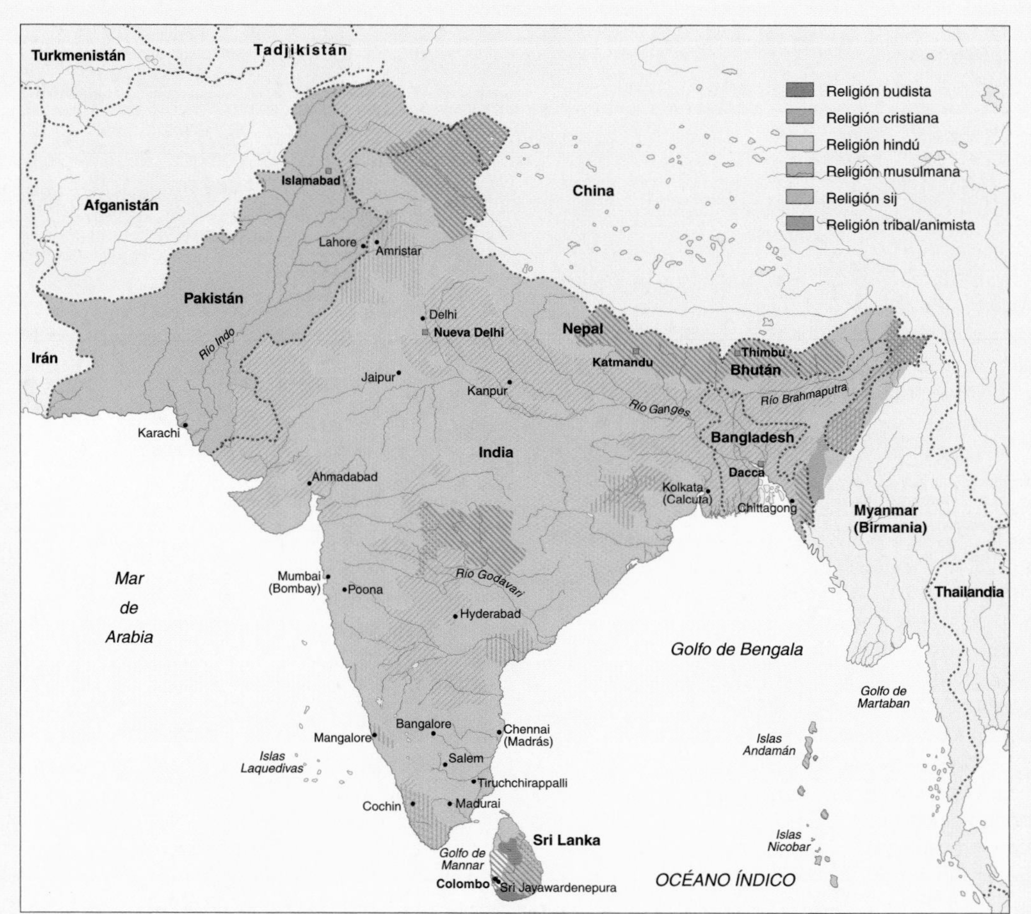

Las guerras de Indochina y del Vietnam

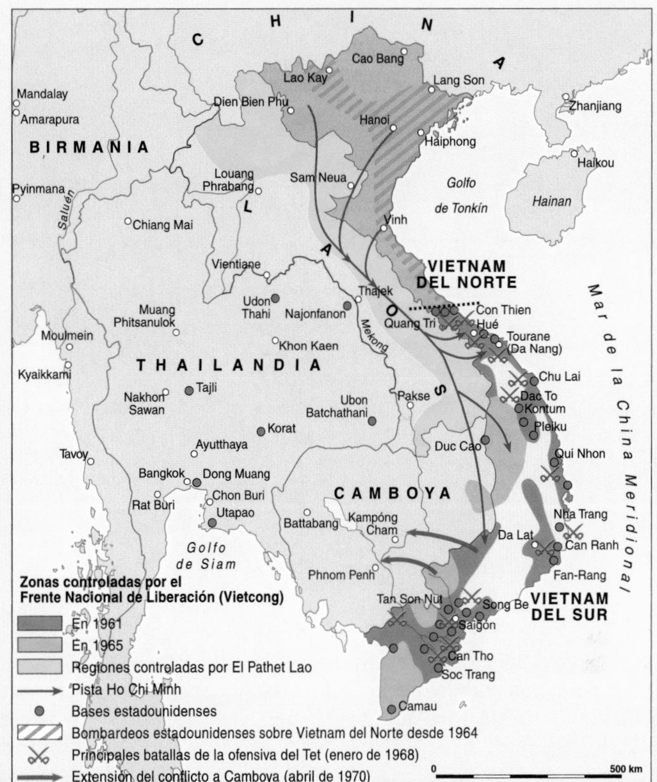

■ *La presencia colonial de Francia en Indochina comenzó a ceder terreno ante la guerra de guerrillas librada por las fuerzas del Vietminh. Estados Unidos, más interesado en que la región quedase libre de la hegemonía europea que receloso de un primer avance del comunismo, apoyó a la guerrilla vietnamita. La caída de Dien Bien Phu precipitó la derrota de Francia.*
Desde que los franceses se retiraron de Indochina en 1954, la influencia de Estados Unidos en la zona fue cada vez mayor. Éstos consideraban Vietnam su principal baza en el Sudeste Asiático y centraron su estrategia en el apoyo a los gobiernos de Vietnam del Sur, responsables de una gran corrupción y abusos represivos que crearon un fuerte sentimiento opositor. Estados Unidos, que comenzó a perder su hegemonía en la zona, se embarcó en una cruenta guerra (1959-1975) contra el Vietcong, la guerrilla sudvietnamita apoyada por Vietnam del Norte.

Historia

Las religiones adquieren un papel decisivo en la unificación social y política de la península india. El hinduismo es la más difundida y la que ha movilizado durante siglos a millones de personas en el peregrinaje hacia las ciudades y los ríos sagrados. También ha sido el factor que ha mantenido viva la rígida estratificación social en castas, y su enfrentamiento con el Islam ha sido a veces violento; de ello son exponente numerosos episodios sangrientos de la historia moderna de la India, especialmente las constantes tensiones con Pakistán que aún hoy en día se manifiestan, esencialmente, en el conflicto de Cachemira. Todo este territorio, que formó parte del imperio británico hasta 1947, quedó dividido políticamente tras la culminación del proceso de independencia, de forma que la población islámica constituyó los actuales países de Pakistán y Bangladesh.

En la península de Indochina, las etnias mongoloides originarias se mezclaron con otras provenientes de la India y de la China, lo que dio como resultado la aparición de grupos étnicos propios, entre los que se puede mencionar los viet, thai y khmer.

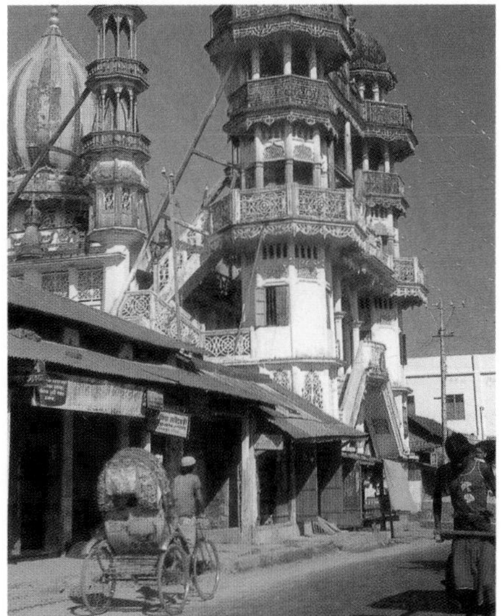

Vista de una calle céntrica de Chittagong, la segunda ciudad de Bangladesh.

También fue decisiva la influencia del budismo, introducido a partir del siglo VI y que se extendió rápidamente entre las masas populares. Actualmente, es la religión mayoritaria en toda la zona. El dominio colonial francés y británico ha dejado su impronta, pues en casi toda el área el inglés y el francés son idiomas habituales junto con las lenguas originarias. Pero la herencia más destacada del colonialismo europeo ha quedado impresa en el modo de producción, que se caracteriza por la explotación indiscriminada de los recursos naturales. Así, estos países se han mantenido como productores de materias primas agrícolas, forestales y minerales para la exportación y como consumidores de productos elaborados.

A lo largo del siglo XX, la región ha sido intensamente azotada por largas guerras. Durante el conflicto de Vietnam (1959-1975), Camboya se vio inmersa en el mismo a causa de la intervención militar estadounidense (1968), a la que siguió la llegada al poder de los khmers rojos, la invasión de las tropas vietnamitas en 1978 y la guerra de guerrillas, que desde la frontera con Thailandia se extendió por doquier. La desaparición del enfrentamiento entre bloques político-militares favoreció los esfuerzos de pacificación avalados por Naciones Unidas, en los que se produjeron firmes iniciativas en 1991, que desembocaron en elecciones libres dos años después.

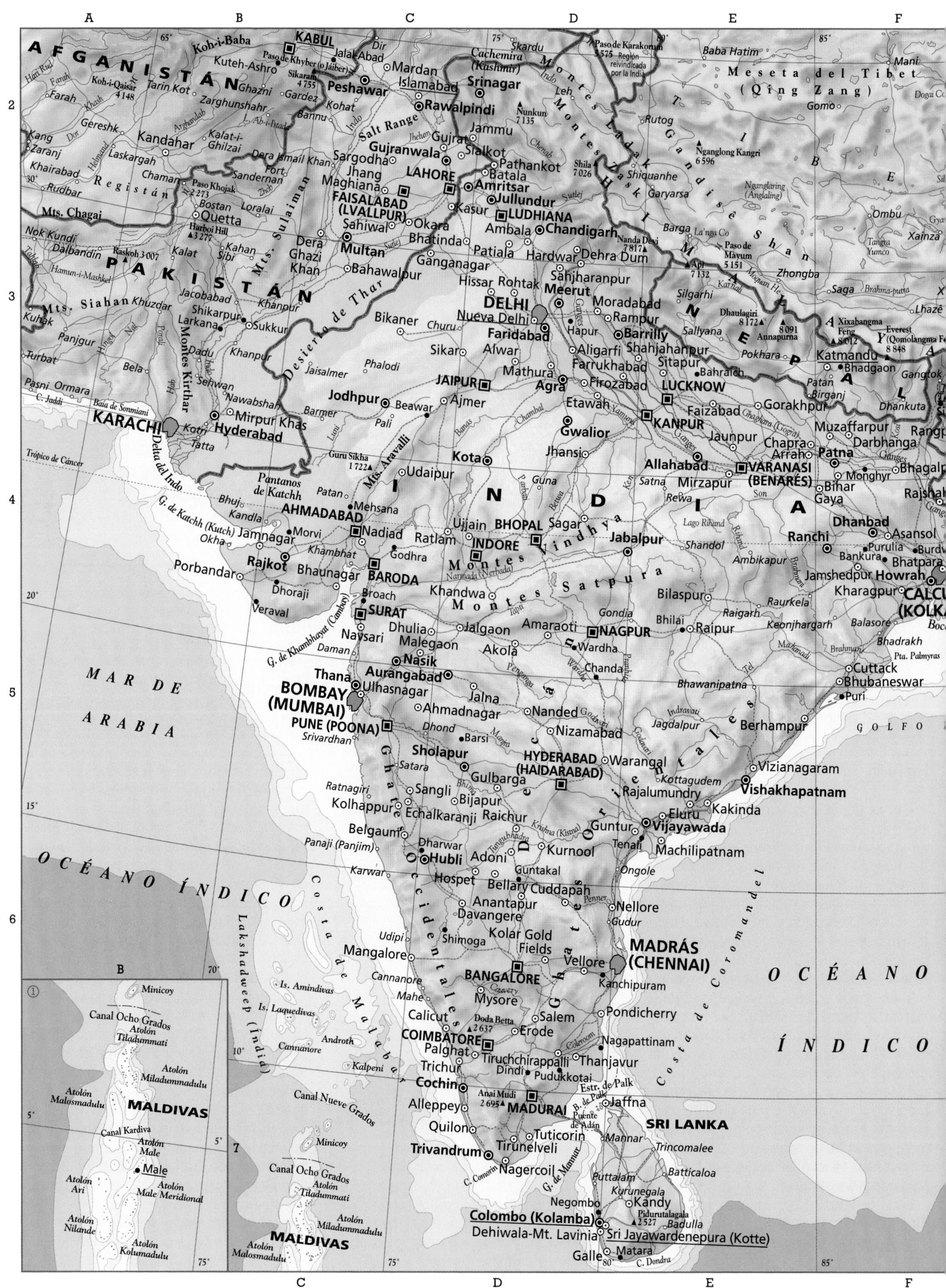
AFGANISTÁN
PAKISTÁN
INDIA
NEPAL
SRI LANKA
MALDIVAS
KABUL
Peshawar
Islamabad
Rawalpindi
Srinagar
LAHORE
FAISALABAD (LVALLPUR)
Multan
KARACHI
Hyderabad
Quetta
Kandahar
DELHI
Nueva Delhi
JAIPUR
LUCKNOW
KANPUR
AHMADABAD
BARODA
SURAT
BOMBAY (MUMBAI)
PUNE (POONA)
HYDERABAD (HAIDARABAD)
BANGALORE
MADRÁS (CHENNAI)
COIMBATORE
MADURAI
NAGPUR
INDORE
BHOPAL
VARANASI (BENARÉS)
Katmandu
Colombo (Kolamba)
Sri Jayawardenepura (Kotte)
MAR DE ARABIA
OCÉANO ÍNDICO
Meseta del Tibet (Qing Zang)
Desierto de Thar
Montes Vindhya
Montes Satpura
Ghats Occidentales
Ghats Orientales
Costa de Malabar
Costa de Coromandel
Lakshadweep (India)
Estr. de Palk
Trópico de Cáncer
Everest (Qomolangma Feng) 8 848
Male
Canal Ocho Grados
Canal Nueve Grados

G
H
I
J
K
L
Xil Shan
Huangheyang
A'nyêmagên Shan
Mts. Min
Lintan
Tienshui
Huixian
Hua (Qing Ling)
Shangshui
Fuyang
HUAINAN
HEFEI
Qiduqou
Bayan Har Shan
Darlag
Hanzhong
Nanyang
Gushi
Xinyang
Lu'an
Ningjing Shan
Yushu
Serxü
Daba Shan
Ankang
Guanghua
Xiangfan
Suxian
Dabie Shan
Tanggula Shankou
Guangyuan
Presa de las Tres Gargantas
Xiaogan
WUHAN
Susong
Tanggula Shan
Daxue Shan
Barkam
Mianyang
Daxian
Tianmen
HUANGSHI
Garzê
Nanchong
Yichang
Shashi
Jiujiang
Nagqu
Dêngqên
Guanxian
Guang'an
Enshi
Yueyang
Yongxiu
Qamdo
CHENGDU
Suining
Hechuan
Lixian
NANCHANG
Lhari
Dawn
Shaluli Shan
Ya'an
Sichuan Pendi (Cuenca Roja)
Fuling
Changde
Yiyang
CHANGSHA
Nyainqentangla Shan
Pondo Dsong
Kangtin
Gongga Shan 7 556
CHONGQING
Fengcheng
Fuzhou
Lhasa (Lasa)
Gongbo' gyamda
Batang
Litang
Hanyuan
Leshan
Neijiang
Zigong
Luzhou
Tongzi
Xiangtan
Zhuzhou
Pingxiang
Ji'an
Nyingchi
Namcha Barwa 7 756
Yarlung Zangbo Jiang
Nédong
Zayu
Yibin
Xuyong
Zunyi
Yuanling
Zhijiang
Shaoyang
Hengyang
Nitigdu
Jido
Hkakabo Razi 5 881
Daliang Shan
Zhenyuan
Ganzhou
Ziro
Kangto 7 089
Sadiya
Xichang
Zhaotong
Bijie
GUIYANG
Wugang
Linling
Chenxian
Dibrugarh
Yun Ling
Guiding
Nanxiong
BUTÁN
Itanagar
Putao
Lijiang
Huili
Huize
Anshun
Dushan
Guilin
Nan Ling
Shaoguan
Jorhat
Mts. Patkai
Maingkwan
Dukou
Rangia
Tezpur
Heyuan
Lianxian
Gauhati
Kohima
Saramati 3 826
Dali
Qiansuo
KUNMING
Qujing
Liuzhou
CANTÓN (GUANGZHOU)
Trópico de Cáncer
Huizhou
Shillong
Klasi Hills
Myitkyina
Baoshan
Chuxiong
Yiliang
Bose
Wuzhou
Shenzhen
Sylhet
Mogaung
Homalin
Tengchong
Kaiyuan
Zoaqing
Foshan
Silchar
Imphal
Longlin
Jianshui
Mengzi
Litang
Yulin
Jiangmen
Katha
Bhamo
Gejiu
Wenshan
Nanning
Macao
HONG KONG
Agartala
Mawlaik
Wuntho
Kûnlôn
Pu'er
Cao Bang
Pingxiang
Yangchun
Comilla
Kalewa
Namtu
Lashio
Ha Giang
Lang Son
Hepu
Wuchuan
Yangjiang
MYANMAR
Ou Neua
Fan Si Pan 3 142
Thai Nguyen
Beihai
Zhanjiang
Embalse de Karnafuli
Mts. Letha
Falam
Jinghang
Lai Chau
Yen Bai
Mong Cai
Narayanganj
Mandalay
Phong Saly
HANOI
HAIFONG (HAIPHONG)
Xuwen
CHITTAGONG
Menglian
Dien Bien Phu
Song La
Barisal
Mts. Arakan
Victoria Taungdeik 3 053
Myingyan
Kengtung
Nam Tha
Sam Neua
Nam Dinh
G. de Tonkín
Estr. de Hainan
Haikou
Maungdaw
Paletwa
Mts. Pegu
Taunggyi
Mongnai
Meseta de Tran Ninh
Thanh Hoa
Hainan
Magwe
Houei Sai
Dongfang
Changjiang
Wanning
Sittwe (Akyab)
Minbu
Loikaw
Chiang Rai
Luang Prabang
Ban Ban
Muong Sen
Yaxian
Phu Bia 2 817
LAOS
Pyinmana
Thayeutmyo
Chiang Mai
Nan
Ban Phen Ngam
Vinh
Ha Tinh
C. Yulin
Kyaukpyu
Rambre
Cheduba
Pyé (Prome)
Toungoo
Dong Hoi
MAR DE LA CHINA MERIDIONAL
Lampang
Vientiane (Viangchan)
Paksane
Lak Sao
Taungup
Sandowaj
Mae Sarriang
Thakhek
Mu Gia 418
Quang Tri
Paungde
Shwegyin
2 300 Phu Miang
Nong Kahi
Henzada
Nakhon Phanom
Sepon
Hué
Montes Dawna
Pegu
Tak
Da Nang
Syriam
Kyaikto
Thaton
Phetchaburi
Savannakhet
Hoi An
Bassein
Martaban
Khon Kaen
Saravane
Atuat 2 500
Chu Lai
YANGON (RANGÚN)
THAILANDIA
Roi Et
Khong Sedon
Ngoc Linh 2 598
Quang Ngai
Pyapon
Moulmein
Nakhon Ratchasima
Ratchathani
Pakse
Attopeu
Son Ha
C. Negrais
G. de Martaban
Karokpi
Dak Kon
Kontum (Cong Tum)
Delta del Irawadi
Ye
Surin
Bang
Pleiku (Gia Lai)
Paso de las Tres Pagodas
Mts. Bilauk
Ayutthaya
Mts. Dang Raek
Khong
Keng Phao
Qui Nhon
Yapu
BANGKOK
Samrong
Cheom Ksan
Lomphat
Song Cau
Migyaunglaung
Kanchanaburi
Chey Troun
Tuy Hoa
Is. Cocos (Myan.)
Samut Prakan
Sisophon
Tavoy
Thon Buri
Poipet
Kralanh
Siem Reap
Stung Treng
Ban Me Thuot
Aranyaprathet
Rovieng
Tonle Sap
Nha Trang
Phetchaburi
Battambang
CAMBOYA
Sattahip
Cam Ranh
Yangwa
Mts. Cardamomos
Moung
Komp. Cham
Da Lat
Kadan (King)
Chanthaburi
Chhmang
Dang Krien
Phan Thiet
Andamán del Norte
Andamán Central
Chang Trat
Phnom Penh
Chon Thanh
Mergui
Tav Ninh
HO CHI MINH (SAIGÓN)
Prachuap Khiri Khan
Maw 1 231
Kut
Svay Rieng
Port Blair
Andamán del Sur
Rutland
Arch. de Mergui
Bentinck
Kas Kong
Kong
Chomna
Chau Phu
Phan Thiet
Golfo de Siam
Kampot
Vung Tan
Cu Lao Hon
Bokpyin
Kompong Som (Sihanoukville)
My Tho
Long Xuyen
Vinh Long
Is. Catwick
Chumphon
Phu Quoc
Can Tho
Phu Vinh
Pequeña Andamán
Sullivan
Kawthaung
Kra Buri
Ban Sawi
Rach Gia
Khanh Hung
Delta del Mekong
Ranong
Istmo de Kra
Phangan
Samui
Quan Long
Vinh Loi (Bac Lieu)
Con Son
Car Nicobar
Surat Thani
C. Ca Mau
Nakhon Si Thammarat
Phanang
Phangnga
Teressa
Camorta
Yao Yai
Phuket
Phatthalung
Katchall
Trang
Songkhla
Hat Yai
Pattani
Peq. Nicobar
Satun
Gran Nicobar
Terutao
Kangar
Alor Star
Yala
Kota Baharu
Gran Canal
Penang (Georgetown)
Sungei Patani
Kuala Krai
Kuala Terengganu
Penang
Bagan-Jaya
Pen. de Malaca
Kuala Dangun
Andamán y Nicobar (India)
Is. Andamán
Is. Nicobar
MAR DE ANDAMÁN
90°
95°
100°
105°
110°
115°
30°
25°
20°
15°
10°
5°
2
3
4
5
6
7
8
0
200
400
600 km

Sudeste Asiático

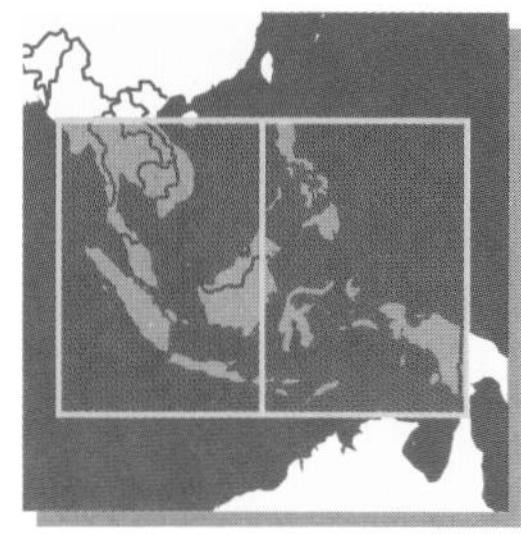

La región geográfica del Sudeste Asiático está formada por el extremo meridional de la península de Malaca –que constituye el sector continental de Malaysia e incluye el microestado insular de Singapur–, la región de Insulindia –repartida entre Indonesia, Malaysia, Brunei y Timor Oriental– y el archipiélago de las Filipinas.

Geografía física y humana

El único sector continental de la región, el extremo meridional de la península de Malaca, presenta unas características comunes con los archipiélagos de Insulindia, con más de 13 000 islas de dimensiones muy variadas, desde las mayores de Borneo, Sumatra, Java y Célebes (o Sulawesi), hasta los miles de islotes deshabitados. Son islas con un relieve abrupto y montañoso; su ubicación sobre el Cinturón de Fuego del Pacífico confiere al arco insular una fuerte inestabilidad manifestada por seísmos y erupciones volcánicas,

En Singapur, uno de los grandes centros financieros del Sudeste Asiático, se emplaza el puerto más importante de esta región.

a veces catastróficas (como la del volcán Krakatoa, en 1883). Otro rasgo común es el clima, plenamente ecuatorial, extremadamente cálido y húmedo, sin diferencias estacionales, que favorece el desarrollo de selvas y bosques tropicales en los que abunda el bambú y la hevea, productora del caucho. También el archipiélago filipino, con más de 7 000 islas, presenta una geología volcánica, con una orografía accidentada y un clima típicamente tropical, húmedo y caluroso, sin marcadas diferencias estacionales.

De acuerdo con estas condiciones, los países de la región han desarrollado una agricultura de plantación muy productiva: se encuentran entre los primeros productores mundiales de arroz, azúcar, café, té, plátanos, soja, aceite de palma y caucho. La sobreexplotación de los recursos forestales para la obtención de maderas nobles, sobre todo en Indonesia, está creando un grave problema medioambiental. Algunos expertos vaticinan la desaparición de los bosques tropicales del país en pocas décadas.

En los últimos años se ha desarrollado muy rápidamente un proceso de industrialización, basado en una oferta de mano de obra a muy bajo coste que ha atraído a los capitales internacionales, lo cual ha hecho que países como Malaysia, Singapur o Indonesia gocen de unas de las economías más dinámicas del mundo y hayan entrado a formar parte del grupo de los denomina-

Los países del Sudeste Asiático

■ *Por su situación entre la India y China, el Sudeste Asiático fue una tierra de paso, en la que se establecieron numerosos pueblos extranjeros que trajeron consigo su lengua, su religión y sus costumbres. Bajo la influencia cultural de la India se desarrollaron importantes civilizaciones hasta alcanzar su momento de máximo esplendor en torno a los siglos XI y XIII con el imperio khmer. La expansión islámica se inició de forma paulatina, a través del comercio, y en el siglo XIII ya se habían fundado los primeros estados musulmanes en Indonesia y en la península de Malaca, donde hoy el Islam es la religión mayoritaria. La presencia de los europeos comenzó en el siglo XVI con el establecimiento de empresas comerciales portuguesas y españolas. Posteriormente, a través de misiones comerciales y religiosas, fueron instalándose otras potencias europeas (franceses, holandeses y británicos), hasta que en el siglo XIX toda la zona fue repartida entre los imperios coloniales.*

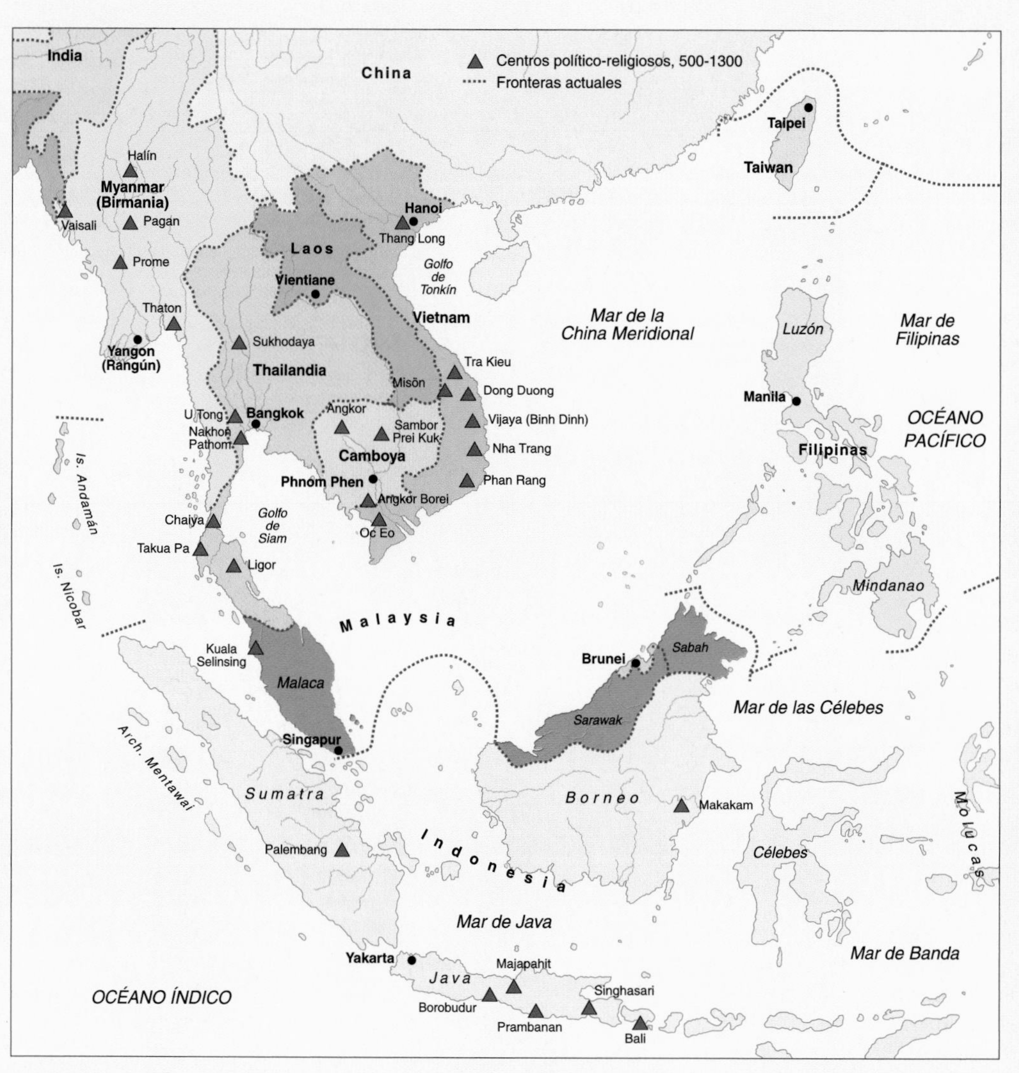

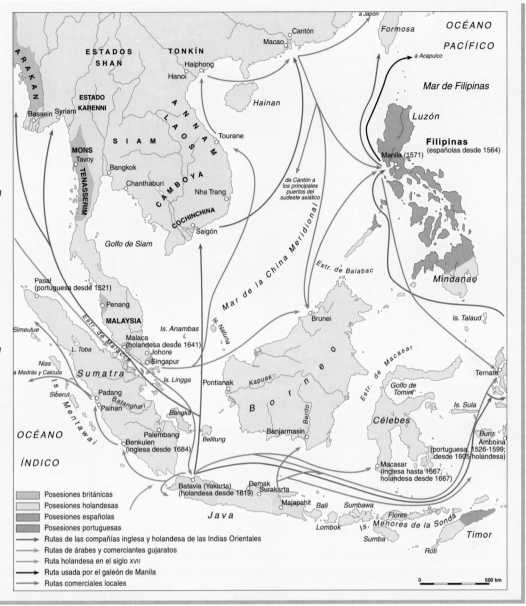

Las rutas comerciales en el océano Índico

■ *La creciente demanda europea de especias, especialmente la pimienta, llevó a las principales potencias marítimas a buscar el comercio directo con las islas productoras, abriendo así nuevos campos para los misioneros y los aventureros. Los portugueses llegaron los primeros, y se establecieron en la India, la península de Malaca y el archipiélago de las Molucas; España tomó las Filipinas; Camboya, Laos y Vietnam se convirtieron en protectorados franceses; Birmania, Malaysia, Java y Singapur pertenecían a la Corona británica; los holandeses se hicieron con el dominio de Indonesia y de varias islas del archipiélago. La única zona que permaneció más o menos al margen de la colonización fue el reino de Siam, la actual Thailandia. A pesar de la fuerte competencia, fueron los neerlandeses los que monopolizaron el comercio de la zona a través de la Compañía Holandesa de las Indias Orientales. Los europeos abrieron el Sudeste Asiático al comercio mundial, e introdujeron algunos cultivos comerciales como el café, el caucho y la caña de azúcar.*

Posesiones británicas
Posesiones holandesas
Posesiones españolas
Posesiones portuguesas
Rutas de las compañías inglesa y holandesa de las Indias Orientales
Rutas de árabes y comerciantes gujaratos
Ruta holandesa en el siglo XVII
Ruta usada por el galeón de Manila
Rutas comerciales locales

dos "dragones asiáticos". En Indonesia y Brunei la exportación de petróleo y de gas natural, que representa un elevado porcentaje de los ingresos debidos a la exportación, ha ayudado en gran medida a impulsar esta incipiente industrialización. Sin embargo, la inestabilidad social, debido a la mala convivencia interreligiosa, y algunas acciones terroristas contra los intereses turísticos occidentales, han condicionado el desarrollo de estos países.

Historia

La posición de estos territorios en las rutas de navegación entre Asia oriental y meridional atrajo rápidamente el interés de las potencias coloniales europeas: portugueses, españoles, holandeses, británicos y posteriormente estadounidenses extendieron sus dominios a lo largo de toda la región. Las lenguas que se hablan habitualmente en la zona, sobre todo el inglés, son herencia de esta imposición sobre las lenguas originarias. El islamismo, después de una lenta y progresiva penetración, es la religión mayoritaria; tan sólo en Filipinas la influencia de la colonización española logró asentar el predominio del catolicismo.

Mezquita de Bandar Seri Begawan (Borneo). En la capital de Brunei se reúne la mayoría de la población de este sultanato insular.

La independencia de estos territorios se fraguó a partir de la década de 1950, cuando Países Bajos reconoció el nuevo Estado indonesio, surgido de su antiguo dominio colonial.

En 1963 se constituyó la Federación de Malaysia, de inspiración británica, que abarcaba el extremo meridional de la península de Malaca, Singapur, Sarawak y Sabah, a la cual se opuso decididamente Indonesia mediante el apoyo de guerrillas, incursiones fronterizas, bloqueos económicos y boicot en la ONU. Tras la caída del dirigente indonesio Sukarno, los dos países firmaron la paz (1966), al mismo tiempo que Malaysia se liberaba de la protección británica y Singapur se separaba de la Federación. En 1975 Indonesia ocupó el sector oriental de la isla de Timor y al año siguiente se lo anexionó. Por otra parte, Brunei declaró su independencia en el año 1984.

En 2002 Timor Oriental declaró su independencia, después de un referéndum y la mediación de la ONU.

A
B
C
D
E
F
1
2
3
4
5
6
7
MYANMAR
Henzada
Pegu
Kyaikto
Bassein
Shwegyin
YANGON (RANGUN)
Moulmein
Thaton
Martaban
Delta del Irawadi
G. de Martaban
Karokpi
Ye
Paso de las Tres Pagodas 220
Migyaunglaung
Tavoy
Punta Taboy
Yangwa
Kadan (King)
Mergui
Arch. Mergui
Bentinck
Bokpyin
Maw 1 231
Sullivan
Kra Buri
Kawthaung
Ranong
Istmo de Kra
MAR DE ANDAMÁN
Montes Dawna
Montes Bilauk
Mae Sariang
Lampang
Sukothai
Tak
Phitsanulok
Phu Miang 2 300
Uttaradit
Loei
Vientiane
Nong Kahi
Nakhon Phanom
Udon Thani
Sakon Nakon
Savannakhet
Khon Kaen
Phetchabun
Roi Et
Nakhon Sawan
THAILANDIA
Uthai Thani
Lop Buri
Ubon Ratchathani
Surin
Sisaket
Saraburi
Ayutthaya
Kanchanaburi
Nakhon Ratchasima
Mts. Dang Raek
Thon Buri
BANGKOK
Samut Prakan
Aranyaprathet
Phetchaburi
Sattahip
Chanthaburi
Prachuap Khiri Khan
Golfo de Siam
Chumphon
Ban Sawi
Phangan
Samui
Surat Thani
Phangnga
Nakhon Si Tahmmarat
Phanang
Phuket
Yao Yai
Trang
Phatthalung
Songkhla
Hat Yai
Pattani
Yala
Satun
Terutao
Langkawi
Kangar
Alor Star
Kota Baharu
LAOS
Lak
Thakhek
Sepon
Saravane
Attopeu
Pakse
Khong Sedon
CAMBOYA
Tbeng Mean
Sisophon
Poipet
Siem Reap
Rovieng
Battambang
Moung
Kralanh
Tonlé Sap
Pursat
Tumpor 1 563
Chhmang 1 813
Aural
Kompong Thom
Kratié
Stung Treng
Lomphat
Samrong
Cheom Ksan
Troun
Khong
Kompong Cham
Komp. Cham
Mts. Cardamomos
Phnom Penh
Tav Minh
Chomna
Kirirom
Kong
Kas Kong
Kut
Chang
Trat
Kompong Som (Sihanoukville)
Rong
Svay Rieng
Chau Phu
Kampot
VIETNAM
Ha Tinh
Mu Gia 418
Dong Hoi
Quang Tri
Hué
Da Nang
Atuat 2 500
Hoi An
Ngoc Linh 2 598
Chu Lai
Son Ha
Dak Kon
Quang Ngai
Ban Keng Phao
Pleiku (Gia Lai)
Qui Nhon
Song Cau
Ban Me Thuot
Nha Trang
Senmonorom
Dang Krien
Da Lat
Phan Rang
Phan Thiet
Chon Thanh
CIUDAD HO CHI MINH (SAIGÓN)
Vung Tan
Vinh Long
Long Xuyen
My Tho
Phu Vinh
Phu Quoc
Ha Tien
Rach Gia
Can Tho
Delta del Mekong
Quan Long
Vinh Loi (Bac Lieu)
C. Ca Mau
Con Son
Islas Catwick
Golfo de Tonkín
Is. Xisha o Paracelso
Is. Nansha (Spratly)
MAR DE LA CHINA MERIDIONAL
MALAYSIA
Weh
Banda Atjeh (Kutaradja)
Sigli
Lhokseumawe
Bireuen
Penang (Georgetown)
Sungei Patan
Pasir Mas
Kuala Krai
Bagan Jaya
Pen. de Malaca
Kuala Terengganu
Taiping
Ipoh
Tahan 2 190
Celah 1 458
Kuala Dangun
Batu Gajah
Telok Anson
Kuala Lipis
Bentung
Kuantan
Bagan Datuk
KUALA LUMPUR
Temerloh
Kelang
Seremban
Melaka
Gemas
Tioman
Endau
Keluang
Muar
Johore Bahru
SINGAPUR
Estrecho de Malaca
Is. Anambas
Matak
Siantan
Djemadja
Is. Bunguran (Natuna)
Arch. sept. de Bunguran
Bunguran
Laut
Arch. merid. de Bunguran
Cabo Datu
Kota Kinabalu (Jesselton)
Kudat
Balambangan
Labuán
Beaufort
Victoria
Weston
BRUNEI
Bandar Seri Begawan
Lutong
Seria
Miri
Long Lama
Bintulu
Tubau
Long Murum
Balingian
Cabo Sirik
Sibu
Merit
Kapit
Kuching
Sarikei
Serian
Simanggang
Mts. Kapuas Hulu
Mts. Iran
Mts. Penamba
Longboh
Bermarnartinus
Nangah Merakai
Borneo (Kalimantan)
Sambas
Singkawang
Bengkayang
Balaikarangan
Pahauman
Sintang
Mampawah
Pontianak
Sanggau
Kubu
Nangapinoh
Nangahserawai
Olongliko
Mts. Schwaner
Raja 2 278
Tumbangniri
Purukjau
Marimun
Muaratewe
Sukadana
Tanjungsatai
Nangatajap
Pesaguan
Palangkaraja
Sampit
Kandangan
Banjarmasin
Martapura
Kumai
Kendawangan
Ketapang
Kualajelai
Golfo de Kumai
Kualapembuang
C. Puting
Bahía de Sebangan
Cabo Sambar
Kintop
C. Selatan
Is. Lara Kecil
Mts. Meratus
Medan
Leuser 3 381
Blangpidie
Tapaktuan
Bindjai
Pematangsiantar
Tandjungbalai
Trumon
Singkil
L. Toba
Pakkat
Simeulue
Sinabang
Tarutung
Rantauprapat
Banjak
Sibolga
Padangsidimpuan
Gunungsitoli
Nias
Tetehosi
Estrecho de Malaca
Takengon
Peureulak
Langsa
Meulaboh
Besitana
Bagansiapiapi
Dumai
Bengkalis
Balaipungut
Tandjungpinang
Is. Riau
Is. Tambelan
Natal
Bangkinang
Pakanbaru
Lipatkain
Teluksabah
Sebangka
Lingga
Airbangis
Pini
Ecuador
Tanahmasa
Arch. Batu
Tanahbala
Bukittinggi
Rengat
Sawahlunto
Estrecho de Siberut
Tuhemberua
Siberut
Muarasiberut
Padang
Sumatra
Muaratebo
Singkep
Cabo Djabung
INDONESIA
Telanaipura
Mentok
Bangka
Pangkalpinang
Koba
Is. Karimata
Estr. Karimata
Kerintji 3 798
Bangko
Sipora
Surulangun
Pasarbantal
Estrecho de Bangka
Grisik
Palembang
Tobali
Estr. Gaspar
Tandjungpandan
Belitung
Dendang
Utara
Is. Pagai
Selantan
Arch. Mentawai
Estrecho de Mentawai
Lubuklinggau
Kebur
Perabumulih
Lahat
Ketahun
Bengkrdu
Mega
Dempo 3 159
Mts. Barisan
Baturadja
Wiralaga
Cabo Lumut
Mannar
Menggala
Bintuhan
Krui
Telukbetung
Kotaagung
OCÉANO ÍNDICO
Enggano
C. Rata Rakata
Rakata (Krakatoa)
Estr. de la Sonda
Panaitan
Merak
Is. Seribu
YAKARTA (DJAKARTA)
Is. Karimundjawa
Mar de Java
Bawean
Bogor
Cianjur
Cirebon
Sukabumi
BANDUNG
Garut
Tasikmalaia
Tegal
Slamet 3 428
Purworedjo
Pekalongan
Kudus
Rembang
SEMARANG
Surakarta
Yogyakarta (Djokjakarta)
Madiun
Kediri
Malang
Java
SURABAYA
Bangkalan
Madura
Pamekasan
Kangean
Sepandjang
Probolinggo
Semeru 3 676
Jember
Banyuwangi
Estr. de Bali
Singaradja
Bali
Rindjani 3 726
Denpasar
Lombok
96°
100°
104°
108°
112°
116°
16°
12°
8°
4°
0° Ecuador
4°
8°
1
MALAYSIA
Ulu Tiram
Johor
Pandan
Johore Bahru
Sembawang
Tanjong Langsat
Thong Hoe
Woodlands
Emb. Seletar
Punggol
Choa Chu Kang
Emb. Peirce
Seletar
Ubin
Changi
Tekong Besar
Tanjong Pelepas
SINGAPUR
Bukit Timah
Bedok
Tuas
Ayer Chawan
Ayer Merbau
Sentosa
Bukum
Semakau
Estrecho de Singapur
Senang
INDONESIA
0
10
20
30 km

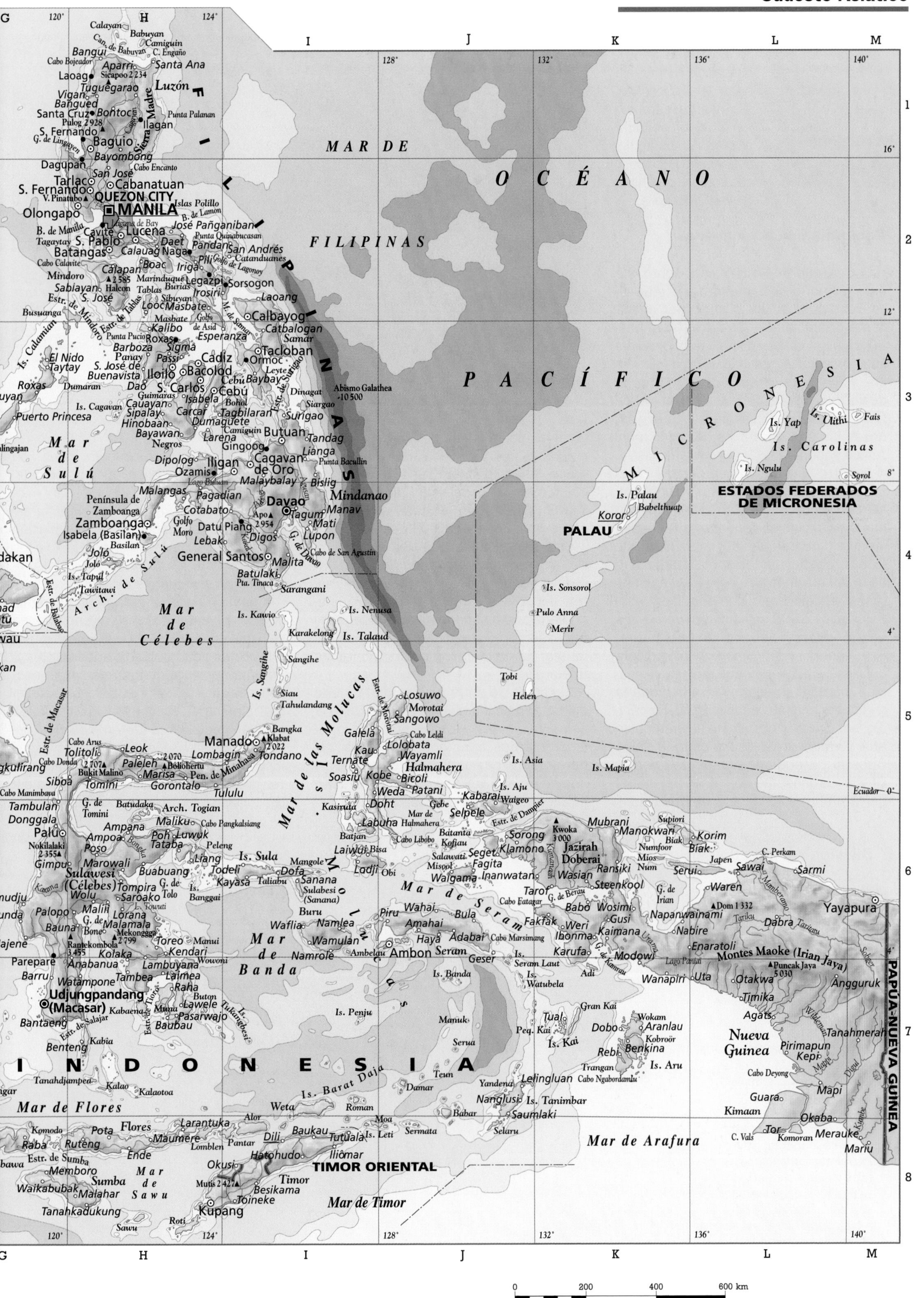
MAR DE
OCÉANO
FILIPINAS
PACÍFICO
MICRONESIA
Is. Carolinas
ESTADOS FEDERADOS DE MICRONESIA
PALAU
Is. Palau
Koror
Babelthuap
Is. Yap
Is. Uithi
Fais
Is. Ngulu
Sorol
Is. Sonsorol
Pulo Anna
Merir
Tobi
Helen
Is. Asia
Is. Mapia
Ecuador
Calayan
Babuyan
Camiguin
C. Engaño
Bangui
Cabo Bojeador
Aparri
Santa Ana
Laoag
Sicapoo 2 234
Tuguegarao
Luzón
Vigan
Bangued
Santa Cruz
Bontoc
Pulog 2 928
Punta Palanan
Ilagan
S. Fernando
G. de Lingayen
Baguio
Bayombong
Dagupan
San José
Cabo Encanto
Tarlac
Cabanatuan
S. Fernando
V. Pinatubo
QUEZON CITY
MANILA
Islas Polillo
Olongapo
B. de Lamon
Laguna de Bay
B. de Manila
José Pañganiban
Cavite
Lucena
Punta Quinabucasan
Tagaytay
S. Pablo
Daet
Batangas
Calauag
Naga
Pandan
San Andrés
Catanduanes
Cabo Calavite
Boac
Pili
Calapan
Iriga
G. de Lagonoy
Mindoro
Marinduque
Legazpi
2 585
Halcon
Burias
Sorsogon
Sabiayan
Tablas
Irosiri
S. José
Sibuyan
Laoang
Busuanga
Looc
Masbate
Estr. de Mindoro
Masbate
Calbayog
Catbalogan
Kalibo
Samar
Is. Calamian
Punta Pucio
Roxas
Esperanza
Barboza
Sigma
Tacloban
El Nido
Panay
Passi
Cádiz
Ormoc
Taytay
S. José de Buenavista
Iloilo
Bacolod
Leyte
Roxas
Dumaran
Cebú
Baybay
Dao
Guimaras
S. Carlos
Cebú
Dinagat
Abismo Galathea -10 500
Isabela
Siargao
Is. Cagavan
Cauayan
Bohol
Puerto Princesa
Sipalay
Carcar
Tagbilaran
Surigao
Hinobaan
Dumaguete
Bayawan
Camiguin
Butuan
Negros
Larena
Tandag
Mar de Sulú
Gingoog
Lianga
Dipolog
Iligan
Cagayan de Oro
Punta Bacullin
Ozamis
Malaybalay
Bislig
Lago Buluan
Malangas
Mindanao
Península de Zamboanga
Pagadian
Davao
Manav
Cotabato
Tagum
Zamboanga
Apo 2 954
Mati
Golfo Moro
Datu Piang
Isabela (Basilan)
Lebak
Digos
Lupon
Basilan
G. de Davao
Joló
General Santos
Cabo de San Agustín
Joló
Malita
Is. Tapul
Batulaki
Pta. Tinaca
Tawitawi
Sarangani
Arch. de Sulú
Estr. de Balabac
Mar de Célebes
Is. Kawio
Is. Nenusa
Karakelong
Is. Talaud
Sangihe
Is. Sangihe
Siau
Tahulandang
Estr. de Macasar
Losuwo
Morotai
Estr. de Morotai
Sangowo
Bangka
Klabat 2 022
Galela
Cabo Leldi
Cabo Arus
Leok
Manado
Kau
Lolobata
Tolitoli
2 070
Lombagin
Boliohertu
Tondano
Ternate
Wayamli
Cabo Donda
2 707
Paleleh
Halmahera
Bukit Malino
Marisa
Pen. de Minahasa
Soasiu
Kobe
Bicoli
Siboa
Tomini
Gorontalo
Mar de las Molucas
Is. Aju
Cabo Manimbava
Tululu
Weda
Patani
Kabarai
Waigeo
Tambulan
G. de Tomini
Batudaka
Arch. Togian
Kasiruta
Doht
Gebe
Selpele
Estr. de Dampier
Donggala
Maliku
Cabo Pangkalsiang
Labuha
Halmahera
Kwoka 3 000
Mubrani
Supiori
Palu
Ampana
Poh
Luwuk
Batjan
Batanta
Sorong
Manokwari
Biak
Korim
Nokilalaki 2 355
Ampoa
Tataba
Peleng
Laiwui
Bisa
Cabo Libobo
Kofiau
Klamono
Jazirah Doberai
Numfoor
Biak
C. Perkam
Poso
Salawati
Seget
Mios Num
Japen
Sawai
Gimpu
Marowali
Liang
Is. Sula
Mangole
Misool
Fagita
Ransiki
Serui
Sarmi
Sulawesi (Célebes)
Buabuang
Todeli
Dofa
Ladji
Obi
Walgama
Inanwatan
Wasian
Tompira
G. de Tolo
Kayasa
Taliabu
Sanana
Steenkool
G. de Irian
Waren
Wolu
Saroako
Is. Banggai
Sulabesi (Sanana)
Mar de Seram
Cabo Fatagar
G. de Berau
Tarof
Palopo
Malili
Lorana
Buru
Wahai
Bula
Babo
Wosimi
Dom 1 332
Yayapura
Bauna
G. de Bone
Malamala
Mekongga 2 799
Piru
Fakfak
Gusi
Napanwainami
Dabra
Wafila
Namlea
Amahai
Weri
Kaimana
Nabire
Rantekombola 3 455
Toreo
Manui
Haya
Adabai
Cabo Marsimang
Ibonma
Enaratoli
Kolaka
Wamulan
Kendari
Mar de Banda
Ambelau
Ambon
Seram
Karufa
Modowi
Montes Maoke (Irian Jaya)
Parepare
Anabanua
Lambuyana
Wowoni
Namrole
Geser
Is. Seram Laut
Lago Paniai
Puncak Jaya 5 030
Barru
Watampone
Tambea
Laimea
Is. Banda
Is. Watubela
Adi
Wanapiri
Uta
Otakwa
Angguruk
Raha
Buton
Udjungpandang (Macasar)
Kabaena
Muna
Lawele
Is. Tukangbesi
Gran Kai
Timika
Pasarwajo
Is. Penju
Tual
Wokam
Agats
Bantaeng
Estr. de Salajar
Baubau
Manuk
Dobo
Aranlau
Tanahmerah
Kabia
Peq. Kai
Is. Kai
Kobroor
Nueva Guinea
Benteng
Serua
Rebi
Benkina
Pirimapun
Kepi
INDONESIA
Teun
Trangan
Is. Aru
Cabo Deyong
Tanahdjampea
Kalao
Is. Barat Daja
Damar
Yandena
Lelingluan
Cabo Ngabordamlu
Mapi
Kalaotoa
Nanglusi
Is. Tanimbar
Guara
Mar de Flores
Weta
Roman
Babar
Saumlaki
Kimaan
Moa
Sermata
Selaru
Okaba
Komodo
Pota
Flores
Larantuka
Alor
Baukau
Is. Leti
Mar de Arafura
Tor
Merauke
Raba
Ruteng
Maumere
Pantar
Dili
Tutuala
C. Vals
Komoran
Mariu
Lomblen
Hatohudo
Estr. de Sumba
Ende
Iliômar
Memboro
Okusi
TIMOR ORIENTAL
Sumba
Mar de Sawu
Timor
Waikabubak
Malahar
Mutis 2 427
Besikama
Toineke
Mar de Timor
Tanahkadukung
Kupang
Sawu
Roti
PAPÚA-NUEVA GUINEA
0
200
400
600 km

Asia oriental

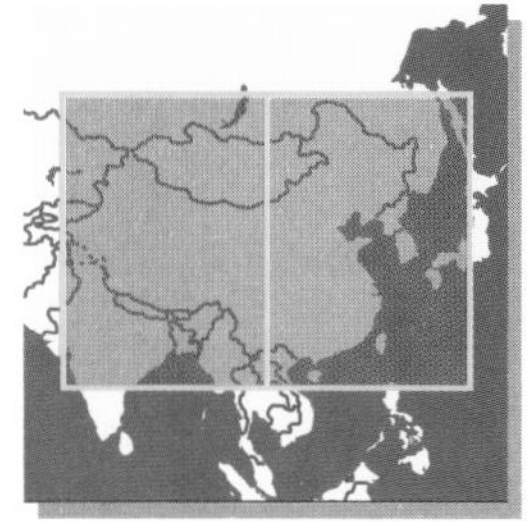

En la zona oriental del continente asiático y ocupando una cuarta parte de su superficie, se localiza esta extensa región bañada, al este, por las aguas del océano Pacífico, y que comprende China, Taiwan y Mongolia.

Embarcación tradicional china, frente a modernos rascacielos en la ex colonia británica de Hong Kong –en chino, Xianggang–, que fue reintegrada a la soberanía china en 1997.

Geografía física y humana

Por su dilatada extensión, dentro de este territorio se encuentra una gran diversidad de paisajes, que incluyen desde la mayor altiplanicie terrestre (Tíbet) hasta la amplia llanura china, cuya horizontalidad provoca la deriva fluvial y la frecuencia de inundaciones; desde rigurosos desiertos como el de Takla Makan y el de Gobi, hasta zonas como la isla de Taiwan, donde las precipitaciones de origen monzónico superan los 2 000 mm anuales.

Al norte se extiende, de oeste a este, un gran territorio de mesetas y tierras desiertas, las de Turquestán y Mongolia, con numerosas cuencas endorreicas situadas a una altitud notable. El gran desierto de Gobi precede por el sur a gran parte de estos territorios. Al noroeste, las montañas de Tian Shan, con altitudes superiores a los 5 000 m, confluyen en el nudo orográfico del Pamir con el Karakorum; éste tiene su continuidad en la cordillera del Himalaya, de tal forma que una alineación montañosa acaba cerrando toda la región por el oeste y el sudoeste. En cambio, por el este y el sudeste el territorio se abre plenamente a los mares de la China Oriental y Meridional, respectivamente. Desde las mesetas del interior, la altitud del territorio va descendiendo hasta configurar la llanura china, un territorio formado por las aportaciones sedimentarias de grandes ríos como el Huang He o el Yang Tsé. Frente a la costa de China, se halla Taiwan, isla con un territorio montañoso que culmina a casi 3 400 m de altitud.

Esta diversidad de paisajes está acompañada de una gran variedad climática, que va desde el dominio continental boreal del nordeste, hasta el tropical húmedo de la costa sudoriental, y desde el clima desértico de las latitudes medias del interior hasta el alpino de las montañas tibetanas.

El contraste en la ocupación humana del territorio es también extremo. Las mesetas y semidesiertos del norte de la región están escasamente habitados, generalmente por población de tradición nómada o seminómada. Éste es el caso de Mongolia, uno de los países con menor densidad de población de la Tierra. En cambio, la zona sudoriental es uno de los espacios con mayor concentración demográfica del mundo, y China el país más poblado del planeta. Este potencial humano, que representa el 25 % de la población mundial y el 40 % de la asiática, junto a los recursos naturales, convierten a esta región en un verdadero subcontinente.

A pesar de ello, su desarrollo económico es incipiente: tras los vaivenes de las políticas económicas de la China posterior a la revolución de 1949, en los últimos años la apertura de las relaciones económicas con el exterior está transformando radicalmente la economía y la vida de los chinos. Bajo el lema de "un país, dos sistemas", China ha logrado mantener el estricto régimen político de partido único a la vez que abría su economía a los flujos del capitalismo internacional, y el país ha vivido

División del imperio mongol en el siglo XIII

■ *Las conquistas de los mongoles en el siglo XIII quizá no tengan parangón en la historia de la humanidad por su rapidez, alcance y grado de destrucción. Gengis Kan fue el encargado de reunir bajo un solo mando a los dispersos clanes, y el creador de la maquinaria militar que lanzó sobre los principales países de Asia y las estepas rusas. Del Danubio a Siberia, de las montañas del Altai al Asia sudoriental, sobre los feudos concedidos a los hijos y nietos de Gengis Kan, Kublai Kan, el gobernador de Pekín, presidió la pax mongólida. Pero a su muerte, el gran imperio mongol se disgregó en pequeños reinos.*

Expansión imperial china en los siglos XVII y XVIII

■ *Bajo la dinastía Qing, China vivió una de las épocas más prósperas de su historia, prolongando su vitalidad imperial cerca de 150 años. Expresiones de ello fueron la conquista de gran parte del Turquestán oriental, la cuenca del Tarim, Dzhungaria, Mongolia y el Tíbet, aunque la ocupación militar no fue acompañada de una colonización china del territorio. En 1820, la China manchú era el país más grande y poblado del mundo, y dominaba grandes áreas como estados tributarios, pero el control militar y administrativo de los Qing declinaba gradualmente, mientras se hacía más patente la necesidad de reorganizar y modernizar el imperio. La clase dominante, sumida en una crisis interna en la que estaba en juego la supervivencia misma del imperio, no supo o no pudo entender esta necesidad.*

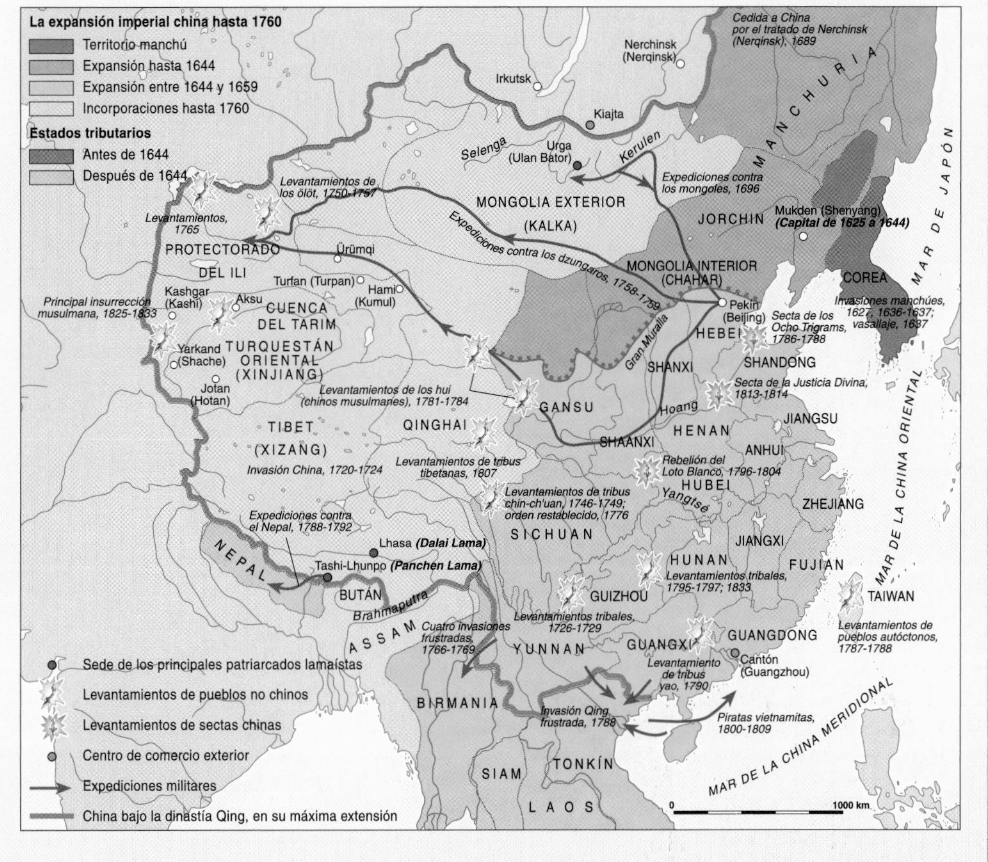

un rápido crecimiento de la industria manufacturera exportadora. Taiwan, que desde mucho antes se había integrado en el grupo de países del Sudeste Asiático que alcanzaron un desarrollo económico basado en la oferta de mano de obra barata, los llamados "dragones asiáticos", ha visto mermada su competitividad por la pujanza de su rival chino.

Historia

Un elemento unificador de la región es su historia común, que se remonta a tiempos remotos. De este pasado proceden tradiciones milenarias que la modernización impuesta por los regímenes políticos no ha podido borrar.

La transformación política que China experimentó a partir del triunfo de la revolución comunista, provocó un cambio progresivo en todos los órdenes de la sociedad, principalmente en su economía, aunque no tardaron en aparecer signos de inestabilidad (como la Revolución Cultural), anquilosamiento y regresión. En 1989, con la represión de las manifestaciones estudiantiles en Pekín, China sufrió una de las mayores crisis políticas de su período bajo régimen comunista, unida a una difícil situación económica. A partir de ese momento, junto al inmovilismo político, se profundizó el proceso de "reforma de la reforma" en lo económico, a fin de corregir los defectos del programa de modernización iniciado en 1978. La apertura económica ha supuesto una fuerte transformación de la sociedad china en los últimos años. En 1997 Hong Kong pasó de nuevo a soberanía china, igual que lo hizo Macao en 1999.

Vista de la entrada a la Ciudad Prohibida, residencia de la familia imperial china hasta 1911, en la plaza de Tiananmen ("de la Paz Celestial"), en Pekín, la capital del estado.

La oleada de cambios en el bloque liderado por la Unión Soviética afectó por su parte a Mongolia. En 1990 los comunistas –en el poder desde hacía 69 años– sufrieron un fuerte revés electoral, y el país apostó por las reformas democráticas.

En el otro extremo se encuentra Taiwan, que con un reducido territorio superpoblado y bajo un régimen de economía de mercado, apoyado y protegido por Estados Unidos, ha logrado una profunda transformación, basada en un activo proceso de industrialización y en la intensificación de las actividades comerciales con el exterior, hasta convertirse en uno de los países orientales con mayor crecimiento económico.

A
B
C
D
E
F
G
H
2
3
4
5
6
7
8
K A Z A K I S T Á N
Qaraghandy
(Karaganda)
Temir-Tau
Zhezqazgan
Baiqongyr
(Baikonur)
Semey
(Semipalatinsk)
Öskemen
(Ust-Kamenogork)
Rubtsovsk
Biisk
Abakan
Estepa del Hambre
(Betpaqdala)
Balqash
L. Balqash
Tarbagatai
Zaisan
Dzhungarski-Alatau
TOSHKENT
(TASHKENT)
Bishkek
(Frunze)
ALMATY
KIRGUISISTÁN
UZB.
Andizhán
Osh
TADJIKISTÁN
AFGANISTÁN
Hindu Kush
Tian Shan
ÜRÜMQI
Zungaria
Bogda Shan
Turpan
Kashi
(Kashgar)
Yarkand
(Soche)
Takla Makan
Kuruktag
Lop Nur
Altun Shan
Kuenlun Shan
Tsaidam
Hoh Xil Shan
Meseta del Tibet
(Qing Zang)
Gandisê Shan
Montes Tanggula
Nyainqentangla Shan
Lhasa (Lasa)
Golmud
Xining
LANZHOU
Bayan Har Shan
Qilian Shan
Bei Shan
Mongol Altai
MONGOLIA
Montes Altai
Tannu-Ola
Montes Saian
Irkutsk
Jiayuguan
Jiuquan
Yumen
Dunhuang
Hami
Karakorum
Cachemira
Islamabad
Rawalpindi
Peshawar
LAHORE
FAISALABAD
Amritsar
Srinagar
Montes Ladakh
PAKISTÁN
LUDHIANA
Chandigarh
DELHI
Nueva Delhi
Meerut
Agra
JAIPUR
Gwalior
KANPUR
LUCKNOW
Allahabad
VARANASI
(BENARÉS)
PATNA
Katmandu
NEPAL
Everest
(Qomolangma Feng)
8 848
BUTÁN
Thimpu (Thimbu)
INDIA
BANGLADESH
DACCA
CALCUTA
Howrah
Bocas del Ganges
Golfo de Bengala
OCÉANO ÍNDICO
CHITTAGONG
MYANMAR
Mandalay
Mts. Arakan
Mts. Patkai
BHOPAL
INDORE
Jabalpur
NAGPUR
Montes Satpura
Ghates Orientales
HYDERABAD
Vishakhapatnam
Cuttack
Bhubaneswar
Ranchi
Dhanbad
Jamshedpur
Shillong
Gauhati
KUNMING
Yun Ling
Daxue Shan
LAOS

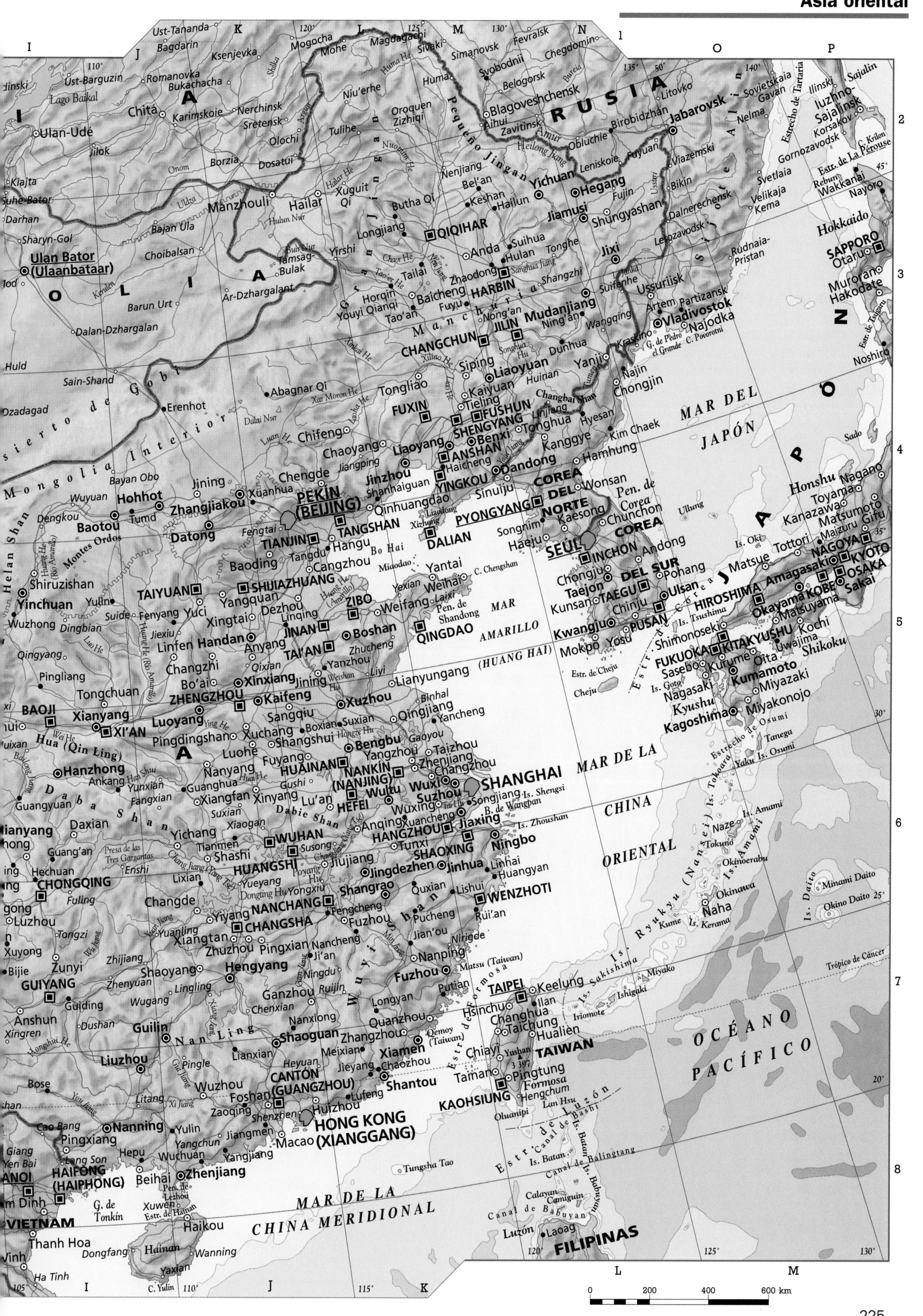
I
J
K
L
M
N
O
P
1
2
3
4
5
6
7
8
RUSIA
MONGOLIA
Ulan Bator (Ulaanbataar)
Ulan-Udé
Chitá
Lago Baikal
Úst-Barguzin
Romanovka
Bukachacha
Bagdarin
Ust-Tananda
Ksenjevka
Mogocha
Mohe
Magdagachi
Sivaki
Simanovsk
Fevralsk
Chegdomin
Svobodnii
Belogorsk
Blagoveshchensk
Aihui
Zavitinsk
Birobidzhán
Jabarovsk
Litovko
Sovietskaia Gavan
Nelma
Estrecho de Tartaria
Ilinski
Sajalín
Iuzhno-Sajalinsk
Korsakov
Gornozavodsk
C. Krilon
Estr. de La Pérouse
Rebun
Wakkanai
Nayoro
Karimskoie
Nerchinsk
Sretensk
Olochi
Borzia
Dosatui
Jilok
Kiajta
Suhe-Bator
Darhan
Sharyn-Gol
Manzhouli
Hailar
Bajan Ula
Choibalsan
Tamsag-Bulak
Ar-Dzhargalant
Barun Urt
Dalan-Dzhargalan
Huld
Sain-Shand
Dzadagad
Erenhot
Desierto de Gobi
Mongolia Interior
Abagnar Qi
Niu'erhe
Tulihe
Oroquen Zizhiqi
Huma
Pequeño Jingan
Gran Jingan
Nenjiang
Bei'an
Keshan
Hailun
Yichuan
Hegang
Jiamusi
Shungyashan
Fujin
Obluchie
Leniskoie
Fuyuan
Viazemski
Bikin
Dalnerechensk
Lesozavodsk
Svetlaia
Velikaja Kema
Rudnaia-Pristan
Xuguit Qi
Butha Qi
Qiqihar
Longjiang
Yirshi
Anda
Suihua
Hulan
Tonghe
Jixi
Tailai
Zhaodong
Harbin
Shangzhi
Suifenhe
Ussuriisk
Artem
Partizansk
Vladivostok
Najodka
Horqin Youyi Qianqi
Baicheng
Tao'an
Fuyu
Nong'an
Manchuria
Jilin
Mudanjiang
Ning'an
Wangqing
Kraskino
G. de Pedro el Grande
C. Povorotni
Changchun
Siping
Dunhua
Yanji
Liaoyuan
Huinan
Najin
Chongjin
Tongliao
Kaiyuan
Tieling
Fuxin
Fushun
Shenyang
Changbai Shan
Linjiang
Hyesan
Benxi
Tonghua
Kim Chaek
Kanggye
Hamhung
Chifeng
Chaoyang
Liaoyang
Anshan
Haicheng
Jinzhou
Yingkou
Dandong
Chengde
Jiangping
Shanhaiguan
Qinhuangdao
Sinuiju
Corea del Norte
Wonsan
Pen. de Corea
Pyongyang
Kaesong
Chunchon
Ulung
Bayan Obo
Jining
Hohhot
Zhangjiakou
Xuanhua
Pekín (Beijing)
Wuyuan
Dengkou
Baotou
Tumd
Datong
Fengtai
Tianjin
Tangshan
Dalian
Songnim
Haeju
Seúl
Inchon
Corea del Sur
Andong
Tangdu
Hangu
Bo Hai
Baoding
Cangzhou
Yantai
C. Chengshan
Weihai
Pen. de Shandong
Taiyuan
Shijiazhuang
Yangquan
Zibo
Weifang
Laixi
Qingdao
Mar Amarillo
(Huang Hai)
Chongju
Taejon
Taegu
Pohang
Ulsan
Kunsan
Chinju
Pusan
Kwangju
Mokpo
Yosu
Estr. de Cheju
Cheju
Estr. de Corea
Yinchuan
Shiruzishan
Helan Shan
Wuzhong
Dingbian
Yulin
Suide
Fenyang
Yuci
Xingtai
Dezhou
Linqing
Jinan
Boshan
Tai'an
Zhucheng
Yanzhou
Linfen
Handan
Anyang
Changzhi
Qixian
Bo'ai
Xinxiang
Jining
Liyi
Lianyungang
Qingyang
Pingliang
Tongchuan
Zhengzhou
Kaifeng
Xuzhou
Binhai
Baoji
Xianyang
Xi'an
Luoyang
Sangqiu
Qingjiang
Yancheng
Pingdingshan
Xuchang
Boxian
Suxian
Shangshui
Bengbu
Gaoyou
Taizhou
Yangzhou
Zhenjiang
Changzhou
Hua (Qin Ling)
Hanzhong
Ankang
Yunxian
Luohe
Fuyang
Huainan
Nanyang
Nankín (Nanjing)
Wuxi
Shanghai
Guanghua
Xiangfan
Xinyang
Gushi
Lu'an
Hefei
Wuhu
Suzhou
Songjiang
Is. Shengsi
B. de Wangpan
Fangxian
Guangyuan
Daba Shan
Suxian
Xiaogan
Dabie Shan
Wuxing
Jiaxing
Anqing
Xuancheng
Hangzhou
Is. Zhoushan
Ningbo
Shaoxing
Mar de la China Oriental
Daxian
Yichang
Tianmen
Wuhan
Shashi
Susong
Huangshi
Tunxi
Jiujiang
Jingdezhen
Jinhua
Linhai
Huangyan
Guang'an
Presa de las Tres Gargantas
Enshi
Hechuan
Chongqing
Lixian
Yueyang
Dongting Hu
Yongxiu
Poyang Hu
Shangrao
Quxian
Lishui
Wenzhou
Fuling
Changde
Yiyang
Nanchang
Fengcheng
Pucheng
Rui'an
Luzhou
Tongzi
Yuanling
Changsha
Fuzhou
Jian'ou
Xiangtan
Zhuzhou
Pingxian
Nancheng
Ji'an
Nanping
Xuyong
Bijie
Zunyi
Zhijiang
Shaoyang
Hengyang
Ningdu
Ruijin
Wuyi Shan
Fuzhou
Matsu (Taiwan)
Estr. de Formosa
Guiyang
Zhenyuan
Lingling
Wugang
Guiding
Ganzhou
Longyan
Putian
Taipei
Keelung
Anshun
Dushan
Guilin
Chenxian
Nanxiong
Quanzhou
Hsinchu
Ilan
Changhua
Taichung
Hualien
Xingren
Nan Ling
Shaoguan
Zhangzhou
Qemoy (Taiwan)
Liuzhou
Lianxian
Heyuan
Meixian
Xiamen
Chiayi
Yushan
3 397
Taiwan
Pingle
Cantón (Guangzhou)
Jieyang
Chaozhou
Tainan
Pingtung
Formosa
Bose
Wuzhou
Foshan
Shantou
Kaohsiung
Hengchum
Lan Hsu
Estr. de Luzón
Litang
Zaoqing
Lufeng
Shenzhen
Huizhou
Oluanipi
Canal de Bashi
Batan
Nanning
Yulin
Cao Bang
Pingxiang
Yangchun
Jiangmen
Hong Kong (Xianggang)
Macao
Lang Son
Hepu
Wuchuan
Yangjiang
Is. Batan
Canal de Balingtang
Yen Bai
Haifong (Haiphong)
Hanoi
Beihai
Zhenjiang
Tungsha Tao
Is. Babuyan
Nam Dinh
G. de Tonkín
Xuwen
Estr. de Hainan
Pen. de Lezhou
Calayan
Camiguin
Canal de Babuyan
Mar de la China Meridional
Vietnam
Haikou
Luzón
Laoag
Filipinas
Thanh Hoa
Dongfang
Hainan
Wanning
Vinh
Yaxian
Ha Tinh
C. Yulin
Mar del Japón
Japón
Hokkaido
Sapporo
Otaru
Muroran
Hakodate
Estr. de Tsugaru
Noshiro
Sado
Honshu
Nagano
Toyama
Kanazawa
Matsumoto
Gifu
Majzuru
Nagoya
Kyoto
Is. Oki
Tottori
Matsue
Amagasaki
Kobe
Osaka
Sakai
Hiroshima
Okayama
Matsuyama
Is. Tsushima
Shimonoseki
Kitakyushu
Kochi
Fukuoka
Uwajima
Shikoku
Sasebo
Kurume
Oita
Is. Goto
Kumamoto
Nagasaki
Miyazaki
Kyushu
Miyakonojo
Kagoshima
Estrecho de Osumi
Tanega
Yaku
Is. Osumi
Is. Tokoara
Is. Amami
Naze
Tokuno
Okinoerabu
Is. Ryukyu (Nansei)
Okinawa
Naha
Kume
Is. Kerama
Is. Daito
Minami Daito
Okino Daito
Is. Sakishima
Miyako
Ishigaki
Iriomote
Trópico de Cáncer
Océano Pacífico
110°
120°
125°
130°
135°
140°
45°
50°
35°
30°
25°
20°
105°
115°
0
200
400
600 km

Extremo Oriente

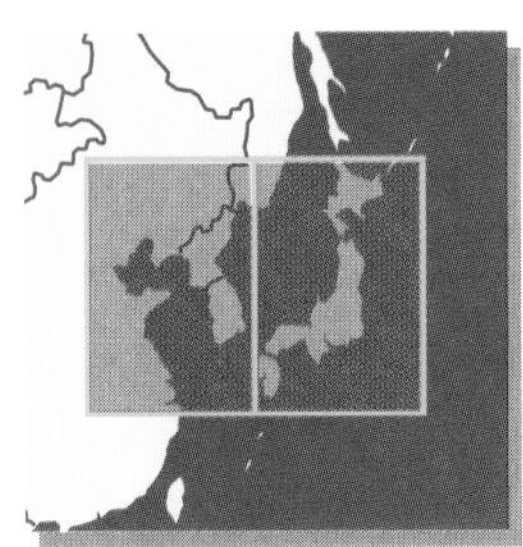

En el extremo oriental de Asia, la región del Extremo Oriente abarca, además del borde oriental del territorio ruso, el archipiélago japonés, separado del continente por el mar del Japón, y la península de Corea, dividida en Corea del Norte (República Democrática Popular de Corea) y Corea del Sur (República de Corea).

Geografía física y humana

El archipiélago japonés forma parte de los arcos montañosos que bordean el continente a manera de guirnaldas y que, por su ubicación en el Cinturón de Fuego del Pacífico, está afectado frecuentemente por erupciones volcánicas y terremotos. A la inestabilidad tectónica de las islas se suma la variabilidad climática, que por sus características da lugar a la formación de tifones, vientos que, originados en el mar, pueden alcanzar los 200 km/h y poseen una gran capacidad destructiva.

La península de Corea constituye un apéndice del continente asiático: un territorio de relieve montañoso, especialmente en el norte, en el que sólo a lo largo del litoral occidental hay llanuras por las que discurren los ríos principales. Su clima está caracterizado por la presencia periódica de los monzones, y su costa meridional se ve afectada por los frecuentes tifones estivales.

En un territorio de casi 600 000 km^2 viven alrededor de 190 millones de personas, con densidades medias que oscilan

Torii junto a la isla de Miyajima, al sudoeste de Hiroshima, en Japón. Los torii son uno de los principales símbolos del sintoísmo.

La expansión japonesa en la primera mitad del siglo XX

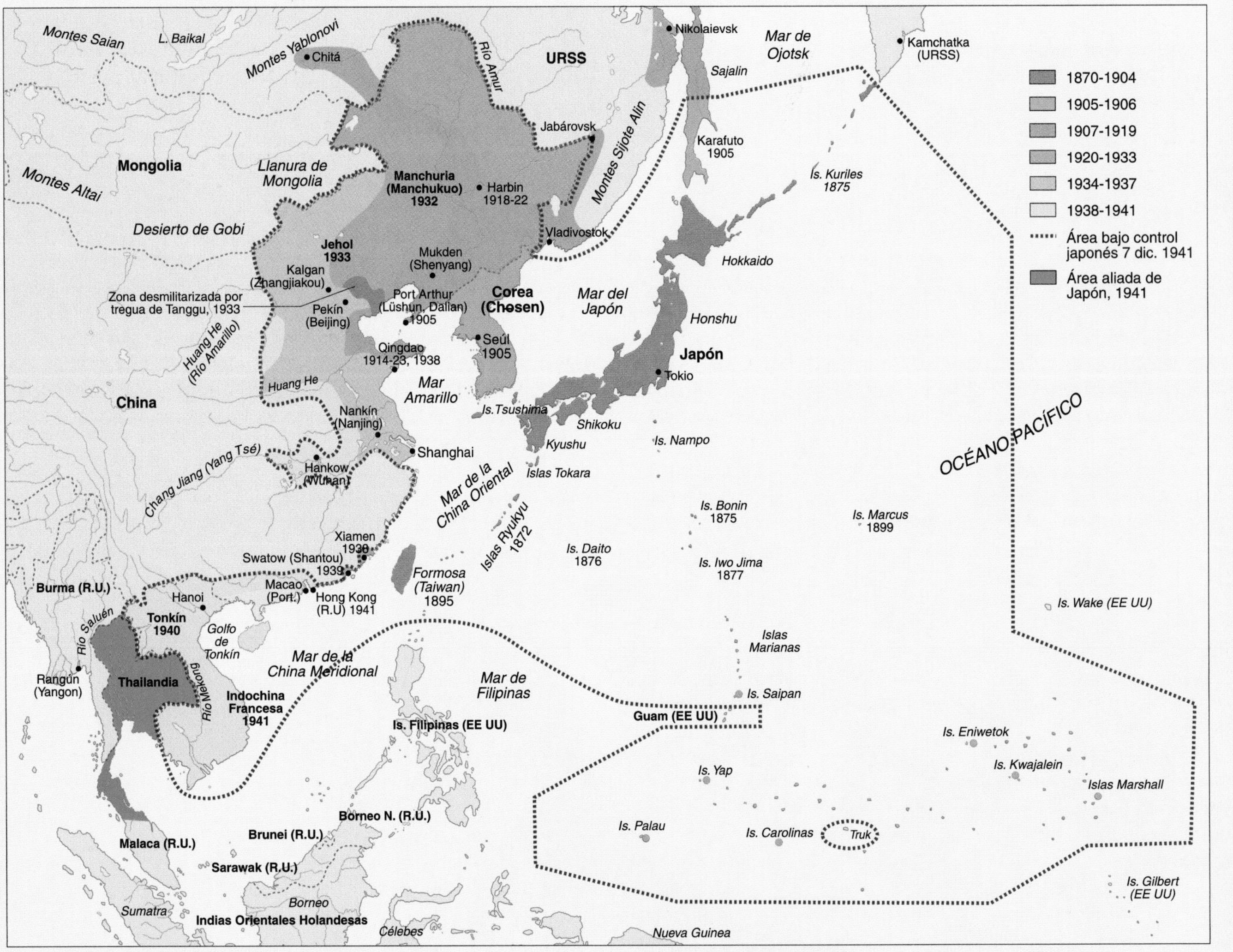

1870-1904
1905-1906
1907-1919
1920-1933
1934-1937
1938-1941
Área bajo control japonés 7 dic. 1941
Área aliada de Japón, 1941

■ Puesta a punto por la remodelación de la era Meiji, la naciente potencia nipona se aprestó a competir con los imperialismos europeos en Asia. En 1872 se anexionó las islas Ryukyu. Tras el tanteo de la guerra con China en 1894-1895, Japón hizo retroceder a Rusia en Manchuria, que en 1932 se convirtió en un estado títere. Absorbidas en 1918 las antiguas colonias alemanas en el Pacífico y en China, en adelante la reducción sistemática de esta última iba a ser el principal objetivo nipón. Entre 1937 y 1945 alcanzó sus metas esenciales en China septentrional, aseguradas por la toma de grandes ciudades y la mediación de un gobierno títere, con capital en Nankín; también organizó otro en Mongolia Interior, con capital en Kalgan. El largo conflicto chino-japonés finalizó con la derrota nipona en la Segunda Guerra Mundial.

La guerra de Corea (1950-1953)

■ *Corea, liberada tras la derrota japonesa en la Segunda Guerra Mundial, quedó dividida por el paralelo 38 en dos zonas: la del norte, comunista y apoyada por los soviéticos, y la del sur, nacionalista y respaldada por Estados Unidos. Sin embargo, Kim Il Sung, líder de Corea del Norte, quiso unificar la península absorbiendo a Corea del Sur. En junio de 1950, la ofensiva del ejército norcoreano derrotó con facilidad a las tropas surcoreanas, pero la respuesta de Estados Unidos fue rápida: consiguió que la ONU condenara la agresión y decidiera, conforme a los principios de la Carta de Naciones Unidas, acudir en ayuda de un país agredido.*
La URSS se abstuvo de participar en el conflicto, que duró tres años, mientras que China ofreció su ayuda a la Corea comunista, firmándose un armisticio en julio de 1953 que consagró el retorno a la situación de 1950.
La guerra de Corea significó la primera escalada bélica, aunque no directa, entre la Unión Soviética y los Estados Unidos, además del fin del dominio de Francia sobre el Sudeste Asiático, que fue reemplazada por la potencia estadounidense.

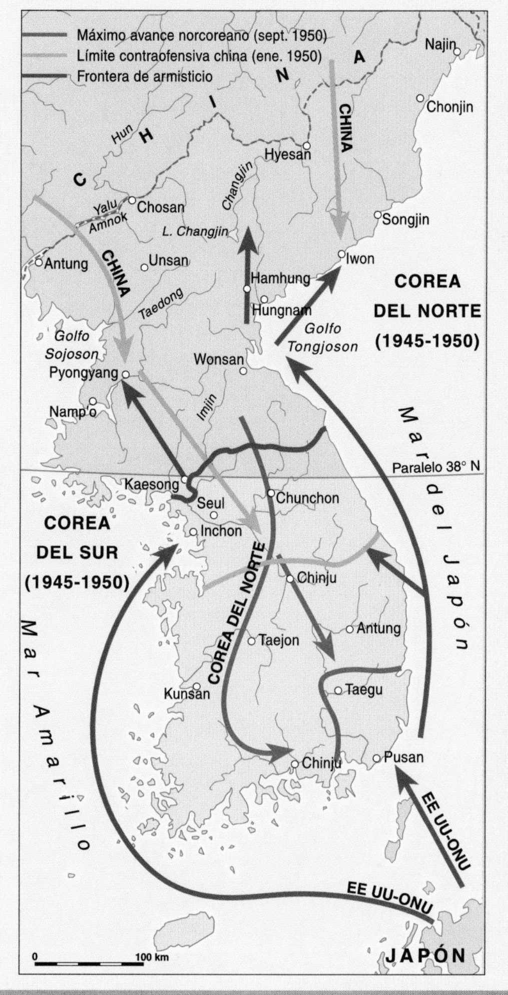

entre 180 hab./km^2 en Corea del Norte y 460 hab./km^2 en Corea del Sur, y conurbaciones como la de Tokio, donde viven más de 12 millones de habitantes, a razón de 5 500 hab./km^2. Esta concentración humana y la necesidad de aprovechar al máximo la superficie traen como consecuencia una transformación completa de las escasas llanuras con que cuenta la región. Así, la actividad agrícola y ganadera se centra en la explotación de los productos más rentables aplicando un alto nivel de tecnología; lo mismo ocurre con la silvicultura, que se realiza aplicando estrictos sistemas de replantación.

Sin embargo, la actividad económica más rentable es la industria, cuyo extraordinario desarrollo, principalmente en Japón y Corea del Sur, no se debe tanto a la existencia de materias primas o fuentes de energía como a la concentración de capitales, debido al gran volumen de inversiones que se ha producido gracias a la capacidad de ahorro de la población. Otro factor importante en el crecimiento industrial, sobre todo en Corea del Sur, ha sido la disponibilidad de mano de obra relativamente barata. Este sector económico, en auge creciente, ha resuelto en gran parte los excedentes de población en edad activa de este país.

Japón resulta un verdadero laboratorio de transformación de materias primas, que en la mayoría de los casos son importadas, como la industria del aluminio, que trabaja con bauxita extranjera. También importa combustible, en especial petróleo, para mover su potente sector industrial, ya que Japón cuenta con pocos recursos energéticos propios.

Historia

Se considera que los ainu fueron los primeros habitantes del archipiélago japonés en épocas prehistóricas, desplazados por pueblos chinos, coreanos, malayos y mongoles que se fusionaron luego en una etnia homogénea. A partir del siglo III, la civilización china se difundió por Japón a través de Corea, y en el siglo VI se introdujo el budismo en las islas. Sin embargo, en siglos posteriores la cultura japonesa fue adquiriendo características diferenciadas respecto a los pueblos continentales.

Durante la era Meiji (1868-1912), Japón fue adoptando formas propias de los países occidentales, con la implantación de una administración moderna y el desarrollo de la industria y la investigación científica; en esa época, en la que también se produjo un rápido crecimiento demográfico, el país desarrolló una potente marina mercante y se abrió a los mercados mundiales. A su vez, se dotó de un gran ejército y comenzó a rivalizar con las grandes potencias. Como consecuencia estalló, en 1904, la guerra ruso-japonesa (por la rivalidad de intereses en Manchuria y en Corea). Poco a poco, Japón fue elevando su prestigio en el exterior, a la vez que experimentó en el interior un auge del nacionalismo, con una concepción totalitaria basada en la religión sintoísta y la divinización del emperador. Esta política desembocó en la participación del país en la Segunda Guerra Mundial. Tras la derrota militar y la capitulación se instauraron en Japón, bajo la tutela inicial de los Estados Unidos, las instituciones democráticas. El país superó la devastación de la guerra y en pocas décadas se convirtió en la tercera potencia industrial del mundo, con una economía productiva basada en los bienes de consumo de alta tecnología y en la apertura a los mercados internacionales.

La liberación de Corea de la dominación japonesa (ejercida desde 1910), tras la Segunda Guerra Mundial, significó la ocupación del sector norte de la Península por los soviéticos y del sector sur por los estadounidenses. Dicha división se consolidó en 1948, en el inicio de la guerra fría, que tuvo precisamente en la península coreana uno de sus episodios más sangrientos: la guerra de Corea (1950-1953).

La desintegración de la URSS (1991) supuso el fin de su apoyo al régimen comunista de Corea del Norte, que desde entonces quedó sumida en una profunda crisis económica y aislada internacionalmente. Corea del Sur, por su parte, logró consolidarse a partir de la década de 1970 como uno de los países más potentes en desarrollo de toda Asia oriental –entre los denominados "dragones asiáticos" por su despegue económico–, con un crecimiento basado en el modelo japonés de apertura a los mercados internacionales y también en el bajo coste de su mano de obra.

Vista del paisaje abrupto y escarpado del Parque Nacional del Monte Sorak, ubicado en los montes Taebaek, en Corea del Sur.

A
B
C
D
E
2
3
4
5
6
114°
118°
122°
126°
42°
34°
30°
MONGOLIA
Mongolia Interior
Dzamin Üüd
Erenhot
Sonid Zuoqi
Sonid Youqi
Abagnar Qi
Dong Ujimqin Qi
Xi Ujimqin Qi
Mts. Gran Jingan
Linxi
Dalai Nur
Bairin Zuoqi
Bairin Youqi
Xar Moron He
Ongniud Qi
Daqing Shan
Duolun
Taibus Qi
Weichang
Chifeng
Hohhot
Jining
Zhangjiakou
Xuanhua
Datong
Zhuolu
Huailai
Chengde
Miyun
Luan He
Chaoyang
Jianping
Hunyuan
Shuoxian
Fengtai
PEKÍN (BEIJING)
Shanhaiguan
Qinhuangdao
Suichong
Ningwu
Dingxing
Hangu
Changli
TIANJIN
TANGSHAN
Tanggu
Xinxian
Baoding
TAIYUAN
SHIJIAZHUANG
Yangquan
Yuci
Cangzhou
Bozhen
Hengshui
Leling
Xingtai
Dezhou
Kenli
Handan
Changzhi
Daming
Linqing
JINAN
ZIBO
Guangrao
Anyang
Qixian
Tai Shan
Boshan
Pingyin
TA'IAN
Huang He (Río Amarillo)
Xinxiang
Heze
Jining
Yanzhou
Kaifeng
ZHENGZHOU
Weishan Hu
Tengxian
Zaozhuang
Shangqiu
Xuchang
Jiawang
Luohe
Boxian
Xuzhou
Shangshui
Suxian
Ying He
Hongze Hu
Fuyang
Bengbu
Huai He
HUAINAN
Gushi
Huangchuan
HEFEI
Lu'an
Dabie Shan
NANKÍN (NANJING)
Wuhu
Anqing
Chang Jiang (Yang-Tsé)
HUANGSHI
Susong
Qimen
Tunxi
Jiujiang
Yongxiu
Poyang Hu
Jingdezhen
NANCHANG
Leping
Yushan
Fengcheng
Shangrao
Fuzhou
Quxian
Lishui
Jinhua
Huangyan
Haimen
Linhai
Shipu
Ningbo
Yuyao
SHAOXING
HANGZHOU
B. de Wangpan
Is. Zhoushan
Is. Shengsi
Jiaxing
Songjiang
SHANGHAI
Chongmin
Suzhou
Wuxing
Xuancheng
Tai Hu
Wuxi
Changzhou
Zhenjiang
Nantong
Qidong
Yangzhou
Taizhou
Gaoyou
Dongtai
Yancheng
Huaiyin
Qingjiang
Suqian
Bindjai
Haizhou
Lianyungang
Haizhou Wan
Linyi
Juxian
Rizhao
Zucheng
QINGDAO
Jiaoxian
Fangzi
Weifang
Yexian
Laixi
Longkou
Yantai
Weihai
C. Chengshan
Jiurongcheng
Shidao
Is. Miaodao
Golfo Bo Hai
MAR AMARILLO (HUANG HAI)
MAR DE LA CHINA ORIENTAL
Jinzhou
Jinxi
Liaodong Wan
Wanfu
Pen. de Liaodong
Fuxian
Xizhong
Jinxian
DALIAN
Islas Changshan
Is. Zhangzi Haiyang
B. de Corea (Sojoson)
Shiceng
Dalu
YINGKOU
Haicheng
ANSHAN
Liaoyang
Benxi
Nanfen
Linjiatai
Dandong
Gushan
Kuandian
Sinuiju
Fuxin
Xinmin
Yixian
SHENYANG
FUSHUN
Tieling
Kaiyuan
Zhangwu
Liu He
Tongliao
Xiliao He
Horqin Zuoyi Zhongqi
Shuangliao
Siping
Liaoyuan
CHANGCHUN
Dongliao He
Ulanhot
Baicheng
Tao'an
Tao'er He
Manchuria
CHINA
Nong'an
Fuyu
Zhaodong
Hulan
HARBIN
Shuangcheng
Songhua Jiang
Shangzhi
Wuchang
Tonghe
Fangzheng
Mudanjiang
Hailin
Ning'an
Zhangguangcai
JILIN
Jingbo Hu
Gongzhuling
Shuangyang
Jiaohe
Dunhua
Huinan
Hailong
Longgang Shan
Fusong
Hunjiang
Linjiang
Tonghua
Changbai Shan
Paektu San
Changhai
Hyesan
Kanggye
Yalu (Amnok)
Paegamsan
Mts. Nangnim
Mts. Myohyang
Changjin-up
Hamhung
Hungnam
Bahía de Tongjosŏn
Bahía de Yonghung
Cabo Hangnyang
Wonsan
Kosong
PYONGYANG
Sukchon
Nampo
Songnim
Koksan
Kojo
Sariwon
Sokto
Ch'o
COREA DEL NORTE
Ichon
Haeju
Paengnyong
Taechong
Sochong
Kaesong
Chunchon
Uijongbu
SEUL
INCHON
Songnam
Bahía de
Tokchok kundo
Kyonggi
Anyang
Suwon
Wonju
Chungju
Chonan
Chongju
Anhung
Anmyong
Taejon
Andong
COREA DEL SUR
Montes Taebaek
Oeyon
Kunsan
Iri
Kogunsan Kundo
Chonju
Wi
Namwon
Pohang
TAEGU
Kwangju
Masan
Chinhae
Chinju
PUSAN
Sunchon
Chaun
Mokpo
Maega
Is. Huksan
Yosu
Koje
Chindo
Wando
Kogum
Kumo
Soan Kundo
Ch'uja
Chongsan
Estrecho de Cheju
Cheju
Taejong
Sinhyo-ri
Estr. de Corea
Is. Tsushima
Is. Goto
Nagasaki
Mar de Amakusa
Sasebo
Hirado
Kara
Iki
Kuchinoerabu

F
G
H
I
J
Sajalin (Rusia)
Península de Krilon
Cabo Krilon
Estr. de La Pérouse (La Soya)
C. Soya
MAR DE OJOTSK
Kurilsk
Iturup
Wakkanai
Rebun
Rishiri
Teshio
Esashi
Otoineppu
Omu
Embetsu
Haboro
Mts. Kitami
Monbetsu
Saroma
C. Shiretoko
Pen. Shiretoko
Kunashir
Tiatino
Islas Kuriles (Rusia)
Shikotan
Teuri
Yagishiri
Nayoro
Shibetsu
Abashiri
Rumoi
Engaru
Bihoro
Estr. Nemuro
Zelenyi
Asahikawa
Kitami
Taisetsu-Zan 2 290
Nakashibetsu
Nemuro
C. Shakotan
G. Ishikari
Takikawa
Ashibetsu
Bibai
Furano
Honbetsu
Shibecha
Akkeshi
Otaru
Iwamisawa
SAPPORO
Chitose
Shiranuka
Kushiro
Hokkaido
Yotei 1 893
2 052 Horoshiri
Obihiro
Iwanai
Tomakomai
Hiroo
Setana
Date
Muroran
Shizunai
Okushiri
Yakumo
B. de Uchiura
Urakawa
Pen. Oshima
Mori
C. Esan
C. Erimo
Esashi
Hakodate
Kikonai
C. Oma
Isla O
Matsumae
Pen. Shimokita
C. Shirakami
Estr. de Tsugaru
Mutsu
B. de Mutsu
Aomori
Towada
Ajigasawa
Hachinohe
Hirosaki
Fukuoka
Odate
Kuji
Noshiro
Península Oga
Iwate 2 041
Akita
Morioka
Miyako
C. Todo
Yokote
Hanamaki
Kamaishi
Chokai 2 230
Tobi
Kesennuma
Sakata
Shinjo
Ichinoseki
Tsuruoka
Furukawa
Shizukawa
Atsumi
Ishinomaki
Awa
Yamagata
Península Ojika
Shiogama
Sado
Murakami
Sendai
Ryotsu
Shibata
Yonezawa
Niigata
Kitakata
Fukushima
Niitsu
Sanjo
Aizuwakamatsu
Honshu
C. Suzu
Kashiwazaki
Nagaoka
Wajima
Suzu
Koriyama
Pen. de Noto
B. de Toyama
Takada
Shirane 2 578
Shirakawa
Iwaki
Nanao
Himi
Odawara
Kitaibaraki
Nagano
Numata
Hitachi
Takaoka
Toyama
Kiryu
Utsunomiya
Kanazawa
Hodaka 3 190
Ueda
Maebashi
Ashikaga
Mito
Komatsu
Oyama
Kaga
Matsumoto
Takasaki
Urawa
Fukui
Takayama
Kawagoe
Funabashi
Dogo
Dozen
Is. Oki
B. de Wakasa
Takefu
Okaya
Kofu
TOKIO
Chiba
Choshi
C. Kyoga
Tsuruga
Fuji-Yama 3 776
Hachioji
KAWASAKI
C. Taka
Dai 1 713
Tottori
Toyooka
Maizuru
Ogaki
Gifu
Iida
YOKOHAMA
Matsue
Kurayoshi
Hikone
Ichinomiya
Odawara
Pen. Boso
Izumo
Yonago
L. Biwa
NAGOYA
Toyota
Yoshiwara
Yokosuka
Oda
Pen. Chugoku
Fukuchiyama
KYOTO
Shimizu
Numazu
Hamada
Myoshi
Niimi
Tsuyama
KOBE
Otsu
Okazaki
Shizuoka
Fujisawa
Masúda
Kurashiki
Okayama
Yokkaichi
Pen. Izu
Oshima
HIROSHIMA
Fukuyama
Akashi
OSAKA
Tsu
Hamamatsu
Amagasaki
Sakai
Ise
B. de Ise
Toyoashi
Iwakuni
Onomichi
Takamatsu
Kishiwada
Nii
Kozu
Miyake
Kure
Imabari
Pen. Kii
Matsuzaka
Hofu
Owase
Ube
Tokushima
Estr. Kii
Hakken 1 915
Is. Izu
KITAKYUSHU
Nakatsu
M. Interior (Seto Naikai)
Niihama
Matsuyama
Aki
Mugi
Tanabe
Yawatahama
Kochi
Beppu
C. Shio-no
Uwajima
B. de Tosa
Muroto
C. Muroto
Hachioji
Oita
Saiki
Sukumo
Estr. Bungo
Shikoku
Kumamoto
Tosashimizu
C. Ashizuri
Aoga
Nobeoka
Hyuga
Saito
Miyazaki
Miyakonojo
Nichinan
Kyushu
Sumisu
Nishinoomote
Tanega
Tori
Sofu Gan
Is. Nampo
Is. Izu
OCÉANO PACÍFICO
Cuenca del Japón
MAR DEL JAPÓN
JAPÓN
Ulleung
RUSIA
Montes Sijote Alin
Huanan
Pozarskoie
Sibichi
Visokaia 1 745
Maksimovka
Boli
Dalnerechensk
Bolshaia Ussurka
Amgu
Hulin
Novopokrovka
Mishan
Muling He
Blagodatni
Velikaia Kema
Lesozadovsk
Malinovo
Glujomanka 1 595
Turi Rog
L. Janka
Kirovski
Ternei
Kamen-Ribolov
Ostraia 1 084
Plastun
Pogranichni
Spassk-Dalnii
Sibirtsevo
Rudni
Rudnaia-Pristan
Lipovchi
Arseniev
1 855 Oblachnaia
Olga
Ussuriisk
Vinogradovka
Artem
Partizansk
Primorski
Vladivostok
Valentin
Najodka
Kraskino
Russki
G. de Pedro el Grande
C. Povorotni
Preobrazheniye
C. Gamova
142°
146°
42°
38°
34°
30°
134°
138°
2
3
4
5
I
Is. Amami
Naze
Kikaishima
MAR DE LA CHINA MERIDIONAL
Tokunoshima
Okinoerabu
Is. Amami
Is. Iheya
Yoronshima
Okinawa
Naha
Kumeshima
Is. Kerama
Ryukyu (Nansei) (Japón)
OCÉANO PACÍFICO
0
100
200
300 km

El poblamiento de África es antiquísimo. Los diferentes hallazgos de fósiles de homínidos refuerzan la idea de que este continente fue la cuna de la humanidad. La mayor parte del territorio está habitado por poblaciones melánidas, de piel negra, como los pigmeos y bosquimanos de África austral, o los masai (arriba), que habitan las tierras de Kenia.

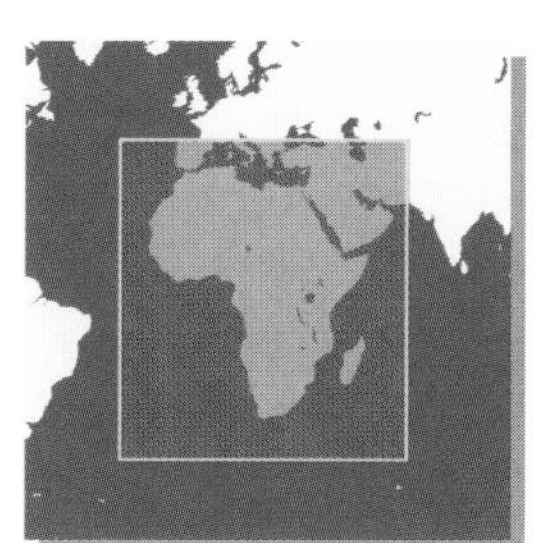

África

África es el tercer continente más grande del planeta, con una superficie total de 29,3 millones de km². Su territorio abarca aproximadamente una quinta parte de las tierras emergidas; cruzado por el Ecuador y los trópicos, el continente africano forma un enorme bloque continental y compacto, que se extiende sobre unos 4000 km, repartidos desigualmente al norte y al sur de la línea ecuatorial.

Marco natural

Su extensión latitudinal es de 72° entre sus bordes septentrional y meridional: el cabo Blanco, en Tunicia, y el cabo de las Agujas, en la República Sudafricana, respectivamente. Los confines occidental (cabo Verde, en Senegal) y oriental (cabo Hafun, en Somalia) distan entre sí 7200 km. Mientras que en el continente europeo ningún punto del interior se halla a más de 600 km del mar, el centro de África se sitúa a no menos de 1500 km respecto del litoral más cercano.

El continente africano está separado de Europa, al norte, por las aguas del océano Atlántico y el mar Mediterráneo, las cuales se unen en el estrecho de Gibraltar –donde se registra la menor distancia entre ambos litorales, sólo 14 km–, y de Asia (península Arábiga), al nordeste, por el canal artificial de Suez; al oeste, las costas de África están bañadas por el océano Atlántico, al este por el océano Índico y al nordeste por el mar Rojo.

África aparece como una gigantesca isla cuyo aspecto recuerda vagamente a un triángulo invertido, y a la que bordean profundidades oceánicas, tanto al este como al oeste, debido al escaso desarrollo de la plataforma continental, lo que provoca un paso brusco al talud marino. El relieve del continente africano se presenta extraordinariamente sencillo y monótono. En líneas generales corresponde a una alternancia de mesetas y cubetas que declinan hacia el este, en el sector oriental del continente, mientras que en la parte oeste dominan las fosas tectónicas. África presenta sus mayores elevaciones en los sectores septentrional y oriental, aunque carece de cadenas montañosas dominantes; tan sólo en el borde noroeste, el Atlas, el único sistema de tipo alpino de África, tiene cierta continuidad como relieve. Con una altitud media de 750 m, el relieve africano tiene su punto más elevado en el Kilimanjaro (Tanzania), que alcanza 5895 m de altitud, y el más bajo, el lago Assal (Djibuti), 155 m por debajo del nivel del mar.

ÁFRICA EN CIFRAS

Superficie: 29,3 millones de km²
Límites: al N el cabo Blanco (37° 51' lat. N), al S el cabo de las Agujas (34° 51' lat. S), al E el cabo Hafun (51° 50' long. E) y al O el cabo Verde (17° 32' long. O)
Altitud media: 750 m s.n.m
Punto más alto: monte Kilimanjaro (Tanzania), 5895 m.
Punto más bajo: lago Assal (Djibuti), –155 m
Desierto más grande: desierto del Sahara (9000000 km²)
Longitud de las costas: 30500 km
País más grande: Sudán (2503890 km²)
País más poblado: Nigeria (121020000 hab.)

Una de las características principales de África es la presencia de vastas áreas desérticas: en el sector centro-septentrional, el Sahara (el mayor desierto del mundo), que ocupa casi un tercio de la superficie continental, desde las costas del Atlántico hasta las del mar Rojo; al nordeste, los desiertos de Libia, Arábigo y de Nubia; al sudoeste, el desierto de Namib; y en el sur, el de Kalahari. Los dos rasgos distintivos del relieve sahariano son su inmensidad (9 millones de km²) y su monotonía. Al oeste del meridiano de Argel, ningún punto supera los 1000 m, mientras que, al este, la serie de macizos existentes (Ahaggar, Tibesti) son en general variaciones del zócalo frecuentemente coronadas por materiales volcánicos; la máxima altitud, el Emi Koussi (Tibesti), supera los 3400 m de altitud.

Por otra parte, el sector oriental se halla atravesado de norte a sur por una línea bifurcada de fosas de hundimiento (Valle del Rift), que va desde el río Zambeze, al sur, hasta el mar Rojo, y que, a través del golfo de Aqaba (Jordania), termina en los montes Taurus (Turquía) después de 7200 km. El Gran Valle de África oriental, la mayor y más espectacular fractura del continente, tiene una amplitud que varía entre 30 y 100 km, con valles con escarpes que a veces alcanzan más de 200 m de desnivel. El Valle del Rift, resultado de enormes fuerzas tectónicas causantes de las presiones y fuerzas de tensión a que se ha visto sometido el zócalo de la meseta africana (Macizo Etiópico), se halla dominado en su sector meridional por macizos montañosos (Ruwenzori, Kenia, Kilimanjaro), a menudo de origen volcánico, y rellenado por un conjunto de cuencas lacustres que recibe el nombre de Grandes Lagos. Pero a pesar de la espectacularidad de los volcanes del este y del Rift Valley, la característica orográfica más

Situado en Tanzania, cerca de Kenia, el Kilimanjaro (5895 m de alt.) es la montaña más elevada del continente africano; es un volcán apagado con un cráter de 2 km de diámetro.

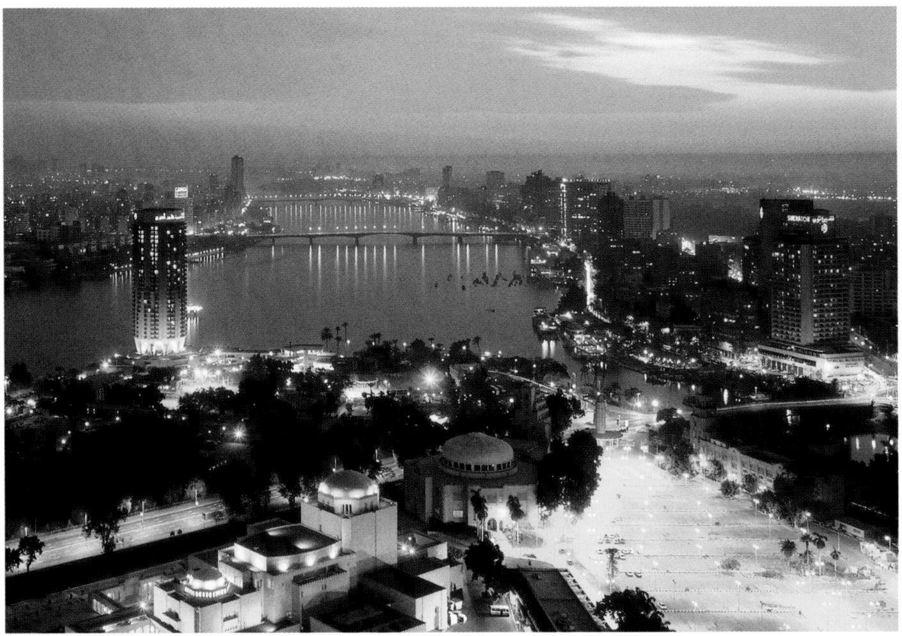

El Cairo, una de las grandes metrópolis africanas, a orillas del Nilo –el río más largo del mundo, con 6671 km–, reúne en su aglomeración urbana a más de diez millones de almas.

sobresaliente del relieve de África es la monotonía de sus mesetas, cuya altitud oscila entre los 600 y los 2600 m. Se extienden prácticamente desde El Cabo, al sur, hasta el mar Rojo, al nordeste, con algunos sectores comprimidos intermedios, y están integradas básicamente por materiales de origen antiguo.

Ríos y lagos

Otro rasgo significativo del relieve africano es que alberga algunas de las mayores cuencas fluviales y lacustres del mundo: se trata de cuencas amplias y poco profundas, separadas por mesetas, bloques fallados y relieves alineados. Estas cuencas son el resultado de la deposición de materiales sedimentarios, provenientes de las superficies de las mesetas y que gradualmente se han hundido dejando en medio relieves a modo de separación. Entre ellas, cabe destacar, en el sector central, la cuenca del Congo (la segunda del planeta, por detrás de la del Amazonas); al oeste, la cuenca del Níger; en el sector oriental, la cuenca del Nilo (el río más largo del mundo); al sudeste, las cuencas del Zambeze y el Limpopo; y en el extremo meridional, la cuenca del Orange. Los límites y fronteras entre dichas cuencas son bastante variados: desde partes elevadas de la meseta (Fouta Djalon) hasta macizos cristalinos y volcánicos (mesetas de Ahaggar y Tibesti) y aun otros a gran altitud (Ruwenzori). Otras divisorias de aguas importantes son los montes Drakensberg y las montañas Maloti, entre el desierto de Kalahari y la costa sudeste; Ennedi, Darfur y Bongos, entre Chad, Sudán y la cuenca del Congo; y la meseta de Bié, entre el río Congo y el desierto de Kalahari.

Tres grandes ríos (Nilo, Congo y Níger) superan los 4000 km de longitud, y pueden ser incluidos entre los grandes cursos fluviales de la Tierra, ya que acaparan la inmensa mayoría del drenaje africano hacia los mares. Aun así, y dada la extensión y la estructura del continente africano, existen amplias zonas carentes de cursos de agua (40 % de la superficie), o que no poseen desagüe en el mar (12 %).

En cuanto a las cuencas lacustres, destaca la mencionada área de los Grandes Lagos –Victoria (el tercer lago del mundo por su superficie), Alberto, Eduardo, Kivu, Tanganica, Muero, Turkana, Malawi, entre otros–, en África oriental; aparte de este sector principal, cabe citar los lagos Chad y Volta, en África occidental; Nasser y Tana, en África oriental; y Cabora Bassa y Kariba, en África meridional.

Costas e islas

En relación con su superficie, el continente africano presenta un desarrollo costero modesto: 30500 km. Así, por cada 1000 km² de territorio corresponden 8 km de costa, mientras en Europa son 32 km de litoral. Las costas africanas son, por lo general, poco accidentadas y bajas, y se hallan desprovistas de puertos naturales. Entre los accidentes costeros más importantes destacan: en el Mediterráneo, el golfo de Gabes (Pequeña Sirte), y la península de la Cirenaica, que delimita el golfo de Sidra (Gran Sirte); en el océano Índico, la península de Somalia, que junto con la asiática península Arábiga delimitan el golfo de Adén; y en el océano Atlántico, el golfo de Guinea.

Con el continente africano se relacionan escasos y reducidos territorios insulares –menos del 2 % de la superficie total–, salvo el caso de Madagascar, una de las mayores islas del planeta. Las islas africanas se encuentran diseminadas por el océano Atlántico (Madeira, Canarias, Cabo Verde, Santo Tomé y Príncipe, Santa Elena, Ascensión) y el Índico (Comores, Reunión, Mauricio, Seychelles, Socotora).

Clima y vegetación

Por su situación con respecto a la latitud –África queda casi en sus 4/5 partes enmarcada por los trópicos–, la mayor parte del continente registra unas temperaturas medias anuales superiores a los 20 °C (las más elevadas del globo). Tan sólo sus extremos norocci-

El lago Victoria es la masa de agua dulce más extensa del continente africano. Fue bautizado así por el explorador inglés John Hanning Speke como homenaje a la reina británica.

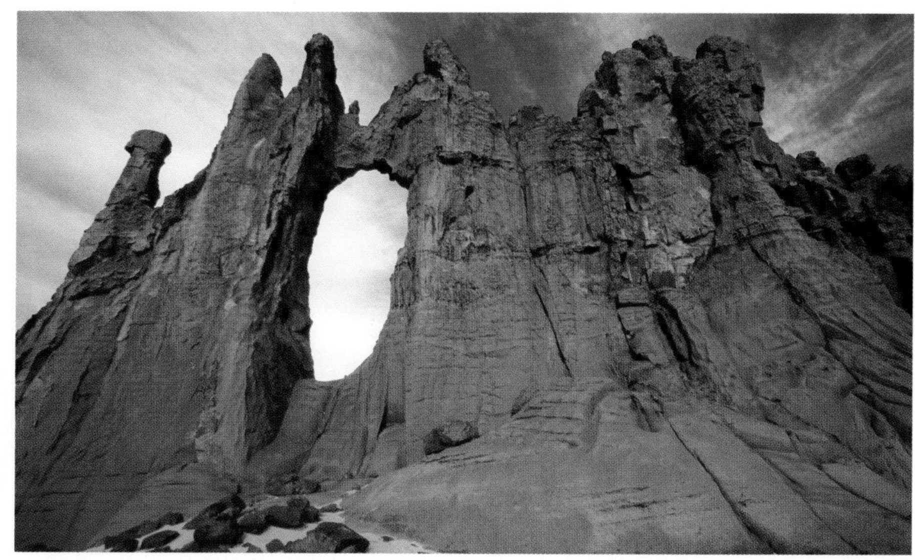

El Sahara, el mayor desierto del mundo, se extiende por el norte de África y ocupa unos 9 millones de km². En la imagen, formaciones rocosas en la región de Ahaggar (Argelia).

dental y meridional presentan características templadas de tipo mediterráneo. En el resto del territorio, el clima es tropical: las temperaturas son elevadas y sólo varían en función de la altitud y de la proximidad al mar. La pluviosidad, elevada cerca del Ecuador, disminuye a medida que se avanza hacia el norte y el sur de dicha línea. La ausencia de grandes barreras montañosas es un factor que explica los pocos contrastes climáticos y de vegetación de un continente donde el relieve se halla dominado profundamente por mesetas y altiplanos semejantes a los existentes en Australia, América del Sur y la India.

En efecto, una de las características más sobresalientes del clima africano es la inexistencia de grandes contrastes térmicos, como por ejemplo sí sucede en Europa, Asia o América del Sur, debido a su situación intertropical. La diferenciación climática se basa sobre todo en los contrastes pluviométricos y en el régimen de los mismos. El mecanismo del clima se explica a partir de la interacción de masas de aire provenientes de las altas barométricas subtropicales: al norte, las células anticiclónicas de las Azores, el Sahara y Arabia; y al sur, las del Atlántico Sur, el Kalahari y el Índico Sur. Estos cinturones de altas presiones oscilan en latitud hacia el norte durante el verano boreal, y hacia el sur en invierno, y mediante su juego de vaivén dirigen las masas tropicales de aire marítimo o continental según su origen; son los conocidos como vientos alisios que soplan de nordeste a este en el norte y de sudeste a este en el sur. A su vez, la acción de las corrientes marítimas es muy importante. Al norte y al sur del Ecuador, dos corrientes simétricas bañan las costas; al norte, la corriente de las islas Canarias y al sur la de Benguela, ambas frías, que inciden directamente en el descenso de las temperaturas y en la aridez. En el océano Índico, las corrientes se invierten según las estaciones. Al sur del Ecuador, en el canal de Mozambique, se halla presente durante todo el año la corriente ecuatorial cálida y húmeda.

En cuanto a la vegetación, desde las regiones áridas hasta las permanentemente húmedas, los distintos dominios se suceden en función de la latitud. De norte a sur, a la típica vegetación del litoral mediterráneo sucede otra semidesértica, denominada estépica, en la que abundan plantas duras y espinosas (cactáceas); la vegetación típica de los desiertos se concentra en los lechos de los *uadi* (cursos de agua intermitentes) y en los oasis (palmerales). Las sabanas de las zonas tropicales, herbosas y verdes durante la estación húmeda y resecas y agostadas en la estación seca, son cada vez más densas en dirección hacia las latitudes más húmedas. Los árboles, agrupados o dispersos, conforman una tupida masa compacta a medida que avanza el dominio húmedo; en la sabana arbolada bosques en galería siguen los fondos húmedos de los valles. Progresivamente, pero a veces en forma brusca, la sabana deja paso al gran bosque húmedo, donde los rayos del sol apenas pueden penetrar. Este bosque se extiende de forma discontinua a lo largo del golfo de Guinea y, principalmente, desde el bajo Níger hasta la cubeta congoleña, en el sector central del continente. El extremo meridional de África vuelve a ser el dominio de la vegetación de estepa desértica y de la de tipo mediterráneo.

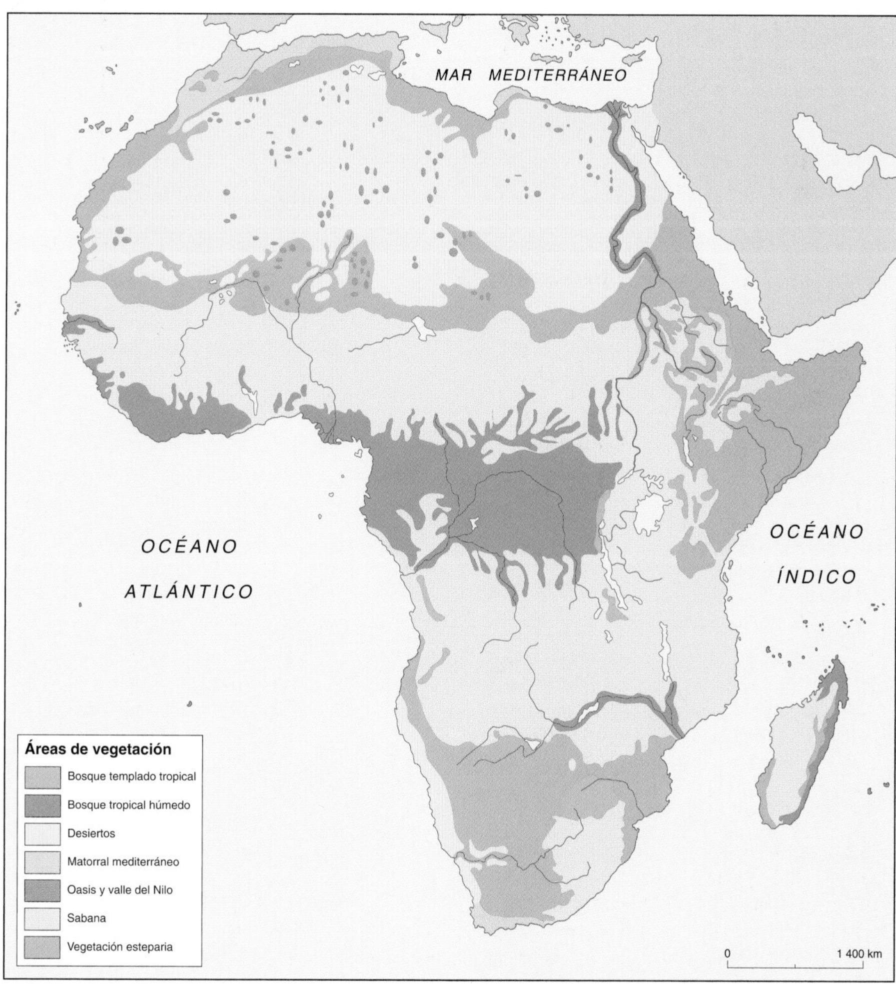

En las tierras ecuatoriales impera la selva. La sabana actúa como una formación de transición. En los trópicos predomina la vegetación de estepa y el desierto.

Principales elementos del relieve

Litoral de Madagascar, la mayor isla del continente, en aguas del océano Índico.

La caldera del cono principal del volcán Meru presenta un diámetro de 3,5 km.

Las cataratas Victoria, en aguas del río Zambeze, presentan un desnivel de 122 m.

Islas

Isla	País	Superficie
Madagascar	Madagascar	587 000 km²
Socotora	Yemen	3 626 km²
Reunión	Reunión (Francia)	2 510 km²
Bioko	Guinea Ecuatorial	2 017 km²
Tenerife	Canarias (España)	1 929 km²
Mauricio	Mauricio	1 865 km²
Zanzíbar	Tanzania	1 660 km²

Montañas

Cima	País	Altitud
Kilimanjaro	Tanzania	5 895 m
Kenia	Kenia	5 199 m
Marguerita	R. Dem. Congo-Uganda	5 119 m
Meru	Tanzania	4 565 m
Ras Dashan	Etiopía	4 543 m
Karisimbi	Ruanda	4 507 m
Elgon	Kenia-Uganda	4 321 m
Batu	Etiopía	4 307 m
Abune Yosef	Etiopía	4 190 m
Toubkal	Marruecos	4 165 m
Talo	Etiopía	4 154 m
Lesatima	Kenia	3 999 m
Ari n'Ayachi	Marruecos	3 737 m
Thabana Ntlenyana	Lesotho	3 482 m
Emi Koussi	Chad	3 415 m

Volcanes activos

Volcán	País	Altitud
Camerún	Camerún	4 070 m
Nyiragongo	Rep. Dem. Congo	3 474 m
Piton des Neiges	Reunión (Francia)	3 069 m
Nyamaragira	Rep. Dem. Congo	3 056 m
Piton de la Fournaise	Reunión (Francia)	2 632 m

Desiertos

Desierto	País	Superficie
Sahara	África del Norte	9 000 000 km²
Libio	Egipto-Libia	1 880 000 km²
Kalahari	Botswana	583 000 km²
Nubia	Sudán	310 000 km²
Arábigo	Egipto	300 000 km²
Namib	Namibia	33 670 km²

Ríos

Río	Longitud	Cuenca
Nilo-Kagera	6 671 km	2 867 000 km²
Congo	4 200 km	3 690 000 km²
Níger	4 160 km	2 092 000 km²
Zambeze	2 660 km	1 330 000 km²
Kasai	1 900 km	860 000 km²
Webbe Shibeli	1 900 km	200 000 km²
Orange	1 860 km	1 020 000 km²
Limpopo	1 600 km	440 000 km²
Cubango (Okavango)	1 600 km	800 000 km²
Volta	1 500 km	388 000 km²
Lomami	1 500 km	110 000 km²
Senegal	1 440 km	440 000 km²
Chari	1 400 km	650 000 km²

Cascadas

Cascada	País	Altura
Tugela	Rep. de Sudáfrica	948 m
Lofoi	Rep. Dem. Congo	384 m
Kalambo	Tanzania-Zambia	215 m
Le Bihan	Lesotho	192 m
Fincha	Etiopía	154 m
Augrabies	Rep. de Sudáfrica	146 m
Ruacana	Angola	123 m
Victoria	Zambia-Zimbabwe	122 m
Kabalega	Uganda	122 m

Lagos

Lago	País	Superficie
Victoria	Kenia-Tanzania-Uganda	68 100 km²
Tanganica	Burundi-Rep. Dem. Congo-Tanzania-Zambia	32 893 km²
Malawi (Niasa)	Malawi-Mozambique-Tanzania	30 800 km²
Chad	Camerún-Chad-Níger-Nigeria	16 300 km²
Turkana (Rodolfo)	Kenia	8 600 km²
Volta*	Ghana	8 482 km²
Nasser*	Egipto	5 860 km²
Alberto	Rep. Dem. Congo-Uganda	5 400 km²
Kariba*	Zambia-Zimbabwe	5 300 km²
Muero (Mweru)	Rep. Dem. Congo-Zambia	4 920 km²
Tana	Etiopía	3 600 km²
Cabora Bassa*	Mozambique	2 800 km²
Kivu	Rep. Dem. Congo-Ruanda	2 650 km²
Eduardo	Rep. Dem. Congo-Uganda	2 200 km²

* Lago artificial.

Reservas de la Biosfera

La reserva de Tassili N'Ajjer se extiende por el sudeste del Sahara argelino.

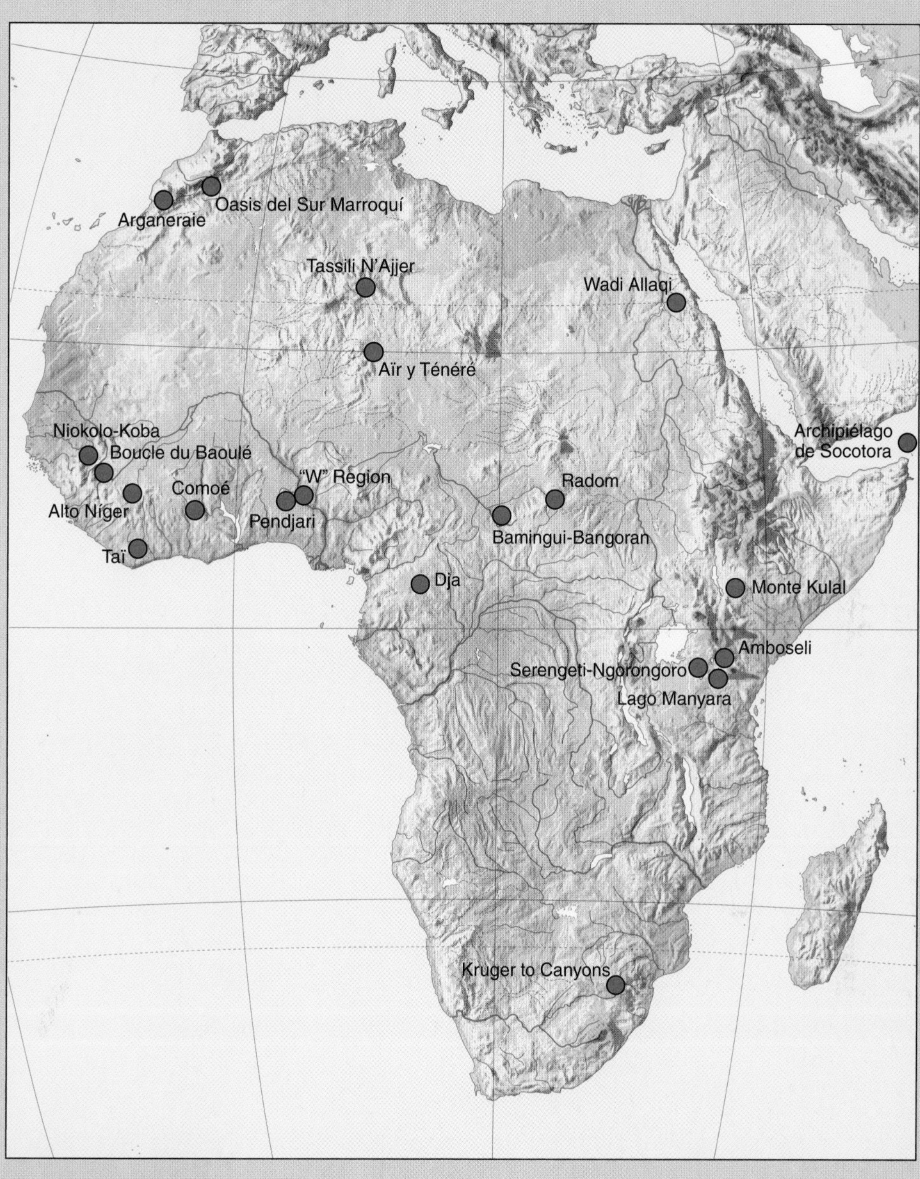

La reserva de Kruger to Canyons se localiza en el nordeste de Sudáfrica.

Paisaje de sabana en el Parque Nacional de Serengeti, una de las mayores reservas naturales de Tanzania, al nordeste del país.

Principales reservas

Reserva de la Biosfera	País (año declaración)	Superficie (ha)
Aïr y Ténéré	Níger (1997)	24 400 070
Tassili N'Ajjer	Argelia (1986)	7 200 000
Oasis del Sur Marroquí	Marruecos (2000)	7 185 371
'W' Region	Benín-Burkina Faso-Níger (1996-2002)	3 122 313
Lago Manyara	Tanzania (1981)	2 833 000
Archipiélago de Socotora	Yemen (2003)	2 681 640
Arganeraie	Marruecos (1998)	2 568 780
Boucle du Baoulé	Malí (1982)	2 500 000
Kruger to Canyons	Rep. Sudafrica (2001)	2 474 700
Wadi Allaqi	Egipto (1993)	2 380 000
Serengeti-Ngorongoro	Tanzania (1981)	2 305 100
Bamingui-Bangoran	Rep. Centroafr. (1979)	1 622 000
Radom	Sudán (1979)	1 250 000
Comoé	Costa de Marfil (1983)	1 150 000
Niokolo-Koba	Senegal (1981)	913 000
Monte Kulal	Kenia (1978)	700 000
Alto Níger	Guinea (2002)	647 000
Pendjari	Benín (1986)	623 000
Taï	Costa de Marfil (1977)	620 000
Dja	Camerún (1981)	526 000
Amboseli	Kenia (1991)	483 206

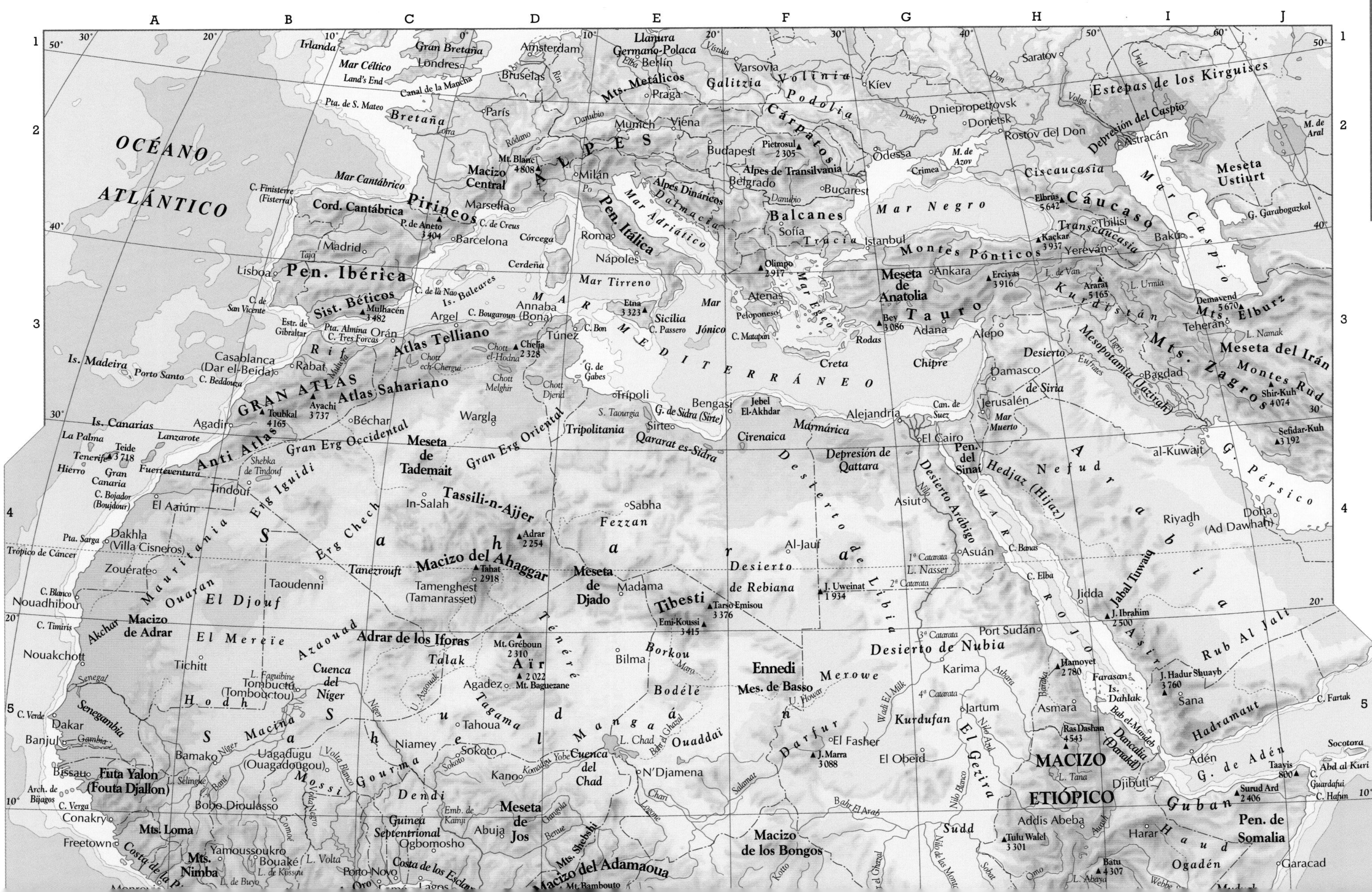
OCÉANO
ATLÁNTICO
Mar Céltico
Mar Cantábrico
Pen. Ibérica
Cord. Cantábrica
Pirineos
Sist. Béticos
Macizo Central
Bretaña
Gran Bretaña
Irlanda
Londres
París
Bruselas
Amsterdam
Madrid
Lisboa
Barcelona
Marsella
Córcega
Cerdeña
Is. Baleares
Argel
Orán
Túnez
Rabat
Casablanca (Dar el-Beida)
Atlas Telliano
Atlas Sahariano
GRAN ATLAS
Anti Atlas
Rif
Toubkal 4165
Is. Canarias
Is. Madeira
Lanzarote
Fuerteventura
Tenerife
Gran Canaria
La Palma
Hierro
Teide 3718
El Aaiún
Dakhla (Villa Cisneros)
Trópico de Cáncer
C. Blanco
Nouadhibou
Nouakchott
Macizo de Adrar
Senegambia
Dakar
Banjul
Bissau
Conakry
Freetown
Futa Yalon (Fouta Djallon)
Mts. Loma
Mts. Nimba
Bamako
Tombuctú (Tombouctou)
Taoudenni
El Djouf
Tindouf
Béchar
Wargla
In-Salah
Meseta de Tademait
Gran Erg Occidental
Gran Erg Oriental
Tassili-n-Ajjer
Macizo del Ahaggar
Tamenghest (Tamanrasset)
Adrar de los Iforas
Aïr
Agadez
Niamey
Tahoua
Sokoto
Kano
Abuja
Meseta de Jos
Macizo del Adamaoua
L. Chad
N'Djamena
Cuenca del Chad
Bodélé
Borkou
Tibesti
Emi-Koussi 3415
Ennedi
Darfur
El Fasher
El Obeid
Jartum
El Gezira
Sudd
Desierto de Nubia
Desierto Arábigo
Desierto de Libia
Marmárica
Cirenaica
Depresión de Qattara
Sahara
Sahel
Fezzan
Sabha
Trípoli
Tripolitania
Bengasi
G. de Sidra (Sirte)
G. de Gabes
MAR MEDITERRÁNEO
Mar Tirreno
Mar Adriático
Mar Jónico
Mar Egeo
Mar Negro
Mar Caspio
Mar Rojo
G. Pérsico
G. de Adén
Alejandría
El Cairo
Asuán
Pen. del Sinaí
Jerusalén
Damasco
Alepo
Adana
Ankara
Istanbul
Atenas
Sofía
Bucarest
Belgrado
Budapest
Viena
Praga
Berlín
Varsovia
Kíev
Odessa
Roma
Nápoles
Milán
Munich
Sicilia
Creta
Chipre
Rodas
Pen. Itálica
ALPES
Alpes Dináricos
Cárpatos
Balcanes
Meseta de Anatolia
Montes Pónticos
Tauro
Cáucaso
Mesopotamia (Jazirah)
Desierto de Siria
Nefud
Hedjaz (Hijaz)
Arabia
Rub Al Jali
Riyadh
Jidda
Sana
Adén
Hadramaut
Meseta del Irán
Mts. Zagros
Teherán
Bagdad
Bakú
Tbilisi
Yerevan
Astracán
Rostov del Don
Donetsk
Dniepropetrovsk
Saratov
Estepas de los Kirguises
Meseta Ustiurt
M. de Aral
Port Sudán
Asmara
Addis Abeba
MACIZO ETIÓPICO
Dancalia (Danakil)
Djibuti
Harar
Ogadén
Pen. de Somalia
Socotora
Macizo de los Bongos

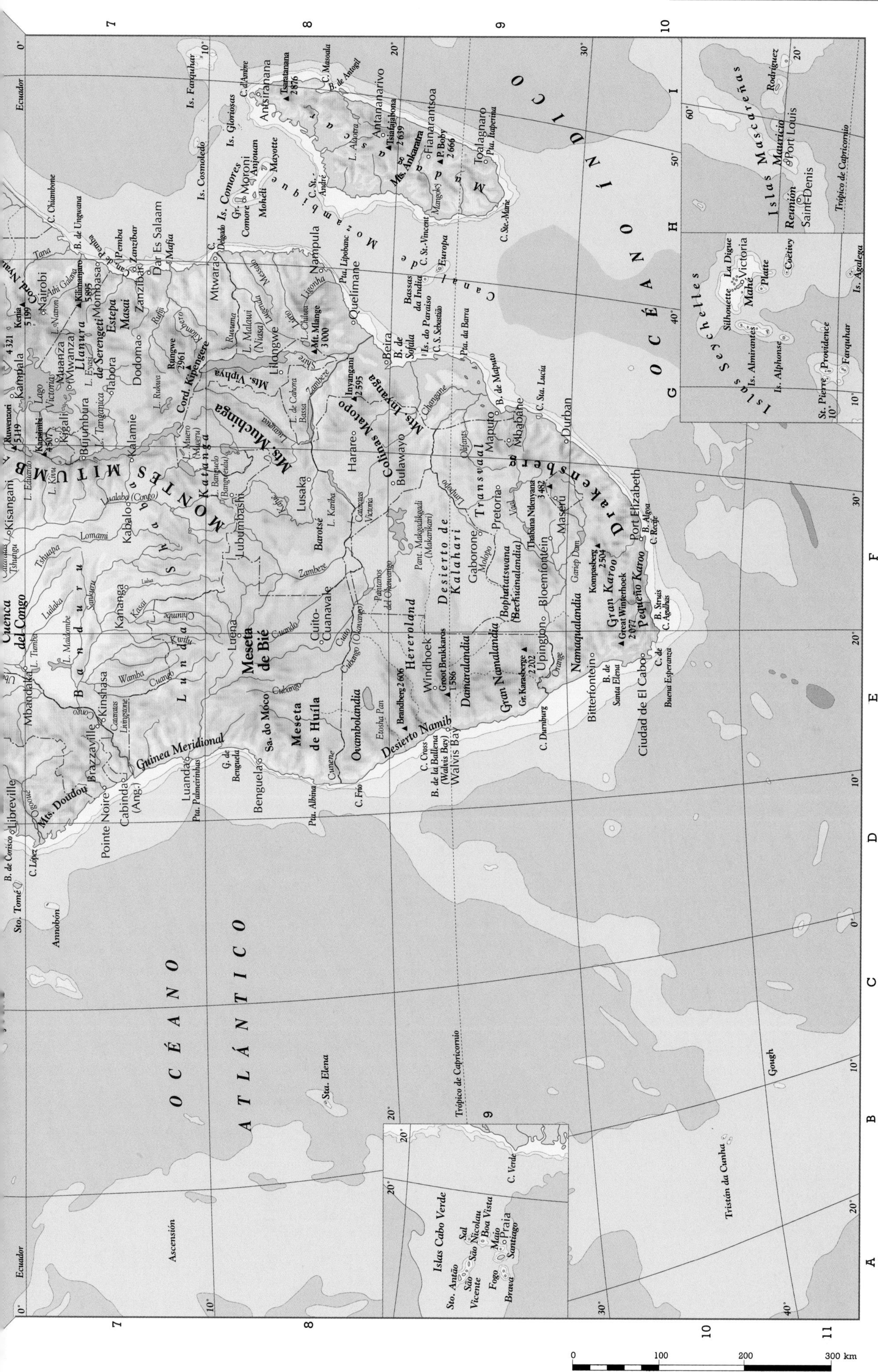
OCÉANO ATLÁNTICO
OCÉANO ÍNDICO
Canal de Mozambique
Madagascar
MONTES MITUMBA
Cuenca del Congo
Meseta de Bié
Meseta de Huíla
Desierto de Kalahari
Desierto Namib
Mts. Muchinga
Mts. Inyanga
Drakensberg
Gran Karoo
Pequeño Karoo
Namaqualandia
Gran Namalandia
Damaralandia
Hereroland
Ovambolandia
Transvaal
Guinea Meridional
Islas Cabo Verde
Islas Mascareñas
Islas Seychelles
Tristán da Cunha
Gough
Ascensión
Sta. Elena
Annobón
Sto. Tomé
Trópico de Capricornio
Ecuador
Libreville
Brazzaville
Kinshasa
Luanda
Benguela
Windhoek
Walvis Bay
Ciudad de El Cabo
Port Elizabeth
Durban
Maseru
Mbabane
Maputo
Pretoria
Gaborone
Bloemfontein
Harare
Bulawayo
Lusaka
Lubumbashi
Lilongwe
Beira
Quelimane
Nampula
Antananarivo
Fianarantsoa
Toalagnaro
Antsiranana
Moroni
Dar Es Salaam
Zanzíbar
Mombasa
Nairobi
Kampala
Kigali
Bujumbura
Dodomo
Tabora
Mwanza
Kisangani
Mbandaka
Kananga
Kabalo
Kalamie
Reunión
Saint-Denis
Mauricio
Port Louis
Rodrígues
Mahé
Victoria
Praia
Kilimanjaro 5 895
Kenia 5 199
Ruwenzori 5 119
Tsaratanana 2 876
Brandberg 2 606
Great Winterhoek 2 077
A B C D E F G H I
7 8 9 10 11
0 100 200 300 km

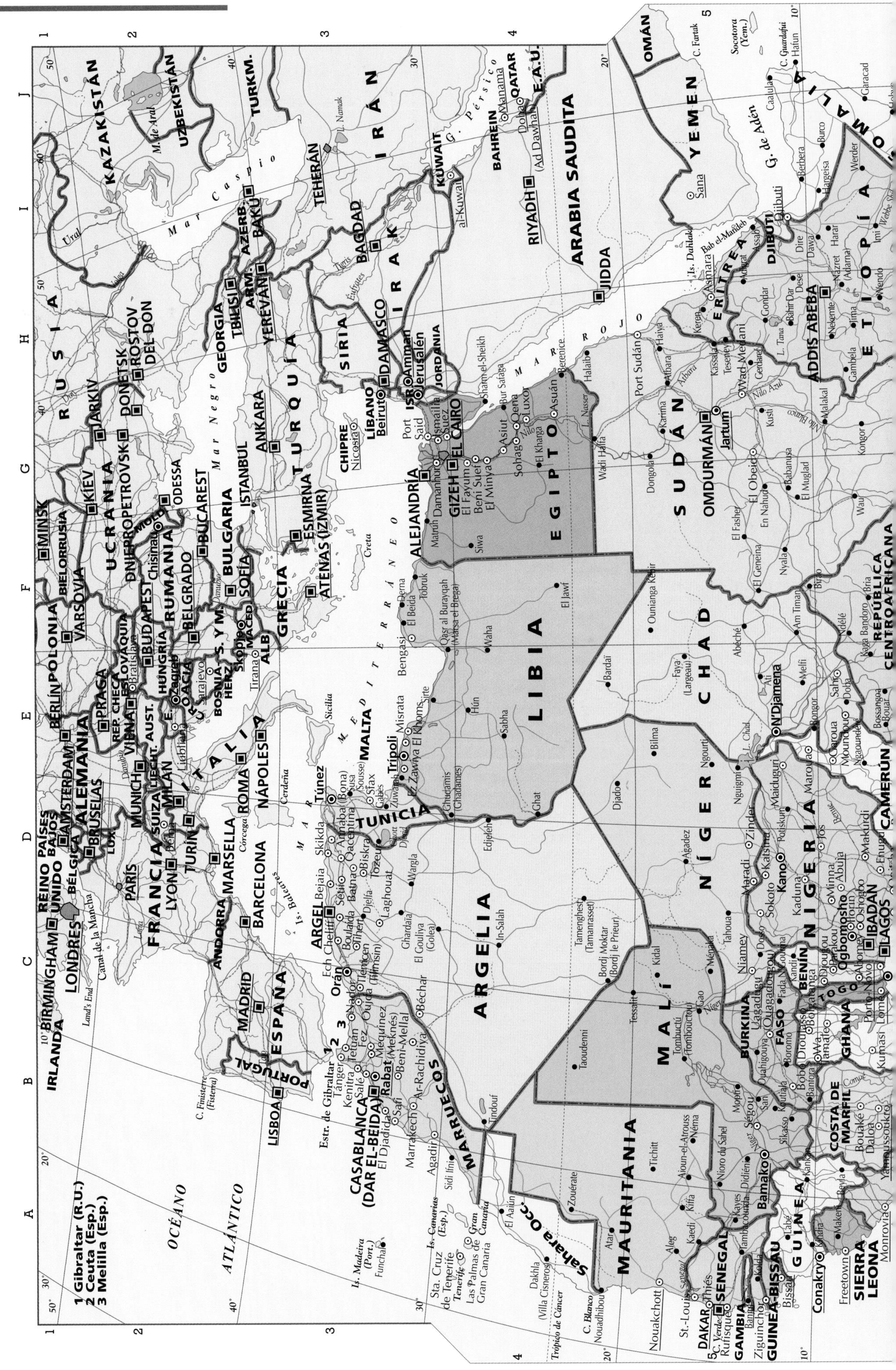
1 Gibraltar (R.U.)
2 Ceuta (Esp.)
3 Melilla (Esp.)
OCÉANO
ATLÁNTICO
IRLANDA
REINO UNIDO
LONDRES
BIRMINGHAM
PAÍSES BAJOS
AMSTERDAM
BÉLGICA
BRUSELAS
LUX.
FRANCIA
PARÍS
LYON
MARSELLA
ANDORRA
PORTUGAL
LISBOA
ESPAÑA
MADRID
BARCELONA
ALEMANIA
BERLÍN
MUNICH
SUIZA
BERNA
ITALIA
MILÁN
TURÍN
ROMA
NÁPOLES
POLONIA
VARSOVIA
REP. CHECA
PRAGA
AUST.
VIENA
HUNGRÍA
BUDAPEST
RUMANIA
BUCAREST
BULGARIA
SOFÍA
GRECIA
ATENAS
ALB.
Tirana
BELGRADO
BIELORRUSIA
MINSK
UCRANIA
KIEV
JARKIV
ODESSA
MOLD.
Chisinau
RUSIA
KAZAKISTÁN
UZBEKISTÁN
TURKM.
GEORGIA
TBILISI
ARM.
YEREVÁN
AZERB.
BAKÚ
TURQUÍA
ANKARA
ISTANBUL
ESMIRNA (IZMIR)
CHIPRE
Nicosia
SIRIA
DAMASCO
LÍBANO
Beirut
JORDANIA
Ammán
Jerusalén
IRAK
BAGDAD
IRÁN
TEHERÁN
KUWAIT
BAHREIN
QATAR
E.A.U.
ARABIA SAUDITA
RIYADH
JIDDA
YEMEN
Sana
OMÁN
Mar Caspio
Mar Negro
MAR MEDITERRÁNEO
MAR ROJO
G. de Adén
MARRUECOS
Rabat
CASABLANCA (DAR EL-BEIDA)
Marrakech
Tánger
ARGELIA
ARGEL
Orán
TUNICIA
Túnez
MALTA
LIBIA
Tripoli
Bengasi
EGIPTO
EL CAIRO
ALEJANDRÍA
GIZEH
Port Said
Suez
Asuán
Luxor
SUDÁN
Jartum
OMDURMÁN
Port Sudán
ERITREA
Asmara
DJIBUTI
Djibuti
ETIOPÍA
ADDIS ABEBA
SOMALIA
CHAD
N'Djamena
REPÚBLICA CENTROAFRICANA
NÍGER
Niamey
NIGERIA
Kano
IBADÁN
LAGOS
CAMERÚN
BENÍN
TOGO
GHANA
BURKINA FASO
Uagadugú (Ouagadougou)
MALÍ
Tombuctú (Tombouctou)
Bamako
MAURITANIA
Nouakchott
Sahara Occ.
SENEGAL
DAKAR
GAMBIA
GUINEA-BISSAU
Bissau
GUINEA
Conakry
SIERRA LEONA
Freetown
COSTA DE MARFIL
Yamusukro
Monrovia
Is. Canarias (Esp.)
Is. Madeira (Port.)
Funchal
Trópico de Cáncer

REP. DEM. DEL CONGO
ANGOLA
ZAMBIA
TANZANIA
MOZAMBIQUE
MADAGASCAR
NAMIBIA
BOTSWANA
ZIMBABWE
MALAWI
BURUNDI
RUANDA
GABÓN
CONGO
SWAZILANDIA
LESOTHO
REPÚBLICA DE SUDÁFRICA
COMORES
MAURICIO
SEYCHELLES
CABO VERDE
OCÉANO ATLÁNTICO
OCÉANO ÍNDICO
NAIROBI
KINSHASA
LUANDA
DAR ES SALAAM
HARARE
Lusaka
MAPUTO
ANTANANARIVO (TANANARIVE)
CIUDAD DE EL CABO
JOHANNESBURGO
Pretoria (Tshwane)
Durban
Port Elizabeth
Windhoek
Gaborone
Bulawayo
Lubumbashi
Brazzaville
Kampala
Kigali
Dodoma
Zanzibar
Mombasa
Beira
Canal de Mozambique
Trópico de Capricornio
Ecuador
Sta. Elena (R.U.)
Ascensión (R.U.)
Tristán da Cunha (R.U.)
Gough (R.U.)
Reunión (Fr.)
Port Louis
Saint-Denis
Victoria
Praia
0
500
1.000
1.500 km

África septentrional

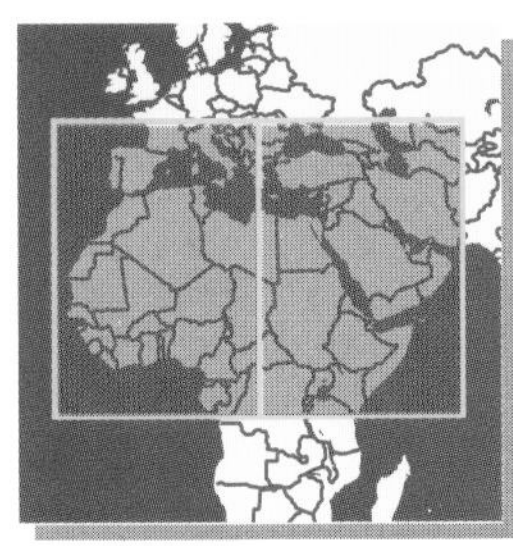

Esta región comprende los estados africanos del Mediterráneo (Marruecos, Argelia, Tunicia, Libia y Egipto), los países saharianos (Níger, Chad, Malí y Mauritania) y los países subsaharianos que se localizan en la parte centro-oriental del continente, desde el Trópico de Cáncer hasta la línea del Ecuador (Sudán, Etiopía, Eritrea, Djibuti, Somalia y la República Centroafricana).

Geografía física y humana

La fachada mediterránea del continente africano presenta dos sectores bien diferenciados: por un lado, en la parte occidental los microclimas que se crean en el sector montañoso del Atlas y del Rif, con veranos secos e inviernos templados y húmedos, favorecen el cultivo de la vid, el olivo y los frutales, productos típicos de la región mediterránea. Alternando con la agricultura, los pastores trashuman con sus rebaños entre los valles y la montaña. Hacia la parte oriental, en cambio, los desiertos interiores (desiertos de Libia y Egipto) se extienden prácticamente hasta el mismo litoral, dificultando las condiciones para la actividad económica agraria; el delta del Nilo es, naturalmente, la excepción en este sector por las excelentes condiciones que ofrece para el cultivo.

A la franja mediterránea, fértil y densamente poblada, se contrapone la inmensidad del desierto más extenso del mundo, el Sahara, que se extiende de este a oeste del continente. Es el reino de la arena y de la piedra, del sol ardiente y del frío intenso, y de la falta de agua. El Sahara lo cruzan en todas direcciones las caravanas y los pastores nómadas. Las investigaciones arqueológicas han demostrado que esta aridez es relativamente reciente, pues hace 9 000 años la zona estuvo poblada por cazadores, pescadores y ganaderos que dejaron pinturas rupestres. El progresivo cambio de clima motivó la desaparición de estas culturas y en el 1200 a.C. libios y garamantes, pueblos costeros desplazados por Egipto, comenzaron a invadir el Sahara central y sometieron a los pueblos negroides de hábitos sedentarios.

Comerciante en un mercado de Marruecos.

En la parte más nororiental de África también se pueden distinguir dos ambientes geográficos bien definidos: por un lado Egipto y Sudán, con un relieve predominantemente llano, un clima extremadamente seco y una espina dorsal, el río Nilo, que da vida al área ribereña; y por otro lado, se encuentra el área montañosa que enmarca el "Valle de la Gran Grieta" o Rift Valley, profunda fosa tectónica ocupada por el mar Rojo, la depresión de Dancalia, y por la serie de lagos de Etiopía, en el llamado Cuerno de África.

Historia

El Antiguo Egipto fue la única de las grandes civilizaciones que nació y se desarrolló en tierra africana y según los estudios arqueológicos sus orígenes se remontan al Neolítico. En la estructuración de esta civilización milenaria tuvo un papel protagonista el Alto Egipto, con su capital, Tebas, y Nubia, que dieron a todo el proceso histórico un carácter netamente africano. Su influencia se extendió ampliamente, como ocurrió con la civilización meroítica, que penetró profundamente en Etiopía y en Nubia y cuyo influjo se dejó sentir también en Nigeria. Sin embargo, Egipto se orientó muy pronto hacia el Mediterráneo y Asia Menor y, así, se desgajó del dominio africano para entrar sucesivamente en la órbita asiria, persa, griega y romana.

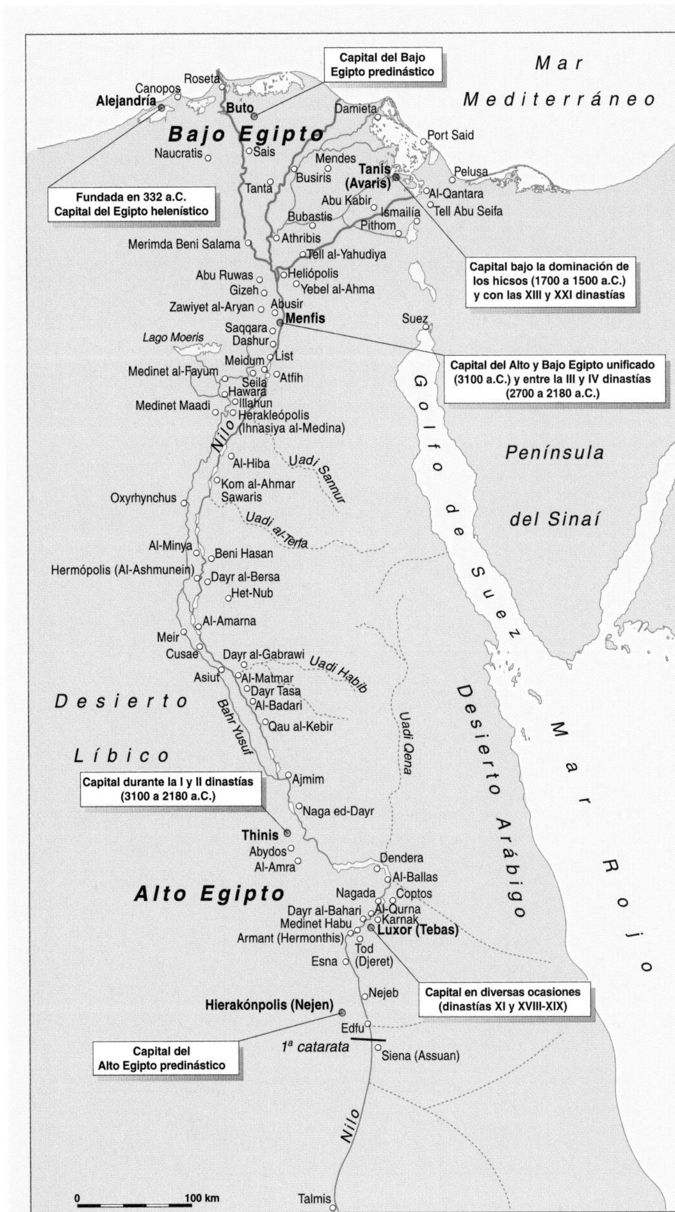

Egipto bajo los faraones

■ *El desarrollo de Egipto ha estado históricamente vinculado al fértil valle del Nilo. Los asentamientos humanos datan de la prehistoria y se cree que los primeros pobladores provenían de Próximo Oriente. El período predinástico finalizó con la unificación del país bajo un solo cetro político, cuando el rey del Alto Egipto, Menes (o Narmer), unió su reino con el del Bajo Egipto, en torno al 3000 a.C., momento que debe considerarse el punto de partida de la historia del Antiguo Egipto. Los monarcas egipcios eran llamados faraones y ejercían una autoridad absoluta, de naturaleza divina. Se agrupaban en dinastías (según el historiador Manetón, veintisiete hasta la conquista de Egipto por los sirios), que a su vez se agruparon en tres imperios: el Antiguo, que se inicia hacia 3000 a.C., el Medio, a partir de 2040 a.C., y el Nuevo, desde 1552 a.C. hasta la conquista por los asirios en 664 a.C. Cuando el último faraón fue derrotado, en el 575 a.C., el país cayó bajo dominio persa.*

Rutas de las principales caravanas norteafricanas

■ *Las caravanas comerciales hasta el siglo XIX no cruzaban los desiertos, sino que los bordeaban. Las escasas rutas norte-sur estaban marcadas por la existencia de cursos fluviales o pozos de agua. El comercio de sal, oro, ámbar, goma y esclavos permitía considerables ganancias a las tribus beréberes del Sahara. Además, para los mercaderes del Magreb y de Egipto, que controlaban las rutas transaharianas, el establecimiento de relaciones comerciales con esta región era de vital importancia. Con sus mercancías viajaron también sus creencias islámicas, creando gradualmente un mosaico de etnias, mestizajes, creencias y culturas en el que el islamismo convivió o se mezcló con el animismo.*

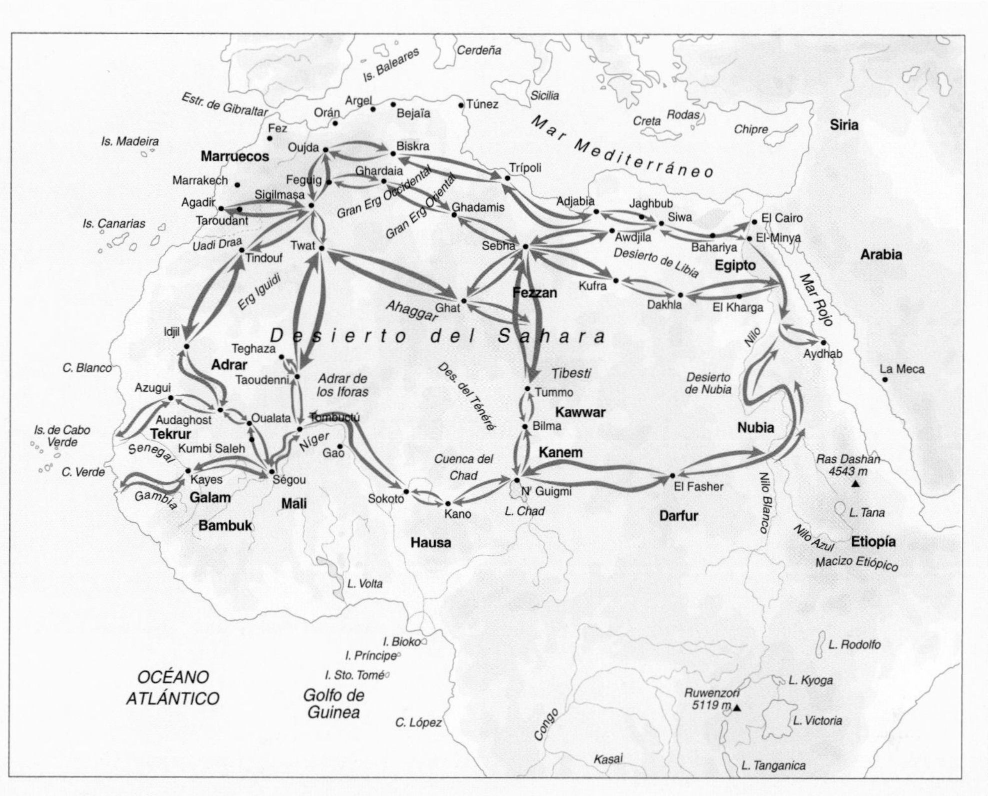

Más tarde, con la entrada de los árabes en la región, cambió el polo de atracción, aislando el África septentrional de Europa, a la que había estado estrechamente ligada durante siglos; de este modo, África septentrional se convirtió en un centro de irradiación del islamismo hacia el África interior. Ni las invasiones árabes ni la influencia musulmana se detuvieron en la ribera mediterránea; al este, los navegantes árabes establecieron una cadena de factorías en el mar Rojo y a lo largo de la costa oriental de África, y de esta manera entraron en contacto con el sector meridional de la región.

Como en el resto del continente, la Segunda Guerra Mundial marcó el inicio de la descolonización, aunque Egipto había dado fin al protectorado británico en 1922. La influencia política y militar de Libia sobre el Chad, que entró en una crisis profunda a partir de 1965, con la oposición violenta entre las poblaciones islamizadas del norte y las animistas del sur, se encuadra en este fenómeno histórico. Actualmente la región vive algunos conflictos internos derivados del aún reciente proceso de descolonización, como en el Sahara Occidental, que sigue reclamando el reconocimiento internacional de su independencia respecto de Marruecos. En 1956 Sudán se convirtió en país independiente; en 1960 lo hizo Somalia y en 1977 Djibuti. Etiopía recobró la soberanía tras la capitulación de la Italia fascista, pero el país necesitaba una salida al mar, Eritrea, por lo que la ONU la declaró estado federado con Etiopía (1952). Diez años más tarde, el gobierno etíope se anexionó Eritrea. Ello dio lugar al nacimiento de un movimiento independentista que, tras el hundimiento del régimen prosoviético de Addis Abeba, dominó por completo el país (1991) y propició la independencia de Eritrea en el año 1993.

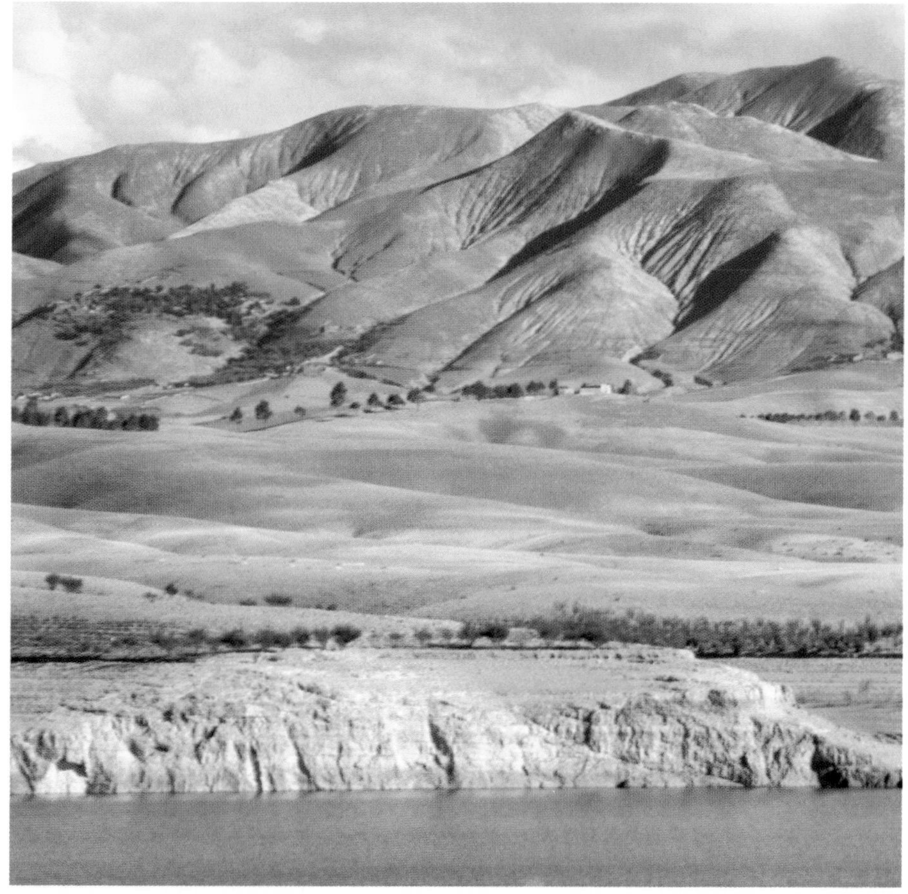

El sistema montañoso del Atlas, que se extiende por Marruecos y Argelia, presenta gran diversidad climática y alberga desde paisajes de alta montaña hasta zonas desérticas.

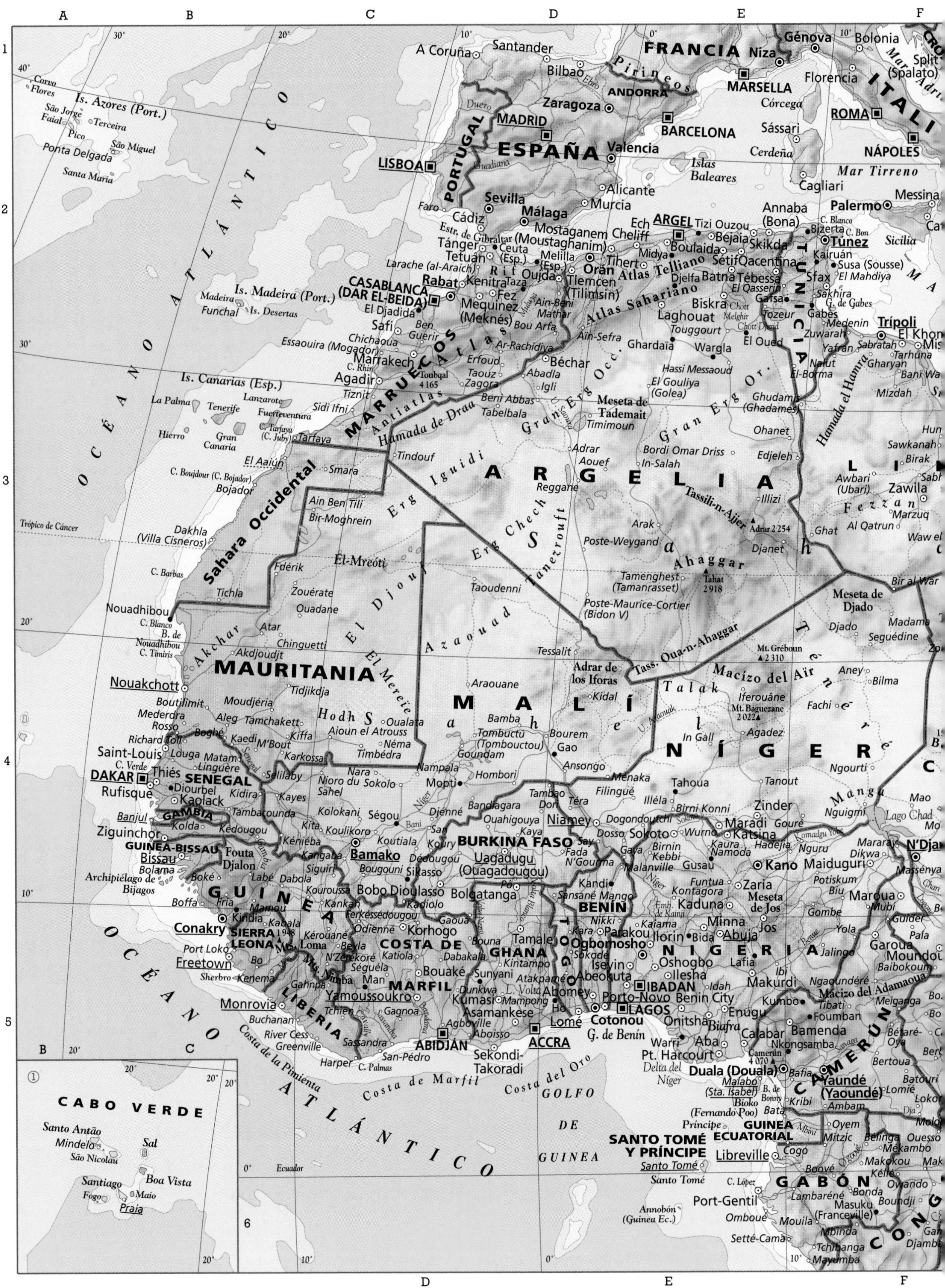
A
B
C
D
E
F
OCÉANO ATLÁNTICO
Is. Azores (Port.)
Corvo
Flores
São Jorge
Faial
Terceira
Pico
São Miguel
Ponta Delgada
Santa Maria
Is. Madeira (Port.)
Madeira
Funchal
Is. Desertas
Is. Canarias (Esp.)
La Palma
Tenerife
Lanzarote
Fuerteventura
Hierro
Gran Canaria
Trópico de Cáncer
A Coruña
Santander
Bilbao
FRANCIA
Niza
Génova
Bolonia
Split (Spalato)
Pirineos
ANDORRA
MARSELLA
Florencia
Córcega
ITALIA
Zaragoza
MADRID
ROMA
BARCELONA
Sássari
NÁPOLES
PORTUGAL
ESPAÑA
Valencia
Cerdeña
LISBOA
Islas Baleares
Mar Tirreno
Cagliari
Sevilla
Alicante
Messina
Faro
Málaga
Murcia
Annaba (Bona)
Palermo
Cádiz
Estr. de Gibraltar
Mostaganem (Moustaghanim)
Cheliff
ARGEL
Tizi Ouzou
Béjaïa
Skikda
Bizerta
Túnez
Sicilia
Tánger
Ceuta (Esp.)
Melilla (Esp.)
Orán
Midya
Boulaida
Tetuán
Tihert
Sétif
Qacentina
Kairuán
Susa (Sousse)
Larache (al-Araich)
Rif
Oujda
Tlemcen (Tilimsin)
Atlas Telliano
El Mahdiya
Rabat
Kenitra
Taza
Djelfa
Batna
Tébessa
Sfax
CASABLANCA (DAR EL-BEIDA)
Fez
Atlas Sahariano
El Qasserín
TUNICIA
El Djadida
Mequinez (Meknés)
Ain-Beni Mathar
Biskra
Gafsa
Sakhira
G. de Gabes
Safi
Ben Guerir
Bou Arfa
Laghouat
Tozeur
Gabes
Medenín
Trípoli
Essaouira (Mogador)
Chichaoua
Touggourt
Zuwarah
Marrakech
Atlas
Ain-Sefra
Ghardaïa
El Oued
Yafran
Sabratah
Tarhuna
MARRUECOS
Ar-Rachidiya
Wargla
Nalut
Gharyan
Agadir
Toubqal 4 165
Erfoud
Béchar
Hassi Messaoud
El-Borma
Bani Walid
Tiznit
Taouz
Zagora
Abadla
El Gouliya (Golea)
Mizdah
Sidi Ifni
Antiatlas
Beni Abbas
Igli
Ghudamis (Ghadames)
Hamada el Hamra
Tabelbala
Gran Erg Occ.
Meseta de Tademait
Gran Erg Or.
Tarfaya
Hamada de Draa
Timimoun
Ohanet
Adrar
Bordj Omar Driss
Sawkanah
El Aaiún
Tindouf
Aouef
In-Salah
Edjeleh
Birak
Smara
Erg Iguidi
ARGELIA
LIBIA
C. Boujdour (C. Bojador)
Bojador
Reggane
Awbari (Ubari)
Zawila
Ain Ben Tili
Tassili-n-Ajjer
Illizi
Fezzan
Bir-Moghrein
Erg Chech
Adrar 2 254
Marzuq
Dakhla (Villa Cisneros)
Sahara Occidental
Arak
Ghat
Al Qatrun
Tanezrouft
Poste-Weygand
Djanet
Wawel
Sahara
C. Barbas
Fdérik
El-Mreïti
El Djouf
Ahaggar
Tamenghest (Tamanrasset)
Tahat 2 918
Zouérate
Taoudenni
Bir al-War
Tichla
Meseta de Djado
Nouadhibou
C. Blanco
B. de Nouadhibou
C. Timiris
Ouadane
Poste-Maurice-Cortier (Bidon V)
Djado
Madama
Atar
Azaouad
Seguédine
Akchar
Chinguetti
Akdjoujt
Tessalit
Mt. Gréboun 2 310
MAURITANIA
El Mereïé
Adrar de los Iforas
Tass. Oua-n-Ahaggar
Aney
Bilma
Nouakchott
Tidjikdja
Araouane
Macizo del Aïr
Talak
Boutilimit
Moudjéria
MALÍ
Kidal
Iferouâne
Fachi
Mederdra
Aleg
Tamchakett
Hodh
Oualata
Bamba
Mt. Baguezane 2 022
Ténéré
Rosso
Boghé
Kaedi
Kiffa
Aioun el Atrouss
Tombuctú (Tombouctou)
Bourem
In Gall
Agadez
Richard Toll
M'Bout
Néma
Gao
Saint-Louis
Louga
Matam
Karkossa
Timbédra
Goundam
NÍGER
C. Verde
Thiès
Linguère
Nara
Nampala
Hombori
Ansongo
Ngourti
DAKAR
SENEGAL
Sélibaby
Nioro du Sahel
Sokolo
Mopti
Ménaka
Tahoua
Tanout
Rufisque
Diourbel
Kidira
Kayes
Filingué
Mangu
Mao
Kaolack
Bandiagara
Tambao
Dori
Téra
Illéla
Birni Konni
Zinder
Nguigmi
Banjul
GAMBIA
Tambacounda
Kolokani
Ségou
Djenné
Ouahigouya
Niamey
Dogondoutchi
Maradi
Gouré
Lago Chad
Ziguinchor
Kolda
Kédougou
Kita
Koulikoro
San
Kaya
Dosso
Sokoto
Wurno
Katsina
GUINEA-BISSAU
Fouta Djalon
Kéniéba
Bamako
Koutiala
Koury
BURKINA FASO
Say
Gaya
Birnin Kebbi
Kaura Namoda
Hadejia
Nguru
Mararaba Dikwa
N'Djamena
Bissau
Bolama
Kangaba
Siguiri
Dédougou
Uagadugu (Ouagadougou)
Fada N'Gourma
Malanville
Gusau
Kano
Maiduguri
Archipiélago de los Bijagos
Boké
Labé
Dabola
Bougouni
Sikasso
Kandi
Funtua
Zaria
Potiskum
Massénya
GUINEA
Kouroussa
Bobo Dioulasso
Bolgatanga
Pô
Sansané Mango
Kontagora
Meseta de Jos
Biu
Maroua
Boffa
Fria
Mamou
Kankan
Kadiolo
BENÍN
Kaduna
Mubi
Kindia
Kabala
Ferkessédougou
Gaoua
Nikki
Kaiama
Minna
Jos
Gombe
Conakry
SIERRA LEONA
1 948
Kérouané
Odienné
Korhogo
TOGO
Kara
Parakou
Ilorin
Bida
Abuja
Yola
Garoua
Port Loko
Loma
Beyla
COSTA DE MARFIL
Bouna
Tamale
GHANA
Ogbomosho
NIGERIA
Jalingo
Moundou
Freetown
Bo
N'Zérékoré
Katiola
Dabakala
Kintampo
Sokodé
Iseyin
Oshogbo
Lafia
Baibokoum
Sherbro
Kenema
Séguéla
Bouaké
Sunyani
Atakpamé
Abeokuta
Ilesha
Ibi
Ngaoundéré
Gahnpa
Man
Mt. Nimba
Dunkwa
Kumasi
Mampong
Abomey
IBADAN
Idah
Makurdi
Macizo del Adamaoua
Tibati
Meiganga
Monrovia
LIBERIA
Yamoussoukro
Tchien
Gagnoa
Asamankese
Porto-Novo
LAGOS
Benin City
Kumbo
Foumban
Buchanan
Agboville
Lomé
Cotonou
Onitsha
Enugu
River Cess
Greenville
Sassandra
ABIDJÁN
Aboisso
ACCRA
G. de Benín
Warri
Aba
Biafra
Calabar
Bamenda
Nkongsamba
Bétaré-Oya
Harper
C. Palmas
San-Pédro
Sekondi-Takoradi
Pt. Harcourt
Camerún 4 070
Bertoua
Costa de la Pimienta
Costa de Marfil
Costa del Oro
Delta del Níger
Duala (Douala)
Bafia
CAMERÚN
Yaundé (Yaoundé)
Batouri
GOLFO DE GUINEA
Malabo (Sta. Isabel)
B. de Bonny
Bioko (Fernando Poo)
Kribi
Lomié
Bata
Ambam
Príncipe
GUINEA ECUATORIAL
Oyem
Mitzic
Bélinga
Ouesso
Mékambo
SANTO TOMÉ Y PRÍNCIPE
Santo Tomé
Libreville
Cogo
Boové
Makokou
Kellé
Ovando
GABÓN
C. López
Lambaréné
Bonda
Boundji
Annobón (Guinea Ec.)
Port-Gentil
Masuku (Franceville)
Omboué
Mouila
Setté-Cama
Mbinda
Tchibanga
Mayumba
CONGO
Ecuador
CABO VERDE
Santo Antão
Mindelo
São Nicolau
Sal
Santiago
Boa Vista
Fogo
Maio
Praia
1
2
3
4
5
6

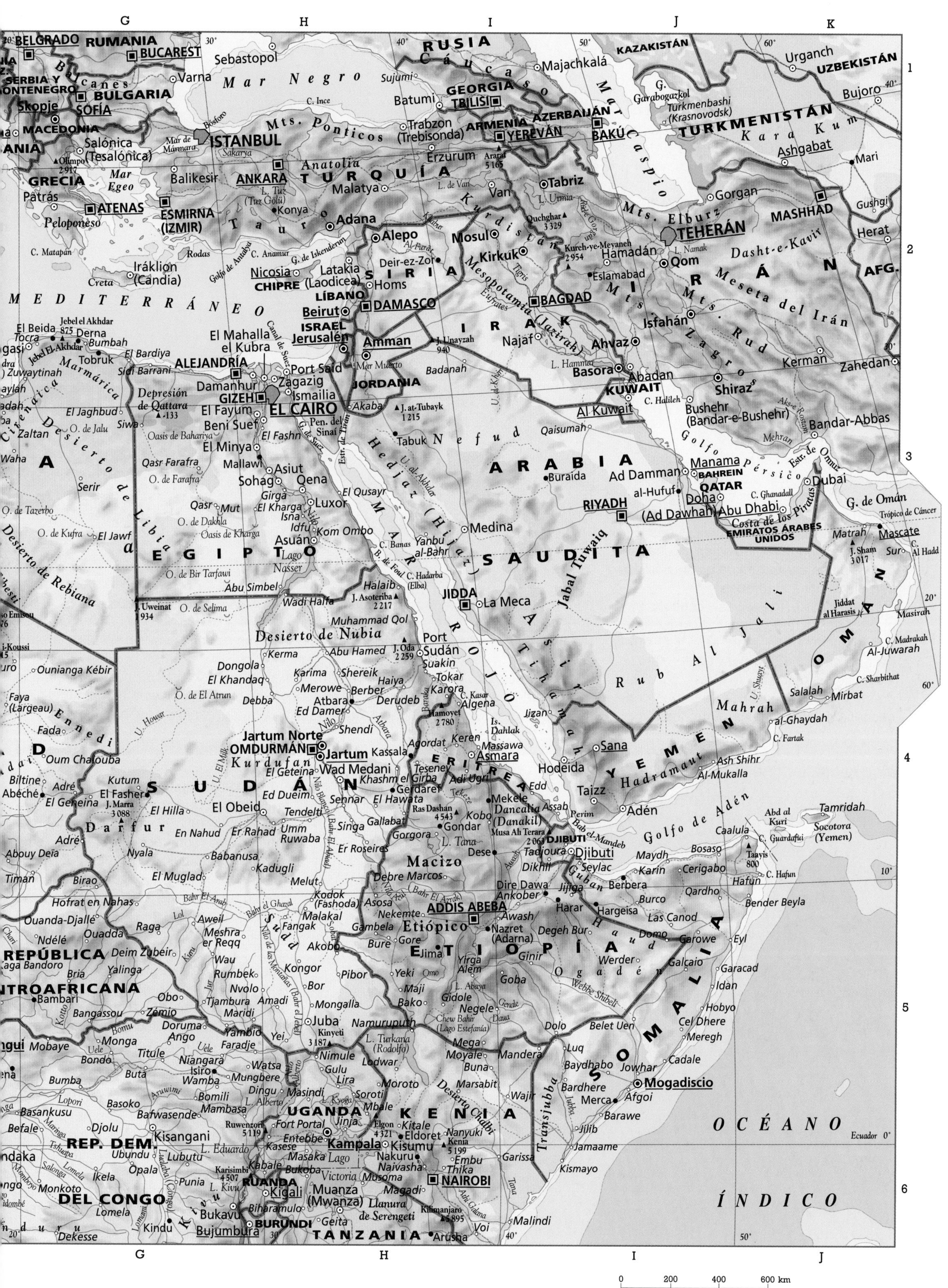
RUSIA
TURQUÍA
SIRIA
IRAK
IRÁN
ARABIA SAUDITA
EGIPTO
SUDÁN
ETIOPÍA
SOMALIA
KENIA
YEMEN
OMÁN
MEDITERRÁNEO
MAR ROJO
OCÉANO ÍNDICO
EL CAIRO
ADDIS ABEBA
NAIROBI
Mogadiscio
0 200 400 600 km

Golfo de Guinea

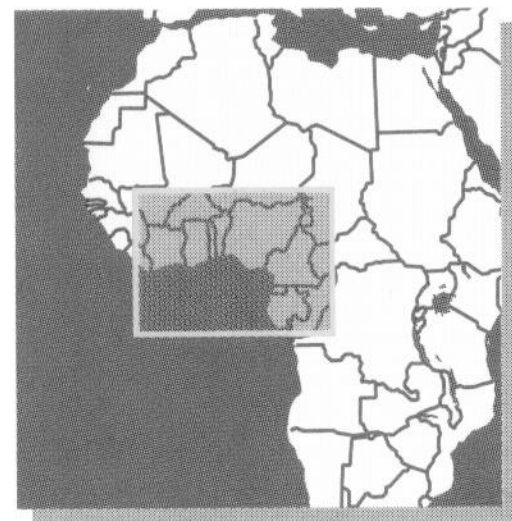

Esta región comprende los países que ocupan el sector ribereño del golfo de Guinea, que se abre al océano Atlántico, es decir, Costa de Marfil, Ghana, Togo, Benín, Nigeria, Camerún, Guinea Ecuatorial y Gabón. Además, incluye los estados insulares de Cabo Verde y Santo Tomé y Príncipe. Más al sur, y fuera de este ámbito geográfico, se sitúan las alejadas islas de Ascensión y Santa Elena, que constituyen una dependencia británica.

Geografía física y humana

El marco geográfico de estos países de la costa africana occidental se caracteriza por la existencia de una llanura litoral baja, cubierta de manglares, poco propicia para la instalación de asentamientos humanos. Hacia el interior, el relieve asciende hasta la meseta africana, donde el clima cálido de la costa se hace más moderado. Numerosos ríos salvan el escalón de la meseta para alcanzar el mar, bordeados por selvas impenetrables. A sus orillas se concentra la población, la cual se dedica a una agricultura de plantación desarrollada por los europeos.

Por otra parte, las selvas y bosques tropicales han sufrido sistemáticamente la tala indiscriminada, tanto para ganar tierras de cultivo como para comercializar sus valiosas maderas, lo que ha provocado un deterioro ecológico de graves consecuencias ambientales. Entre los recursos naturales con que cuenta la región cabe destacar el petróleo de Nigeria, el estado más poblado del continente y que es hoy un gran exportador de crudo, aunque ello no haya servido para aumentar el nivel de vida del conjunto de la población.

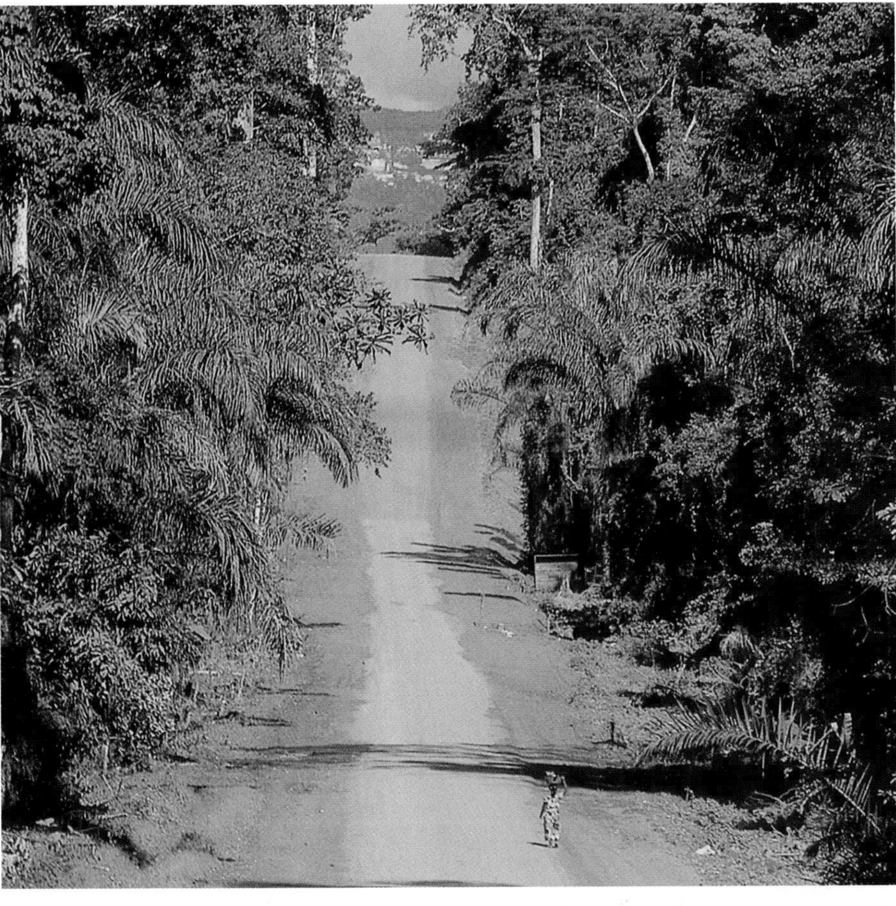

Carretera abierta en plena zona de bosque ecuatorial, en Ghana, uno de los países del golfo de Guinea. En los últimos años se han llevado a cabo programas para mejorar las infraestructuras de comunicación, en especial la red de caminos y carreteras.

Historia

Toda la zona fue colonizada rápidamente por las potencias europeas, especialmente el litoral. Éstas no sólo comerciaron con los productos de la tierra, sino también con los propios habitantes, arrancados de su lugar de origen y transportados como esclavos a otras regiones del planeta. Los intereses coloniales distorsionaron el mapa político real de toda esta zona. La táctica de dividir los territorios históricos en dos o más entidades estatales, de promover el éxodo de pueblos enteros y enfrentarlos a otros, constituyó la base de la estrategia de dominio del colonialismo europeo, y sus consecuencias son patentes aún en nuestros días. Para estos pueblos africanos, que consiguieron la independencia política –pero no la económica en relación con las antiguas metrópolis– tras el final de la Segunda Guerra Mundial, la división artificial sin tener en cuenta su realidad étnica e histórica ha supuesto una pesada herencia. Por otro lado, sus estructuras productivas son también aún herencia de la etapa colonialista, y un lastre que dificulta un desarrollo económico moderno.

El África subsahariana preeuropea, el "país de los negros"

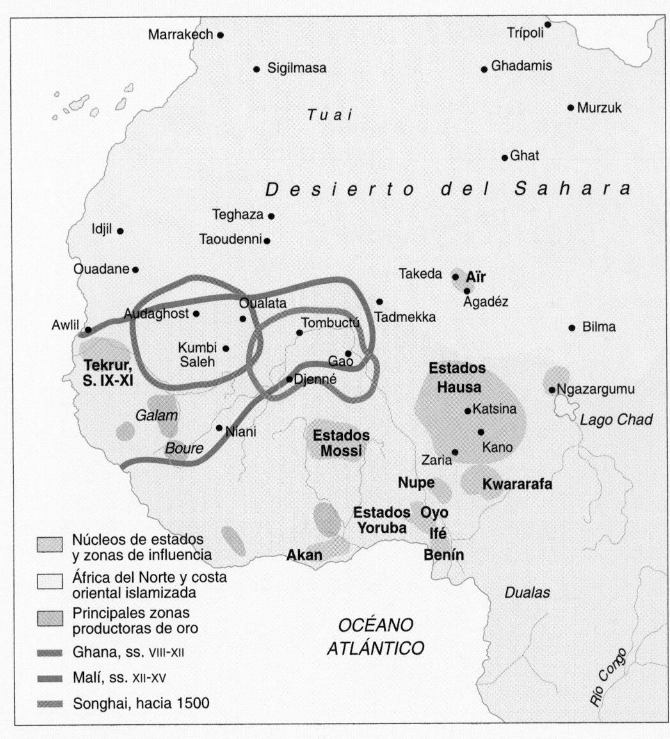

■ *El ámbito geográfico situado en la parte meridional del Sahara, conocido como Sudán (del árabe* bilâd-al-sudan, *"país de los negros"), es la zona en la que se ha desarrollado la mayor parte de los imperios africanos. Durante los últimos siglos medievales, estos florecientes reinos negros (algunos reyes africanos eran conocidos por sus riquezas y la brillantez de sus obras de arte) fueron el destino de las caravanas transaharianas de comerciantes musulmanes, que obtenían oro y esclavos a cambio de sal, armas y otros objetos de valor.*

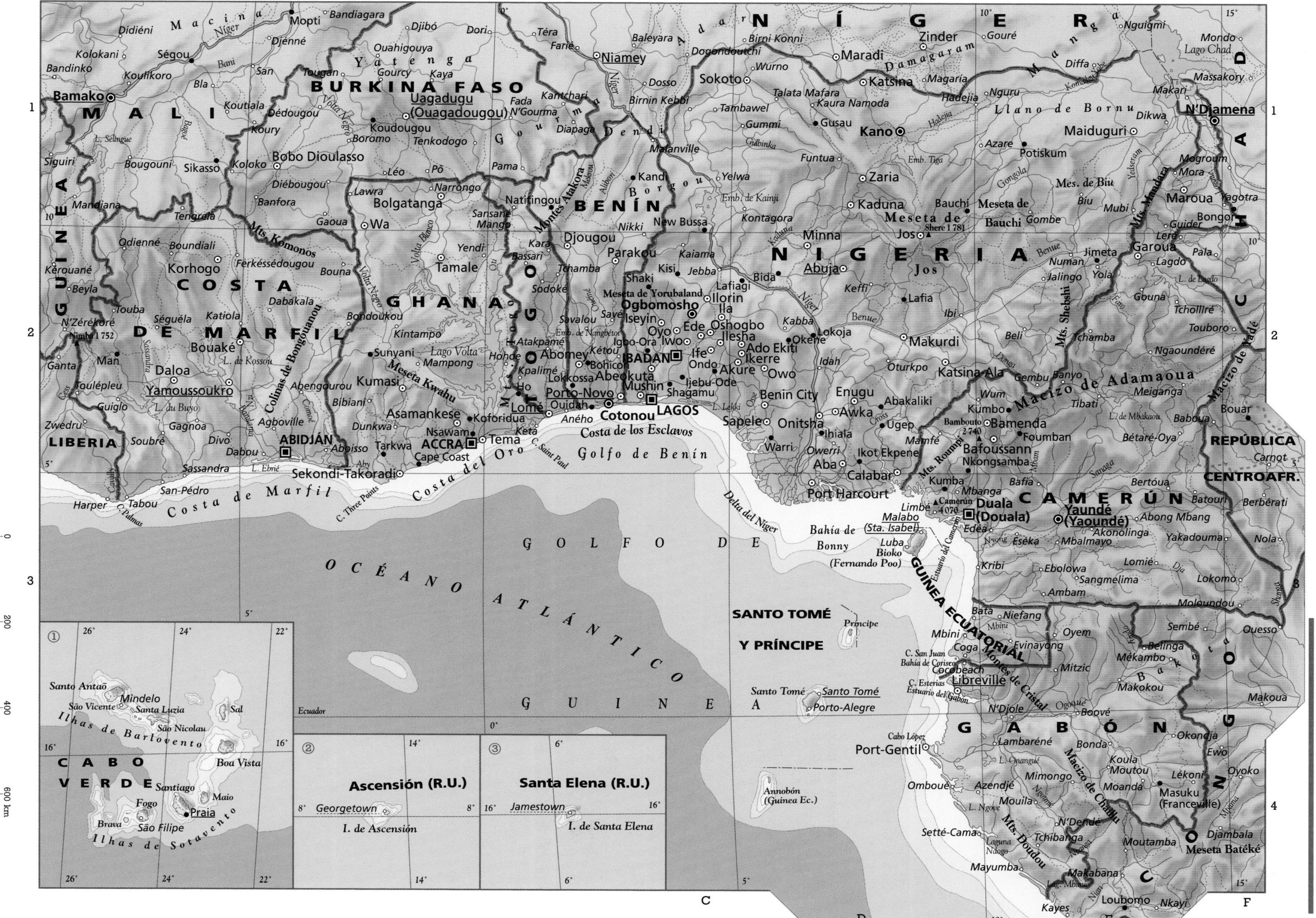

MALI
BURKINA FASO
NÍGER
NIGERIA
CHAD
GUINEA
COSTA DE MARFIL
LIBERIA
GHANA
TOGO
BENÍN
CAMERÚN
REPÚBLICA CENTROAFR.
GUINEA ECUATORIAL
GABÓN
CONGO
SANTO TOMÉ Y PRÍNCIPE
GOLFO DE GUINEA
OCÉANO ATLÁNTICO
Golfo de Benín
Costa de Marfil
Costa del Oro
Costa de los Esclavos
Bahía de Bonny
Delta del Níger
Macizo de Adamaoua
Meseta de Jos
Llano de Bornu
Bamako
Uagadugu (Ouagadougou)
Niamey
N'Djamena
Abidján
Yamoussoukro
Accra
Lomé
Porto-Novo
Cotonou
Lagos
Ibadán
Abuja
Kano
Yaundé (Yaoundé)
Duala (Douala)
Malabo (Sta. Isabel)
Libreville
Port-Gentil
Santo Tomé
Bioko (Fernando Poo)
Annobón (Guinea Ec.)
Príncipe
Ascensión (R.U.)
Georgetown
I. de Ascensión
Santa Elena (R.U.)
Jamestown
I. de Santa Elena
CABO VERDE
Praia
Ilhas de Barlovento
Ilhas de Sotavento
Ecuador
0
200
400
600 km

África meridional

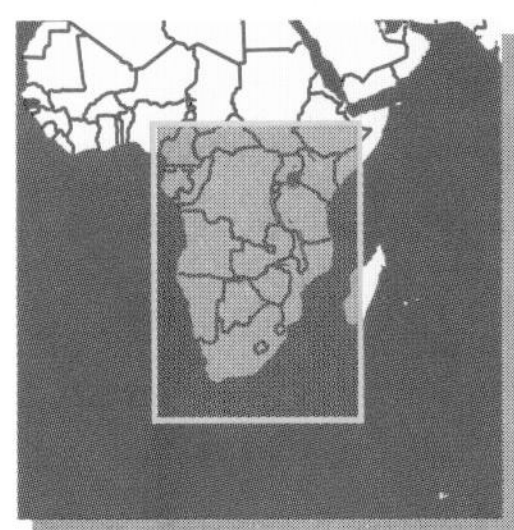

Esta región comprende todo el sector meridional del continente africano. Los países que integra son: la República del Congo, la República Democrática del Congo, Uganda, Kenia, Tanzania, Ruanda, Burundi, Angola, Zambia, Malawi, Namibia, Botswana, Zimbabwe, Mozambique, la Repú- blica Sudafricana, Swazilandia y Lesotho, además de las islas de Madagascar, Comores, Seychelles, Mayotte y Reunión.

Geografía física y humana

La parte septentrional de la región ocupa la cuenca del río Congo, la segunda cuenca fluvial con mayor superficie del mundo. Constituye una extensa llanura sedimentaria rodeada de mesetas, y presenta un clima ecuatorial, muy húmedo, que da lugar a una inmensa masa forestal de selva ecuatorial. Al este de esta cuenca se encuentra una región montañosa de caracter volcánico, junto a la región de los Grandes Lagos del Rift Valley, que se extiende hasta el océano Índico.

Más al sur aparece un relieve de mesetas y altiplanicies, cuya área central está ocupada por el desierto de Kalahari, uno de los más áridos de la Tierra; en esta zona existe un acusado contraste climático entre la mitad occidental, más seca, y la mitad oriental, donde la acción de los vientos alisios asegura una importante cuota anual de precipitaciones.

Toda la región cuenta, en general, con importantes recursos naturales (petróleo, cobre, diamantes, bosques, potencial hidroeléctrico...), explotados la mayor parte por compañías de capital extranjero. En algunas zonas, la agricultura se ejerce todavía como actividad de subsistencia, mientras cobra gran relevancia la agricultura de plantaciones, la ganadería y la comercialización de sus derivados. La República Sudafricana es el país que posee una economía más diversificada, con gran abundancia de recursos en todas las ramas de la actividad económica, especialmente en el sector minero, lo que coloca al país a la cabeza de la producción africana.

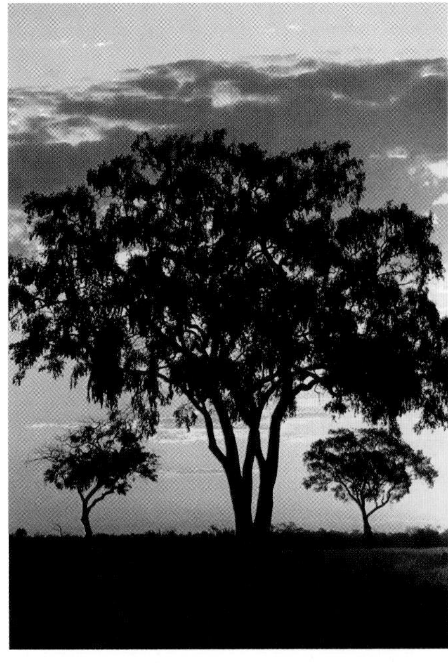

Paisaje típico de sabana en el Parque Nacional Chobe, al nordeste de Botswana.

Historia

Como en todo el continente africano, también la historia de este sector meridional está marcada por la llegada y la expansión de los colonizadores europeos (portugueses, españoles, franceses, belgas, alemanes y británicos), que inicialmente se instalaron en las costas y a partir del siglo XIX se fueron adentrando hacia el interior, exterminando a la población aborigen y considerándose los nuevos dueños del territorio. A finales del siglo XIX, la explotación de las riquezas mineras atrajo a millares de colonos europeos, fortaleciéndose el poder blanco, mientras los negros africanos eran sometidos a condiciones de trabajo muy duras.

El proceso de descolonización fue activamente combatido por las minorías blancas, con la República Sudafricana como bastión, donde se había implantado oficialmente un régimen de segregación racial, o *apartheid,* que duró hasta bien entrada la década de 1990. Por otro lado, los procesos de independencia comportaron, en muchos casos, cruentas contiendas bélicas, generalmente motivadas por el control de las riquezas minerales. Estos conflictos han perdurado durante décadas en varios países.

Dependencias coloniales en África a finales del siglo XIX

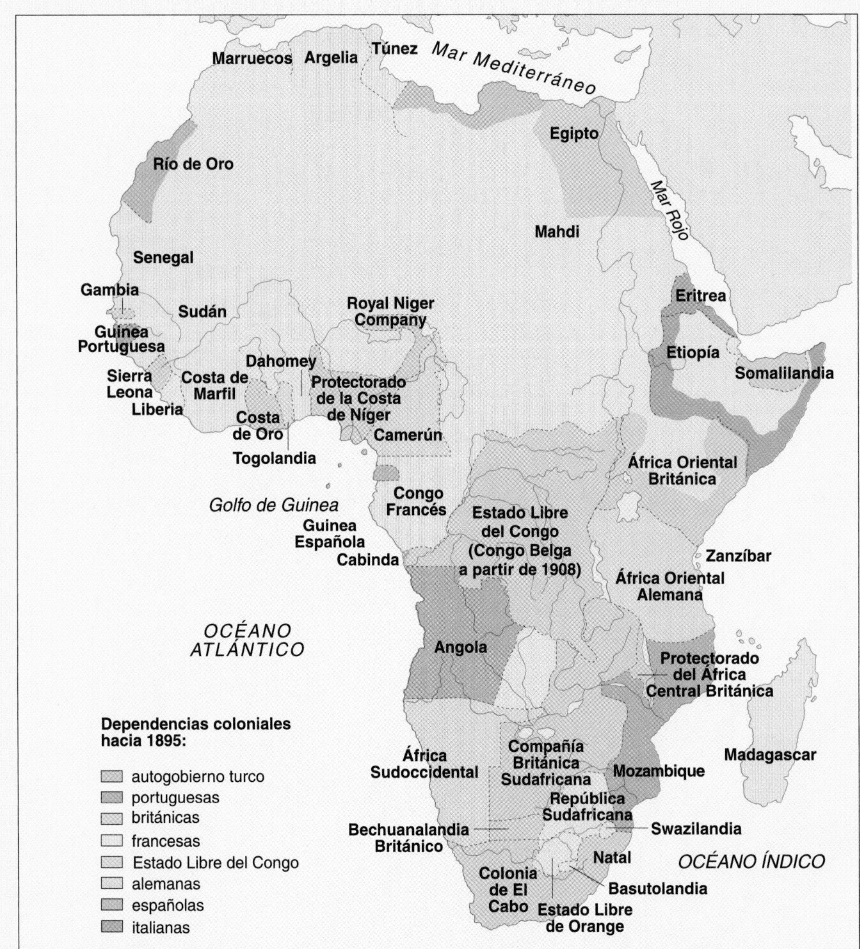

■ *A finales del siglo XIX, el mapa de África no era apenas más que una extensión del mapa de Europa. Despreciando la zona desértica, los países europeos se aposentaron en las ricas regiones atestadas de minas de oro y diamantes, establecieron fronteras y alteraron profundamente los sistemas sociales autóctonos. Hubo, desde luego, razo-nes económicas que justificaban el colonialismo con la idea, generalmente equivocada, de que era un buen negocio; pero también hubo un profundo movimiento ciudadano que veía y sentía la expansión colonial como una obra civilizadora, una aventura apasionante y una acción política que proporcionaba prestigio a la nación.*

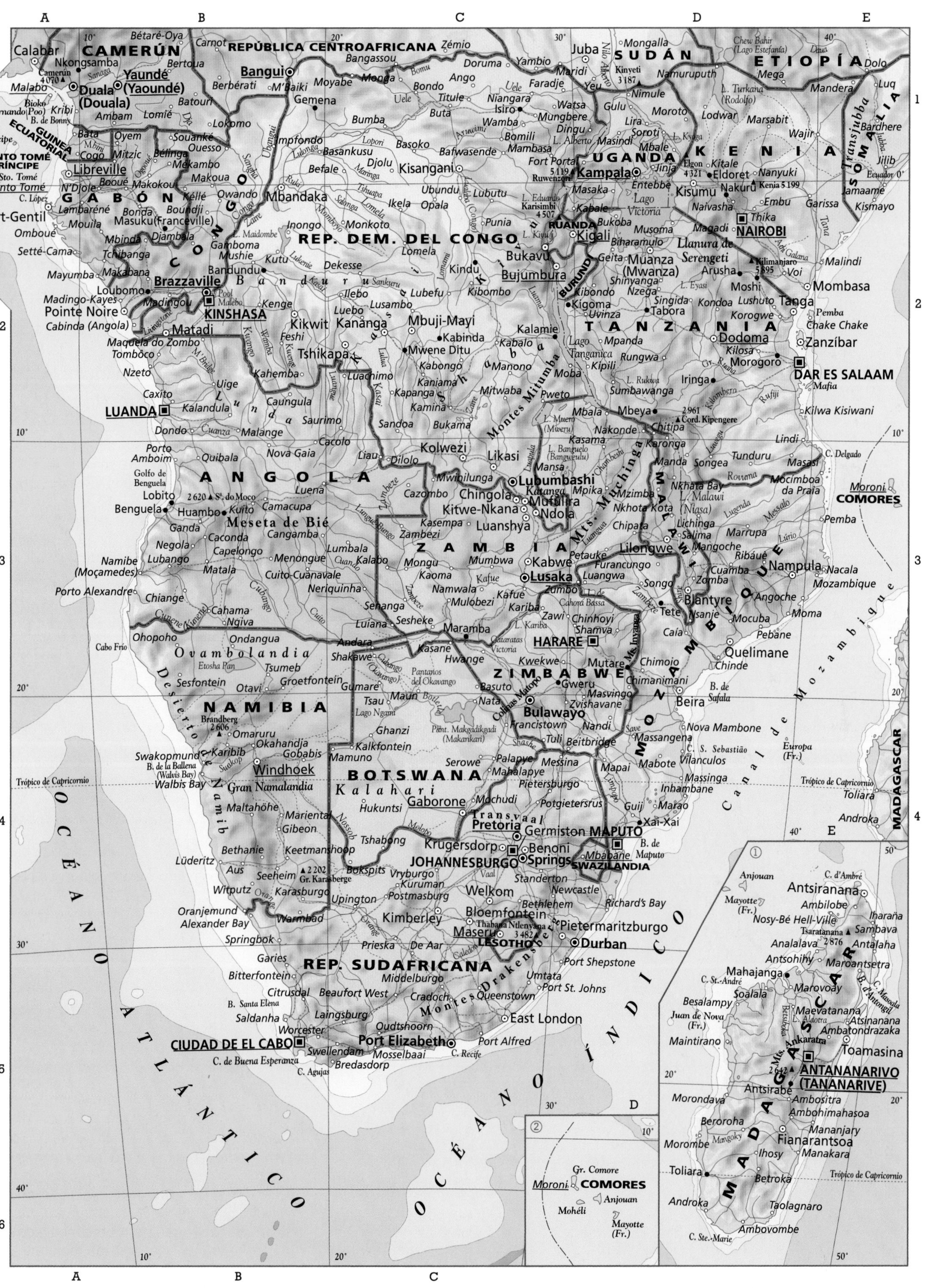

Oceanía es el continente acuático por antonomasia; la menor de las partes del mundo está dominada por el océano Pacífico. El espacio líquido es el elemento que une y separa tierras alejadas y distintas entre sí, la mayoría en el hemisferio austral. Atolón de Kayangel (Micronesia).

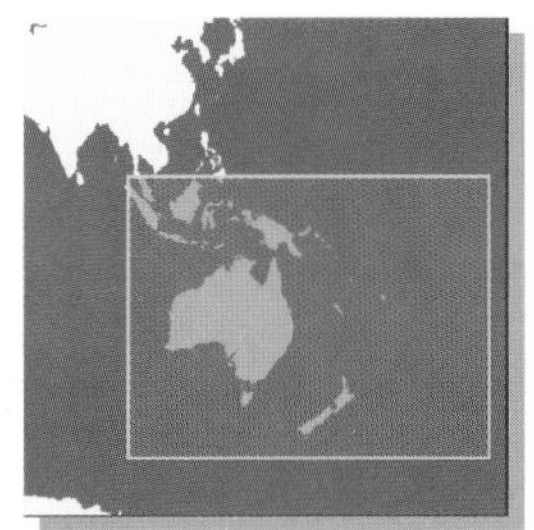

Oceanía

Situado en los dominios del Pacífico Sur, Oceanía es el continente más pequeño del mundo, con 8,5 millones de km². Pese a sus pequeñas dimensiones –si se atiende sólo a sus tierras emergidas, que representan el 6 % de las de nuestro planeta–, se trata de un continente con una particularidad que lo distingue del resto de masas continentales: su propio nombre deriva del hecho de que su territorio se encuentra esparcido en más de 10 000 islas, islotes y atolones en la inmensidad del océano Pacífico, entre las que destacan Australia –una isla-subcontinente–, Nueva Guinea y Nueva Zelanda.

Marco natural

El ámbito geográfico –o conjunto de tierras y mares– denominado Oceanía abarca aproximadamente un tercio de la superficie total de la Tierra, pero –y aquí reside su principal característica– se trata de un continente eminentemente acuático, pues integra cerca de 170 millones de km² de superficie marítima (casi el 90 % del océano Pacífico).

Oceanía comprende una gran masa continental, Australia, de 7,7 millones de km² –cerca del 90 % de su superficie total–, y además abarca Tasmania, Nueva Zelanda, Nueva Guinea y las islas adyacentes a las costas, junto con un gran número de islas y archipiélagos diseminados por el océano Pacífico. Las tierras australianas son unas de las más antiguas del planeta. La mayor parte del relieve de Australia, de gran simplicidad, se compone de llanuras y mesetas bajas, que corresponden bien al afloramiento del zócalo precámbrico o bien a una cobertura de sedimentos secundarios y terciarios conservados en un amplio ensillado que se extiende desde el valle del Murray, al sudeste, hasta el golfo de Carpentaria, al norte; en la periferia, este zócalo se eleva localmente en diversos macizos de modesta altura.

El único conjunto montañoso continuo es la denominada Gran Cordillera Divisoria, situada en el flanco oriental; ésta es el resultado de la acreción de pliegues y de macizos graníticos de la época primaria y su fisonomía general se asemeja a la de los macizos antiguos; su prolongación en las Blue Mountains y los Alpes Australianos alarga esta gran cordillera hasta la vecina isla de Tasmania, al sudeste del litoral australiano.

OCEANÍA EN CIFRAS

Superficie: 8,5 millones de km²
Límites: al N la isla de Midway, situada al NO del archipiélago de las islas Hawai; al S las islas Macquarie; al O la isla de Dirck Artog, cerca del litoral occidental de Australia; y al E la isla chilena de Salas y Gómez, al NE de Pascua
Altitud media: 200 m s.n.m. (Australia)
Punto más alto: monte Wilhelm (Papúa-Nueva Guinea), 4 508 m
Punto más bajo: lago Eyre (Australia), −12 m
Península más extensa: península de Cabo York (195 000 km²)
Golfo más extenso: golfo de Carpentaria (310 000 km²)
Longitud de las costas: 19 600 km
Barrera coralina más larga: Gran Barrera de Arrecifes (Australia), 2 027 km
País más grande: Australia (7 703 429 km²)
País más poblado: Australia (19 485 000 hab.)

El interior del territorio australiano se halla dominado por la presencia de vastas mesetas y desiertos (como por ejemplo el Gran Desierto de Arena, Victoria, Simpson), así como de cuencas lacustres, fluviales y artesianas –las más extensas del mundo– con bolsas de agua submarinas.

Australia presenta una altitud media que apenas rebasa los 200 m –la menor de todos los continentes– y alberga el punto más bajo de Oceanía, en el lago Eyre (−12 m), mientras que su punto más elevado, el monte Kosciusko, en los Alpes Australianos, tan sólo alcanza 2 228 m, por debajo del techo continental, el monte Wilhelm (4 508 m), que se sitúa en Papúa-Nueva Guinea, en el sector oriental de la isla de Nueva Guinea –la parte occidental, Irian Jaya (Indonesia), se considera políticamente como un territorio asiático–. Nueva Guinea presenta una serie ininterrumpida de cordilleras moldeadas por la actividad volcánica, que en la práctica forman un solo sistema, con una anchura aproximada de 150 km y altitudes que disminuyen de oeste a este. Nueva Zelanda tiene una morfología muy variada, con dos islas principales y que son muy diferentes entre sí: la Isla Norte presenta en el centro una altiplanicie volcánica; y la Isla Sur se halla dominada por la presencia de los Alpes Neozelandeses (o Alpes del Sur).

Ríos y lagos

En Oceanía, la parte del mundo que mayor cantidad de aguas exteriores contabiliza, las corrientes interiores de importan-

El Ayers Rock (860 m de alt.), en el sector central de Australia, es la montaña más popular de Oceanía. Es conocida por los aborígenes como Uluru, que significa "lugar de encuentro".

cia se limitan a Australia y las grandes islas que la rodean: Nueva Guinea y Nueva Zelanda. En Australia, la precariedad de las precipitaciones en gran parte de su extensión hace que los ríos realmente permanentes se hallen únicamente en las regiones oriental y sudoriental, con breves recorridos en general debido a la cercanía de las montañas respecto de la costa. Los principales cursos fluviales son el sistema del Murray-Darling y el Murrumbidgee. Asimismo, y dada la naturaleza y el clima de este subcontinente, Australia presenta vastas zonas sin circulación de agua (43 %), llamadas arreicas, o sin salida al mar (21 %), endorreicas; entre los lagos destacan el Eyre, Gairdner y Torrens.

En Nueva Zelanda, los ríos son en general cortos, pero numerosos, y su caudal está alimentado unas veces por la precipitación en forma de nieve –en las grandes alturas alpinas– y otras por la abundancia de lluvias; en la Isla Norte destaca el Waikato, y en la Isla Sur, el Waitaki. En Nueva Guinea, las abundantes precipitaciones de la zona ecuatorial propician la existencia de cursos de agua regulares durante todo el año, sobre todo al sur de la isla, donde desembocan en amplias rías en forma de embudo; en este sector los principales ríos son el Fly y el Kikori, y en la vertiente norte, el Sepik y el Ramu.

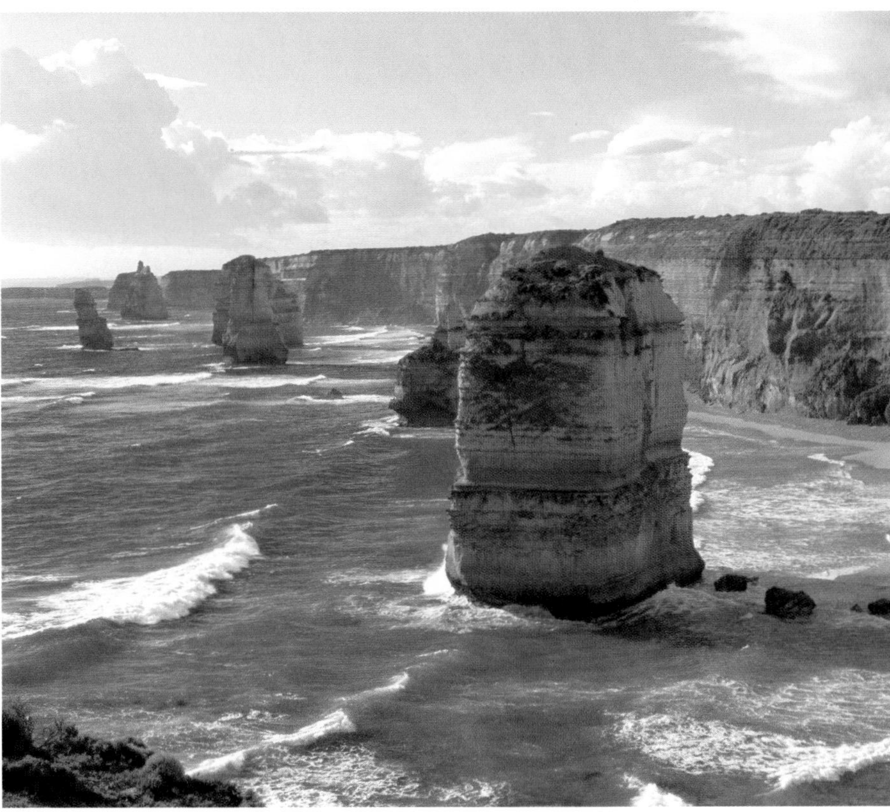

El Parque Nacional de Port Campbell se extiende por el litoral del estado de Victoria, al sudeste del país. La erosión de las aguas ha creado unas agujas conocidas como "Los doce apóstoles".

Islas y costas

En Oceanía se suelen distinguir varias regiones insulares: la mayor de todas es Australasia, que se halla integrada por Australia, Tasmania y Nueva Zelanda; el resto de las islas se agrupa en base al color de la piel de sus habitantes (Melanesia, o "islas de los negros"), al tamaño de las islas (Micronesia, o "islas pequeñas") y a la cantidad de las mismas (Polinesia, o "muchas islas"). Melanesia comprende la gran isla de Nueva Guinea y sus proyecciones hacia el sudeste hasta Fiji (islas Salomón, Vanuatu, Nueva Caledonia y sus dependencias); Micronesia, cuenta con los archipiélagos situados al norte de Nueva Guinea (las islas Marianas, Palau, Marshall, Estados Federados de Micronesia, Kiribati, Tuvalu, etc.); y Polinesia abarca todo el dominio del Pacífico desde el archipiélago de Hawai, al norte, hasta Nueva Zelanda, al sur (Samoa, Tonga, islas Cook, Polinesia Francesa).

En el litoral continental australiano cabe destacar los siguientes accidentes geográficos: al norte, los golfos de José Bonaparte y Carpentaria y la península de Cabo York; y al sur, los golfos de Saint Vincent y

Los Alpes del Sur, principal sistema orográfico de Nueva Zelanda, se extienden por la Isla Sur, con una orientación nordeste-sudoeste, y comprende numerosos picos que se alzan por encima de los 3 000 m de altitud; en sus dominios existen grandes lagos como el Wanaka.

Spencer y la Gran Bahía Australiana. De los casi 15000 km de costa australiana, los sectores que corresponden a los estados de Nueva Gales del Sur y Victoria son los que poseen un perfil más recortado.

Un elemento muy característico de esta parte del mundo es la presencia de importantes formaciones coralinas, entre las cuales cabe destacar la Gran Barrera de Arrecifes, que contornea el litoral oriental continental a una distancia de entre 100 y 150 km y sobre una longitud de 2000 km; su prolongación son las formaciones de arrecifes que obstruyen el estrecho de Torres, entre Australia y Nueva Guinea.

Papúa-Nueva Guinea comprende el sector oriental de Nueva Guinea –la segunda isla mayor del mundo– junto a diversas islas vecinas, como Nueva Bretaña (en la foto, volcán Matupit).

Clima y vegetación

Aunque el clima es en general muy cálido y lluvioso, la inmensa extensión del ámbito oceánico y la diferencia profunda entre las tierras continentales de Australia y las por completo marítimas de las islas polinésicas, por ejemplo, determina una notable variedad de climas locales. La enorme meseta australiana presenta un clima desértico-cálido, con fuertes variaciones climáticas diurnas y estacionales y lluvias muy escasas e irregulares. Tan sólo en los sectores sudoriental y oriental se registra un régimen pluviométrico discreto. Nueva Zelanda goza de clima suave y Nueva Guinea de un clima cálido y húmedo.

La línea del Ecuador cruza Oceanía en el sentido de su máxima longitud; dentro de la zona ecuatorial quedan comprendidas todas las tierras oceánicas boreales y la mayoría de las australes. Las islas cercanas a dicha línea gozan de un clima cálido con precipitaciones abundantes y repartidas con bastante uniformidad durante el año. En Polinesia, la influencia del océano Pacífico, que favorece el desarrollo de unas estructuras atmosféricas con un mínimo de perturbación, se manifiesta en todas las tierras a través de una cierta suavización térmica y por una mayor uniformidad general del clima, en el cual no se dejan sentir las estaciones; es el clima propiamente oceánico. En las islas donde existen montañas elevadas, se pueden experimentar todas las variedades climáticas, desde la ecuatorial a la alpina. A medida que se avanza hacia los trópicos aparecen zonas donde se manifiestan dos estaciones, una seca y otra lluviosa. En este clima se engloban algunas de las más importantes islas o archipiélagos melanésicos, como por ejemplo Vanuatu, Nueva Caledonia y Fiji, entre otros.

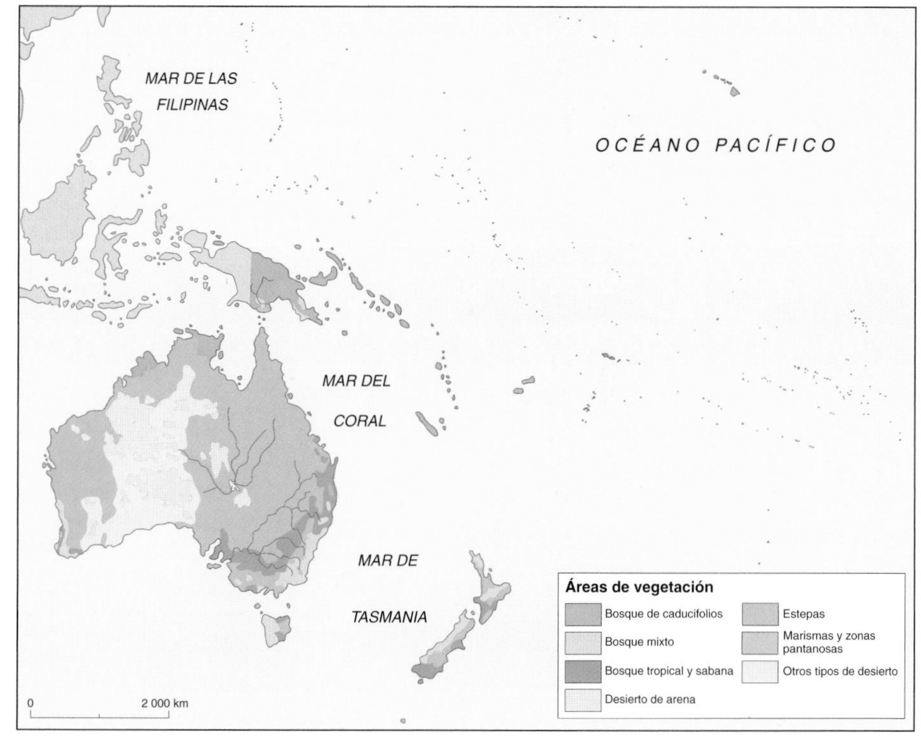

Si en Australia predomina la vegetación árida, en las islas oceánicas, los bosques tropicales; en la imagen, selva en Samoa.

Principales elementos del relieve

El monte Cook, en el sector central de la Isla Sur, es el techo de Nueva Zelanda.

El lago Eyre es el mayor lago de Oceanía y el punto más bajo del continente (– 12 m).

Con 579 m, la cascada Sutherland (Nueva Zelanda) es la más alta del continente.

■ Islas

Isla	País	Superficie
Nueva Guinea	Indonesia-Papúa N.G.	785 000 km²
Isla Sur	Nueva Zelanda	153 540 km²
Isla Norte	Nueva Zelanda	116 031 km²
Tasmania	Australia	67 800 km²
Nueva Bretaña	Papúa-Nueva Guinea	36 500 km²
Nueva Caledonia	Francia	16 750 km²
Viti Levu	Fiji	10 497 km²

■ Montañas

Cima	País	Altitud
Monte Wilhelm	Papúa-Nueva Guinea	4 508 m
Monte Giluwe	Papúa-Nueva Guinea	4 368 m
Mauna Kea	Hawai (EE UU)	4 205 m
Victoria	Papúa-Nueva Guinea	4 073 m
Capella	Papúa-Nueva Guinea	3 993 m
Monte Cook	Nueva Zelanda	3 764 m
Tasman	Nueva Zelanda	3 497 m
Haleakala	Hawai (EE UU)	3 055 m
Aspiring	Nueva Zelanda	3 036 m
Tapuaenuku	Nueva Zelanda	2 885 m
Ruapehu	Nueva Zelanda	2 797 m
Balbi	Salomón	2 743 m
Egmont	Nueva Zelanda	2 518 m
Makarakomburu	Salomón	2 447 m
Orohena	Polinesia Francesa	2 241 m
Kosciusko	Australia	2 228 m

■ Volcanes activos

Volcán	País	Altitud
Mauna Loa	Hawai (EE UU)	4 169 m
Ruapehu	Nueva Zelanda	2 797 m
Ulawun	Papúa-Nueva Guinea	2 300 m
Ngauruhoe	Nueva Zelanda	2 291 m
Kilauea	Hawai (EE UU)	1 598 m

■ Desiertos

Desierto	País	Superficie
Gran Desierto Victoria	Australia	650 000 km²
Gran Desierto de Arena	Australia	389 000 km²
Gibson	Australia	311 000 km²

■ Ríos

Río	País	Longitud
Murray-Darling	Australia	3 490 km
Darling	Australia	2 720 km
Murray	Australia	2 575 km
Murrumbidgee	Australia	2 070 km
Lachlan	Australia	1 480 km
Sepik	Papúa-Nueva Guinea	1 126 km
Fly	Papúa-Nueva Guinea	1 050 km
Macquarie	Australia	950 km
Flinders	Australia	832 km
Gascoyne	Australia	800 km
Burdekin	Australia	680 km

■ Cascadas

Cascada	País	Altura
Sutherland	Nueva Zelanda	579 m
Wallaman	Australia	346 m
Wollomombi	Australia	335 m
Helena	Nueva Zelanda	271 m

■ Lagos

Lago	País	Superficie
Eyre	Australia	9 583 km²
Gairdner	Australia	7 700 km²
Torrens	Australia	5 776 km²
Taupo	Nueva Zelanda	606 km²

Reservas de la Biosfera

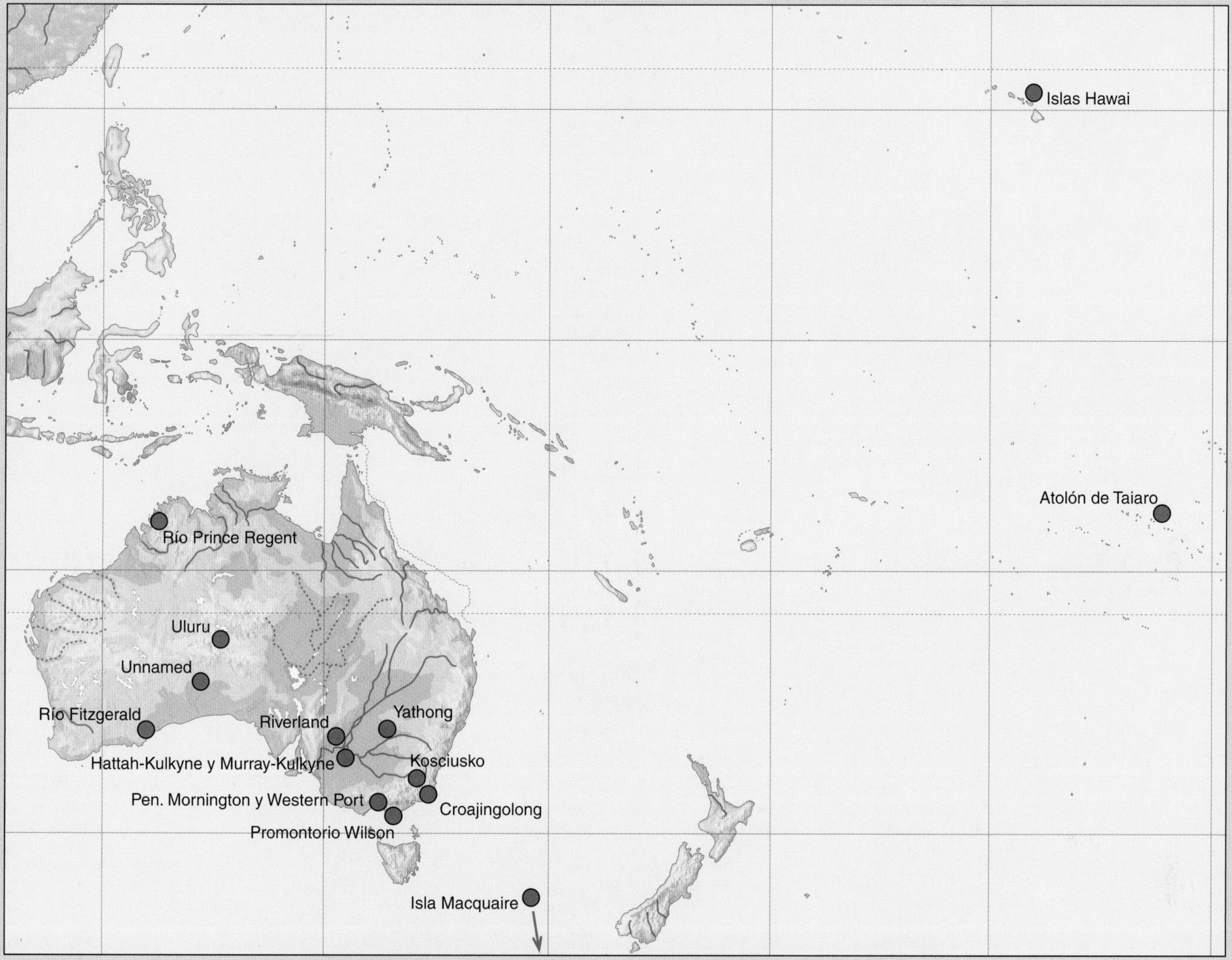

■ Principales reservas

Reserva de la Biosfera	País (año declaración)	Superficie (ha)
Unnamed	Australia (1977)	2 132 600
Riverland	Australia (1977)	900 000
Río Prince Regent	Australia (1977)	633 825
Kosciusko	Australia (1977)	625 525
Río Fitzgerald	Australia (1978)	329 039
Península Mornington y Western Port	Australia (2002)	214 200
Uluru	Australia (1977)	132 550
Yathong	Australia (1977)	107 241
Croajingolong	Australia (1977)	101 000
Islas Hawai	Hawai (EE UU) (1980)	99 545
Hattah-Kulkyne y Murray-Kulkyne	Australia (1981)	51 500
Promontorio Wilson	Australia (1981)	49 000
Isla Macquarie	Australia (1977)	12 785
Atolón de Taiaro	Polinesia Fr. (1977)	930

Arriba, un sector del litoral del Parque Nacional del Río Fitzgerald (Australia Occidental); abajo, una vista panorámica de la región boscosa del Parque Nacional Kosciusko, en las laderas del monte homónimo, el techo del relieve australiano a 2228 m.

A
B
C
D
E
F
G
1
2
3
4
5
6
7
8
9
Xichang
GUIYANG
KUNMING
Guilin
Hengyang
Fuzhou
C H I N A
CANTÓN (GUANGZHOU)
Liuzhou
Xiamen
TAIPEI
Formosa
TAIWAN
Gejiu
Nanning
HANOI
Macao
Zhanjiang
HONG KONG (XIANGGANG)
HAIFONG
G. de Tonkín
Haikou
Hainan
C. Yulin
Vientiane
Vinh
Indochina
THAILANDIA
LAOS
VIETNAM
Nakhon Ratchasima
Is. Xisha
CAMBOYA
BANGKOK
Phnom Penh
HO CHI MINH (SAIGÓN)
Long Xuyen
Is. Catwick
Con Son
Ca Mau
Mar de la China Meridional
Estr. de Luzón
Is. Batan
Is. Babuyan
C. Engaño
Pulog 2 928
Luzón
QUEZON CITY
Is. Polillo
MANILA
I. Catanduanes
Legazpi
Mindoro
Busuanga
Masbate
Is. Calamian
Panay
Samar
Is. Namsha o Spratly
Negros
Cebú
Leyte
Bohol
Palawan
Cebú
Butuan
Mar de Sulu
Balabac
Iligan
Mindanao
Davao
Apo 2 954
Kinabalu 4 175
Kota Kinabalu (Jesselton)
Sandakan
Zamboanga
Arch. de Sulu
Kota Baharu
Malaca
Bandar Seri Begawan
BRUNEI
Ipoh
KUALA LUMPUR
MALAYSIA
Tawau
Is. Bunguran (Natuna)
Estr. de Malaca
SINGAPUR
Borneo (Kalimantan)
Is. Tambelan
Padang
Is. Karimata
Pontianak
Raja 2 278
Samarinda
Palembang
Bangka
Mts. Barisan
Belitung
Banjarmasin
Sumatra
Mar de Java
Telukbetung
YAKARTA
BANDUNG
SEMARANG
Java
SURABAYA
Madura
Ujungpandang (Macasar)
Bali
Lombok
Sumbawa
Flores
Sumba
Christmas (Austr.)
FILIPINAS
Mar de Filipinas
Is. Amami
Is. Ryukyu (Nansei)
Okinawa
Naha
Is. Daito
Is. Sakishima
J A P Ó N
Nishino
Ototo
Haha
Is. Ogasawara (Bonin)
Kita
Naha
Is. Kazán
Minami
Marcus
Parece Vela (Jap.)
Is. Marianas
Marianas Septentrionales (EE UU)
Alamagan
Pagan
Saipan
Garapan
Tinian
Rota
Guam (EE UU)
Agana
Guam
Wake
ISLAS
MARSHAL
Bikini
Eniwetok
Is. Ratak
Abismo Galathea -10 500
Abismo Vitiaz I -11 022
M I C R O N E S I A
Is. Yap
Is. Ulithi
Gaferut
Is. Namonuito
Is. Hall
Is. Ngulu
Is. Truk
Is. Woleai
Is. Pulap
Is. Losap
Ponape
Palikir
Is. Senyavin
Ujelang
Ujae
Kosrae
Is. Eauripik
Is. Mortlock
Nukuoro
Is. Palau
Koror
Babelthuap
Is. Sonsorol
Merir
Helen
PALAU
Is. Carolinas
ESTADOS FEDERADOS DE MICRONESIA
Is. Kapingamarangi
Is. Sangihe
Is. Talaud
Is. Sarangani
Mar de Célebes
Manado
Morotai
Halmahera
Bukit Malino 2 707
Estr. de Macasar
Palu
Sulawesi (Célebes)
Arch. Togian
Is. Sula
Is. Molucas
Mar de las Molucas
Waigeo
Obi
Seram
Misool
Biak
Japen
Yayapura
Mts. Maoke (Triam Jaya)
Puncak Jaya 5 030
Rantekombola 3 455
Kendari
Buru
Ambon
Boru
Buton
Mar de Banda
Is. Tukangbesi
I N D O N E S I A
Wetar
Alor
Dili
Is. Kai
Is. Aru
Kimaan
Is. Tanimbar
TIMOR OR.
Timor
Roti
Lomblen
Is. Ninigo
Is. del Almirantazgo
Is. S. Matías
Nueva Hannover (Lavongai)
Kavieng
Nueva Irlanda
Wewak
Mar de Bismarck
Arch. de Bismarck
Rabaul
Is. Nukumanu
Capella 3 993
Mt. Wilhelm 4 508
Estr. del Vitiaz
Nueva Bretaña
Lae
Nueva Guinea
Fly
PAPÚA-NUEVA GUINEA
NAURU
Nauru
Bougainville
Ontong Java
Kieta
Choiseul
Santa Isabel
IS. SALOMÓN
Is. Stewart
Nueva Georgia
Malaita
Honiara
Guadalcanal
Is. Trobriand
Port Moresby
G. de Papúa
Estr. de Torres
C. York
Is. d'Entrecasteaux
Mar de Salomón
Is. Salomón
Arch. Luisiada
Tagula
S. Cristóbal
Rennell
Ndeni
Mar de Timor
Bathurst
Melville
Mar de Arafura
Is. Wessel
C. Arnhem
Pen. de Gove
Groote Eylandt
Tierra de Arnhem
Darwin
G. de José Bonaparte
Arch. Bonaparte
Katherine
Pen. del Cabo York
Moreton
G. de Carpentaria
Is. Wellesley
Cooktown
Mitchell
Wyndham
Larrimah
C. Lévêque
Derby
Meseta de Kimberley
Meseta de Barkly
Burketown
Normanton
Cairns
Bartle Frere 1 611
Broome
Newcastle Waters
Frazier Downs
Halls Creek
Flinders
Forsayth
Townsville
Gran Barrera de Arrecifes
Mar del Coral
Is. Willis
VANUATU
Nuevas Hébridas
Is. Chesterfield
Huon
Is. Bélep
Nueva Caledonia
Nouméa
Nueva Caledonia (Fr.)
Tennant Creek
Soudan
Mount Isa
Port Hedland
Barrow
Dampier
Gran Desierto de Arena
C. Noroeste
A U S T R A L I A
Julia Creek
Mts. Drummond
Mackay
C. Townshend
Mt. Bruce 1 227
L. Mackay
Mt. Ziel 1 510
Winton
Longreach
Rockhampton
Curtis
Trópico de Capricornio
Newman
L. Disappointment
Mts. Macdonnell
Alice Springs
Gran Cordillera Divisoria
Can. de Capricornio
Ashburton
Desierto de Simpson
Diamantina
Cord. Warrego
L. Salado
Desierto de Gibson
Bundaberg
Carnarvon
Theodore
Fraser
Dirk Hartogs
Mts. Musgrave
Cord. Grey
Meekatharra
Kulgera
Charleville
Nambour
Mount Magnet
Gran Desierto Victoria
Mt. Woodroffe 1 515
Toowoomba
BRISBANE
Gold Coast
Leonora
L. Carey
L. Eyre
Cunnamulla
C. Byron
Geraldton
Coober Pedy
Gran Cuenca Artesiana
Norfolk
L. Barlee
Llanura de Nullarbor
Kingoonya
L. Torrens
P. St. Mary 1 165
L. Frome
Darling
Bourke
Coff's Harbour
Moora
Kalgoorlie
Rawlinna
Tamworth
Mt. Round 1 615
PERTH
Wilcannia
Lord Howe (Austr.)
Eucla
L. Gairdner
Port Augusta
Broken Hill
Ivanhoe
Dubbo
Bunbury
Wagin
Norseman
Minnipa
Port Pirie
Newcastle
C. Naturalista
Mts. Stirling 1 109
Esperance
Gran Bahía Australiana
Mildura
Cootamundra
SYDNEY
Augusta
C. Arid
Wollongong
Albany
Port Lincoln
ADELAIDA
Wagga Wagga
Canberra
I. Kangaroo
Bendigo
Alp. Australianos
Mt. Kosciusko 2 228
Kingston South East
Ballart
Bega
C. Howe
Mount Gambier
MELBOURNE
Geelong
Punta Sureste
Estr. de Bass
I. King
Is. Furneaux
Smithton
Mar de Tasmania
Launceston
Queenstown
Mt. Ossa 1 617
Tasmania
Hobart
C. Sureste
OCÉANO ÍNDICO
C. Oeste
Stewart
Is. Au (N. Ze
Campbe (N. Zel.
100°
110°
120°
130°
140°
150°
160°
10°
20°
30°
40°
50°

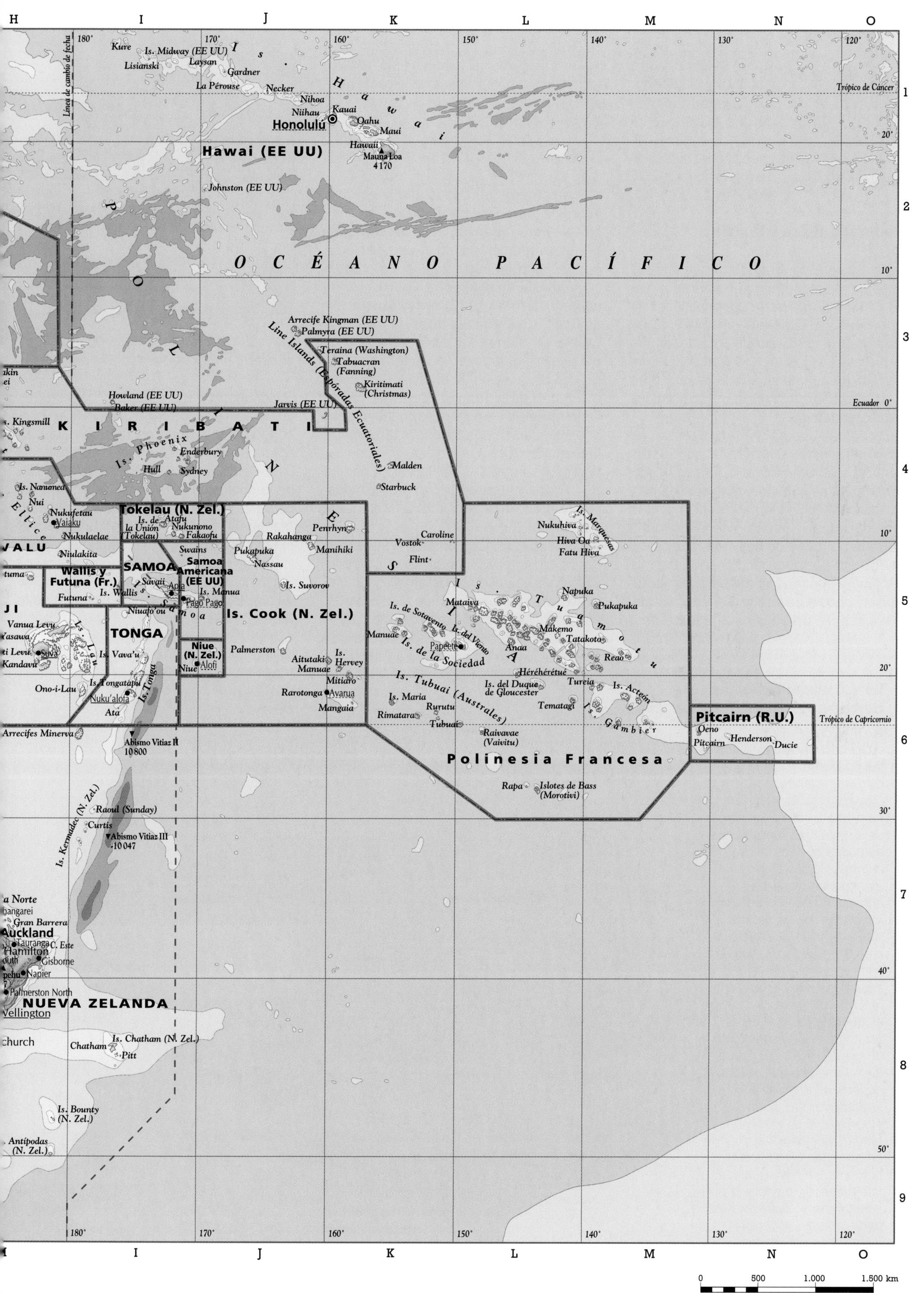

Hawai (EE UU)
Honolulú
OCÉANO PACÍFICO
KIRIBATI
Tokelau (N. Zel.)
SAMOA
Samoa Americana (EE UU)
Wallis y Futuna (Fr.)
TONGA
Niue (N. Zel.)
Is. Cook (N. Zel.)
Polinesia Francesa
Pitcairn (R.U.)
NUEVA ZELANDA
Auckland
Hamilton
Wellington
Is. Midway (EE UU)
Johnston (EE UU)
Arrecife Kingman (EE UU)
Palmyra (EE UU)
Howland (EE UU)
Baker (EE UU)
Jarvis (EE UU)
Line Islands (Espóradas Ecuatoriales)
Is. Phoenix
Is. Marquesas
Is. Tuamotu
Is. de la Sociedad
Is. Tubuai (Australes)
Is. Gambier
Is. Kermadec (N. Zel.)
Is. Chatham (N. Zel.)
Is. Bounty (N. Zel.)
Papeete
Apia
Pago Pago
Nuku'alofa
Avarua
Alofi
Abismo Vitiaz II 10 800
Abismo Vitiaz III 10 047
Mauna Loa 4 170
Trópico de Cáncer
Ecuador 0°
Trópico de Capricornio
Línea de cambio de fecha
0 500 1.000 1.500 km

Subcontinente australiano

Australia está situada al sudeste del continente asiático, entre el Índico y el Pacífico. Ocupa esencialmente una isla-subcontinente de enormes dimensiones, que es el territorio más extenso de Oceanía.

Geografía física y humana

Este país está formado por un antiguo basamento precámbrico fracturado, que se supone formó parte del continente de Gondwana, del cual se desmembró a fines del Paleozoico. El aislamiento desde las primeras eras geológicas favoreció el desarrollo independiente de la fauna y flora australianas, que incluye numerosas especies endémicas.

Esta isla-subcontinente presenta una gran uniformidad paisajística, con vastas llanuras y relieves suaves; sólo en el sector oriental se extiende, paralela a la costa, una alineación montañosa de modesta altitud. La mayor parte del territorio forma parte del cinturón de desiertos tropicales, de manera que hacia el interior continental el clima va pasando progresivamente de tropical seco a desértico. La Australia meridional goza de un clima mediterráneo, mientras que en el este y sudeste el clima es templado y en la fachada septentrional hay un clima tropical húmedo. Ello ha favorecido que la población se halle concentrada en las áreas litorales, especialmente en la costa sudoriental.

Historia

Los primeros europeos que llegaron a Australia fueron los portugueses, en el siglo XVI. Pero fueron los holandeses quienes exploraron el territorio y establecieron en ella las primeras colonias. La presencia británica en la región se hizo determinante a partir de 1770, con la expedición de Cook. Un siglo más tarde, la creciente expansión alemana y japonesa en Oceanía aceleró el proceso de independencia política de la región. Australia intervino activamente en la Primera Guerra Mundial junto al Reino Unido y resistió luego ante el expansionismo japonés. Al término de la Segunda Guerra Mundial era una de las principales potencias del Pacífico, y debido a su influencia se realizó el proceso descolonizador en el conjunto de Melanesia y en Nueva Guinea.

Con una economía basada en la exportación de materias primas –la lana se convirtió en la verdadera riqueza de la isla, tras la efímera "fiebre del oro" de mediados del siglo XIX–, Australia se dotó de una organización institucional y política idéntica a la de Estados Unidos, y gracias a ello se consolidó como una democracia estable. El paso de una órbita pacífica a otra asiática está significando, a su vez, la asiatización de la población, hasta el punto de que el esfuerzo de las autoridades australianas por corregir la débil tasa de natalidad y al mismo tiempo frenar la presión demográfica de los pueblos asiáticos, privilegiando a los inmigrantes del mundo anglosajón, es uno de los aspectos más relevantes de la realidad política y social del país.

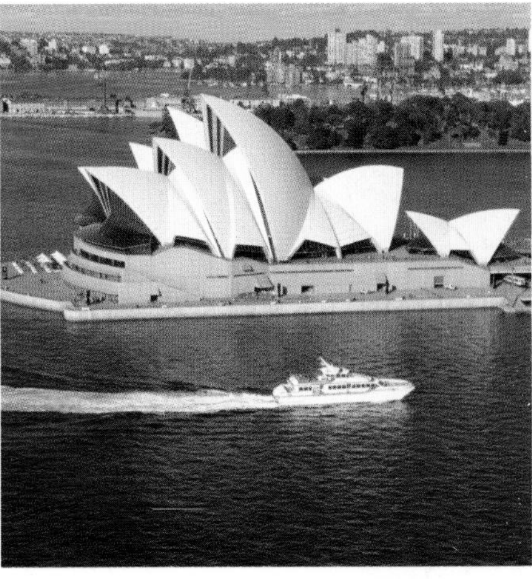

El emblemático edificio de la Ópera, en el puerto de Sydney, al sudeste del país.

La colonización de las tierras australianas

■ *La colonización del subcontinente australiano fue una lenta epopeya que culminó, ya entrado el siglo XX, gracias en gran medida a los descendientes de las colonias de convictos europeos que se habían establecido allí. Los asentamientos partieron del sudeste, desde antiguo habitados por los nativos, y se extendieron dificultosamente y por etapas, debido a las enormes distancias desérticas que debían recorrer. La apertura hacia el interior y hacia el oeste, así como el descubrimiento de nuevas tierras de pasto, dieron origen a que detrás de los exploradores acudiese un tropel de granjeros-obreros, que atravesaban todo el país con sus rebaños en busca de las mejores praderas. La homogeneidad que presenta la población australiana se debe, en gran parte, a la desaparición de la población indígena, arrinconada en reservas.*

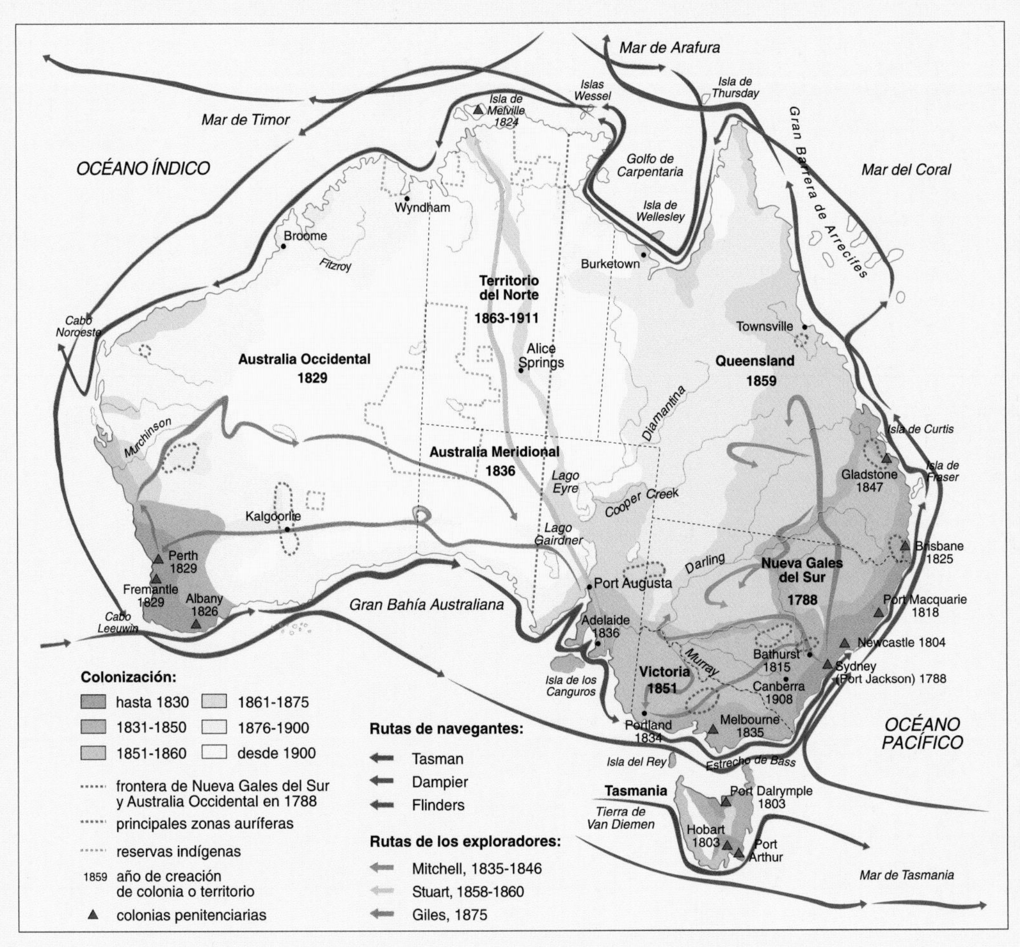

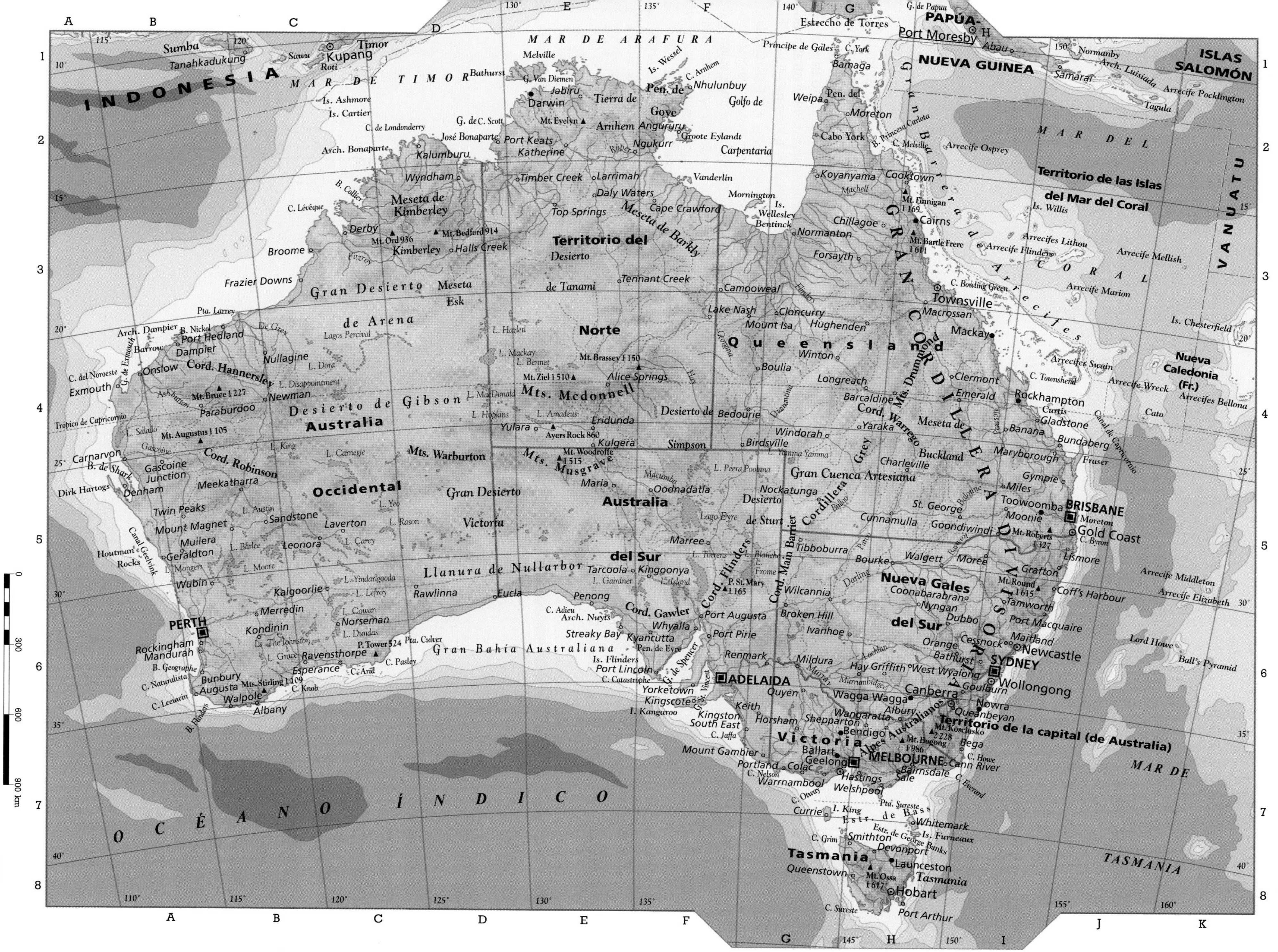
ISLAS SALOMÓN
VANUATU
PAPÚA-
NUEVA GUINEA
Port Moresby
Nueva Caledonia (Fr.)
MAR DEL CORAL
Territorio de las Islas del Mar del Coral
MAR DE ARAFURA
MAR DE TIMOR
INDONESIA
Timor
Kupang
OCÉANO ÍNDICO
Gran Bahía Australiana
MAR DE TASMANIA
Gran Barrera de Arrecifes
GRAN CORDILLERA DIVISORIA
Golfo de Carpentaria
Territorio del Norte
Queensland
Australia Occidental
Australia del Sur
Nueva Gales del Sur
Victoria
Tasmania
Territorio de la capital (de Australia)
Gran Desierto de Arena
Desierto de Gibson
Gran Desierto Victoria
Desierto de Simpson
Llanura de Nullarbor
Gran Cuenca Artesiana
Alpes Australianos
PERTH
ADELAIDA
MELBOURNE
SYDNEY
BRISBANE
Canberra
Hobart
Darwin
Alice Springs
Cairns
Townsville
Rockhampton
Newcastle
Wollongong
Gold Coast
Kalgoorlie
Broome
Geraldton
Albany
Esperance
Launceston
0 300 600 900 km

Estados de Oceanía

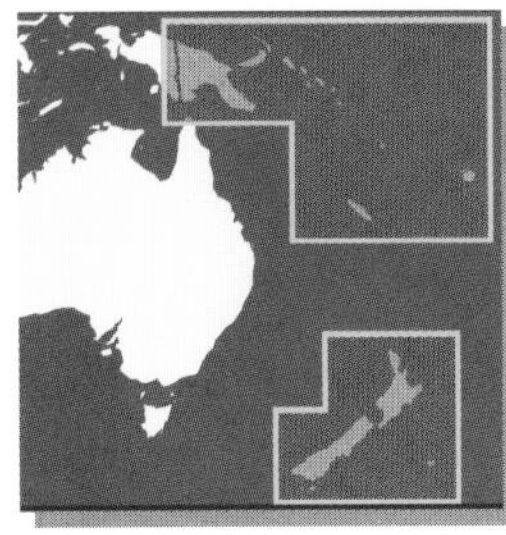

Esta vasta región insular, que se extiende al sudeste del continente asiático, representa sólo algo más de una décima parte (14 %) de las tierras emergidas de Oceanía. La isla de Nueva Guinea y el archipiélago de Nueva Zelanda constituyen un 11 % del total, y el porcentaje restante se reparte entre pequeñas islas y atolones.

Geografía física y humana

Exceptuando Nueva Zelanda, el resto de las islas se agrupa en tres conjuntos geográficos que reciben su nombre por: el color de la piel oscura de sus habitantes (Melanesia), la pequeñez de las islas (Micronesia) y la gran cantidad de las mismas (Polinesia). Pero otra forma de clasificar las islas de Oceanía es por su origen geológico; así, se encuentran arcos tectónicos, cuyas crestas emergidas forman los archipiélagos de Nueva Guinea, Salomón, Vanuatu y Nueva Zelanda, describiendo en conjunto un arco paralelo a la costa oriental australiana. De origen volcánico son la mayoría de las islas de Melanesia y Polinesia, que presentan conos edificados sobre un zócalo accidentado y poco profundo, y forman parte del Cinturón de Fuego del Pacífico. El tercer elemento que interviene en el origen de las islas es el coral, ya que las formaciones coralinas encuentran en las aguas intertropicales del océano Pacífico la temperatura ideal para su evolución (17 °C); suelen construir largos arrecifes y atolones que se agrupan en archipiélagos.

La mayor parte de estas tierras se encuentran entre los trópicos y el Ecuador –exceptuando Nueva Zelanda–, de ahí que el clima sea muy cálido y muy lluvioso. Sin embargo, la influencia de los vientos alisios atenúa el calor agobiante. La imagen paradisíaca que han difundido los relatos de los primeros viajeros y, posteriormente, el cine y los *tour operator* dan una idea de su naturaleza exuberante (mar azul, transparente, sobre playas de arena blanca y fina, palmeras cocoteras, etc.). De estas características se aparta Nueva Zelanda, por el tamaño y la latitud a la que se encuentra.

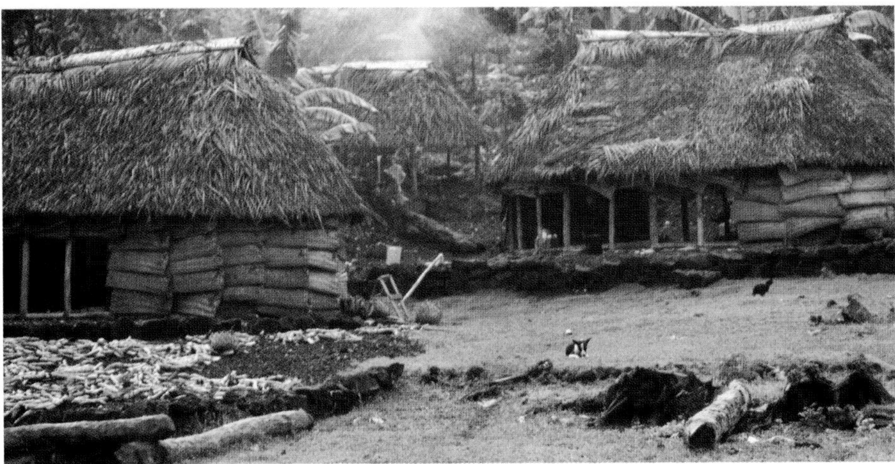

Viviendas tradicionales en las tierras de Samoa Americana, en la región de Polinesia.

Historia

Se supone que el poblamiento de las islas de Oceanía se produjo como consecuencia de la migración en varias oleadas de antiguos pueblos asiáticos. Las principales etnias indígenas son las de los aborígenes australianos, los papúes, los melanesios, los micronesios y los polinesios. A ellos se impusieron los inmigrantes europeos –numéricamente mayoritarios– y en menor medida, los asiáticos. El poblamiento prehistórico de Oceanía aún plantea enigmas sin resolver por la ciencia. Es el caso, por ejemplo, de los pobladores de la isla de Pascua, de los que se desconoce su origen y sus técnicas de construcción de los *moais* (cabezas monumentales de piedra).

El descubrimiento de Oceanía

■ *Después del descubrimiento de América, los europeos se aventuraron a surcar el Pacífico en busca del legendario continente austral. En 1512, Pedro Abreu llegó a las islas Molucas y en 1521 Magallanes y Elcano a las Marianas y las Filipinas. A mediados del siglo XVI, los británicos entraron en escena. Los holandeses emprendieron en 1602 la conquista del mercado de las especias, arrebatándoselo a los portugueses. Con este objetivo, en 1616 Hartog remontó la costa de Australia hacia el norte y en los años siguientes fue recorrida por otros exploradores holandeses. Finalmente Tasman descubrió la isla que lleva su nombre (Tasmania), Nueva Zelanda, Tonga, Fiji y, en su recorrido, logró demostrar la insularidad de Australia.*

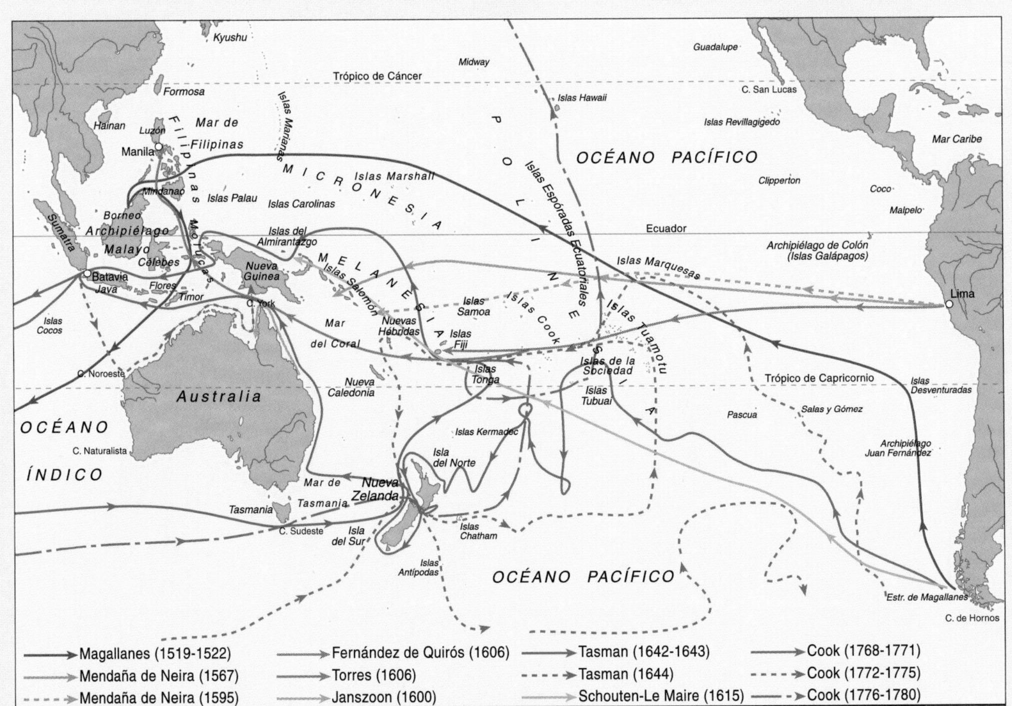

A mediados del siglo XVIII se habían descubierto casi todos los archipiélagos importantes, excepto Samoa, Cook, Nueva Caledonia y Hawai, con lo que se desvaneció la esperanza de descubrir nuevas Indias Orientales que enriquecieran a las metrópolis coloniales.

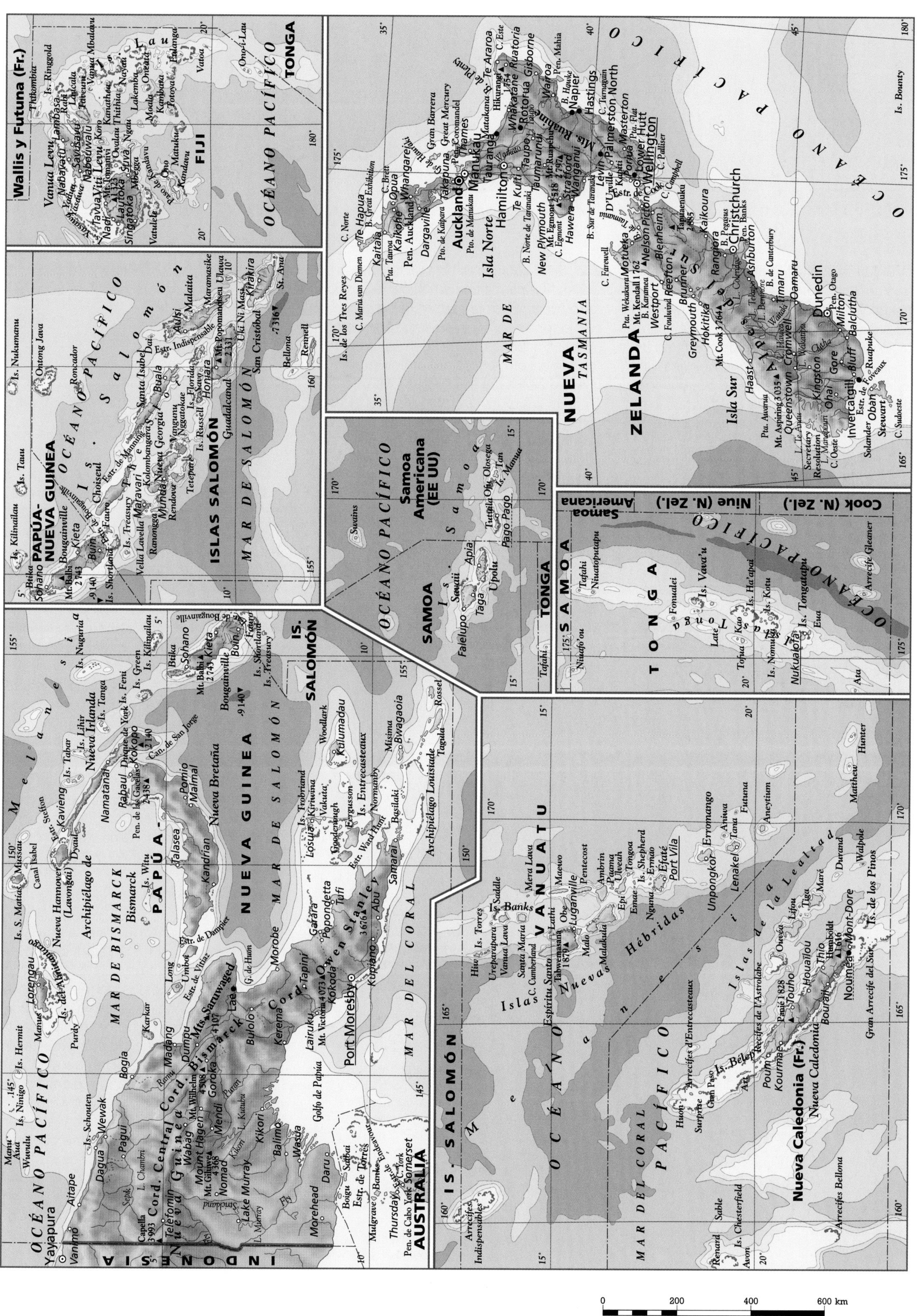
Wallis y Futuna (Fr.)
FIJI
TONGA
OCÉANO PACÍFICO
PAPÚA-NUEVA GUINEA
ISLAS SALOMÓN
MAR DE SALOMÓN
SAMOA
Samoa Americana (EE UU)
NUEVA ZELANDA
Isla Norte
Isla Sur
MAR DE TASMANIA
Samoa Americana
Niue (N. Zel.)
Cook (N. Zel.)
INDONESIA
PAPÚA-NUEVA GUINEA
MAR DE BISMARCK
MAR DEL CORAL
AUSTRALIA
IS. SALOMÓN
VANUATU
Nueva Caledonia (Fr.)
Port Moresby
Auckland
Wellington
Christchurch
Dunedin
0
200
400
600 km

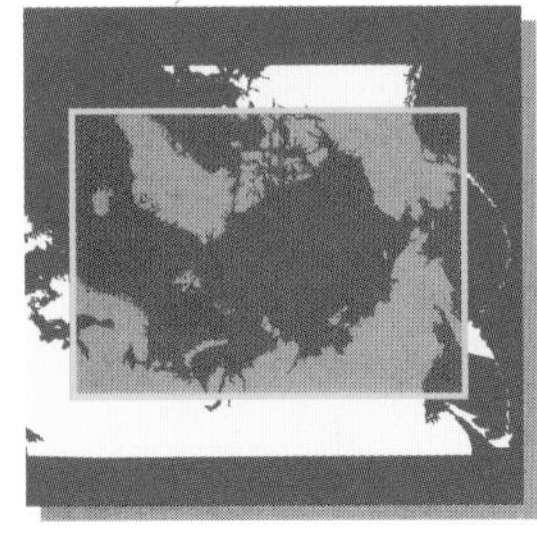
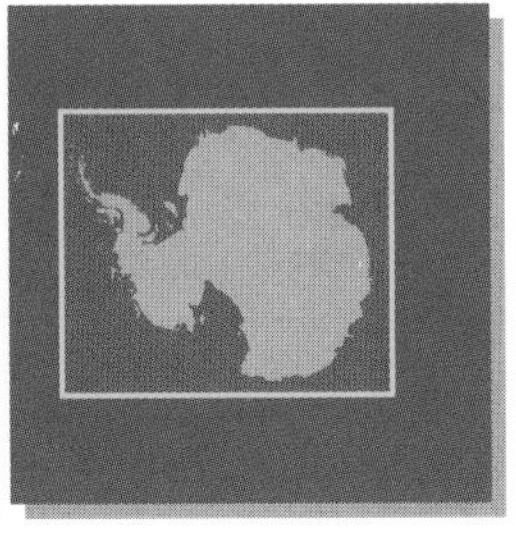

Tierras polares

Según la definición más clásica, las tierras del Polo Norte son todas las situadas por encima del Círculo Polar Ártico, aunque se pueden utilizar otros criterios de delimitación, como los bosques de coníferas boreales o la isoterma de 10 °C del mes más cálido. Según estos criterios, abarcarían el océano Glacial Ártico y las tierras que lo rodean: los sectores más septentrionales de América del Norte, Europa y Asia. Por su parte, en el hemisferio austral se localiza el continente antártico, entre el Polo Sur geográfico y los 60° de latitud sur. Abarca el 9 % de las tierras emergidas, aunque su superficie real se halla rebasada por el *inlandsis*, espesa capa de hielo que la cubre.

Geografía física

La característica principal de las tierras polares es el hielo, ya que su presencia permanente o estacional condiciona toda la vida. En el continente blanco, las investigaciones han permitido establecer la configuración de la masa terrestre que se esconde bajo el hielo y delinear el trazado aproximado de sus costas; éstas parecen ser bastante regulares, salvo en los profundos entrantes que forman los mares de Ross y de Weddell. Algunos sectores costeros se encuentran libres de hielo durante el verano, mientras que la mayor parte del litoral se encuentra cubierto por la banquisa, porción de mar congelado que puede alcanzar hasta 10 m de espesor.

El continente antártico es una región inhóspita, cubierta prácticamente en su totalidad por una masa de hielo que puede alcanzar un espesor de hasta 4 200 m.

El clima antártico es el más riguroso del planeta, todavía más que el ártico, y se caracteriza por unas temperaturas de hasta –60 °C en invierno, y valores estivales que no alcanzan los 0 °C. Es comprensible, consecuentemente, la pobreza biológica que presentan las tierras antárticas, reducida a la presencia de algunos líquenes y de ciertas asociaciones vegetales en pequeñas áreas muy localizadas, donde la existencia de actividad volcánica ha generado espacios libres de hielo.

Por el contrario, la fauna marina es bastante rica en la franja oceánica, y en algunas partes desborda sobre el continente y los archipiélagos costeros; el plancton abunda y proporciona alimento a diversas especies de peces, mamíferos de gran tamaño como ballenas, focas, otarios y elefantes marinos, que conviven con una gran variedad de aves marinas, como los pájaros bobos o pingüinos, que viven en colonias.

Geografía humana

El continente antártico se halla deshabitado, excepto por los equipos científicos y militares de distintos países que reivindican sectores de estas tierras australes, alegando derechos de cercanía geográfica, de descubrimiento o de ocupación continuada. A pesar de que los problemas planteados por la superposición de sectores reclamados todavía no están dirimidos, el personal de las estaciones científicas y militares mantienen relaciones basadas en la colaboración y la convivencia pacífica, gracias al tratado Antártico, que se firmó en 1959 para defender la paz y la cooperación internacional en el contexto de las investigaciones científicas. En 1991 se firmó un nuevo acuerdo con el objeto de regular las actividades en esta zona del planeta y a la vez asegurar la minimización de cualquier tipo de impacto ambiental.

La exploración del continente antártico

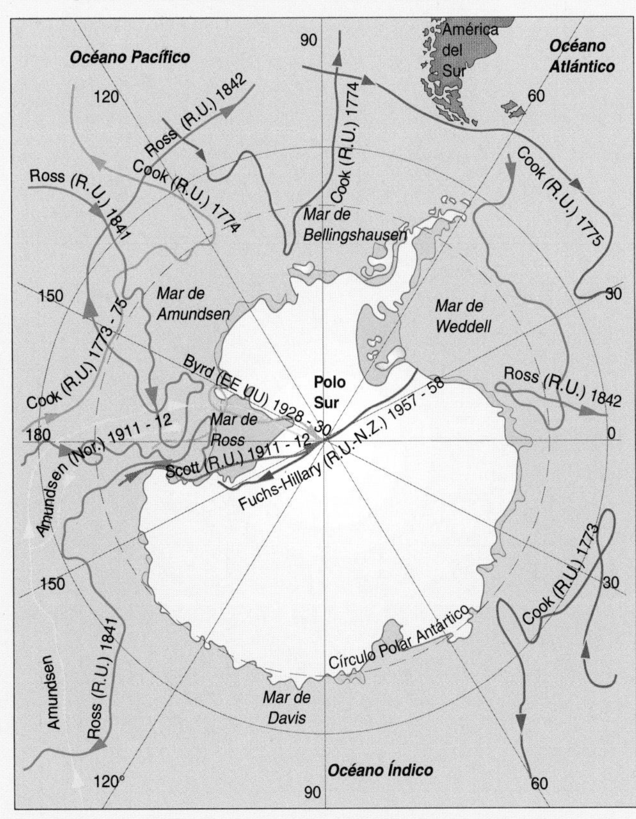

■ *El antártico ha sido el último continente descubierto por el hombre. El primer desembarco en tierra firme fue el del norteamericano Davis en la bahía de Hughes (1821). La primera gran expedición científica a estas frías tierras fue realizada por el francés Dumont d'Urville entre 1837 y 1840. El inglés James Clark Ross, en 1830-1843, penetró en el campo de hielo y descubrió el mar que hoy lleva su nombre. A partir de 1890 se despertó de nuevo el interés por la exploración de la región antártica, destacándose las expediciones en 1897-1899 del barón de Gerlache, de origen belga, a la que siguió en 1901-1903 la del sueco Otto Nordenskjöld. En 1911 el noruego Roald Amundsen alcanzó por vez primera el Polo Sur. A finales de la década de 1920, el estadounidense Byrd realizó una completa exploración aérea de esta zona.*

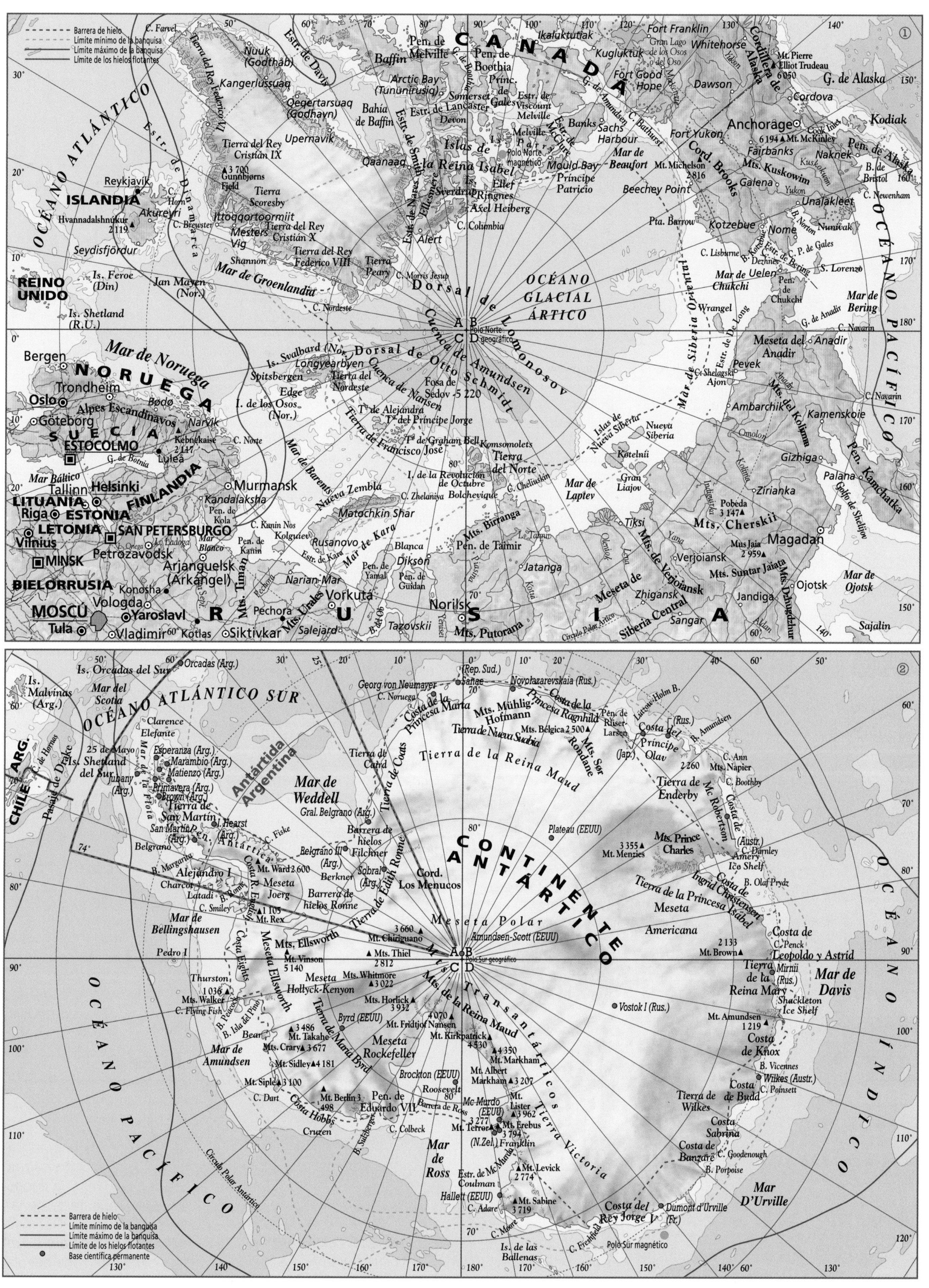

CANADÁ
OCÉANO GLACIAL ÁRTICO
OCÉANO ATLÁNTICO
OCÉANO PACÍFICO
ISLANDIA
NORUEGA
SUECIA
FINLANDIA
RUSIA
Mar de Groenlandia
Mar de Noruega
Mar de Barents
Mar de Kara
Mar de Laptev
Mar de Siberia Oriental
Mar de Chukchi
Mar de Beaufort
Mar de Bering
Polo Norte geográfico
Polo Norte magnético
CONTINENTE ANTÁRTICO
OCÉANO ATLÁNTICO SUR
OCÉANO PACÍFICO
OCÉANO ÍNDICO
Mar de Weddell
Mar de Ross
Mar de Amundsen
Mar de Bellingshausen
Mar de Davis
Mar D'Urville
Polo Sur geográfico
Polo Sur magnético
Barrera de hielo
Límite mínimo de la banquisa
Límite máximo de la banquisa
Límite de los hielos flotantes
Base científica permanente
0 500 1.000 1.500 km

Países del mundo

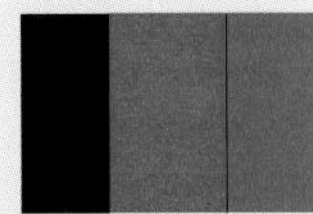
Afganistán

Albania

Alemania

Andorra

Angola

Antigua y Barbuda

Arabia Saudita

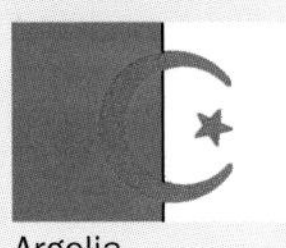
Argelia

Afganistán

Da Afghanistan Jomhuriyat
Superficie 652 225 km^2
Población 25 300 000 hab.
Densidad 38,8 hab./km^2
Capital Kabul (700 000 hab.)
Ciudades Kandahar (225 500 hab.); Herat (150 000 hab.); Mazar-i-Sharif (130 600 hab.)
Tasa de natalidad 41 ‰
Tasa de mortalidad 17,4 ‰
Población urbana 30,2 %
PIB per cápita 186 $
Lenguas pashto y dari
Moneda afghani
Religión musulmanes (sunnitas y chiítas)
Gobierno estado islámico
Recursos económicos:
Agricultura trigo, cebada, uva, remolacha azucarera y patatas
Ganadería ovina, bovina y caprina
Pesca 800 t
Silvicultura 3 110 626 m^3 de madera
Minería carbón, gas natural y hierro
Industria alimentaria, textil (algodonera), del cemento y artesanía textil (alfombras y tafetanes)

Albania

Republika e Shqipërisë
Superficie 28 748 km^2
Población 3 087 000 hab.
Densidad 107,4 hab./km^2
Capital Tirana (343 078 hab.)
Ciudades Durrës (99 564 hab.); Elbasan (87 797 hab.); Shkodër (82 455 hab.)
Tasa de natalidad 15,2 ‰
Tasa de mortalidad 4,8 ‰
Población urbana 43,2 %
PIB per cápita 1 756 $
Lenguas albanés
Moneda lek
Religión musulmanes, cristianos ortodoxos, católicos
Gobierno república
Recursos económicos:
Agricultura trigo, maíz, olivo, uva y remolacha azucarera
Ganadería ovina, caprina, bovina
Pesca 3 596 t
Silvicultura 304 800 m^3 de madera
Minería lignito, cobre, gas natural, petróleo
Industria alimentaria, química, metalúrgica, del cemento, mecánica y del papel

Arabia Saudita: *La mezquita de al-Haram en La Meca, ciudad natal de Mahoma.*

Alemania

Bundesrepublik Deutschland
Superficie 357 027 km^2
Población 82 536 6580 hab.
Densidad 231,2 hab./km^2
Capital Berlín (3 392 425 hab.)
Ciudades Hamburgo (1 728 806 hab.); Munich (1 228 000 hab.); Colonia (967 900 hab.); Frankfurt del Main (641 000 hab.); Essen (591 900 hab.)
Tasa de natalidad 8,7 ‰
Tasa de mortalidad 10,2 ‰
Población urbana 87,7 %
PIB per cápita 28 930 $
Lenguas alemán
Moneda euro
Religión protestantes, católicos
Gobierno república federal
Recursos económicos:
Agricultura trigo, cebada, patatas, remolacha, lúpulo, colza, lino, tabaco, vid, tomates y hortalizas
Ganadería porcina, bovina, ovina y aves de corral
Pesca 264 691 t
Silvicultura 42 380 000 m^3 de madera
Minería antracita, lignito, mineral de hierro, cinc, sales potásicas, petróleo, gas natural
Industria alimentaria, siderúrgica, metalúrgica, textil, química, naval, automovilística, electrónica, del cemento, electrodoméstica

Andorra

Principat d'Andorra
Superficie 468 km^2
Población 66 000 hab.
Densidad 141 hab./km^2
Capital Andorra la Vella (20 787 hab.)
Tasa de natalidad 11,1 ‰
Tasa de mortalidad 3,2 ‰
Población urbana 92,2 %
PIB per cápita 20 252 $
Lenguas catalán (oficial), francés y español
Moneda euro
Gobierno principado parlamentario
Recursos económicos:
Agricultura tabaco y cereales
Ganadería ovina
Minería hierro y plomo
Industria tabaquera, hidroeléctrica y turística

Angola

República de Angola
Superficie 1 246 700 km^2
Población 13 625 000 hab.
Densidad 10,9 hab./km^2
Capital Luanda (2 555 000 hab.)
Ciudades Huambo (400 000 hab.); Benguela (155 000 hab.); Lobito (150 000 hab.)
Tasa de natalidad 46 ‰
Tasa de mortalidad 25,8 ‰
Población urbana 34,8 %
PIB per cápita 921 $
Lenguas portugués (oficial), lenguas bantúes y khoisán
Moneda kwanza
Religión católicos, protestantes, animistas
Gobierno república
Recursos económicos:
Agricultura café, algodón, caña de azúcar, bananas, batatas, mandioca, sésamo, cacao, maíz y tabaco
Ganadería bovina, caprina, porcina y aves de corral
Minería diamantes, oro, hierro, petróleo y sal
Industria alimentaria, maderera, azucarera, tabaquera y del cemento

Antigua y Barbuda

Antigua and Barbuda
Superficie 442 km^2
Población 76 000 hab.
Densidad 171,9 hab./km^2
Capital Saint John's (28 000 hab.)
**Más información en la sección de América (pág. 88).*

Arabia Saudita

Al-Mamlaka al-Arabiya as-Saudiya
Superficie 2 149 690 km^2
Población 23 841 000 hab.
Densidad 11,1 hab./km^2
Capital Riyadh (2 776 096 hab.)
Ciudades Jiddah (2 046 251 hab.); La Meca (965 697 hab.); Medina (608 295 hab.); Ta'if (416 121 hab.)
Tasa de natalidad 37,3 ‰
Tasa de mortalidad 5,9 ‰
Población urbana 86,6 %
PIB per cápita 9 088 $
Lenguas árabe
Moneda riyal saudí
Religión musulmanes sunnitas
Gobierno monarquía
Recursos económicos:
Agricultura trigo, dátiles, uva y agrios
Ganadería ovina, camellos y bovina
Pesca 57 385 t
Minería petróleo, gas natural, piritas
Industria alimentaria, química, siderúrgica y cementera

Argelia

Al-Jumhuriya al-Jaza'iriya ad-Dimuqratiya ash-Sha'biya
Superficie 2 381 741 km^2
Población 29 100 867 hab.
Densidad 12,2 hab./km^2
Capital Argel (1 519 570 hab.)
Ciudades Orán (655 852 hab.); Qacentina (462 187 hab.); Batna (242 514 hab.); Annaba (215 083 hab.)

Tasa de natalidad 19,7 ‰
Tasa de mortalidad 4,4 ‰
Población urbana 57,7 %
PIB per cápita 2 030 $
Lenguas árabe (oficial), francés y dialectos bereberes
Moneda dinar argelino
Religión musulmanes sunnitas
Gobierno república
Recursos económicos:
Agricultura algodón, avena, cebada, olivas, cítricos, mijo, higos, legumbres, sorgo y dátiles
Ganadería caballar, ovina y aves de corral
Pesca 100 281 t
Minería gas natural, petróleo, carbón, azufre, antimonio, fosfatos y sal
Industria del cemento, del ácido nítrico y fertilizantes, textil, metalúrgica, cerámica, artesanía y alfombras

Argentina

República Argentina
Superficie 3 761 274 km^2
Población 36 260 130 hab.
Densidad 13 hab./km^2
Capital Ciudad de Buenos Aires (2 776 138 hab.)
**Más información en la sección de América (pág. 144).*

Armenia

Haikakan Hanrapetoutioun
Superficie 29 743 km^2
Población 3 213 000 hab.
Densidad 108 hab./km^2
Capital Yereván (1 103 488 hab.)
Ciudades Kumayri (150 917 hab.)
Tasa de natalidad 11,3‰
Tasa de mortalidad 7,9 ‰
Población urbana 64,3 %
PIB per cápita 661 $
Lenguas armenio (oficial), ruso, kurdo
Moneda dram
Religión cristianos ortodoxos
Gobierno república
Recursos económicos:
Agricultura cereales, tabaco, algodón, patatas, remolacha azucarera, uva, fruta, lino
Ganadería ovina, bovina, porcina, aves de corral
Minería cobre, cinc, aluminio
Industria sosa cáustica, vino del cemento, neumáticos, energía eléctrica

Australia

Commonwealth of Australia
Superficie 7 682 300 km^2
Población 1 485 000 hab.
Densidad 2,5 hab./km^2
Capital Canberra (353 149 hab.)
Ciudades Sydney (4 170 900 hab.); Melbourne (3 524 100 hab.); Brisbane (1 689 100 hab.); Perth (1 413 700 hab.); Adelaida (1 114 300 hab.)
Tasa de natalidad 12,7 ‰
Tasa de mortalidad 6,7 ‰
Población urbana 91,6 %
PIB per cápita 24 685 $
Lenguas inglés
Moneda dólar australiano
Religión protestantes, católicos
Gobierno estado federal
Recursos económicos:
Agricultura trigo, cebada, avena, arroz, caña de azúcar, algodón, naranjas, uva y frutas
Ganadería ovina, bovina, porcina, aves de corral
Pesca 236 282 t
Silvicultura 31 426 416 m^3 de madera
Minería carbón, petróleo, gas natural, bauxita, oro, plata, hierro, diamantes, cobre, estaño, plomo, cinc, amianto, níquel, cobalto,uranio, ópalos, fosfatos y sal
Industria alimentaria, textil, siderometalúrgica, química, del papel, del cemento, automovilística, mecánica y tabaquera

Austria

Republik Österreich
Superficie 83 871 km^2
Población 8 033 000 hab.
Densidad 95,8 hab./km^2
Capital Viena (1 600 280 hab.)
Ciudades Graz (226 244 hab.); Linz (183 504 hab.); Salzburgo (142 662 hab.); Innsbruck (113 392 hab.)
Tasa de natalidad 9,7 ‰
Tasa de mortalidad 9,5 ‰
Población urbana 66,8 %
PIB per cápita 30 349 $
Lenguas alemán
Moneda euro
Religión católicos
Gobierno república federal
Recursos económicos:
Agricultura cebada, trigo, maíz, centeno y uva
Ganadería porcina, bovina y aves de corral
Silvicultura 17 692 000 m^3 de madera
Minería lignito, petróleo, gas natural y magnesita
Industria siderometalúrgica, mecánica, de instrumentos musicales, maderera, turística, alimentaria y textil

Azerbaiján

Azärbaycan Respublikasi
Superficie 86 600 km^2
Población 7 953 000 hab.
Densidad 91,8 hab./km^2
Capital Bakú (1 817 900 hab.)
Ciudades Gäncä (301 400 hab.); Sumqayt (288 400 hab.)
Tasa de natalidad 13,8 ‰
Tasa de mortalidad 5,8 ‰
Población urbana 50,7 %
PIB per cápita 837 $
Lenguas azerí (oficial), ruso
Moneda manat
Religión musulmanes (chiítas y sunnitas), cristianos ortodoxos
Gobierno república
Recursos económicos:
Agricultura algodón, trigo, agrios, arroz, tabaco, té, patatas, vid
Ganadería ovina, bovina
Minería petróleo, gas natural, hierro, aluminio, cobre, plomo
Industria acero, frigoríficos, fertilizantes minerales, calzado, alfombras y tapices, energía eléctrica

Bahamas

Commonwealth of the Bahamas
Superficie 13 939 km^2
Población 304 000 hab.
Densidad 21,8 hab./km^2
Capital Nassau (210 832 hab.)
**Más información en la sección de América (pág. 88).*

Bahrein

Mamlakat al Bahrayn
Superficie 717 km^2
Población 650 600 hab.
Densidad 907,4 hab./km^2
Capital Manama (153 195 hab.)
Ciudades Al-Muharraq (91 939 hab.); Rifa'a (79 985 hab.)
Tasa de natalidad 20,2 ‰
Tasa de mortalidad 3 ‰
Población urbana 92,5 %
PIB per cápita 12 245 $
Lenguas árabe (oficial), inglés
Moneda dinar de Bahrein
Religión musulmanes (sunnitas y chiítas)
Gobierno monarquía
Recursos económicos:
Agricultura dátiles
Pesca 11 230 t
Minería petróleo
Industria alimentaria, del aluminio y del cemento

Bangladesh

Gana Prajatantri Bangladesh
Superficie 147 570 km^2
Población 129 247 000 hab.
Densidad 875,8 hab./km^2
Capital Dacca (5 644 235 hab.)
Ciudades Chittagong (2 199 599 hab.); Khulna (811 490 hab.); Rajshahi (517 136 hab.); Sylhet (299 431 hab.);Tongi (295 883 hab.); Rangpur (264 158 hab.)
Tasa de natalidad 29,7 ‰
Tasa de mortalidad 8,7 ‰
Población urbana 24,2 %
PIB per cápita 368 $

Australia: *Paisaje desértico con pináculos rocosos en el Parque Nacional de Nambung.*

Argentina

Armenia

Australia

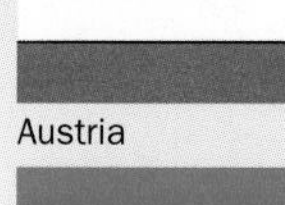

Austria

Azerbaiján

Bahamas

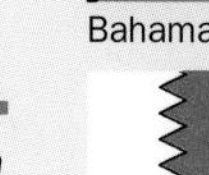

Bahrein

Bangladesh

Barbados

Bélgica

Belice
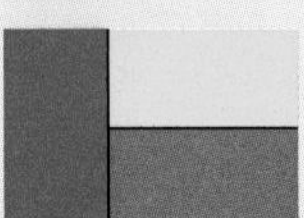
Benín
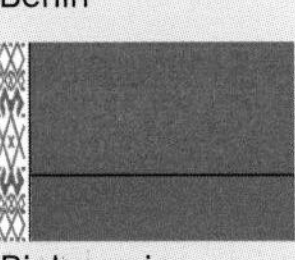
Bielorrusia

Bolivia

Bosnia-Herzegovina

Botswana

Brasil

Lenguas bengalí (oficial), inglés
Moneda taka
Religión musulmanes, hinduistas
Gobierno república
Recursos económicos:
Agricultura arroz, bambú, patatas, plátanos y yute
Ganadería bovina, caprina y aves de corral
Pesca 1 190 956 t
Silvicultura 28 337 752 m^3 de madera
Minería petróleo, gas natural y sal
Industria textil (algodonera), del papel, del cemento, tabaquera y siderúrgica

Barbados

Barbados
Superficie 431 km^2
Población 269 000 hab.
Densidad 624,1 hab./km^2
Capital Bridgetown (6 700 hab.)
**Más información en la sección de América (pág. 89).*

Bélgica

Royaume de Belgique
Superficie 30 528 km^2
Población 10 372 000 hab.
Densidad 339,8 hab./km^2
Capital Bruselas (140 987 hab.)
Ciudades Amberes (454 172 hab.); Gante (228 481 hab.); Charleroi (200 589 hab.); Lieja (184 474 hab.)
Tasa de natalidad 10,7 ‰
Tasa de mortalidad 10,2 ‰
Población urbana 97,4 %
PIB per cápita 29 613 $
Lenguas francés y neerlandés (oficiales), flamenco, alemán
Moneda euro
Religión católicos
Gobierno monarquía federal constitucional
Recursos económicos:
Agricultura trigo, cebada, remolacha azucarera, patatas, lúpulo y achicoria
Ganadería porcina, bovina, porcina y aves de corral
Pesca 31 839 t
Silvicultura 4 500 000 m^3 de madera
Minería carbón, hierro y gas natural
Industria siderometalúrgica, ferroviaria, naval, eléctrica, electrónica, química, textil, armamentista, refino de metales

***Belice:** Barrio costero de la ciudad de Belice, la más poblada del Estado.*

Belice

Belize
Superficie 22 965 km^2
Población 240 000 hab.
Densidad 10,5 hab./km^2
Capital Belmopan (9 115 hab.)
**Más información en la sección de América (pág. 58).*

Benín

République du Bénin
Superficie 112 622 km^2
Población 6 736 000 hab.
Densidad 59,8 hab./km^2
Capital Porto-Novo (232 756 hab.)
Ciudades Cotonou (650 660 hab.); Parakou (144 627 hab.)
Tasa de natalidad 43,7 ‰
Tasa de mortalidad 13,6 ‰
Población urbana 43 %
PIB per cápita 515 $
Lenguas francés (oficial), fon, gu, yoruba
Moneda franco CFA
Religión musulmanes, animistas, cristianos
Gobierno república
Recursos económicos:
Agricultura algodón, aceite de palma, cacahuetes, copra
Ganadería bovina, ovina
Pesca 38 415 t
Silvicultura 6 297 969 m^3 de madera

Bielorrusia

Respublika Belarus'
Superficie 207 600 km^2
Población 10 045 000 hab.
Densidad 48,8 hab./km^2
Capital Minsk (1 712 600 hab.)
Ciudades Gomel (480 000 hab.); Moguiliov (360 600 hab.); Vitebsk (341 500 hab.)
Tasa de natalidad 8,9 ‰
Tasa de mortalidad 14,8 ‰
Población urbana 71,1 %
PIB per cápita 1 829 $
Lenguas bielorruso y ruso
Moneda rublo bielorruso
Religión cristianos ortodoxos, católicos
Gobierno república
Recursos económicos:
Agricultura lino, centeno, patatas, forrajes, remolacha azucarera, legumbres
Ganadería bovina, caballar, aves de corral
Minería sal gema, potasio, petróleo, hulla, fosforita, lignito, turba, esquistos
Industria alimentaria, maderera, electrónica, textil, automovilística, siderometalúrgica, química

Bolivia

República de Bolivia
Superficie 1 098 581 km^2
Población 8 274 325 hab.
Densidad 7,5 hab./km^2
Capital La Paz (793 293 hab.) Sucre (215 778 hab.)
**Más información en la sección de América (pág. 122).*

Bosnia-Herzegovina

Republika Bosna i Hercegovina
Superficie 51 209 km^2
Población 3 895 000 hab.
Densidad 76,1 hab./km^2
Capital Sarajevo (529 021 hab.)
Ciudades Banja Luka (195 994 hab.); Zenica (145 837 hab.); Tuzla (131 183 hab.); Mostar (127 034 hab.)
Tasa de natalidad 9,2 ‰
Tasa de mortalidad 7,6 ‰
Población urbana 44,3 %
PIB per cápita 1 735 $
Lenguas serbocroata
Moneda dinar bosnio
Religión musulmanes, cristianos ortodoxos
Gobierno república federal
Recursos económicos:
Agricultura tabaco, trigo, maíz, remolacha azucarera, patatas, fruta
Ganadería bovina, ovina, porcina
Silvicultura 4 226 000 m^3 de madera
Minería hulla, bauxita, hierro, cobre, cromita, sal gema, lignito, plomo
Industria siderúrgica, de maquinaria y herramientas, química, del cemento, textil
** Datos anteriores a la guerra entre bosnios y croatas.*

Botswana

Republic of Botswana
Superficie 581 730 km^2
Población 1 681 000 hab.
Densidad 2,9 hab./km^2
Capital Gaborone (186 007 hab.)
Ciudades Francistown (83 023 hab.); Molepolole (54 561 hab.); Selebi-Pikwe (49 849 hab.)
Tasa de natalidad 28 ‰
Tasa de mortalidad 26,3 ‰
Población urbana 49,4 %
PIB per cápita 3 558 $
Lenguas inglés (oficial), setswana
Moneda pula
Religión animistas, católicos, protestantes
Gobierno república
Recursos económicos:
Agricultura sorgo, maíz y algodón
Ganadería bovina, ovina y caprina
Pesca 118 t
Silvicultura 749 515 m^3 de madera
Minería manganeso, níquel, cobre, carbón y diamantes
Industria maderera y alimentaria

Brasil

República Federativa do Brasil
Superficie 8 551 996 km^2

Población 168 729 380 hab.
Densidad 19,7 hab./km^2
Capital Brasilia (2 094 100 hab.)
**Más información en la sección de América (pág. 136).*

Brunei

Negara Brunei Darussalam
Superficie 5 765 km^2
Población 333 000 hab.
Densidad 57,8 hab./km^2
Capital Bandar Seri Begawan (46 000 hab.)
Tasa de natalidad 20,1 ‰
Tasa de mortalidad 3,4 ‰
Población urbana 73 %
PIB per cápita 12 335 $
Lenguas malayo (oficial), chino, inglés
Moneda dólar de Brunei
Religión musulmanes, budistas, cristianos
Gobierno monarquía absoluta
Recursos económicos:
Agricultura bananas, mandioca, palma de coco
Pesca 1 591 t
Silvicultura 228 569 m^3 de madera, caucho
Minería petróleo y gas natural
Industria alimentaria, textil, petroquímica, maderera y del caucho

Bulgaria

Republika Balgarija
Superficie 110 970 km^2
Población 7 933 000 hab.
Densidad 71,5 hab./km^2
Capital Sofía (1 096 389 hab.)
Ciudades Plovdiv (340 638 hab.); Varna (314 539 hab.); Burgas (193 316 hab.); Ruse (162 128 hab.); Stara Zagora (143 898)
Tasa de natalidad 8,5 ‰
Tasa de mortalidad 14,3 ‰
Población urbana 69,6 %
PIB per cápita 2 177 $
Moneda lev
Lenguas búlgaro (oficial), turco, armenio, griego, macedonio, rumano
Religión cristianos ortodoxos, musulmanes
Gobierno república
Recursos económicos:
Agricultura trigo, maíz, remolacha azucarera, avena, sorgo, girasol y hortalizas
Ganadería ovina, porcina, bovina y aves de corral
Pesca 8 140 t
Silvicultura 4 832 890 m^3 de madera
Minería petróleo, gas natural, lignito, plomo, cinc, hierro, uranio y sal
Industria alimentaria, siderúrgica, metalúrgica, química, naval, automovilística, electrónica

Burkina Faso

Burkina Faso
Superficie 274 400 km^2
Población 12 552 200 hab.
Densidad 45,7 hab./km^2
Capital Uagadugu (709 736 hab.)
Ciudades Bobo-Dioulasso (309 736 hab.); Koudougu (72 490 hab.); Ouahigouya (52 193 hab.); Banfora (49 724 hab.)
Tasa de natalidad 45,1 ‰
Tasa de mortalidad 18,7 ‰
Población urbana 16,9 %
PIB per cápita 331 $
Lenguas francés (oficial), malinké, more
Moneda franco CFA
Religión animistas, musulmanes, católicos
Gobierno república
Recursos económicos:
Agricultura algodón, batatas, maíz, mijo, sorgo, sésamo, arroz, mandioca, tabaco
Ganadería caballar, bovina y porcina
Minería oro y manganeso
Industria maderera, alimentaria y tabaquera

Burundi

République du Burundi
Superficie 27 834 km^2
Población 7 094 000 hab.
Densidad 254,9 hab./km^2
Capital Bujumbura (319 098 hab.)
Ciudades Gitega (128 000 hab.); Muyinga (83 400 hab.); Kayanza (63 613 hab.); Kirundo (62 546 hab.)
Tasa de natalidad 39,8 ‰
Tasa de mortalidad 18 ‰
Población urbana 9,3 %
PIB per cápita 87 $
Lenguas francés y kirundi (oficiales), swahili
Moneda franco de Burundi
Religión católicos, protestantes, musulmanes
Gobierno república
Recursos económicos:
Agricultura batatas, mandioca, patatas, plátanos, café, té y algodón
Ganadería ovina, bovina, porcina y aves de corral
Pesca 9 064 t
Silvicultura 8 428 237 m^3 de madera
Minería oro
Industria alimentaria y textil (algodonera)

Bután

Druk Yul
Superficie 46 500 km^2
Población 2 257 000 hab.
Densidad 48,5 hab./km^2
Capital Thimphu (45 000 hab.)
Tasa de natalidad 35,3 ‰
Tasa de mortalidad 8,7 ‰
Población urbana 8 %
PIB per cápita 741 $
Lenguas dzongkha (oficial), dialectos nepalíes y tibetanos
Moneda ngultrum y rupia india
Religión budistas, hinduistas
Gobierno monarquía
Recursos económicos:
Agricultura arroz, maíz, trigo
Ganadería bovina, ovina, caprina
Silvicultura 1 398 000 m^3 de madera

Cabo Verde

República de Cabo Verde
Superficie 4 033 km^2
Población 434 625 hab.
Densidad 107,8 hab./km^2
Capital Praia (97 900 hab.)
Ciudades Mindelo (62 970 hab.)
Tasa de natalidad 27,8 ‰
Tasa de mortalidad 7 ‰
Población urbana 51,6 %
PIB per cápita 1 572 $
Lenguas portugués (oficial), dialecto criollo
Moneda escudo de Cabo Verde
Religión católicos
Gobierno república
Recursos económicos:
Agricultura maíz, batatas, mandioca y plátanos
Pesca 9 653 t
Minería sal
Industria del cemento y alimentaria

Camboya

Preahréachéanachâkr Kâmpuchéa
Superficie 181 035 km^2
Población 12 990 000 hab.
Densidad 71,8 hab./km^2
Capital Phnom Penh (570 155 hab.)
Ciudades Battambang (124 290 hab.)
Tasa de natalidad 35,2 ‰
Tasa de mortalidad 10,6 ‰
Población urbana 17 %
PIB per cápita 280 $
Lenguas khmer (oficial), francés
Moneda riel
Religión budistas
Gobierno monarquía constitucional
Recursos económicos:
Agricultura arroz, maíz, batatas, algodón, bananas, tabaco, nuez de coco y naranjas
Ganadería bovina, porcina, búfalos
Pesca 412 700 t
Silvicultura 9 862 332 m^3 de madera, caucho
Minería sal
Industria tabaquera y del cemento

***Bulgaria:** Monasterio ortodoxo de Rila, en el sudoeste del país.*

Brunei

Bulgaria

Burkina Faso

Burundi

Bután

Cabo Verde

Camboya

Camerún

Canadá

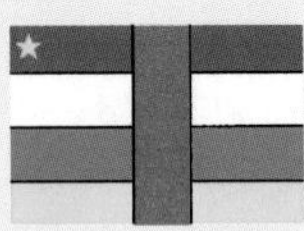
Centroafricana, República

Chad

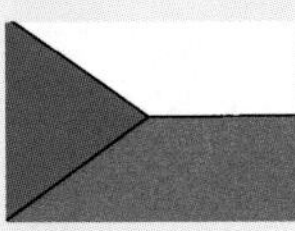
Checa, República

Chile

China

Chipre

Camerún

République du Cameroun-Republic of Cameroon
Superficie 475 442 km^2
Población 15 988 000 hab.
Densidad 33,6 hab./km^2
Capital Yaundé (1 372 800 hab.)
Ciudades Duala (1 448 300 hab.); Garoua (203 799 hab.); Maroua (162 479 hab.); Bamenda (160 493 hab.); Bafoussam (147 580 hab.)
Tasa de natalidad 35,9 ‰
Tasa de mortalidad 15,3 ‰
Población urbana 49,7 %
PIB per cápita 725 $
Lenguas francés e inglés (oficiales), bantú y dialectos sudaneses
Moneda franco CFA
Religión animistas, musulmanes, católicos
Gobierno república
Recursos económicos:
Agricultura mandioca, mijo, cacahuete, cacao, plátanos, café y algodón
Ganadería bovina, ovina y caprina
Pesca 111 081 t
Silvicultura 10 525 659 m^3 de madera
Minería casiterita, oro, plata, titanio, bauxita, petróleo y gas natural
Industria alumínica, petroquímica, textil, del cemento, azucarera, maderera y alimentaria

Canadá

Canada
Superficie 9 984 670 km^2
Población 30 007 000 hab.
Densidad 3,0 hab./km^2
Capital Ottawa (774 072 hab.)
**Más información en la sección de América (pág. 36).*

***Canadá:** El lago Moraine, en la provincia de Alberta.*

Centroafricana, República

République Centrafricaine
Superficie 622 436 km^2
Población 3 865 000 hab.
Densidad 6,2 hab./km^2
Capital Bangui (553 000 hab.)
Ciudades Berbérati (47 000 hab.); Buar (43 000 hab.); Bambari (41 000 hab.)
Tasa de natalidad 36,3 ‰
Tasa de mortalidad 19,5 ‰
Población urbana 50,5 %
PIB per cápita 326 $
Lenguas francés (oficial), sango y dialectos sudaneses
Moneda franco CFA
Religión animistas, católicos
Gobierno república
Recursos económicos:
Agricultura mandioca, mijo, maíz, arroz, batatas, naranjas, bananas, sésamo, algodón, caña de azúcar, cacahuete y café
Ganadería bovina, caprina y aves de corral
Silvicultura caoba y ébano
Minería uranio, oro, grafito, diamantes y hierro
Industria maderera, algodonera, del jabón y alimentaria

Chad

République du Tchad-Jumhuriyat Tashad
Superficie 1 284 000 km^2
Población 8 971 000 hab.
Densidad 7 hab./km^2
Capital N'Djamena (530 965 hab.)
Ciudades Moundou (99 530 hab.); Sarh (75 496 hab.); Abéché (54 628 hab.)
Tasa de natalidad 48,2 ‰
Tasa de mortalidad 16,4 ‰
Población urbana 24,2 %
PIB per cápita 338 $
Lenguas francés (oficial), árabe, dialectos sudaneses
Moneda franco CFA
Religión musulmanes, católicos, protestantes
Gobierno república
Recursos económicos:
Agricultura mijo, maíz, arroz, batatas, mandioca, dátiles, cacahuetes, algodón
Ganadería caprina, ovina y aves de corral
Minería estaño y sal
Pesca 84 000 t
Silvicultura 6 879 605 m^3 de madera
Industria azucarera, oleícola y peletera

Checa, República

Ceská Republika
Superficie 78 866 km^2
Población 10 292 933 hab.
Densidad 130,5 hab./km^2
Capital Praga (1 161 938 hab.)
Ciudades Brno (370 505 hab.); Ostrava (314 102 hab.); Plzen (163 791 hab.); Olomouc (101 604 hab.)
Tasa de natalidad 9,1 ‰
Tasa de mortalidad 10,6 ‰
Población urbana 51,3 %
PIB per cápita 8 242 $
Lenguas checo (oficial), alemán, polaco, eslovaco
Moneda corona checa
Religión católicos, protestantes
Gobierno república
Recursos económicos:
Agricultura trigo, cebada, centeno, forrajes, patatas, remolacha
Ganadería bovina, porcina, ovina
Minería lignito, uranio, plata, plomo, cinc, carbón, hierro
Industria siderúrgica, química, textil, mecánica, del papel y del mueble

Chile

República de Chile
Superficie 756 096 km^2
Población 15 116 435 hab.
Densidad 19,9 hab./km^2
Capital Santiago (6 061 185 hab.)
**Más información en la sección de América (pág. 148).*

China

Zhonghua Renmin Gongheguo
Superficie 9 572 900 km^2
Población 1 242 612 226 hab.
Densidad 129,8 hab./km^2
Capital Pekín (Beijing) (13 569 124 hab.)
Ciudades Chongqing (30 512 763 hab.); Shanghai (16 407 734 hab.); Tianjin (9 848 731 hab.); Hong Kong (6 780 000 hab.); Wuhan (4 489 000 hab.); Guangzhou (4 155 000 hab.)
Tasa de natalidad 12,9 ‰
Tasa de mortalidad 6,4 ‰
Población urbana 48,5 %
PIB per cápita 1 062 $
Lenguas chino (oficial), coreano, dialectos tibetanos, mongol, kazako, uigur
Moneda yuan
Religión budistas, católicos, lamaístas
Gobierno república popular
Recursos económicos:
Agricultura arroz, maíz, trigo, cebada, avena, centeno, sorgo, mijo, patatas, cacahuetes, sésamo, soja, té, remolacha azucarera, tabaco, algodón, yute, agrios, nueces de palma y cáñamo
Ganadería bovina, porcina, ovina, caprina
Pesca 44 063 216 t
Silvicultura 284 168 256 m^3 de madera
Minería carbón, lignito, petróleo, gas natural, minerales de hierro, manganeso, bauxita, vanadio, níquel, tungsteno, cinc, estaño, plomo, magnesita, antimonio, molibdeno, cobre, mercurio, amianto, fosfatos y sal
Industria textil (algodonera, lanera), siderúrgica, metalúrgica, mecánica (automovilística, fotográfica y ciclista), alimentaria, complejos químicos, neumáticos y artesanía de la porcelana y las lacas

Chipre

Kypriakí Demokratía
Superficie 9 251 km^2
Población 762 887 hab.
Densidad 82 hab./km^2
Capital Nicosia (195 300 hab.)

Tasa de natalidad 11,1 ‰
Tasa de mortalidad 7,3 ‰
Población urbana 51 %
PIB per cápita 19 243 $
Lenguas griego y turco (oficiales)
Moneda libra chipriota
Gobierno república
Religión católicos ortodoxos, musulmanes
Recursos económicos:
Agricultura uva, cebada, trigo, patatas y naranjas
Ganadería caballar, ovina, caprina y porcina
Pesca 77 686 t
Silvicultura 15 423 m^3 de madera
Minería piritas de hierro y cobre, amianto, cromita, yeso y sal
Industrias tabaquera, textil y del cemento

Colombia

República de Colombia
Superficie 1 141 748 km^2
Población 46 045 111 hab.
Densidad 40,3 hab./km^2
Capital Bogotá (7 170 008 hab.)
**Más información en la sección de América (pág. 108).*

Comores

Union des Comores-Udzima wa Komori
Superficie 1 862 km^2
Población 750 000 hab.
Densidad 402,8 hab./km^2
Capital Moroni (34 168 hab.)
Tasa de natalidad 39 ‰
Tasa de mortalidad 9,1 ‰
Población urbana 50,4 %
PIB per cápita 484 $
Lenguas francés, árabe, comoriano (oficiales), bantú, swahili
Moneda franco de las Comores
Religión musulmanes sunnitas
Gobierno república federal islámica
Recursos económicos:
Agricultura arroz, batatas, mandioca, vainilla, plátano, nuez de coco y copra
Ganadería caprina, ovina y bovina
Pesca 12 180 t
Industria alimentaria y turística

Congo, República del

République du Congo
Superficie 342 000 km^2
Población 2 960 000 hab.
Densidad 8,7 hab./km^2
Capital Brazzaville (856 410 hab.)
Ciudades Pointe-Noire (455 131 hab.); Lubomo (79 852 hab.)
Tasa de natalidad 37,9 ‰
Tasa de mortalidad 16,1 ‰
Población urbana 50,6 %
PIB per cápita 1 190 $
Lenguas francés (oficial), kikongo, lingala
Moneda franco CFA
Religión cristianos, animistas, musulmanes
Gobierno república
Recursos económicos:
Agricultura mandioca, plátanos, maíz, ñame, tomates, cacahuete, batatas, arroz, coco, cacao, café, caña de azúcar, piña tropical y tabaco
Ganadería bovina, ovina, porcina
Pesca 42 200 t
Silvicultura 2 436 715 m^3 de madera (okumé, ébano, caoba y caucho)
Minería cobre, oro, plomo, potasa, cinc, petróleo, gas natural y sal
Industria maderera, alimentaria, petroquímica, del calzado, textil y del cemento

Congo, República Democrática del

République Democratique du Congo
Superficie 2 344 885 km^2
Población 55 073 000 hab.
Densidad 23,5 hab./km^2
Capital Kinshasa (4 655 313 hab.)
Ciudades Lubumbashi (851 381 hab.); Mbuji-Mayi (806 475 hab.); Kisangani (417 517 hab.); Kananga (393 030 hab.); Bukavu (201 569 hab.)
Tasa de natalidad 45,6 ‰
Tasa de mortalidad 15,1 ‰
Población urbana 30,7 %
PIB per cápita 110 $
Lenguas francés (oficial), lenguas bantúes y sudanesas
Moneda franco congoleño
Religión católicos, protestantes, musulmanes
Gobierno república
Recursos económicos:
Agricultura mandioca, maíz, plátanos, cacahuetes, arroz, naranjas, batatas, café, algodón, cacao, tabaco, té, palma
Ganadería caprina, bovina y ovina
Pesca 208 848 t
Silvicultura 70 938 264 m^3 de madera
Minería diamantes, cobre, plata, manganeso, cadmio, estaño, cinc, carbón tungsteno, uranio, radio, germanio, cobalto, oro, petróleo y gas natural
Industria alimentaria, textil (algodonera), química, del calzado, jabonera, metalúrgica y del cemento.

Corea del Norte

Choson Minchu-Chui Inmin Konghwa-Guk
Superficie 122 762 km^2
Población 22 664 000 hab.
Densidad 184,6 hab./km^2
Capital Pyongyang (2 741 260 hab.)
Ciudades Nampo (731 448 hab.); Hamhung (709 30 hab.); Chongjin (582 480 hab.); Sunchon (356 000 hab.)
Tasa de natalidad 18,7 ‰
Tasa de mortalidad 6,9 ‰
Población urbana 56,1 %
PIB per cápita 706 $
Lenguas coreano
Moneda won norcoreano
Religión budistas, confucionistas
Gobierno república socialista
Recursos económicos:
Agricultura arroz, maíz, patatas y trigo
Ganadería bovina, porcina y ovina
Pesca 263 700 t
Silvicultura 7 119 593 m^3 de madera
Minería carbón, hierro, cobre, plata, tungsteno, molibdeno, fosfatos, magnesita, cinc
Industria siderúrgica, metalúrgica, química, automovilística y alimentaria

Corea del Sur

Taehanmin-Guk
Superficie 99 585 km^2
Población 45 985 289 hab.
Densidad 461,8 hab./km^2
Capital Seúl (9 853 972 hab.)
Ciudades Pusan (3 655 437 hab.); Taegu (2 473 990 hab.); Inchon (2 466 338 hab.)
Tasa de natalidad 10,3 ‰
Tasa de mortalidad 5,1 ‰
Población urbana 49,7 %
PIB per cápita 10 641 $
Lenguas coreano
Moneda won surcoreano
Religión budistas, protestantes
Gobierno república
Recursos económicos:
Agricultura arroz, cebada, maíz, trigo, avena, patatas, judías, uva, fruta, algodón, tabaco, sésamo, colza y ginseng
Ganadería bovina, porcina y aves de corral
Pesca 2 282 486 t
Silvicultura 4 062 638 m^3 de madera
Minería carbón, hierro, oro, plata, tungsteno y manganeso
Industria textil, del cemento, del papel, metalúrgica, automovilística, química, tabaquera y alimentaria

Costa de Marfil

République de Côte d'Ivoire
Superficie 322 763 km^2
Población 16 962 000 hab.
Densidad 52,9 hab./km^2
Capital Yamoussoukro (110 000 hab.)

***China:** Palacio de Potala, sobre la montaña de Hongshan en Lhasa, la capital del Tibet.*

Colombia

Comores

Congo, República del

Congo, República Democrática del

Corea del Norte

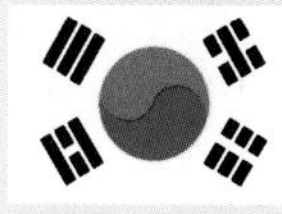
Corea del Sur

Costa de Marfil

Costa Rica

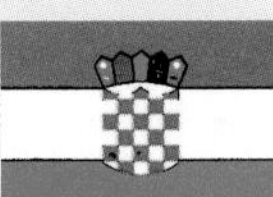
Croacia

Cuba

Dinamarca

Djibuti

Dominica

Dominicana, República

Ecuador

Egipto

El Salvador

Ciudades Abidján (2 500 000 hab.); Bouaké (332 999 hab.); Daloa (122 933 hab.)
Tasa de natalidad 40,4 ‰
Tasa de mortalidad 18,4 ‰
Población urbana 49,8 %
PIB per cápita 768 $
Lenguas francés
Moneda franco CFA
Religión musulmanes, católicos, animistas
Gobierno república
Recursos económicos:
Agricultura mandioca, cacao, café, algodón, aceite de palma, arroz y maíz
Ganadería caprina, ovina, bovina
Pesca 74 581 t
Silvicultura 11 580 962 m^3 de madera
Minería manganeso, diamantes, oro, petróleo y gas natural
Industria alimentaria, maderera, textil, tabaquera, del cemento y derivados del petróleo

Costa Rica

República de Costa Rica
Superficie 51 100 km^2
Población 3 810 179 hab.
Densidad 74,6 hab./km^2
Capital San José (309 672 hab.)
**Más información en la sección de América (pág. 60).*

Croacia

Republika Hrvatska
Superficie 56 594 km^2
Población 4 437 460 hab.
Densidad 78,4 hab./km^2
Capital Zagreb (691 724 hab.)
Ciudades Split (175 140 hab.); Rijeka (143 800 hab)

Croacia: *Centro histórico de Dubrovnik.*

Tasa de natalidad 9,4‰
Tasa de mortalidad 11,2 ‰
Población urbana 59 %
PIB per cápita 5 071 $
Lenguas serbocroata
Moneda kuna
Religión católicos, cristianos ortodoxos
Gobierno república
Recursos económicos:
Agricultura maíz, trigo, cáñamo, tabaco, remolacha azucarera, vid
Ganadería bovina, porcina
Silvicultura 3 641 000 m^3 de madera
Minería carbón, petróleo, gas natural, sal
Industria refino de petróleo, naval, química, maderera, siderometalúrgica, textil, mecánica, alimentaria, farmacéutica, del calzado, del papel y del cemento

Cuba

República de Cuba
Superficie 110 860 km^2
Población 11 243 358 hab.
Densidad 98,8 hab./km^2
Capital La Habana (2 181 535 hab.)
**Más información en la sección de América (pág. 90).*

Dinamarca

Kongeriget Danmark
Superficie 43 098 km^2
Población 5 368 354 hab.
Densidad 124,6 hab./km^2
Capital Copenhague (501 285 hab.)
Ciudades Århus (291 258 hab.); Odense (184 308 hab.); Ålborg (162 521 hab.)
Tasa de natalidad 11,9 ‰
Tasa de mortalidad 10,9 ‰
Población urbana 85,3 %
PIB per cápita 39 152 $
Lenguas danés (oficial), alemán
Moneda corona danesa
Gobierno monarquía constitucional
Recursos económicos:
Agricultura trigo, avena, cebada, patatas, remolacha
Ganadería bovina, aves de corral
Pesca 1 534 100 t
Silvicultura 2 361 000 m^3 de madera
Minería lignito, sal, petróleo y azufre
Industria siderometalúrgica, naval, textil, del cemento, química y tabaquera

Djibuti

République de Djibouti
Superficie 23 200 km^2
Población 663 000 hab.
Densidad 28,6 hab./km^2
Capital Djibuti (220 000 hab.)
Tasa de natalidad 41,1 ‰
Tasa de mortalidad 19,5 ‰
Población urbana 84,2 %
PIB per cápita 766 $
Lenguas árabe y francés (oficiales)
Moneda franco de Djibuti
Religión musulmanes sunnitas
Gobierno república
Recursos económicos:
Ganadería ovina, caprina y camellos
Pesca 1 060 t
Silvicultura 241 198 m^3 de madera

Dominica

Commonwealth of Dominica
Superficie 751 km^2
Población 71 727 hab.
Densidad 95,5 hab./km^2
Capital Roseau (19 700 hab.)
**Más información en la sección de América (pág. 92).*

Dominicana, República

República Dominicana
Superficie 48 670 km^2
Población 8 562 541 hab.
Densidad 175,9 hab./km^2
Capital Santo Domingo (913 540 hab.)
**Más información en la sección de América (pág. 93).*

Ecuador

República del Ecuador
Superficie 255 594 km^2
Población 12 156 608 hab.
Densidad 47,6 hab./km^2
Capital Quito (1 399 378 hab.)
**Más información en la sección de América (pág. 126).*

Egipto

Al-Jumhuriya Misr al-Arabiya
Superficie 1 001 449 km^2
Población 67 986 000 hab.
Densidad 67,9 hab./km^2
Capital El Cairo (7 283 000 hab.)
Ciudades Alejandría (3 339 076 hab.); Gizeh (2 221 817 hab.); Port Said (472 335 hab.); Imbaba (523 265 hab.); Suez (417 527 hab.)
Tasa de natalidad 26,7 ‰
Tasa de mortalidad 6,3 ‰
Población urbana 42,7 %
PIB per cápita 1 178 $
Lenguas árabe (oficial), francés e inglés
Moneda libra egipcia
Religión musulmanes
Gobierno república
Recursos económicos:
Agricultura trigo, maíz, algodón, arroz, patatas, mijo, aceitunas, sésamo, soja, tomates, naranjas, dátiles
Ganadería bovina, búfalos, ovina y caprina
Pesca 771 515 t
Minería petróleo, gas natural, fosfatos, manganeso y sal
Industria alimentaria, jabonera, mecánica, del tabaco, textil, del papel, del cemento, siderúrgica, automovilística y química

El Salvador

República de El Salvador
Superficie 21 041 km^2
Población 6 274 999 hab.
Densidad 298,2 hab./km^2
Capital San Salvador
**Más información en la sección de América (pág. 64).*

Emiratos Árabes Unidos

Al-Imarat al-'Arabiya al-Muttahida
Superficie 83 600 km^2
Población 3 987 000 hab.
Densidad 47,7 hab./km^2
Capital Abu Dhabi (527 000 hab.)
Ciudades Dubai (1 083 000 hab.); Sharjah (488 000 hab.); Ajman (205 000 hab)

Tasa de natalidad 15,5 ‰
Tasa de mortalidad 3,9 ‰
Población urbana 76,4 %
PIB per cápita 21 503 $
Lenguas árabe
Moneda dirham
Religión musulmanes (sunnitas y chiítas)
Gobierno federación de emiratos
Recursos económicos:
Agricultura dátiles
Ganadería ovina, caprina y camellos
Pesca 110 000 t
Minería petróleo, gas natural
Industria metalúrgica, automovilística, siderúrgica, electrónica, textil, tabaquera, mecánica y del cemento

Eritrea

Hagere Erta
Superficie 121 100 km²
Población 4 130 000 hab.
Densidad 34,1 hab./km²
Capital Asmara (501 000 hab.)
Tasa de natalidad 42,2 ‰
Tasa de mortalidad 11,8 ‰
Población urbana 19,1 %
PIB per cápita 166 $
Lenguas tigriño y árabe (oficiales), italiano
Moneda nakfa
Religión cristianos coptos, musulmanes
Gobierno república
Recursos económicos:
Agricultura algodón, maíz, cebada, trigo, mijo, sorgo, patatas, sésamo
Ganadería bovinos, ovinos y camellos
Minería oro, cinc, magnesio, potasio, salinas
Pesca 8 820 t
Silvicultura 2 325 422 m³ de madera
Industria alimentaria, mecánica, textil (algodonera), tabaquera, refino de petróleo, azucarera, cervecera, del cemento, del papel

Eslovaquia

Slovenská Republika
Superficie 49 034 km²
Población 5 379 455 hab.
Densidad 109,7 hab./km²
Capital Bratislava (427 049 hab.)
Ciudades Kosice (235 509 hab.); Presov (92 486 hab.); Nitra (87 308 hab.); Banska Bystrica (82 961 hab.)
Tasa de natalidad 9,5 ‰
Tasa de mortalidad 9,6 ‰
Población urbana 57,1 %
PIB per cápita 5 752 $
Lenguas eslovaco (oficial), checo, húngaro
Moneda corona eslovaca
Religión católicos
Gobierno república
Recursos económicos:
Agricultura trigo, cebada, centeno, maíz, patatas, lúpulo
Ganadería porcina, ovina, bovina y aves de corral
Silvicultura 6 118 000 m³ de madera
Minería carbón, hierro, petróleo y gas natural
Industria altos hornos e industria textil y armamentística

Eslovenia

Republika Slovenija
Superficie 20 273 km²
Población 1 964 036 hab.
Densidad 96,9 hab./km²
Capital Ljubljana (258 873 hab.)
Ciudades Maribor (93 847 hab.); Celje (37 834 hab.); Kranj (35 587 hab.); Velenje (26 468 hab.)
Tasa de natalidad 8,8 ‰
Tasa de mortalidad 9,3 ‰
Población urbana 50,8 %
PIB per cápita 14 000 $
Lenguas esloveno (oficial), italiano, húngaro
Moneda tolar esloveno
Religión católicos
Gobierno república
Recursos económicos:
Agricultura cereales, frutales, vid, remolacha azucarera
Ganadería bovina
Silvicultura 2 081 000 m³ de madera
Minería lignito, petróleo, gas natural, cinc, plomo, carbón
Industria energía nuclear, maderera, del papel, textil, alimentaria, automovilística, siderometalúrgica, química, mecánica, tabaquera, del cemento, turística

España

Reino de España
Superficie 505 957 km²
Población 43 975 000 hab.
Densidad 86,9 hab./km²
Capital Madrid (2 938 723 hab.)
Ciudades Barcelona (1 503 884 hab.); Valencia (738 441 hab.); Sevilla (684 633 hab.); Zaragoza (614 905 hab.); Málaga (524 414 hab.)
Tasa de natalidad 10,1 ‰
Tasa de mortalidad 9 ‰
Población urbana 76,5 %
PIB per cápita 20 466 $
Lenguas español (oficial), catalán, gallego, euskera (cooficiales)
Moneda euro
Religión católicos
Gobierno monarquía constitucional
Recursos económicos:
Agricultura trigo, cebada, maíz, avena, arroz, patatas, tomates, hortalizas, frutales, algodón, remolacha cítricos, aceite de oliva, banana, tabaco, vid
Ganadería ovina, porcina, bovina, caprina, aves de corral
Pesca 1 397 467 t
Silvicultura 15 981.000 m³ de madera
Minería carbón, lignito, hierro, mercurio, cobre, azufre, cinc, plomo, bauxita, sal, mármol, sales potásicas y petróleo
Industria alimentaria, siderúrgica, metalúrgica, cerámica, automovilística, refino del petróleo, del cemento, del calzado, textil, química, electrónica, del papel y tabaquera, turística

Estados Unidos

United States of America
Superficie 9 372 614 km²
Población 281 411 906 hab.
Densidad 30 hab./km²
Capital Washington D.C. (572 059 hab.)
**Más información en la sección de América (pág. 44).*

Estonia

Eesti Vabariik
Superficie 45 227 km²
Población 1 370 052 hab.
Densidad 30,3 hab./km²
Capital Tallinn (397 150 hab.)
Ciudades Tartu (101 190 hab.); Narva (67 752 hab.)
Tasa de natalidad 9,6 ‰
Tasa de mortalidad 13,5 ‰
Población urbana 62,9 %
PIB per cápita 4 863 $
Lenguas estonio (oficial), ruso
Moneda corona estona
Religión protestantes, cristianos ortodoxos
Gobierno república
Recursos económicos:
Agricultura lino, cebada, centeno y patatas
Ganadería bovina y porcina
Silvicultura pinos y abetos
Minería esquistos bituminosos, turba, fosfatos, uranio
Industria alimentaria, petroquímica, química, siderometalúrgica, textil, del calzado, del papel, mecánica, centrales térmicas

Etiopía

Yeltoyop'iya Federalawi Demokrasiyawi Ripeblik
Superficie 1 127 127 km²
Población 67 890 000 hab.
Densidad 60,2 hab./km²
Capital Addis Abeba (2 495 000 hab.)
Ciudades Dire Dawa (164 851 hab.); Nazret (127 842 hab.)
Tasa de natalidad 40,4 ‰
Tasa de mortalidad 20 ‰

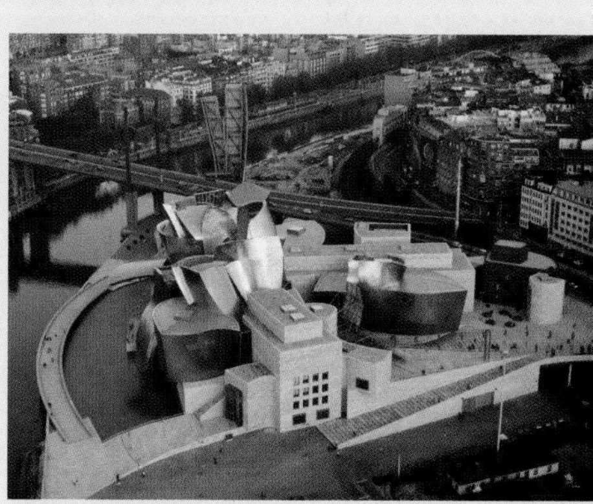
***España:** El museo Guggenheim a orillas de la ría del Nervión, en Bilbao.*

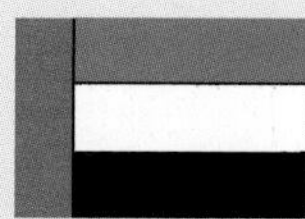
Emirados Árabes Unidos

Eritrea

Eslovaquia

Eslovenia

España

Estados Unidos

Estonia

Etiopía

Fiji

Filipinas

Finlandia

Francia

Gabón

Gambia

Población urbana 15,9 %
PIB per cápita 95 $
Lenguas amhárico (oficial), inglés, italiano, somalí
Moneda birr
Religión cristianos coptos, musulmanes, animistas
Gobierno república
Recursos económicos:
Agricultura maíz, cebada, trigo, sorgo, mijo, café, algodón, patatas, sésamo, cacahuete, colza y tabaco
Ganadería bovina, ovina, caprina, camellos y aves de corral
Minería platino, oro y sal
Industria textil (algodonera), del cemento, tabaquera, del papel y alimentaria

Fiji

Republic of the Fiji Islands-Matanitu ko Viti
Superficie 18 272 km²
Población 835 000 hab.
Densidad 45,7 hab./km²
Capital Suva (77 366 hab.)
Tasa de natalidad 3,2 ‰
Tasa de mortalidad 5,7 ‰
Población urbana 50,2 %
PIB per cápita 2 088 $
Lenguas inglés (oficial), fijiano, hindi
Moneda dólar fijiano
Religión católicos, protestantes, hinduistas
Gobierno república
Recursos económicos:
Agricultura caña de azúcar, bananas, copra, arroz y mandioca
Pesca 44 700 t
Silvicultura 383 000 m³ de madera

***Gambia:** El río Gambia, el principal eje fluvial del país, a su paso por Banjul.*

Minería oro y plata
Industria alimentaria, del cemento, tabaquera y turística

Filipinas

Republika ñg Pilipinas
Superficie 300 076 km²
Población 76 499 000 hab.
Densidad 254,9 hab./km²
Capital Manila (1 581 082 hab.)
Ciudades Quezón City (2 173 831 hab.); Caloocan (1 177 604 hab.); Davao (1 147 116 hab.); Cebú (718 821 hab.)
Tasa de natalidad 26,3 ‰
Tasa de mortalidad 5,6 ‰
Población urbana 61 %
PIB per cápita 1 010 $
Lenguas tagalo (oficial), español, inglés, francés
Moneda peso filipino
Religión católicos
Gobierno república
Recursos económicos:
Agricultura arroz, maíz, bananas, mandioca, batatas, patatas, cebollas, judías, caña de azúcar, palma de coco, tabaco, sisal, magüey, café
Ganadería bovina, caprina, ovina, caballar, búfalos, porcina y aves de corral
Pesca 2 379 874 t
Silvicultura 16 017 084 m³ de madera, caucho
Minería oro, plata, carbón, hierro, cromo, manganeso, cobre, níquel, plomo, cinc y sal
Industria azucarera y alimentaria, tabaquera, textil, del papel, química, del cemento, neumática

Finlandia

Suomen Tasavalta-Republiken Finland
Superficie 338 145 km²
Población 5 181 000 hab.
Densidad 15,3 hab./km²
Capital Helsinki (559 330 hab.)
Ciudades Espoo (224 231 hab.); Tampere (200 966 hab.); Vantaa (184 039 hab.); Turku (175 059 hab.)
Tasa de natalidad 10,9 ‰
Tasa de mortalidad 9,4 ‰
Población urbana 60,9 %
PIB per cápita 30 496 $
Lenguas finés y sueco
Moneda euro
Religión protestantes
Gobierno república
Recursos económicos:
Agricultura avena, patatas, remolacha azucarera, maíz
Ganadería bovina, porcina, aves de corral, renos y focas
Pesca 167 229 t
Silvicultura 47 928 000 m³ de madera
Minería hierro, cobre, titanio, plata, cobalto y vanadio
Industria alimentaria, siderometalúrgica, textil, del cemento, química, naval, electromecánica, del vidrio, peletera y porcelanas

Francia

République Française
Superficie 543 965 km²
Población 58 518 748 hab.
Densidad 107,6 hab./km²
Capital París (2 145 844 hab.)
Ciudades Marsella (798 430 hab.); Lyon (445 452 hab.); Toulouse (390 350 hab.); Niza (342 738 hab.); Nantes (270 251 hab.)
Tasa de natalidad 12,7 ‰
Tasa de mortalidad 9,2 ‰
Población urbana 75,5 %
PIB per cápita 28 279 $
Lenguas francés (oficial), bretón, corso, alemán, vasco, catalán
Moneda euro
Religión católicos
Gobierno república
Recursos económicos:
Agricultura trigo, avena, maíz, cebada, uva, sorgo, patatas, hortalizas, frutos secos, agrios, lúpulo, girasol, vid y tabaco
Ganadería bovina, ovina, porcina, caprina y aves de corral
Pesca 858 246 t
Silvicultura 35 900 000 m³ de madera
Minería hierro, carbón, lignito, petróleo, gas natural
Industria alimentaria, vinícola, siderometalúrgica, química, automovilística, electrónica, de la construcción, textil, naval y aeronaútica

Gabón

République Gabonaise
Superficie 267 667 km²
Población 1 300 000 hab.
Densidad 4,9 hab./km²
Capital Libreville (362 386 hab.)
Ciudades Port-Gentil (80 841 hab.); Masuku (30 246 hab.)
Tasa de natalidad 32 ‰
Tasa de mortalidad 10,9 ‰
Población urbana 82,2 %
PIB per cápita 4 511 $
Lenguas francés (oficial), bantú
Moneda franco CFA
Religión católicos, protestantes, animistas
Gobierno república
Recursos económicos:
Agricultura mandioca, plátanos, cacahuete, maíz, cacao, arroz, café y batatas
Ganadería ovina, caprina, porcina y bovina
Pesca 40 559 t
Silvicultura 3 104 173 m³ de madera, caoba, ébano, okumé
Minería petróleo, gas natural, hierro, cinc, plata, oro, manganeso, uranio
Industria maderera, química, azucarera, tabaquera y del cemento

Gambia

Republic of the Gambia
Superficie 11 295 km²
Población 1 365 000 hab.
Densidad 120,8 hab./km²
Capital Banjul (34 828 hab.)
Ciudades Serekunda (102 600 hab.); Brikama (63 000 hab.)
Tasa de natalidad 41,2 ‰
Tasa de mortalidad 12,6 ‰
Población urbana 31,2 %
PIB per cápita 219 $
Lenguas inglés (oficial), mandingo, fula, dialectos wolof
Moneda dalasi
Religión musulmanes, católicos
Gobierno república
Recursos económicos:
Agricultura cacahuete, arroz y nueces de palma
Ganadería bovina, caprina, ovina y porcina

Pesca 34 527 t
Industria alimentaria, aceitera y maderera

Georgia

Sakartvelos Respublikis
Superficie 69 500 km^2
Población 4 372 000 hab.
Densidad 62,9 hab./km^2
Capital Tbilisi (1 081 679 hab.)
Ciudades Kutaisi (186 000 hab.); Batumi (121 800 hab.); Rustavi (116 400 hab.)
Tasa de natalidad 10,7 ‰
Tasa de mortalidad 10,7 ‰
Población urbana 52,3 %
PIB per cápita 713 $
Lenguas georgiano
Moneda lari
Gobierno república
Religión cristianos ortodoxos, musulmanes
Recursos económicos:
Agricultura cereales, remolacha azucarera, patatas, semilla de girasol, uva, té
Ganadería bovina, ovina y caprina, porcina, aves de corral
Minería manganeso, petróleo, carbón, lignito
Industria alimentaria, petroquímica, química, textil, mecánica, del automóvil

Ghana

Republic of Ghana
Superficie 238 533 km^2
Población 18 845 000 hab.
Densidad 79 hab./km^2
Capital Accra (1 551 200 hab.)
Ciudades Kumasi (610 600 hab.); Tamale (259 200 hab.); Tema (226 000hab.); Bolgatanga (142 003 hab.); Wa (141 813 hab.)
Tasa de natalidad 25,8 ‰
Tasa de mortalidad 10,5 ‰
Población urbana 36,4 %
PIB per cápita 366 $
Lenguas inglés (oficial), lenguas kwa y gur
Moneda cedi
Religión animistas, musulmanes, cristianos
Gobierno república
Recursos económicos:
Agricultura maíz, mijo, mandioca, sorgo, cacao, cacahuete, naranjas, tomates, arroz y algodón
Ganadería caprina, ovina, bovina y aves de corral
Pesca 451 287 t
Silvicultura 21 782 000 m^3 de madera
Minería oro, manganeso, diamantes, bauxita, petróleo y sal
Industria textil (algodonera), del cemento, alumínica, alimentaria (azúcar, cerveza) y farmacéutica

Granada

Grenada
Superficie 345 km^2
Población 101 000 hab.
Densidad 292,8 hab./km^2
Capital Saint George's (3 908 hab.)
**Más información en la sección de América (pág. 97).*

Grecia

Hellenike Demokratía
Superficie 131 957 km^2
Población 10 964 000 hab.
Densidad 83,1 hab./km^2
Capital Atenas (745 514 hab.)
Ciudades Salónica (363 987 hab.); Pireo (175 697 hab.); Patrás (161 114 hab.); Peristerion (137 918 hab.)
Tasa de natalidad 9,3 ‰
Tasa de mortalidad 9,5 ‰
Población urbana 60,8.%
PIB per cápita 15 562 $
Lenguas griego
Moneda euro
Religión cristianos ortodoxos
Gobierno república
Recursos económicos:
Agricultura trigo, cebada, maíz, olivas, uva, agrios y frutales, algodón remolacha azucarera y tabaco
Ganadería ovina, caprina, porcina y aves de corral
Pesca 192 190 t
Silvicultura 1 591 297 m^3 de madera
Minería lignito, hierro, plomo, plata, cinc, níquel, bauxita, petróleo, mármol
Industria alimentaria, siderometalúrgica, textil, del cemento, química, del papel y tabaquera

Guatemala

República de Guatemala
Superficie 109 116 km^2
Población 11 237 196 hab.
Densidad 76,5 hab./km^2
Capital Guatemala (942 348 hab.)
**Más información en la sección de América (pág. 68).*

Guinea

République de Guinée
Superficie 245 857 km^2
Población 7 668 000 hab.
Densidad 31,2 hab./km^2
Capital Conakry (1 272 000 hab.)
Ciudades Kindia (287 607 hab.); N'Zérékoré (282 772 hab.); Kankan (261 341 hab.); Labé (249 515 hab.)
Tasa de natalidad 42,8 ‰
Tasa de mortalidad 15,9 ‰
Población urbana 27,9 %
PIB per cápita 370 $
Lenguas francés (oficial), dialectos sudaneses
Moneda franco guineano
Religión musulmanes, animistas, católicos
Gobierno república
Recursos económicos:
Agricultura mandioca, maíz, arroz, batatas, bananas, cacahuetes y sésamo
Ganadería bovina, ovina, caprina y aves de corral
Pesca 90 000 t
Silvicultura okumé, ébano, palisandro
Minería bauxita, hierro y diamantes
Industria azucarera, tabaquera y alumínica

Guinea Ecuatorial

República de Guinea Ecuatorial-République du Guinée Equatoriale
Superficie 28 051 km^2
Población 490 000 hab.
Densidad 17,2 hab./km^2
Capital Malabo (60 065 hab.)
Ciudades Bata (50 023 hab.)
Tasa de natalidad 37,3 ‰
Tasa de mortalidad 18,2 ‰
Población urbana 49,2 %
PIB per cápita 3 750 $
Lenguas español (oficial), criollo portugués
Moneda franco CFA
Religión católicos, animistas, musulmanes
Gobierno república
Recursos económicos:
Agricultura mandioca, plátanos, aceite de palma, nuez de palma, café, cacao y patatas
Ganadería ovina, caprina, porcina y aves de corral
Silvicultura okumé, palisandro y ébano
Pesca 3 500 t
Industria maderera y cafetera

Guinea-Bissau

República da Guiné-Bissau
Superficie 36 125 km^2
Población 1 340 000 hab.
Densidad 37,1 hab./km^2
Capital Bissau (200 000 hab.)
Tasa de natalidad 38,8 ‰
Tasa de mortalidad 16,7 ‰
Población urbana 32,3 %
PIB per cápita 185 $
Lenguas portugués (oficial), criollo portugués, dialectos sudaneses
Moneda franco CFA
Religión animistas, musulmanes, católicos
Gobierno república
Recursos económicos:
Agricultura arroz, cacahuetes, aceite de palma y mandioca
Ganadería bovina, ovina, caprina y aves de corral
Silvicultura caucho
Pesca 5 000 t
Industria láctea, peletera, oleícola y maderera

Guyana

Co-operative Republic of Guyana
Superficie 215 083 km^2
Población 749 000 hab.
Densidad 3,5 hab./km^2
Capital Georgetown (34 180 hab.)
**Más información en la sección de América (pág. 112).*

Haití

République d'Haïti
Superficie 27 700 km^2

Georgia

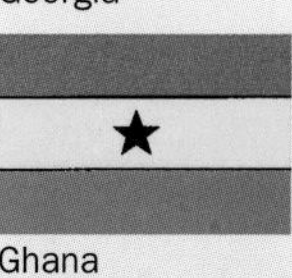
Ghana

Granada

Grecia

Guatemala

Guinea

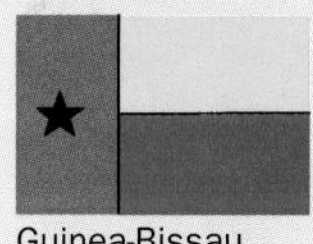
Guinea Ecuatorial

Guinea-Bissau

Guyana

Haití

Honduras

Hungría

India

Indonesia

Irak

Irán

Población 8 326 000 hab.
Densidad 300,6 hab./km^2
Capital Puerto Príncipe (990 558 hab.)
**Más información en la sección de América (pág. 97).*

Honduras

República de Honduras
Superficie 112 492 km^2
Población 6 535 344 hab.
Densidad 58,1 hab./km^2
Capital Tegucigalpa (769 061 hab.)
**Más información en la sección de América (pág. 72).*

Hungría

Magyar Köztársaság
Superficie 93 030 km^2
Población 10 197 000 hab.
Densidad 109,6 hab./km^2
Capital Budapest (1 708 000 hab.)
Ciudades Debrecen (206 000 hab.); Miskolc (180 000 hab.); Szeged (163 000 hab.); Pecs (159 000 hab.); Györ (130 000 hab.)
Tasa de natalidad 9,5 ‰
Tasa de mortalidad 13,1 ‰
Población urbana 65,1 %
PIB per cápita 9 378 $
Lenguas húngaro
Moneda florín húngaro
Religión católicos, protestantes
Gobierno república
Recursos económicos:
Agricultura trigo, cebada, maíz, remolacha azucarera, tabaco, patata, cítricos y vid
Pesca 19 694 t
Ganadería ovina, porcina, bovina y aves de corral
Silvicultura 5836 400 m^3 de madera
Minería bauxita, etróleo,gas natural, lignito, uranio, carbón, oro y hierro
Industria alimentaria, siderometalúrgica, química, del cemento, del papel, electrónica, mecánica, tabaquera

***India:** El Taj Mahal, monumental mausoleo erigido en la ciudad de Agra.*

India

Bharat Juktarashtra-Republic of India
Superficie 3 166 414 km^2
Población 1 027 015 247 hab.
Densidad 324,3 hab./km^2
Capital Nueva Delhi (294 783 hab.)
Ciudades Bombay (11 914 398 hab.); Delhi (9 817 439 hab.); Calcuta (4 580 544 hab.); Madrás (4 216 268 hab.); Bangalore (4 292 223 hab.); Jaipur (2 324 319 hab.); Lakhnau (2 207 340 hab.)
Tasa de natalidad 23,8 ‰
Tasa de mortalidad 8,6 ‰
Población urbana 27,9 %
PIB per cápita 520 $
Lenguas hindi e inglés (oficiales), bengalí, tamil, urdú
Moneda rupia india
Religión hinduistas, musulmanes sunnitas
Gobierno república
Recursos económicos:
Agricultura cacahuetes, té, yute, caña de azúcar, oleaginosas, arroz, trigo, maíz, mijo, patatas, mandioca, frutas, café, tabaco, soja, cítricos, sésamo, cacao, algodón
Ganadería bovina, búfalos, caprina
Pesca 5 965 230 t
Silvicultura 319 872 047 m^3 de madera
Minería carbón, hierro, petróleo, gas natural, manganeso, mica, bauxita, oro, plata, plomo, cinc, cromita, sal, fosfato
Industria alimentaria, textil (algodonera y lanera), artesanía, siderúrgica, metalúrgica, automovilística, electrodoméstica, del papel, del cemento, química, farmacéutica, mecánica, aeronáutica, informática

Indonesia

Republik Indonesia
Superficie 1 890 754 km^2
Población 206 265 000 hab.
Densidad 109,1 hab./km^2
Capital Yakarta (8 347 083 hab.)
Ciudades Surabaya (2 599 796 hab.); Bandung (2 429.000 hab.); Medan (2 136 260 hab.); Semarang (1 348 803 hab.)
Tasa de natalidad 20,3 ‰
Tasa de mortalidad 7,1 ‰
Población urbana 42,1 %
PIB per cápita 946 $
Lenguas bahasa indonesio (oficial), javanés
Moneda rupia indonesia
Religión musulmanes, católicos
Gobierno república
Recursos económicos:
Agricultura arroz, mandioca, maíz, batatas, azúcar, café, té, tabaco, nueces de coco, algodón, sisal, patatas, tomates, cebollas y frutos tropicales
Ganadería bovina, caprina, ovina y porcina
Pesca 5 068 106 t
Silvicultura 115 552 252 m^3 de madera, caucho
Minería petróleo, estaño, bauxita, carbón, gas natural, manganeso, cobre, níquel, diamantes, hierro, plata y sal
Industria azucarera y alimentaria, del cemento, fertilizantes, neumática, metalúrgica, textil (algodonera), tabaquera y automovilística

Irak

Al-Jumhuriya al-Iraqiya ad-Dimuqratiya ash-Sha'abiya
Superficie 434 128 km^2
Población 24 950 000 hab.
Densidad 57,5 hab./km^2
Capital Bagdad (5 423 964 hab.)
Ciudades Mosul (925 000 hab.); Basora (725 000 hab.); Arbil (700 000 hab.); Kirkuk (525 000 hab.)
Tasa de natalidad 34,2 ‰
Tasa de mortalidad 6 ‰
Población urbana 67, 2 %
PIB per cápita 596 $
Lenguas árabe (oficial), kurdo
Moneda dinar iraquí
Religión musulmanes (chiítas y sunnitas)
Gobierno república
Recursos económicos:
Agricultura trigo, cebada, dátiles, tomates, arroz, maíz, tabaco, opio, sésamo, algodón, lino, mijo, sorgo
Ganadería ovina, bovina, caprina, caballar, búfalos y camellos
Pesca 22 800 t
Silvicultura 112 298 m^3 de madera
Minería petróleo, gas natural y sal
Industria textil, alimentaria, petroquímica, del papel, siderúrgica, del cemento y tabaquera

Irán

Jomhuri-ye Eslami-ye Iran
Superficie 1 645 258 km^2
Población 66 509 000 hab.
Densidad 40,4 hab./km^2
Capital Teherán (6 758 845 hab.)
Ciudades Mashhad (1 887 405 hab.); Isfahán (1 266 072 hab.); Tabriz (1 191 043 hab.); Shiraz (1 053 025 hab.)
Tasa de natalidad 17,1 ‰
Tasa de mortalidad 5,6 ‰
Población urbana 66,4 %
PIB per cápita 1 889 $
Lenguas persa
Moneda rial
Religión musulmanes (chiítas y sunnitas)
Gobierno república islámica
Recursos económicos:
Agricultura trigo, arroz, algodón, remolacha azucarera, lentejas, té, agrios, dátiles
Ganadería ovina, caprina, bovina y caballar
Pesca 399 000 t
Silvicultura 1 317 253 m^3 de madera
Minería petróleo, gas natural, carbón, hierro, plomo, cinc, cobre, antimonio, manganeso y sal
Industria textil (lanera y algodonera), azucarera, neumática, tabaquera, siderúrgica y metalúrgica, del cemento, del papel, del vidrio, del calzado, química

Irlanda

Poblacht na h'Eireann/Republic of Ireland
Superficie 70 273 km^2
Población 3 917 000 hab.
Densidad 55,7 hab./km^2
Capital Dublín (495 781 hab.)
Ciudades Cork (123 062 hab.); Galway (65 832 hab.); Limerick (54 023 hab.)
Tasa de natalidad 15,4 ‰
Tasa de mortalidad 7,5 ‰
Población urbana 59,9 %
PIB per cápita 37 812 $
Lenguas inglés e irlandés
Moneda euro
Religión católicos
Gobierno república
Recursos económicos:
Agricultura trigo, patatas, avena, remolacha azucarera, tabaco y cebollas
Ganadería bovina, ovina, porcina y aves de corral
Pesca 314 072 t
Silvicultura 2 636 000 m^3 de madera
Minería carbón, plomo, cinc
Industria alimentaria (destilería), del cemento, textil, siderúrgica, automovilística, química, tabaquera, fertilizantes

Islandia

Lydveldid Ísland
Superficie 102 819 km^2
Población 289 000hab.
Densidad 2,8 hab./km^2
Capital Reykjavík (112 554 hab.)
Ciudades Kópavogur (25 016 hab.); Hafnarfjördhur (20 720 hab.)
Tasa de natalidad 14,1 ‰
Tasa de mortalidad 6,3 ‰
Población urbana 92,8 %
PIB per cápita 37 174 $
Lenguas islandés
Moneda corona islandesa
Religión protestantes
Gobierno república
Recursos económicos:
Agricultura patatas
Ganadería ovina
Pesca 1 560.184 t
Minería silicato
Industria alimentaria (congelados),textil, fertilizantes y del cemento

Israel

Medinat Yisra'el
Superficie 20 700 km^2
Población 6 749 000 hab.
Densidad 326 hab./km^2
Capital Jerusalén (692 300 hab.)
Ciudades Tel Aviv-Jafo (364 300 hab.); Haifa (270 500 hab.); Rishon LeZiyyon (214 900 hab.)
Tasa de natalidad 18,9 ‰
Tasa de mortalidad 6,2 ‰
Población urbana 91,7 %
PIB per cápita 16 961 $
Lenguas hebreo, árabe
Moneda shekel
Religión judíos, musulmanes
Gobierno república
Recursos económicos:
Agricultura trigo, uva, naranjas, olivas, tabaco, sésamo, maíz y tomates
Ganadería bovina, porcina, ovina y caprina
Pesca 25 100 t
Silvicultura 27 000 m^3 de madera
Minería petróleo, gas natural, hierro, potasio, fosfatos y sal
Industria química, automovilística, textil, tabaquera, siderúrgica, del cemento y alimentaria

Italia

Repubblica Italiana
Superficie 301 341 km^2
Población 56 305 568 hab.
Densidad 186,9 hab./km^2
Capital Roma (2 540829 hab.)
Ciudades Milán (1 247 052 hab.); Nápoles (1 008 419 hab.); Turín (861 644 hab.); Palermo (682 901 hab.); Génova (604 732 hab.)
Tasa de natalidad 9, 4 ‰
Tasa de mortalidad 10,2 ‰
Población urbana 67, 4 %
PIB per cápita 24 998 $
Lenguas italiano
Moneda euro
Religión católicos
Gobierno república
Recursos económicos:
Agricultura trigo, maíz, patatas, tomates, remolacha azucarera, agrios, frutas, aceitunas, habas, trigo, cebada, mijo, avena, arroz
Ganadería ovina, porcina, bovina y aves de corral
Pesca 165 275 t
Silvicultura 8 057 987 m^3 de madera
Minería lignito, petróleo, gas natural y hierro, plomo, fluorita, talco, silicato de aluminio
Industria alimentaria (azúcar, aceite, vino), siderometalúrgica, naval, mecánica, automovilística, química, de precisión, textil, del cemento, electrónica, del papel y tabaquera

Jamaica

Dominion of Jamaica
Superficie 10 991 km^2
Población 2 608 000 hab.
Densidad 237, 3 hab./km^2
Capital Kingston (96 052 hab.)
**Más información en la sección de América (pág. 98).*

Japón

Nippon
Superficie 372 824 km^2
Población 126 917 905 hab.
Densidad 340,4 hab./km^2
Capital Tokio (8 130 408 hab.)
Ciudades Yokohama (3 426 506 hab.); Osaka (2 598 589 hab.); Nagoya (2 171 378 hab.); Sapporo (1 822 300 hab.); Kyoto (1 463 822 hab.)
Tasa de natalidad 9,2 ‰
Tasa de mortalidad 7,8 ‰
Población urbana 78 %
PIB per cápita 32 859 $
Lenguas japonés
Moneda yen
Religión sintoístas, budistas
Gobierno monarquía constitucional
Recursos económicos:
Agricultura arroz, trigo, cebada, patatas, té, tabaco, remolacha azucarera, agrios, soja, lúpulo, habas y productos hortofrutícolas
Ganadería bovina, ovina, porcina y caprina
Pesca 5 521 100 t
Silvicultura 15 215 648 m^3 de madera
Minería carbón, hierro, petróleo, gas natural, oro, caolín, cobre, azufre, plomo, cinc, plata, estaño, sal, cromo, molibdeno y uranio
Industria siderúrgica, metalúrgica, naval, alimentaria, automovilística, ciclista, electromecánica, radiotécnica, química, aeronáutica, informática, electrónica, del caucho, del cemento, del papel, textil, del vidrio y tabaquera

Jordania

Al-Mamlaka al-Urdunniya al-Hashimiya
Superficie 89 342 km^2
Población 5 393 000 hab.
Densidad 60,4 hab./km^2
Capital Ammán (1 147 447 hab.)
Ciudades Zarqa (428 623 hab.)
Tasa de natalidad 29 ‰
Tasa de mortalidad 5 ‰
Población urbana 78,7 %
PIB per cápita 1 776 $
Lenguas árabe
Moneda dinar jordano
Religión musulmanes (sunnitas)
Gobierno monarquía constitucional
Recursos económicos:
Agricultura trigo, cebada, tomates, uva, dátiles, bananas, tabaco, aceitunas, agrios
Ganadería ovina, caprina, bovina, camellos
Pesca 1 060 t
Silvicultura 241 198 m^3 de madera
Minería fosfatos, mármol y sal
Industria alimentaria, tabaquera, del cemento y del papel

***Italia:** Plaza del Duomo de Milán, con la catedral y la Galería Vittorio Emanuelle.*

Irlanda

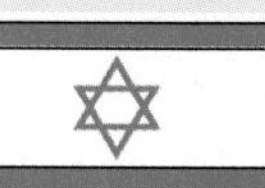

Islandia

Israel

Italia

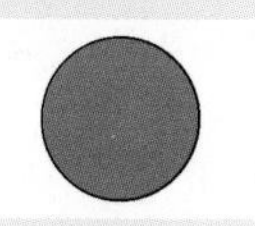

Jamaica

Japón

Jordania

Kazakistán

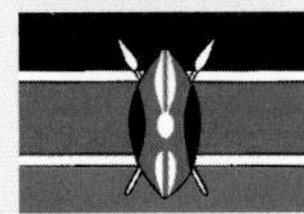
Kenia

Kirguisistán

Kiribati

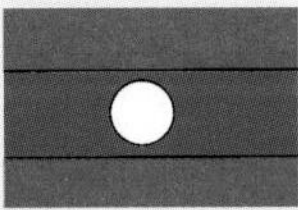
Kuwait

Laos

Lesotho

Letonia

Kazakistán

Qazaqstan Respublikasy
Superficie 2 724 900 km²
Población 14 952 000 hab.
Densidad 5,5 hab./km²
Capital Astaná (Aqmola) (319 318 hab.)
Ciudades Almaty (1 130 068 hab.); Qaraghandy (436 9000 hab.); Shymkent (360 100 hab.); Pavlodar (300 500 hab.)
Tasa de natalidad 15,3 ‰
Tasa de mortalidad 10 ‰
Población urbana 55,8 %
PIB per cápita 1 949 $
Lenguas kazako (oficial), ruso, alemán, ucraniano
Moneda tenge
Religión musulmanes (sunnitas), cristianos ortodoxos
Gobierno república
Recursos económicos:
Agricultura cereales, semilla de algodón, remolacha azucarera, semilla de girasol, patatas, frutas
Ganadería bovina, ovina, caprina, porcina
Minería petróleo, carbón, hierro
Industria siderúrgica, metalúrgica, química, textil, del cemento, petroquímica, alimentaria, cárnica, centrales térmicas, mecánica, abonos minerales

Kenia

Jamhuri ya Kenya
Superficie 582 646 km²
Población 28 687 000 hab.
Densidad 49,2 hab./km²
Capital Nairobi (2 143 254 hab.)
Ciudades Mombasa (655 018 hab.); Kisumu (322 734 hab.); Nakuru (219 366 hab.); Eldoret (167 016 hab.)
Tasa de natalidad 29,8 ‰
Tasa de mortalidad 15,7 ‰
Población urbana 34,4 %
PIB per cápita 451 $
Lenguas swahili (oficial), inglés
Moneda chelín keniata
Religión animistas, católicos, protestantes, musulmanes
Gobierno república
Recursos económicos:
Agricultura mandioca, maíz, trigo, café, cebada, arroz, avena, sésamo, té, algodón, tabaco, mijo, sorgo, patatas, plátanos, ananás
Ganadería bovina, ovina, caprina y aves de corral
Pesca 165 160 t
Silvicultura 21 978 528 m³ de madera
Minería oro, sal, magnetita, cobre, amianto, niobio
Industria alimentaria, siderúrgica, del papel, del tabaco, textil, refino del petróleo y fertilizante

***Kirguisistán:** Labores agrícolas tradicionales a orillas del lago Ysyk-Kol.*

Kirguisistán

Kyrgyzstan Respublikasy
Superficie 199 900 km²
Población 4 823 000 hab.
Densidad 24,1 hab./km²
Capital Bishkek (Frünze) (762 308 hab.)
Ciudades Osh (218 100 hab.); Jalal-Abad (70 401 hab.); Karakol (64 322 hab.)
Tasa de natalidad 20,2 ‰
Tasa de mortalidad 7,1 ‰
Población urbana 34,9 %
PIB per cápita 346 $
Lenguas kirguís y ruso (oficiales)
Moneda som
Gobierno república
Recursos económicos:
Agricultura cereales, remolacha, algodón, patatas, vid, tabaco, hortalizas y frutales
Ganadería ovina, bovina, caprina, caballar
Minería carbón, petróleo, gas natural, cinc, antimonio, mercurio, oro, plata
Industria alimentaria, metalúrgica, mecánica, textil, tabaquera, del cemento, turística

Kiribati

Republic of Kiribati
Superficie 811 km²
Población 84 000 hab.
Densidad 103,6 hab./km²
Capital Bairiki (2 226 hab.)
Tasa de natalidad 31,6 ‰
Tasa de mortalidad 8,8 ‰
Población urbana 38,6 %
PIB per cápita 727 $
Lenguas inglés (oficial), gilbertés
Moneda dólar australiano
Religión católicos, protestantes
Gobierno república
Recursos económicos:
Agricultura nueces de coco, copra y frutas tropicales
Pesca 29 000 t
Minería fosfatos
Industria alimentaria y turística

Kuwait

Dawlat al-Kuwait
Superficie 17 818 km²
Población 2 283 000 hab.
Densidad 128,1 hab./km²
Capital Al-Kuwait (28 747 hab.)
Ciudades Salmiya (130 215 hab.); Al-Jahra (111 222 hab.); Qalib ash-Shuyukh (102 178 hab.); Hawalli (82 154 hab.)
Tasa de natalidad 21,8 ‰
Tasa de mortalidad 2,5 ‰
Población urbana 96,1 %
PIB per cápita 15 699 $
Lenguas árabe
Moneda dinar kuwaití
Religión musulmanes (sunnitas)
Gobierno monarquía
Pesca 7 752 t
Minería petróleo
Industria del cemento y química

Laos

Laos-Sathalanalath Paxathipatai Paxaxôn Lao
Superficie 236 800 km²
Población 5 921 000 hab.
Densidad 25 hab./km²
Capital Vientiane (Viangchang) (534 000 hab.)
Tasa de natalidad 37,4 ‰
Tasa de mortalidad 12,7 ‰
Población urbana 19,7 %
PIB per cápita 367 $
Lenguas lao (oficial), francés
Moneda nuevo kip
Religión budistas, animistas
Gobierno república
Ciudades Savannakhet (47 500 hab.); Luang Prabang (55 300 hab.); Salavan (42 500 hab.)
Recursos económicos:
Agricultura arroz, maíz, patatas, mandioca, naranjas, tabaco, algodón, tomates y fruta tropical
Ganadería bovina, caprina y porcina
Pesca 80 000 t
Silvicultura 6 290 734 m³ de madera
Minería estaño
Industria artesanal textil, maderera, tabaquera y del cemento

Lesotho

Kingdom of Lesotho-Muso oa Lesotho
Superficie 30 355 km²
Población 2 158 000 hab.
Densidad 71,1 hab./km²
Capital Maseru (137 000 hab.)
Ciudades Teyateyaneng (48 869 hab); Leribe (23 122 hab)
Tasa de natalidad 31 ‰
Tasa de mortalidad 17 ‰
Población urbana 28,7 %
PIB per cápita 476 $
Lenguas sesotho e inglés
Moneda loti
Religión católicos, protestantes, animistas
Gobierno monarquía constitucional
Recursos económicos:
Agricultura maíz, trigo, sorgo y mandioca
Ganadería ovina, caprina y bovina
Silvicultura 2 034 269 m³ de madera
Minería diamantes
Industria alimentaria

Letonia

Latvijas Republika
Superficie 64 589 km²
Población 2 375 000 hab.
Densidad 36,8 hab./km²
Capital Riga (747 157 hab.)
Ciudades Daugavpils (113 409 hab.);

Liepäja (87 505 hab.); Jelgava (65 927 hab.)
Tasa de natalidad 8,6 ‰
Tasa de mortalidad 13,9 ‰
Población urbana 59,8 %
PIB per cápita 9 346 $
Lenguas letón (oficial), lituano, ruso
Moneda lat
Religión protestantes, católicos
Gobierno república
Recursos económicos:
Agricultura cebada, centeno, lino, remolacha azucarera, forrajes y patatas
Ganadería bovina, porcina y aves de corral
Silvicultura pinos, abetos y diversas especies frondosas
Minería turba
Industria hidroeléctrica, alimentaria, papelera, material ferroviario, naval, química, electrónica, textil, siderúrgica, mecánica, petroquímica, del tabaco y del cemento

Líbano

Al Jumhuriya al Lubnaniya
Superficie 10 400 km^2
Población 3 652 000 hab.
Densidad 351,2 hab./km^2
Capital Beirut (1 100 000 hab.)
Ciudades Trípoli (240 000 hab.); Sidón (150 000 hab.)
Tasa de natalidad 22 ‰
Tasa de mortalidad 6,4 ‰
Población urbana 87,5 %
PIB per cápita 4 962 $
Lenguas árabe (oficial), francés, inglés
Moneda libra libanesa
Religión maronitas, musulmanes
Gobierno república
Recursos económicos:
Agricultura trigo, cebada, uva, patata, naranjas, bananas, aceitunas y patatas
Ganadería bovina, caprina y ovina
Pesca 3 970 t
Silvicultura 89 193 m^3 de madera
Minería hierro, fosfatos y sal
Industria textil (algodonera), tabaquera, fertilizantes, del cemento, del papel y alimentaria

Liberia

Republic of Liberia
Superficie 111 369 km^2
Población 3 367 000 hab.
Densidad 30,2 hab./km^2
Capital Monrovia (543 000 hab.)
Ciudades Zwedru (33 800 hab.); Buchanan (27 000 hab.); Harper (19 600 hab.)
Tasa de natalidad 45,8 ‰
Tasa de mortalidad 17,8 ‰
Población urbana 46,7 %
PIB per cápita 169 $
Lenguas inglés (oficial), dialectos sudaneses
Moneda dólar liberiano
Religión católicos, protestantes, animistas, musulmanes
Gobierno república
Recursos económicos:
Agricultura mandioca, arroz, bananas, batatas, café, naranjas, cacahuetes, cacao
Ganadería ovina, caprina, porcina, bovina y aves de corral
Pesca 11 300 t
Silvicultura caoba, caucho, palmera de aceite
Minería magnetita, bauxita y diamantes
Industria alimentaria, maderera y del cemento

Libia

Al Jamahiriya al'Arabiyah al Libiyah ash Sha'biyah al-Ishtirakiyah al' Uzmá
Superficie 1 757 540 km^2
Población 5 608 000 hab.
Densidad 3,2 hab./km^2
Capital Trípoli (1 140 000 hab.)
Ciudades Bengasi (650 000 hab.); Misrata (280 000 hab.); El Khoms (180 000 hab.)
Tasa de natalidad 27, 6 ‰
Tasa de mortalidad 3,5 ‰
Población urbana 86,3 %
PIB per cápita 3 780 $
Lenguas árabe (oficial), dialectos beréberes
Moneda dinar libio
Religión musulmanes sunnitas
Gobierno república socialista
Recursos económicos:
Agricultura trigo, tomates, cebada, cacahuetes, dátiles, naranjas, aceitunas, aceite, uva, patatas
Ganadería ovina, caprina, camellar y bovina
Pesca 33 339 t
Minería petróleo, gas natural y sal
Industria petroquímica, siderúrgica, del cemento, tabaquera, alimentaria y artesanías

Liechtenstein

Fürstentum Liechtenstein
Superficie 160 km^2
Población 34 000 hab.
Densidad 212,5 hab./km^2
Capital Vaduz (5 038 hab.)
Tasa de natalidad 12,1 ‰
Tasa de mortalidad 6,6 %
PIB per cápita 4 349 $
Lenguas alemán
Moneda franco suizo
Religión católicos
Gobierno principado
Recursos económicos:
Agricultura patatas y trigo
Ganadería bovina, ovina
Industria textil y turística

Lituania

Lietuvos Respublica
Superficie 65 300 km^2
Población 3 446 000 hab.
Densidad 52, 8 hab./km^2
Capital Vilnius (553 038 hab.)
Ciudades Kaunas (368 917 hab.); Klaipeda (190 098 hab.); Siauliai (131 184 hab.)
Tasa de natalidad 8,8 ‰
Tasa de mortalidad 11,9 ‰
Población urbana 66,9 %
PIB per cápita 5 126 $
Lenguas lituano (oficial), ruso
Moneda litas
Religión católicos
Gobierno república
Recursos económicos:
Agricultura centeno, cebada, lino, remolacha azucarera, legumbres y patatas
Ganadería bovina, porcina y aves de corral
Silvicultura pinos, abetos y caducifolios
Minería turba, ámbar
Industria papelera, alimentaria, química, transformados metálicos, electrónica y textil

Luxemburgo

Grouss-herzogtom Lëtzebuerg
Superficie 2 586 km^2
Población 452 000 hab.
Densidad 174,8 hab./km^2
Capital Luxemburgo (73 325 hab.)
Ciudades Esch-sur-Alzette (138 725 hab.)
Tasa de natalidad 12 ‰
Tasa de mortalidad 8,4 ‰
Población urbana 91,8 %
PIB per cápita 52 511 $
Lenguas luxemburgués (oficial), francés, alemán
Moneda euro
Religión católicos
Gobierno monarquía constitucional
Recursos económicos:
Agricultura avena, trigo, cebada, vid y patatas
Ganadería bovina y ovina
Silvicultura 305 244 m^3 de madera
Minería hierro
Industria metalúrgica, del cemento, cerámica, tabaquera y alimentaria

Macedonia

Republika Makedonija
Superficie 25 713 km^2
Población 2 028 000 hab.
Densidad 78,9 hab./km^2

Laos: *El templo de Pha That Luang, en Vientiane, es el más destacado del país.*

Líbano

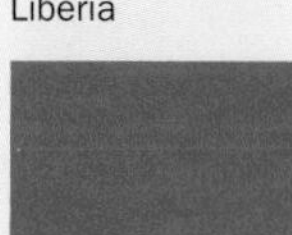

Liberia

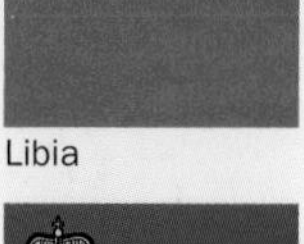

Libia

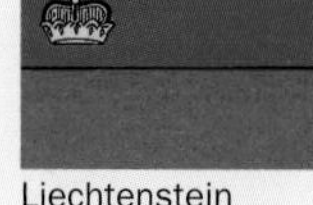

Liechtenstein

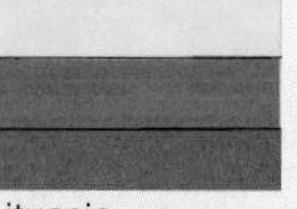

Lituania

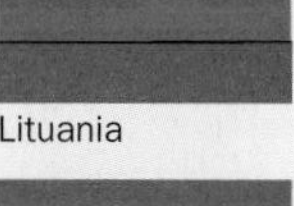

Luxemburgo

Macedonia

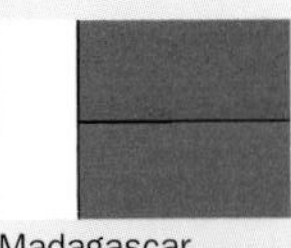
Madagascar

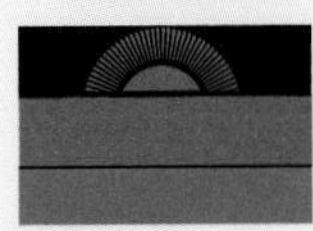
Malawi

Malaysia

Maldivas

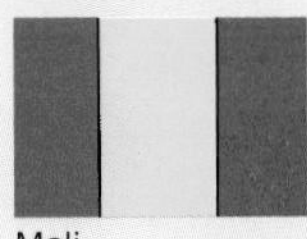
Mali

Malta

Marruecos

Capital Skopje (467 257 hab.)
Ciudades Kumanovo (103 205 hab.) Bitola (86 408 hab.); Tetovo (70 841 hab.)
Tasa de natalidad 13,4 ‰
Tasa de mortalidad 8,9 ‰
Población urbana 59,5 %
PIB per cápita 2 103 $
Lenguas macedonio (oficial), albanés
Moneda denar
Religión cristianos ortodoxos, musulmanes
Gobierno república
Recursos económicos:
Agricultura algodón, tabaco, fruta, vid, olivo, girasol, arroz, remolacha azucarera
Ganadería ovina, bovina, aves de corral
Silvicultura 715 000 m^3 de madera
Minería hierro, magnesita, plomo, cinc, cromo, mercurio, oro
Industria acero, química, textil (sedera), maderera, metalúrgica, del vidrio, turística

Madagascar

République de Madagascar-Repoblikan'i Madagasikara
Superficie 587 051 km^2
Población 17 404 000 hab.
Densidad 26,9 hab./km^2
Capital Antananarivo (1 678 000 hab.)
Ciudades Toamasina (179 045 hab.); Fianarantsoa (144 225 hab.); Mahajanga (135 660 hab.)
Tasa de natalidad 42,4 ‰
Tasa de mortalidad 12,2 ‰
Población urbana 26,5 %
PIB per cápita 298 $

***Madagascar:** El baobad es un árbol tropical originario del continente africano.*

Lenguas malgache, francés (oficiales)
Moneda franco malgache
Religión animistas, católicos, protestantes
Gobierno república
Recursos económicos:
Agricultura arroz, mandioca, batata, maíz, bananas, caña de azúcar, algodón, tabaco
Ganadería bovina y caprina
Pesca 143 332 t
Silvicultura 10 299 298 m^3 de madera
Minería grafito, cromo, uranio, mica, oro y piedras preciosas
Industria alimentaria, maderera, tabaquera y del cemento

Malawi

Republic of Malawi
Superficie 118 484 km^2
Población 11 549 000 hab.
Densidad 97,5 hab./km^2
Capital Lilongwe (597 619 hab.)
Ciudades Blantyre (646 235 hab.); Mzuzu (119 592 hab.)
Tasa de natalidad 50,8 ‰
Tasa de mortalidad 19,4 ‰
Población urbana 16,3 %
PIB per cápita 181 $
Lenguas inglés y chichewa (oficiales)
Moneda kwacha de Malawi
Gobierno república
Religión protestantes, católicos, animistas, musulmanes
Recursos económicos:
Agricultura maíz, caña de azúcar, tabaco, algodón, té, cacahuetes, sorgo, mandioca, patatas, arroz, plátanos, café
Ganadería caprina, bovina y porcina
Pesca 41 187 t
Silvicultura 5 549 117 m^3 de madera: cedro, caoba y teca
Industria maderera, tabaquera, alimentaria, cervecera y del cemento

Malaysia

Persekutuan Tanah Malaysia
Superficie 329 847 km^2
Población 23 275 000 hab.
Densidad 70,6 hab./km^2
Capital Kuala Lumpur (1 352 000 hab.)
Ciudades Ipoh (566 211 hab.); Johore Bahru (384 613 hab.); Kota Kinabalu (305 382 hab.)
Tasa de natalidad 21,6 ‰
Tasa de mortalidad 4,6 ‰
Población urbana 63 9 %
PIB per cápita 4 042 $
Lenguas malayo (oficial), inglés, chino, tamil
Moneda ringgit
Religión musulmanes, budistas
Gobierno monarquía constitucional (estado federal)
Recursos económicos:
Agricultura arroz, nuez de coco, mandioca, bananas y frutas
Ganadería porcina
Pesca 1 392 891 t
Silvicultura 21 140 802 m^3 de madera, caucho
Minería estaño, hierro, bauxita, tungsteno y petróleo
Industria elaboración del caucho, materiales de transporte, alimentaria, textil y minerales no metálicos

Maldivas

Divehi Raajjeyge Jumhooriyyaa
Superficie 298 km^2
Población 270 000 hab.
Densidad 906 hab./km^2
Capital Male (74 069 hab.)
Tasa de natalidad 17,8 ‰
Tasa de mortalidad 4,0 ‰
Población urbana 28,8 %
PIB per cápita 2 122 $
Lenguas divehi
Moneda rupia de Maldivas
Religión musulmanes sunnitas
Gobierno república presidencialista
Recursos económicos:
Agricultura nueces de coco
Pesca 104 110 t
Industria turística

Malí

République du Mali
Superficie 1 248 574 km^2
Población 11 370 000 hab.
Densidad 9,1 hab./km^2
Capital Bamako (838 315 hab.)
Ciudades Sikasso (113 803 hab.); Ségou (90 809 hab.); Mopti (86 355 hab.); Gao (62 667 hab.)
Tasa de natalidad 48,3 ‰
Tasa de mortalidad 19,3 ‰
Población urbana 32,3 %
PIB per cápita 313 $
Lenguas francés (oficial), mande, árabe, bereber
Moneda franco CFA
Religión musulmanes, animistas
Gobierno república
Recursos económicos:
Agricultura mandioca, mijo, arroz, hortalizas, algodón y cacahuetes
Ganadería caprina, ovina, camellos
Pesca 100 035 t
Silvicultura 5 258 481 m^3 de madera
Industria azucarera, textil cervecera, del cemento

Malta

Repubblika ta'Malta
Superficie 316 km^2
Población 397 000 hab.
Densidad 1 256,3 hab./km^2
Capital La Valetta (7 173 hab.)
Ciudades Birkirkara (22 334 hab.); Qormi (18 553 hab.)
Tasa de natalidad 9,9 ‰
Tasa de mortalidad 7,8 ‰
Población urbana 91,7 %
PIB per cápita 10 409 $
Lenguas maltés, inglés
Moneda libra maltesa
Religión católicos
Gobierno república
Recursos económicos:
Agricultura patatas, tomates, trigo y uva
Ganadería porcina y bovina
Pesca 1 799 t
Industria alimentaria, textil, tabaquera y turística

Marruecos

Al-Mamlakah al-Maghribiyah
Superficie 458 730 km^2
Población 29 776 000 hab.
Densidad 64,9 hab./km^2
Capital Rabat (623 457 000 hab.)
Ciudades Casablanca (2 940 623 hab.); Fez (774 754 hab.); Marrakech (745 541 hab.); Oujda

(678 778 hab.); Tánger (526 215 hab.); Tetuán (367 349 hab.)
Tasa de natalidad 23,6 ‰
Tasa de mortalidad 5,9 ‰
Población urbana 56,6 %
PIB per cápita 1 488 $
Lenguas árabe (oficial), dialectos beréberes
Moneda dirham marroquí
Religión musulmanes
Gobierno monarquía constitucional
Recursos económicos:
Agricultura cebada, trigo, tomates, naranjas, uva, olivas, remolacha y dátiles
Ganadería ovina, caprina y bovina
Pesca 1 804 338 t
Silvicultura 926 000 m^3 de madera
Minería fosfatos, hierro, manganeso, cobalto, plomo, cinc, estaño, molibdeno, carbón, petróleo y gas natural
Industria oleícola, azucarera, peletera, textil (algodonera), vinícola, siderúrgica y del cemento

Marshall, Islas

Republic of the Marshall Islands
Superficie 181 km^2
Población 56 000 hab.
Densidad 309,4 hab./km^2
Capital Dalap-Uliga-Darrit (25 000 hab.)
Tasa de natalidad 34,5 ‰
Tasa de mortalidad 5,1 ‰
Población urbana 66,3 %
PIB per cápita 1 867 $
Lenguas inglés, marshalés
Moneda dólar EE UU
Religión protestantes
Gobierno república
Recursos económicos:
Agricultura nuez de coco, copra, mandioca, frutales
Pesca 290 t
Industria turística

Mauricio

Republic of Mauritius
Superficie 1 865 km^2
Población 1 217 000 hab.
Densidad 652 hab./km^2
Capital Port-Louis (144 303 hab.)
Ciudades Flacq (16 225 hab.); Mahébourg (15 753 hab.)
Tasa de natalidad 16,5 ‰
Tasa de mortalidad 6,9 ‰
Población urbana 43,3 %
PIB per cápita 4 175 $
Lenguas inglés (oficial), francés criollo, hindú
Moneda rupia de Mauricio
Religión hinduistas, católicos, musulmanes
Gobierno república
Recursos económicos:
Agricultura caña de azúcar, copra y té
Ganadería bovina, caprina
Pesca 10 753 t
Silvicultura 17 000 m^3 de madera
Industria azucarera, oleícola, cafetera y turística

Mauritania

Al-Jumhuriyah al Islamiyah al Muritaniya
Superficie 1 030 700 km^2
Población 2 508 000 hab.
Densidad 2,4 hab./km^2
Capital Nouakchott (558 195 hab.)
Ciudades Nouadhibou (72 337 hab.); Rosso (48 922 hab.); Kaédi (34 227 hab.)
Tasa de natalidad 42,5 ‰
Tasa de mortalidad 13,3 ‰
Población urbana 40 %
PIB per cápita 389 $
Lenguas árabe (oficial), francés
Moneda ouguiya
Religión musulmanes (sunnitas)
Gobierno república
Recursos económicos:
Agricultura mijo, dátiles, arroz, maíz y patatas
Ganadería ovina, caprina, bovina y camellos
Pesca 83 596 t
Silvicultura 1 508 040 m^3 de madera
Minería fosfatos, hierro y cobre
Industria alimentaria y peletera

México

Estados Unidos Mexicanos
Superficie 1 958 201 km^2
Población 97 483 412 hab.
Densidad 49,8 hab./km^2
Capital Ciudad de México (8 605 239 hab. en el Distrito Federal, 17 800.000 hab. en el área metropolitana)
**Más información en la sección de América (pág. 52).*

Micronesia, Estados Federados de

Federated States of Micronesia
Superficie 702 km^2
Población 107 000 hab.
Densidad 152,4 hab./km^2
Capital Palikir (6 227 hab.)
Tasa de natalidad 27,1 ‰
Tasa de mortalidad 6 ‰
Población urbana 29,3 %
PIB per cápita 2 000 $
Lenguas inglés
Moneda dólar EE UU
Religión católicos, protestantes
Gobierno república federal
Recursos económicos:
Agricultura nuez de coco, copra, boniato, bananas
Pesca 1 650 t
Industria turística

Moldavia

Respublica Moldova
Superficie 33 843 km^2
Población 4 229 000 hab.
Densidad 125 hab./km^2
Capital Chisinau (662 400 hab.)
Ciudades Tiraspol (185 000 hab.); Balti (150 600 hab.); Tighina (125 000 hab.)
Tasa de natalidad 9,9 ‰
Tasa de mortalidad 11,6 ‰
Población urbana 41,4 %
PIB per cápita 411 $
Lenguas moldavo (oficial), ruso, ucraniano
Moneda leu
Religión cristianos ortodoxos
Gobierno república
Recursos económicos:
Agricultura girasol, tabaco, cereales, vid, hortalizas, remolacha azucarera, patatas
Ganadería bovina, porcina
Minería sal, yeso, turba
Industria alimentaria, textil, mecánica, siderúrgica, del tabaco, del cemento y electrónica

Mónaco

Principauté du Monaco
Superficie 2 km^2
Población 32 000 hab.
Densidad 16 000 hab./km^2
Capital Mónaco (1 034 hab.)
Ciudades Montecarlo (13 154 hab.); La Condamine (12 467 hab.)
Tasa de natalidad 9,7 ‰
Tasa de mortalidad 13 ‰
Población urbana 100 %
PIB per cápita 24 739 $
Lenguas francés (oficial), monegasco, italiano
Moneda euro
Religión católicos
Gobierno monarquía constitucional
Recursos económicos:
Industria turística

Mongolia

Mongol Uls
Superficie 1 564 160 km^2
Población 2 373 000 hab.
Densidad 1,5 hab./km^2
Capital Ulan Bator (760 077 hab.)
Ciudades Erdenet (68 310 hab.); Darhan (65 791 hab.); Choibalsan (41 714 hab.)
Tasa de natalidad 21,3 ‰
Tasa de mortalidad 7,3 ‰
Población urbana 56,7 %
PIB per cápita 477 $
Lenguas mongol
Moneda tugrik
Gobierno república
Recursos económicos:
Agricultura trigo, cebada, avena y patatas
Ganadería bovina, ovina, caprina
Silvicultura 631 000 m^3 de madera

***México:** El Zócalo (o Plaza Mayor), en México D.F., presidido por la catedral metropolitana y el Palacio Nacional.*

Marshall, Islas

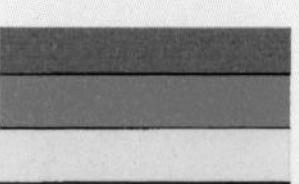

Mauricio

Mauritania

México

Micronesia, Estados Federados de

Moldavia

Mónaco

Mongolia

Mozambique

Myanmar (Birmania)

Namibia

Nauru

Nepal

Nicaragua

Niger

Nigeria

Minería carbón, petróleo, oro, tungsteno, fluorita, alabastro, manganeso y sal
Industria alimentaria, textil, metalúrgica, del cemento y del papel

Mozambique

República de Moçambique
Superficie 799 380 km²
Población 18 510 000 hab.
Densidad 23,2 hab./km²
Capital Maputo (1 134 000 hab.)
Ciudades Matola (424 662 hab.); Beira (397 368 hab.); Nampula (303 346 hab.)
Tasa de natalidad 40 ‰
Tasa de mortalidad 14,9 ‰
Población urbana 35,6 %
PIB per cápita 231 $
Lenguas portugués (oficial), lenguas bantúes
Moneda metical
Religión animistas, musulmanes, católicos, protestantes
Gobierno república
Recursos económicos:
Agricultura mandioca, sorgo, maíz, cacahuetes, arroz, patatas, té, remolacha azucarera, café, banana y algodón
Ganadería bovina y aves de corral
Pesca 32 512 t
Silvicultura 18 043 000 m³ de madera
Minería oro, carbón, uranio, bauxita, gas natura, mármol, cobre, amianto y sal
Industria alimentaria, textil, del cemento, del tabaco, química y refino del petróleo

Nueva Zelanda: *Relieve tipo alpino de la Isla Sur.*

Myanmar, (Birmania)

Pyidaungzu Myanma Naingngandaw
Superficie 676 577 km²
Población 46 622 000 hab.
Densidad 68,9 hab./km²
Capital Yangon (Rangún) (3 594 000 hab.)
Ciudades Mandalay (885 300 hab.); Moulmein (307 600 hab.); Bago (190 900 hab.)
Tasa de natalidad 19,6 ‰
Tasa de mortalidad 12,2 ‰
Población urbana 29,4 %
PIB per cápita 180 $
Lenguas birmano (oficial), inglés
Moneda kyat
Religión budistas
Gobierno república
Recursos económicos:
Agricultura arroz, maíz, trigo, mijo, tabaco, caña de azúcar y patatas
Ganadería bovina, porcina y búfalos
Pesca 1 288 134 t
Silvicultura 40 942 000 m³ de madera
Minería petróleo, gas natural, plomo, níquel y sal.
Industria alimentaria, textil, del cemento y tabaquera

Namibia

Republic of Namibia
Superficie 825 118 km²
Población 1 827 000 hab.
Densidad 2,2 hab./km²
Capital Windhoek (251 545 hab.)
Tasa de natalidad 34,2 ‰
Tasa de mortalidad 22,3 ‰
Población urbana 32,4 %
PIB per cápita 1560 $
Lenguas inglés, alemán y afrikaans
Moneda dólar de Namibia
Religión protestantes, católicos
Gobierno república
Recursos económicos:
Ganadería ovina, bovina y caprina
Pesca 547 542 t
Minería diamantes, cobre, plomo, cinc, plata, amianto, sal, fosfatos, manganeso, uranio y vanadio
Industria láctica, cervecera, cárnica y metalúrgica

Nauru

Naoero-Republic of Nauru
Superficie 21 km²
Población 12 600 hab.
Densidad 600 hab./km²
Capital Yaren (1 992 hab.)
Tasa de natalidad 26,6 ‰
Tasa de mortalidad 7,1 ‰
PIB per cápita 2 500 $
Lenguas nauruano (oficial), inglés
Moneda dólar australiano
Religión protestantes, católicos
Gobierno república
Recursos económicos:
Agricultura copra y frutas tropicales
Minería fosfatos
Industria turística

Nepal

Nepal Adhirajya
Superficie 147 181 km²
Población 23 151 000 hab.
Densidad 157,3 hab./km²
Capital Katmandú (671 846 hab.)
Ciudades Lalitpur (162 991 hab.); Biratnagar (166 674 hab.); Pokhara (156 312 hab.)
Tasa de natalidad 32,9 ‰
Tasa de mortalidad 10,0 ‰
Población urbana 15,0 %
PIB per cápita 230 $
Lenguas nepalés (oficial), bihari, dialectos tibetanos
Moneda rupia nepalí
Religión hinduistas
Gobierno monarquía constitucional
Recursos económicos:
Agricultura arroz, trigo, maíz, patatas, caña de azúcar
Ganadería bovina, caprina, ovina, búfalos
Silvicultura 13 987 933 m³ de madera
Industria alimentaria, textil, cerámica y tabaquera

Nicaragua

República de Nicaragua
Superficie 131 812 km²
Población 5 482 340 hab.
Densidad 41,6 hab./km²
Capital Managua (864 201 hab.)
**Más información en la sección de América (pág. 76).*

Níger

République du Niger
Superficie 1 186 408 km²
Población 10 790 000 hab.
Densidad 9,1 hab./km²
Capital Niamey (674 950 hab.)
Ciudades Zinder (170 574 hab.); Maradi (147 038 hab.)
Tasa de natalidad 50,2 ‰
Tasa de mortalidad 21,9 ‰
Población urbana 22,2 %
PIB per cápita 223 $
Lenguas francés (oficial), hausa, djema, tamachek, pular
Moneda franco CFA
Religión musulmanes
Gobierno república
Recursos económicos:
Agricultura mandioca, arroz, mijo, sorgo, algodón, cebollas, cacahuetes y dátiles
Ganadería caprina, bovina, ovina y camellar
Pesca 20 821 t
Silvicultura 8 601 443 m³ de madera
Minería sal, fosfatos, estaño, hierro y uranio
Industria oleícola, azucarera y del cemento

Nigeria

Federal Republic of Nigeria
Superficie 923 768 km²
Población 121 020 000 hab.
Densidad 131 hab./km²
Capital Abuja (452 000 hab.)
Ciudades Lagos (1 518 000 hab.); Ibadán (1 432 000 hab.); Ogbomosho (730 000 hab.)
Tasa de natalidad 39,2 ‰
Tasa de mortalidad 13,6 ‰
Población urbana 46,6 %
PIB per cápita 335 $
Lenguas inglés (oficial), lenguas sudanesas
Moneda naira
Religión musulmanes, protestantes, católicos
Gobierno república
Recursos económicos:
Agricultura mandioca, sorgo, mijo, cacahuetes, cacao, algodón
Ganadería caprina, bovina y aves de corral
Pesca 476 544 t
Silvicultura 69 482 328 m³ de madera

Minería carbón, estaño, petróleo y gas natural
Industria alimentaria e general, textil (algodonera, seda), cerámica, metalúrgica, automovilística y del caucho

Noruega

Kongeriket Norge
Superficie 323 758 km²
Población 4 520 900 hab.
Densidad 14 hab./km²
Capital Oslo (521 886 hab.)
Ciudades Bergen (235 423 hab.); Trondheim (152 699 hab.); Stavanger (111 007 hab.)
Tasa de natalidad 12,9 ‰
Tasa de mortalidad 9,9 ‰
Población urbana 78,6 %
PIB per cápita 47 316 $
Lenguas noruego
Moneda corona noruega
Religión protestantes
Gobierno monarquía constitucional
Recursos económicos:
Agricultura trigo, avena, cebada, patatas, tomates
Ganadería bovina, ovina, caprina
Pesca 2 551 476 t
Silvicultura 8 744 000 m³ de madera
Minería petróleo, gas natural, cobre y hierro
Industria alimentaria, siderometalúrgica, química, textil y tabaquera

Nueva Zelanda

New Zealand-Aotearoa
Superficie 270 534 km²
Población 3 737 000 hab.
Densidad 13,8 hab./km²
Capital Wellington (162 981 hab.)
Ciudades Auckland (359 466 hab.); Christchurch (334 107 hab.); Manukau (254 577 hab.)
Tasa de natalidad 13,8 ‰
Tasa de mortalidad 7,2 ‰
Población urbana 85,9 %
PIB per cápita 18 497 $
Lenguas inglés
Moneda dólar neozelandés
Religión protestantes, católicos
Gobierno monarquía constitucional (estado miembro de la Commonwealth)
Recursos económicos:
Agricultura trigo, cebada, maíz, patatas, tomates, manzanas, avena y tabaco
Ganadería ovina, bovina, porcina y aves de corral
Pesca 637 134 t
Silvicultura 22 613 000 m³ de madera
Minería carbón, lignito, petróleo, gas natural y sal
Industria alimentaria, siderometalúrgica, textil, del cemento, química, del papel, automovilística y fundición de aluminio

Omán

Saltanat 'Uman
Superficie 309 500 km²
Población 2 331 000 hab.
Densidad 7,5 hab./km²
Capital Mascate (Masqat) (24 769 hab.)
Ciudades Nizwa (62 880 hab.); Sama'il (44 721 hab.)
Tasa de natalidad 37,8 ‰
Tasa de mortalidad 4 ‰
Población urbana 77,6 %
PIB per cápita 7 889 $
Lenguas árabe (oficial), inglés
Moneda rial omaní
Religión musulmanes (sunnitas), hinduistas
Gobierno sultanato
Recursos económicos:
Agricultura dátiles y sorgo
Ganadería ovina, caprina y bovina
Pesca 128 544 t
Minería petróleo
Industria refino de petróleo

Países Bajos

Koninkrijk der Nederlanden
Superficie 41 528 km²
Población 15 986 000 hab.
Densidad 384,9 hab./km²
Capital Amsterdam (735 080 hab.) / La Haya (463 841 hab.)
Ciudades Rotterdam (599 472 hab.); Utrecht (265 107 hab.); Eindhoven (206 138 hab.)
Tasa de natalidad 12,6 ‰
Tasa de mortalidad 8,9 ‰
Población urbana 89, 6 %
PIB per cápita 31 524 $
Lenguas holandés (oficial), frisón
Moneda euro
Religión católicos, protestantes
Gobierno monarquía constitucional
Recursos económicos:
Agricultura trigo, cebada, avena, patatas, remolacha azucarera, hortalizas, floricultura
Ganadería bovina, porcina y ovina
Pesca 570 226 t
Silvicultura 839 000 m³ de madera
Minería petróleo, gas natural y carbón
Industria alimentaria, textil, metalúrgica, naval, química, automovilística y tabaquera

Pakistán

Islami Jamhuriya-e-Pakistan
Superficie 796 095 km²
Población 147 075 000 hab.
Densidad 184,7 hab./km²
Capital Islamabad (529 180 hab.)
Ciudades Karachi (9 339 023 hab.); Lahore (5 143 495 hab.); Faisalabad (2 008 861 hab.); Rawalpindi (1 409 768 hab.); Multan (1 197 384 hab.)
Tasa de natalidad 32,8 ‰
Tasa de mortalidad 9,2 ‰
Población urbana 34,1 %
PIB per cápita 488 $
Lenguas urdu (oficial), inglés
Moneda rupia paquistaní
Religión musulmanes
Gobierno república
Recursos económicos:
Agricultura trigo, arroz, algodón, sorgo, maíz, sésamo, lino, colza, tabaco, caña de azúcar, patatas y cítricos
Ganadería bovina, caprina, ovina, caballar, búfalos, camellos, asnos
Pesca 623 425 t
Silvicultura 27 691 679 m³ de madera
Minería carbón, petróleo, gas natural, sal gema, cromita, antimonio y bauxita
Industria textil, siderúrgica, mecánica, del cemento, química, tabaquera y del papel

Palau

Republic of Palau
Superficie 488 km²
Población 19 000 hab.
Densidad 38,9 hab./km²
Capital Koror (13 303 hab.)
Tasa de natalidad 13 ‰
Tasa de mortalidad 6,7 ‰
Población urbana 69,5 %
PIB per cápita 6 094 $
Lenguas palauano, inglés
Moneda dólar de EE UU
Religión católicos, animistas, protestantes
Gobierno república
Recursos económicos:
Agricultura caña de azúcar, nueces de coco, cacao y cítricos
Pesca 1 500 t
Industria turística

Panamá

República de Panamá
Superficie 75 517 km²
Población 2 839 177 hab.
Densidad 37,6 hab./km²
Capital Panamá (469 307 hab.)
**Más información en la sección de América (pág. 80).*

Papúa-Nueva Guinea

The Independent State of Papua New Guinea
Superficie 462 840 km²
Población 5 191 000 hab.

Papúa-Nueva Guinea: *Bancos de niebla matinales en los valles interiores.*

Noruega

Nueva Zelanda

Omán

Países Bajos

Pakistán

Palau

Panamá

Papúa-Nueva Guinea

Paraguay

Perú

Polonia

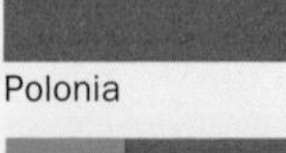
Portugal

Puerto Rico

Qatar

Reino Unido

Ruanda

Rumania

Densidad 11,2 hab./km^2
Capital Port Moresby (254 158 hab.)
Ciudades Lae (78 3038 hab.); Arawa (36 443 hab.)
Tasa de natalidad 31,6 ‰
Tasa de mortalidad 7,7 ‰
Población urbana 17,6 %
PIB per cápita 569 $
Lenguas inglés (oficial), pigdin, hiri motu
Moneda kina
Gobierno monarquía constitucional
Recursos económicos:
Agricultura batatas, copra, maíz, mandioca, té, caña de azúcar, sorgo, café y cacao
Ganadería bovina, porcina y aves de corral
Pesca 122 434 t
Silvicultura 7 241 000 m^3 de madera
Minería oro y plata
Industria alimentaria y mecánica

Paraguay

República del Paraguay
Superficie 406 752 km^2
Población 5 183 000 hab.
Densidad 12,7 hab./km^2
Capital Asunción (510 910 hab.)
**Más información en la sección de América (pág. 152).*

Perú

República del Perú
Superficie 1 285 216 km^2
Población 26 748 972 hab.
Densidad 20, 8 hab./km^2
Capital Lima (6 464 693 hab
**Más información en la sección de América (pág. 130).*

***Portugal:** Barrio de la Alfama de Lisboa, la capital del país.*

Polonia

Polska Rzeczpospolita
Superficie 312 685 km^2
Población 38 230 000 hab.
Densidad 122,3 hab./km^2
Capital Varsovia (1 671 670 hab.)
Ciudades Lodz (789 318 hab.); Wroclaw (640 367 hab.); Poznan (578 886 hab.); Gdansk (462 334 hab.)
Tasa de natalidad 9,3 ‰
Tasa de mortalidad 9,4 ‰
Población urbana 61,6 %
PIB per cápita 5 320 $
Lenguas polaco (oficial), bielorruso, ucraniano, alemán
Moneda nuevo zloty
Religión católicos
Gobierno república
Recursos económicos:
Agricultura trigo, centeno, patata y remolacha azucarera
Ganadería bovino y porcino
Pesca 261 376 t
Silvicultura 27 170 000 m^3 de madera
Minería carbón, lignito, petróleo, gas natural, plomo, cinc, cobre y sal
Industria alimentaria, siderúrgica, metalúrgica, automovilística, química, naval, del cemento y papelera

Portugal

República Portuguesa
Superficie 92 152 km^2
Población 10 356 000 hab.
Densidad 112,4 hab./km^2
Capital Lisboa (564 657 hab.)
Ciudades Oporto (263 131 hab.); Amadora (175 872 hab.); Almada (160 826 hab.); Coimbra (104 489 hab.); Braga (112 039 hab.)
Tasa de natalidad 11 ‰
Tasa de mortalidad 10,2 ‰
Población urbana 56, 6 %
PIB per cápita 14 526 $
Lenguas portugués
Moneda euro
Religión católicos
Gobierno república
Recursos económicos:
Agricultura uva, olivas, hortalizas, avena, maíz, frutas patatas y frutas
Ganadería ovina, bovina, porcina
Pesca 199 038 t
Silvicultura 8 742 000 m^3 de madera
Minería piritas, tungsteno, sal y mármol
Industria alimentaria, siderometalúrgica, textil, peletera, del vidrio, del cemento, química y papelera

Puerto Rico

Estado Libre Asociado de Puerto Rico, Commonwealth of Puerto Rico
Superficie 9 104 km^2
Población 3 809 000 hab.
Densidad 418,8 hab./km^2
Capital San Juan (437 000 hab.)
**Más información en la sección de América (pág. 99).*

Qatar

Dawlat al-Qatar
Superficie 11 437 km^2
Población 7 430 000 hab.
Densidad 649,6 hab./km^2
Capital Doha (264 009 hab.)
Tasa de natalidad 15,8 ‰
Tasa de mortalidad 4,3 ‰
Población urbana 92 %
PIB per cápita 32 003 $
Lenguas árabe
Moneda riyal de Qatar
Religión musulmanes
Gobierno emirato
Recursos económicos:
Minería petróleo, gas natural
Industria siderúrgica, química y del cemento

Reino Unido

United Kingdom of Great Britain and North Ireland
Superficie 243 297 km^2
Población 58 952 695 hab.
Densidad 242,3 hab./km^2
Capital Londres (7 172 036 hab., en el Gran Londres)
Ciudades Birmingham (977 091 hab.); Leeds (715 404 hab.); Glaswow (629 501 hab.); Sheffield (513 234 hab.); Bradford (467 668 hab.)
Tasa de natalidad 11,3 ‰
Tasa de mortalidad 10,3 ‰
Población urbana 89,1 %
galés, gaélico escocés
PIB per cápita 29 642 $
Lenguas inglés (oficial),
Moneda libra esterlina
Religión protestantes
Gobierno monarquía constitucional
Recursos económicos:
Agricultura trigo, cebada, remolacha azucarera, patatas, hortalizas
Ganadería ovina, bovina
Pesca 911 622 t
Silvicultura 7 375 000 m^3 de madera
Minería carbón, hierro, petróleo, gas natural, sal, estaño, cinc, plomo
Industria siderometalúrgica, textil, naval, aeronáutica, química, atómica, del cemento, papelera y tabaquera

Ruanda

République Rwandaise-
Superficie 26 338 km^2
Población 8 163 000 hab.
Densidad 309,9 hab./km^2
Capital Kigali (608 141 hab.)
Tasa de natalidad 40,2 ‰
Tasa de mortalidad 21,6 ‰
Población urbana 16,7 %
PIB per cápita 187 $
Lenguas francés, inglés y kinyarwanda
Moneda franco de Ruanda
Religión católicos, animistas, protestantes
Gobierno república
Recursos económicos:
Agricultura mandioca, batatas, patatas, sorgo, maíz, arroz, café, té y cacahuetes
Ganadería bovina, ovina, caprina y aves de corral
Pesca 7 263 t
Silvicultura 7 836 000 m^3 de madera
Minería estaño y tungsteno
Industria maderera y alimentaria

Rumania

România
Superficie 238 391 km^2
Población 21 168 000 hab.
Densidad 90,9 hab./km^2
Capital Bucarest (1 926 334 hab.)
Ciudades Iasi (320 888 hab.); Cluj-Napoca (317 953 hab.); Timisoara

(317 660 hab.); Constanza (310 471 hab.); Brasov (284 596 hab.)
Tasa de natalidad 9,6 ‰
Tasa de mortalidad 12,3 ‰
Población urbana 52,7 %
PIB per cápita 2 342 $
Lenguas rumano
Moneda leu
Religión cristianos ortodoxos
Gobierno república
Recursos económicos:
Agricultura trigo, patatas, maíz, remolacha azucarera, vid y cítricos
Ganadería ovina, porcina, bovina
Pesca 18 455 t
Silvicultura 15 154 000 m^3 de madera
Minería petróleo, gas natural, lignito, carbón, hierro, manganeso
Industria alimentaria, siderometalúrgica, mecánica, textil, química y tabaquera

Rusia

Rossiiskaya Federativnaya
Superficie 17 075 400 km^2
Población 145 182 000 hab.
Densidad 8,5 hab./km^2
Capital Moscú (10 101 500 hab.)
Ciudades San Petersburgo (4 669 400 hab.); Novosibirsk (1 425 600 hab.); Nizhnii Nóvgorod (1 311 200 hab.); Yekaterinburgo (1 293 000 hab.); Samara (1 158 100 hab.); Omsk (1 133 900 hab.)
Tasa de natalidad 9,2 ‰
Tasa de mortalidad 15,4 ‰
Población urbana 72,9 %
PIB per cápita 2292 $
Lenguas ruso
Moneda rublo
Religión cristianos ortodoxos, musulmanes
Gobierno república federal
Recursos económicos:
Agricultura cereales, patatas, vid, hortalizas, lino, algodón, remolacha azucarera, tabaco, forraje, frutales
Ganadería bovina, ovina, caprina, porcina, caballar, aves de corral
Pesca 3 718 268 t
Silvicultura 174 200 000 m^3 de madera
Minería petróleo, gas natural, carbón, hierro, cinc, plomo, estaño, manganeso, cromo, níquel, tungsteno
Industria alimentaria, siderúrgica, metalúrgica, eléctrica, electrónica, del papel, textil, mecánica, automovilística, eronáutica, petroquímica, química

Sáhara Occidental

Sahara Occidental
Superficie 252 120 km^2
Población 284 000 hab.
Densidad 1 hab./km^2
Capital El Aaiún
Lenguas árabe y español
Religión musulmanes (sunnitas)
Gobierno territorio ocupado por Marruecos
Recursos económicos:
Agricultura cebada y palmeras datileras
Ganadería caprina, ovina i camellos.
Pesca bastante activa
Minería sal y fosfatos

Saint Kitts y Nevis

Federation of Saint Kitts and Nevis
Superficie 269 km^2
Población 46 000 hab.
Densidad 171 hab./km^2
Capital Basseterre (13 033 hab.)
**Más información en la sección de América (pág. 101).*

Salomón, Islas

Solomon Islands
Superficie 28 370 km^2
Población 409 000 hab.
Densidad 14,4 hab./km^2
Capital Honiara (49 107 hab.)
Tasa de natalidad 33,3 ‰
Tasa de mortalidad 4,2 ‰
Población urbana 16,5 %
PIB per cápita 366 $
Lenguas inglés (oficial), pidgin
Moneda dólar de Salomón
Religión protestantes, católicos
Gobierno monarquía constitucional (estado miembro de la Commonwealth)
Recursos económicos:
Agricultura nueces de coco, copra y patata dulce
Pesca 49.236 t
Silvicultura 468 000 m^3 de madera

Samoa

Indepedent State of Samoa-Malo Sa'oloto Tuto'atasi o Samoa
Superficie 2 831 km^2
Población 177 000 hab.
Densidad 62,5 hab./km^2
Capital Apia (38 836 hab.)
Tasa de natalidad 28 ‰
Tasa de mortalidad 5,6 ‰
Población urbana 22,3 %
PIB per cápita 1 672 $
Lenguas samoano e inglés
Moneda tala
Religión católicos, protestantes
Gobierno monarquía constitucional (estado miembro de la Commonwealth)
Recursos económicos:
Agricultura bananas, nueces de coco y cacao
Ganadería bovina, porcina, caballar
Pesca 1 500 t
Silvicultura 131.000 m^3 de madera
Industria alimentaria y turística

San Marino

Repubblica di San Marino
Superficie 61 km^2
Población 28 800 hab.
Densidad 472,1 hab./km^2
Capital San Marino (2 822 hab.)
Tasa de natalidad 10,4 ‰
Tasa de mortalidad 7,1 ‰
Población urbana 88,7 %
PIB per cápita 23 282 $
Lenguas italiano
Moneda euro
Religión católicos
Gobierno república
Recursos económicos:
Agricultura trigo y uva
Industria alimentaria (vinícola), de la construcción y turística

San Vicente de Granadinas

Saint Vincent and the Grenadines
Superficie 389 km^2
Población 109 000 hab.
Densidad 280,2 hab./km^2
Capital Kingstown (13 526 hab.)
**Más información en la sección de América (pág. 101).*

Santa Lucía

Saint Lucia
Superficie 617 km^2
Población 158 000 hab.
Densidad 256,1 hab./km^2
Capital Castries (13 191 hab.)
**Más información en la sección de América (pág. 102).*

Santo Tomé y Príncipe

República Democrática de São Tomé e Príncipe
Superficie 1 001 km^2
Población 183 000 hab.
Densidad 137,9 hab./km^2
Capital Santo Tomé (51 886 hab.)
Tasa de natalidad 42,3 ‰
Tasa de mortalidad 7,3 ‰
Población urbana 37,8 %
PIB per cápita 372 $
Lenguas portugués (oficial), criollo portugués
Moneda dobra
Religión católicos, protestantes
Gobierno república
Recursos económicos:
Agricultura cacao, aceite de palma, nueces, palma

***Reino Unido:** El castillo de Eileen Donan, en las Highlands (Tierras Altas) escocesas.*

Rusia

Sáhara Occidental

Saint Kitts y Nevis

Salomón, Islas

Samoa

San Marino

San Vicente y las Granadinas

Santa Lucía

Santo Tomé y Príncipe

Senegal

Serbia y Montenegro

Seychelles

Sierra Leona

Singapur

Siria

Somalia

cocotera, plátanos y café
Ganadería ovina y caprina
Pesca 3 000 t
Industria alimentaria

Senegal

République du Sénégal
Superficie 196 722 km^2
Población 10 510 000 hab.
Densidad 53,4 hab./km^2
Capital Dakar (919 683 hab.)
Ciudades Thiès (273 599 hab.); Kaolack (243 209 hab.); Ziguinchor (216 971 hab.); Saint-Louis (154 496 hab.)
Tasa de natalidad 36,8 ‰
Tasa de mortalidad 11 ‰
Población urbana 49,6 %
PIB per cápita 632 $
Lenguas francés (oficial), wolof, dialectos sudaneses
Moneda franco CFA
Religión musulmanes, animistas
Gobierno república
Recursos económicos:
Agricultura cacahuetes, algodón, mijo, arroz, maíz, mandioca, batatas, caña de azúcar, sorgo,hortalizas, frutas,patatas, bananas, naranjas
Ganadería bovina, caprina, ovina y aves de corral
Pesca 388 042 t
Minería fosfatos, titanio y sal
Industria azucarera, tabaquera, del cemento, química, fertilizantes, alimentaria (aceite de cacahuete y automovilística

Seychelles: *Las paradisíacas playas del archipiélago han potenciado el sector turístico.*

Serbia y Montenegro

Srbija i Crna Gora
Superficie 102 173 km^2
Población 10 687 000 hab.
Densidad 104,6 hab./km^2
Capital Belgrado (1 280 639 hab.)
Ciudades Novi Sad (191 405 hab.); Nish (173 724 hab.); Pristina (165 844 hab.); Kragujevac (146 373 hab.); Podgorica (139 100 hab.)
Tasa de natalidad 12,4 ‰
Tasa de mortalidad 10,2 ‰
Población urbana 52 %
PIB per cápita 2 506 $
Lenguas serbocroata (oficial), albanés
Moneda dinar (Serbia) y euro (Montenegro)
Gobierno república federal
Religión cristianos ortodoxos, musulmanes
Recursos económicos:
Agricultura maíz, trigo, avena, frutas, uva, tabaco
Ganadería ovina, bovina, porcina y aves de corral
Pesca 1 181 t
Silvicultura 2 936 000 m^3 de madera
Minería carbón, bauxita, cobre, plomo, cinc
Industria siderúrgica, metalúrgica, metalmecánica, de maquinaria, química, del cemento, del papel, textil, azucarera

Seychelles

Republic of Seychelles-Repiblik Sesel-République des Seychelles
Superficie 455 km^2
Población 82 000 hab.
Densidad 180,2 hab./km^2
Capital Victoria (28 000 hab.)
Tasa de natalidad 18,3 ‰
Tasa de mortalidad 8 ‰
Población urbana 64,6 %
PIB per cápita 9 005 $
Lenguas criollo francés, inglés, francés
Moneda rupia de Seychelles
Religión católicos, protestantes
Gobierno república
Recursos económicos:
Agricultura palma de coco
Pesca 47 832 t
Minería fosfatos y sal
Industria alimentaria y turística

Sierra Leona

Republic of Sierra Leone
Superficie 71 740 km^2
Población 5 320 000 hab.
Densidad 64,4 hab./km^2
Capital Freetown (921 000 hab.)
Ciudades Koidu (80 000 hab.)
Tasa de natalidad 44,5 ‰
Tasa de mortalidad 20,7 ‰
Población urbana 38,8 %
PIB per cápita 169 $
Lenguas inglés (oficial), krío
Moneda leone
Gobierno república
Religión musulmanes, animistas, cristianos
Recursos económicos:
Agricultura mandioca, arroz, nuez de palma, maíz, sorgo, café, mijo, cacao, cacahuetes, sésamo, tomates
Ganadería bovina, caprina, ovina, porcina y aves de corral
Pesca 75 240 t
Silvicultura 5 497 220 m^3 de madera
Minería hierro, diamantes, platino, bauxita y rutilo
Industria oleícola, maderera y alimentaria

Singapur

Republik Singapura
Superficie 697 km^2
Población 3 263 000 hab.
Densidad 4 681,5 hab./km^2
Capital Singapur
Tasa de natalidad 10,3 ‰
Tasa de mortalidad 4,4 ‰
Población urbana 100 %
PIB per cápita 21 184 $
Lenguas chino, malayo, tamil e inglés
Moneda dólar de Singapur
Religión budistas, taoistas, musulmanes, protestantes, católicos, hinduistas
Gobierno república
Recursos económicos:
Agricultura nuez de coco
Ganadería porcina
Pesca 8 704 t
Silvicultura caucho
Industria alimentaria, del caucho, tabaquera, refino de petróleo y astilleros

Siria

Al-Jumhuriya al-'Arabiya as-Suriya
Superficie 185 180 km^2
Población 17 473 000 hab.
Densidad 94,4 hab./km^2
Capital Damasco (1 632 000 hab.)
Tasa de natalidad 30,1 ‰
Tasa de mortalidad 5,1 ‰
Población urbana 50,1 %
PIB per cápita 1 331 $
Lenguas árabe (oficial), kurdo, armenio
Moneda libra siria
Religión musulmanes
Gobierno república
Ciudades Alepo (1 582 930 hab.)
Recursos económicos:
Agricultura trigo, arroz, maíz, cebada, tomates, aceitunas, patatas
Ganadería ovina, bovina y aves de corral
Pesca 17 171 t
Silvicultura 15 400 m^3 de madera
Minería asfalto, sal gema, petróleo, gas natural y fosfatos
Industria textil (algodonera y lanera), vítrica, tabaquera, del cemento, mecánica y alimentaria

Somalia

Jumhuriyat as Sumal ad Dimuqratiyah/Jamhuuriyadda Dimoqraadiga Soomaaliya
Superficie 637 657 km^2
Población 9 890 000 hab.
Densidad 15,5 hab./km^2
Capital Mogadiscio (1 175 000 hab.)
Ciudades Hargeisa (75 000 hab.); Kismaayo (71 500 hab.)
Tasa de natalidad 46,8 ‰
Tasa de mortalidad 18 ‰
Población urbana 34,8 %
PIB per cápita 110 $
Lenguas somalí (oficial), árabe, italiano e inglés
Moneda chelín somalí
Religión musulmanes sunnitas
Gobierno república
Recursos económicos:
Agricultura sorgo, maíz,

sésamo, plátanos, dátiles, mandioca, cacahuetes, algodón, arroz, azúcar
Ganadería caprina, ovina, bovina y camellos
Pesca 20 000 t
Silvicultura 9 936 520 m^3
Minería sal
Industria azucarera, cárnica, maderera, textil, química y del cemento

Sri Lanka

Ilankai Sananayaka Sosalisa Kudiyarasu-Sri Lanka Prajatantrika Samajavadi Janarajaya
Superficie 65 610 km^2
Población 18 732 000 hab.
Densidad 285,5 hab./km^2
Capital Sri Jayawardenepura (Kotte) (115 826 hab.)
Ciudades Colombo (642 163 hab.); Dehiwala-Mount Lavinia (209 708 hab.); Moratuwa (177 190 hab.); Jaffna (129 000 hab.)
Tasa de natalidad 17,3 ‰
Tasa de mortalidad 6,3 ‰
Población urbana 21 %
PIB per cápita 881 $
Lenguas cingalés y tamil (oficiales), inglés
Moneda rupia de Sri Lanka
Religión budistas, hinduistas
Gobierno república
Recursos económicos:
Agricultura té, copra, arroz, tabaco, maíz y fruta
Ganadería bovina, búfalos y ovina
Pesca 288 010 t
Silvicultura 6 468 369 m^3 de madera, caucho
Minería piedras preciosas y grafito
Industria textil (algodonera), del cemento, tabaquera, siderúrgica y neumática

Sudafricana, República

Republic of South Africa-Republiek van Suid-Africa
Superficie 1 219 090 km^2
Población 44 820 000 hab.
Densidad 36,8 hab./km^2
Capital Pretoria-Tshwane (administrativa) (1 104 479 hab.); Ciudad del Cabo (legislativa) (2 893 251 hab.); Bloemfontein (judicial) (333 769 hab.)
Ciudades Soweto (904 165 hab.); Port Elizabeth (775 255 hab.); Johannesburgo (752 349 hab.); Durban (715 669 hab.)
Tasa de natalidad 19,3 ‰
Tasa de mortalidad 16,3 ‰
Población urbana 56,9 %
PIB per cápita 3 409 $
Lenguas afrikaans, inglés y lenguas bantúes (oficiales)
Moneda rand sudafricano
Religión protestantes, católicos, animistas
Gobierno república
Recursos económicos:
Agricultura maíz, trigo, patatas, tomates, naranjas, caña de azúcar
Ganadería bovina, caprina y aves de corral
Pesca 759 522 t
Silvicultura 30 616 000 m^3 de madera
Minería oro, plata, platino, diamantes, carbón, hierro, manganeso, antimonio, vanadio, plomo, cinc, estaño, cobre, tungsteno, níquel, titanio, cromita, circón, amianto, fosfatos y sal
Industria mecánica, automovilística, química (plásticos, fertilizantes, caucho, fibras sintéticas), siderúrgica, alumínica, neumática, textil, del papel, del cemento, tabaquera y alimentaria

Sudán

Al-Jumhuriyat as-Sudan
Superficie 2 503 890 km^2
Población 33 610 000 hab.
Densidad 13,4 hab./km^2
Capital Jartum (947 483 hab.)
Ciudades Omdurman (1 271 403 hab.); Jartum Norte (879 105 hab.); Port Sudan (308 195 hab.)
Tasa de natalidad 37,2 ‰
Tasa de mortalidad 9,8 ‰
Población urbana 38,9 %
PIB per cápita 470 $
Lenguas árabe
Moneda libra sudanesa
Gobierno república
Religión musulmanes, animistas, cristianos
Recursos económicos:
Agricultura mandioca, mijo, sorgo, trigo, maíz, patatas, sésamo, cacahuetes, dátiles, tomates, algodón
Ganadería bovina, ovina, caprina, camellos
Pesca 59 000 t
Silvicultura 19 241 332 m^3 de madera
Minería cromita, sal y minerales de cobre
Industria azucarera, alimentaria, tabaquera, textil y del cemento

Suecia

Konungariket Sverige
Superficie 450 295 km^2
Población 8 955 000 hab.
Densidad 19,9 hab./km^2
Capital Estocolmo (758 148 hab.)
Ciudades Göteborg (474 921 hab.); Malmö (265 481 hab.); Uppsala (179 673 hab.)
Tasa de natalidad 10,7 ‰
Tasa de mortalidad 10,6 ‰
Población urbana 83,4 %
PIB per cápita 32 895 $
Lenguas sueco
Moneda corona sueca
Religión protestantes
Gobierno monarquía constitucional
Recursos económicos:
Agricultura cebada, avena, trigo y tabaco
Ganadería bovina, porcina y caprina
Pesca 318 589 t
Silvicultura 67 500 000 m^3 de madera
Minería hierro, cinc, plomo, piritas y fosfatos
Industria alimentaria, siderometalúrgica, automovilística, textil, armamentista, química, naval, del cemento y tabaquera

Suiza

Confédération Suisse
Superficie 41 285 km^2
Población 7 285 000 hab.
Densidad 176,5 hab./km^2
Capital Berna (122 707 hab.)
Ciudades Zurich (342 518hab.); Ginebra (177 535 hab.); Basilea (165 051 hab.); Lausana (116 322 hab.)
Tasa de natalidad 9,9 ‰
Tasa de mortalidad 8,5 ‰
Población urbana 67,5 %
PIB per cápita 42 598 $
Lenguas alemán, francés, italiano y romanche
Moneda franco suizo
Religión católicos, protestantes
Gobierno república federal
Recursos económicos:
Agricultura trigo, cebada, patatas, uva y frutos secos
Ganadería bovina, ovina y caprina
Silvicultura 4 450 000 m^3 de madera
Industria lácteas, de precisión, electrónica, del papel, siderúrgica, textil, tabaquera y turística

Surinam

Republiek van Suriname
Superficie 163 820 km^2
Población 435 000 hab.
Densidad 2,7 hab./km^2
Capital Paramaribo (253 000 hab.)
**Más información en la sección de América (pág. 113).*

Swazilandia

Umbuso weSwatini
Superficie 17 364 km^2
Población 1 079 000 hab.
Densidad 62,1 hab./km^2
Capital Mbabane (70 000 hab.)
Tasa de natalidad 30,2 ‰
Tasa de mortalidad 19,3 ‰

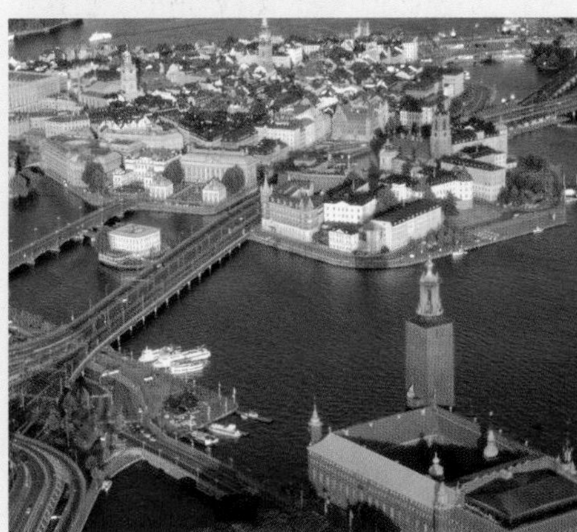

Suecia: *Vista de Estocolmo, la capital sueca, conocida como la "Venecia del Norte".*

Sri Lanka

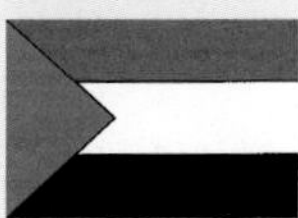

Sudáfricana, República

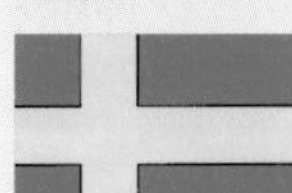

Sudán

Suecia

Suiza

Surinam

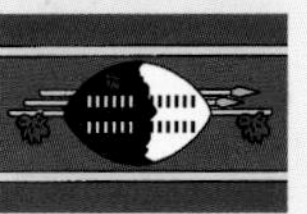

Swazilandia

Tadjikistán

Taiwan

Tanzania

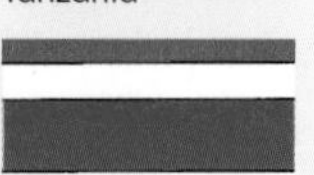
Thailandia

Timor Oriental

Togo

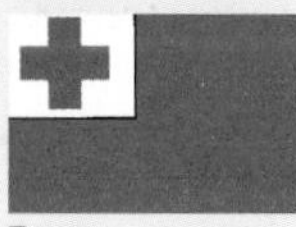
Tonga

Población urbana 23,5 %
PIB per cápita 1 483 $
Lenguas inglés, siswati
Moneda lilangeni
Religión cristianos, animistas
Gobierno monarquía
Recursos económicos:
Agricultura maíz, batatas, algodón, caña de azúcar y ananás
Ganadería bovina, caprina y aves de corral
Minería amianto, oro, carbón, estaño y hierro
Industria maderera, azucarera, algodonera y fertilizantes

Tadjikistán

Respublikai Tojikistan
Superficie 143 100 km^2
Población 6 127 000 hab.
Densidad 42,8 hab./km^2
Capital Dushanbe (575 900 hab.)
Ciudades Judzhand (147 400 hab.)
Tasa de natalidad 27,2 ‰
Tasa de mortalidad 5,1 ‰
Población urbana 24,7 %
PIB per cápita 204 $
Lenguas tadjiko (oficial), ruso
Moneda rublo tadjiko
Religión musulmanes sunnitas
Gobierno república
Recursos económicos:
Agricultura algodón, cereales, vid, fruta, patatas, hortalizas
Ganadería ovina, caprina, caballar
Minería hierro, plomo, cinc, antimonio, mercurio, estaño, petróleo, gas natural

Tanzania: *El Parque Nacional Ngorongoro, ubicado en el cráter de un volcán apagado.*

Industria alimentaria, textil (algodonera, seda), metalúrgica, mecánica, petroquímica, química, maderera, del cemento, cerámica, tapices

Taiwan

Ta-Chunghwua Min-Kuo
Superficie 31 188 km^2
Población 22 167 000 hab.
Densidad 612,6 hab./km^2
Capital Taipei (2 635 678 hab.)
Ciudades Kaohsiung (1 504 061 hab.); Taichung (990 041 hab.); Tainan (742 574 hab.); Chilung (390 764 hab.)
Tasa de natalidad 11 ‰
Tasa de mortalidad 5,7 ‰
Población urbana 74,7 %
PIB per cápita 12 660 $
Lenguas chino
Moneda dólar de Taiwan
Religión budistas, taoístas
Gobierno república
Recursos económicos:
Agricultura arroz, batatas, mandioca, caña de azúcar, ananás y frutas
Ganadería porcina y ovina
Pesca 1 405 092 t
Silvicultura 35 328 m^3 de madera
Minería carbón, plata, sal, petróleo, gas natural y azufre
Industria alimentaria, neumática, del cemento, química, metalúrgica, siderúrgica, textil (algodonera), tabaquera, automovilística

Tanzania

Jamhuri ya Muungano wa Tanzania
Superficie 945 090 km^2
Población 34 569 000 hab.
Densidad 36,6 hab./km^2
Capital Dodoma (149 180 hab.)
Ciudades Dar-es-Salaam (2 336 055 hab.)
Tasa de natalidad 40 ‰
Tasa de mortalidad 17,3 ‰
Población urbana 23,1 %
PIB per cápita 265 $
Lenguas inglés y swahili (oficiales)
Moneda chelín de Tanzania
Religión animistas, musulmanes, cristianos
Gobierno república
Recursos económicos:
Agricultura mandioca, batatas, café, algodón, plátanos, sorgo, mijo
Ganadería bovina, ovina y caprina
Pesca 336 200 t
Minería carbón, diamantes y sal
Industria azucarera, alimentaria, tabaquera, textil y del cemento

Thailandia

Muang T'hai /Prathet T'hai
Superficie 513 115 km^2
Población 60 607 000 hab.
Densidad 118,1 hab./km^2
Capital Bangkok (6 320 174 hab.)
Ciudades Samut Prakan (378 694 hab.); Thon Buri (291 307 hab.); Nakhon Ratchasima (204 391 hab.); Chiang Mai (171 594 hab.)
Tasa de natalidad 14,0 ‰
Tasa de mortalidad 6,0 ‰
Población urbana 31,9 %
PIB per cápita 2 037 $
Lenguas thai
Moneda baht
Religión budistas
Gobierno monarquía constitucional
Recursos económicos:
Agricultura arroz, mandioca, maíz, bananas, sésamo, algodón, sisal, tomates y caña de azúcar
Ganadería bovina, porcina y búfalos
Pesca 3 605 544 t
Silvicultura 28 050 008 m^3 de madera, caucho
Minería estaño, tungsteno, carbón, sal, petróleo, gas natural y fosfatos
Industria alimentaria, textil algodonera, tabaquera, siderúrgica, química, del cemento y del papel

Timor Oriental

Timor Loro Sa'e
Superficie 14 604 km^2
Población 891 000 hab.
Densidad 61 hab./km^2
Capital Dili (56 000 hab.)
Tasa de natalidad 28,1 ‰
Tasa de mortalidad 6,5 ‰
Población urbana 7,6 %
Moneda dólar EE UU
Lenguas portugués (oficial), tetun e indonesio
Religión católicos, musulmanes
Gobierno república
Recursos económicos:
Agricultura café, cañade azúcar, tabaco, arroz, maíz
Minería petróleo, gas

Togo

République Togolaise
Superficie 56 785 km^2
Población 5 083 000 hab.
Densidad 89,5 hab./km^2
Capital Lomé (375 000 hab.)
Ciudades Sokodé (51 000 hab.)
Tasa de natalidad 36,1 ‰
Tasa de mortalidad 11,4 ‰
Población urbana 35,1 %
PIB per cápita 331 $
Lenguas francés
Moneda franco CFA
Religión animistas, católicos, musulmanes, protestantes
Gobierno república
Recursos económicos:
Agricultura mandioca, maíz, cacahuetes, plátanos, naranjas, cacao, café, algodón y palma
Ganadería ovina, caprina, bovina, porcina y aves de corral
Pesca 23 283 t
Silvicultura 5 808 447 m^3 de madera
Minería fosfatos
Industria alimentaria, textil y del cemento

Tonga

Kingdom of Tonga-Pule'anga Tonga
Superficie 748 km^2
Población 102 000 hab.
Densidad 136,4 hab./km^2
Capital Nuku'alofa (22 400 hab.)
Tasa de natalidad 24,1 ‰
Tasa de mortalidad 5,6 ‰
Población urbana 33,4 %

PIB per cápita 1 367 $
Lenguas tongano e inglés
Moneda pa'anga
Religión protestantes, católicos
Gobierno monarquía constitucional (estado miembro de la Commonwealth)
Recursos económicos:
Agricultura mandioca, bananas, batatas y frutas tropicales
Pesca 2 660 t

Trinidad y Tobago

Republic of Trinidad and Tobago
Superficie 5 128 km^2
Población 1 262 000 hab.
Densidad 246,1 hab./km^2
Capital Port of Spain (49 031 hab.)
**Más información en la sección de América (pág. 102).*

Tunicia

Al-Jumhuriya at-Tunusiya
Superficie 164 150 km^2
Población 9 890 000 hab.
Densidad 60,2 hab./km^2
Capital Túnez (702 330 hab.)
Ciudades Sfax (248 800 hab.); Ariana (152 694 hab.); Susa (124 990 hab.)
Tasa de natalidad 16,7 ‰
Tasa de mortalidad 5,8 ‰
Población urbana 63,7 %
PIB per cápita 2 608 $
diomas árabe (oficial), francés
Moneda dinar tunecino
Religión musulmanes sunnitas
Gobierno república
Recursos económicos:
Agricultura trigo, olivo, tomates, remolacha, vid, patatas, dátiles, girasol, tabaco y naranjas
Ganadería ovina, bovina y caprina
Pesca 100 350 t
Silvicultura 2 329 317 m^3 de madera
Minería fosfatos, hierro, petróleo y gas natural
Industria azucarera, alimentaria, textil, del tabaco, neumática, del papel, siderúrgica y automovilística

Turkmenistán

Tiurkmenostan Respublikasy
Superficie 488 000 km^2
Población 5 342 000 hab.
Densidad 10,9 hab./km^2
Capital Ashgabat (604 700 hab.)
Ciudades Turkmenabat (203 800 hab.); Dashoguz (165 400 hab.); Mari (123 000 hab.)
Tasa de natalidad 28,3 ‰
Tasa de mortalidad 8,9 ‰
Población urbana 43,5 %
PIB per cápita 1 386 $
Lenguas turkmeno (oficial), ruso, uzbeko
Moneda manat
Religión musulmanes
Gobierno república
Recursos económicos:
Agricultura algodón, cereales, dátiles, sésamo, frutales, hortalizas
Ganadería ovina, caballar, camellos
Minería petróleo, gas natural, azufre, potasa
Industria refino de petróleo, centrales térmicas, alimentaria, textil (seda), vidrio, química, mecánica, petroquímica, del cemento

Turquía

Türkiye Cumhuriyeti
Superficie 779 452 km^2
Población 67 845 000 hab.
Densidad 87 hab./km^2
Capital Ankara (3 203 362 hab.)
Ciudades Istanbul (8 831 805 hab.); Esmirna (2 2250 149 hab.); Adana (1 133 028 hab.)
Tasa de natalidad 20,9 ‰
Tasa de mortalidad 7 ‰
Población urbana 59,3 %
PIB per cápita 3 533 $
Lenguas turco (oficial), kurdo, árabe, armenio
Moneda lira turca
Religión musulmanes (sunnitas y chiítas)
Gobierno república
Recursos económicos:
Agricultura trigo, cebada, maíz, vid, olivos, higos, agrios, tabaco, avena, remolacha azucarera, arroz, patatas
Ganadería ovina, caprina, bovina, porcina, búfalos y aves de corral
Pesca 594 971 t
Silvicultura 18 465 000 m^3 de madera
Minería carbón, hierro, manganeso, bauxita, sal y petróleo
Industria siderúrgica, metalúrgica, mecánica, química, ferroviaria, del cemento, del papel, tabaquera y textil

Tuvalu

The Tuvalu Islands
Superficie 26 km^2
Población 9 500 hab.
Densidad 365,4 hab./km^2
Capital Vaiaku (atolón Funafuti) (2 980 hab.)
Tasa de natalidad 21,4 ‰
Tasa de mortalidad 7,5 ‰
Población urbana 55,2 %
PIB per cápita 1 400 $
Lenguas inglés, tuvaluano
Moneda dólar de Tuvalu
Religión protestantes
Gobierno monarquía constitucional (estado miembro de la Commonwealth)
Recursos económicos:
Agricultura mandioca, nueces de coco y copra
Pesca 561 t

Ucrania

Ukrajina
Superficie 603 700 km^2
Población 48 457 000 hab.
Densidad 80,3 hab./km^2
Capital Kíev (2 639 030 hab.)
Ciudades Jarkiv (1 470 902 hab.); Dniepropetrovsk (1 065 008 hab.); Donetsk (1.075 000 hab.); Odessa (1 029 049 hab.)
Tasa de natalidad 8,1 ‰
Tasa de mortalidad 15,7 ‰
Población urbana 67,2 %
PIB per cápita 962 $
Lenguas ucraniano
Moneda hrivna
Religión cristianos ortodoxos
Gobierno república
Recursos económicos:
Agricultura trigo, cebada, centeno, patatas, maíz, remolacha azucarera, forraje, lino, girasol, algodón, tabaco, hortalizas, vid, frutales
Ganadería ovina, bovina, caprina, porcina
Minería carbón, mercurio, cinc, hierro, manganeso, fosforita, petróleo, gas natural
Industria siderúrgica, metalúrgica, textil, química, alimentaria, electrónica, del papel, turística

Uganda

Republic of Uganda-Jamhuri ya Uganda
Superficie 241 038 km^2
Población 24 551 000 hab.
Densidad 101,9 hab./km^2
Capital Kampala (1 208 544 hab.)
Ciudades Gulu (113 140 hab.); Jinja (86 520 hab.)
Tasa de natalidad 46,9 ‰
Tasa de mortalidad 17,3 ‰
Población urbana 12,2 %
PIB per cápita 245 $
Lenguas inglés, swahili (oficiales)
Moneda chelín de Uganda
Religión católicos, protestantes, musulmanes
Gobierno república
Recursos económicos:
Agricultura café, mandioca, algodón, mijo, maíz, sorgo, patatas, cacahuetes, caña de azúcar y tabaco
Ganadería bovina, caprina y ovina
Pesca 223 086 t
Silvicultura 38 316 842 m^3 de madera
Minería tungsteno, cobre, fosfatos, amianto y sal
Industria azucarera, alimentaria en general, del papel, tabaquera, maderera, textil (algodonera) y metalúrgica

__Togo:__ El edificio del parlamento se encuentra en la ciudad de Lomé.

Trinidad y Tobago

Tunicia

Turkmenistán

Turquía

Tuvalu

Ucrania

Uganda

Uruguay

Uzbekistán

Vanuatu

Vaticano, Ciudad del

Venezuela

Vietnam

Yemen

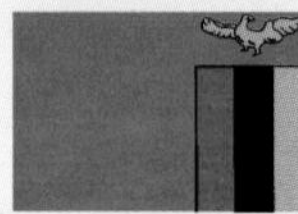
Zambia

Zimbabwe

Uruguay

República Oriental del Uruguay
Superficie 175 016 km^2
Población 3 240 887 hab.
Densidad 18,5 hab./km^2
Capital Montevideo (1 341 000 hab.)
**Más información en la sección de América (pág. 156).*

Uzbekistán

Ozbekiston Respublikasy
Superficie 447 400 km^2
Población 25 504 000 hab.
Densidad 57 hab./km^2
Capital Toshkent (2 107 000 hab.)
Ciudades Namangan (376 600 hab.); Samarcanda (362 300 hab.); Andizhán (323 900 hab.)
Tasa de natalidad 21,6 ‰
Tasa de mortalidad 8 ‰
Población urbana 36,6 %
PIB per cápita 350 $
Lenguas uzbeko (oficial), ruso
Moneda sum
Religión musulmanes
Gobierno república
Recursos económicos:
Agricultura algodón, arroz, trigo, maíz, tabaco, cáñamo, yute, vid, frutales, hortalizas, patatas, cítricos
Ganadería ovina, caprina y aves de corral
Minería petróleo, gas natural, carbón, cobre, cinc, plomo, uranio
Industria siderúrgica, química, mecánica, alimentaria, textil (seda, algodonera), del cemento, del tabaco

***Vietnam:** Vista aérea de la bahía de Along, situada en el golfo de Tonkín.*

Vanuatu

Ripablik blong Vanuatu-Republic of Vanuatu
Superficie 12 190 km^2
Población 208 000 hab.
Densidad 15 hab./km^2
Capital Port Vila (31 800 hab.)
Tasa de natalidad 31,6 ‰
Tasa de mortalidad 5,5 ‰
Población urbana 22,8 %
PIB per cápita 1 137 $
Lenguas bislama, inglés y francés
Moneda vatu
Religión protestantes, católicos
Gobierno república
Recursos económicos:
Agricultura palma de coco, copra, café y cacao
Pesca 2 845 t
Industria turística

Vaticano, Ciudad del

Stato della Città del Vaticano
Superficie 0,44 km^2
Población 900 hab.
Densidad 900 hab./km^2
Lenguas italiano y latín
Moneda euro
Religión católicos

Venezuela

República Bolivariana de Venezuela
Superficie 916 445 km^2
Población 23 054 210 hab.
Densidad 25,2 hab./km^2
Capital Caracas (1 836 286 hab.)
**Más información en la sección de América (pág. 114).*

Vietnam

Công Hòa Xa Hôi Chu'Nghiã Viêt Nam
Superficie 331 690 km^2
Población 81 035 000 hab.
Densidad 244,3 hab./km^2
Capital Hanoi (2 672 122 hab.)
Ciudades Ciudad Hô Chi Minh (5 378 100 hab.); Haifong (1 711 100 hab.); Da Nang (382 674 hab.); Buon Me Thuot (282 095 hab.); Hue (219 149 hab.)
Tasa de natalidad 19,6 ‰
Tasa de mortalidad 6,2 ‰
Población urbana 25,7 %
PIB per cápita 455 $
Lenguas vietnamita
Moneda dông
Religión budistas
Gobierno república socialista
Recursos económicos:
Agricultura arroz, batatas, mandioca, bananas, sorgo, algodón, judías, café, caña de azúcar, tabaco y frutos tropicales
Ganadería bovina, porcina y búfalos
Pesca 2 009 623 t
Silvicultura 30 729 500 m^3 de madera
Minería carbón, fosfatos, cinc
Industria fertilizantes, textil, tabaquera, alimentaria, siderúrgica y mecánica

Yemen

Al-Jumhuriya al-Yamaniyah
Superficie 527 968 km^2
Población 20 010 000 hab.
Densidad 37,9 hab./km^2
Capital Sana (1 590 624 hab)
Ciudades Adén (509 866 hab.); Taizz (450 000 hab.); Hodeida (298 452 hab.)
Tasa de natalidad 43,3 ‰
Tasa de mortalidad 9,3 ‰
Población urbana 25,6 %
PIB per cápita 466 $
Lenguas árabe
Moneda riyal yemení
Religión musulmanes
Gobierno república
Recursos económicos:
Agricultura tabaco, café, algodón, dátiles, mijo
Ganadería ovina y caprina
Pesca 142 198 t
Silvicultura 326 262 m^3 de madera
Minería sal
Industria refino de petróleo, cemento, textil y tabaquera

Zambia

Republic of Zambia
Superficie 752 614 km^2
Población 11 911 000 hab.
Densidad 14,5 hab./km^2
Capital Lusaka (1 394 000 hab.)
Ciudades Ndola (374 757 hab.); Kitwe-Nkana (176 758 hab.)
Tasa de natalidad 40,1 ‰
Tasa de mortalidad 24,3 ‰
Población urbana 35,7 %
PIB per cápita 323 $
Lenguas inglés
Moneda kwacha
Religión protestantes, animistas, católicos
Gobierno república
Recursos económicos:
Agricultura maíz, mandioca, mijo, sorgo, cacahuetes, algodón, batatas, tabaco
Ganadería bovina y caprina
Pesca 69 200 t
Silvicultura 8 053 000 m^3 de madera
Minería cobre, cinc, plomo, oro, plata, cobalto, carbón
Industria azucarera, maderera, fertilizantes, metalúrgica, textil (algodonera)

Zimbabwe

Republic of Zimbabwe
Superficie 390 757 km^2
Población 11 635 000 hab.
Densidad 29,8 hab./km^2
Capital Harare (1 444 534 hab.)
Ciudades Bulawayo (676 787 hab.); Chitungwiza (321 782 hab.)
Tasa de natalidad 30,7 ‰
Tasa de mortalidad 28,8 ‰
Población urbana 34,9 %
PIB per cápita 635 $
Lenguas inglés
Moneda dólar de Zimbabwe
Religión animistas, protestantes, católicos
Gobierno república
Recursos económicos:
Agricultura maíz, trigo, mijo, sorgo, tabaco, patatas, caña de azúcar, algodón, plátanos y naranjas
Ganadería bovina, caprina y ovina
Pesca 13 200 t
Silvicultura 9 107 600 m^3 de madera
Minería oro, amianto, carbón, hierro, antimonio, estaño, níquel, tungsteno y esmeraldas
Industria maderera, siderúrgica, del cemento y fertilizantes

Dependencias

Anguila (Reino Unido)

Anguilla
Antillas
Superficie 96 km^2
Población 11 430 hab.
Capital The Valley (800 hab.)

Antillas Holandesas (Países Bajos)

Nederlandse Antillen
Antillas
Superficie 800 km^2
Población 175 653 hab.
Capital Willemstad (43 547 hab.)

Aruba (Países Bajos)

Aruba
Antillas
Superficie 193 km^2
Población 90 506 hab.
Capital Oranjestad (21 300 hab.)

Bermudas (Reino Unido)

Bermuda
Atlántico Norte
Superficie 53,5 km^2
Población 65 000 hab.
Capital Hamilton (969 hab.)

Caimán (Reino Unido)

The Cayman Islands
Antillas
Superficie 262 km^2
Población 39 410 hab.
Capital George Town (9 000 hab.)

Christmas (Australia)

Christmas
Océano Índico
Superfiície 137 km^2
Población 1 508 hab.
Capital Flying Fish Cove

Cocos (Australia)

Territory of Cocos (Keeling) Islands
Océano Índico
Superficie 14,2 km^2
Población 621 hab.
Capital Isla West

Cook (Nueva Zelanda)

Cook Islands
Polinesia
Superficie 236 km^2
Población 10 027 hab.
Capital Avarua, en Rarotonga

Feroe (Dinamarca)

Færøerne, Føroyar
Europa septentrional
Superficie 1 399 km^2
Población 47 000 hab.
Capital Thorshavn, en Strømø (18 420 hab.)

Gibraltar (Reino Unido)

Dominion of Gibraltar
Península Ibérica
Superficie 6 km^2
Población 27 000 hab.
Idiomas inglés (oficial) y español

Groenlandia (Dinamarca)

Grønland, Kalaallit Nunaat
Norteamérica septentrional
Superficie 2 175 600 km^2
Población 56 676 hab.
Capital Nuuk (Godthåb) (14 265 hab.)

Guadalupe (Francia)

Guadeloupe
Antillas
Superficie 1 703 km^2
Población 422 497 hab.
Capital Basse-Terre (13 000 hab.)

Guam (Estados Unidos)

Guam
Micronesia
Superficie 541 km^2 (la mayor de las Islas Marianas)
Población 154 805 hab.
Capital Agaña (Hagatna) (1 122 hab.)

Guayana Francesa (Francia)

Guyane Française
Sudamérica noroccidental
Superficie 83 534 km^2
Población 177 000 hab.
Capital Cayena (50 594 hab.)

Marianas Septentrionales (Estados Unidos)

Commonwealth of the Northern Mariana Islands
Micronesia
Superficie 477 km^2 (excluida Guam)
Población 69 221 hab.
Capital Garapan, en Saipan (3 588 hab.)

Martinica (Francia)

Martinique
Antillas
Superficie 1 128 km^2
Población 381 427 hab.
Capital Fort-de-France (141 400 hab.)

Mayotte (Francia)

Mahoré
África meridional
Superficie 374 km^2
Población 160 260 hab.
Capital Dzaoudzi (12 308 hab.)
Idiomas francés y comorano

Montserrat (Reino Unido)

Montserrat
Antillas
Superficie 98 km^2
Población 4 482 hab.
Capital Saint John (3 500 hab.)

Niue (Nueva Zelanda)

Niue
Polinesia
Superficie 259 km^2
Población 1 788 hab.
Capital Alofi

Norfolk (Australia)

Norfolk
Polinesia
Superficie 36 km^2
Población 2 601 hab.
Capital Kingston

Nueva Caledonia (Francia)

Nouvelle-Calédonie
Melanesia
Superficie 18 575 km^2
Población 221 000 hab.
Capital Nouméa (76 293 hab.)
Moneda franco CFP

Oceanía Americana, otras dependencias (Estados Unidos)

Midway (5,2 km^2, 2 250 hab.); Wake (7,8 km^2, 302 hab.); Howland (2,3 km^2, deshabitada; reserva natural); Baker (2,2 km^2, deshabitada; reserva natural); Jarvis (7,7 km^2, deshabitada; reserva natural); Johnston (2 km^2, 1 200 hab.); Kingman Reef y Palmyra (1,2 km^2, ambas bajo control directo del ejército).

Oceanía Australiana, otras dependencias (Australia)

Ashmore y Cartier (5 km^2); Islas del Mar de Coral (3 km^2); Macquarie (176 km^2); Heard y MacDonald (412 km^2)

Pitcairn (Reino Unido)

Pitcairn
Polinesia
Superficie 4,6 km^2 (35,5 km^2 con dependencias)
Población 44 hab.
Capital Adamstown
Moneda dólar neozelandés

Polinesia Francesa (Francia)

Polynésie Française
Polinesia
Superficie 4 000 km^2 (islas de la Sociedad, Marquesas, Australes, Rurutu, Tubuai, Tuamotu y Gambier)
Población 245 516 hab.
Capital Papeete (26 181 hab.), en Tahití
Moneda franco CFP

Reunión (Francia)

La Réunion
Océano Índico
Superficie 2 510 km^2
Población 706 300 hab.
Capital Saint-Denis (131 557 hab.)
Idiomas francés y criollo francés

Saint-Pierre y Miquelon (Francia)

Saint-Pierre et Miquelon
Norteamérica septentrional
Superficie 242 km^2
Población 6 316 hab.
Capital Saint-Pierre (5 618 hab.)

Samoa Americana (Estados Unidos)

American Samoa
Polinesia
Superficie 199 km^2 (sector este del archipiélago)
Población 57 291 hab.
Capital Pago Pago, en Tutuila (4 278 hab.)

Santa Elena (Reino Unido)

Saint Helena
Océano Atlántico Sur
Superficie 316 km^2
Población 6 000 hab.
Capital Jamestown (850 hab.)
De Santa Elena (122 km^2) dependen la isla de Ascensión (88 km^2) y el archipiélago de Tristan da Cunha, con la isla del mismo nombre (98 km^2), y varias islas deshabitadas.

Territorio Británico del Océano Índico -BIOT- (Reino Unido)

British Indian Ocean Territory
Océano Índico
Superficie 46 km^2
Población inestable (personal de las bases de Reino Unido y EE UU)

Tokelau (Nueva Zelanda)

Tokelau
Polinesia
Superficie 10 km^2
Población 1 518 hab.
Capital Fakaofo

Turks y Caicos (Reino Unido)

The Turks and Caicos Islands
Antillas
Superficie 430 km^2
Población 20 014 hab.
Capital Cockburn Town (2 500 hab.)

Vírgenes Estadounidenses, Islas (Estados Unidos)

United States Virgin Islands
Antillas
Superficie 347 km^2
Población 108 612 hab.
Capital Charlotte Amalie (12 000 hab.)

Vírgenes Británicas, Islas (Reino Unido)

British Virgin Islands
Antillas
Superficie 153 km^2
Población 22 000 hab.
Capital Road Town (4 000 hab.)

Wallis y Futuna (Francia)

Wallis-et-Futuna
Polinesia
Superficie 255 km^2
Población 14 166 hab.
Capital Mata-Utu (1 137 hab.)
Moneda franco CFP

Mapa llave

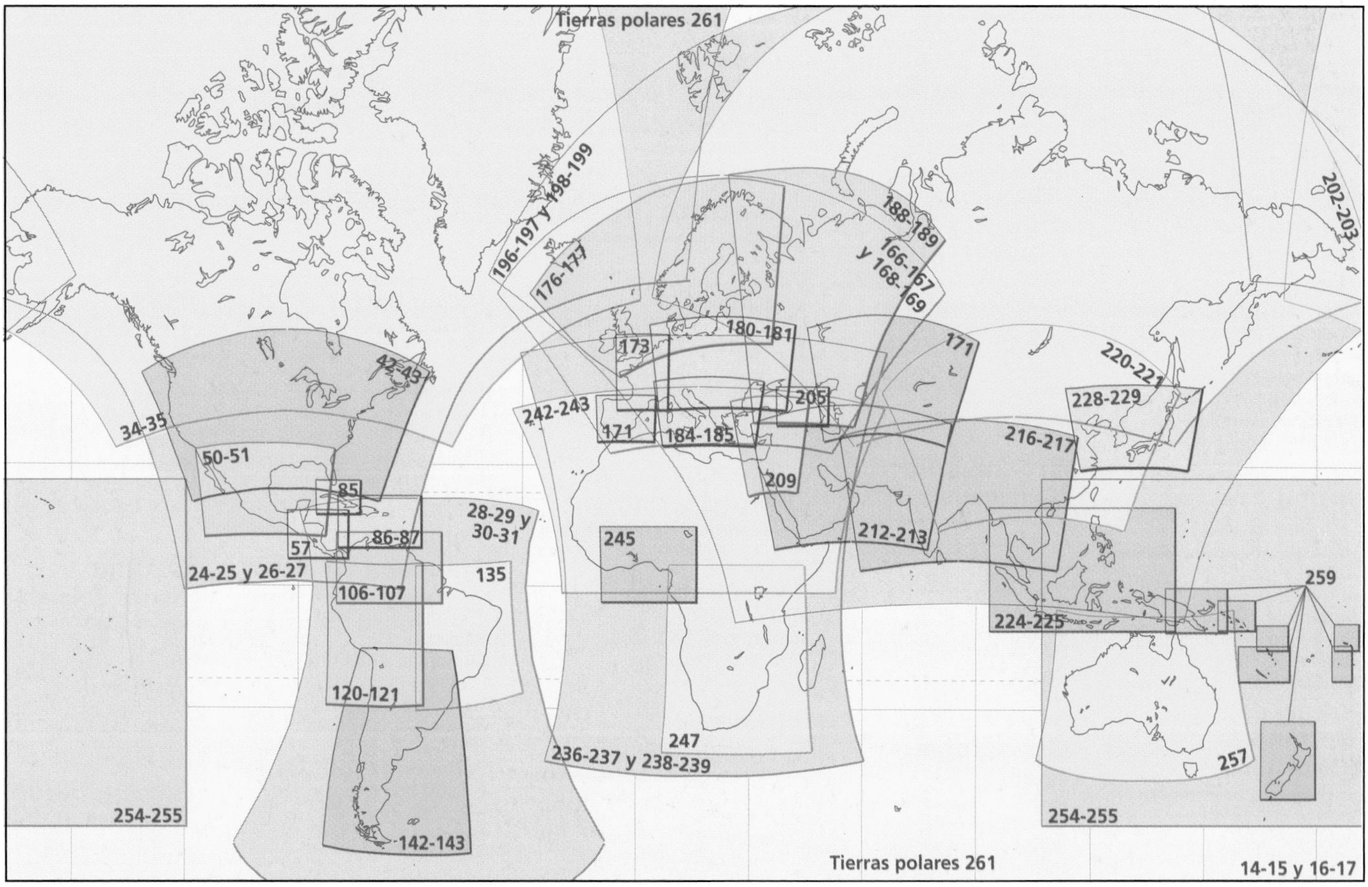

Tierras polares 261
196-197 y 198-199
176-177
188-189
166-167 y 168-169
202-203
34-35
42-43
173
180-181
171
220-221
228-229
242-243
171
184-185
205
216-217
50-51
85
209
28-29 y 30-31
57
86-87
245
212-213
24-25 y 26-27
135
106-107
259
224-225
120-121
247
236-237 y 238-239
257
254-255
254-255
142-143
Tierras polares 261
14-15 y 16-17

Leyenda

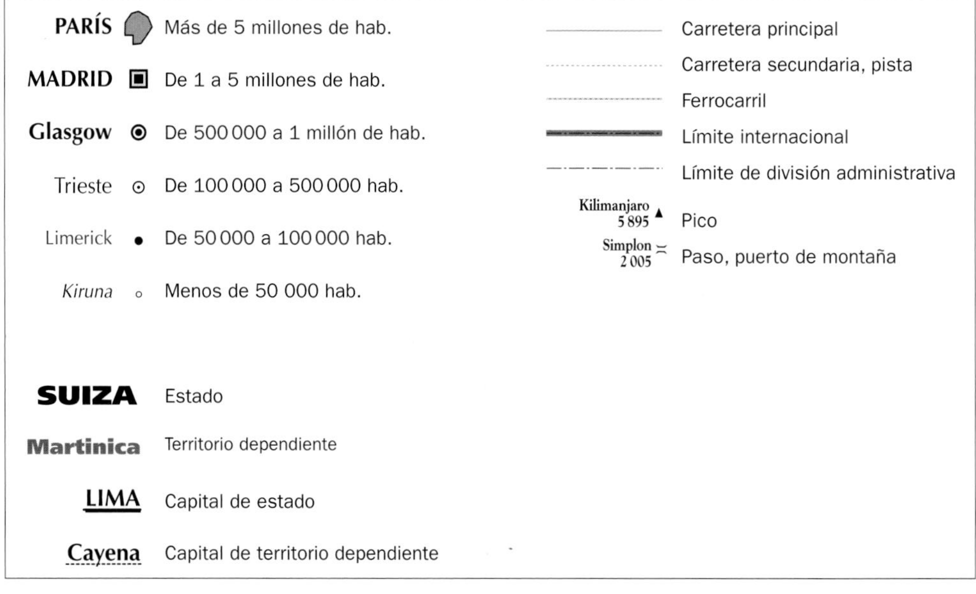

Altimetría

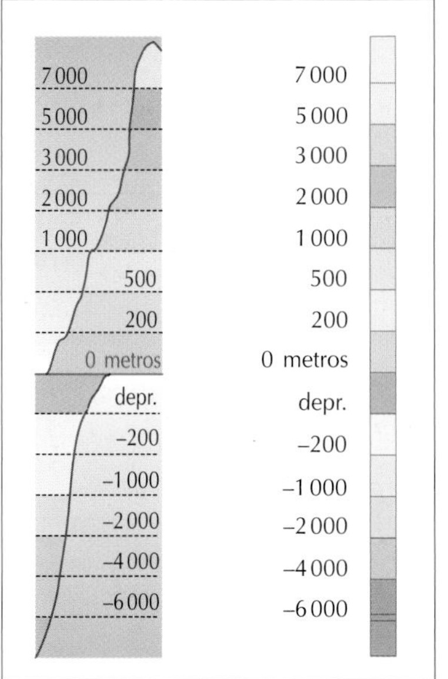